MARK ADRIAENSSENS

Wolters' Ster Woordenboek

Spaans-Nederlands

Wolters' Ster Woordenboeken

Nederlands

Engels-Nederlands

Nederlands-Engels

Frans-Nederlands

Nederlands-Frans

Duits-Nederlands

Nederlands-Duits

Nederlands-Spaans

Spaans-Nederlands

Wolters' Ster Woordenboek

Spaans-Nederlands

door

Drs. J.B. Vuyk-Bosdriesz

Tweede herziene en uitgebreide druk

Wolters' Woordenboeken

Groningen – Utrecht – Antwerpen

CIP-GEGEVENS KONINKLIJKE BIBLIOTHEEK, DEN HAAG

Wolters' Ster Woordenboek Spaans-Nederlands / J.B. Vuyk-Bosdriesz. - Groningen [etc.] : Wolters' Woordenboeken. - (Wolters' Ster Woordenboek)
Oorspr. uitg.: Groningen : Wolters-Noordhoff, 1986.
ISBN 90-6648-668-6
ISBN 90-6648-656-2 (N-S en S-N)
NUGI 503
Trefw.: Spaanse taal ; woordenboeken.
Depotnr. D/1994/0108/816
R. 8668603

Inhoud

Voorwoord

Dit woordenboek is een deel van de geheel herziene serie Wolters' Ster Woordenboeken. Het is even duidelijk, toegankelijk en overzichtelijk als de andere delen van deze serie, de uitvoering is even solide. De Spaanse delen nemen echter binnen de serie een bijzondere plaats in; doordat de eerste druk pas enige jaren geleden verscheen, konden nog geen woorden geschrapt worden en zijn ze dus dikker.

Door de plaats die het Spaans in het onderwijs inneemt – vergeleken met Frans, Duits en Engels – zijn de doelgroepen gevarieerd naar leeftijd en behoeften. Tot die doelgroepen behoren in de eerste plaats het dag- en avondonderwijs voor mavo/havo/vwo, het economisch-administratief onderwijs (leao/meao/heao), beroepsopleidingen voor zeevaart, toerisme, landbouw, bedrijfsleven en journalistiek. Daarnaast zijn er de cursussen aan o.a. Volksuniversiteiten en instituten voor bedrijfscorrespondentie. En niet in de laatste plaats behoren tot de doelgroepen vertalers in opleiding en beginnende studenten, die dit boek naast grotere naslagwerken zullen kunnen gebruiken wanneer het gaat om snelle raadpleging van een zeer actuele, praktische woordenschat.

In het Spaans en het Nederlands zijn in de tweede druk vele nieuwe woorden en begrippen opgenomen; steeds is gezocht naar de meest bruikbare, modernste equivalenten. Onder de nieuwe termen springen in het oog die op het gebied van de sport, de informatica, de gezondheidszorg en de internationale bedrijfscommunicatie. Opnieuw is veel zorg besteed aan het idioom en goed toepasbare, praktische gebruiksvoorbeelden. De ervaring van de auteur drs. J.B. Vuyk-Bosdriesz, docente aan het Instituut voor Vertaalwetenschap van de Universiteit van Amsterdam, heeft bij de keuze van de verbeteringen en aanvullingen een doorslaggevende rol gespeeld.
Aan de eerste druk is indertijd met grote inzet meegewerkt door M. Hennekes, drs. S.I. Linn en drs. D.J. Puls. Bij het verschijnen van de tweede druk is oprechte dank op zijn plaats jegens de talrijke kritische gebruikers van dit woordenboek, die met hun waardevolle suggesties aan de verrijking ervan hebben bijgedragen.

Omdat Wolters' Ster Woordenboeken in Nederland en België worden geraadpleegd, is in deze tweede druk voor een aantal belangrijke begrippen behalve het Nederlandse woord ook de term opgenomen die in België gebruikelijk is.

Gehandhaafd zijn de lijst met afkortingen en de wegwijzer.

Utrecht, juli 1994

Wolters' Woordenboeken

Afkortingen

aanw vnw aanwijzend voornaamwoord
aardr aardrijkskunde
afk afkorting
alg algemeen
Am Spaans-Amerika
anat anatomie
astrol astrologie
astron astronomie

Belg België, Belgisch
bep bepaling, bepaald
betr vnw betrekkelijk voornaamwoord
bez vnw bezittelijk voornaamwoord
bijvgl bijvoeglijk
biol biologie
bn bijvoeglijk naamwoord
boekh boekhouden
bouwk bouwkunde
bv bijvoorbeeld
bw bijwoord(elijk)

chem chemie, scheikunde
comp computer(kunde)
concr concreet

dierk dierkunde
dmv door middel van

econ economie
e.d. en dergelijke
elektr elektriciteit
enz enzovoort
enkv enkelvoud

fam familiair, informeel
fig figuurlijk
financ financieel
fot fotografie

geb w gebiedende wijs, imperatief
geol geologie
godsd godsdienst
gramm grammatica
gymn gymnastiek

hdl handel
hist historisch
huish huishouden
hulpww hulpwerkwoord

iem(s) iemand(s)
indic indicatief, aantonende wijs
intr intransitief, onovergankelijk
ipv in plaats van
iron ironisch
ivm in verband met

jur juridisch

kindert kindertaal

landb landbouw
lett letterlijk
lidw lidwoord
lijd vw lijdend voorwerp
lit literair
luchtv luchtvaart

m mannelijk
mbt met betrekking tot
med medisch
meew vw meewerkend voorwerp
mil militair
mmv mannelijk meervoud
mnl mannelijk
muz muziek
mv meervoud
m,v mannelijk, vrouwelijk
myth mythologie

natk natuurkunde
Ned. Nederland(s)
neg negatief, ongunstig

onbep vnw onbepaald voornaamwoord
onbep (w) onbepaald(e wijs)
ondw onderwerp
ongebr ongebruikelijk
onpers onpersoonlijk
onv onveranderlijk
opm opmerking

pers vnw persoonlijk voornaamwoord
plantk plantkunde
pol politiek
pop populair, plat
psych psychologie, psychiatrie
ptt posterijen, telegrafie, telefonie

rekenk rekenkunde
r-k rooms-katholiek

scheepv scheepvaart
soc sociaal

Sp	Spanje, Spaans
sp	sport en spel
spoorw	spoorwegen
strafr	strafrecht
subj	subjunctivo, aanvoegende wijs
techn	techniek
tegenw	tegenwoordig
telec	telecommunicatie
telef	telefoon
telw	telwoord
theat	theater, toneel
tr	transitief, overgankelijk
tv	televisie
tw	tussenwerpsel
u.c.	una cosa, algo (= iets)
univ	universiteit
u.p.	una persona, alguien (= iemand)
v	vrouwelijk
vd	van de
verklw	verkleinwoord
vglbaar	vergelijkbaar
vh	van het
vmv	vrouwelijk meervoud
vnl	voornamelijk
vnw	voornaamwoord
voegw	voegwoord
volt dw	voltooid deelwoord
vrag	vragend
vrag vnw	vragend voornaamwoord
vrl	vrouwelijk
vt	verleden tijd
vz	voorzetsel
wdkd	wederkerend
wdkg	wederkerig
weerk	weerkunde, meteorologie
wisk	wiskunde
wtsch	wetenschap
ww	werkwoord(elijk)
zelfst	zelfstandig
zn	zelfstandig naamwoord

Wegwijzer

De gebruikte afkortingen worden verklaard op blz 8.

De trefwoorden zijn vet gedrukt.

edredón *m* dekbed

Soms wordt een trefwoord tweemaal opgenomen. Het gaat dan om woorden die gelijk geschreven worden, maar in betekenis niets met elkaar te maken hebben. Ze worden genummerd met **1**, **2** *enz.*

1 embolado leugen, bedcrog; *meter un ~ a u.p.* iem voor de gek houden
2 embolado *bn* (*mbt stier*) met houten balletjes op de hoorns

Soms staan er op de plaats van het trefwoord twee vormen die veel op elkaar lijken. Dit zijn varianten die hetzelfde betekenen, en als één term behandeld worden.

escotado, escotadura hals(uitsnijding)

Bij persoonsaanduidingen worden als trefwoord vaak de mannelijke en de vrouwelijke vorm gegeven; ook de vertaling geeft dan een mannelijke en een vrouwelijke vorm, of een neutrale vertaling die voor beide geslachten geldt.

embalador, -ora verpakker, -pakster
ecólogo, -a ecoloog, -loge, milieudeskundige

De klinkerwisselingen van werkwoorden volgen vet, na het trefwoord.

encender ie 1 aansteken, aandoen
erguir ie, i oprichten

Bijvoeglijke naamwoorden worden als regelmatig beschouwd
→ als ze eindigen op -o (de vrouwelijke uitgang is dan -a)
→ als ze onveranderlijk zijn.
Bij alle andere bijvoeglijke naamwoorden wordt de uitgang, vet, gegeven.

eliminatorio eliminerend
emocionante aangrijpend, (ont)roerend, opwindend
embotador, -ora geestdodend

Andere grammaticale gegevens volgen, indien nodig, cursief na het trefwoord.
Zelfstandige naamwoorden op -o zijn meestal mannelijk, die op -a meestal vrouwelijk. Bij uitzonderingen op deze regel wordt het geslacht vermeld, evenals bij alle andere zelfstandige naamwoorden.

ebanista *m*
ebanistéria
ébano
ebonita
ebriedad *v*
excombatiente *m,v*

Zijn de mannelijke en de vrouwelijke vorm al in het trefwoord gegeven, dan wordt het geslacht niet vermeld.

embalador, -ora

Een indeling met romeinse cijfers wordt gebruikt
→ bij trefwoorden die tot verschillende woordsoorten behoren
→ bij werkwoorden die zowel transitief als intransitief zijn.

endrino I *zn* sleedoorn; II *bn* blauwachtig zwart
enfermar I *intr* ziek worden; *~ del esto aimago* een maagkwaal krijgen; II *tr* ziek maken (*ook fig*)

De verschillende betekenissen van een trefwoord worden genummerd met 1, 2, 3 enz.

escarabajo 1 kever, tor; 2 mormel, onderkruipsel

De vertalingen worden vaak verduidelijkt door voorbeelden en uitdrukkingen. Deze worden cursief gezet. Het trefwoord wordt weergegeven door een slangetje.
Treedt het trefwoord in verbogen vorm op, dan wordt een streepje gebruikt.

epistolar in briefvorm; *amigo* ~ penvriend; *novela* ~ roman in briefvorm
escrutador, -ora I *bn* vorsend; *mirada -ora* vorsende blik

Uitdrukkingen die geen enkel verband tonen met de betekenis(sen) van het trefwoord, worden van de behandeling gescheiden door een dubbel paaltje.

erre *v* dubbele r; *zie r* || ~ *que* ~ (*boos gezegd*) en maar doorgaan!, het houdt niet op!
escribano (*hist*) 1 secretaris, griffier; 2 notaris || ~ *del agua* schrijvertje (*soort watertor*)

Ook een uitdrukking kan meer dan één betekenis hebben. De verschillende vertalingen worden onderscheiden met a), b) enz.

entre *vz* 1 tussen; ~ *tú y yo: a*) tussen jou en mij; *b*) jij en ik samen

Staat een deel van de vertaling tusen haakjes, dan wil dit zeggen dat de vertaling zowel met als zonder deze tekst juist is.

estiaje *m* (periode van) verlaagde waterstand
expiación *v* boete(doening)

Soms is bij de vertaling een toelichting nodig, een beperking van het gebruik van het woord, een vakgebied, een verkorte verklaring. Deze staat cursief tussen haakjes.

escabechar 1 inleggen (*in kruidenazijn*); 2 laten zakken, afwijzen (*bij examen*); 3 (*fam*) afmaken, doden

Om de vertaling van een woord te vinden is het soms nodig om bij een ander woord te kijken. Op het trefwoord volgt dan alleen een verwijzing.

encallarse *zie encallar*

Aa*a*

1 a *v* (*letter*) a
2 a *área* are
3 a *vz* 1 aan; ~ *la mesa* aan tafel; *¿~ quién?* aan wie?; *¡~ trabajar!, ¡al trabajo!* aan het werk!; 2 naar; ~ *casa* naar huis; *ir ~ cenar al hotel* in het hotel gaan eten; *ir ~ por u.c.* (*fam*) iets gaan halen; 3 ~ + *lijd vw* (*persoon*) *onvertaald*; *vio al tío* hij zag zijn oom; 4 à; ~ *10 ptas la pieza* à 10 peseta per stuk; *al 5%, ~ un 5%* à 5%; ~ *50 kms por hora* met 50 km per uur; 5 ~ (+ *uur*) om; ~ *las dos* om twee uur; ~ *esa hora* op dat uur; 6 ~ (+ *tijdsduur*) na; ~ *los dos meses* twee maanden later; ~ *la media hora* een half uur later; 7 ~ (+ *afstand*) op; ~ *dos pasos* vlakbij; ~ *3 kms* op 3 km afstand; 8 (*manier:*) ~ *mano* met de hand; ~ *caballo* te paard; ~ *la francesa* op zijn Frans; 9 ~ *que*... wedden dat...; ~ *que no lo sabes* wedden dat je het niet weet; ~ *que no te lo ha dicho* hij heeft het je vast niet gezegd; 10 ~ (+ *onbep w van ww van beweging*) om te; *ir* ~ (+ *onbep w*) gaan, zullen; *no te lo va ~ decir* hij zal het je (vast) niet zeggen; *vengo ~ despedirme* ik kom afscheid nemen; 11 ~ (+ *onbep w*) als, indien; ~ *decir verdad* om de waarheid te zeggen; ~ *más tardar* op zijn laatst; ~ *no haberle despertado tú*... als jij hem niet gewekt had...; ~ *saberlo yo* als ik het geweten had; 12 *al* (+ *onbep w*) toen; *al leerlo se asustó* toen hij het las, schrok hij
abacería kruidenierswinkel
ábaco telraam
abad *m* abt
abadejo 1 goudhaantje; 2 stokvis; 3 pollak, witte kabeljauw
abadesa abdis; **abadía** abdij
abajo 1 naar beneden; *boca* ~ voorover; *calle* ~ de straat door, de straat uit (*vaak in dalende richting*); *río* ~ stroomafwaarts; *venirse* ~ instorten, in duigen vallen; 2 beneden; (*el*) ~ *firmado* (de) ondergetekende; ~ *mencionado* onderstaand; *desde* ~ van onderaf; *hacia* ~ naar beneden; 3 *más* ~ hieronder (*in tekst*), hierna, verderop || *¡~...!* weg met...!
abalanzarse: ~ *a, hacia, sobre* zich werpen op, zich storten op, afstormen op
abaldonar vernederen, onteren, beledigen
abalizar betonnen, bebakenen
abalorio 1 (glazen) kraal; 2 kralenketting
abanderado vaandrig
abandonado 1 verlaten; 2 verwaarloosd, slordig; *tener* ~ verwaarlozen; **abandonar** 1 verlaten, achterlaten; ~ *las armas* de wapens neerleggen; ~ *el hogar* van huis weglopen; *le abandonan las fuerzas* zijn krachten begeven het; 2 afstand doen van, laten schieten; 3 zich terugtrekken uit, opgeven; ~ *la lucha* de strijd opgeven; 4 verwaarlozen; 5 (*jur*) seponeren; **abandonarse** 1 zich laten gaan; ~ *a* toegeven aan, zich overgeven aan; 2 zich verwaarlozen;
abandono 1 verlating; 2 (het) opgeven; 3 verwaarlozing, slordigheid; verval; *caer en* ~ verwaarloosd worden, in verval raken; *darse al* ~ toegeven aan zijn zwakheden, zich laten gaan
abanicar koelte toewuiven (*met een waaier*);
abanico 1 waaier; *en* ~ waaiervormig; 2 gamma (*van mogelijkheden*); **abaniqueo** (het) wuiven met een waaier
abaratamiento (het) goedkoper worden; **abaratar** I *tr* goedkoper maken; II *intr* goedkoper worden; **abaratarse** goedkoper worden
abarbetar (*scheepv*) sjorren
abarca boers schoeisel (*zool met bevestigingsbanden*)
abarcar omvatten, bevatten, beslaan; ~ *con la vista* overzien; ~ *mucho: a*) veel omvatten; *b*) (te) veel hooi op zijn vork nemen; *el que mucho abarca poco aprieta* men moet niet te veel hooi op zijn vork nemen
abaritonado bariton-, als van een bariton
abarquillado (*mbt plank*) hol getrokken
abarrancar (*grond*) in zaaibedden verdelen;
abarrancarse (*mbt schip*) stranden, vastlopen
abarrotado stampvol, propvol; **abarrotar** (*de*) volproppen (met); **abarrote** *m* 1 (kleine) baal; 2 ~*s* (*Am*) kruidenierswaren
abastecedor *m* leverancier; **abastecer** 1 bevoorraden, provianderen; 2 ~ *de* voorzien van; **abastecerse**: ~ *de* zich voorzien van, inslaan; **abastecimiento** bevoorrading; ~ *energético* energievoorziening; **abasto** 1 bevoorrading; 2 overvloed || *no dar* ~ het niet aankunnen, zijn handen vol hebben
abate *m* geestelijke
abatible opklapbaar, neerklapbaar
abatido (terneer)geslagen, neerslachtig, verslagen; **abatimiento** verslagenheid, moedeloosheid; **abatir** I *tr* 1 neerhalen, verwoesten; 2 vernederen; 3 ontmoedigen; II *intr* (*mbt schip*) afdrijven; **abatirse** (*mbt roofvogel, vliegtuig*) plotseling neerdalen, duiken
abdicación *v* (troons)afstand; **abdicar** afstand doen (vd troon)
abdomen *m* 1 (onder)buik; 2 achterlijf (*van insekt*); **abdominal** vd buik(holte)
abductor *m* (*anat*) afvoerder
abecé *m* abc; **abecedario** abc
abedul *m* berk
abeja bij; ~ *albañila* metselbij; ~ *machiega,* ~ *maesa,* ~ *maestra* bijenkoningin; ~ *obrera* werkbij; ~ *reina* bijenkoningin; **abejaruco** bijeneter (*vogel*)
abejorro 1 hommel; 2 meikever; 3 lastig mens, zeur

abenuz *m* 1 ebbeboom; 2 ebbehout
aberración *v* 1 afwijking; 2 dwaling; **aberrante** waan-, in strijd met het gezond verstand
abertal *bn* door droogte opengebarsten
abertura 1 gat, gleuf, opening, spleet; 2 (*mbt karakter*) openheid
abeto spar
abiertamente openlijk; **abierto** 1 open, vrij; *el campo* ~ het open veld; *con las piernas -as* wijdbeens; 2 open(hartig), toeschietelijk; *zie ook abrir*
abigarrado bont(gekleurd), heterogeen
abigeato veediefstal
ab intestato zonder testament
abisal *bn* diepzee-
abismado verzonken; **abismal** *bn* 1 vd afgrond, vd diepte; 2 enorm; **abismarse**: ~ *en* verzinken in, geheel opgaan in; **abismo** 1 afgrond; 2 iets ondoorgrondelijks; 3 enorm verschil
abjurar afzweren
ablación *v* (*med*) (het) wegnemen
ablandamiento verzachting; ontharding; **ablandar** 1 zacht maken, verzachten; 2 vermurwen, week maken; **ablandarse** 1 zacht worden; 2 zich laten vermurwen, week worden; **ablandadero** ontharder
ablución *v* 1 (het) wassen, reiniging; 2 (*godsd*) ablutie; *-ones* water en wijn voor de ablutie
abnegación *v* onbaatzuchtigheid, zelfverloochening; **abnegado** offervaardig, onbaatzuchtig
abobado suf, versuft
abocado 1 ~ *a* blootgesteld aan, nabij; ~ *a la ruina* de ondergang nabij; 2 (*mbt wijn*) smakelijk, niet te droog of te zoet; **abocar** 1 dichtbij brengen; 2 overgieten
abocetar schetsen
abochornar 1 verstikken; 2 beschamen
abofetear slaan (*in het gezicht met vlakke hand*), een draai om de oren geven
abogacía 1 beroep van advocaat; 2 balie; **abogado, -a** advocaat, advocate, raadsman, -vrouw, pleitbezorg(st)er; **abogar**: ~ *por* pleiten voor, bepleiten
abolengo (adellijke) afstamming
abolición *v* afschaffing, opheffing; **abolir** afschaffen
abollado 1 gedeukt; 2 (*fig, fam*) aangeslagen; **abolladura** deuk, bluts; **abollar** (in)deuken; **abollón** *m* grote deuk
abombado gewelfd
abominable gruwelijk; **abominación** *v* 1 afschuw; 2 iets gruwelijks; **abominar** (*soms* ~ *de*) 1 verafschuwen; 2 vervloeken
abonable recht gevend op uitkering; *años* ~*s* dienstjaren (*ivm uitkering, pensioen*)
1 abonado, -a abonnee
2 abonado (het) bemesten, bemesting; *zie ook 2 abonar*
abonanzar opklaren
1 abonar 1 bijschrijven; ~ *en cuenta* (*een rekening*) crediteren voor; 2 betalen, vergoeden; 3 ~ (*a*) abonneren (op)
2 abonar (be)mesten; *terreno abonado* (*fig*) vruchtbare aarde
abonaré *m* promesse; **abonarse** zich abonneren
1 abono 1 abonnement; ~ *semanal* weekkaart; 2 vergoeding, betaling; ~ *de prisión preventiva* aftrek van voorarrest; 3 bijschrijving; *nota de* ~ creditnota
2 abono 1 mest; ~ *artificial*, ~ *químico* kunstmest; ~ *compuesto* compost; ~ *natural* natuurlijke mest, stalmest; 2 bemesting
abordable 1 toegankelijk; 2 doenlijk; 3 (*mbt prijs*) redelijk; 4 aanspreekbaar, toegankelijk; **abordaje** *m* 1 aanvaring; 2 entering; *¡al ~!* enteren!; **abordar** 1 aanpakken; (*een onderwerp*) aansnijden; 2 aanspreken, aanklampen, aanschieten; 3 aanvaren; enteren
aborigen I *bn* inheems; II *mmv: aborígenes* oorspronkelijke bewoners
aborrascarse (*mbt weer*) stormachtig worden
aborrecer verafschuwen, het land hebben aan; **aborrecerse** (*fam*) kriegel worden, ongeduldig worden; **aborrecible** afschuwelijk; **aborrecimiento** afschuw
1 aborregado (*neg*) volgzaam, slaafs
2 aborregado bedekt met schapewolkjes
abortar I *tr* (voortijdig) afbreken; II *intr* 1 een miskraam hebben; 2 mislukken; **abortivo** I *bn* 1 vruchtafdrijvend; 2 te vroeg geboren; II *zn* vruchtafdrijvend middel; **aborto** 1 miskraam, abortus; *practicar el* ~ aborteren; 2 misbaksel, monster
abotagarse, abotargarse opzwellen
abotonar I *tr* dichtknopen; II *intr* uitbotten; **abotonarse** zijn knopen dichtmaken
abovedado gewelfd; **abovedar** overwelven
abra 1 kleine baai; 2 spleet (*als gevolg van aardbeving*); 3 vlakte tussen bergen
abracadabra abracadabra, hocus pocus; **abracadabrante** verbijsterend
abrasador, -ora verschroeiend; (*mbt zon*) brandend; **abrasar** verbranden, verschroeien, verzengen; **abrasarse** verteerd worden; ~ *en deseos de* vurig verlangen naar; **abrasión** *v* wrijving; (het) afschuren; **abrasivo** I *bn* schurend; II *zn* schuurmiddel
abrazadera 1 beugel, klamp, klem; 2 accolade; **abrazar** 1 omarmen, omhelzen; 2 omvatten; 3 aanhangen, zich aansluiten bij (*iems mening, een geloof*); **abrazarse**: ~ *a* omklemmen, zich vastklampen aan; **abrazo** omarming, omhelzing
abrebotellas *m* flesopener
abrecartas *m* briefopener
ábrego zuidenwind, zuidwestenwind
abrelatas *m* blikopener
abrevadero drenkplaats; **abrevar** drenken
abreviación *v* 1 verkorting; 2 afkorting; 3 verkorte versie; **abreviar** I *tr* 1 bekorten, verkorten, kort maken; 2 afkorten; II *intr* opschieten; **abreviatura** afkorting

abrigado beschut; **abrigar** 1 ~ (*de*) beschutten (tegen); 2 warm inpakken; 3 (*gevoelens*) koesteren; ~ *esperanzas* verwachtingen koesteren; **abrigarse** 1 zich warm kleden, zich goed inpakken; 2 dekking zoeken; ~ *de* schuilen voor; **abrigo** 1 dekking, bescherming, beschutting; *al* ~ *de: a*) beschermd door; *b*) beschermd tegen; *de mucho* ~ (*mbt kleren*) warm, dik; *ropa de* ~ warme kleren; 2 beschutte plek; 3 schuilkelder; 4 ~ (*de alto de autobús*) wachthuisje, abri; 5 jas, mantel; ~ *de pieles* bontjas; ~-*vestido* robe-manteau || *de* ~ geducht, om voor op te passen

abril *m* april; *15* ~*es* 15 lentes

abrillantador *m* glansmiddel; **abrillantar** oppoetsen, doen glimmen

abrir I *tr* 1 openen, openmaken, openkrijgen, openvouwen, (*een bladzij*) opslaan; ~ *el apetito* de eetlust opwekken; ~ *el camino* ruim baan maken; ~*se camino en la vida* vooruitkomen; ~ *un hoyo* een kuil graven; ~ *los ojos: a*) zijn ogen openzetten; *b*) (verbaasd) opkijken; ~ *mucho los ojos* zijn ogen opensperren; ~ *el paso* een doorgang maken, de weg openen; ~*se paso* zich een weg banen; *en un* ~ *y cerrar de ojos* in een ommezien; *para* ~ *boca* als voorproefje; 2 aanbreken, beginnen; ~ *bufete* (*mbt advocaat*) een praktijk beginnen; ~ *expediente* een onderzoek instellen, een dossier aanleggen; II *intr* (*mbt bloem*) opengaan; **abrirse** 1 opengaan; 2 openliggen; (*mbt afgrond*) gapen; 3 ~ *a* (*mbt raam*) uitkomen op; 4 ~ *a, con u.p.* vrijuit spreken tegen iem

abrochar dichtknopen, vastmaken

abrogación *v* afschaffing; **abrogar** (*een wet*) afschaffen

abrojo distel

abroncar 1 een standje geven; 2 uitjouwen, uitfluiten; 3 (*fam*) te kijk zetten, in zijn hemd zetten

abrumador, -ora overstelpend; (*mbt programma*) overladen; **abrumar** 1 terneerdrukken; 2 overstelpen, overladen; 3 (*iem*) in de war brengen

abrupto abrupt, steil

absceso zweer, abces

abscisa x-as

absentismo absenteïsme, verzuim

ábside *m,v* absis

absintio absint, alsem

absolución *v* absolutie, vrijspraak; **absolutamente** 1 absoluut, alleszins, volstrekt; 2 geenszins, volstrekt niet; **absolutismo** absolutisme; **absoluto** absoluut, volstrekt, onbeperkt; *en* ~ geenszins, helemaal niet; **absolutorio** vrijsprekend; **absolver ue** 1 vrijspreken; 2 ~ *de* ontheffen van (*een plicht*)

absorbente I *bn* 1 absorberend; 2 (*fig*) in beslag nemend, de aandacht opeisend; II *m* absorberend middel; **absorber** 1 absorberen, opnemen, opzuigen; ~ *por la nariz* opsnuiven; 2 (*een bedrijf*) overnemen; **absorción** *v* 1 absorptie; 2 overneming (*van bedrijf*); **absorto** in gedachten (verzonken), afwezig

abstemio, -a geheelonthouder

abstención *v* 1 onthouding; 2 blanco stem; **abstenerse** (*de*) zich onthouden (van); **abstinencia** 1 onthouding; *síndrome de* ~ ontwenningsverschijnselen; 2 geheelonthouding; **abstinente** zich onthoudend

abstracción *v* abstractie; *hacer* ~ *de* afzien van, buiten beschouwing laten; *hecha* ~ *de* afgezien van; **abstracto** abstract

abstraer abstraheren; ~ *de* los zien van, afzien van; **abstraerse** zijn gedachten losmaken van de omgeving, in gepeins verzinken; **abstraído** in gedachten verzonken

abstruso ingewikkeld, duister

absuelto *zie absolver*

absurdo I *bn* absurd, ongerijmd, onzinnig; II *zn* onzin, absurditeit; *reducción al absurdo* bewijs uit het ongerijmde

abuchear uitfluiten, boe-roepen (tegen)

abuela 1 grootmoeder; *cuéntaselo a tu* ~ maak dat je grootje wijs; *no tener* ~, *no necesitar* ~ (over zichzelf) opscheppen; 2 oude vrouw; **abuelo** grootvader; ~*s* (*ook*) grootouders

abuhardillado met schuin dak

abulense uit Avila

abulia gebrek aan wilskracht, willoosheid; **abúlico** willoos

abultado volumineus; **abultar** I *intr* veel ruimte innemen; opbollen; II *tr* aandikken, opblazen, vergroten

abundamiento overdaad; *a mayor* ~ voor alle zekerheid, bovendien nog; **abundancia** overvloed, weelde; *en* ~ overvloedig, volop, rijkelijk; **abundante** overvloedig; ~ *en pesca* visrijk; **abundar** overvloedig aanwezig zijn; ~ *en* wemelen van || ~ *en la opinión de u.p.* iems mening delen

abur: *¡~!* dag!, tot ziens!

aburguesarse een gezapig burger worden, verburgerlijken

aburrido 1 vervelend, saai; 2 verveeld; *estar* ~ zich vervelen; **aburrimiento** verveling, landerigheid; **aburrir** vervelen; **aburrirse** zich vervelen; ~ *de* genoeg krijgen van

abusar: ~ *de* misbruiken; **abusivo**: *precios* ~*s* woekerprijzen; **abuso** 1 misbruik; ~ *de confianza* misbruik van vertrouwen; 2 misstand, wantoestand; *es un* ~ dat is een schande; 3 ~ (*deshonesto*) ontucht; **abusón, -ona** (*fam*) uitbuit(st)er, uitvreter

abyección *v* laagheid; **abyecto** laag, smerig, abject

a/c *a cargo de* per adres

acá 1 hierheen; ~ *y allá* hier en daar, verspreid; *de* ~ *para allá* van hot naar haar, van het kastje naar de muur; *de 3 días* ~ sinds 3 dagen; *desde entonces* ~ sindsdien; 2 (*Am*) hier

acabado I *bn* 1 compleet, volmaakt; *producto* ~ gereed produkt; 2 op, aan zijn eind; II *zn* afwerking

acaballar (*mbt hengst*) dekken
acabar I *tr* beëindigen, voltooien, afmaken, afwerken; *¿me dejas ~?* mag ik even uitspreken?; *a medio ~* half af; *un cuento de nunca ~* een eindeloze geschiedenis; *sin ~* onvoltooid; II *intr* 1 aflopen, eindigen; *acabarás muy mal* het zal nog slecht met je aflopen; 2 ~ *con* een eind maken aan; afmaken, doden; (*fig*) afrekenen met; 3 ~ *de + onbep w* (*iets*) net gedaan hebben; klaar zijn met; *acabo de llegar* ik ben net aangekomen; 4 ~ *de + onbep w* afmaken (wat men aan het doen is); *para ~ de arreglarlo* (*iron*) tot overmaat van ramp; 5 ~ *en* uitlopen op; 6 ~ *por + onbep w*, ~ *por + gerundio* uiteindelijk (*iets*) zullen doen; *acabará por ceder, acabará cediendo* tenslotte zal hij toegeven; 7 *no ~ de + onbep w* (*iets*) maar steeds niet doen; *no acabo de entenderlo* ik kan het maar niet begrijpen || *¡acabáramos!* nou begrijp ik het (eindelijk)!; **acabarse** 1 eindigen, aflopen; *¡se acabó!* het is afgelopen!, en nu is het uit!, en daarmee uit!; 2 opraken; *se ha acabado el pan* het brood is op; **acabóse** *m* toppunt
acacia acacia
academia 1 academie; 2 opleidingsinstituut; ~ *de baile* dansschool; ~ *de lenguas* taleninstituut; 3 naaktstudie; **académico, -a** I *bn* academisch; II *zn* lid van een academie
acaecedero mogelijk, wat kan gebeuren; **acaecer** gebeuren; **acaecimiento** gebeurtenis
acallar 1 tot zwijgen brengen; 2 doen bedaren, kalmeren
acalorado verhit; **acaloramiento** verhitting; **acalorar** 1 verhitten; 2 opwinden, prikkelen
acampada kampement; (het) kamperen
acampanar de vorm van een klok geven
acampar I *intr* bivakkeren, kamperen; II *tr* 'legeren
acanalado 1 gegroefd; 2 gootvormig, kanaalvormig; 3 lang en smal; **acanalar** een groef maken, groeven
acantilado I *bn* rotsachtig, steil; II *zn* steile kust, klip, klif
acanto akant, bereklauw
acaparador, -ora hamsteraar(ster); **acaparamiento** (het) hamsteren; **acaparar** 1 hamsteren, opkopen; 2 in de wacht slepen
acaracolado slakkenhuisvormig
acaramelado 1 met karamel bedekt; 2 zoetsappig, vleierig; **acaramelar** 1 met karamel bedekken; 2 karameliseren; **acaramelarse** poeslief doen
acardenalar blauwe plekken veroorzaken
acariciar 1 aaien, liefkozen, strelen; 2 (*een gedachte*) koesteren
acárido, ácaro mijt
acarrear 1 aanvoeren; 2 meebrengen, veroorzaken; **acarrearse** zich op de hals halen; **acarreo** aanvoer, transport
acartonarse 1 stijf (als karton) worden; 2 (*mbt oude mensen*) een huid als perkament krijgen, uitdrogen
acaso I *zn* toeval; II *bw* misschien, soms, wellicht; *por si ~* voor alle zekerheid
acatar in ere houden, eerbiedigen
acatarrado verkouden; **acatarrarse** verkouden worden
acaudalado kapitaalkrachtig, vermogend; **acaudalar** bijeenbrengen
acaudillar aanvoeren, aan het hoofd staan van
acceder 1 toegeven, instemmen; 2 ~ *a* ingaan op (*een verzoek*), gehoor geven aan, inwilligen; **accesibilidad** *v* toegankelijkheid; **accesible** 1 toegankelijk, bereikbaar; 2 toegankelijk, aanspreekbaar; **accésit** *m* tweede prijs; **acceso** 1 toegang; *carril de ~* invoegstrook; *dar ~ a* toegang geven tot; *de fácil ~* goed toegankelijk; *vía de ~* toegangsweg; 2 vlaag, bui; ~ *de cólera* woedeaanval; ~ *de tos* hoestbui; **accesorio** I *bn* bijkomstig, bijkomend; II *zn* accessoire; *~s: a*) toebehoren; *b*) toneelbenodigdheden
accidentado, -a I *bn* heuvelachtig, geaccidenteerd; II *zn* slachtoffer (*van ongeluk*); **accidental** 1 tijdelijk; 2 toevallig; 3 waarnemend; **accidentalmente** per ongeluk; **accidentarse** 1 verongelukken; 2 flauwvallen; **accidente** *m* 1 toevalligheid, bijkomstigheid; 2 ongeluk, ongeval; 3 *~s* oneffenheden (*in terrein*)
acción *v* 1 handeling, daad; ~ *de rescate* reddingsactie; *entrar en ~* in actie komen; *libertad de ~* vrijheid van handelen; 2 werking; ~ *diferida*, ~ *retardada* vertraagde werking; *de ~ rápida* snelwerkend; *en ~* in werking; 3 rechtsvordering; 4 (*van BV, NV*) aandeel; 5 ~ (*de guerra*) oorlogs-, gevechtshandeling; 6 handeling, onderwerp (*van verhaal, toneelstuk*); **accionamiento** inwerkingstelling; **accionar** I *tr* in werking stellen, aandrijven; II *intr* gesticuleren; **accionariado** de (gezamenlijke) aandeelhouders; **accionista** *m,v* aandeelhoud(st)er
acebo hulst
acebuche *m* wilde olijfboom
acechanza *zie acecho*; **acechar** 1 loeren op, belagen; 2 azen op; **acecho** (het) loeren; *estar al ~* op de loer liggen
acecinar (*vlees*) roken; **acecinarse** uitdrogen
acedera zuring
1 acedía schol
2 acedía maagzuur
acéfalo zonder hoofd
aceitado (het) oliën, smering; **aceitar** oliën, smeren; **aceite** *m* olie; ~ *bronceador* zonnebrandolie; ~ *comestible* spijsolie; ~ *de hígado de bacalao* (lever)traan; ~ *lubricante* smeerolie; ~ *mineral* aardolie; *cambiar el ~* olie verversen; *echar ~ al fuego* olie op het vuur gooien; *quien anda con ~ se pringa* wie met pek omgaat wordt ermee besmet; **aceitera** olieflesje, oliespuitje, vetpot; **aceitoso** olieachtig, oliehoudend
aceituna olijf; **aceitunado** olijfkleurig; **aceituno** olijfboom

aceleración *v* versnelling, bespoediging; **acelerado** versneld; *curso* ~ spoedcursus; **acelerador**, **-ora** I *bn* versnellend; II *m* 1 gaspedaal; 2 versnelling (*van fiets*); 3 ~ (*de partículas*) (*techn*) (deeltjes)versneller; **aceleramiento** *zie aceleración*; **acelerar** I *tr* versnellen, bespoedigen, (*de snelheid*) opvoeren; ~ *el paso* sneller gaan lopen; II *intr* optrekken, accelereren; **acelerón** *m* (het) snel optrekken, (het) intrappen vh gaspedaal
acelga snijbiet
acémila muildier, lastdier
acendrado zuiver, gelouterd, puur; **acendramiento** loutering; **acendrar** louteren
acento 1 accent, klemtoon, nadruk; 2 klemtoonteken; 3 tongval, accent; **acentuación** *v* (het) accentueren, accent; **acentuar ú** accentueren, beklemtonen, benadrukken; **acentuarse ú** heviger worden, toenemen
acepción *v* betekenis || *sin* ~ *de personas* zonder aanzien des persoons
acepillar 1 (*hout*) schaven; 2 afborstelen
aceptable aannemelijk, aanvaardbaar, acceptabel; **aceptación** *v* aanneming, aanvaarding; *tener* (*mucha*) ~ veel aftrek vinden, in trek zijn; **aceptante** I *m,v* ontvang(st)er; II *bn* die aanneemt, die aanvaardt; **aceptar** aannemen, aanvaarden, accepteren
acequia bevloeiingskanaal
acera stoep, trottoir; *de la* ~ *de enfrente* (*fam*) van de verkeerde kant, homofiel
acerado 1 scherp; 2 spijkerhard, staalhard
acerbo (*mbt smaak*) scherp, bijtend; (*fig*) wreed
acerca: ~ *de* omtrent, over; **acercamiento** (toe)nadering; **acercar** dichterbij brengen, bijschuiven, bijtrekken; **acercarse** (*a*) naderen, dichterbij komen, in aantocht zijn; ~ *corriendo* komen aanhollen; *se me acercó una niña* een meisje kwam naar me toe
acerería, **acería** staalfabriek; **acerico** speldenkussen; **acero** 1 staal; ~ *al cromo* chroomstaal; ~ *inoxidable* roestvrij staal; 2 blank wapen
acérrimo zeer hevig, fel, verbeten
acertado geslaagd, raak, terecht, in de roos; **acertar ie** 1 treffen, raak schieten; 2 het raden; gelijk hebben; 3 ~ *a* (+ *onbep w*) toevallig...; *acertamos a pasar* we kwamen toevallig langs; 4 *no* ~ *a* (+ *onbep w*) er niet in slagen om; *no acertó a responder* hij slaagde er niet in te antwoorden; 5 ~ *con* vinden; 6 ~ *en* een goede keus doen met, slagen in; **acertijo** raadsel
acervo 1 hoop, massa; 2 gemeenschappelijke boedel
acetato acetaat
acetileno acetyleen
acetona aceton
achacable: ~ *a* te wijten aan; **achacar**: ~ *a* toeschrijven aan, aanwrijven; **achacoso** ziekelijk
achaflanar afschuinen
achampañado champagne-achtig, schuimend
achantar (*pop*) intimideren, klein krijgen; **achantarse** wegkruipen, een toontje lager zingen
achaparrado gedrongen, klein en dik
achaque *m* 1 kwaal; ~*s de la edad* ouderdomskwaaltjes; *tener* ~*s* kwakkelen, sukkelen; 2 euvel; 3 voorwendsel, uitvlucht
achares *mmv* (*pop*) jaloezie
achatado afgeplat, stomp; **achatar** plat maken, pletten
1 achicar 1 verkleinen, klein maken; 2 kleineren, vernederen
2 achicar hozen
achicarse bang worden
achicharrar 1 (ver)schroeien, verbranden; 2 hinderen, bestoken, het leven zuur maken
achicoria 1 cichorei; 2 soort andijvie
achique *m* (het) hozen; *bomba de* ~ lenspomp
achispado aangeschoten; **achisparse** aangeschoten raken
achuchar ophitsen; **achuchón** *m* 1 duw; 2 *-ones* gevrij
achulado brutaal; verwaand; onbeschaafd, grof
aciago rampzalig, onheilspellend; *día* ~ ongeluksdag
acíbar *m* 1 aloë; 2 aloësap; 3 bitterheid
acicalar opdoffen
acicate *m* prikkel
acidez *v* 1 zuurgraad; 2 (maag)zuur; **acidificar** zuur maken; **ácido** I *bn* zuur; II *zn* 1 zuur; ~ *acético* azijnzuur; ~ *carbónico* koolzuur; ~ *cítrico* citroenzuur; ~ *clorhídrico* zoutzuur; ~ *fórmico* mierezuur; ~*s grasos poli-insaturados* meervoudig onverzadigde vetzuren; ~ *láctico* melkzuur; ~ *nítrico* salpeterzuur; ~ *sulfúrico* zwavelzuur; 2 (*fam*) LSD
acierto 1 (het) raken, (het) treffen; 2 goede keus, schot in de roos; *con* ~ terecht; 3 tact, bekwaamheid
ácimo zonder gist
acitrón *m* sukade
aclamación *v* acclamatie, toejuiching; **aclamar** 1 bejubelen, toejuichen; 2 uitroepen tot
aclaración *v* toelichting, verduidelijking, opheldering; **aclarado** spoeling; **aclarador** *m* thinner, (verf)verdunner; **aclarar** I *tr* 1 toelichten, verduidelijken, uitleggen, ophelderen; 2 (uit)spoelen; 3 uitdunnen; 4 verdunnen || ~ *la garganta*, ~ *la voz* zijn keel schrapen; II *intr* 1 opklaren; 2 licht worden; **aclararse** 1 duidelijk worden; 2 (*mbt vloeistof*) helder worden; **aclarativo** verhelderend
aclimatación *v* acclimatisatie; **aclimatar** acclimatiseren; **aclimatarse** acclimatiseren, wennen
acné *v* acne, jeugdpuistjes
acobardado bang; **acobardamiento** bangheid, bangelijkheid; **acobardar** bang maken
acodado: ~ *en* (met de ellebogen) leunend op; **acodar** buigen; **acodarse**: ~ *en* met de ellebogen leunen op

acogedor, -ora 1 gastvrij, hartelijk; 2 gezellig, sfeervol; **acoger** 1 opnemen; 2 beschermen; **acogerse** 1 zich verschuilen; 2 ~ *a* zich beroepen op; **acogida** 1 ontvangst, onthaal; 2 opvang
acogotar neerslaan, onderdrukken, in bedwang houden
acojonar (*pop*) bang maken, intimideren
acolchado 1 gecapitonneerd; 2 gewatteerd; **acolchar** 1 capitonneren; 2 watteren
acólito 1 koorknaap, misdienaar; 2 volgeling
acometedor, -ora 1 aanvallend, agressief; 2 ondernemend; **acometer** 1 aanvallen, overvallen; ~ *hace vencer* de eerste klap is een daalder waard; 2 ondernemen, aanvallen op; **acometida** 1 aanval; 2 aansluiting (*in buizennet*); **acometividad** *v* 1 agressiviteit; 2 ondernemende aard
acomodación *v* aanpassing; **acomodadizo** inschikkelijk; **acomodado** 1 welgesteld, bemiddeld; 2 gezeten, geïnstalleerd; **acomodadora** ouvreuse, (*Belg*) zaaljuffrouw; **acomodamiento** 1 schikking, regeling; 2 gemak, comfort; **acomodar** I *tr* 1 aanpassen; 2 een plaats geven, bergen; 3 een baan bezorgen; II *intr* passen, geschikt zijn; **acomodarse** 1 ~ (*a*) zich schikken (naar), zich voegen (naar); 2 (gemakkelijk) gaan zitten; **acomodaticio** 1 inschikkelijk; 2 gemakzuchtig; 3 aanpasbaar
acompañado vergezeld, niet alleen; ~ *de* in gezelschap van, gepaard met; *visita -a* rondleiding; **acompañamiento** 1 (het) vergezellen; 2 gezelschap; 3 (*muz*) begeleiding; **acompañante** *m,v* begeleid(st)er, metgezel(lin); **acompañar** 1 vergezellen, begeleiden, meelopen; ~ *a casa* thuisbrengen; 2 insluiten, meezenden, bijvoegen; 3 ~ (*en el sentimiento*) zijn medeleven betuigen, condoleren; *le acompaño* ik condoleer u; 4 (*muz*) begeleiden
acompasado in de maat
acomplejar een complex bezorgen; **acomplejarse** een complex hebben, een complex krijgen
aconchabarse samenzweren
acondicionado ingericht; *aire* ~ airconditioning; **acondicionador** *m* conditioner, (haar)-versteviger; **acondicionamiento** 1 (het) geschikt maken; 2 inrichting, toestand; **acondicionar** in gereedheid brengen, klaarmaken
acongojar bedroeven; benauwen; **acongojarse** bedroefd worden
aconsejable aanbevelenswaardig, raadzaam; **aconsejar** aanraden, adviseren; **aconsejarse** (*con, de*) advies inwinnen (bij)
acontecer gebeuren; **acontecimiento** gebeurtenis, voorval; ~ *adverso* tegenslag
acopiar verzamelen, bijeenbrengen; **acopio**: *hacer* ~ *de* verzamelen; *hacer* ~ *de fuerzas* moed verzamelen
acoplamiento koppeling; koppelstuk; **acoplar** 1 koppelen; doen passen; aanpassen; 2 (*dieren*) doen paren; 3 onder één juk spannen
acoquinamiento angst; **acoquinarse** bang worden; in zijn schulp kruipen
acorazado I *bn* gepantserd; *cámara -a* (grote) kluis; *división -a* tankdivisie, (*Belg*) lansiers; II *zn* pantserschip; **acorazar** pantseren, blinderen
acorchado 1 kurkachtig, taai; 2 gevoelloos
acordar ue 1 (gezamenlijk) besluiten, afspreken, overeenkomen; 2 ~ *con* overeenkomen met; 3 (*muz*) stemmen; **acordarse ue** (*de*) zich herinneren, denken aan, nog weten; *acuérdate de llamarme* denk eraan dat je me opbelt; *¿te acuerdas de...?* weet je nog van...?; *no me acuerdo bien* ik weet het niet goed meer; ~ *de Santa Bárbara cuando truena* als het kalf verdronken is, dempt men de put; **acorde** I *bn:* ~ (*con*) in overeenstemming (met); II *m* (*muz*) akkoord
acordeón *m* accordeon, harmonika; **acordeonista** *m,v* accordeonist(e)
acordonar 1 een veter halen door; 2 een cordon leggen om
acorralar 1 insluiten; 2 in het nauw brengen, in de hoek drijven
acortamiento verkorting; **acortar** verkorten, inkorten, bekorten
acosar belagen, bestoken, opjagen; **acoso** achtervolging, jacht; ~ *sexual* ongewenste intimiteiten
acostado liggend
1 acostar ue *tr* neerleggen, in bed leggen
2 acostar ue *intr* (*mbt schip*) aanleggen
acostarse ue gaan liggen, naar bed gaan; ~ *juntos* met elkaar naar bed gaan, vrijen
acostumbrado gebruikelijk, gewoon; **acostumbrar** I *tr*: ~ *a* wennen aan; II *intr* gewend zijn, gewoon zijn, plegen; *acostumbra cenar tarde* hij eet altijd laat; **acostumbrarse** (*a*) wennen (aan)
acotación *v* kanttekening
1 acotar afpalen, beperken, begrenzen
2 acotar van kanttekeningen voorzien
ácrata *m,v* vrijdenk(st)er, anarchist(e)
acre 1 (*mbt smaak, geur*) scherp; 2 vinnig, zuur
acrecentamiento toename; **acrecentar ie** vermeerderen, toenemen
acreditado goed bekend staand; **acreditar** 1 aantonen, bekrachtigen, blijk geven van; ~ *su identidad* zich legitimeren; 2 accrediteren, crediteren; **acreditarse**: ~ *de* zich doen kennen als; **acreedor, -ora** I *zn* crediteur, creditrice, schuldeiser(es); ~ *hipotecario* hypotheeknemer; *hacerse* ~ *a* verdienen; II *bn* krediet-; *saldo* ~ batig saldo, (*Belg*) boni
acribillar 1 door'zeven; 2 hinderen
acrílico acryl-
acrimonia *zie acritud*
acriollarse (*Am*) zich aanpassen aan de gewoonten van het land
acrisolar zuiveren, louteren
acritud *v* scherpte
acrobacia bravourestukje, toer; **acróbata** *m,v*

acrobaat, acrobate; **acrobático** acrobatisch; **acrobatismo** acrobatiek
acromático zonder kleur
acrópolis *v* acropolis
acta 1 akte; proces-verbaal; ~ *notarial* notariële akte; ~ *original* minuut; 2 notulen; *aprobar el* ~ de notulen goedkeuren; *levantar* (*el*) *acta* notuleren
actitud *v* instelling, houding, opstelling; ~ *afectada* pose; ~ *favorable* bereidheid; ~ *reticente* terughoudendheid; *en* ~ *de* aanstalten makend om
activación *v* 1 activering; 2 bespoediging; **activar** 1 activeren, op gang brengen; 2 bespoedigen, er vaart achter zetten; **actividad** *v* activiteit, bedrijvigheid; *~es* werkzaamheden; *~es apremiantes* drukke werkzaamheden; ~ *secundaria* nevenfunctie; *en* ~ in werking; **activista** *m,v* activist(e); **activo** I *bn* 1 actief, bedrijvig, werkzaam; werkend; *en* (*servicio*) ~ in functie, in actieve dienst; *seguir* ~ nawerken; *volcano* ~ werkende vulkaan; 2 levendig; 3 daadwerkelijk; 4 batig; *saldo* ~ batig saldo; II *mmv: ~s* activa, baten; *~s fijos* vaste activa
acto 1 daad, handeling; ~ *heroico* heldendaad; ~ *jurídico* rechtshandeling; ~ *reflejo* reflex; ~ *verbal* taalhandeling; ~ *de violencia* gewelddaad; 2 (officiële) gebeurtenis; ~ *inaugural* openingsplechtigheid; 3 bedrijf (*van toneelstuk*) || ~ *continuo*, ~ *seguido* (direct) daarna; *en el* ~ ogenblikkelijk, terstond; *hacer* ~ *de presencia* zich even laten zien; **actor**, **-ora** 1 handelende persoon; ~ *social* sociale partner; 2 (*jur*) eiser(es); *la parte -ora* eiseres, de eisende partij; **actor**, **actriz** toneelspeler, -speelster; ~ *de cine* filmacteur, -actrice; **actuación** *v* 1 handelwijze, optreden; 2 spel, toneelspel
actual bestaand, huidig, tegenwoordig; **actualidad** *v* actualiteit; *~es* actualiteiten(rubriek); **actualizar** bijwerken; **actualmente** tegenwoordig; **actuar ú** I *tr* in werking stellen; II *intr* 1 handelen, optreden, te werk gaan; ~ *conforme a* zich gedragen naar; *modo de* ~ handelwijze; 2 acteren, spelen; 3 ~ *sobre* inwerken op
acuarela aquarel
acuario aquarium; **Acuario** (*astrol*) Waterman
acuartelar inkwartieren
acuático water-; *deporte* ~ watersport
acuchillar 1 (*met mes*) steken, neersteken; 2 schaven, schuren
acuciante klemmend, nijpend; **acuciar** aanzetten, ophitsen
acuclillarse op zijn hurken gaan zitten
acudir 1 ~ (*a*) (*ergens*) heen gaan, (*ergens*) op af gaan; ~ *en masa* (massaal) toestromen; 2 toeschieten, toesnellen; ~ *en ayuda* te hulp snellen
acueducto aquaduct
acuerdo 1 overeenkomst, besluit, afspraak, akkoord, verdrag; ~ *de base* basisakkoord; ~ *final* slotakkoord; ~ *para gobernar* regeerakkoord; ~ *marco* raamakkoord, kaderakkoord; *¡de ~!* o.k.!, afgesproken!; *de común* ~ in overleg, met wederzijds goedvinden; *estar de* ~ het eens zijn, instemmen; *llegar a un* ~ *amistoso* (*iets*) in der minne schikken; *ponerse de* ~ *en* het eens worden over; *volver de su* ~ op zijn besluit terugkomen; 2 overeenstemming; *de* ~ *con* in overeenstemming met, overeenkomstig, ingevolge, conform, volgens; *estar de* ~ *con* kloppen met || *de su propio* ~ uit eigen beweging, vrijwillig; *volver en su* ~ weer bijkomen (*na flauwte*)
aculturación *v* acculturatie
acumulación *v* cumulatie, opeenhoping; **acumulador** *m* accu, batterij; **acumular** verzamelen, bijeenkrijgen, opstapelen; ~ *a escondidas* oppotten; **acumularse** cumuleren, zich opstapelen
acunar wiegen
acuñación *v* (het) slaan van munten
1 acuñar (aan)munten, (*munten*) slaan
2 acuñar met een wig vastklemmen
acuoso waterig
acupuntura acupunctuur
acurrucarse ineenduiken, hurken, bukken
acusación *v* aanklacht, beschuldiging, tenlastelegging; **acusado**, **-a** I *bn* 1 beschuldigd; 2 opvallend, uitgesproken; II *zn* verdachte, beklaagde, beschuldigde, (*Belg*) betichte; **acusador**, **-ora** I *bn* beschuldigend; II *zn* beschuldig(st)er, aanklager, -klaagster; **acusar** 1 ~ (*de*) aanklagen, beschuldigen (van); 2 laten zien, duiden op, tonen; *su actitud acusa enfado* zijn houding duidt op boosheid, uit zijn houding blijkt boosheid || ~ *recibo* (*de*) de ontvangst bevestigen (van); **acusarse** 1 bekennen; 2 opvallen, merkbaar zijn; **acusativo** (*gramm*) accusatief, vierde naamval; **acuse** *m:* ~ *de recibo* bevestiging van ontvangst, bericht van ontvangst
acústica 1 geluidsleer; 2 akoestiek; **acústico** akoestisch, geluids-
adagio 1 adagium; 2 (*muz*) adagio
adalid *m* aanvoerder
Adán *m* Adam
adaptabilidad *v* aanpassingsvermogen; **adaptable** aanpasbaar; **adaptación** *v* 1 aanpassing; 2 (*muz*) arrangement; 3 bewerking; ~ *escénica* toneelbewerking; **adaptador**, **-ora** 1 bewerk(st)er; 2 *m* verloopstuk; verloopstekker; **adaptar** 1 ~ (*a*) aanpassen (aan), afstemmen (op); 2 bewerken, arrangeren
adarga schild
adarme *m* sprankje
addenda *m,v* addenda, bijlagen
adecentar fatsoeneren, opknappen
adecuación *v* aanpassing; **adecuado** geschikt, passend, adequaat; **adecuar** aanpassen, geschikt maken
adefesio 1 vreemde uitdossing; 2 iem die belachelijk is uitgedost; (*fig*) vogelverschrikker

a. de J.C. *antes de Jesucristo* voor Christus
adelantado I *bn* 1 voor (*op anderen*), gevorderd; *hasta -a la noche* tot laat in de nacht; *llevar ~ (iets)* voor hebben, een voordeel hebben; *poner ~ (de klok)* vooruitzetten; *por ~* vooruit (*betalen*); 2 voorlijk, vroegrijp; II *zn* (*hist*) gouverneur van provincie; **adelantamiento** 1 vordering; 2 (het) inhalen; **adelantar** I *tr* 1 voorbijrijden, inhalen; (*sp*) lappen; 2 vooruitbetalen, voorschieten; 3 (*de klok*) vooruitzetten; 4 (*de leeftijd*) vervroegen; II *intr* vorderen, verder komen, vooruitgaan; *¿qué se adelanta con eso?* wat schiet je daarmee op?; **adelantarse** (*a*) 1 (*iem, iets*) voor zijn, vooruitlopen (op); *te adelantas a mis deseos* je voorkomt mijn wensen; 2 inhalen; **adelante** verderop, verder; voorwaarts; *¡~!* binnen!; *de hoy en ~* vanaf vandaag; *en ~* voortaan; *hacia ~* voorover; *llevar ~* doordrijven, doorzetten, het er niet bij laten zitten; *más ~* hierna (*in de tekst*); *sacar ~* grootbrengen; *salir ~* vooruitkomen; **adelanto** 1 voorschot, vooruitbetaling; 2 vordering, vooruitgang; 3 nieuwigheid, snufje
adelfa oleander
adelgazamiento vermagering; **adelgazar** I *tr* slank maken, mager maken; II *intr* vermageren, afvallen, afslanken
ademán *m* gebaar; *hacer ~ de* aanstalten maken om
además bovendien; *~ de* behalve, naast
ADENA *Asociación para la Defensa de la Naturaleza*
adentrarse (*en*) binnendringen (in); **adentro** I *bw* naar binnen; *tierra ~* landinwaarts; II *mmv: ~s* innerlijk, binnenste; *para sus ~s* in zijn vuistje, inwendig
adepto, -a volgeling(e); *ganarse ~s* de mensen op zijn hand krijgen
aderezar 1 gereedmaken; versieren; 2 (*saus, sla*) aanmaken; **aderezo** 1 (het) gereedmaken, (het) versieren; 2 (het) aanmaken (*van saus*)
adeudar 1 verschuldigd zijn; 2 afschrijven, (*rekening*) belasten; **adeudarse** zich in de schulden steken; **adeudo** afschrijving, debetpost
adherencia 1 aanhechting, aanslag; *~ grasosa* vetaanslag; 2 (*mbt auto*) wegligging; **adherente** I *bn* zich hechtend, plakkend; *poder ~* kleefkracht; II *m,v* aanhang(st)er; **adherir ie, i** I *tr: ~ a* plakken aan; II *intr* blijven plakken, zich hechten; **adherirse ie, i** 1 zich hechten, blijven plakken, vastgroeien; 2 *~ a* zich aansluiten bij; **adhesión** *v* 1 kleefkracht; 2 bijval, adhesie; 3 *~ a* aansluiting bij; *~ a la CE* toetreding tot de EG; **adhesivo** I *bn* (zich) hechtend; II *zn* kleefmiddel, plaksel
adicción *v* verslaving; **adiccionante** verslavend
adición *v* 1 toevoeging; 2 (*wisk*) optelling; **adicional** aanvullend, bijkomend, extra; *pago ~* bijbetaling; **adicionar** toevoegen
adicto, -a I *bn: ~ (a)* verslaafd (aan); verknocht (aan); II *zn* 1 verslaafde, junk; 2 *~ (a)* groot liefhebber, -hebster (van), aanhang(st)er (van)
adiestramiento 1 dressuur; 2 opleiding, training; **adiestrar** 1 africhten; 2 oefenen; **adiestrarse** oefenen, zich bekwamen
adinerado vermogend, welgesteld
adiós I *m* afscheid, vaarwel; II *tw: ¡~!* dag!
adiposidad *v* gezetheid, dikte; **adiposis** *v* (*med*) vetzucht
aditamento toevoeging, toevoegsel; **aditivo** I *bn* 1 additief, wat kan worden toegevoegd; 2 (*mbt kleur*) door samenvoeging gevormd; II *zn* toevoeging; *sin ~s* (*vglbaar*) zonder kleur- of smaakstoffen en zonder conserveringsmiddelen
adivinación *v* 1 (het) raden; 2 voorspelling; **adivinar** 1 raden; *~ el pensamiento* gedachten lezen; 2 voorspellen; 3 vermoeden, gissen; **adivinador, -ora** waarzegger, -zegster; **adivinanza** raadsel; **adivino, -a** waarzegger, -zegster, paragnost(e)
adjetivo I *bn* 1 vh bijvoeglijk naamwoord; 2 bijkomend; II *zn* bijvoeglijk naamwoord
adjudicación *v* gunning, toekenning, toewijzing; **adjudicador, -ora** toewijzend; **adjudicar** toekennen, toewijzen; **adjudicarse** zich toeëigenen; **adjudicatario, -a** degene aan wie iets wordt toegewezen; (*bij veiling*) meestbiedende
adjuntar bijvoegen, voegen bij, meezenden; **adjunto** 1 bijgaand, ingesloten; 2 adjunct
adlátere *m,v* naaste collega, metgezel(lin)
adminículo hulpmiddel, onderdeel
administración *v* 1 administratie; *~ fiscal* fiscus; 2 beheer, bestuur; *mala ~* wanbeheer; 3 bureau; 4 toediening; *~ de justicia* rechtspraak, rechtspleging; 5 *~ (pública)* overheid; **Administración** *v* overheid; **administrador, -ora** I *bn* administrerend; II *zn* 1 administrateur, -trice; 2 beheerder, beheerster, bestuurder, bestuurster; *~ judicial* (*vglbaar*) curator, bewindvoerder; 3 rentmeester; **administrar** 1 administreren; 2 beheren, besturen; *no saber ~ el dinero* niet met geld kunnen omgaan; 3 toedienen; *~ justicia* recht spreken; **administrarse** zijn eigen zaken behartigen, voor zichzelf zorgen; **administrativo, -a** I *bn* 1 administratief; 2 bestuurlijk; 3 ambtelijk, vd overheid, overheids-; *aparato ~* ambtenarenapparaat; II *zn* administratief medewerk(st)er, (*Belg*) bediende
admirable 1 bewonderenswaardig; 2 verwonderlijk; **admiración** *v* 1 bewondering; 2 verwondering; 3 uitroepteken; **admirador, -ora** bewonderaar(ster), fan, aanbidder, -bidster; **admirar** 1 bewonderen; 2 verwonderen; **admirarse** zich verwonderen
admisibilidad *v* toelaatbaarheid; **admisible** 1 toelaatbaar; 2 aannemelijk; 3 (*jur*) ontvankelijk; **admisión** *v* toelating, aanneming; *prueba de ~* toelatingstest, auditie; **admitir** 1 aan-

nemen, goedkeuren; 2 toelaten; binnenlaten; 3 toegeven, erkennen; ~ *u.c.* ergens voor uitkomen; 4 (*jur*) ontvankelijk verklaren; ~ *a trámite una causa* een zaak toelaten
admonición *v* vermaning; **admonitorio** waarschuwend; *voz -a* waarschuwende stem
adobar 1 inmaken; marineren; 2 looien; 3 (*neg*) handig regelen; **adobe** *m* adobe, lemen bouwsteen; **adobo** 1 (het) inmaken; 2 marinade
adocenado banaal, middelmatig, triviaal; **adocenarse** middelmatig worden
adoctrinamiento (het) onderrichten; (het) indoctrineren; **adoctrinar** onderrichten; indoctrineren
adolecer: ~ *de* lijden aan
adolescencia adolescentie, jongelingsjaren, puberteit; **adolescente** *m,v* adolescent, puber
adonde *betr* waarheen; **adónde** *vrag* waarheen; **adondequiera** waarheen…ook
adopción *v* 1 aanneming; 2 adoptie; **adoptante** *m,v* adoptant(e); **adoptar** 1 (*een mening, gewoonte, wet*) aannemen; (*een houding, standpunt*) innemen; 2 adopteren; 3 (*maatregelen, een besluit*) nemen; **adoptivo**: *hijo* ~ geadopteerd kind, pleegkind; *padres* ~*s* adoptiefouders, pleegouders
adoquín *m* kei, straatsteen, kinderhoofdje; **adoquinado** I *bn* met keien geplaveid; II *zn* (het) bestraten met keien; **adoquinar** met keien plaveien
adorable aanbiddelijk; **adoración** *v* aanbidding, adoratie, verering; **adorador**, **-ora** aanbidder, -bidster, vereerder, vereerster; **adorar** aanbidden, adoreren, vereren
adormecedor, **-ora** slaapverwekkend; **adormecer** 1 in slaap brengen, bedwelmen; 2 doen bedaren; **adormecerse** 1 indommelen; inslapen; 2 (*mbt ledematen*) in slaap raken; **adormecimiento** (het) inslapen
adormidera papaver
adormilado slaperig, half in slaap; **adormilarse** indommelen
adornar 1 ~ (*con, de*) (ver)sieren (met), tooien (met); 2 (*fig*) mooier maken, opkloppen; **adorno** 1 versiering, tooi, ornament, garnering; 2 ~*s* (*fig*) franje
adosado (*mbt huizen*) geschakeld; **adosar**: ~ *a* plaatsen tegen
adquiriente I *bn* die koopt; II *m,v* koper, koopster; **adquirir ie** verkrijgen, verwerven, kopen; ~ *u.c. de* iets betrekken van; ~ *un compromiso* een verplichting aangaan; **adquisición** *v* verwerving, aankoop, aanschaf; ~ *de conocimientos* kennisverwerving; **adquisitivo**: *poder* ~ koopkracht; *título* ~ (*jur*) (rechts)verkrijgende titel
adrede expres, met opzet
adrenalina adrenaline
Adriático: *mar* ~ Adriatische Zee
adscribir 1 toekennen, toeschrijven; 2 ~ *a* indelen bij, plaatsen op (*een afdeling*)
aduana douane; *declaración de* ~ douaneverklaring; *derechos de* ~ douanerechten; *despachar en la* ~ inklaren; *gestión de* ~ inklaring, douaneformaliteiten; **aduanero**, **-a** I *zn* douanebeambte; II *bn* douane-; *depósito* ~ entrepot; *tarifas -as* douanetarieven; *trámites -os* douaneformaliteiten
aducir (*bewijzen, redenen*) aanvoeren
adueñarse: ~ *de* bemachtigen, zich meester maken van
adulación *v* vleierij; **adulador**, **-ora** I *bn* vleiend, vleierig; II *zn* vleier, vleister; slijmerd; **adular** vleien
adulteración *v* (het) vervalsen; (het) contamineren; **adulterar** vervalsen; knoeien in, met; contamineren; **adulterarse** bederven; **adulterino** 1 buitenechtelijk; 2 vervalst; **adulterio** echtelijke ontrouw, overspel; **adúltero**, **-a** I *bn* 1 overspelig; 2 vervalst; bedorven; II *zn* overspelige echtgenoot, -genote
adulto, **-a** I *bn* volwassen, volgroeid; II *zn* volwassene
adusto 1 stroef, stug; 2 (*mbt gebied*) verschroeid, kaal en heet
advenedizo, **-a** parvenu; nieuwkomer, nieuweling
adverbial bijwoordelijk; **adverbio** bijwoord
adversario, **-a** tegenstander, -standster, tegenspeler, -speelster; **adversidad** *v* tegenspoed, rampspoed; **adverso** ongunstig; *acontecimiento* ~ tegenslag
advertencia 1 opmerking; 2 waarschuwing, vermaning; **advertir ie**, **i** 1 opmerken; 2 ~ *u.c.*, ~ *de u.c.* attenderen op iets, wijzen op iets, waarschuwen voor iets; *adviértase* let wel, n.b.; *le advertí* (*d*)*el peligro* ik waarschuwde hem voor het gevaar, ik wees hem op het gevaar; *te advierto que ha llegado el momento* ik wijs je erop dat het nu zover is; *te advierto que no te acerques* ik waarschuw je niet dichterbij te komen
adviento advent
advocación *v* 1 (het) gewijd zijn (*aan een heilige*); 2 benaming (*bv vd Heilige Maagd*)
adyacente aangrenzend
aéreo 1 in de lucht, vanuit de lucht, door de lucht, luchtvaart-; *control -a* luchtverkeersleiding; *línea -a*: *a*) luchtvaartlijn; *b*) bovengrondse leiding; *pirata* ~ vliegtuigkaper; 2 luchtig, vluchtig; ongrijpbaar; illusoir; **aerobús** *m* luchtbus; **aerocartografía** luchtkartering; **aerodeslizador** *m* luchtkussenvoertuig, draagvleugelboot, jetfoil
aerodinámica aerodynamica; **aerodinámico** aerodynamisch, gestroomlijnd
aeródromo (klein) vliegveld
aerofaro lichttoren (*op vliegveld*); **aerograma** *m* luchtpostblad, (*Belg*) aërogram; **aerolito** meteoorsteen, aëroliet; **aeronauta** *m,v* luchtreizig(st)er; **aeronáutico** luchtvaart-; **aeronave** *v* luchtschip; **aeroplano** vliegmachine; **aeropuerto** luchthaven
aerosol *m* 1 (toediening van) te inhaleren me-

dicijn; 2 inhalator, verstuiver; 3 spuitbus; *en* ~ in spuitbusvorm
aeróstato (lucht)ballon, luchtschip; **aerostero** ballonvaarder
afabilidad *v* beminnelijkheid; **afable** beminnelijk
afamado beroemd
afán *m* **1** vlijt, vuur, ijver, toeleg; **2** zucht, streven, begeerte, drang; *un afán de, por* een sterk verlangen naar; ~ *de agradar* behaagzucht; ~ *de coleccionista* verzamelwoede; ~ *de imponerse* geldingsdrang; ~ *de lucha* vechtlust; ~ *de lucro* winstoogmerk, winstbejag; ~ *emprendedor* ondernemingszin; **3** *afanes* gezwoeg, (het) zwoegen, inspanning, gesloof; **afanar 1** (*fam*) ontfutselen; **2** (*ongebr*) zwoegen; **afanarse** ploeteren, zwoegen, zich uitsloven, (*Belg*) labeuren; ~ *tras* najagen
afasia afasie
afear 1 ontsieren; **2** kritiseren, verwijten
afección *v* **1** aandoening, ziekte; ~ *cutánea* huidziekte; ~ *nerviosa* zenuwaandoening; **2** genegenheid
afectación *v* gemaaktheid, onnatuurlijkheid, aanstellerij; *sin* ~ ongekunsteld; **afectado 1** betrokken; getroffen, aangetast; ~ *de* (*ook*) behept met; **2** gemaakt, gekunsteld, gewild, gezocht; voorgewend, geveinsd; **afectar 1** raken, treffen, ontroeren; beïnvloeden; benadelen, aantasten; betreffen; **2** voorwenden; **afectividad** *v* hartelijkheid; **afectivo 1** gevoelig; hartelijk; **2** gevoels-; *valor* ~ gevoelswaarde; **afecto I** *bn* **1** toegedaan; ~ *a* verknocht aan; **2** ~ *a* ingedeeld bij (*een afdeling*); **II** *zn* genegenheid; **afectuosidad** *v* aanhankelijkheid; **afectuoso** hartelijk, aanhankelijk
afeitado (het) scheren; **afeitar 1** scheren; **2** punt van de horens van vechtstieren afslijpen; **afeite** *m* (*neg*) smeerseltje, kosmetisch middel
afeminado verwijfd; **afeminar** op een vrouw doen lijken; **afeminarse** op een vrouw gaan lijken
aferrado hardnekkig, koppig; *seguir* ~ *a su opinión* vasthouden aan zijn mening; **aferrar** vastgrijpen; **aferrarse** (*a*) zich vastklemmen (aan), zich vastbijten (in)
afgano Afghaans
afianzar 1 borgtocht stellen; **2** stevig bevestigen, verstevigen, veilig stellen; **afianzamiento 1** borgsom; (het) stellen van borgtocht; **2** versteviging
afición *v* **1** liefhebberij, hobby; liefde (*bv voor een vak*); *sentir* ~ *por* zich aangetrokken voelen tot, houden van, plezier hebben in; *tener* ~ *a* gehecht zijn aan; *de* ~ amateur-; *por* ~ uit liefhebberij; **2** aanhang, fans; **aficionado, -a 1** ~ (*a*) liefhebber, -hebster (van); **2** amateur; **3** supporter, fan; **aficionar**: ~ *a* plezier doen krijgen in; **aficionarse**: ~ *a* de smaak te pakken krijgen van, gaan houden van
afiebrado koortsig, koortsachtig
afieltrado viltachtig
afijo affix
afilado scherp, spits; **afilador, -ora I** *bn* slijpend; *piedra -ora* slijpsteen; **II** *m,v* slijp(st)er; **afiladora 1** slijpmachine; **2** *zie afilador*; **afiladura** (het) slijpen; *taller de* ~ slijperij; **afilalápices** *m* punteslijper; **afilar** slijpen, aanzetten, scherpen; **afilarse** smal worden, spits toelopen
afiliación *v* (*a*) aansluiting (bij), toetreding (tot); lidmaatschap; ~ *a la Seguridad Social* (*vglbaar*) opname in het ziekenfonds; **afiliado, -a I** *bn*: ~ (*a*) aangesloten (bij); **II** *zn* aangeslotene, lid; **afiliar** (*a*) lid maken (van); **afiliarse** (*a*) lid worden (*van een partij*), zich aansluiten (*bij*)
afiligranar 1 met filigrain bewerken; **2** verfijnd verfraaien
afín (*a*) **1** (*fig*) verwant (aan); **2** aangetrouwd, aanverwant
afinador *m* pianostemmer; **afinar 1** veredelen, verfijnen; **2** (*muz*) stemmen
afincar *zie afincarse*; **afincarse** zich (blijvend) vestigen
afinidad *v* **1** affiniteit; (*fig*) verwantschap; **2** aanverwantschap
afirmación *v* **1** bewering, uitspraak; **2** bevestiging, (het) ja zeggen; **afirmar 1** stevig bevestigen, ondersteunen; **2** stellen, zeggen, beweren; **3** ja zeggen, bevestigen; **afirmativo** bevestigend; *en caso* ~ zo ja
aflautado (*mbt stem*) hoog, piep-
aflicción *v* bedroefdheid; **afligir** verdriet doen, terneerslaan; **afligirse** bedroefd worden; ~ *por* treuren om
aflojar I *tr* **1** (doen) verslappen, (doen) verflauwen; **2** (*een schroef*) losdraaien; losser maken; ~ *las riendas* de teugels laten vieren || ~ *la mosca,* ~ *la bolsa* dokken; **II** *intr* (in sterkte) afnemen; verslappen; **aflojarse** losser worden, verslappen; afnemen; verzwakken
aflorar (*aan de oppervlakte*) zichtbaar worden, verschijnen
afluencia 1 toevloed, toeloop; **2** overvloed; **afluente I** *bn:* ~ (*a*) uitkomend (in) || *sociedad* ~ welvaartsstaat; **II** *m* zijrivier; **afluir** (*a*) **1** toestromen (naar); **2** (*mbt rivier, straat*) uitkomen (in)
afonía heesheid; **afónico** hees; *estoy* ~ ik heb geen stem
aforar 1 de capaciteit meten; waarde en hoeveelheid berekenen; **2** ijken
aforismo aforisme, spreuk
aforo 1 (het) meten, (het) berekenen; schatting; **2** (*mbt zaal*) capaciteit, inhoud
afortunadamente gelukkig; **afortunado** fortuinlijk, succesvol, gelukkig
afrancesado 1 fransgezind; **2** verfranst
afrenta belediging, smaad, aanfluiting, affront; **afrentar** beledigen, voor het hoofd stoten; **afrentoso** smadelijk
'Africa Afrika; ~ *del Sur* Zuid-Afrika; **africano** Afrikaans

afro (*mbt kapsel*) afro-; **afroasiático** Afro-aziatisch; **afrocubano** Cubaans met negerinvloed
afrodisiaco, **afrodisíaco** I *bn* de lust opwekkend; II *zn* liefdesdrank, afrodisiacum
afrontar het hoofd bieden, trotseren; geconfronteerd worden met; ~ *un problema* een probleem aanpakken
afta afte, zweertje in de mond
afuera I *bw* (naar) buiten; aan de buitenkant; *¡~!: a)* maak dat je weg komt!; *b)* (*fig*) ga nou gauw!; II *vmv: ~s* buitenwijken, omgeving
agachar buigen; **agacharse** bukken, vooroverbuigen, hurken
agalla 1 kieuw; 2 *~s* moed, lef
ágape *m* (*vaak iron*) feestmaal, banket
agarrada (*fam*) handgemeen; ruzie; **agarraderas** *vmv* (*fam*) houvast; invloedrijke beschermers; **agarradero** 1 steel, handvat; 2 bescherming, houvast; **agarrado** krenterig; **agarrar** I 1 *tr* omklemmen, pakken, (vast)grijpen; 2 (*fam*) bereiken; 3 (*fam*) (*een ziekte*) krijgen; II *intr* 1 (*mbt plant*) aanslaan; wortel schieten; 2 (*mbt schroef*) pakken; **agarrarse** 1 ~ (*a, de*) zich vasthouden (aan), zich vastklampen (aan); *¡agárrate!* hou je vast!; 2 (*fam*) het maken, slagen in het leven; 3 (*als excuus*) aangrijpen; 4 (*mbt gerecht, in pan*) aanzetten; 5 elkaar in de haren vliegen, handgemeen raken; **agarrón** *m* 1 (het) stevig vastgrijpen en trekken; 2 *zie agarrada*
agarrotado 1 vastgeklemd, vastgelopen; (*fig*) in de klem; 2 verstijfd; **agarrotar** 1 vastklemmen, vastsnoeren; 2 (*ledematen*) doen verstijven; 3 executeren aan de worgpaal; **agarrotarse** 1 (*mbt ledematen*) verstijven; 2 (*techn*) vastlopen (*door gebrek aan smering*)
agasajar onthalen, in de watten leggen; ~ *con* vergasten op; **agasajo** onthaal; attentie
ágata agaat
agavilladora machine die schoven bindt; **agavillar** schoven binden
agazaparse 1 ineenduiken; 2 onderduiken
agencia 1 agentschap; ~ *de prensa* persbureau, persagentschap; 2 bemiddelingsbureau; ~ *de cobros* incassobureau; ~ *de colocaciones* uitzendbureau; ~ *inmobiliaria* (*vglbaar*) makelaarskantoor; (*Belg*) inmobiliënagentschap, zakenkantoor; ~ *de publicidad* reclamebureau; ~ *de viajes* reisbureau; ~ *de viviendas* woningbureau; **agenciar** verschaffen; **agenciarse** zich verschaffen; (*fam*) versieren; *agenciárselas* het (handig) voor elkaar krijgen
agenda agenda; **agendar** op de agenda zetten, agenderen
agente I *bn* handelend; II *zn* 1 *m* agens; 2 *m,v* agent(e); ~ *de cambio y bolsa* (*vglbaar*) beursmakelaar, effectenmakelaar; ~ *marítimo* scheepsagent; ~ *oficial de propiedad industrial* octrooigemachtigde; ~ *secreto* geheim agent; ~ *de transporte* expediteur
agigantar enorme proporties geven, sterk vergroten; (*fig*) opblazen
ágil 1 beweeglijk, lenig; 2 rad, rap, vlug; ~ *de entendimiento* snel van begrip; **agilidad** *v* lenigheid, soepelheid, beweeglijkheid; ~ *de dedos* vingervlugheid; **agilización** *v* bespoediging, versoepeling; **agilizar** 1 lenig maken; 2 bespoedigen, stroomlijnen, versoepelen
agio agio
agitación *v* 1 agitatie, bedrijvigheid, drukte, onrust, opschudding, opwinding; 2 (het) roeren; **agitado** geagiteerd, gejaagd, onrustig, onstuimig, roerig; veelbewogen; *mar -a* ruwe zee; **agitador**, **-ora** I *bn* wat roert; II *zn* 1 agitator, oproerkraaier; 2 *m* roerstaafje
agitanado zigeunerachtig
agitar 1 schudden; roeren; rammelen; zwaaien met; *agítese antes de usarlo* schudden voor gebruik; ~ *un pañuelo* met een zakdoek zwaaien; 2 (*fig*) in beroering brengen, opwinden; **agitarse** 1 (heftig) bewegen, zwaaien; 2 onrustig worden, roerig worden
aglomeración *v* 1 agglomeratie; 2 opeenhoping, oploop; ~ *de gente* drukte; **aglomerado** I *bn* samengevoegd; *madera -a* spaanplaat; II *zn* agglomeraat; **aglomerar** opeenhopen; **aglomerarse** toelopen, samendrommen, te hoop lopen
aglutinante I *bn* hechtend; II *m* bindmiddel; **aglutinar** plakken, hechten; (*fig*) bijeenbrengen
agobiador, **-ora**, **agobiante** overstelpend, (zwaar) drukkend; **agobiar** 1 doen buigen, neerdrukken; 2 ~ (*de*) overladen (met), bezwaren (met), overstelpen (met); *agobiado de deudas* diep in de schulden; **agobio** zware last
agolparse samendrommen
agonía 1 doodsstrijd; 2 strijd; heftig verlangen; 3 hevige smart; **agónico** vd doodsstrijd, zieltogend; **agonioso** 1 overdreven zorgelijk; 2 hunkerend; 3 die vreselijk zeurt; **agonizante** in doodsstrijd (verkerend); **agonizar** 1 zieltogen; 2 aflopen; (*mbt licht*) bijna uitgaan; 3 hevig lijden; ~ *por: a)* lijden om; *b)* hunkeren naar
agorafobia pleinvrees, ruimtevrees
agorar voorspellen; **agorero** voorspellend
agostar zengen; (*door hitte*) doen uitdrogen; **agosto** augustus; *hacer su* ~ ergens een slaatje uit slaan, zich verrijken; *los comerciantes hicieron su* ~ de middenstand beleefde gouden tijden
agotado 1 uitgeput, afgemat, oververmoeid; 2 uitverkocht; **agotador**, **-ora** afmattend; *explotación -ora* roofbouw; **agotamiento** uitputting, oververmoeidheid; **agotar** 1 uitputten, afmatten; 2 (*een onderwerp*) volledig behandelen; **agotarse** zich aftobben, uitgeput raken; ~ *en disculpas* zich uitputten in verontschuldigingen
agracejo berberis
agraciado 1 lief om te zien, sierlijk; 2 ~ *con* begiftigd met, de (gelukkige) winnaar van; **agraciar** 1 mooier maken, flatteren; 2 ~ *con* (*een gunst*) verlenen, begiftigen met

agradable aangenaam, behaaglijk, prettig; **agradar** aanstaan, behagen, bevallen
agradecer dankbaar zijn voor, (be)danken voor; *le agradezco su ayuda* ik dank u voor uw hulp; **agradecido** dankbaar, erkentelijk; **agradecimiento** dankbaarheid, dank, erkentelijkheid
agrado 1 genoegen; *no es de mi* ~ het bevalt me niet; **2** (*fam*) vriendelijkheid, charme
agrandamiento (het) vergroten, uitbreiding; **agrandar** groter maken, vergroten, uitbreiden; (*een gat*) wijder maken, verwijden; **agrandarse** groter worden, toenemen
agrario landbouw-, agrarisch
agravamiento (het) verzwaren, verzwaring; verergering; **agravante I** *bn* verzwarend; **II** *m,v* verzwarende omstandigheid; **agravar** verergeren; **agravarse** erger worden
agraviar beledigen, grieven; **agraviarse** zich gekwetst voelen, zich beledigd voelen; **agravio** belediging; onrecht
agraz *m* **1** onrijpe druif; **2** sap van onrijpe druif; **3** *en* ~: *a*) voortijdig, nog niet gereed; *b*) (*ivm beroep*) in de dop
agredir aanvallen; ~ *de palabra* (mondeling) aanvallen, uitvaren tegen
agregación *v* **1** (het) toevoegen; **2** (toegevoegd) docentschap; **agregado, -a I** *bn*: *profesor* ~ toegevoegd hoogleraar; (*vglbaar*) universitair hoofddocent; **II** *zn* **1** attaché; ~ *cultural* cultureel attaché; **2** *m* aggregaat; **agregaduría 1** functie van diplomatiek attaché; **2** kantoor van diplomatiek attaché; **agregar** toevoegen, bijvoegen
agremiar in een gilde of vakbond verenigen
agresión *v* agressie; (het) aanvallen, aanval; ~ *sexual* aanranding; **agresividad** *v* agressiviteit; **agresivo** aanvallend, agressief; snibbig, vinnig; **agresor, -ora I** *bn* aanvallend; **II** *zn* aanvaller, agressor
agreste 1 plattelands-; **2** (*mbt terrein*) ruig, geaccidenteerd; **3** in het wild voorkomend; **4** (*mbt persoon*) ongemanierd, uit de klei getrokken
agriar zuur maken, verzuren; **agriarse** verzuren, zuur worden
agrícola landbouw-, agrarisch; *empresa* ~ landbouwbedrijf; **agricultor, -ora** boer, landbouwer; **agricultura** landbouw
agridulce zoetzuur
agrietamiento (het) splijten; (*mbt huid*) (het) springen; **agrietar** doen splijten, doen barsten; (*de huid*) doen springen; **agrietarse** splijten, barsten, scheuren; (*mbt huid*) springen
agrimensor *m* landmeter; **agrimensura** landmeting
agrio I *bn* wrang, zuur; **II** *zn* **1** zure smaak, zuur sap; **2** ~*s* citrusvruchten
agro platteland; **agronomía** landbouwkunde; **agrónomo, -a** landbouwkundige; **agropecuario** van landbouw en veeteelt; *empresa -a* gemengd bedrijf
agrupación *v* **1** groepering; **2** samenscholing; **agrupar** groeperen, samenvoegen; **agruparse 1** zich groeperen; **2** samenscholen
agua water; ~*s abajo* stroomafwaarts; ~ *del amnios* vruchtwater; ~*s arriba* stroomopwaarts; ~ *bendita* wijwater; ~ *blanda*, ~ *delgada* zacht water; ~ *de colonia* eau de cologne; ~ *corriente* stromend water; ~ *cruda*, ~ *dura*, ~ *gorda* hard water; ~ *dulce* zoet water, zacht water; ~ *fina* zacht water; ~*s inmundas*, ~*s negras*, ~*s residuales* afvalwater, rioolwater; ~*s interiores* binnenwateren; ~ *de jabón*, ~ *jabonosa* zeepsop; ~*s jurisdiccionales*, ~*s territoriales* territoriale wateren; ~ *de litines* (*vglbaar*) spuitwater; ~ *de manantial* bronwater; ~ *de mar* zeewater; ~ *mineral* mineraalwater; ~ *pasada* oude koek; ~ *pasada no muele molino* gedane zaken nemen geen keer; ~ *pesada* zwaar water; ~*s de pesca* viswater; ~ *potable* drinkwater; ~ *salada* zout water; ~ *de Seltz* spuitwater; ~ *subterránea* grondwater; ~ *tónica* tonic; ~ *viva* bronwater; *bailar el* ~ *a u.p.* iem naar de mond praten, naar iems pijpen dansen, iem vleien; *bañarse en* ~ *de rosas* leedvermaak hebben; *claro como el* ~ glashelder, klaar als een klontje; *como* ~ *de mayo* als geroepen; *echar* ~ *a la mar*, *llevar* ~ *al mar* water naar de zee dragen; *echar* ~ *al vino* water bij de wijn doen; *echarse al* ~ zich ergens in storten; *está con el* ~ *al cuello* het water staat hem tot de lippen; *de esta* ~ *no beberé* dat zal mij niet gebeuren; *hacer* ~: *a*) (*scheepv*) water maken, lek zijn; *b*) (*fig*) achteruitgaan, in moeilijkheden komen; *¡hombre al* ~*!* man overboord!; *llevar el* ~ *a su molino* zichzelf bevoordelen; *nadar entre dos* ~*s* van twee walletjes eten, de kool en de geit sparen; *pescar en* ~*s revueltas* in troebel water vissen; *quedar en* ~ *de borrajas* op niets uitlopen; *romper* ~*s* (*med*) (het) breken vh vruchtvlies; *sacar* ~ *de las piedras* overal profijt uit slaan; *sin decir* ~ *va* zonder enige waarschuwing; *techo de dos* ~*s* zadeldak
aguacate *m* (*Mexico*) avocado
aguacero stortbui
aguachirle *v* (*mbt wijn, koffie*) slap drankje
aguada aquarel; **aguado** met water vermengd, verwaterd; **aguador, -ora** waterdrager, -draagster, waterverkoper, -verkoopster
aguaducho kiosk met dranken
aguafiestas *m,v* iem die roet in het eten gooit, spelbreker, -breekster
aguafuerte *m* ets; **aguafuertista** *m,v* etser
aguamanil *m* lampetkan; lampetkom
aguamarina aquamarijn
aguamiel *v* (*Am*) honingwater, suikerwater
aguanieve *v* natte sneeuw
aguanoso waterig
aguantable houdbaar, (ver)draaglijk; **aguantaderas** *vmv* (*fam*) uithoudingsvermogen, weerstand; **aguantar I** *tr* **1** verdragen, doorstaan, dulden, ergens tegen kunnen; **2** onder-

drukken, inhouden; 3 volhouden; II *intr* het uithouden; **aguantarse** 1 (zich) inhouden, niets laten merken; ~ *las ganas de reír* zijn lachen inhouden; 2 berusten, zich bij iets neerleggen; **aguante** *m* uithoudingsvermogen; *tiene mucho* ~ hij kan tegen een stootje; *tener poco* ~ *con, en* weinig consideratie hebben met

aguar 1 met water verdunnen, aanlengen; ~ *el vino* wijn versnijden; 2 (*fig*) bederven, vergallen

aguardar 1 wachten, afwachten, tegemoet zien; 2 te wachten staan; **aguardarse** *zie aguardar*

aguardentoso brandewijnachtig; met brandewijn; *voz -a* grocstem; **aguardiente** *m* brandewijn

aguardillado met schuin dak; *piso* ~ zolderverdieping

aguarrás *m* terpentijnolie; ~ *mineral* terpentine

aguatado gewatteerd

aguaverde *v* groene kwal

aguazal *m* (water)poel

agudez 1 scherpte, scherpheid; 2 scherpzinnigheid, spitsvondigheid; 3 scherpzinnige opmerking; **agudizar** verscherpen, toespitsen; **agudizarse** verergeren, zich toespitsen, verscherpen; **agudo** 1 scherp; puntig, spits; 2 (*fig*) scherp, scherpzinnig, gevat, snedig; 3 acuut, nijpend; (*mbt pijn*) fel; 4 schril, schel; 5 (*muz*) hoog; *nota -a* hoge noot; 6 (*gramm*) met klemtoon op de laatste lettergreep

'Agueda meisjesnaam

agüero: *de mal* ~ onheilspellend; *pájaro de mal* ~ onheilsbode

aguerrido geoefend; doorgewinterd, gehard

aguijón *m* 1 prikkel; 2 angel; **aguijonear** prikkelen, aansporen, opjagen

águila 1 arend, adelaar; ~ *marina* zeearend; ~ *pescadora* visarend; 2 zeer scherpzinnig mens, kei; **aguileño** als van een adelaar; *nariz -a* haviksneus; *perfil* ~ adelaarsprofiel; **aguilucho** adelaarsjong

aguinaldo kerstgeschenk; kerstgratificatie; (*Belg*) eindejaarsgeschenk

aguja 1 naald; ~ (*de hacer punto*) breinaald; ~ *de gancho* haaknaald; ~ *de hielo* ijspegel; ~ *de zurcir* stopnaald; *buscar una* ~ *en un pajar* een naald in een hooiberg zoeken; *enhebrar la* ~ de draad in de naald steken; 2 wijzer, naald (*van klok, kompas*); 3 (toren)spits; 4 (*spoorw*) wissel; 5 (grammofoon)naald; ~ *de diamante* diamantnaald || *conocer la* ~ *de marear* zijn pappenheimers kennen, zijn weetje weten

agujerar, **agujerear** een gat maken, gaten maken; **agujerearse** gaten krijgen; **agujero** gat, opening, lek; ~ *en el hielo* wak; ~ *de hombre* mangat; ~ *de ratón* muizegat; *tapar ~s* het meest noodzakelijke doen

agujetas *vmv* spierpijn

agur: *¡~!* (*fam*) dag!, tot ziens!, tabé!

agusanarse vol wormen komen

agustino augustijn

aguzanieves *v* witte kwikstaart; **aguzar** scherpen, spitsen; ~ *el oído* zijn oren spitsen

ah: *¡~!* ha!; ach!; o!

ahechaduras *vmv* kaf

aherrojar (*fig*) ketenen, onderdrukken

aherrumbrarse roesten

ahí daar; ~ *está la cosa* dat is het punt; ~ *me las den* (*todas*) dat laat me koud; *de* ~ *que* vandaar dat; *no pasa de* ~ verder gaat het niet, daar blijft het bij; *por* ~: *a*) ergens (in de buurt), zomaar ergens; *b*) (*bij aantal*) zo ongeveer

ahijado, -a 1 petekind; 2 pleegkind, geadopteerd kind; **ahijar** adopteren

ahínco (grote) ijver, toeleg; aandrang

ahíto 1 zat, volgevreten, met een overladen maag; 2 overmatig rijk

ahogado 1 benauwd; 2 ~ *de* overladen met; *estar* ~ *de trabajo* stikken in het werk; **ahogar** 1 doen stikken, wurgen, smoren; ~ *el dolor* de pijn onderdrukken; ~ *la risa* zijn lachen inhouden; *un grito ahogado* een gesmoorde kreet; 2 verdrinken; **ahogarse** 1 verdrinken; 2 stikken; **ahogo** 1 benauwdheid, ademnood; *muerte por* ~ verdrinkingsdood; 2 beklemming, angstig gevoel; 3 benarde situatie; geldnood; overbelasting

ahondar 1 uitgraven, dieper maken; 2 ~ *en* diep doordringen in; diep ingaan op

ahora nu; dadelijk; ~..., ~ nu eens..., dan weer; ~ *bien* welnu; ~ *mismo* nu meteen; ~ *que estás aquí* nu je hier (toch) bent; ~ *vuelvo* ik ben zo terug

ahorcar ophangen (*aan galg*); ~ *los hábitos* met iets ophouden, de lier aan de wilgen hangen || *a la fuerza ahorcan* er is geen andere uitweg

ahorita nu meteen

ahorrar sparen, besparen, bezuinigen; *no* ~ *esfuerzos* geen moeite sparen; **ahorrarse** zich besparen; ~ *el trabajo* zich de moeite besparen; **ahorrativo** spaarzaam, zuinig; **ahorrillos** *mmv* spaarcentjes; **ahorro** 1 (het) sparen; 2 besparing, bezuiniging; ~ *de energía* energiebesparing; 3 *~s* spaargeld; *caja de ~s* spaarbank

ahuecamiento uitholling; **ahuecar** I *tr* hol maken; (*stem*) hol doen klinken || ~ *el ala* 'm smeren; II *intr* ervandoor gaan, 'm smeren; *¡ahueca!* smeer 'm!

ahumado I *bn* 1 gerookt; rookkleurig; *anguila -a* gerookte paling; 2 (*fam*) dronken; II *zn* (het) roken; **ahumar** 1 roken; 2 met rook vullen; **ahumarse** 1 zich vullen met rook; 2 een rooksmaak krijgen; 3 een rookkleur krijgen; 4 (*fam*) dronken worden

ahuyentar verdrijven, wegjagen, op de vlucht jagen

aimara, **aimará** I *bn* vd Aimara's; II *zn* 1 Aimara (*Indiaan uit de Andes-hoogvlakte*); 2 *m* Aimara-taal

aindiado (*Am*) met een Indiaans uiterlijk
airado kwaad || *mujer de vida -a* vrouw uit het leven
aire *m* 1 lucht; ~ *acondicionado* airconditioning; ~ *comprimido* perslucht; ~ *libre* buitenlucht; *cultivado al* ~ *libre* (*mbt gewassen*) van de koude grond; *dejar en el* ~ in de lucht laten hangen, onbeantwoord laten; *espacio de* ~ spouw; *estar en el* ~ onzeker zijn; *lanzar al* ~ in de lucht gooien; *lleno de* ~ hol, onbelangrijk; *ser* ~ onbelangrijk zijn; *tomar el* ~ een luchtje scheppen; *volar por los* ~*s* door de lucht vliegen; 2 wind; *hace mucho* ~ het waait flink; *soplo de* ~ zuchtje (wind); *no se puede vivir del* ~ van de wind kun je niet leven; 3 air; ~*s* allure; *con* ~ *de burla* spottend; *con* ~ *de suficiencia* pedant; *darse* ~ zich een air geven; *darse* ~*s* kapsones hebben; *se da unos* ~*s*... hij schept zo op...; *dándose* ~*s* met veel poeha; *darse* ~ *de importancia* gewichtig doen; *tener* ~ *sospechoso* er verdacht uitzien; 4 deuntje, wijsje; ~ *popular* volksliedje || *beber*(*se*) *el* ~ verstrooid zijn, met zijn hoofd in de wolken zitten; *darse buen* ~ *para* vaardigheid hebben in; *le dio el* ~ (*de*) *que*... hij vermoedde dat...; *de buen* ~ graag; *de mal* ~ met tegenzin; *llevarle el* ~ *a u.p.* met iem meepraten; **airear** 1 luchten, ventileren; 2 bekend maken, (*mening*) ventileren; **airearse** een luchtje scheppen; **airoso** zwierig, elegant, bevallig; *salir* ~ het er met succes afbrengen
aislacionista gericht op isolering; *política* ~ isoleringspolitiek; **aislado** 1 geïsoleerd; 2 afgelegen; 3 afzonderlijk, apart, los; vrijstaand; *un caso* ~ een op zichzelf staand geval, een geval apart; *control* ~ steekproef; *hechos* ~*s* losse feiten; **aislador, -ora** I *bn* isolerend; II *m* 1 isolator; 2 pannelap; **aislamiento** 1 afzondering, isolement; 2 eenzaamheid; 3 isolatie; ~ *acústico* geluidsisolatie; ~ *térmico* warmteisolatie; **aislante** isolerend; *material* ~ isolatiemateriaal; **aislar** í 1 afzonderen, afsplitsen; 2 isoleren; **aislarse** í zich afzonderen
ajamonarse (*mbt vrouw, fam*) dik worden
ajar doen verwelken, doen kreukelen; **ajarse** verwelken, oud worden
ajardinado als tuin ingericht; *espacio* ~ groenstrook
ajedrecista *m,v* schaker, schaakster; **ajedrez** *m* (het) schaken; *jugar al* ~ schaken
ajenjo absint
ajeno 1 van een ander, andermans; 2 ~ (*a*) afzijdig (van), vreemd (aan); ~ *al mundo* wereldvreemd; *alguien* ~ *al asunto* een buitenstaander; *circunstancias -as a mi voluntad* omstandigheden buiten mijn wil; *permanecer* ~ *a* afzijdig blijven van; 3 ~ *de* vrij van
ajetreado: *un día* ~ een zware dag; **ajetrearse** zich afjakkeren, jakkeren, zwoegen; **ajetreo** drukte, gezwoeg, rompslomp
ají *m* rode peper
ajiaceite *m* saus van olie met knoflook; **ajillo**: *al* ~ (bereid) met een knoflooksaus; **ajo** knoflook; ~ *blanco* koude knoflooksoep; *serio como un* ~ doodernstig; *ser tieso como un* ~ een stijve hark zijn || *andar en el* ~ er alles van weten, in het complot zitten; *quien se pica* ~*s come* wie de schoen past, trekke hem aan;
ajoarriero stokvisgerecht
ajonjolí *m* sesam(zaad)
ajorca armband, enkelband
ajuar *m* 1 uitzet (*vd bruid*); 2 ~ (*familiar*) huisraad, inboedel
ajumarse (*fam*) dronken worden
ajustable verstelbaar; **ajustado** 1 nauw, nauwsluitend, strak; 2 ~ *a* precies afgestemd op; **ajustador** *m* 1 machinebankwerker; 2 nauw jakje; **ajustar** I *tr* 1 afstellen, bijstellen, instellen; doen passen, pas maken, tailleren; (*riem*) aanhalen; 2 ~ (*a*) aanpassen (bij, aan), afstemmen (op); 3 overeenkomen, afspreken, contracteren; 4 ~ (*cuentas*) afrekenen; II *intr* precies passen; **ajustarse**: ~ *a* aansluiten bij, stroken met, zich richten naar; **ajuste** *m* 1 afstelling, aanpassing, bijstelling, instelling; ~ *de precisión* fijnstelling; *carta de* ~ testbeeld; *tornillo de* ~ stelschroef; 2 aanstelling, contractering; 3 opmaak (*van krant*); 4 ~ (*de cuentas*) afrekening
ajusticiamiento terechtstelling; **ajusticiar** terechtstellen
ala 1 vleugel; ~ *lateral* zijvleugel; *cortar las* ~*s* belemmeren, kortwieken; *dar* ~*s a* aanmoedigen, overmoedig maken, verwaand maken; 2 rand (*van hoed*); 3 blad (*van propeller*); 4 verlengblad (*van tafel*)
Alá *m* Allah
alabanza lof, loftuiting; **alabar** loven, prijzen, roemen; **alabarse**: ~ *de* trots zijn op
alabarda hellebaard
alabastro albast
álabe *m* schoep; **alabear** krom maken; **alabearse** kromtrekken; **alabeo** 1 (het) kromtrekken; 2 kromming
alacena ingebouwde kast, muurkast
alacrán *m* schorpioen
alado gevleugeld; vliegensvlug
alalimón *m* kinderspel waarbij twee rijen om en om zingend elkaar naderen
alamar *m* 1 tres, lus; 2 franje
alambicado precies uitgedacht, bestudeerd, afgewogen; *precio* ~ scherp gecalculeerde prijs; **alambicar** 1 distilleren; 2 precies uitdrukken, precies afwegen, uitspinnen; **alambique** *m* distilleerketel
alambrada afrastering (*vnl mil*); **alambrado** 1 hor; 2 (*elektr*) bedrading; 3 afrastering; **alambre** *m* (metaal)draad, ijzerdraad; ~ *de acero* staaldraad; ~ *cargado* (*elektr*) draad onder spanning; ~ *de cobre* koperdraad; ~*s descubiertos* bovengrondse leidingen; ~ *eléctrico* schrikdraad; ~ *de púas* prikkeldraad; ~ *tejido* rasterwerk; **alambrera** (bescherming van) metaalgaas; hor

alameda 1 populierenbos; 2 laan; **álamo** populier
alano soort dog (*kruising tussen dog en windhond*)
alarde *m* vertoon; *hacer ~ de* te koop lopen met; **alardear:** *~ de* zich beroemen op, pralen met, prat gaan op
alargable uitschuifbaar; rekbaar; **alargado** langgerekt, langwerpig; **alargar** 1 verlengen, uitrekken; 2 uitstrekken; 3 uitstellen; 4 aanreiken; **alargarse** 1 langer worden, rekken; (*mbt ziekte*) blijven slepen; 2 uitweiden; 3 *~ a* zo royaal zijn om; 4 *~ a* even langsgaan bij
alarido luide kreet; *dar ~s* gillen, krijsen, brullen
alarma 1 alarm; *~ aérea* luchtalarm; *~ de bomba* bommelding; *estado de ~* noodtoestand; *falsa ~* vals alarm; 2 ontsteltenis; verontrusting; **alarmado** gealarmeerd, ongerust, onthutst, ontsteld; **alarmante** alarmerend, schrikbarend, zorgwekkend; **alarmar** 1 alarmeren; 2 verontrusten, doen schrikken; **alarmarse** ongerust worden
a látere *m,v; zie adlátere*
alavés, -esa vd provincie 'Alava
alazán, -ana (*mbt paard*) vos, roodbruin
alba 1 dageraad; *con el ~* bij het krieken vd dag; 2 wit miskleed
albacea *m,v* executeur-testamentair
albahaca basilicum
albanés, -esa Albanees
albañil *m* metselaar; **albañilería** metselwerk
albarda pakzadel
albaricoque *m* abrikoos; **albaricoquero** abrikozenboom
albatros *m* albatros
albedrío vrije wil
alberca gemetseld waterreservoir
albérchigo soort perzik; soort abrikoos
albergar 1 huisvesten; 2 in zich hebben, koesteren; **albergue** *m* 1 onderdak, schuilplaats; 2 bescheiden hotel, onderkomen; *~ juvenil* jeugdherberg
albillo zoete witte wijn
albino, -a albino
albis: *in ~* zonder enige notie; *quedarse in ~* er niets van snappen
albóndiga (kleine) gehaktbal
albor *m* 1 witheid; 2 morgenlicht; 3 *~es* (*lit*) begin; **alborada** aubade
albornoz *m* badmantel
alborotado onstuimig, woelig; **alborotador, -ora** I *bn* drukte makend, de rust verstorend; II *m,v* oproerkraaier, raddraaier; druktemaker, -maakster; **alborotamiento** *zie alboroto*; **alborotar** I *tr* onrustig maken, verstoren, opruien; II *intr* drukte maken, opschudding veroorzaken; **alborotarse** 1 onrustig worden; kwaad worden; 2 in opstand komen; **alboroto** 1 kabaal, tumult; 2 opschudding; ruzie; 3 rel
alborozador, -ora vrolijk makend; **alborozar** heel vrolijk maken; **alborozo** vreugdebetoon, vrolijkheid
albricias: *¡~!* (*lit*) hoera!
albufera lagune aan zee
álbum *m* album; *~ de dibujos* schetsboek; *~ de recortes* plakboek; *~ de visitantes* gastenboek
albumen *m* kiemomhulsel; **albúmina** eiwit
albur *m* gevaar, risico; *al ~* op goed geluk; *correr un ~* een risico lopen
alcabala (*hist*) belasting op de verkoop
alcachofa artisjok
alcahuete, -eta 1 koppelaar(ster); 2 (*Am*) verklikker, verklikster, klikspaan; **alcahuetear** 1 als koppelaar optreden, koppelen; 2 roddelen
alcaide *m* 1 slotvoogd; 2 gevangenbewaarder
alcaldada ambtsmisbruik (*door burgemeester*); **alcalde** *m,v* burgemeester; *~ pedáneo* toegevoegd burgemeester; **alcaldesa** 1 burgemeestersvrouw; 2 vrouwelijke burgemeester; *zie ook alcalde*; **alcaldía** 1 burgemeestersambt; 2 gemeentehuis; 3 ambtsgebied vd burgemeester
álcali *m* alkali, loog
alcance *m* 1 bereik, draagwijdte, reikwijdte; belang; actieradius; *el ~ del daño* de omvang vd schade; *~ de vuelo* vliegbereik; *al ~ de la mano* binnen handbereik; *al ~ del oído* binnen gehoorsafstand; *colisión por ~* aanrijding van achteren; *dar ~ a u.p.* iem inhalen; *de ~ medio* voor de middellange afstand; *de gran ~* 'verstrekkend; *irle a u.p. a los ~s* iem op de hielen zitten; 2 laatste bericht(en) (*in krant*); 3 tekort || *de pocos ~s* weinig begaafd, niet erg intelligent
alcancía spaarpot
alcanfor *m* kamfer
alcantarilla riool; **alcantarillado** riolering
alcanzable bereikbaar; haalbaar; **alcanzado** 1 die krap zit (*in zijn geld*); 2 die geld verloren heeft; **alcanzar** 1 bereiken; verwerven; *~ el tren* de trein halen; *~ el poder* aan de macht komen; *hasta donde alcanza la mirada* zover het oog reikt; *no lo alcanzo* ik kan er niet bij (*het staat te hoog*); *no lo alcanza ni de lejos* daar kan hij niet aan tippen; 2 inhalen; 3 begrijpen, beseffen; *no lo alcanzo* daar kan ik (met mijn verstand) niet bij; 4 toereikend zijn, strekken; *el sueldo no me alcanza* (*para vivir*) van mijn salaris kan ik niet rondkomen; 5 treffen, raken
alcaparra kappertje
alcaravea karwij
alcatraz *m* (*Am*) pelikaan
alcayata haakje, kram
alcazaba citadel
alcázar *m* 1 vesting; 2 paleis; 3 (*scheepv*) achterdek
alce *m* eland
alcista stijgend
alcoba slaapkamer
alcohol *m* alcohol; **alcohólico, -a** I *bn* 1 alcoholisch; *bebidas -as* sterke drank, spiritualiën;

2 verslaafd aan alcohol; II *m,v* alcoholist(e); **alcoholímetro** alcoholmeter; **alcoholismo** alcoholisme; **alcoholización** *v* alcoholvergiftiging; **alcoholizar** alcohol toevoegen; **alcoholizarse** aan de alcohol raken; **alcohómetro** alcoholmeter, blaaspijpje
alcor *m* heuvel
alcorán *m: el* ~ de Koran
alcornoque *m* 1 steeneik; 2 stomkop
alcurnia afkomst
alcuza oliekan
alcuzcuz *m* koeskoes
aldaba 1 (deur)klopper; 2 klink, sluitbalk; 3 ~*s* (*fam*) invloedrijke vrienden of beschermers; **aldabilla** (sluit)haakje; **aldabón** *m* grote deurklopper
aldea klein dorp, gehucht; **aldeano, -a** I *bn* 1 uit een dorp, plattelands-, dorps; 2 boers, dorps, lomp; II *m,v* boer(in), dorpeling(e)
ale: *¡~!* vooruit!, hup!
aleación *v* le'gering; **alear** le'geren
aleccionador, -ora leerzaam
aledaños *mmv* omstreken, omgeving
alegación *v* pleidooi; *escrito de -ones* bezwaarschrift (*bv bij belasting*); **alegar** aanvoeren; **alegato** betoog, pleidooi
alegoría allegorie; **alegórico** allegorisch
alegrar 1 verheugen, blij maken; *me alegra que haga sol* ik ben blij dat de zon schijnt; 2 (*fig*) opvrolijken, versieren; **alegrarse** (*de*) 1 zich verheugen (over), blij zijn (dat); *me alegro de que no llueva* ik ben blij dat het niet regent; 2 licht aangeschoten raken; **alegre** vrolijk, opgewekt, opgeruimd; **alegría** vreugde, blijdschap; opgewektheid, vrolijkheid; *la ~ de la casa* het zonnetje in huis; *~ de vivir* levensvreugde; **alegro** allegro
alejado ver, veraf; **alejamiento** 1 afstand, afgelegen ligging; 2 afwezigheid; 3 vervreemding, verwijdering
alejandrino alexandrijn
alejar verwijderen; **alejarse** (*de*) zich verwijderen (van); vervreemden (van)
alelado verbluft, versuft, wezenloos
aleluya: *¡~!* halleluja!; hoera!
alemán, -ana I *bn* Duits; *pastor* ~ Duitse herder (*hond*); II 1 *zn* Duitser, Duitse; *~ del Este* Oostduitser; 2 *m* (het) Duits; **Alemania** Duitsland; ~ *Occidental* West-Duitsland; ~ *Oriental* Oost-Duitsland
alentador, -ora bemoedigend; **alentar ie** bemoedigen, moed inspreken
alerce *m* lariks
alergeno allergeen; **alergia** allergie; **alérgico** (*a*) allergisch (voor)
alero overstekende dakrand; **alerón** *m* rolroer
alerta alert, op zijn quivive, op zijn hoede; **alertar** waarschuwen
alesna priem
aleta 1 vin; ~ *caudal* staartvin; ~ *de tiburón* haaievin; 2 ~ (*para nadar*) (*sp*) zwemvlies; 3 spatbord (*van auto*)
aletargar slaperig maken, lethargisch maken
aletazo vleugelslag; **aletear** klapwieken, met de vleugels slaan
alevosía laaghartig verraad; **alevoso** verraderlijk; *asesinato* ~ sluipmoord
alfabético alfabetisch; **alfabetizar** *tr* 1 op alfabet ordenen; 2 leren lezen en schrijven; **alfabeto** alfabet, abc
alfalfa luzerne (*soort klaver, veevoer*)
alfanje *m* kromzwaard
alfarería pottenbakkerij; **alfarero, -a** pottenbakker, -bakster
alféizar *m* 1 vensterbank; 2 raamopening
alfeñique *m* teer poppetje
alférez *m* vaandrig
alfil *m* (*schaaksp*) loper
alfiler *m* speld; broche; ~ *de seguridad* veiligheidsspeld; *ir de veinticinco ~es* tot in de puntjes gekleed zijn; *prendido con ~es* losjes, niet erg stevig; *sujetar con ~es* vastspelden; **alfilerazo** speldeprik; **alfiletero** naaldenkoker
alfombra tapijt, vloerkleed; **alfombrado** I *bn* met tapijt bedekt; II *zn* vloerbedekking; **alfombrar** met tapijt beleggen
alfóncigo 1 pistache; 2 pistacheboom
alfonsino (uit de tijd) van koning Alfonso
alforja dubbele tas (*over schouder of op lastdier*)
alga alge, (zee)wier
algarabía onleesbaar gekrabbel; onverstaanbaar gebrabbel; (het) door elkaar praten
algarada 1 strooptocht; 2 oploop
algarroba 1 voederwikke; 2 Sint-Jansbrood; **algarrobo** Sint-Jansbroodboom
algazara rumoer, geschreeuw
álgebra algebra; **algebraico** algebraïsch
algecireño uit Algeciras
algidez *v* intense kou; **álgido** 1 (*med*) intens koud; 2 kritiek; *punto* ~ hoogtepunt, belangrijkste moment
algo I *onbep vnw* iets; ~ *es* ~ dat is tenminste iets; ~ *así* zoiets; *por* ~ niet voor niets; *por ~ será* dat zal zijn reden wel hebben; II *bw* enigszins, wat
algodón *m* 1 katoen; ~ *de azúcar* suikerspin; ~ *en rama* ruwe katoen; *de* ~ katoenen; 2 watten; *criado entre -ones* in de watten gelegd, vertroeteld; **algodonal** *m* katoenplantage; **algodonero** I *bn* vd katoen; *industria -a* katoenindustrie; II *zn* katoenplant
alguacil *m* bode (*van gerecht of gemeentehuis*)
alguien iemand; *se cree* ~ hij voelt zich een hele piet; *ser* ~ belangrijk zijn
algún, alguna *zie alguno*; **alguno** *onbep vnw* 1 (*bijvgl; voor mnl zn enkv: algún*) enig(e), een enkel(e), een of ander(e); (*mv*) sommige, enkele; *~s libros* een paar boeken; *algún tanto* een beetje; *-a (que otra) vez* een enkele keer; *hay algún banco* er staat een enkele bank; 2 (*zelfst*) iemand (*uit een bep groep*); (*mv*) sommigen
alhaja juweel, sieraad; **alhajar** sieren, tooien; (*een huis*) inrichten

alharaca misbaar, uitbundig vertoon
alhelí *m* violier
alheña liguster
alhucema lavendel
aliado, -a I *bn* geallieerd; II *zn* bondgenoot, -genote; **alianza** 1 verbond, bondgenootschap; 2 verbintenis; 3 trouwring; **aliar í** (*a*) verbinden (met), verenigen (met), paren (aan); **aliarse í** 1 een bondgenootschap sluiten; 2 hand in hand gaan, samengaan
alias I *bw* alias; II *m* bijnaam
alibí *m* alibi
alicaído 1 mismoedig; 2 zwakjes
alicantino uit Alicante
alicatado tegelwerk; **alicatar** betegelen
alicates *mmv* 1 tang; ~ *de boca graduable* waterpomptang; 2 pincet
aliciente *m* iets aanlokkelijks, trekpleister, aantrekkingskracht
alicortar kortwieken
alícuota in verhouding, proportioneel; *parte* ~ getal dat deelbaar is op een ander
alienable vervreemdbaar; **alienación** *v* 1 vervreemding; 2 ~ (*mental*) krankzinnigheid; **alienado, -a** krankzinnige, waanzinnige; **alienar** vervreemden; **alienista** *m,v* (*ongebr*) zenuwarts
aliento 1 adem; *sin* ~ buiten adem, amechtig; *tomar* ~ op adem komen, even uitblazen; 2 moed; 3 zuchtje (*wind*)
aligátor *m* alligator
aligeramiento 1 verlichting; 2 bespoediging; **aligerar** 1 verlichten; 2 versnellen
aligustre *m* liguster
alijar 1 (*een schip*) lossen; 2 (*smokkelwaar*) aan land brengen; **alijo** smokkelwaar
alimaña schadelijk dier
alimentación *v* 1 voeding; ~ *suplementaria* bijvoeding; 2 (het) voeden; **alimentador, -ora** I *bn* voedend, die voedt; II *m* toevoerleiding; ~ *de hojas* (*automático*) sheetfeeder; **alimentar** 1 voeden; 2 (*gevoelens*) koesteren; **alimentarse** (*con, de*) zich voeden (met); **alimentario** voedsel-; *costumbres -as* eetgewoonten; **alimenticio** voedsel-, voedend, voedings-; *industria -a* levensmiddelenindustrie; *inspección -a* keuringsdienst (*van eetwaren*); *materias -as* voedingsstoffen; *obligación -a* alimentatieplicht; *valor* ~ voedingswaarde; **alimento** 1 voedsel, voeding, voer; ~*s de régimen* dieetvoeding; 2 ~*s* (*jur*) alimentatie
alimón: *al* ~ (*con*) om en om (met), samen(werkend) (met), net als
alindar grenzen aangeven, afpalen
alineación *v* 1 (het) op een rij zetten; (het) uitlijnen; 2 (*sp*) samenstelling, opstelling; **alineado** 1 op een rij, in een rij opgesteld; 2 (*pol*) *no* ~ niet-gebonden; **alineamiento** 1 *zie alineación*; 2 (*pol*) *no* ~ niet-gebondenheid; **alinear** 1 op een rij zetten; uitlijnen, richten; 2 (*sp*) een ploeg samenstellen, een opstelling maken
aliñar (*sla*) aanmaken; **aliño** 1 (het) aanmaken (*van sla*); (het) schikken; 2 (sla)saus
aliquebrado vleugellam
alisar gladstrijken, gladmaken
alisios *mmv* passaatwinden
aliso els (*boom*)
alistar op een lijst zetten, (aan)werven; **alistarse** (aan)monsteren, dienst nemen
aliteración *v* alliteratie
aliviadero overlaat; **aliviar** verlichten, verzachten, lenigen; opluchten; **aliviarse** 1 (*mbt pijn*) lichter worden; 2 (*mbt persoon*) bijkomen; *¡que se alivie!* beterschap!; **alivio** verlichting, opluchting, verademing; weldaad
aljibe *m* 1 regenbak, reservoir voor regenwater; 2 watertank; 3 tankschip
aljófar *m* kleine parel
allá daarheen, daar; (*Am*) daar; ~ *tú* dat is jouw zaak; ~ *se las hayan* dan moeten ze het zelf maar weten; *aquí y* ~ her en der; *más* ~ *de* verder dan; *más* ~ *de la casa* het huis voorbij; *el más* ~ het hiernamaals
allanamiento 1 (het) vlak maken, (het) effenen; 2 (het) onder de voet lopen; ~ *de morada* huisvredebreuk; 3 (het) zich onderwerpen, (het) zich neerleggen (*bij iets*); **allanar** 1 vlak maken, effenen; 2 (*moeilijkheden*) uit de weg ruimen; 3 onder de voet lopen; ~ *una casa* huisvredebreuk plegen
allegado, -a familielid; aanhang(st)er; *-os* intimi; aanhang; gevolg; **allegar** bijeenbrengen
allende aan de andere kant van
allí daar(ginds); ~ *lejos* daar in de verte; *no paró* ~ hij ging nog verder
alma ziel, geest; (*fig*) hart; ~ *de cántaro* onnozele ziel, domme gans; *se le cayó el* ~ *a los pies* de moed zonk hem in de schoenen; *como* ~ *que se lleva el diablo* als de wiedeweerga; *con el* ~ *destrozada* zielsbedroefd; *con* ~ *y vida* met hart en ziel; *con el* ~ *en vilo* in grote spanning; *con toda el* ~ van ganser harte; *dar el* ~ de geest geven; *echarse el* ~ *a la espalda* zijn bedenkingen laten varen; *entregar el* ~ de laatste adem uitblazen; *estar con el* ~ *en un hilo* zijn hart vasthouden; *me llega al* ~ het ligt me na aan het hart, het ontroert mij zeer; *ni un* ~ geen sterveling; *me parte el* ~ het snijdt mij door de ziel; *no podía con mi* ~ ik was doodop, ik kon niet meer; *romper el* ~ in elkaar slaan; *tener el* ~ *en su almario* het hart op de juiste plaats hebben
almacén *m* 1 loods, opslagplaats, pakhuis, magazijn; ~ *refrigerador* koelhuis; *en* ~ voorradig; 2 warenhuis, grote winkel, magazijn; 3 magazijn (*van vuurwapen*); **almacenaje** *m* 1 opslag; 2 opslagkosten; **almacenamiento** opslag; ~ *de datos* opslag van gegevens; **almacenar** opslaan; ~ *en sitio fresco* koel bewaren
almáciga 1 zaaibed; 2 mastiek
almádena moker
almadraba (plaats voor) tonijnvangst; tonijnnet

almadreña soort klomp
almanaque *m* almanak
almeja kleine mossel
almena tin, kanteel; *~s* (toren)trans
almendra amandel; **almendral** *m* amandelboomgaard; **almendro** amandelboom
almeriense uit Almería
almiar *m* hooimijt
almíbar *m* suikerstroop; **almibarado** (*fig*) honingzoet; **almibarar** 1 met suikerstroop bedekken; 2 strooplikken, vleien
almidón *m* stijfsel; **almidonado** 1 gesteven; 2 opgeprikt; stijfjes; **almidonar** stijven
almirante *m* admiraal
almirez *m* vijzel
almizcle *m* muskus; **almizclero** muskusdier
almohada (hoofd)kussen; *consultar u.c. con la ~* ergens een nachtje over slapen; **almohadilla** kussentje; stempelkussen; *~ de tope* (*scheepv*) stootkussen, kurkezak; **almohadón** *m* groot kussen; *~ de aire* luchtkussen
almoneda veiling; uitverkoop
almorranas *vmv* aambeien
almorzar ue I *intr* 1 lichte maaltijd in de ochtend gebruiken; 2 lunchen, middagmaal gebruiken; 3 (*op platteland, soms*) ontbijten; II *tr* (*bij de maaltijd*) eten, gebruiken
almuecín *m* muezzin; **almuédano** *zie almuecín*
almuerzo 1 licht maal tussen ontbijt en middagmaal; 2 lunch, middageten; 3 (*op platteland soms*) ontbijt
alocado dwaas, onverstandig, suf
alocución *v* toespraak
áloe, aloe *m* aloë
alogamia kruisbestuiving
alojado, -a logé(e); **alojamiento** onderdak, huisvesting, logies, accommodatie, verblijf; **alojar** huisvesten
alondra leeuwerik
alpaca 1 (*dierk*) alpaca; 2 alpaca(wol), alpacavezel; 3 alpacaweefsel; 4 glanskatoen; 5 (*metaallegering*) alpaca
alpargata touwschoen, espadrille
Alpes: *los ~* de Alpen; **alpestre**: *flora ~* alpenflora; **alpinismo** alpinisme, bergsport; **alpinista** *m,v* alpinist(e), bergklimmer, -klimster; **alpino** vd Alpen, alpen-
alquería (alleenstaande) boerderij
alquilar 1 huren; *alquilado* (*mbt taxi*) bezet; *madre alquilada* draagmoeder; 2 verhuren; *se alquila* te huur; **alquiler** *m* 1 huur; *tomar en ~* huren; 2 verhuur; *dar en ~* verhuren; 3 huur(prijs)
alquimia alchimie; **alquimista** *m* alchimist
alquitarado 1 gedistilleerd; 2 uiterst verfijnd
alquitrán *m* teer; **alquitranado** 1 (het) teren; 2 (*scheepv*) getaand zeildoek; 3 geteerd wegdek; **alquitranar** teren
alrededor I *bw* rondom; *~ de: a*) om(heen); *b*) omstreeks; *mirar a su ~* rondkijken; II *mmv: ~es* omgeving, omtrek; *en los ~es de Madrid* in de omgeving van Madrid
Alsacia Elzas; **alsaciano** Elzassisch
alta 1 ontslag (*uit ziekenhuis*); *dar de ~, dar el ~* ontslaan van medische behandeling, genezen verklaren; 2 indiensttreding; toetreding (*bv bij ziekenfonds, vereniging, partij*); *dar de ~, dar el ~* inschrijven; *darse de ~* zich laten inschrijven, zich opgeven
altamente hogelijk, zeer
altanería hooghartigheid; **altanero** hooghartig, aanmatigend
altar *m* altaar; *~ mayor* hoofdaltaar; *quedarse para adornar ~es* (*mbt vrouw*) niet trouwen
altavoz *m* luidspreker
alteración *v* 1 verandering; 2 verstoring; *~ del orden* (*público*) rustverstoring; 3 schrik, schok; 4 twist; **alterar** 1 veranderen; 2 verstoren, verontrusten, schokken; 3 knoeien met, vervalsen; **alterarse** van de wijs raken; *no ~ por nada* zich door niets van zijn stuk laten brengen
altercado ruzie, twist(gesprek), woordenwisseling; **altercar** ruzie maken
alternación *v* afwisseling; **alternador** *m* wisselstroomdynamo; **alternadora** animeermeisje; **alternancia** afwisseling; **alternar** I *tr* afwisselen; II *intr* 1 afwisselen; 2 met elkaar omgaan; **alternarse** elkaar afwisselen; elkaar aflossen; **alternativa** 1 alternatief; (*Belg*) wisseloplossing; 2 keus tussen twee dingen; *poner en la ~ de* voor de keus stellen om; 3 afwisseling, (het) wisselen; **alternativo** 1 (af)wisselend, om en om, beurtelings; 2 alternatief, apart, modern; **alterne** *m* omgang tussen cafébezoekers en (animeer)meisjes; **alterno** afwisselend, om en om; *ángulos ~s* overstaande hoeken; *corriente -a* wisselstroom; *en días -os* om de dag
alteza verhevenheid; **Alteza** Hoogheid; *Su ~ Real* Zijne, Hare Koninklijke Hoogheid
altibajos *mmv* ups en downs
altillo 1 heuveltje; 2 zolder(verdieping)
altímetro hoogtemeter
altiplanicie *v; zie altiplano*; **altiplano** (*Am*) hoogvlakte (*in de Andes*)
altísimo zeer hoog; **Altísimo**: *el ~* God
altisonante, altísono klankrijk; hoogdravend
altitud *v* hoogte
altivez *v* hooghartigheid, laatdunkendheid; **altivo** hooghartig, laatdunkend, neerbuigend; ongenaakbaar
alto I *bn* 1 hoog; *un ~ cargo* een hoge functie; *la -a Edad Media* de vroege middeleeuwen; *el ~ Rin* de bovenloop van de Rijn; *a -as horas de la noche* laat in de nacht; *en lo ~* bovenaan; *en lo ~ de* bovenop; *por todo lo ~* in grootse stijl, grootscheeps; 2 (*mbt persoon*) lang; 3 (*mbt klank, geluid*) hoog; luid; *en -a voz* hardop; II *zn* 1 hoogte; *tiene 10 cms de ~* het is 10 cm hoog; 2 hooggelegen plek; 3 halt; *~ el fuego* staakt het vuren; *hacer ~* halt houden; 4 (*muz*) alt; III *bw* luid, hard; *hablar ~* hard spreken; IV *tw: ¡~!* halt!

altoparlante *m* luidspreker
altozano heuveltje (*in een vlakte*)
altramuz *m* lupine
altruismo altruïsme; **altruista** *m,v* altruïst(e)
altura 1 hoogte, niveau; ~ *de paso* doorrijhoogte; *a la* ~ ter hoogte van; *a la* ~ *del ojo* op ooghoogte; *a la* ~ *de los tiempos* up to date, meegegaan met zijn tijd; *a estas* ~*s* in deze tijd, nu het zover is; *estar a la* ~ *de* aankunnen, opgewassen zijn tegen; *pesca de* ~ diepzeevisserij; 2 (*mbt persoon*) lengte
alubia boon
alucinación *v* waan, hallucinatie, zinsbegoocheling, verblinding; **alucinado** (*ivm drugs*) high; **alucinador, -ora** verblindend, huiveringwekkend, obsederend, leidend tot hallucinaties; **alucinamiento** *zie alucinación*; **alucinante** *zie alucinador*; **alucinar** hallucinaties bezorgen, verblinden, obsederen
alud *m* lawine
aludido bedoeld, genoemd; *darse por* ~ reageren, happen; *no darse por* ~ niet reageren, doen of je neus bloedt; **aludir**: ~ *a* zinspelen op, doelen op, aanroeren
alumbrado verlichting; ~ *de emergencia* noodverlichting; ~ *público* straatverlichting; **alumbramiento** 1 (het) verlichten; 2 bevalling; **alumbrar** I *tr* 1 verlichten; bijlichten, bijschijnen; 2 ter wereld brengen, het licht doen zien; 3 (*olie*) aanboren; II *intr* (*med*) bevallen
alumbre *m* aluin
aluminio aluminium
alumnado leerlingenbestand; (de) leerlingen; **alumno, -a** leerling(e), cursist(e), student(e); ~ *oyente* (*vglbaar*) toehoorder
alunizaje *m* maanlanding
alusión *v* zinspeling, toespeling; *hacer* ~ *a* refereren aan, zinspelen op; **alusivo** (*a*) zinspelend (op); veelbetekenend
aluvial alluviaal, aangeslibd; **aluvión** *m* 1 aanslibbing; 2 alluvium; 3 (*fig*) stroom
'**Alvaro** jongensnaam
alza stijging (*van prijs, loon*); *estar en* ~ een stijgende lijn vertonen
alzacuello rechtopstaande boord (*van geestelijke*), vadermoordenaar
alzado 1 (*mbt prijs*) van tevoren vastgesteld; *a precio* ~ à forfait, (*mbt werk*) aangenomen; 2 (*Am*) (*mbt persoon*) brutaal; 3 bronstig; **alzamiento** 1 (het) verheffen, (het) opheffen; 2 opstand; **alzar** heffen, opheffen, verheffen; verhogen; ~ *los hombros* zijn schouders ophalen; ~ *el telón* het doek ophalen; ~ *la vista* zijn ogen opslaan, opkijken; ~ *la voz* zijn stem verheffen; ~ *el vuelo* opstijgen; **alzarse** 1 opstaan, zich verheffen; 2 in opstand komen; 3 in beroep gaan; 4 ~ *con* er vandoor gaan met; ~ *con los fondos* er met de kas vandoor gaan
ama bazin; ~ *de casa* huisvrouw, vrouw des huizes; ~ *de cría,* ~ *de leche* voedster; ~ *de gobierno,* ~ *de llaves* huishoudster; ~ *seca* kinderverzorgster
amabilidad *v* vriendelijkheid, beminnelijkheid; **amable** vriendelijk, beminnelijk
amado, -a I *bn* bemind; II *zn* beminde
amaestrar dresseren
amagar I *tr* (be)dreigen, lijken te gaan (doen); *amaga (con) lluvia, amaga llover* er dreigt regen; II *intr* dreigen, op handen zijn, lijken te gaan gebeuren; **amago** 1 schijnbeweging; 2 teken, aanwijzing
amainar I *tr* (*de zeilen*) reven; II *intr* 1 (*mbt wind*) gaan liggen; 2 (*fig*) inbinden, zich matigen
amalgama 1 amalgaam; 2 vermenging, mengeling; **amalgamar** 1 samensmelten; 2 vermengen; **amalgamarse** 1 samensmelten; 2 fuseren
amamantamiento (het) zogen; **amamantar** zogen
amancebamiento (*neg*) (het) samenwonen (*van ongehuwden*), (het) hokken; **amancebarse** (*neg*) (*ongehuwd*) gaan samenwonen, hokken
amanecer I *ww* 1 licht worden, dag worden, dagen; 2 ~ *en* in de vroege ochtend ergens zijn of komen; *amanecí en Madrid* toen het dag werd, was ik in Madrid (aangekomen); 3 de dag beginnen; ~ *de mal humor* de dag met een slecht humeur beginnen; II *m* ochtendgloren;
amanecida *zie amanecer II*
amanerado aanstellerig, gekunsteld; **amaneramiento** gekunsteldheid; **amanerarse** maniertjes krijgen
amansar 1 temmen; 2 kalmeren, doen bedaren, matigen; **amansarse** 1 tam worden; 2 kalm worden
amante I *bn:* ~ *de* houdend van; gesteld op, dol op; II *m,v* 1 minnaar, minnares, geliefde; 2 liefhebber, -hebster; ~ *de la naturaleza* natuurvriend
amanuense *m,v* klerk
amañado handig; **amañar** (*vaak neg*) handig regelen; sjoemelen (met); **amañarse** (*para*) handigheid hebben (in); **amaño** (*neg*) handigheid, slimme regeling
amapola klaproos; *como una* ~ vuurrood
amar beminnen, houden van
amaranto amarant
amarar (*mbt watervliegtuig, ruimteschip*) op zee dalen
amargar I *intr* bitter smaken; II *tr* 1 bitter maken; 2 vergallen, verbitteren; ~*le a u.p. la vida* iem het leven zuur maken; **amargarse** verbitterd worden, verzuren; ~ *la vida* zich kwellen, zichzelf het leven zuur maken; **amargo** I *bn* 1 bitter; 2 (*Am; mbt mate-thee*) zonder suiker; II *zn* bittere smaak, bitterheid; **amargor** *m; zie amargo II*; **amargura** (*fig*) bitterheid, verbittering, somberheid
amariconado (*fam*) nichterig, verwijfd
amarilis *v* amaryllis
amarillear 1 geel worden, vergelen; 2 een beetje geel zijn; **amarillento** gelig; vergeeld; **ama-**

rillez *v* geelheid, gele tint; **amarillo** I *bn* 1 geel; ~ *canario* kanariegeel; ~ *chillón* knalgeel; ~ *mostaza* mosterdgeel; *fiebre -a* gele koorts; *raza -a* gele ras (*Chinezen, Japanners*); *páginas -as* (*telef*) gouden gids; 2 (*mbt werk, bedrijf*) besmet; II *zn* gele kleur, geel
amaromar (*scheepv*) met kabels vastleggen
amarra 1 (*scheepv*) kabel, tros; 2 *~s* (*fig*) banden; *~s de la amistad* vriendschapsbanden; 3 *~s* goede relaties, kruiwagens; **amarradero** dukdalf; **amarrado** 1 (*onder studenten*) goed voorbereid (*voor examen*); 2 met een goede kruiwagen, gesteund door goede relaties; **amarradura** (het) meren; **amarrar** 1 aanleggen, (af)meren; 2 vastbinden; 3 (*fam*) blokken, aanpoten (*voor examen*); **amarre** *m* (het) meren; *cabo de* ~ meertouw; *poste de* ~ meerpaal; **amarrete, -eta** (*Am*) gierigaard
amartelado hevig verliefd; innig verstrengeld; **amartelamiento** hevige verliefdheid; **amartelarse** hevig verliefd worden, het te pakken hebben
amartillar (*de haan van een geweer*) spannen
amasadera deegtrog; **amasadura** 1 (het) kneden; 2 deeg; **amasar** 1 kneden; 2 beramen, op touw zetten || ~ *una fortuna* een fortuin vergaren; **amasijo** 1 deeg(massa); 2 warboel, mengelmoes; 3 komplot, intrige; zaakje
amateurismo amateursport(beoefening)
amatista amethist
amazacotar dicht opeenproppen, volstouwen
amazona 1 amazone, paardrijdster; 2 paardrijkostuum; **Amazonas**: *el* ~ de Amazone; **amazónico** vd Amazone
ambages *mmv* (*fig*) omhaal; *sin* ~ zonder omhaal, ronduit
ámbar *m* amber; ~ *amarillo* barnsteen
Amberes *m* Antwerpen
ambición *v* ambitie, eerzucht; aspiratie; **ambicionar** begeren, streven naar; **ambicioso, -a** I *bn* ambitieus, eerzuchtig, prestatiegericht; II *zn* eerzuchtig mens, streber
ambientación *v* (het) scheppen van sfeer; woonomgeving; **ambientador** *m* luchtverfrisser; **ambiental** milieu-, vd omgeving; *en el área* ~ op milieugebied; **ambientar** 1 (*een ruimte*) geschikt maken, voorbereiden; sfeer scheppen in; inrichten; 2 (*een roman*) situeren; **ambientarse** wennen, acclimatiseren; **ambiente** I *bn: medio* ~ milieu; II *m* 1 omgeving, ruimte; *el* ~ *comercial* het zakenleven; *~s deportistas* sportkringen; *~s políticos* politieke kringen; ~ *social* (sociale) omgeving; 2 sfeer, omgeving; ~ *hogareño* huiselijke sfeer; *dar* ~ sfeer scheppen, de entourage verzorgen; *de poco* ~ (*mbt ruimte*) ongezellig; *hacer* ~ *a, para* stemming maken voor; *hay* ~ het is er gezellig
ambigú *m* (*ongebr*) 1 koud buffet; 2 bar in theater
ambigüedad *v* dubbelzinnigheid; **ambiguo** 1 dubbelzinnig, tweeslachtig; 2 halfslachtig, onzeker
ámbito 1 bepaalde ruimte; kring; *en el* ~ *bancario* in bankkringen; 2 (*fig*) bestek, gebied; *fuera del* ~ *de* buiten het bestek van
ambivalencia ambivalentie; **ambivalente** ambivalent
ambos, -as I *bn* beide, alle twee; *con -as manos* met beide handen; II *zn* beiden; *conozco a* ~ ik ken hen allebei
ambrosía ambrozijn, godenspijs
ambulancia 1 ambulance, ziekenauto; 2 veldhospitaal; **ambulanciero** ambulancier; **ambulante** ambulant, trekkend; *vendedor* ~ (straat)venter; *venta* ~ straatverkoop; **ambulatorio** I *bn* 1 ambulant; 2 voortbewegings-; II *zn* groepspraktijk (*van ziekenfonds*), ziekenfondspraktijk
ameba amoebe
amedrentador, -ora angstaanjagend; **amedrentar** angst aanjagen, bang maken
amén I *m* amen; *decir* ~ *a todo* op alles ja en amen zeggen; *en un decir* ~ in een oogwenk, in een vloek en een zucht; *muchos amenes al cielo llegan* de aanhouder wint; II *bw:* ~ *de* boven, behalve; ~ *de esto* bovendien
amenaza dreigement, dreiging, bedreiging; *hay* ~ *de lluvia* er dreigt regen; **amenazador, -ora** dreigend; **amenazar** I *tr* (be)dreigen; ~ *con* bedreigen met; II *intr* dreigen
amenguar I *tr* verminderen, verkleinen, beperken; II *intr* verminderen
amenidad *v* liefelijkheid; **amenizar** opluisteren, veraangenamen, verlevendigen; **ameno** liefelijk; onderhoudend; *hacer más* ~ veraangenamen
América Amerika; (*voor Spanjaarden vaak*) Spaans-Amerika; ~ *Central* Midden-Amerika; ~ *Latina* Latijns-Amerika; ~ *del Norte* Noord-Amerika; ~ *del Sur* Zuid-Amerika;
americana 1 (colbert)jasje; 2 *zie americano*; **americanismo** 1 amerikanisme, uit Spaans-Amerika afkomstig woord; 2 liefde voor Amerika; **americanista** *m,v* iem die talen en culturen van Amerika bestudeert; **americanizarse** veramerikaansen; **americano, -a** I *bn* Amerikaans; (*voor Spanjaarden vaak*) Spaansamerikaans; II *zn* 1 Amerikaan(se); 2 iem die uit Spaans-Amerika rijk naar Spanje terugkeert
amerindio Amerikaans-Indiaans
ametralladora mitrailleur, machinegeweer; **ametrallar** 1 beschieten (*met mitrailleur*); 2 (*fig*) bekogelen
amiba amoebe
amiga vriendin; *zie ook amigo*; **amigable** vriendschappelijk; ~ *componedor* scheidsrechter; *acuerdo* ~ minnelijke schikking
amígdala keelamandel, tonsil; **amigdalitis** *v* ontsteking vd tonsillen
amigo I *zn* vriend; kennis; *~s* (*ook*) connecties; ~ *epistolar* penvriend; ~ *íntimo* goede vriend, boezemvriend; *hacerse* ~ *de* bevriend raken met, aanpappen met; *y ¡tan ~s!* even goede

vrienden!; II *bn:* ~ (*de*) bevriend (met); *ser muy* ~ *de: a*) zeer bevriend zijn met; *b*) een groot liefhebber zijn van; *no ser* ~ *de juegos* niet van spelletjes houden; **amiguismo** vriendjespolitiek; **amiguito, -a** vriendje, vriendinnetje

amilanar intimideren; *no dejarse* ~ zich niet uit het veld laten slaan; **amilanarse** de moed verliezen, bij de pakken neerzitten

amillarar aanslaan (*voor de belasting*)

aminoración *v* vermindering; **aminorar** verminderen; ~ *la velocidad* vaart minderen

amistad *v* 1 vriendschap; *hacer* ~ *con* vriendschap sluiten met; *tenemos una* ~ *de años* we zijn al jaren bevriend; *trabar* ~ vriendschap sluiten; 2 ~*es* (invloedrijke) vrienden; **amistoso** I *bn* vriendschappelijk; II *m* (*sp*) vriendschappelijke wedstrijd

amnesia geheugenverlies; **amnésico** lijdend aan geheugenverlies

amnistía amnestie; **amnistiado, -a** iem aan wie amnestie verleend is; **amnistiar í** amnestie verlenen aan

amo baas; *el* ~ *del cotarro* de baas van het spul; *hacerse el* ~ het heft in handen nemen

amodorrado doezelig; **amodorramiento** (het) wegzakken in een diepe slaap; **amodorrarse** wegzakken in (diepe) slaap

amojamado uitgedroogd; **amojamarse** uitdrogen en vermageren; rimpelen

amojonamiento (het) afpalen; **amojonar** afpalen

amolador *m* slijper; **amoladora** slijpmachine; **amolar ue** 1 slijpen; 2 (*fam*) pesten; **amolarse ue** (*fam*) de pest in hebben; *¡que se amuele!* hij kan de pot op!

amoldable (*a*) wat zich laat voegen (naar); **amoldamiento** (het) voegen, (het) aanpassen; **amoldar** 1 in een vorm gieten; 2 aanpassen; **amoldarse:** ~ *a* zich voegen naar

amonedar munten

amonestación *v* 1 terechtwijzing, vermaning; (*sp*) waarschuwing; 2 *-ones* huwelijksafkondiging; **amonestar** 1 terechtwijzen, vermanen; 2 de huwelijksafkondiging doen

amoniacal ammoniak-; **amoniaco, amoníaco** ammoniak; **amonio** ammonium

amontonamiento opeenstapeling; **amontonar** ophopen, opstapelen; vergaren; **amontonarse** zich opstapelen, zich ophopen; (*mbt wolken*) zich samenpakken

amor *m* 1 liefde; ~ *de la edad del pavo* kalverliefde; ~ *propio* eigenliefde; *con mil* ~*es* met alle liefde; *hacer el* ~ vrijen; *hacer el* ~ *a* het hof maken; *por* ~ *al arte: a*) uit liefde voor de kunst; *b*) voor niets; 2 geliefde, liefste, schat; *¡~ mío!, ¡mi ~!* lieveling!; *un* ~ *de niño* een schat van een kind || *al* ~ *de* onder het genot van

amoral amoreel; **amoralidad** *v* amoraliteit

amoratado paars (*vd kou*); *un ojo* ~ een blauw oog; **amoratarse** blauw of paars worden

amordazado monddood; **amordazar** een prop in de mond stoppen, knevelen

amorfo amorf

amorío verliefdheid; avontuurtje; **amoroso** 1 lief, teder; 2 liefdes-; *una mirada -a* een verliefde blik

amortajamiento (het) afleggen (*van een dode*); **amortajar** (*een dode*) afleggen, opbaren

amortiguador, -ora I *bn* dempend, temperend; II *m* schokbreker; **amortiguamiento** demping, tempering; **amortiguar** dempen, temperen, de kracht breken van, (*de schok*) opvangen

amortizable aflosbaar; **amortización** *v* 1 amortisatie, aflossing; 2 afschrijving; **amortizar** 1 afboeken, aflossen; 2 afschrijven; 3 (*kosten*) eruit halen

amoscado geïrriteerd, gepikeerd, nijdig, in zijn wiek geschoten; **amoscarse** boos worden

amotinado, -a opstandeling(e); **amotinamiento** muiterij, oproer; **amotinar** opruien; **amotinarse** muiten, in opstand komen

amovible 1 afneembaar; 2 afzetbaar (*uit functie*)

amparar beschermen; **ampararse:** ~ *en* zich beroepen op, zijn heil zoeken bij; **amparo** bescherming; *al* ~ *de* beschermd door, gesteund door, vallend onder (*een regeling*); **Amparo** meisjesnaam

amperaje *m* stroomsterkte; **amperímetro** ampèremeter; **amperio** ampère

ampliable voor uitbreiding vatbaar; **ampliación** *v* 1 uitbreiding, vergroting, verruiming; 2 (*fot*) vergroting; **ampliador, -ora** vergrotend; *aparato* ~ vergrotingsapparaat; **ampliadora** vergrotingsapparaat; **ampliamente** ruimschoots; **ampliar í** 1 uitbreiden, vergroten, verruimen; vermeerderen; 2 (*fot*) vergroten; **ampliarse í** (*natk*) uitzetten

amplificación *v* 1 uitbreiding; vergroting; 2 (*radio*) versterking vh geluid; **amplificador, -ora** I *bn* verruimend, vergrotend; II *m* 1 versterker; 2 leesapparaat (*voor microfilms*); **amplificar** 1 uitbreiden, vergroten, verruimen; vermeerderen; 2 (*geluid*) versterken

amplio ruim, uitgebreid; ampel; **amplitud** *v* 1 uitgebreidheid, ruimheid; omvang; ~ *de miras* ruimdenkendheid; *en toda su* ~ in zijn volle omvang; 2 (*natk*) amplitude

ampolla 1 ampul; 2 blaar; *levantar* ~*s* (*fig*) pijnlijk zijn, ergeren; **ampolleta** 1 ampul; 2 zandloper

ampulosidad *v* hoogdravendheid; **ampuloso** gezwollen, hoogdravend

Ampurdán: *el* ~ streek in Catalonië; **ampurdanés, -esa** uit de Ampurdán

amputación *v* amputatie, afzetting; **amputar** amputeren, afzetten

amueblar meubileren, inrichten; *cocina amueblada* ingerichte keuken

amuleto amulet

amura (huid van) voorsteven

amurallar met muren omringen

anaconda anaconda (*Zuidamerikaanse reuzenslang*), boa constrictor

anacoreta *m,v* kluizenaar(ster)
anacrónico anachronistisch; **anacronismo** anachronisme
ánade *m,v* eend
anagrama *m* anagram
anal anaal
anales *mmv* annalen
analfabetismo analfabetisme; **analfabeto, -a** analfabeet, analfabete
analgesia gevoelloosheid voor pijn; **analgésico** I *bn* pijnstillend; II *zn* pijnstiller
análisis *m* analyse, onderzoek; ~ *gramatical* taalkundige ontleding; ~ *de mercados* marktonderzoek; ~ *de sangre* bloedproef; ~ *sintáctico* redekundige ontleding; **analista** *m,v* analist(e); ~ *de sistemas* systeemanalist; **analítico** analytisch; **analizable** analyseerbaar; **analizar** analyseren, ontleden, onderzoeken
analogía analogie; **analógico, análogo** analoog, gelijk(vormig), overeenkomstig, soortgelijk
ananás *m* ananas
anaquel *m* (kast)plank, boekenplank
anaranjado oranje
anarquía anarchie; **anarquismo** anarchisme; **anarquista** I *bn* anarchistisch; II *m,v* anarchist(e)
anatema *m* 1 banvloek; 2 veroordeling; **anatemizar** 1 in de ban doen; 2 vervloeken, veroordelen
anatomía anatomie; **anatómico** anatomisch; **anatomista** *m* anatoom; ~ *patólogo* patholoog-anatoom
anca 1 achterhand (*van paard*); *volver ~s* rechtsomkeert maken; 2 (*soms*) bil; *~s de rana* kikkerbilletjes
ancestral voorouderlijk, langvervlogen
anchas: *a sus* ~ op zijn gemak; **ancho** I *bn* breed, ruim; *¡-a es Castilla!* vrijheid blijheid!; *ponerse muy* ~ (*fig*) groeien van trots; *ser* ~ *de espaldas* brede schouders hebben; *venir ~: a*) (*mbt kleren*) slobberen, ruim zitten; *b*) (*mbt taak*) boven iems macht liggen; *vía -a* breedspoor; II *zn* breedte, wijdte; ~ *de cuello* halswijdte; ~ *de vía* spoorbreedte; *a lo* ~ in de breedte; *a todo lo* ~ over de volle breedte
anchoa ansjovis
anchura breedte, wijdte; ~ *de pecho* bovenwijdte
ancianidad *v* ouderdom; **anciano, -a** I *bn* hoogbejaard, oud; II *zn* oude man, oude vrouw, bejaarde, oude van dagen; *residencia de ~s* bejaardentehuis
ancla anker; ~ *de espía* werpanker; ~ *flotante* drijfanker; *echar ~s* ankeren; *levantar ~s* het anker lichten; **ancladero** ankerplaats; **anclaje** *m* 1 (het) ankeren; 2 ankerplaats; 3 (*bouwk*) verankering; **anclar** ankeren; **áncora** anker (*ook in horloge*)
andadas: *volver a las* ~ weer in de oude fout vervallen; **andaderas** *vmv* looprek (*om te leren lopen*); **andador, -ora** I *bn* die veel loopt; II *mmv: -ores* leiband, tuigje (*om te leren lopen*)
Andalucía Andalusië; **andalucismo** 1 Andalusische zegswijze; 2 liefde voor Andalusië; **andaluz, -uza** I *bn* uit Andalusië; II *zn* Andalusiër, Andalusische
andamiada steigers; **andamiaje** *m; zie andamiada*; **andamio** steiger, bouwstelling
andanada 1 (*scheepv*) volle laag; 2 uitbrander; uitbarsting, heftig antwoord; *soltar una* ~ (iem) op zijn kop geven; 3 overdekt amfitheater (*in arena*)
andando lopend, te voet; *¡~!* vooruit!, hup!; *zie ook andar*; **andante** *m* andante; **andanza** zwerftocht; **andar** 1 (*mbt persoon, klok, zaak*) lopen, gaan; rondlopen; in beweging zijn; bezig zijn; ergens zijn; *¡anda!* toe!, vooruit!; ~ *bien* goed lopen; ~ *bien de dinero* goed bij kas zijn; *andando se aprende a* ~ al doende leert men; ~ *atareado* het erg druk hebben; ~ *contento* vrolijk zijn; ~(*se*) *con cuidado* voorzichtig te werk gaan; ~ *descaminado* het mis hebben; ~ *detrás de u.p.* iem achter de broek zitten; *¿cómo andas de dinero?* hoe zit je met je geld?; ~ *fuera* niet thuis zijn, op pad zijn; ~ *de un lado a otro* ijsberen; ~ *mal* niet goed lopen, haperen; ~(*se*) *con ojo* op zijn tellen passen; ~ *por ahí* op pad zijn, wat rondlopen; *¿por dónde anda?* waar zit hij toch?; ~(*se*) *con remilgos* zeuren, allerlei bezwaren hebben; ~(*se*) *con rodeos* eromheen draaien; ~ *sobre seguro* zeker van zijn zaak zijn; ~ *suelto* los lopen; ~ *con el tiempo* met zijn tijd meegaan; ~ *a tientas* in het duister tasten; ~ *tras u.c.* iets nastreven, naar iets verlangen; *echar a* ~ in de kinderschoenen staan; 2 ~ *en: a*) (*mbt leeftijd*) ongeveer zijn; *anda en los 50* hij is ongeveer 50; *b*) bezig zijn, iets doen; *¿quién ha andado en el cajón?* wie heeft er in de la gezeten?; *c*) betrokken zijn bij, te maken hebben met; *anda en pleitos* hij zit met allerlei processen; ~ *en lenguas* over de tong gaan; 3 ~ (+ *gerundio*) bezig zijn met; *andan diciendo…* er wordt verteld…; **andarse** lopen; *todo se andará* het komt allemaal wel, alles op zijn tijd; het komt wel in orde; *zie ook andar*
andas *vmv* baar, brancard
andén *m* 1 perron; 2 kade
Andes: *los* ~ de Andes; **andinismo** bergsport in de Andes; **andinista** *m,v* bergbeklimmer, -klimster (*in de Andes*); **andino** vd Andes; *el pacto* ~ het Andespact
andoba *m,v* (*fam*) persoon, figuur
andorga (*fam*) pens
andorrano uit Andorra
andrajo: *~s* vodden, lompen, flarden; **andrajoso** voddig, haveloos, in lompen
andrógino tweeslachtig
andurriales *mmv* contreien, oord
anea lisdodde; riet (*voor stoelzittingen*)
anécdota anekdote; **anecdótico** anekdotisch
anegar *tr* verdrinken; onder water zetten; **anegarse** verdrinken; ~ *en lágrimas* baden in tranen

anejo *zie anexo*
anemia bloedarmoede; **anémico** anemisch, lijdend aan bloedarmoede
anemómetro windmeter
anemona, **anémona** anemoon
anestesia anesthesie, verdoving; **anestesiar** verdoven, onder narcose brengen; **anestesista** *m,v* anesthesist(e), narcotiseur
anexar annexeren, inlijven; **anexión** *v* annexatie; **anexionar** *zie anexar*; **anexo** I *bn* annex, bijbehorend; ~ *a* behorend tot, (aan)grenzend aan; *llevar* ~ meebrengen, impliceren; II *zn* 1 bijlage, aanhangsel; 2 dependance, bijgebouw; aanbouw
anfeta, **anfetamina** amfetamine, speed
anfibio amfibie
anfiteatro amfitheater
anfitrión *m* gastheer; *país* ~ gastland; **anfitriona** 1 gastvrouw; 2 hostess (*in congrescentrum*)
ánfora amfora, antieke vaas met twee oren
angarillas *vmv* baar, brancard
ángel *m* 1 engel; ~ *custodio*, ~ *de la guarda* beschermengel; *como los* (*propios*) ~*es* wonderschoon; 2 schatje, engel; 3 grote charme; *tener* ~ iedereen voor zich innemen; '**Angel** jongensnaam; '**Angela**, '**Angeles** meisjesnamen; **angelical**, **angélico** engelachtig; **ángelus** *m* angelus
angevino uit Anjou
angina angina, keelontsteking; ~ *de pecho* angina pectoris
anglicano Anglicaans; **anglicismo** anglicisme, uit het Engels afkomstig woord of zegswijze; **angloamericano** Angloamerikaans; **anglofilia** liefde voor wat Engels is; **anglófilo**, **-a** anglofiel; **anglofobia** anti-Engelse gezindheid; **anglófobo** anti-Engels; **anglomanía** overdreven voorliefde voor de Engelse stijl; **angloparlante** Engelstalig; **anglosajón**, **-ona** I *bn* Angelsaksisch; II *zn* 1 Angelsaks(ische); 2 *m* (het) Angelsaksisch
angoleño uit Angola
angora 1 *m,v* angorakat; 2 *v* angorawol
angosto nauw, smal, eng; **angostura** (het) nauw zijn; versmalling, engte
anguila aal, paling; ~ *ahumada* gerookte paling; **angula** jonge aal, glasaal(tje)
angular vd hoek, hoek-; hoekig; *hierro* ~ hoekijzer; *objetivo gran* ~ groothoeklens; *piedra* ~ hoeksteen; **ángulo** 1 (*wisk*) hoek; ~ *agudo* scherpe hoek; ~*s correspondientes* overeenkomstige hoeken; ~ *de incidencia* invalshoek; ~ *llano* gestrekte hoek; ~ *obtuso* stompe hoek; ~ *del ojo* (*anat*) ooghoek; ~*s opuestos por el vértice* overstaande hoeken; ~ *recto* rechte hoek; ~ *superior derecho* rechterbovenhoek; *en* ~ *recto* haaks; 2 gezichtshoek, oogpunt; **anguloso** hoekig
angustia beklemming, spanning, angst, benauwdheid; diepe droefheid; ~ *mortal* doodsangst; **angustiado** in spanning, angstig; smartelijk; **angustiar** angstig maken; bedroefd maken; **Angustias** meisjesnaam; **angustioso** 1 benauwend; 2 angstig, benauwd, vol spanning
anhelante 1 hijgend; 2 ~ *por* hunkerend naar; **anhelar** 1 hijgen; 2 hevig verlangen naar, hunkeren naar, snakken naar; **anhelo** (*de*) zucht (naar), verlangen (naar); **anheloso** 1 (*mbt adem*) hijgend, moeilijk; 2 (*mbt persoon*) ~ (*de*) hunkerend (naar), verlangend (naar)
anidar, **anidarse** nestelen
anilina aniline
anilla ring (*met gebruiksdoel*); (sleutel)ring; (sigaren)bandje; (gordijn)ring; ~*s* (*sp*) ringen; *cuaderno de* ~*s* ringband; **anillar** 1 van ringen voorzien; (*vogels*) ringen; 2 ringvormig maken; **anillo** 1 (*gladde*) ring; ~ *de boda* trouwring; ~ *de sello* zegelring; *venir como* ~ *al dedo* goed van pas komen; 2 oog, gat
ánima 1 ~ (*bendita*), ~ (*del Purgatorio*) ziel (*in het vagevuur*); 2 ~*s* klokgelui op het uur om te bidden voor de zielen in het vagevuur; avonduur; *a las* ~*s* 's avonds; 3 geweerkamer; **animación** *v* 1 levendigheid, gewoel, bedrijvigheid, drukte; 2 vrolijkheid; 3 bemoediging; **animado** 1 levendig, geanimeerd, druk; 2 vrolijk, blijmoedig; **animador**, **-ora** I *bn* bemoedigend; II *zn* 1 conferencier, conferencière; 2 ~ *sociocultural* creativiteitsbegeleid(st)er, vrijetijdsbegeleid(st)er
animadversión *v* antipathie
animal I *m* dier, beest; ~ *de carga* lastdier; ~ *doméstico* huisdier; ~ *gregario* kuddedier; ~ *hembra* wijfjesdier; ~ *de laboratorio* proefdier; ~ *marino* zeedier; ~ *terrestre* landdier; ~ *de tiro* trekdier || *¡~!* stuk ongeluk!, hufter!; ~ *de bellota* stomkop; II *bn* dierlijk; **animalada** stommiteit; **animalejo** diertje; **animalucho** rotbeest, vies beest
animar 1 bemoedigen, aanmoedigen; aanvuren, animeren; opbeuren, opvrolijken; 2 verlevendigen; **animarse** 1 opfleuren, in de stemming komen; 2 ~ (*a*) moed vatten (om), aandurven; 3 (*mbt gezicht*) opklaren; **anímico** geestelijk, vd ziel; **ánimo** 1 geest, gemoed; *se caldean los* ~*s* de gemoederen raken verhit; 2 moed; *¡~!* sterkte!, hou je goed!, kop op!; *levantar el* ~ *a u.p.* iem moed inspreken; *perder el* ~ de moed verliezen; 3 stemming, bedoeling; ~ *de lucha* strijdlust; ~ *de lucro* winstbejag; winstoogmerk; ~ *vengativo* wraakzucht; *sin* ~ *de ofender* zonder (iem) te willen kwetsen; **animosidad** *v* animositeit, vijandigheid
aniñado kinderlijk
aniquilable vernietigbaar; **aniquilación** *v* vernietiging; **aniquilador**, **-ora** vernietigend; **aniquilamiento** vernietiging; **aniquilar** vernietigen
anís *m* 1 anijs; 2 anijslikeur; **anisado** anijsbrandewijn
aniversario 1 verjaardag; 2 (*herdachte*) sterfdag; 3 herdenking

ano anus, aars
anoche gisteravond; vannacht; **anochecer** I *ww* 1 donker worden; *anochece* de avond valt; 2 zich (*ergens*) bevinden bij het vallen vd avond; II *zn* (het) vallen vd avond
anodino alledaags, onbeduidend, onbenullig
ánodo anode
anona 1 zuurzak; 2 zuurzakboom
anonadado beteuterd, verslagen; **anonadamiento** verbijstering, verslagenheid; **anonadante** verpletterend; **anonadar** 1 verbijsteren, van zijn stuk brengen, verwarren; *le anonada* hij weet niet wat te doen; 2 terneerslaan; vernederen; **anonadarse** 1 volledig van zijn stuk gebracht worden; 2 bedrukt raken
anonimato anonimiteit; *guardar el* ~ anoniem blijven; **anónimo** I *bn* anoniem; *sociedad -a* naamloze vennootschap; II *zn* anonimiteit
anorak *m* anorak, windjack met capuchon
anormal I *bn* abnormaal, afwijkend; II *m,v* abnormaal persoon; **anormalidad** *v* abnormaliteit
anotación *v* aantekening; **anotador** *m* scoreteller; **anotadora** scriptgirl; **anotar** noteren, opschrijven
anquilosamiento verstijving, verstarring; **anquilosarse** verstijven, verstarren; **anquilosis** *v* gewrichtsverstijving
ansia 1 verlangen, zucht; ~ *de libertad* vrijheidsdrang; ~ *de poder* machtswellust; 2 spanning, beklemming, angst; **ansiar** vurig verlangen naar, hunkeren naar, smachten naar; **ansiedad** *v* spanning; **ansioso** 1 verlangend, reikhalzend, gretig; *estar* ~ popelen; *estar* ~ *por saber* benieuwd zijn naar; 2 ~ *de* begerig naar; ~ *de saber* weetgierig
antagónico antagonistisch, vijandig; **antagonista** *m,v* 1 tegenstand(st)er; 2 tegenspeler, -speelster
antaño oudtijds, vroeger
antárctico antarctisch; *Océano* ~ Zuidelijke IJszee; **Antártida** zuidpoolgebied
ante I *m* 1 suède; 2 eland; soort buffel; II *vz* ten overstaan van, oog in oog met, geconfronteerd met, geplaatst voor, voor; ~ *la escasez* ivm de schaarste, wegens de schaarste; ~ *este hecho* voor dit feit geplaatst, met het oog hierop, in verband hiermee; *comparecer* ~ *el juez* voor de rechter verschijnen; *presentarse* ~ zich aandienen bij; *tener* ~ *sí un período duro* een moeilijke tijd tegemoetgaan || ~ *todo* voor alles, in de eerste plaats, vooral
anteanoche eergisteravond; **anteayer** eergisteren
antebrazo onderarm
antecámara wachtkamer (*voor een audiëntie*)
antecedente *m* 1 antecedent, voorafgaand feit; 2 ~*s* voorgeschiedenis, antecedenten; ~*s* (*criminales*) strafblad; *poner en* ~ *a u.p.* iem op de hoogte stellen; **anteceder** voorafgaan aan; **antecesor, -ora** I *bn* voorafgaand; II *zn* 1 voorgang(st)er; 2 voorouder
antecocina dienkeuken, pantry; (*soms*) bijkeuken
antecolombino precolumbiaans, uit de tijd voor Columbus
antedicho bovengenoemd, voornoemd
antediluviano van voor de zondvloed; (*fig*) voorwereldlijk
anteguerra tijd voor de oorlog
antelación *v*: *con* ~ van tevoren; tijdig; *con* ~ *a* eerder dan, voorafgaand aan
antemano: *de* ~ van tevoren, bij voorbaat
antemencionado bovengenoemd
antena 1 antenne; ~ *parabólica* schotelantenne; 2 voelspriet
anteojera oogklep; **anteojo** 1 (verre)kijker (*met één kijkbuis*); 2 ~*s* verrekijker; toneelkijker; 3 ~*s* (*soms*) bril; 4 ~*s* oogkleppen (*voor paard*)
antepasado voorouder, voorvader; ~*s* voorgeslacht
antepecho 1 leuning, balustrade, borstwering; 2 vensterbank; 3 borststuk (*van tuig*)
antepenúltimo op twee na de laatste
anteponer: ~ *a* plaatsen voor, stellen boven, prefereren
anteprograma *m* voorprogramma; **anteproyecto** voorontwerp; **antepuerto** buitenhaven
anterior voorafgaand, vorig, vroeger
antes I *bw* eerder, vroeger; tevoren, daarvoor; ~ *que nada* allereerst, bovenal; *cuanto* ~ zo snel mogelijk; *ser* ~ *que* gaan boven; II *vz*: ~ *de* voor; ~ *de* (+ *onbep w*) alvorens; ~ *del lunes* vóór maandag; ~ *de salir* alvorens weg te gaan; ~ *de* (*transcurrido*) *un mes* binnen een maand; III *voegw*: ~ (*de*) *que* (+ *subj*) voordat; *hazlo* ~ *que vuelva* doe het voordat hij terugkomt
antesala wachtkamer
anti- anti-
antiadherente voorzien van anti-aanbaklaag; **antiaéreo** luchtafweer-; **antiartrítico** tegen gewrichtsreumatiek; **antiasmático** tegen astma; **antiatracos** tegen overvallen; *mampara* ~ (*in taxi*) veiligheidsruit; **antibiótico** anitibioticum; **anticanceroso** tegen kanker; **anticasero** tegen het thuiselftal
anticiclón *m* anticycloon
anticientífico onwetenschappelijk
anticipación *v* (het) vooruitlopen op, anticipatie; *con* ~: *a*) van tevoren; *b*) vroeger dan anders; *con la* ~ *necesaria* tijdig; **anticipado** 1 vooraf, vroegtijdig; *con mis gracias -as* u bij voorbaat dankend; *pago* ~ vooruitbetaling; 2 vervroegd, voortijdig; *jubilación -a* vervroegde pensionering; *por* ~: *a*) bij voorbaat; *b*) vooruit; **anticipar** 1 vervroegen; 2 (*geld*) voorschieten; 3 voorzien; **anticiparse**: ~ *a* anticiperen op, vooruitlopen op, (*iets*) voor zijn; **anticipo** 1 voorschot, vooruitbetaling; 2 voorproefje
anticlerical antiklerikaal

anticlímax *m* anticlimax
anticoncepcional I *bn* contraceptief; II *m* anticonceptiemiddel; **anticonceptivo** I *bn* contraceptief; II *zn* contraceptief, voorbehoedsmiddel
anticongelador *m; zie anticongelante*; **anticongelante** *m* antivries(middel)
anticonstitucional ongrondwettelijk; **anticorrosivo** roestwerend; **anticristo** antichrist
anticuado ouderwets, verouderd; **anticuario** antiquair; **anticuarse** ouderwets worden, verouderen
anticuchos *mmv* (*in Peru*) gegrild vlees aan stokjes
anticuerpo antistof, antilichaam
antidemocrático ondemocratisch; **antideportivo** onsportief; **antiderrapante**, **antideslizante** antislip-, slipvrij; *cadenas ~s* sneeuwkettingen; **antideslumbrante** tegen verblinding, zonne-; **antidiabético** tegen suikerziekte; **antidisturbios** tegen rellen; *fuerzas ~* oproerpolitie, (*vglbaar*) M.E.; **antidoloroso** I *bn* pijnbestrijdend, pijnstillend; II *zn* pijnstiller
antídoto tegengif
antiestético onesthetisch
antifaz *m* masker (*voor de ogen*)
antigás tegen gas; *careta ~, máscara ~* gasmasker; **antigripal** tegen griep
antigualla (*neg*) oud ding, iets ouderwets; *~s* oude koeien
antigubernamental tegen de regering
antigüedad *v* 1 ouderdom; 2 anciënniteit; 3 oudheid; 4 *~es* antiek; **antiguo** 1 oud; *de ~, desde muy ~* van oudsher; 2 voormalig, gewezen, ex-; *~ alumno* oudleerling; 3 antiek; 4 ouderwets
antihéroe *m* antiheld; **antihigiénico** onhygiënisch; **antiinflacionista** tegen de inflatie; **antiislámico** tegen de Islam; **antijurídico** niet juridisch; **antilibelo**: *ley ~* wet op de smaad (*via de media*)
Antillas: *las ~* de Antillen; **antillano** Antilliaans
antílope *m* antilope
antimasónico tegen de vrijmetselaars; **antimilitarista** antimilitaristisch; **antimonárquico** tegen de monarchie; **antimotín**: *policía ~* oproerpolitie
antinatural tegennatuurlijk, onnatuurlijk; **antinaturalidad** *v* onnatuurlijkheid
antineurálgico tegen zenuwpijnen
antiniebla tegen mist; *~s vmv* mistlampen; *faro ~* mistlamp
antinomia antinomie
antinuclear tegen kernenergie; **antioxidante** roestwerend; **antipalúdico** tegen malaria
antipapa *m* tegenpaus; **antipapista** antipaaps
antiparras *vmv* (*iron*) bril, fok
antipatía antipathie, afkeer; **antipático** antipathiek, onsympathiek
antipatriótico onvaderlandslievend
antípoda *m* antipode, tegenvoeter
antiquísimo oeroud
antirrábico tegen hondsdolheid; **antirreglamentario** niet reglementair; **antirreligioso** niet godsdienstig; **antirrepublicano** antirepublikeins; **antirrobo** tegen diefstal, veiligheids-; *cerradura ~* (*in auto*) stuurslot; *sistema ~* inbraakbeveiliging
antisemita I *bn* antisemitisch; II *m,v* antisemiet; **antisemítico** antisemitisch; **antisemitismo** antisemitisme
antiséptico antiseptisch; **antisocial** asociaal; **antisónico** geluiddempend; **antisubmarino** tegen onderzeeërs; **antitabaquero**: *campaña -a* antirookcampagne; **antitanque** antitank-; **antiterrorista** tegen het terrorisme
antítesis *v* antithese, tegenstelling
antitetánico tegen tetanus
antitífico tegen tyfus
antitóxico een tegengif bevattend; **antitoxina** antitoxine, tegengif
antituberculoso tegen tbc
antivariólico tegen pokken
antojadizo grillig, wispelturig, met steeds nieuwe invallen; **antojarse**: *se le antoja: a*) hij krijgt zin in, hij wil graag hebben; *b*) hij heeft zo'n idee, het komt hem voor; *lo que se le antoja* wat hem maar in de zin komt
antojera oogklep
antojito (*Mexico*) klein hapje; **antojo** 1 gril; *~s* nukken, kuren; *a su ~* al naar hij het in zijn hoofd krijgt; 2 *~s* moedervlekken
antología bloemlezing
antónimo antoniem
antonomasia antonomasia, naamsverwisseling; *por ~* bij uitstek, per definitie
antorcha fakkel, toorts
antracita antraciet
antro grot, spelonk
antropófago kannibaal, menseneter; **antropoide** *m* mensaap; **antropología** antropologie; **antropólogo**, **-a** antropoloog, -loge; **antropomorfo** antropomorf, met menselijke gestalte; (*mono*) *~* mensaap
anual jaarlijks; per jaar; met de duur van een jaar; *mil florines ~es* f1000,- per jaar; **anualidad** *v* jaarlijks bedrag, annuïteit; **anuario** almanak
anudar knopen, vastknopen, (*das*) strikken; *~ amistades* vriendschap aanknopen; **anudarse**: *se le anudó la voz* zijn stem stokte, er kwam geen geluid uit zijn keel
anuencia instemming
anulable annuleerbaar; **anulación** *v* annulering, intrekking, opzegging; **anular** I *ww* annuleren, buiten werking stellen, teniet doen, afschaffen, opzeggen, herroepen, intrekken; II *bn* ringvormig, (als) van een ring; III *m* ringvinger
anunciación *v* aankondiging; **Anunciación** *v* Annunciatie (*25 maart*); **anunciador**, **-ora** aankondigend; **anunciante** I *bn* die aankondigt; die reclame maakt; II *m,v* adverteerder

anunciar aankondigen, bekend maken, melden; *el día se anuncia hermoso* het belooft een mooie dag te worden; *sin* ~ onaangekondigd; **anuncio 1** aankondiging; **2** advertentie; **3** aanplakbiljet; ~ (*publicitario*) reclamespot; *hombre* ~ sandwichman
anzuelo (vis)haak; *caer en el ~, morder el ~* zich laten beetnemen; *tragar el ~* in de val lopen
añada (oogst)jaar; wijnjaar
añadido toevoeging; **añadidura** toevoeging; *por ~* bovendien, op de koop toe; **añadir** toevoegen, bijvoegen, bijmengen; aanbouwen; ~ *puntos* meerderen (*bij breien*)
añagaza valstrik
añal *m* (*dierk*) kalf, pink
añejo oud; overjarig; (*mbt wijn*) belegen
añicos *mmv* scherven, gruizelementen, splinters; *hacer ~: a*) stukmaken, stukslaan; *b*) (*fig*) kapot maken, zeer vermoeien; *hacerse ~* in scherven vallen; *hecho ~: a*) in scherven; *b*) kapot (*van vermoeidheid, verdriet*)
añil *m* indigo
año jaar; jaartal; jaargang; ~ *calendario,* ~ *civil,* ~ *natural* kalenderjaar; ~ *escolar* schooljaar; *~s escolares* schooltijd; ~ *fiscal* belastingjaar; ~ *nuevo* jaarwisseling, nieuwjaar; ~ *de servicio* dienstjaar; *los ~s veinte* de jaren twintig; *los ~s no pasan por él* hij wordt maar niet ouder, hij blijft jeugdig; *los ~s de las vacas gordas* de vette jaren; *en el ~ de la Nana, en el ~ de la pera* heel lang geleden; *entrado en ~s* op leeftijd; **año-luz** *m* lichtjaar
añoranza heimwee; **añorar** heimwee hebben naar, (terug)verlangen naar, hunkeren naar
añoso (*mbt boom*) oud
aorta aorta
apabullante overweldigend; **apabullar** overbluffen, overweldigen, intimideren
apacentar *tr* weiden, laten grazen; **apacentarse** weiden
apacible vredig, rustig; **apaciguamiento** kalmering, (het) tot rust brengen; **apaciguador, -ora** kalmerend; **apaciguar** tot rust brengen, kalmeren; **apaciguarse** tot rust komen, rustig worden, bedaren
apadrinar peet zijn van; beschermen; sponsoren
apagadizo (*mbt vlam*) die gemakkelijk dooft; **apagado 1** dof, gedekt, gedempt, wazig; **2** (*mbt persoon*) uitgeblust, apathisch; **apagador, -ora I** *bn* blussend, dovend; **II** *m* demper (*in piano*); **apagar** blussen, (uit)doven; ~ (*de un soplo*) uitblazen; ~ *los ánimos* de gemoederen doen bedaren; ~ *la luz* het licht uitdoen; ~ *la radio* de radio uitzetten; ~ *la sed* de dorst lessen || *apaga y vámonos* we kunnen het verder wel vergeten, het loopt op zijn eind; **apagarse 1** uitdoven, uitgaan; **2** verstommen, wegsterven; **apagavelas** *m* kaarsendover, domper; *hacer de ~* ergens een domper op zetten; **apagón** *m* (het) uitvallen vh licht
apaisado meer breed dan hoog
apalabrar afspreken, bespreken
apalancamiento (het) optillen met een hefboom; hefboomeffect; **apalancar** met een hefboom bewegen
apaleado geslagen; **apalear 1** afranselen; **2** wannen; **3** (*kleden*) kloppen
apañado (*fam*) **1** handig, zorgvuldig; **2** geschikt, praktisch || *ir ~* in de aap gelogeerd zijn; *~s estamos* we zijn er mooi bij, het ziet er lelijk voor ons uit; **apañar** (*fam*) **1** handig regelen; **2** dokteren aan, knutselen aan || *ya te apañaré* ik krijg je nog wel; **apañarse** (*con*) het redden (met); *apañárselas* het aanleggen, het klaarspelen; **apaño 1** (*neg*) handige regeling, gesjoemel; **2** (*fam*) avontuurtje; **3** *~s* gerei
aparador *m* buffet, dressoir
aparato 1 apparaat, toestel; *~s* apparatuur; ~ *de adjudicación* veilingklok; ~ *administrativo* bestuursapparaat, ambtenarenapparaat; ~ *ampliador* vergrotingsapparaat; ~ *auditivo* gehoorapparaat; ~ *de destilar* distilleerketel; ~ *estatal* overheidsapparaat; ~ *fotográfico* fototoestel; ~ *gubernamental* regeringsapparaat; ~ *instructor* lestoestel; *~s de mano* regelapparatuur; ~ *de oxígeno* zuurstofapparaat; ~ *del partido* partijapparaat; *~s periféricos* randapparatuur; ~ *de rayos X* röntgenapparaat; *~s de reproducción* afspeelapparatuur; ~ *de soldadura* lasapparaat; ~ *para trepar* klimrek; ~ *de televisión* televisietoestel; **2** telefoon(toestel); **3** auto, vliegtuig; **4** omhaal, vertoon, ophef, poespas; **aparatosidad** (pracht en) praal; **aparatoso** opzienbarend; pompeus, opzichtig
aparcacoches *m* man belast met auto's parkeren (*bv bij hotel*); **aparcamiento 1** (het) parkeren; **2** parkeerplaats; **aparcar** parkeren
aparcería soort pachtcontract; **aparcero** soort pachter
apareamiento (het) paren; **aparear 1** paren vormen; **2** doen paren; **aparearse** paren
aparecer verschijnen, zich vertonen, te voorschijn komen, terechtkomen, komen opdagen; *el libro ha aparecido: a*) het boek is terecht; *b*) (*gallicisme*) het boek is uit; *no ~* verstek laten gaan; **aparecido** (geest)verschijning, spook
aparejado geschikt || *traer ~* met zich meebrengen, samengaan met; **aparejador** *m* assistent van architect; (*vglbaar*) uitvoerder, opzichter; **aparejar 1** gereedmaken, voorbereiden; **2** optakelen, optuigen; **3** (*een paard*) optuigen, zadelen; **aparejo 1** (het) gereedmaken, voorbereiding; **2** tuig (*van paard*); **3** tuigage, want; **4** takel; **5** plamuur; **6** *~s* gerei, benodigdheden; *~s de pescar* visgerei
aparentar voorgeven, voorwenden, net doen alsof; *aparenta más años que tú* hij ziet er ouder uit dan jij; ~ *80 años* er uitzien als 80; **aparente 1** ogenschijnlijk, schijnbaar; **2** keurig, net; **3** (*fam*) geschikt; **aparentemente** zo op

het oog, schijnbaar; zogenaamd; **aparición** *v* 1 verschijning, opkomst, intrede; *hacer su ~* verschijnen; 2 visioen; 3 spook, geestverschijning; **apariencia** schijn, uiterlijk, voorkomen; *las ~s engañan* schijn bedriegt; *cubrir las ~s* de schijn ophouden; *por las ~s* zo te zien; *según toda ~* naar alle waarschijnlijkheid

apartadero 1 (*spoorw*) zijspoor; wisselspoor; 2 ruimte voor stieren (*voor aanvang van stieregevecht*); **apartado** I *bn* 1 afgelegen, afgezonderd; *~s entre sí* ver uiteen; *~ de la realidad* wereldvreemd; 2 eenzelvig; II *zn* 1 (het) afzonderen; 2 alinea, paragraaf; 3 *~ (de correos)* postbus; **apartamento** appartement, flat; **apartamiento** (het) afzonderen; verwijdering; **apartar** 1 wegleggen, opzij leggen, wegzetten; opzij schuiven, wegduwen; *~ un barco* een boot afhouden; *~ del buen camino* van het goede pad afbrengen; *~ de un puntapié* wegschoppen; *~ la vista* de blik afwenden; 2 *~ de (iem)* afbrengen van (*een idee*); **apartarse** 1 zich verwijderen, uit de weg gaan, opzij gaan, uitwijken; *¡apártense!* uit de weg!; 2 *~ (de)* afwijken (van); 3 zich afzonderen; uit elkaar gaan; **aparte** I *bw* opzij, weg, apart; *~ de* afgezien van, buiten, behalve; *~ de que* afgezien van het feit dat; *¡bromas ~!* alle gekheid op een stokje; *dejar ~* buiten beschouwing laten; *dejando ~* om niet te spreken van, ...daargelaten; *eso ~* los daarvan; *esto ~* afgezien van; *poner ~* opzij leggen, scheiden (*vd rest*); *punto y ~* punt, nieuwe regel; II *m* (*theat*) (een) terzijde; III *bn* apart; **apartheid** *m* apartheid

apartidista partijloos

apasionado 1 fel, hartstochtelijk, verwoed, (*Belg*) hoogoplopend; 2 bevooroordeeld; **apasionamiento** hartstocht; **apasionante** opwindend, fascinerend; **apasionar** zeer boeien, fascineren; **apasionarse** in vuur en vlam raken; *~ por* dwepen met

apatía apathie; **apático** apathisch, hangerig

apátrida staatloos

Apdo. *apartado* postbus

apeadero halte; **apear** 1 neerzetten; helpen af- of uitstappen; 2 *~ de (iem)* afbrengen van; 3 omhakken; 4 (*een moeilijkheid*) overwinnen; 5 (*een voertuig met blok achter wiel*) vastzetten; **apearse** (*de*) uitstappen (uit); afstappen (van); *~ del burro* (*fig*) tot inzicht komen

apechugar (*con*) het hoofd bieden (aan), opgescheept worden (met), berusten (in)

apedrear I *tr* stenen gooien naar; stenigen; II *intr* hagelen

apegado (*a*) gehecht (aan); *estar ~ a* hangen aan, verknocht zijn aan; **apego** gehechtheid; *tener ~ a* hangen aan, verknocht zijn aan

apelable waartegen beroep mogelijk is; **apelación** *v* 1 (*jur*) appel, beroep; *interponer ~* beroep aantekenen; 2 oproep; beroep; *hacer una ~ a* een beroep doen op; **apelar** 1 (*jur; ook ~ de*) in beroep gaan; *~ (de) una sentencia* in beroep gaan tegen een vonnis; 2 *~ a* een beroep doen op, zich beroepen op, zijn toevlucht nemen tot

apelativo 1 soortnaam; (*soms*) bijnaam; 2 (*Am*) achternaam

apellidar een (achter)naam geven, noemen; **apellidarse** (*van zijn achternaam*) heten; **apellido** achternaam, familienaam; *~ de soltera* meisjesnaam

apelmazar opeenpakken, samenpersen; **apelmazarse** samenkoeken, compact worden; samendringen

apenado bedroefd, droevig, getroffen; **apenar** bedroeven

apenas nauwelijks, ternauwernood

apencar zie apechugar

apéndice *m* aanhangsel; *~ cecal, ~ vermicular* wormvormig aanhangsel (*vd blindedarm*); **apendicitis** *v* appendicitis, blindedarmontsteking

apercibir 1 gereedmaken; 2 *~ de* waarschuwen voor, attent maken op; 3 *~ con* dreigen met; **apercibirse** 1 *~ a, para* zich gereedmaken voor; 2 *~ de* opmerken, waarnemen

apergaminado als perkament; (*mbt huid*) uitgedroogd; **apergaminarse** als perkament worden, uitdrogen

aperitivo aperitief, borrel; *tomar el ~* borrelen

apero (*meestal mv*) landbouwgereedschap, -werktuigen

aperreado (*fam*) vreselijk druk; **aperrear** (*fam*) met werk overladen; **aperrearse** (*fam*) zich een ongeluk werken, (door)pezen

apertura opening; (*pol*) openheid

apesadumbrar bedroefd maken

apestar I *intr ~ (a)* stinken (naar); II *tr* verpesten

apétalo zonder bloembladen

apetecedor, **-ora** 1 verlangend; 2 aantrekkelijk; **apetecer** I *tr* verlangen naar, begeren; II *intr* aantrekkelijk voorkomen; *me apetece un café* ik heb trek in een kop koffie; *ahora no me apetece salir* ik heb nu geen zin om uit te gaan; **apetecible** begeerlijk; appetijtelijk; **apetencia** (*de*) lust (om); **apetito** eetlust, trek; *~ de poder* machtshonger; **apetitoso** appetijtelijk, smakelijk

apiadarse (*de*) zich ontfermen (over), medelijden hebben (met)

apicararse een schelm worden

ápice *m* 1 greintje, zier; *ni un ~* geen greintje; 2 toppunt; uiterste

apícola vd bijenteelt; **apicultor**, **-ora** *m* bijenhoud(st)er, imker; **apicultura** bijenteelt

apilable stapelbaar; **apilamiento** 1 (het) opstapelen; 2 opeenhoping; **apilar** opstapelen

apiñado dicht opeen; **apiñar** opeenhopen; **apiñarse** samendringen, zich ophopen

apio selderij; *~ lleno* bleekselderij

apiolar (*fam*) afmaken, doden

apisonadora (*techn*) wals; **apisonar** aanstampen, walsen

aplacamiento (het) kalmeren; (het) stillen

(*van honger*); (het) lessen (*van dorst*); **aplacar** verzachten, doen bedaren; (*honger*) stillen; (*dorst*) lessen
aplanadora (*Am; techn*) wals; **aplanar** plat maken, glad maken, pletten
aplastante verpletterend; **aplastar** 1 verpletteren, plattrappen, vermorzelen; 2 (*fig*) geheel uit het veld slaan
aplatanarse apathisch worden, tot niets komen
aplaudido gevierd, bejubeld; **aplaudir** 1 applaudisseren (voor), klappen (voor); 2 toejuichen, bejubelen; **aplauso** 1 applaus; *~s* toejuichingen; 2 bijval
aplazamiento uitstel; **aplazar** uitstellen, opschorten; verdagen; (*datum*) verzetten
aplicable (*a*) van toepassing (op), toepasbaar; **aplicación** *v* 1 toepassing; *de ~ militar* voor militaire doeleinden; 2 vlijt, ijver; 3 (het) aanbrengen (*van verf*); **aplicado** 1 toegepast; 2 vlijtig, ijverig; **aplicar** 1 toepassen; *~ los frenos* remmen; 2 (*verf*) aanbrengen; (*een verband*) aanleggen; **aplicarse** 1 *~* (*a*) van toepassing zijn (op), gelden (voor); *podía ~ el cuento* dat kon hij in zijn zak steken; 2 *~ a* zich toeleggen op; *~ al estudio* ijverig studeren; **aplique** *m* wandlamp
aplomo aplomb, zekerheid, zelfbewustheid, zelfvertrouwen; *haber perdido el ~* van de kaart zijn
apocado angstvallig, benauwd, benepen, verlegen
apocalíptico apocalyptisch; huiveringwekkend
apocamiento schuchterheid; **apocarse** verlegen worden
apócope *m* apocope, (het) afkappen van letters aan het eind van een woord
apócrifo apocrief, vervalst
apodado bijgenaamd; **apodar** een bijnaam geven
apoderado, -a I *bn* gevolmachtigd; II *zn* gemachtigde; procuratiehoud(st)er; **apoderar** machtigen; **apoderarse**: *~ de* bemachtigen, buitmaken, zich meester maken van
apodo bijnaam
apogeo toppunt
apolillado door de motten aangevreten; **apolillarse** door motten aangevreten worden
apolítico apolitiek
apolo 1 knappe man; 2 auto voorzien van afluisterapparatuur; **Apolo** Apollo
apología apologie, verweerschrift; **apólogo** fabel (*met een moraal*)
apoltronado lui, vadsig; **apoltronarse** lui worden, vadsig worden
apoplejía: (*ataque de*) *~* attaque, beroerte
apoquinar dokken, (*met tegenzin*) betalen
aporcar (*landb*) aanaarden
aporrear beuken, bonzen
aportación *v* bijdrage, inbreng; *~ dineraria* financiële inbreng; *~ en especie* inbreng in natura; **aportar** aanbrengen, inbrengen, bijdragen; **aporte** *m* bijdrage, inbreng
aposentar huisvesten; **aposento** (*ongebr*) vertrek
aposición *v* (*gramm*) bijstelling
apósito kompres
aposta expres, met opzet
apostar ue I *tr* 1 verwedden, inzetten; 2 opstellen, posteren, (*wachtposten*) uitzetten; II *intr* wedden; *~ a que* wedden dat; **apostarse** 1 post vatten, zich opstellen; 2 verwedden; *¿qué te apuestas a que...?* wat verwed je erom dat...?, waar wedden (we) om dat...?
apóstata *m,v* afvallige; **apostatar** (*de*) afvallig worden (van), afvallen (van)
a posteriori a posteriori, achteraf
apostilla 1 apostille; 2 aantekening, noot
apóstol *m* apostel; **apostólico** apostolisch, vd paus
apostrofar vermanend toespreken; **apóstrofe** *m* vermaning; beschuldiging; **apóstrofo** apostrofe
apotegma *m* (*filosofische*) uitspraak
apoteosis *v* 1 apotheose, klap op de vuurpijl; 2 verheerlijking
apoyacabeza *m* hoofdsteun; **apoyapiés** *m* voetsteun; **apoyar** 1 steunen, ondersteunen; *~ con razones* met redenen omkleden; 2 (doen) leunen; **apoyarse**: *~ en* leunen op, steunen op; *~ contra* aanleunen tegen; **apoyatura** (*muz*) voorslag; **apoyo** steun, hulp, ondersteuning; toeverlaat; *~ gubernamental* regeringssteun; *de ~* (*techn*) dragend
apreciable 1 te waarderen; 2 achtenswaardig, aanzienlijk; **apreciación** *v* beoordeling; waardering; **apreciar** appreciëren, waarderen, gesteld zijn op; *saber ~* weten te waarderen; **apreciativo** waarderend; **aprecio** waardering; *tener ~ a* respecteren, gesteld zijn op
aprehender 1 grijpen; gevangen nemen; 2 begrijpen, vatten; **aprehensión** *v* (het) begrijpen, (het) bevatten, begrip
apremiante dringend, klemmend, spoedeisend; *carta ~* brandbrief; **apremiar** I *tr* 1 aandringen; *~ a u.p. para que...* er bij iem op aandringen dat...; 2 aanmanen; *~ al pago* aanmanen tot betaling; II *intr* dringend zijn; **apremio** 1 haast; (het) aandringen; 2 dwangbevel (*tot belastingbetaling*); 3 dwangverkoop; 4 schaarste; *~ de tiempo* tijdgebrek
aprender (*iets*) leren; *~ a* (+ *onbep w*) leren te; **aprenderse** (*uit zijn hoofd*) leren; **aprendiz, -iza** leerling(e), leerjongen, (*Belg*) leergast; *~ de todo y oficial de nada* twaalf ambachten, dertien ongelukken; **aprendizaje** *m* 1 (het) leren; 2 leertijd; opleiding
aprensión *v* vage angst, vermoeden, voorgevoel; (*ongegronde*) vrees, bezwaar; **aprensivo, -a** I *bn* angstig, kleinzielig; II *zn* bangerd, tobber
apresar 1 grijpen (*met klauwen of tanden*); 2 vangen, gevangen nemen, kapen

aprestar 1 gereedmaken, uitrusten; 2 (*stof*) stijven; **aprestarse** (*a*) zich klaarmaken (om, voor), aanstalten maken (om); **apresto** 1 appret; 2 (het) stijven

apresurado gejaagd, haastig, jachtig; **apresuramiento** gejaagdheid, haast; **apresurar** 1 bespoedigen, versnellen, verhaasten; 2 opjagen; **apresurarse** zich haasten, voortmaken, jachten

apretado 1 dicht (opeen); *agenda -a* overvolle agenda; *letra -a* kriebelig handschrift; 2 krap, strak; stijf (vastzittend); **apretar ie I** *tr* 1 drukken, aandrukken; aandraaien, aanduwen, aanhalen, aanschroeven; (*vuist*) ballen, dichtknijpen; ~ *bien* strak aandraaien; ~ *el botón* op de knop drukken; ~ *el control* de controle verscherpen; ~ *el gatillo* de trekker overhalen; *sin* ~ losjes; 2 klemmen, knellen; **II** *intr* 1 drukken; knellen; nijpen; *aprieta el calor* het is erg heet; 2 hard werken, aanpoten; ~ *a correr* het op een lopen zetten; 3 ~ *para que* erop aandringen dat; 4 (*mbt docent, baas*) veeleisend zijn; **apretón** *m* 1 (het) drukken; ~ *de manos* handdruk; 2 *-ones* gedrang

apretujar in elkaar proppen, verkreukelen; **apretujarse** zich verdringen

apretura 1 schaarste; 2 moeilijkheid; 3 ~*s* gedrang; **aprieto** moeilijkheid; *estar en un* ~ in de knel zitten, omhoog zitten, in verlegenheid zitten

a priori a priori, van tevoren

aprisa snel, haastig

aprisco schaapskooi

aprisionado bekneld; gevangen; **aprisionar** gevangen nemen

aprista *m,v* (*pol; Peru*) aanhang(st)er vd APRA

aproado: ~ *a* met de steven gericht naar, gebekt naar; (*fig*) gericht op; **aproar**: ~ *hacia* de steven wenden naar, koers zetten naar

aprobación *v* goedkeuring, instemming; aanneming (*van motie*); **aprobado** *zn* voldoende; **aprobar ue** 1 goedkeuren, instemmen met, billijken, onderschrijven; (*een motie*) aannemen; *el acta queda aprobada* de notulen zijn goedgekeurd; 2 slagen voor; ~ *el examen, salir aprobado del examen* slagen voor het examen; *aprobó, salió aprobado* hij slaagde, hij werd toegelaten; 3 (*iem*) laten slagen; **aprobatorio** goedkeurend

apropiado geschikt, passend, toepasselijk, geëigend, doelmatig; **apropiarse** zich toeëigenen, zich meester maken van

aprovechable te benutten, bruikbaar; **aprovechado, -a I** *bn* 1 goed benut; 2 ijverig, goed (*als leerling*); 3 (*neg*) handig; **II** *zn* klaploper, -loopster, profiteur; **aprovechamiento** benutting; (*fig*) vrucht, succes; ~ *de basuras* afvalverwerking; **aprovechar I** *tr* 1 benutten, gebruiken, te baat nemen; ~ *al máximo*, ~ *en lo posible* optimaal benutten; ~ *la oportunidad* de kans waarnemen; *¡que aproveche(n)!* smakelijk eten!; 2 ontginnen; **II** *intr* 1 nuttig zijn; *el curso me ha aprovechado poco* ik heb weinig aan de cursus gehad; 2 vooruitkomen, leren; **aprovecharse**: ~ *de* profiteren van, uitbuiten, zijn voordeel doen met; **aprovechón, -ona** profiteur, handigerd

aprovisionamiento bevoorrading, voorziening; ~ *alimenticio* voedselvoorziening; **aprovisionar** (*de*) voorzien (van), bevoorraden (met), provianderen; **aprovisionarse** (*de*) zich voorzien (van)

aproximación *v* 1 nadering; toenadering; 2 benadering; 3 loterijprijs voor de nummers onder en boven de hoofdprijs; **aproximadamente** ongeveer, circa, bij benadering; **aproximado** (*mbt schatting*) ruw, benaderend; **aproximar** 1 dichterbij brengen; dichterbij zetten; (*stoel*) bijschuiven; 2 toenadering bewerkstelligen tussen; **aproximarse** (*a*) 1 naderen; (ongeveer) benaderen; ~ *a los 30* de 30 (jaar) naderen; 2 elkaar nader komen; **aproximativo** benaderend, bij benadering

aptitud *v* geschiktheid, bekwaamheid; *certificado de* ~ bevoegdheidsverklaring; **apto** bekwaam; ~ *para* geschikt voor; *-a para menores* (*mbt film*) toegang alle leeftijden; ~ *para untar* smeerbaar

apuesta weddenschap; inzet; **apuesto** knap (om te zien)

apunarse (*Am*) last hebben vd hoogte (*in de Andes*)

apuntador, -ora souffleur, souffleuse

apuntalamiento (het) stutten; **apuntalar** stutten, schragen

apuntar I *tr* 1 (*wapen*) richten; 2 noteren, opschrijven; ~ *los tantos* turven; 3 aanwijzen; aanstippen; ~ *alto* veel ambitie hebben, hoog grijpen; 4 souffleren, voorzeggen; 5 vastrijgen; **II** *intr* 1 richten, mikken; 2 de kop opsteken; (*mbt dag*) net beginnen; 3 ~ *a* wijzen op; **apuntarse** zich inschrijven, zich aanmelden, zich opgeven; **apunte** *m* aantekening, notitie; ~*s* dictaat; *tomar* ~*s* aantekeningen maken

apuñalar steken, neersteken, doodsteken

apurado 1 benard, benauwd, hachelijk; *un lance muy* ~ een heel benarde situatie; 2 (*mbt persoon*) overbelast; 3 slecht bij kas; 4 (*Am*) gehaast; **apurar** 1 zuiveren; 2 opmaken; leegmaken, leegdrinken, oproken; 3 opjagen; 4 benauwen, hinderen, het (*iem*) moeilijk maken; **apurarse** 1 zich zorgen maken; 2 zich uitsloven; 3 (*Am*) zich haasten; **apuro** moeilijkheid, verlegenheid; *estar en un* ~ in de knoop zitten, omhoog zitten; *sacar del* ~ uit de brand helpen

aquejado: ~ *de* last hebbend van (*een ziekte*), gekweld door; **aquejar** kwellen

aquel I *aanw vnw* 1 (*bijvgl*) die, dat; *aquella casa* dat huis; *en* ~ *tiempo, en aquellos tiempos* in die tijd; 2 *aquél, aquélla* (*zelfst*) die, dat; de eerstgenoemde; 3 *aquello* (*zelfst*) dat; het

eerstgenoemde; II *m* charme, iets (aardigs); *tener un, su ~* charme hebben; *tener un ~ por* een voorliefde hebben voor
aquelarre *m* heksensabbat
aquella, aquello *zie aquel*
aquí hier; *~ donde me ve* zowaar ik hier sta; *~ mismo* ter plekke, hier op deze plaats; *~ no es* (*telef*) verkeerd verbonden; *~ tiene* ziehier, alstublieft (*bij aangeven*); *de ~ a tres días* vandaag over drie dagen; *de ~ para allá* heen en weer, van het kastje naar de muur; *de ~ que* vandaar dat; *hasta ~: a*) tot zover; *b*) tot hier toe; *c*) tot nu toe; *he ~* ziehier, hier is; *por ~: a*) hierlangs; *b*) hier ergens, hier in de buurt; *¿Ud. por ~?* u hier?
aquiescencia instemming, toestemming
aquietar kalmeren
aquilatar het goudgehalte bepalen van; de verdienste afwegen van, keuren
ara (offer)altaar, altaarsteen || *en ~s de* terwille van
árabe I *bn* Arabisch; II *m,v* 1 Arabier, Arabische; 2 *m* (het) Arabisch; **Arabia** Arabië; (*la*) *~ Saudí,* (*la*) *~ Saudita* Saoedi-Arabië; **arabista** *m,v* arabist(e)
arable te ploegen, ploegbaar; **arado** 1 ploeg; *~* (*quitanieves*) sneeuwploeg; 2 (het) ploegen; **arador, -ora** 1 iem die ploegt; 2 *m* mijt; *~ de la sarna* schurftmijt
Aragón *m* Aragon; **aragonés, -esa** I *bn* Aragonees; II *zn* Aragonees, Aragonese
arancel *m* (douane)tarief; **arancelario** vd tarieven, tarief-, douane-; *derechos ~s* douanetarieven
arándano bosbes
arandela (*techn*) tussenring
araña 1 spin; *~ crucera* kruisspin; *~ de mar* zeespin; *~ peluda* vogelspin; *patas de ~* hanepoten; *tela de ~* spinneweb; 2 luchter, kroon; **arañar** 1 krabben, krassen, schrammen, openhalen; 2 bijeenschrapen; **arañazo** krab, schram, haal
araucano Araucanisch, vd Indianen uit Chili
araucaria soort spar (*uit de Andes*)
arbitraje *m* 1 arbitrage; *~ de equidad* arbitrage naar billijkheid; 2 scheidsrechterschap, (het) optreden als scheidsrechter; **arbitral** arbitraal, scheidsrechterlijk; **arbitrar** 1 als scheidsrechter optreden; 2 als scheidsrechter beslissen over; **arbitrariamente** willekeurig; **arbitrariedad** *v* willekeur; **arbitrario** willekeurig, arbitrair; eigenmachtig; **arbitrio**: *estar al ~ de* overgeleverd zijn aan (de willekeur van); **árbitro, -a** 1 scheidsrechter; 2 arbiter, scheidsman, -vrouw
árbol *m* 1 boom; *~ del caucho* rubberboom; *~ de la ciencia* boom der kennis; *~ frondoso* loofboom; *~ frutal* fruitboom; *~ genealógico* stamboom; *~ de Navidad* kerstboom; *~ de pie* zaailing; *los ~es tapan el bosque* je kunt door de bomen het bos niet meer zien; 2 (*techn*) as; *~ cardán* cardanas; *~ de levas* nokkenas; *~ trasero* achteras; 3 mast; **arbolado** I *zn* geboomte; II *bn* bebost, met bomen begroeid; **arboladura** (de) masten van een schip; **arbóreo** van bomen, boom-; *vegetación -a* boomgroei; **arboricultor** *m* boomkweker; **arbusto** struik, heester
arca mooie kist; dekenkist, geldkist; **Arca**: *~ de la Alianza* Ark des Verbonds; *~ de Noé* Ark van Noach
arcabuz *m* haakbus (*oud vuurwapen*)
arcada 1 arcade, galerij; 2 *~s* braakneigingen, (het) kokhalzen
arcaduz *m* 1 waterleidingbuis; 2 bak van scheprad
arcaico archaïsch; **arcaísmo** archaïsme
arcángel *m* aartsengel
arce *m* ahorn
arcén *m* berm, vluchtstrook
archiconocido overbekend
archiducado aartshertogdom; **archiduque, -duquesa** aartshertog(in)
archifamoso wereldberoemd
archipiélago archipel
archisabido overbekend
archivador *m* 1 archiefambtenaar; 2 ordner; 3 archiefkast; **archivar** in een archief bewaren; opbergen; **archivero, -a** archivaris; **archivo** archief; (*comp*) file
arcilla klei; boetseerklei; *modelar ~* boetseren, kleien; **arcilloso** kleihoudend, kleiachtig, leemachtig
arcipreste *m* aartspriester
arco 1 boog (*ook wisk*); beugel; *~ de círculo* cirkelboog; *~ y flecha* pijl en boog; *~ graduado* gradenboog; *~ iris* regenboog; *~ ojival* spitsboog; *~ de sierra* zaagbeugel; *~ triunfal* ereboog; *tirar con ~* boogschieten; 2 strijkstok
arcón *m* grote kist; *~ congelador* vrieskist
Ardenas: *las ~* de Ardennen
arder branden, gloeien, vlammen; *~ en deseos* (*de*) branden van verlangen (naar, om); *~ de indignación* gloeien van verontwaardiging; *~ por saber u.c.* branden van verlangen om iets te weten; *estar que arde: a*) (*mbt persoon*) razend zijn; *b*) (*mbt zaak*) gloeiend zijn; *c*) (*mbt toestand*) zeer gespannen zijn, op barsten staan
ardid *m* list
ardiendo (*onv*) brandend, gloeiend; *~ en deseos* (*de*) brandend van verlangen (om); **ardiente** 1 brandend; 2 gloedvol, vurig, heftig
ardilla eekhoorn
ardor *m* 1 gloed, hitte; *~ de estómago* branderig gevoel in de maag; 2 hevigheid; ijver, vuur; *todo le entra con mucho ~* hij loopt altijd erg hard van stapel; **ardoroso** heet; vurig; **arduo** inspannend, erg moeilijk
área 1 are; 2 gebied; rayon; oppervlakte; *~* (*de castigo*) strafschopgebied; *~ peatonal* voetgangersgebied
arena 1 zand; *~ fina* fijn zand; *~ movediza* drijfzand; *flan de ~* zandtaartje (*op strand*); 2 arena; **arenal** *m* zandvlakte

arenga (*opwekkende*) toespraak
arenilla fijn strooizand; **arenisca** zandsteen; **arenisco** zanderig, zandachtig; (*piedra*) *-a* zandsteen; **arenoso** zanderig; *tierra -a* zandgrond
arenque *m* haring; *pesca del* ~ haringvangst
areómetro areometer
arequipeño uit Arequipa (*Peru*)
arete *m* oorring
argamasa specie, mortel
Argel Algiers; **Argelia** Algerije; **argelino** Algerijns
argentífero zilverhoudend
Argentina: (*la*) ~ Argentinië; **argentinismo** typisch Argentijns woord; **argentino** 1 Argentijns; 2 op zilver lijkend, zilverig
argolla (*ijzeren*) ring
argos *m* iem die met argusogen toekijkt; *como un* ~ met argusogen
argot *m* argot, slang
argucia spitsvondigheid; chicane; **argüir** 1 afleiden; 2 betogen; 3 ~ *en favor de* (*fig*) pleiten voor; **argumentación** *v* argumentatie, bewijsvoering, betoog; **argumentar** I *tr* argumenteren, betogen; redeneren, aanvoeren; II *intr* tegenspreken, met (tegen)argumenten komen; **argumento** 1 argument; ~ *de peso* zwaarwegend argument; *el* ~ *cae por tierra* het argument is niet steekhoudend; *esgrimir* ~*s* schermen met argumenten; 2 betoog; 3 verhaal (*van boek, toneelstuk*), inhoud; *película de* ~ speelfilm
aria aria
aridez *v* dorheid, droogte, schraalheid; **árido** I *bn* dor, droog; schraal; *un estudio* ~ een droge studie; II *mmv:* ~*s* droge stoffen (*bv granen*)
Aries *m* (*astrol*) Ram; **ariete** *m* 1 stormram; 2 midvoor; **arisco** stug, schuw; bokkig
arista rib (*van kubus*)
aristocracia aristocratie; **aristócrata** *m,v* aristocraat, -crate; **aristocrático** aristocratisch; deftig, gedistingeerd
aristotélico Aristotelisch
aritmética rekenkunde; **aritmético** rekenkundig
arlequín *m* harlekijn
arma 1 wapen; ~ *antisatélite* anti-satellietwapen; ~ *arrojadiza* slingerwapen; ~ *atómica* atoomwapen; ~ *blanca* blank wapen; ~ *defensiva* verdedigingswapen; ~ *de dos filos* tweesnijdend zwaard; ~ *de fuego* vuurwapen; ~ *nuclear* kernwapen; ~ *ofensiva* aanvalswapen; ~ *punzante* steekwapen; *alzarse en* ~*s* in opstand komen; *de* ~*s tomar* voortvarend, niet voor een kleintje vervaard; *pasar por las* ~*s* ter dood brengen; *presentar* ~*s* het geweer presenteren; *rendir las* ~*s* zich overgeven; *tomar las* ~*s* de wapens opnemen; 2 wapen (*afdeling vh leger*); 3 ~*s* wapen(schild); *escudo de* ~*s* familiewapen; **armada** (oorlogs)vloot, marine
armadillo gordeldier
armado I *bn* gewapend; ~ *hasta los dientes* tot de tanden gewapend; *a mano -a* gewapenderhand; *fuerzas -as* strijdkrachten; II *zn* montage
armador *m* reder; **armadora** rederij
armadura 1 wapenrusting; harnas, pantser; 2 frame; 3 anker (*van magneet*); **armamentista**: *carrera* ~ bewapeningswedloop; **armamento** bewapening; ~ *nuclear* kernbewapening; **armar** 1 wapenen, bewapenen; ~ *caballero* tot ridder slaan; *sin* ~ ongewapend; 2 op touw zetten; ~ *escándalo* de boel op stelten zetten, herrie schoppen; ~ *jaleo* spektakel maken, donderjagen; ~*la* (weer) aan de gang zijn (*met ruzie e.d.*); 3 monteren, in elkaar zetten; ~ *una tienda* een tent opzetten; 4 (*een boog*) spannen; 5 (*schip*) uitrusten, reden; **armarse** 1 zich wapenen; ~ *de valor* moed verzamelen; 2 (*mbt lawaai, spektakel*) ontstaan
armario kast; ~ *de consigna* bagagekluis; ~ *de controles* schakelkast; ~ *empotrado* ingebouwde kast; ~ *para la ropa blanca* linnenkast; ~ *ropero* klerenkast, hangkast, legkast; *mesilla* ~ nachtkastje; **armariete** *m* kastje
armatoste *m* 1 rammelkast, vehikel; 2 bakbeest (*meubel*)
armazón *m,v* (*techn*) frame, geraamte, skelet, chassis; ~ *tubular* buisframe
armella schroefoog
armenio Armeens
armero wapenhandelaar, wapenfabrikant
arminiano (*vglbaar*) remonstrants
armiño hermelijn
armisticio wapenstilstand
armonía 1 harmonie; 2 eensgezindheid, harmonie; **armónica** mondharmonica; **armónico** harmonisch; **armonioso** harmonieus, harmonisch, welluidend; **armonizar** I *tr* 1 in harmonie brengen, afstemmen; 2 (*muz*) begeleiding schrijven bij; II *intr:* ~ (*con*) harmoniëren (met), passen (bij), goed samengaan (met), kleuren (bij)
arnés *m* 1 harnas; 2 *-eses* (paarde)tuig
árnica arnica
aro ring; hoepel; beugel; *jugar al* ~ hoepelen; *pasar por el* ~ door de knieën gaan
aroma *m* aroma, geur, reuk, boeket (*van wijn*); **aromático** aromatisch, geurig; **aromatizar** aromatiseren
aromo soort acacia
arpa harp; ~ *eolia* windharp
arpía harpij, feeks, helleveeg
arpillera soort jute (*stof*)
arpista *m,v* harpist(e)
arpón *m* harpoen; **arponar**, **arponear** harpoeneren
arqueado boogvormig; **arquear** 1 buigen, krommen; ~ *las cejas* de wenkbrauwen optrekken; 2 (*een schip*) meten; **arqueo** 1 (het) krommen, (het) buigen; 2 scheepsmeting; *carta de* ~ meetbrief; 3 tonnage; 4 (*hdl*) kasopneming; *hacer* ~ zijn geld tellen, kijken of je genoeg geld hebt

arqueología archeologie, oudheidkunde; **arqueológico** archeologisch; **arqueólogo, -a** archeoloog, -loge
arquero 1 boogschutter; 2 (*Am; sp*) keeper
arquetipo archetype, oervorm
arquidiócesis *v* aartsbisdom
arquitecto, -a architect(e); ~ *decorador,* ~ *interiorista* binnenhuisarchitect; ~ *paisajista* tuinarchitect; ~ *técnico* bouwkundige; **arquitectónico** bouwkundig; **arquitectura** architectuur, bouwkunst
arrabal *m* buitenwijk; **arrabalero, -a** 1 bewoner of bewoonster van buitenwijk; 2 met grove manieren, plat
arracimado 1 trosvormig; 2 opeengehoopt, op een kluit; **arracimarse** 1 een tros vormen; 2 samendringen
arraigado (diep) geworteld; **arraigamiento** *zie arraigo*; **arraigar** wortelen, wortels krijgen; **arraigarse** wortels krijgen, (*ergens*) wortelen; **arraigo** 1 inworteling; (het) wortels hebben; *persona de* ~ persoon van gewicht; 2 (het) hebben van onroerend goed
arramblar: ~ *con* ervandoor gaan met
arrancaclavos *m* spijkertrekker
arrancada (plotselinge) start; **arrancar I** *tr* 1 rukken, losrukken, afrukken, afscheuren, lostrekken, uittrekken; rooien; 2 loskrijgen; (*een geheim*) ontlokken; 3 aan de gang brengen, (*motor*) starten; **II** *intr* 1 op gang komen; ~ *contra* afstormen op; ~ *de* (*mbt lijn, weg*) beginnen in; 2 ~ *a* (+ *onbep w*) (plotseling) beginnen met; **arrancarse** 1 zich losrukken; 2 plotseling gaan rennen; 3 (*fig*) onverwacht een (edel) gebaar maken; **arranque** *m* 1 (het) wegrukken; 2 begin, start; *motor de* ~ startmotor; *punto de* ~ uitgangspunt; *no tener* ~ geen pit hebben, besluiteloos zijn; 3 opwelling, vlaag
arrapiezo kereltje
arras *vmv* handgeld; gift van bruidegom aan bruid
arrasar 1 met de grond gelijkmaken; 2 glad afstrijken; **arrasarse**: ~ *en lágrimas* baden in tranen
arrastrado armelijk; *una vida -a* een miserabel bestaan; **arrastrar** 1 (mee)slepen, sleuren; voortslepen; ~ *por el lodo* door het slijk halen; ~ *los pies* sjokken; ~ *por el suelo* de vloer aanvegen met; ~ *su vida* voortsukkelen; 2 wegslaan, wegvagen, meesleuren; *fue arrastrado el puente* de brug werd weggeslagen; **arrastrarse** 1 zich voortslepen; 2 kruipen; **arrastre** *m* (het) (weg)slepen; *estar para el* ~ kapot zijn, niets meer waard zijn; *red de* ~ sleepnet; **arrastrero** trawler
arrayán *m* mirt(e)
arre: *¡~!* vort!; **arrear** 1 voortdrijven; aanvuren, opwekken; *el que venga atrás que arree* de volgende moet verder zelf maar zien, na ons de zondvloed; 2 (*fam*) toedienen, geven; ~ *un golpe* een klap verkopen
arrebatado 1 onnadenkend, overijld; 2 boos, woedend; 3 (*mbt gezicht*) rood; 4 plotseling; hevig; **arrebatar** 1 afpakken, wegpakken, wegrukken, grissen; ~ *de las manos* uit de handen rukken; 2 (*fig*) meeslepen, enthousiast maken; **arrebatarse** 1 (*mbt fruit*) te vroeg rijp zijn; (*mbt eten*) te vlug gaar zijn; 2 zich opwinden, boos worden; **arrebato** vlaag; ~ *de cólera* driftbui
arrebol *m* avondrood; morgenrood; **arrebolarse** een rode kleur krijgen
arrebujar 1 opproppen; 2 (warm) instoppen, inpakken; **arrebujarse** (*en*) zich hullen (in)
arrechucho 1 (korte) aanval (*van een ziekte*); inzinking; 2 vlaag, bevlieging
arreciar toenemen, aanwakkeren, heviger worden
arrecido verstijfd van kou
arrecife *m* rif
arredramiento angst; **arredrar** angst inboezemen, doen terugdeinzen; **arredrarse** (*ante*) terugdeinzen (voor)
arregladito (*mbt persoon*) ordelijk; **arreglado** keurig (gekleed, ingericht); ordelijk; *muy* ~ opgedoft, opgemaakt || *está* ~ *si cree...* hij vergist zich als hij denkt...; *estarías* ~ *si...* je zou geen leven hebben als...; **arreglar** 1 regelen, plooien, arrangeren; *la cosa está arreglada* het is voor elkaar; 2 vereffenen, verrekenen; ~ *cuentas* afrekenen; 3 in orde brengen, repareren, opknappen, fatsoeneren; 4 inrichten; ordenen, schikken; 5 opruimen, ordenen; ~ *el cuarto* de kamer opruimen; **arreglarse** 1 zich opknappen; zich opmaken; 2 ~ (*con*) zich behelpen (met), het redden (met); 3 in orde komen, terechtkomen || *arreglárselas* (*para*) het klaarspelen (om), kans zien (om), het aanleggen (om); *arreglárselas con los medios de a bordo* roeien met de riemen die je hebt; **arreglo** 1 regeling, akkoord, compromis, schikking, vergelijk; ~ *para el fin de semana* weekendarrangement; *llegar a un* ~ een regeling treffen; 2 vereffening, verrekening; 3 reparatie; ~*s* opknapbeurt; *pequeños* ~*s* klusjes, karweitjes; *no tiene* ~: *a*) (*mbt zaak*) er is niets meer aan te doen; *b*) (*mbt persoon*) hij is niet goed wijs || ~ *personal* persoonlijke verzorging; *con* ~ *a* overeenkomstig, volgens, met inachtneming van
arrellanarse (*en*) zich nestelen (in)
arremangar (*mouwen, pijpen*) omslaan, opstropen; opschorten; *los brazos arremangados* met opgestroopte mouwen; **arremangarse** 1 zijn mouwen opstropen; ~ *los pantalones* zijn broekspijpen omslaan; 2 (*fig*) zich voorbereiden op de strijd
arremeter: ~ *contra* (heftig) aanvallen, afstormen op, inhakken op, te lijf gaan, van leer trekken tegen; **arremetida** aanval
arremolinarse 1 zich verdringen; 2 dwarrelen
arrendador, -ora 1 verhuurder, verhuurster; 2 huurder, huurster

arrendajo Vlaamse gaai
arrendamiento 1 pacht; *dar en ~* verpachten; *tomar en ~* pachten; 2 pachtsom; 3 pachtcontract; **arrendar ie** 1 verpachten, verhuren; 2 pachten, huren; **arrendatario, -a** pachter(es)
arreo 1 tooi; 2 *~s* paardetuig
arrepanchigarse (*en*) zich nestelen (in)
arrepentido berouwvol; **arrepentimiento** berouw, spijt; **arrepentirse ie, i** (*de*) berouw hebben (over); zich bedenken; *no me arrepiento de ello* ik heb er geen spijt van
arrestar arresteren
1 arresto 1 arrest; *~ domiciliario* huisarrest; 2 hechtenis
2 arresto fierheid
arriar í: *~ la bandera* de vlag strijken; **arriarse í** over'stromen
arriate *m* bloembed
arriba 1 boven, bovenaan, bovenin, bovenop; *~ mencionado* bovengenoemd; *allá ~* daarboven (op); *de abajo ~* van onder tot boven; *de diez para ~* vanaf tien; *desde ~: a*) van boven af; *b*) van hogerhand; *escaleras ~* de trap op; *hacia ~* naar boven; *más ~: a*) hogerop, omhoog; *b*) (*in tekst*) hierboven, eerder; *el de más ~* de bovenste; (*más*) *~ de* boven, hoger dan; 2 naar boven || *¡~...!* leve...!; **arribada** landing; **arribar** (*a*) landen (in), aankomen (in), binnenlopen; **arribista** *m,v* streber
arriendo *zie arrendamiento*
arriero (muil)ezeldrijver; vrachtrijder
arriesgado gewaagd; riskant; **arriesgar** riskeren, wagen, in de waagschaal stellen; **arriesgarse**: *~ a* het wagen om; *el que no se arriesga no pasa el río* wie niet waagt die niet wint
arrimar 1 dichtbij plaatsen, dichterbij brengen; 2 *~ a* laten leunen tegen, plaatsen tegen; 3 afstand doen van, neerleggen; 4 opzij schuiven; 5 (*een klap*) toedienen; **arrimarse** 1 dichterbij komen; bijschuiven; *~ más* inschikken; 2 *~ a* bescherming zoeken bij; **arrimo** steun
arrinconado 1 in een hoek gezet, in de hoek gedreven; 2 vergeten, verwaarloosd; **arrinconamiento** 1 (het) opdrijven, (het) klem zetten, (het) in de hoek drijven; 2 teruggetrokkenheid; **arrinconar** 1 opdrijven, klem zetten, in de hoek drijven; 2 wegwerken, opzij schuiven, passeren; **arrinconarse** zich terugtrekken (*uit de omgang*)
arriostrar tuien
arritmia 1 aritmie; 2 (*med*) onregelmatige hartslag
arrizar reven
arroba gewichtsmaat (*ruim 11 kilo*)
arrobado verrukt, in extase; **arrobamiento** vervoering; **arrobar** boeien, in vervoering brengen; **arrobarse** in vervoering raken; **arrobo** vervoering
arrocero, -a I *bn* van rijst, voor rijst, rijst-; **II** *zn* 1 rijstverbouw(st)er; 2 rijstverkoper, -verkoopster
arrodillar doen knielen; **arrodillarse** knielen
arrogancia 1 arrogantie, aanmatiging; 2 fierheid, moed, zwier; **arrogante** 1 arrogant, aanmatigend; 2 dapper, fier; **arrogarse** zich (*een recht*) aanmatigen; *~ méritos para* menen recht te hebben op
arrojadizo: *arma -a* slingerwapen; **arrojado** vastberaden, stoutmoedig; **arrojar** 1 werpen, gooien, smijten, slingeren; *~ basuras* vuil storten; *~ lejos* wegsmijten; 2 overgeven, (uit)braken; 3 uitwijzen; *~ un saldo* een saldo te zien geven; 4 (*geur*) afgeven; **arrojarse** (*a*) zich werpen (in), zich storten (in); *~ de la cama* uit bed springen; *~ por la ventana* uit het raam springen; **arrojo** durf, stoutmoedigheid
arrollable oprolbaar; **arrollado** (*elektr*) wikkeling; **arrollador, -ora** 1 vernietigend; 2 overstelpend; **arrollar** 1 oprollen; opspoelen, opwinden; 2 over'rijden; 3 onder de voet lopen; 4 onder tafel praten; 5 met voeten treden
arropar toedekken, instoppen
arrope *m* soort stroop
arrorró *m* (*Am*) wiegelied
arrostrar onder ogen zien; tarten, trotseren
arroyo 1 beek; 2 goot; **arroyuelo** beekje
arroz *m* rijst; *~ integral* zilvervliesrijst; *~ con leche* rijstebrij; *~ pasado* kleffe (*te gare*) rijst || *estar para el ~* kapot zijn, niet veel meer waard zijn; **arrozal** *m* rijstveld
arruga 1 rimpel; 2 kreukel; **arrugado** gerimpeld, rimpelig; doorgroefd; **arrugamiento** (het) kreuken; **arrugar** kreuken, verkreukelen, verfrommelen, rimpelen; *~ la frente* het voorhoofd fronsen; **arrugarse** 1 kreuken; 2 (*mbt noten, vruchten*) (ver)schrompelen
arruinar ruïneren; verwoesten; **arruinarse** zich ruïneren
arrullar 1 (*mbt duif*) koeren, kirren; 2 (in slaap) wiegen
arrumaco: *~s* geflikflooi, vleierij
arrumar (*scheepv*) stouwen
arrumbar 1 wegzetten (*bv op zolder*); 2 opzij schuiven, ne'geren
arrurruz *m* arrowroot, pijlwortelmeel
arsenal *m* arsenaal, wapenvoorraad
arsénico arsenicum, rattenkruit
arte *enkv m,v; mv v* 1 kunst; *~s aplicadas* kunstnijverheid; *~ de bailar* danskunst; *~ de cocina* kookkunst; *~s domésticas* huishoudkunde; *~ gráfico* grafiek; *~s industriales* nijverheid(sonderwijs); *~ de magia* toverkunst; *~s plásticas* beeldende kunst; *~ popular* volkskunst; *las bellas ~s* de schone kunsten; 2 handigheid; *con ~* handig; *malas ~s* listen || *~ de pesca* vistuig
artefacto 1 apparaat; 2 bom
artejo 1 vingerkootje; 2 vingerknokkel
arteria slagader; *~ cervical* halsslagader; *~ de tráfico* verkeersader; **arterial** vd slagader; **arteriosclerosis** *v* aderverkalking
artero sluw, listig
artesa bak, trog
artesanado (de) handwerkslieden; **artesanal**

ambachtelijk, vh handwerk, (*Belg*) artisanaal; **artesanía** ambachtswerk, handwerk; **artesano, -a** handwerksman, handwerkster
artesón *m* vak in plafond; **artesonado** plafond met vakwerk
ártico vd noordpool, arctisch; '**Artico**: *el mar* ~ de Noordelijke IJszee
articulación *v* 1 gewricht, geleding; ~ *cardán* kruiskoppeling; ~ *esférica* kogelgewricht; ~ *de la rodilla* kniegewricht; 2 articulatie; **articulado** geleed; **articular** I *ww* 1 verbinden; 2 articuleren; *no poder* ~ *una sílaba* geen woord kunnen uitbrengen; 3 (*een wet*) in artikelen verdelen; formuleren; II *bn* vd gewrichten; *reuma* ~ gewrichtsreumatiek; **articulista** *m,v* artikelschrijver, -schrijfster; **artículo** 1 artikel (*in krant, van wet*), stuk; ~ *de fe* geloofsartikel; ~ *de fondo* hoofdartikel; ~ *de prensa* kranteartikel; 2 artikel, produkt; ~ *mercantil* handelsartikel; ~ *de propaganda* reclameartikel; ~*s de tocador* toiletartikelen; 3 lidwoord; ~ *definido*, ~ *determinado* bepaald lidwoord; ~ *indefinido*, ~ *indeterminado* onbepaald lidwoord || *hacer el* ~ *a u.p.* iem lijmen, vleien
artífice *m,v* 1 maker; kunstenaar; 2 handigerd, slimmerik; **artificial** kunstmatig; gemaakt, gewrongen, gezocht; **artificialidad** *v* kunstmatigheid; gemaaktheid
artificiero bomspecialist
artificio 1 kunstigheid; 2 kunstgreep; 3 handig apparaat, voorziening; 4 gemaaktheid; **artificioso** 1 kunstmatig; gemaakt; 2 geveinsd; sluw
artillería artillerie, geschut; (*sp*) voorhoede; ~ *antiaérea* luchtafweergeschut; ~ *pesada* zware artillerie
artilugio 1 maaksel; onding; 2 list, streek
artimaña list; valstrik
artista *m,v* artiest(e), kunstenaar, kunstenares; **artisticidad** *v* kunstzinnigheid; **artístico** artistiek, kunstzinnig
artritis *v* artritis, gewrichtsreumatiek
arveja 1 wikke; 2 (*Am*) erwt
arzobispado aartsbisdom; **arzobispo** aartsbisschop
as *m* 1 aas (*in kaartsp*); ~ *de pique* schoppenaas; 2 (*fig*) kei, kraan; topspeler
asa handvat, hengsel, oor
asado 1 gebraad; 2 (*Am*) barbecue; **asador** *m* 1 (braad)spit; 2 (*Am*) iem die vlees grilt
asadura 1 eetbare ingewanden; 2 flegma; sloomheid; 3 sul, sloom mens
asaetear 1 met pijlen beschieten; 2 bestoken
asalariado, -a I *bn* betaald; *trabajo* ~ betaald werk; II *zn* werknemer, -neemster, iem die in loondienst is
asaltante I *bn* aanvallend; II *m,v* aanvaller, -valster, overvaller, -valster; **asaltar** overvallen; bestormen; **asalto** overval; bestorming; ~ *de mano armada* gewapende overval, roofoverval; *fuerzas de* ~ stormtroepen; *ir al* ~ *del plato* op het eten aanvallen; *por* ~ stormenderhand
asamblea vergadering; conferentie; ~ *anual* jaarvergadering; ~ *plenaria* plenaire vergadering; *someter u.c. a la* ~ iets aan de vergadering voorleggen; **asambleísta** *m,v* deelnemer, -neemster aan een vergadering
asar 1 braden; ~ *castañas* kastanjes poffen; ~ *a la parrilla* grilleren; 2 ~ *a* het leven zuur maken met; **asarse** 1 braden; 2 (*fig*) het te heet hebben, stikken
asaz (*lit*) voldoende, tamelijk
asbesto asbest
ascalonia sjalot
ascáride *v* spoelworm
ascendencia 1 voorouders; 2 invloed, overwicht; **ascendente** stijgend; **ascender ie** I *intr* 1 stijgen; ~ *al trono* de troon bestijgen; 2 promotie maken; 3 ~ *a* belopen, bedragen; II *tr* bevorderen; **ascendiente** 1 *m,v* voorouder; 2 *m* ~ (*sobre*) invloed (op), overwicht (op); **ascensión** *v* bestijging, stijging; **Ascensión** *v* Hemelvaart(sdag); **ascenso** 1 bestijging; 2 bevordering, promotie; **ascensor** *m* lift; **ascensorista** *m,v* liftbediende
asceta *m,v* asceet; **ascético** ascetisch; **ascetismo** ascese
asco (*de*) afschuw (van), hekel (aan); *dar* ~ tegenstaan; *me da* ~ (+ *onbep w*) ik vind het vies om; *hacer* ~*s a* zijn neus optrekken voor; *¡qué* ~*!* bah!, afschuwelijk!; *ser un* ~ er smerig uitzien; *tener* ~ *de* walgen van
ascua gloeiende kool; *arrimar el* ~ *a su sardina* zijn eigen belang dienen, voor zichzelf zorgen; *estar sobre* ~*s* op hete kolen zitten; *ser un* ~ *de oro* brandschoon zijn, er piekfijn uitzien, glimmen als een spiegel; *tener a u.p. sobre* ~*s* iem ongeduldig maken, iem in spanning houden
aseado schoon; **asear** schoonmaken, ordenen
asechador, -ora belager, belaagster; **asechanza** (het) belagen; valstrik, hinderlaag
asediado belaagd, omstuwd; **asediar** 1 belegeren; 2 (*fig*) belagen, bestormen; ~ *a preguntas* met vragen bestormen; **asedio** 1 beleg, omsingeling; 2 hinder, (het) belagen
asegurado, -a I *bn* verzekerd; ~ *en* verzekerd bij; II *zn* verzekerde; ~ *en la seguridad social* (*vglbaar*) fondspatiënt(e); **asegurador, -ora** I *bn* die verzekert; *compañía -ora* verzekeringsmaatschappij; II *zn* verzekeraar(ster), assuradeur; **aseguradora** verzekeringsmaatschapij; **aseguramiento** (het) verzekeren; **asegurar** 1 bevestigen; vastzetten, borgen; ~ *el freno de mano* de handrem aanhalen; 2 verzekeren, beweren; 3 ~ (*de, contra*) verzekeren (tegen); **asegurarse** 1 ~ (*de*) zich verzekeren (van), zich zekerheid verschaffen (omtrent); 2 ~ (*contra*) zich verzekeren (tegen), zich dekken (tegen)
asemejarse (*a*) lijken (op)
asenderear (*iem*) problemen bezorgen, het moeilijk maken
asenso (*lit*) instemming

asentada: *de una* ~ in één klap; **asentaderas** *vmv* zitvlak; **asentamiento** vestiging; **asentar ie** I *tr* 1 neerzetten, doen zitten; 2 vestigen, plaatsen; bevestigen, vaststellen; vastzetten; ~ *sus reales* zijn tenten opslaan; 3 boeken, inschrijven; vastleggen; II *intr* 1 stevig staan; 2 zich vestigen; 3 (*mbt kleding*) goed zitten; 4 (*mbt motor*) inlopen; **asentarse ie** 1 plaats nemen; zich vestigen; 2 bezinken; zwaar op de maag liggen; 3 (*mbt bouwwerk*) door verzakking scheuren; 4 (*mbt dorp*) gelegen zijn; 5 pijnlijk schuren; 6 ~ *en* gebaseerd zijn op, berusten op

asentimiento instemming; *con* ~ *mutuo* met onderling goedvinden; **asentir ie, i**: ~ (*a*) instemmen (met); ~ *con la cabeza* instemmend knikken

aseo 1 netheid; verzorging; ~ *personal* lichaamsverzorging; 2 (*cuarto de*) ~ toilet, w.c.

aséptico aseptisch

asequible 1 bereikbaar, toegankelijk; 2 betaalbaar; ~ *para todos* voor iedere beurs

aserción *v* bewering

aserradero zagerij; **aserrar ie** zagen; **aserrín** *m* zaagsel

asertivo bevestigend

aserto bewering

asesinar vermoorden; **asesinato** moord; ~ *alevoso*, ~ *a traición* sluipmoord; ~ *premeditado* moord met voorbedachten rade; **asesino, -a** I *bn* moordend, dodelijk; II *zn* moordenaar, moordenares; ~ *a sueldo* huurmoordenaar

asesor, -ora I *bn* adviserend, raadgevend; II *zn* adviseur, adviseuse, consulent(e); ~ *fiscal* belastingconsulent; **asesoramiento** advies; **asesorar** adviseren, van advies dienen; **asesorarse** (*con*) advies inwinnen (bij); **asesoría** 1 adviseurschap; 2 adviesbureau

asestar 1 (*een wapen*) richten; 2 (*een steek, slag*) toebrengen

aseveración *v* bewering; **aseverar** beweren

asexual ongeslachtelijk

asfaltado I *bn* geasfalteerd; II *zn* 1 (het) asfalteren; 2 asfalt; **asfaltar** asfalteren; **asfáltico** van asfalt; **asfalto** asfalt

asfixia verstikking; **asfixiante** verstikkend, om te stikken; **asfixiar** verstikken; **asfixiarse** stikken, geen lucht krijgen

así 1 zo, aldus; ~ *o asá* zus of zo; ~, ~ zo, zo; ~...*como* zowel...als; ~ *como* ~ alsof het de gewoonste zaak van de wereld is; ~ *es que* zodoende, zo komt het dat; ~ *está bien* zo is het goed; ¡~ *se hace!* ja, zo moet het!; ~ *de largo* zó lang; ~ *y todo* desondanks, niettemin; *una cosa* ~ zoiets; 2 ~ *como* evenals, alsmede; als het ware; 3 ~ *que*, ~ *pues* dus, zodat; ~ *que tú no vas* dus jij gaat niet; 4 ~ *que*, ~ *como* zodra

Asia Azië; ~ *Menor* Klein-Azië; **asiático** Aziatisch

asidero 1 greep, handvat; 2 houvast; *no tener* ~ geen voet aan de grond krijgen

asiduidad *v* 1 regelmaat; 2 ijver; **asiduo, -a** I *bn* 1 regelmatig, trouw; 2 ijverig; II *zn* trouw bezoek(st)er; *-os* stamgasten

asiento 1 zetel, zitplaats, stoel; zitting; bank (*in bus, trein*); bril (*van wc*); ~ *abatible* klapstoel, klapbankje; ~ *catapulta* schietstoel; ~ *delantero* voorbank; ~ *de detrás* achterbank; *tomar* ~ plaatsnemen; 2 boeking, post, inschrijving; ~ *de cierre* sluitpost; *hacer un* ~ een post boeken; 3 plaats, ligging; *de* ~ definitief gevestigd; 4 bezinksel, droesem || *hacer* ~: *a*) (*bv mbt steen in muur*) stevig staan, pakken, blijven zitten; *b*) door verzakking scheuren

asignación *v* 1 toewijzing; 2 toelage; **asignar** 1 toekennen, toewijzen; 2 ~ *a* bestemmen voor; (*een bedrag*) uittrekken voor; **asignatura** vak (*op school*); *suspender una* ~ zakken voor een vak

asilar 1 in een tehuis plaatsen; 2 asiel verlenen aan; **asilo** 1 (politiek) asiel; *pedir* ~ asiel vragen; 2 tehuis, inrichting; ~ *de ancianos* bejaardentehuis; ~ *de huérfanos* weeshuis; 3 vluchtoord

asimetría asymmetrie

asimilación *v* assimilatie; (*fig*) verwerking; **asimilar** 1 assimileren, gelijkmaken; 2 assimileren, verwerken; 3 (*voedingsstoffen*) opnemen

asimismo evenzo, eveneens, mede

asíntota asymptoot

asir grijpen

asistencia 1 aanwezigheid; opkomst; *se ruega su* ~ uw aanwezigheid is gewenst; 2 hulp, assistentie, bijstand; ~ *domiciliaria a ancianos* bejaardenthuishulp; ~ *a domicilio* thuiszorg; ~ *jurídica*, ~ *letrada* rechtsbijstand; ~ *médica* medische verzorging; ~ *recíproca* wederzijdse hulpverlening; ~ *sanitaria* gezondheidszorg; ~ *social* sociaal werk; **asistenta** 1 hulp in de huishouding, werkster; 2 ~ (*ook asistente*) *social* maatschappelijk werkster; **asistente** I *bn* 1 die bijwoont; 2 die helpt; II *m,v* assistent(e); ~ *de dentista* tandartsassistent(e); ~ *de farmacia* apothekersassistent(e); ~ *de médico* doktersassistent(e); ~ *social* maatschappelijk werk(st)er; **asistido**: *dirección -a* stuurbekrachtiging; *freno* ~ rembekrachtiging; **asistir** I *tr* helpen, assisteren, bijstaan; (*een zieke*) verzorgen, verplegen; ~ *de* (*med*) behandelen voor; II *intr* ~ (*a*) bijwonen; ~ *a clase* de les bezoeken; *no poder* ~ verhinderd zijn

asma astma; **asmático, -a** I *bn* astmatisch; vd astma; II *zn* astmapatiënt(e)

asna ezelin; **asnada** dwaasheid, stommiteit; **asno** 1 ezel; 2 domoor, ezel

asociación *v* 1 vereniging, genootschap; ~ *deportiva* sportvereniging; ~ *hermana* zustervereniging; ~ *juvenil* jeugdvereniging; ~ *para la Defensa de la Naturaleza* (*afk ADENA; vglbaar*) Vereniging tot behoud van Natuurmonumenten; 2 verband; ~ *de ideas* (gedachten)associatie; 3 ~ (*a*) aansluiting (bij); **asociacionismo** verenigingswezen; **asociado, -a** associé(e), compagnon; aangeslotene

asocial asociaal
asociar 1 verenigen, verbinden; 2 associëren, in gedachten verbinden; **asociarse** 1 ~ (*a*) zich aansluiten (bij); ~ (*con*) zich associëren (met); 2 ~ (*con*) geassocieerd worden met
asolamiento verwoesting
1 asolar ue verwoesten
2 asolar ue (*mbt hitte, droogte*) teisteren, doen verdrogen
asomar I *intr* te voorschijn komen; *asoma el día* de dag breekt aan, het wordt licht; II *tr* naar buiten steken, boven iets uit steken, laten zien; ~ *la cabeza* zijn hoofd naar buiten steken; **asomarse** zich laten zien, verschijnen; ~ *al espejo* voor de spiegel gaan staan; ~ *a la ventana: a*) voor het raam gaan staan, zich voor het raam vertonen; *b*) zich uit het raam buigen
asombrar verbazen, verwonderen; **asombrarse** (*de*) zich verbazen (over), zich verwonderen (over); **asombro** verbazing, verwondering; *con ~ cada vez mayor* met stijgende verbazing; *mudo de ~* met stomheid geslagen; **asombroso** verbazend, verbazingwekkend
asomo schijn, aanwijzing, vermoeden, zweem; *ni por ~* geen sprankje, geen vleugje, niet in de verste verte; *sin un ~ de* zonder een zweem van
asonada oproer
asonancia halfrijm, klinkerrijm, assonantie
aspa 1 Sint-Andrieskruis; 2 (molen)wiek; 3 haspel, klos; **aspar** 1 opwinden (*op haspel*); 2 hinderen; *que lo aspen* hij kan verrekken; *que me aspen si…* ik mag hangen als…
aspavientos *mmv* misbaar
aspecto 1 uiterlijk, aanzien, aanblik, voorkomen; *tener ~ de* er uitzien als; *tener buen ~: a*) (*mbt persoon*) er goed uitzien; *b*) (*mbt zaak*) er gunstig uitzien; *tener mal ~: a*) (*mbt persoon*) er slecht uitzien; *b*) (*mbt zaak*) er niet gunstig uitzien; 2 aspect, opzicht; *los ~s del asunto* de kanten van de zaak; *en todos los ~s* alleszins
aspereza 1 ruwheid; ruigte (*van terrein*); *~s* oneffenheden; *limar ~s* (*fig*) de plooien gladstrijken, de scherpe kantjes eraf halen; 2 bitsheid, scherpte; *con ~* bits, nors; 3 (*mbt weer*) schraalheid, guurheid; **áspero** 1 ruig, ruw; moeilijk begaanbaar; 2 bits, hatelijk, nors, scherp; 3 (*mbt weer*) schraal, guur; 4 (*mbt stem*) rauw; 5 (*mbt haar*) stug; **asperón** *m* schuurzand
aspersión *v* (het) sproeien; **aspersor** *m* sproeier, sprinkler, verstuiver; **aspersorio** wijwaterkwast
áspid *m* soort adder
aspillera schietgat
aspiración *v* 1 (het) inademen, (het) opsnuiven; 2 streven, ambitie, aspiratie; 3 zuiging; **aspirador, -ora** I *bn* die zuigt; II *v, soms m* stofzuiger; *pasar la -ora* stofzuigen; **aspiradora** *zie aspirador II*; **aspirante** I *bn* 1 zuigend; *bomba ~* zuigpomp; 2 ~ *a* dingend naar, strevend naar; II *m,v* sollicitant(e), aspirant(e), reflectant(e), gegadigde, kandidaat, kandidate; **aspirar** I *tr* inademen; opsnuiven; opzuigen; II *intr* 1 ~ *a* ambiëren, streven naar, begeren; 2 (*taalk*) aspireren; ~ *la h* de h als (*Nederlandse*) g uitspreken
aspirina aspirine
asqueado vol walging; *estar ~ de* walgen van; **asquear** misselijk maken, doen walgen; *me asquean esos trabajos* ik walg van die karweitjes; **asquerosidad** *v* smerigheid, walgelijkheid; **asqueroso, -a** I *bn* smerig, afschuwelijk, walgelijk; misselijk, schandelijk; II *zn* smeerlap, klier, kwal
asta 1 stok (*voor vlag, lans*); handvat, steel (*van kwast*); ~ *de bandera* vlaggestok; *a media ~* halfstok; 2 hoorn (*van stier*)
áster *m* aster
asterisco asterisk, sterretje
astigmático astigmatisch
astil *m* 1 steel (*van bijl, houweel*), handvat; 2 schacht (*van pijl*); 3 dwarsstang (*van weegschaal*)
astilla 1 splinter, spaander; *saltar en ~s* versplinteren; 2 (*fam*) steekpenning; **astillar** versplinteren, verbrijzelen; **astillarse** versplinteren; afscherven; **astillero** (scheeps)werf
astracán *m* astrakan
astringente I *bn* samentrekkend, adstringerend, bloedstelpend; II *m* adstringens, bloedstelpend middel; **astringir, astriñir** doen samentrekken
astro hemellichaam; **astrología** astrologie; **astrológico** astrologisch; **astrólogo, -a** astroloog, -loge
astronauta *m,v* astronaut(e), ruimtevaarder; **astronáutica** ruimtevaart; **astronave** *v* ruimteschip
astronomía astronomie, sterrenkunde; **astronómico** 1 astronomisch; 2 (*fig*) enorm, astronomisch; **astrónomo, -a** astronoom, astronome
astucia 1 sluwheid, geslepenheid, raffinement; 2 list
astur (*lit*) uit Asturië; **asturiano** uit Asturië, Asturiaans
astuto sluw, geslepen, listig, doortrapt
asueto korte vakantie; *dar ~* vrijaf geven; *día de ~* snipperdag; *unos días de ~* een paar dagen vrij; *ropa de ~* vrijetijdskleding
asumir aanvaarden; ~ *el poder* de macht overnemen; ~ *la responsabilidad* (*de*) de verantwoordelijkheid op zich nemen (voor)
Asun *afk van Asunción*; **asunción** *v* (het) op zich nemen; ~ *de deudas* schuldovername; **Asunción** *v* 1 Maria Hemelvaart (*15 aug*); 2 meisjesnaam
asunto 1 onderwerp, aangelegenheid, kwestie; (*boven brief*) ~: betreft:; *~s bancarios* bankzaken; *un ~ delicado* een teer punt; *~s económicos* geldzaken; *~s exteriores* buitenlandse zaken; *~ familiar* familieaangelegenheid; *~ de*

honor erezaak; *~s privados* privézaken; *~ sucio* vuil zaakje; *en este ~* op dit punt; 2 onderwerp (*van boek*); 3 (liefdes)affaire

asustadizo schichtig, schuw, schrikachtig; **asustado** 1 geschrokken; 2 angstig, schuw; **asustar** doen schrikken, angst aanjagen; **asustarse** schrikken, opschrikken

atabal *m* pauk

atacante I *bn* aanvallend; II *m,v* aanvaller, aanvalster; **atacar** 1 aanvallen; 2 aanvechten; 3 aantasten; 4 (*werk, studie*) aanpakken, ter hand nemen

atadero 1 band; 2 plaats waar iets wordt vastgebonden; oogje, ring; *no tiene ~* je weet niet waar je beginnen moet; **atadijo** bundeltje; **atado** I *bn* 1 (vast)gebonden; 2 verlegen, onhandig; II *zn* pak, bundel; **atadura** 1 (het) binden; binding; 2 band; 3 belemmering

atajar I *intr* een kortere weg nemen, bochten afsnijden, afsteken; II *tr* tegenhouden, de pas afsnijden; doen stoppen; (*iem*) onderbreken; **atajo** kortere weg; *tomar por el ~* afsteken

atalaya 1 uitkijktoren; 2 *m* uitkijkpost

atañer aangaan, betreffen

ataque *m* 1 (*mil*) aanval; *~ aéreo* luchtaanval; 2 (*med*) aanval; attaque, beroerte; vlaag; *~ cardíaco* hartaanval; *~ de llanto* huilbui; *~ de nervios* zenuwaanval; *~ de rabia* driftbui, woedeaanval; *~ de risa* lachbui; 3 (*muz*) inzet

atar (vast)binden; knopen, strikken; *~ de* vastbinden aan; *~ corto* kort houden; *~ al perro* de hond aanlijnen, de hond vastleggen || *loco de ~* stapelgek

atardecer I *ww* avond worden, schemeren; II *m* (het) vallen vd avond, schemering, (*Belg*) valavond

atareado druk, erg bezet; **atarearse** hard werken; *~ a escribir* ijverig schrijven

atarugar 1 volproppen; 2 in verlegenheid brengen; **atarugarse** in de war raken, niet uit zijn woorden komen

atascadero 1 modderpoel; 2 (*fig*) wespennest; **atascamiento** (het) blijven steken, (het) vastlopen; opstopping; **atascar** verstoppen; **atascarse** 1 blijven steken, vastlopen, klem raken; vastroesten; 2 verstopt raken; **atasco** 1 verstopping; stremming, (verkeers)opstopping; 2 belemmering

ataúd *m* doodkist

ataviar í tooien, opsieren, uitdossen; **atavío** tooi, opschik

atavismo atavisme

ateísmo atheïsme; **ateísta** *m,v* atheïst(e)

atemorizar bang maken, beangstigen, angst aanjagen

atemperar 1 matigen; 2 *~ a* aanpassen aan

Atenas *m,v* Athene

atenazar kwellen, folteren; toeknijpen

atención *v* aandacht; *¡~!* kijk uit!; *~ médica* medische verzorging; *~ sanitaria* gezondheidszorg; *con ~* aandachtig; *~ a sus luces* denk aan uw lichten!; *en ~ a* met het oog op, in verband met, gelet op, gezien; *llamar la ~: a)* de aandacht trekken; *b)* ergens op wijzen, een aanmerking maken; *llamar la ~ hacia* de aandacht vestigen op; *poner ~ en* letten op; *poner mucha ~* goed opletten; *prestar ~ a* aandacht besteden aan

atender ie 1 (*ook ~ a*) gevolg geven aan, voldoen aan; luisteren naar; *~ el consejo* luisteren naar de raad; *~ a la demanda* in de vraag voorzien; *~ a los deseos* tegemoetkomen aan de wensen; *~ (a) los intereses de* de belangen behartigen van; *~ una petición* aan een verzoek voldoen; *~ por* (*mbt hond*) luisteren naar de naam van; 2 (*ook ~ a*) aandacht schenken aan, in acht nemen, zorgen voor; *atendidas las circunstancias* de omstandigheden in aanmerking genomen; *~ la comida* voor het eten zorgen; 3 (*in winkel*) bedienen, helpen, te woord staan; *¿le atienden ya?* wordt u al geholpen?; 4 verzorgen, verplegen; (*med*) behandelen; *~ a un enfermo* een patiënt verplegen || *~ misa* naar de mis gaan

ateneo (*Sp*) literaire en culturele vereniging

atenerse: *~ a* zich houden aan; *saber a qué ~* weten waar je aan toe bent

ateniense uit Athene, Atheens

atentado (*contra*) aanslag (op)

atentamente (*aan eind van brief*) hoogachtend

atentar 1 *~* (*a, contra*) een aanslag plegen (op); 2 *~* (*contra*) indruisen (tegen)

atento 1 aandachtig, oplettend; *~ a* bedacht op; 2 attent, voor'komend

atenuación *v* verzachting; **atenuante** I *bn* verzachtend; II *vmv: ~s* verzachtende omstandigheden; **atenuar ú** verzachten, temperen

ateo, -a atheïst(e)

aterciopelado fluwelig

aterido verkleumd, versteend, verstijfd van kou; **aterirse** verkleumen, verstijven vd kou

aterrador, -ora angstaanjagend, ijzingwekkend, schrikbarend

aterrajar een schroefdraad maken; (*draad*) tappen

aterrar angst aanjagen, afschrikken; **aterrarse** doodsbang worden, hevig schrikken

aterrizaje *m* landing; *~ de emergencia* noodlanding; **aterrizar** landen

atesorar 1 (*schatten*) verzamelen, oppotten; 2 (*eigenschappen*) bezitten

atestación *v* getuigenis

1 atestado *bn* propvol, stikvol

2 atestado *zn* proces-verbaal; verklaring; *instruir ~ a* verbaliseren

1 atestar volstoppen

2 atestar getuigenis afleggen van

atestiguar getuigen

atezarse bruin worden (*door de zon*)

atiborrar (*de*) volproppen (met), overladen (met)

ático dakverdieping, zolderverdieping

atildado 1 keurig verzorgd; 2 opgedirkt; **atil-**

dar 1 uitdossen; 2 berispen; **atildarse** zich opsieren
atinado terecht, raak; **atinar** I *tr* (*ook* ~ *a*) treffen, raken; raden; II *intr* 1 in de roos schieten; een goede greep doen; 2 ~ *a* (+ *onbep w*): *a*) toevallig..., gelukkig...; *b*) erin slagen om; *atinó a decir*... hij kon nog net zeggen...; ~ *a pasar* toevallig langskomen; 3 ~ *con* vinden; op de tast vinden
atirantar spannen
atisbar bespieden, in de gaten houden; **atisbo** 1 (het) bespieden; 2 sprankje, glimp
atiza: ¡~! nee maar!; **atizar** 1 poken, porren (*in het vuur*), oprakelen; 2 opwekken, aanwakkeren, stoken; 3 (*een klap*) toedienen, trakteren op; **atizarse** achterover slaan, opschrokken, soldaat maken
atlántico vd Atlantische Oceaan, Atlantisch
Atlántico: *el* (*Océano*) ~ de Atlantische Oceaan
atlas *m* atlas; ~ *de botánica* botanische atlas
atleta *m,v* atleet, atlete; **atlético** atletisch; **atletismo** atletiek, baansporten
atmósfera 1 atmosfeer, dampkring; *la poluida* ~ de vervuilde atmosfeer; 2 sfeer, stemming; *la caldeada* ~ de verhitte atmosfeer; **atmosférico** atmosferisch; vd lucht, lucht-; *contaminación -a* luchtverontreiniging
atole *m* (*Am*) drank van maïsmeel
atolladero 1 modderpoel; 2 (*fig*) wespennest
atolón *m* atol
atolondrado 1 verward, de kluts kwijt; 2 onbesuisd, onbekookt; **atolondramiento** 1 verwarring; 2 roekeloosheid
atómico atoom-; *arma -a* atoomwapen; *cabeza -a* kernkop; **atomización** *v* verbrokkeling, versnippering; **atomizador** *m* verstuiver; **atomizar** 1 verstuiven; 2 versplinteren, verbrokkelen; **átomo** atoom
atonía verslapping; **atónito** versteld, ontzet, verstomd; **átono** toonloos; onbeklemtoond
atontado suf, duf, verdoofd, versuft, verdwaasd; **atontamiento** verdwazing; **atontar** 1 verwarren; 2 bedwelmen
atoramiento verstopping; **atorar** verstoppen
atormentador, **-ora** kwellend; **atormentar** 1 folteren, kwellen; 2 kwellen, plagen; 3 veel verdriet doen, kwellen
atornillar vastschroeven
atorrante *m* zwerver
atortolado: ~*s* innig verliefd, als tortels; **atortolar** in verwarring brengen, intimideren; **atortolarse** 1 in de war raken; 2 verliefd worden
atosigar opjagen, achter de broek zitten; **atosigarse** zwoegen
atrabiliario opvliegend
atracadero steiger, ligplaats
atracador, **-ora** overvaller, -valster; ~ *de banco* bankovervaller
1 atracar meren, aanleggen
2 atracar overvallen
3 atracar (*de*) volproppen (met)
atracarse (*de*) zich volproppen (met)
atracción *v* 1 aantrekking, aantrekkingskracht; ~ *terrestre* aantrekkingskracht vd aarde; 2 attractie
atraco overval
atracón *m*: *darse un* ~ zich volproppen (*met eten*)
atractivo I *bn* aantrekkelijk; II *zn* aantrekkelijkheid; **atraer** (aan)trekken; (aan)lokken; ~ *las miradas* veel bekijks hebben; **atraerse** zich op de hals halen
atragantar in de keel blijven steken; **atragantarse** 1 zich verslikken; 2 (*mbt persoon*) geen sympathieke indruk maken; *ese tipo se me atraganta* ik heb iets tegen die man; 3 (*fam*) blijven steken (*tijdens het spreken*), hakkelen
atrancar 1 met een balk of grendel sluiten; 2 barricaderen; 3 (*een buis*) verstoppen; **atrancarse** 1 verstopt raken; 2 klemmen, vastlopen
atrapar 1 vangen, pakken, snappen; te pakken krijgen; 2 (*een ziekte*) oplopen
atraque *m* (het) meren
atrás 1 achter, achteraan; ¡~! achteruit!; *dejar* ~ achter zich laten, voorbijstreven; *echarse* (*para*) ~ terugkrabbelen; *hacia* ~ achteruit; *la marcha* ~ (*van auto*) de achteruit; *por* ~ van achteren; *volverse* ~ rechtsomkeert maken; *volverse* ~ *de* terugkomen op (*een besluit*); 2 geleden; *dos años* ~ twee jaar geleden; **atrasado** 1 achter; ~ *en los estudios* achter met de studie; *andar* ~: *a*) (*mbt klok*) achter zijn; *b*) (*mbt kind*) achter zijn (*bij leeftijdgenoten*); *c*) achter zijn met betalen; 2 achterstallig; **atrasar** I *tr* (*de klok*) achteruitzetten; II *intr* achterlopen; **atrasarse** 1 achterlopen; 2 zich verlaten, te laat zijn; **atraso** 1 achterstand; 2 (het) achterlopen; 3 ~*s* achterstallige betalingen
atravesado 1 dwars; 2 scheel; 3 (*mbt karakter*) slecht; *tener* ~ een hekel hebben aan; **atravesar ie** 1 door'boren, door'snijden; (*ergens*) doorheen gaan; 2 oversteken; (*mbt brug*) over'spannen; 3 (*een periode*) doormaken; **atravesarse** 1 dwars (over de weg) liggen, dwars zitten; 2 ergens tussen komen
atrayente aantrekkelijk
atreverse durven; ~ *a* durven (*iets te doen*), het wagen om; ~ *con* (*iem*) aandurven; **atrevido** 1 gedurfd, gewaagd; 2 overmoedig, vermetel; **atrevimiento** durf, waaghalzerij
atribución *v* 1 toekenning; 2 bevoegdheid; taak (*voortvloeiend uit functie*); *conceder -ones a* bevoegdheden toekennen aan; **atribuir** 1 toekennen; 2 toeschrijven, aanrekenen; **atribuirse** 1 aan zichzelf toeschrijven; 2 zich aanmatigen; opeisen; ~ *el asesinato* de moord opeisen
atribular kwellen, verdriet doen
atributivo attributief; **atributo** attribuut; kenmerk
atril *m* (muziek)lessenaar; (boeke)standaard
atrincherar met loopgraven omringen; **atrin-**

cherarse 1 zich in loopgraven verschuilen; 2 ~ (*en, tras*) zich verschansen (in, achter), zich verschuilen (in, achter)
atrio 1 atrium, voorhof; 2 kloostergang
atrocidad *v* 1 gruweldaad; 2 kwajongensstreek
atrofiarse afsterven; verschrompelen
atronador, -ora oorverdovend
atropelladamente hals over kop; **atropellado** overhaast, onbesuisd, hals over kop; **atropellar** 1 over'rijden, aanrijden; 2 met voeten treden; 3 geweld gebruiken tegen; **atropellarse** zich overhaasten; **atropello** 1 aanrijding; 2 meedogenloos optreden; 3 ~*s sexuales* ongewenste intimiteiten
atroz 1 gruwelijk, afgrijselijk, vreselijk, beestachtig; 2 enorm, geweldig
A.T.S. *ayudante técnico sanitario*
atuendo kledij, kleding, dracht, tooi; tenue
atufar 1 verstikkend werken, verstikken; 2 prikkelen, ergeren; **atufarse** 1 stikken (*door de rook*); 2 kribbig worden
atún *m* tonijn; **atunero** vd tonijn, voor de tonijnvangst
aturdido verdwaasd, beduusd, van streek, verbouwereerd, ondersteboven; **aturdimiento** verdwazing, verdoving, bedwelming; **aturdir** 1 verdoven, bedwelmen; verwarren; 2 verbazen; **aturdirse** 1 in de war raken, van de wijs raken, de kluts kwijtraken; 2 vergetelheid zoeken (*met vermaak*)
aturrullamiento verwarring; **aturrullar** in de war maken; **aturrullarse** in de war raken, tureluurs worden; **aturullar** *zie aturrullar*
atusar (*het haar*) in model brengen
audacia durf, vermetelheid, waaghalzerij; **audaz** gedurfd, stoutmoedig, vermetel
audibilidad *v* hoorbaarheid; **audible** hoorbaar; **audición** *v* 1 gehoor; 2 uitvoering (*van muziek*); 3 auditie; **audiencia** 1 audiëntie; 2 publiek, gehoor; toehoorders; *nivel de ~: a*) kijkdichtheid; *b*) luisterdichtheid; 3 rechtszitting; 4 (*vglbaar*) gerechtshof; 5 gerechtsgebouw; 6 hearing, hoorzitting; **audífono** gehoorapparaat; **audiovisual** I *bn* audiovisueel; II *m* diapresentatie (*met geluid*); **auditivo** I *bn* vh gehoor; *distancia -a* gehoorsafstand; *órgano* ~ gehoororgaan; II *zn* hoorn (*van telefoon*)
auditar aan een accountantsonderzoek onderwerpen; **auditor** *m* 1 accountant; 2 auditeur; **auditoría** 1 accountantsonderzoek, accountantscontrole; 2 ambt van auditeur
auditorio 1 auditorium, gehoorzaal; 2 gehoor, publiek, toehoorders
auge *m* bloei, hoogtepunt; *en pleno* ~ op een hoogtepunt
augurar voorspellen; **augurio** voorteken; voorspelling
augusto verheven
aula klaslokaal; collegezaal; ~ *magna* aula
aullar ú (*mbt dier*) huilen, loeien, janken; **aullido** gehuil, geloei, gejank
aumentar I *tr* vergroten, doen toenemen, vermeerderen, verhogen; (*bij breien*) meerderen; ~ *la potencia* (*een motor*) opvoeren; II *intr* stijgen, toenemen, oplopen; ~ *en un 2%* toenemen met 2%; **aumentativo** (*gramm*) augmentatief, vergrotingswoord; **aumento** toename, uitbreiding, vergroting, vermeerdering; ~ *de los impuestos* belastingverhoging; ~ *de población* bevolkingsaanwas; *en* ~ stijgend
aun zelfs; ~ *cuando* zelfs wanneer; ~ *así* toch, niettemin, met dat al
aún nog
aunar ú verenigen, bundelen; ~ *fuerzas* zijn krachten bundelen
aunque hoewel, ofschoon; ook al; ~ *tengas razón*… ook al heb je (misschien) gelijk…; *voy a ir,* ~ *queda lejos* ik ga, hoewel het ver is
aúpa: *¡~!* hopla!; *de* ~ steengoed, geweldig (mooi)
au pair *m,v* au pair
aupar ú optillen, omhoogtillen; verheffen
aura 1 briesje; 2 algemene goedkeuring; 3 aura
áureo gouden
aureola aureool
aurícula boezem (*in hart*)
auricular I *bn* vh gehoor, vh oor; II *m* 1 (*telef*) hoorn; 2 ~*es* koptelefoon
aurífero goudhoudend
aurora 1 dageraad, ochtendgloren; ~ *boreal* noorderlicht; 2 begin
auscultación *v* (het) ausculteren; **auscultar** (*med*) ausculteren
ausencia afwezigheid, absentie; ~*s* (*ook*) (school)verzuim; *brillar por su* ~ schitteren door afwezigheid; *en* ~ *de* bij afwezigheid van; **ausentarse** weggaan; **ausente** 1 afwezig, absent; 2 verstrooid, afwezig; **ausentismo** verzuim
auspiciar voorstaan, beschermen; **auspicio** 1 voorteken; 2 ~*s* bescherming; *bajo los* ~ *de* onder auspiciën van
austeridad *v* strengheid; soberheid; ernst; **austero** 1 sober; stemmig, ernstig; 2 streng, strak, stijf
austral I *bn* vd zuidpool; II *m* austral (*munteenheid van Argentinië*)
Australia Australië; **australiano** Australisch
Austria Oostenrijk; **austriaco, austríaco** Oostenrijks
autarcía autarkie; **autarquía** 1 autarchie, onafhankelijk zelfbestuur; 2 autarkie
autenticación *v* authentisering, waarmerking; **autenticar** authentiseren, waarmerken; **autenticidad** *v* authenticiteit, echtheid; **auténtico** authentiek, echt, onvervalst; *un* ~ *gozo* een waar genot; **autentificar, autentizar** authentiseren, beëdigen, legaliseren
autismo autisme; **autista** autistisch
1 auto 1 (tussen)vonnis, uitspraak, gerechtelijke beslissing; *dictar* ~ *de procesamiento contra* in staat van beschuldiging stellen; 2 religieus toneelstuk; 3 ~*s* gerechtelijke procedure, rechtsstukken; 4 ~ *de fe* auto-da-fe, terecht-

stelling van ketters || *estar en ~s* op de hoogte zijn vd voorgeschiedenis; *poner en ~s* op de hoogte stellen vd voorgeschiedenis
2 auto auto; ~ *L* lesauto; *~s de choque* botsautootjes
autoabastecimiento zelfvoorziening; **autoadhesivo** zelfklevend; **autoayuda** zelfhulp
autobiografía autobiografie; **autobiográfico** autobiografisch
autobombo (*fam*) zelfverheerlijking
autobús *m* autobus, bus (*met vaste route*); **autocar** *m* touringcar; **autocaravana** kampeerbusje
autocensura zelfcensuur
autochoque *m* botsautootjes
autoconmiseración *v* zelfmedelijden
autoconservación *v* zelfbehoud
autocracia autocratie, alleenheerschappij; **autócrata** *m,v* autocraat, alleenheerser(es)
autocrítica zelfkritiek
autóctono autochtoon
autocuerda: *reloj de ~* automatisch horloge (*dat zichzelf opwindt*); **autodefensa** zelfverdediging
autodefinirse zich profileren
autodesarrollo zelfontplooiing; **autodestrucción** *v* zelfvernietiging; **autodeterminación** *v* zelfbeschikking
autodidacta *m,v* autodidact; **autodidáctica** zelfstudie; **autodidáctico, -a, autodidacto, -a** autodidact
autodisparador *m* zelfontspanner; **autoemplearse** voor zichzelf beginnen; **autoencendido** zelfontsteking; **autoengaño** zelfbedrog
autoescuela autorijschool
autoestopista *zie autostopista*
autoexigencia zelfdiscipline
autoexpreso autotrein; ~ *con coches cama* autoslaaptrein
autofinanciación *v* zelffinanciering; **autofinanciamiento** zelffinanciering; **autofinanciarse** zichzelf bedruipen
autógeno autogeen
autogestión *v* (arbeiders)zelfbestuur; **autogiro** helicopter; **autogobierno** zelfbestuur; **autógrafo** I *bn* eigenhandig geschreven; II *zn* handtekening (*met opdracht, van beroemd persoon*); **autoinducción** *v* zelfinductie; **autoironía** zelfspot; **autojustificarse** zichzelf rechtvaardigen; **automarginarse** zich erbuiten plaatsen
autómata *m* automaat; **automático** I *bn* automatisch; II *zn* drukknoop; **automatismo** automatisme; **automatización** *v* automatisering; **automatizar** automatiseren
automedicación *v* zelfmedicatie
automoción autogebruik, automobiliteit; **automotor, -motriz** I *bn* zelfbewegend; *vehículo ~* motorrijtuig; II *m* dieseltrein, elektrische trein
automóvil *m* auto; **automovilismo** automobilisme; autosport; **automovilista** *m,v* automobilist(e); **automovilístico** auto-
autonomía 1 autonomie, zelfbestuur, zelfstandigheid; 2 (*Sp*) autonoom gebied; 3 ~ (*de vuelo*) actieradius; **autonómico** vd autonomie; **autonomista** *m,v* aanhang(st)er van autonomie; **autónomo** autonoom, zelfstandig
autopatrono eigen baas, zelfstandige
autopista (auto)snelweg; ~ *de peaje* tolweg
autopropulsión *v* zelfaandrijving
autopsia autopsie, lijkschouwing; *hacer la ~* sectie verrichten
autopullman *m* touringcar
autor, -ora 1 dader(es); initiatiefnemer, -neemster; *el presunto ~* de vermoedelijke dader; 2 auteur, schrijver, schrijfster; ~ *de teatro* toneelschrijver; **autoría** daderschap; **autoridad** *v* **1** autoriteit; gezag, overwicht; *la ~ competente* het bevoegde gezag, de bevoegde instantie; ~ *suprema* oppergezag; *pasar en ~ de cosa juzgada* in kracht van gewijsde gaan; *por parte de la ~* van hogerhand; 2 gezagsdrager; autoriteit; *~es locales* plaatselijk bestuur; *~es municipales* gemeentebestuur; *~es públicas* openbaar gezag, overheid; **autoritario** autoritair, bazig; **autoritarismo** autoritaire houding; **autorización** *v* machtiging, vergunning; ~ *de despido* ontslagvergunning; ~ *de residencia* verblijfsvergunning; **autorizado** erkend; ~ *a* bevoegd om, gerechtigd om; **autorizar** machtigen, de bevoegdheid geven om
autorradio *v* autoradio
autorrealización *v* zelfverwerkelijking; **autorreproche** *m* zelfverwijt; **autorretrato** zelfportret; **autoservicio** zelfbediening; snelbuffet
autostop *m* (het) liften; *hacer ~* liften; **autostopista** *m,v* lift(st)er
autosuficiencia zelfingenomenheid, zelfgenoegzaamheid; **autosuficiente** zelfgenoegzaam
autosugestión *v* zelfsuggestie
autovía 1 (*vierbaans*) autoweg; (*Belg*) expresweg; 2 *m* dieseltrein
auto-vivienda woonwagen
auxiliador, -ora helpend; **auxiliar** I *ww* helpen, te hulp komen, (onder)steunen; II *bn* helpend; assistent-; *mesilla ~* bijzettafeltje; *verbo ~* hulpwerkwoord; III *m,v* assistent(e); ~ *de cátedra* (*vglbaar*) universitair docent; ~ *del consultorio de un médico* doktersassistent(e); ~ *contable* assistent-boekhouder; ~ *de oficina* administratief medewerker; ~ *de partera* kraamverzorgster; ~ *de vuelo* steward(ess); **auxilio** hulp, bijstand, ondersteuning; ~ *en carretera* (*vglbaar*) wegenwacht, (*Belg*) pechdienst; *pedir ~* om hulp vragen; *primeros ~s* eerste hulp, EHBO
aval *m* aval; ~ *bancario* bankgarantie
avalancha lawine
avalar 1 voor aval tekenen; 2 borg staan voor, staven
avance *m* **1** vooruitgang, vordering; *~s sociales* sociale verbeteringen; 2 nieuwigheid, snufje;

3 opkomst, opmars; 4 voorschot; 5 (*film*) trailer; 6 luifel (*van tent*); **avante** (*scheepv*) vooruit; ~ *a toda máquina* volle kracht vooruit; **avantrén** *m* voorstel (*van oplegger*); **avanzada** voorhoede; vooruitgeschoven post; **avanzadilla** voorhoede; *acción de* ~ speerpuntactie; **avanzado** 1 gevorderd; geavanceerd; *de edad -a* op leeftijd; *tecnología -a* hoogwaardige technologie; 2 vooruitstrevend; **avanzar** vorderen, vooruitgaan, vooruitkomen; zich voortbewegen; ~ *hacia* toelopen op, in de richting gaan van

avaricia gierigheid, inhaligheid; **avaricioso**, **avariento** gierig, inhalig, hebzuchtig; **avaro, -a** I *bn* gierig, inhalig; II *zn* gierigaard, vrek

avasallador, -ora overweldigend; **avasallamiento** onderwerping; **avasallar** onderwerpen

avatar *m* 1 (*hindoegodsd*) gedaantewisseling; 2 ~*es* wisselvalligheden

ave *v* (*lit*) vogel; ~ *acuática* watervogel; ~*s de corral* pluimvee; ~ *emigrante, migradora,* ~ *migratoria,* ~ *de paso* trekvogel; ~ *fría* kievit; ~ *palmípeda* zwemvogel; ~ *del paraíso* paradijsvogel; ~ *de presa,* ~ *de rapiña* roofvogel; ~ *sedentaria* standvogel; ~ *zancuda* steltloper, waadvogel

avecinar naderen; **avecinarse** naderen, ophanden zijn

avecindar (*iem*) als bewoner inschrijven; **avecindarse** gaan wonen, zich vestigen

avefría kievit

avejentado verouderd, ouwelijk; **avejentar** oud maken

avellana hazelnoot; **avellano** hazelnootboom, hazelaar

avemaría 1 ave-maria, weesgegroetje; 2 kraal vd rozenkrans

avena haver; ~ *mondada* gort

avenamiento drainering, drooglegging; **avenar** draineren, ontwateren

avenencia compromis, vergelijk

avenida boulevard, (*Belg*) lei

avenido: *bien* ~ *con* tevreden met, in goede verstandhouding met; **avenimiento** overeenstemming, vergelijk; **avenirse** tot een vergelijk komen

aventadora wanmolen

aventajar de loef afsteken, overtroeven, het winnen van, een voorsprong krijgen op

aventar wannen

aventura avontuur, waagstuk; ~ *amorosa* avontuurtje; **aventurado** avontuurlijk, gewaagd; **aventurar** 1 riskeren, wagen; 2 opperen; **aventurarse** (*a*) het wagen (om), de stap wagen; **aventurero, -a** I *bn* avontuurlijk; II *zn* avonturier(ster), gelukzoek(st)er

avergonzar ue beschamen; **avergonzarse**: ~ *de* zich schamen over, voor

avería 1 averij; 2 schade, beschadiging; 3 (auto)pech, panne; **averiado** I *bn* gehavend; II *zn* schade; defect; **averiarse í** schade oplopen, kapot gaan

averiguación *v* navraag; **averiguar** nagaan, zich vergewissen van, natrekken, navragen; *¡averígüelo Vargas!* kom daar maar eens achter!

averno (*lit*) onderwereld

aversión *v* (*a, hacia, por*) afkeer (van), aversie (tegen), weerzin (tegen); *tener* ~ *a* een afkeer hebben van, wars zijn van

avestruz *m* struisvogel; *política del* ~ struisvogelpolitiek

avezado ervaren; **avezar** wennen

aviación *v* luchtvaart; ~ *civil* burgerluchtvaart; ~ *deportiva* vliegsport

aviado: *estar* ~ de klos zijn, zuur zijn

aviador, -ora vliegenier(ster)

aviar í klaarmaken; **aviarse í** 1 zich klaarmaken; 2 iets handig regelen

avícola kippen-, pluimvee-; *granja* ~ pluimveefokkerij; **avicultor, -ora** kippenfokker, -fokster; **avicultura** pluimveeteelt

avidez *v* gretigheid, gulzigheid, begeerte; **ávido** gulzig, inhalig, happig; ~ *de* begerig naar

aviejarse verouderen

avieso 1 verdraaid; 2 slecht, boosaardig

avilantarse brutaal worden; **avilantez** *v* onbeschaamdheid, brutaliteit

avilés, -esa uit 'Avila

avillanarse zich als een dorpeling gaan gedragen

avinagrado zuur; **avinagrar** 1 (*mbt wijn*) verzuren, azijn worden; 2 (*fig*) doen verzuren; **avinagrarse** verzuren, verbitterd raken

avío 1 (het) voorbereiden; 2 proviand, voorraad; 3 ~*s* gerei, benodigdheden

avión *m* vliegtuig; ~ *de bombardeo* bommenwerper; ~ *de carga* vrachtvliegtuig; ~ *a chorro,* ~ *a reacción* straalvliegtuig; ~ *de combate* gevechtsvliegtuig; ~ *de instrucción* lestoestel; ~ *nodriza* moedervliegtuig; *en* ~ met het vliegtuig; *por* ~ per luchtpost; **avioneta** sportvliegtuig

avisado voorzichtig, verstandig; **avisador, -ora** I *bn* die waarschuwt, die een sein geeft; II *m* ~ (*cuentaminutos*) keukenwekker; **avisafuegos** *m* brandmelder; **avisar** 1 berichten, melden, meedelen, aanschrijven; 2 waarschuwen; **aviso** 1 bericht, kennisgeving, aanschrijving, aankondiging, bekendmaking; ~ (*en*) *contrario* tegenbericht; *hasta nuevo* ~ tot nader order; *sin previo* ~ zonder voorafgaand bericht; 2 waarschuwing; *estar sobre* ~ op zijn hoede zijn

avispa wesp; **avispado** pienter, goochem; **avispar** slim maken, op zijn hoede doen zijn; **avispero** wespennest (*ook fig*)

avistar in het oog krijgen, bespeuren, zien; **avistarse**: ~ *con* een onderhoud hebben met

avitaminosis *v* vitaminegebrek

avituallamiento proviandering; **avituallar** provianderen

avivar verlevendigen, prikkelen; (*het vuur*) aanwakkeren; ~ *el dolor* de pijn heviger maken

avizor: *ojo* ~ op zijn hoede; *¡ojo ~!* kijk uit!; **avizorar** spiedend rondkijken; bespieden
avutarda grote trap (*vogel*)
axial vd as
axila oksel
axioma *m* axioma; **axiomático** axiomatisch
ay I *tw: ¡~!* (*bij verdriet, schrik, pijn*) ach!, hè!, o!, au!; II *m* klacht; *~es* gejammer; *estar en un ~* pijn lijden
aya gouvernante
ayatolá *m* ayatollah
ayer I *bw* gisteren; II *m* verleden
ayllu *m* (*Am, Peru*) boerengemeenschap
aymará *m; zie aimará*
ayo gouverneur (*van een kind*)
ayuda hulp; *~ en armamento* wapenleveranties; *~ de cámara m* kamerdienaar; *~ al desarrollo* ontwikkelingshulp; *con la ~ de* met behulp van; *prestar ~* hulp verlenen; *sin ~ de vecino* zonder iems hulp; *venir en ~* te hulp komen, inspringen, bijspringen; **ayudanta** assistente, helpster; **ayudante** *m,v* 1 adjudant; 2 assistent(e), hulp; *~ de oficina* medewerker op een kantoor; *~ técnico sanitario* (*vglbaar*) gezondheidswerker; 3 assistent-docent; 4 (*Am*) bijrijder; **ayudar** helpen, bijstaan, assisteren; *~ en* helpen met; *~ moral y materialmente* met raad en daad bijstaan
ayunar vasten; **ayuno** I *zn* (het) vasten; II *bn* nuchter; *estar en -as: a*) niets gegeten hebben, nuchter zijn; *b*) ergens niets van begrijpen, ergens niets van afweten
ayuntamiento 1 gemeentebestuur; 2 gemeentehuis, stadhuis || *~ carnal* vleselijke gemeenschap
azabache *m* git; *negro como el ~* gitzwart
azacán, -ana zwoeg(st)er; **azacanar** afbeulen; **azacanarse** zich afbeulen
azada 1 hak, schoffel; 2 spade, patjol; **azadón** *m* schoffel
azafata 1 stewardess; *~ de tierra* grondstewardess; 2 hostess, receptioniste
azafrán *m* saffraan; **azafranado** saffraankleurig
azahar *m* oranjebloesem
azalea azalea
azar *m* toeval; *al ~* lukraak; *juego de ~* kansspel; *por ~* toevallig; **azarar** verlegen maken; **azararse** verlegen worden; **azaroso** vol gevaren; met veel ongelukken
ázimo zonder gist
azófar *m* messing
azogado: *temblar como un ~* beven als een riet; **azogar** met kwik bedekken; **azogarse** 1 een kwikvergiftiging oplopen; 2 in de war raken; beven; **azogue** *m* kwik
azor *m* havik
azorado verward, bedremmeld, verwilderd; **azoramiento** verwarring, verlegenheid; **azorar** in de war brengen, verlegen maken, van zijn stuk brengen
Azores: *las ~* de Azoren
azotacalles *m,v* straatslijper, zwerver, zwerfster
azotaina (*fam*) pak slaag; **azotar** 1 slaan, ranselen; (*mbt golven*) beuken tegen; (*mbt regen*) kletteren tegen; (*mbt wind*) striemen; 2 teisteren; treffen; **azote** *m* 1 gesel, roede; 2 zweepslag; 3 klap op de bil; 4 plaag, bezoeking
azotea plat dak
azteca I *bn* Azteeks; II *m,v* Azteek
azúcar *m, soms v* 1 suiker; *~ cande* kandij; *~ de caña* rietsuiker; *~ fino* kristalsuiker; *~ glas* poedersuiker (*voor glazuur*); *~ glaseado* glazuur; *~ de lustre* poedersuiker (*voor glazuur*); *~ moreno, ~ negro* bruine suiker; *~ en polvo* poedersuiker; *~ sanguíneo* bloedsuiker; *~ terciado* basterdsuiker; *~ de uva* druivesuiker; *~ de vainilla* vanillesuiker; 2 (*fam*) heroïne (*om te roken*), brown sugar; **azucarado** gesuikerd; *agua -a* suikerwater; **azucarar** zoeten, suikeren; **azucarera** suikerfabriek; **azucarero** I *bn* suiker-; II *zn* suikerpot
azucena lelie
azuela dissel, dwarsbijl
azufrado I *bn* zwavelhoudend; II *zn* (het) zwavelen; **azufrar** zwavelen; **azufre** *m* zwavel
azul I *bn* blauw; *~ acero* staalblauw; *~ celeste* lichtblauw; *~ marino* marineblauw; II *m* blauw; **azulado** blauwachtig
azulejo tegel, wandtegel; *~ decorativo* siertegel
azur *m* azuur, hemelsblauw
azuzar ophitsen

Bbb

b *be v* (*letter*) b
baba kwijl; *se le cae la ~: a*) hij is verrukt, hij vindt alles prachtig; *b*) hij is dom; **babaza** (*biol*) slijm; **babeante** kwijlend; **babear** kwijlen
babel *m,v* 1 spraakverwarring; 2 warwinkel, wanorde; **Babel**: *la torre de ~* de toren van Babel
babero slabbetje
Babia: *estar en ~* (*fig*) afwezig zijn, wegdromen
bable *m* dialect uit Asturias
babor *m* bakboord
babosa naaktslak; **babosear** kwijlen (op); **baboso, -a** I *bn* slijmerig; II *zn* 1 kwijlebabbel; 2 slijmerd
babucha muil, slof || *a ~s* (*Am*) op de rug
babuino baviaan
baca imperiaal
bacalao stokvis; *~ fresco* kabeljauw || *cortar el ~* de lakens uitdelen
bacanal *m* bacchanaal, drinkgelag, orgie
bacante *v* bacchante
bache *m* 1 kuil, gat (*in de weg*); 2 (*fig*) inzinking; *sufrir un ~* instorten
bachiller 1 *m,v* iem die de middelbare school heeft doorlopen; 2 *m* (*hist*) baccalaureus; 3 *m; v bachillera* wijsneus; **bachillerato** 1 einddiploma vh middelbaar onderwijs; 2 middelbaar onderwijs; *estudia ~* hij zit op de middelbare school; **Bachillerato**: *~ Unificado Polivalente* (*afk BUP; vglbaar*) (einddiploma) havo; *BUP gevolgd door COU: vglbaar* (*einddiploma*) *VWO*
bacía 1 trog; 2 scheerbekken
bacilífero, -a bacillendrager; **bacilo** bacil
bacín *m* grote po
bacteria bacterie; **bactericida** *bn* bacteriedodend; **bacteriología** bacteriologie; **bacteriológico** bacteriologisch; **bacteriólogo, -a** bacterioloog, -loge
báculo staf (*bv van bisschop*); stut, steun
badajazo slag met de klepel; **badajo** klepel
badajocense, badajoceño, -a uit Badajoz
badana dun schapeleer || *zurrar la ~* een pak rammel geven
badén *m* 1 uitholling overdwars (*in weg*); verkeersdrempel; 2 aflopend trottoir, afrit
badminton *m* badminton
Bagadawan Bhagwan; *el* (*gurú*) *~* de Bhagwan
bagaje *m* 1 legertros; 2 geestelijke bagage; 3 (*soms*) bagage
bagatela bagatel, kleinigheid, wissewasje; *~s* beuzelarijen; *no es ninguna ~* dat is lang niet mis
bagazo uitgeperste resten (*van suiker, druiven, lijnzaad enz*)
bah: *¡~!* ach wat!
bahía baai; **Bahía**: *~ de Cochinos* Varkensbaai
bailable geschikt om op te dansen; **bailador, -ora** I *bn* dansend; II *zn* danser(es); **bailaor, -ora** flamencodanser(es); **bailar** dansen; ronddraaien; *~ en la cuerda floja* koorddansen; *los pies le bailan en los zapatos* hij zwemt in zijn schoenen; *sacar a ~* (*fig*) erbij halen, te berde brengen; *una sonrisa le baila en los labios* er speelt een glimlach om zijn lippen || *nadie me quita lo bailado* dat kan niemand me meer afnemen; **bailarín, -ina** balletdanser(es); *~ de oficio* beroepsdanser; *-ina del vientre* buikdanseres; **baile** *m* 1 dans, (het) dansen; 2 bal; dansfeest, feestje; *~ de disfraces, ~ de máscaras* gemaskerd bal; *~ folklórico, ~ regional* volksdans; *~ de San Vito* sintvitusdans; *~ de trajes* gekostumeerd bal; **bailotear** hossen, huppelen
baja 1 (prijs)daling, (koers)daling; *la ~ de la peseta* de daling van de peseta; *ir de ~, ir en ~* achteruitgaan; 2 (*mil*) verlies; *~s por enfermedad* ziekteverzuim; *dar de ~* afkeuren (*wegens ziekte*), royeren, schrappen (*als lid*); *darse de ~* (*lidmaatschap, abonnement*) opzeggen, bedanken; *darse de ~ por enfermedad* zich ziek melden
bajá *m* pasja; *vivir como un ~* leven als een vorst
bajada afdaling; *~ de la bandera* (het) aanzetten vd taximeter
bajamar *v* laagwater, eb
bajar I *intr* 1 afnemen, omlaag gaan, zakken; *~ en picado* (*mbt vliegtuig*) duiken; 2 dalen (*in prijs*), afslaan; *el coste ha bajado en un 5%* de kosten zijn met 5% gedaald; 3 uitstappen; *~ de* stappen uit (*trein, auto*); *~ de a bordo* van boord gaan; *~ de la moto* van de motor stappen; *~ a tierra* aan land gaan; II *tr* 1 afdalen; *~ las escaleras* de trap aflopen; 2 naar beneden brengen; lager plaatsen, laten zakken; 3 verlagen, verminderen; (*radio*) zachter zetten, (*licht*) dimmen; 4 (*hoofd*) buigen, laten hangen; (*ogen*) neerslaan; **bajarse** 1 dalen, uitstappen; *~ de* afstappen van, stappen uit; 2 zich bukken
bajel *m* (*lit*) boot, schip
bajero onder iets anders gebruikt; *falda -a* onderrok
bajeza gemeenheid, laag(hartig)heid
bajío zandbank
bajista I *m* baissier, speculant à la baisse; II *bn* à la baisse; *tendencia ~* dalende tendens; **bajito** (*mbt persoon*) nogal klein; **bajo** I *zn* 1 bas(stem); *~ cantante* basstem; 2 basgitaar; II *bn* 1 laag (*ook muz*); *con los ojos ~s* met neergeslagen ogen; *piso ~, planta -a* begane grond;

voz -a: a) zachte stem; *b*) lage stem; 2 (*mbt stem*) zacht; 3 laag(hartig), gemeen; grof; *los ~s fondos, el ~ mundo* (*fig*) de onderwereld; *barrio ~* achterbuurt; 4 klein (*van postuur*); 5 *~ en* arm aan; *~ en calorías* calorie-arm; *~ en sodio* natriumarm; III *bw* 1 zacht; *hablar ~* zacht praten; *reírse por lo ~* zachtjes lachen, grinniken; 2 diep; *caer ~* diep zinken; IV *vz* onder; *~ capa de* onder het mom van; *~ cero* onder nul; *~ los efectos del alcohol* onder invloed (van alcohol); *~ licencia* onder licentie; *~ llave* achter slot (en grendel); *~ pena de* op straffe van; *~ vidrio* achter glas; *caer ~* vallen onder; **bajón** *m* 1 soort fagot; 2 plotselinge daling; inzinking; *dar un ~* (*mbt zieke*) erg achteruit gaan; **bajorrelieve** *m* bas-reliëf; **bajuno** laag, gemeen; **bajura** kustwateren; *pesca de ~* kustvisserij

bala 1 kogel; *~ luminosa* lichtkogel; *~ perdida* verdwaalde kogel; *a prueba de ~s* kogelvrij; *como una ~* pijlsnel; *tirar con ~* met scherp schieten; 2 baal, pak

balada ballade

baladí onbetekenend, futiel

baladrón *m* opschepper; **baladronada** snoeverij; **baladronear** snoeven

balalaica balalaika

balance *m* 1 (*hdl*) balans; *~ de comprobación* proefbalans, controlebalans; *~ semanal* weekoverzicht; *~ de situación* eindbalans; *hacer el ~* de inventaris opmaken, de balans opmaken; 2 schommeling; **balancear** I *intr* balanceren; II *tr* (doen) schommelen; laten bungelen; uitbalanceren; *~ las piernas* met zijn benen bungelen; **balancearse** schommelen, balanceren, bungelen; deinen, slingeren; **balanceo** schommeling; deining (*van schip*); **balancín** *m* 1 (*techn*) tuimelaar; 2 balanceerstok; 3 wip; 4 schommelstoel

balandra bep roeiboot; **balandro** kleine zeilboot

bálano 1 (*anat*) eikel; 2 eendemossel

balanza balans, weegschaal; *~ comercial* handelsbalans; *~ de pagos* betalingsbalans

balar blaten

balasto steenslag; grindlaag, (*spoorw*) ballastlaag

balaustrada balustrade; **balaustre** *m* baluster

balazo 1 geweerschot; 2 schotwond

balboa *m* munteenheid van Panama

balbucear stamelen; stotteren; mompelen; **balbuceo** 1 gestamel, gestotter; 2 aarzelend begin; *en los primeros ~s* (*fig*) in de kinderschoenen; **balbucir** *zie balbucear*

Balcanes: *los ~* de Balkan; **balcánico** vd Balkan; **balcanizar** balkaniseren

balcón *m* balkon

balda (kast)plank, (boeken)plank

baldado verlamd

baldaquín *m* baldakijn

baldar 1 verlammen; 2 in elkaar slaan; 3 (*iem*) een grote strop bezorgen; **baldarse** zich doodmoe maken

1 balde *m* emmer, puts

2 balde: *de ~* gratis; *en ~* vergeefs

baldear dweilen, (*dek*) zwabberen

baldío 1 braakliggend, onbebouwd; 2 tevergeefs, nutteloos

baldón *m* schande, blaam, schandvlek

baldosa (vloer)tegel, plavuis, straattegel; *~ vinílica* vinyltegel; **baldosín** *m* kleine tegel; wandtegel

baldragas *m* slapjanus

1 balear (*Am*) bekogelen

2 balear vd Balearen

balido geblaat

balín *m* kleine geweerkogel; **balística** ballistiek

baliza (licht)baken, boei; **balizador**: (*buque*) *~ m* bakenschip, tonnenlegger; **balizamiento** bebakening; **balizar** bakenen

ballena walvis; (*barba de*) *~* balein(en); **ballenato** walvisjong; **ballenero** walvisvaarder

ballesta 1 (kruis)boog; 2 (*stalen*) veer; *~s blandas* slappe veren; *~s duras* stijve veren; *~ de suspensión* draagveer; **ballestero** boogschutter

ballet *m* ballet; *~ acuático* waterballet

balneario I *bn: estación -a* badplaats; II *zn* badplaats; **balneoterapia** (behandeling met) geneeskrachtige baden

balompié *m* voetbal; **balón** *m* 1 (voet)bal; *picar el ~* pingelen; 2 ballon; 3 karaf; 4 ballonfok; 5 grote baal; 6 (tekst)wolkje (*in strips*); **baloncesto** basketbal; **balonmano** handbal; **balonvolea** volleybal

1 balsa poel; *es una ~ de aceite* er heerst een volmaakte rust

2 balsa vlot; *~ salvavidas* reddingsvlot

balsamina balsemien

bálsamo 1 balsem; 2 troost

Báltico: *el* (*mar*) *~* de Baltische Zee, de Oostzee

baluarte *m* bolwerk

balumba rommel, troep, berg rotzooi

bamba bep. Mexicaanse dans

bambolear, **bambolearse** schommelen; **bamboleo** schommeling, geschommel

bambolla uiterlijk vertoon, schone schijn

bambú *m* bamboe

banal triviaal, alledaags, banaal

banana (*Am*) banaan; **bananero** I *bn* vd bananen; II *zn* 1 bananeboom; 2 bananenschip; **banano** (*Am*) bananeboom

banasta grote mand, korf; **banasto** diepe, ronde mand

banca 1 bankwezen; *la ~ privada* de particuliere banken; 2 pot (*in spel*); *hacer saltar la ~* de bank laten springen; 3 bep kaartspel; 4 (*Am*) (zit)bank; **bancada** 1 stenen bank; 2 bank in roeiboot; 3 fundatieplaat; **bancal** *m* 1 zaaibed; 2 (*landbouw*) terras; **bancario** vd bank; *secreto ~* bankgeheim; **bancarrota** bankroet; **banco** 1 (zit)bank; *~ de carpintero, ~ de trabajo* werkbank; 2 (*hdl*) bank; *~ de crédito agri-*

cola boerenleenbank; ~ *de datos* databank; ~ *de sangre* bloedbank; ~ *de semen* spermabank; 3 bank, massa; ~ *de arena* zandbank; ~ *de hielo* pakijs; ~ *de niebla* mistbank; ~ *de ostras* oesterbank; 4 school (*vissen*); ~ *de peces* visbank; **Banco**: ~ *Mundial* Wereldbank

banda 1 band; strook, reep; sjerp; ~ *de rodamiento* loopvlak (*van band*); 2 rand, zijkant; strook; (*radio*) band; ~ *de babor* bakboordzijde; ~ *de estribor* stuurboordzijde; ~ *magnética* magneetstrip; ~ *sonora: a*) geluidsspoor (*op bandrecorder*); *b*) geluidsband (*bij film*); (*línea de*) ~ (*sp*) zijlijn; 3 troep, horde; (boeven)bende; ~ *de ladrones* dievenbende; 4 fanfare, harmonie, kapel, muziekkorps; ~ *de percusión* drumband || *cerrarse a la* ~ voet bij stuk houden; **bandada** zwerm, vlucht (*vogels*); school (*vissen*); **bandazo** 1 slagzij; *dar* ~*s* (*mbt schip*) slingeren; 2 plotselinge verandering van richting; (*fig*) ommezwaai; **bandearse** 1 zich handig weten te redden; 2 de kool en de geit sparen; 3 schommelen; slagzij maken

bandeja (dien)blad; (*plat*) bakje, planchet; draaitafel (*van pickup*); ~ *de horno* bakblik, bakplaat; ~ *trasera* (*in auto*) hoedeplank; *en* ~ (*fig*) op een presenteerblaadje; *pasar la* ~ met de pet rondgaan

bandera vlag; banier, vaandel; ~ *de cuarentena* quarantainevlag; ~ *de* (*pedir*) *práctico* loodsvlag; *a* ~*s desplegadas* met vliegend vaandel; *alzar* ~*, levantar* ~ een opstand aanvoeren, een protest organiseren; *jurar* (*la*) ~ de eed op het vaandel afleggen || *de* ~ fantastisch; **bandería** fractie, partij; **banderilla** gepunte stok (*om in de nek vd stier te steken*); **banderillero** stierenvechter die de banderilla's plaatst; **banderín** *m* vlaggetje

bandidaje *m* banditisme; **bandido** bandiet, (struik)rover

1 bando officiële bekendmaking (*bv door burgemeester*)

2 bando 1 partij, fractie; kamp; *el* ~ *opuesto* het tegenovergestelde kamp; 2 zwerm (*vogels*); school (*vissen*)

bandolera bandelier, draagriem; *en* ~ schuin over de borst; **bandolero** I *zn* struikrover; II *bn: bolso* ~ schoudertas

bandolina mandoline; **bandoneón** *m* soort accordeon

bandurria soort kleine gitaar met twaalf snaren

banjo banjo

banquero bankier

banqueta 1 bankje, kruk; 2 voetenbankje

banquete *m* banket, feestmaal

banquillo 1 lage bank, bankje; 2 voetenbankje; 3 beklaagdenbank; 4 (*sp*) bank (*met reservespelers*)

banquisa ijskorst, ijsveld (*op de pool*)

bantustán *m: -anes* thuislanden (in Zuid-Afrika)

bañado gebaad, gedompeld; ~ *en cobre* verkoperd; ~ *de luz* overgoten met licht; ~ *en sudor* badend in het zweet; **bañador** *m* badpak; zwembroek; **bañar** 1 baden; 2 dompelen; over'gieten; om'spoelen; (*mbt zon*) volop beschijnen; **bañarse** 1 zich baden; *¿ya te has bañado?* heb je al gezwommen?; 2 ~ *en* (*fig*) baden in; **bañera** bad(kuip); **bañero** badmeester; **bañista** *m,v* badgast, bader, baadster; **baño** 1 bad(kuip); ~ *acostado* ligbad; ~ *de asiento* zitbad; 2 (het) baden, bad; ~ *fijador* fixeerbad; ~ *ruso* (*vglbaar*) saunabad; ~ *de sol* zonnebad; ~ *de sosa* sodabad; ~ *de vapor* stoombad; 3 w.c., toilet; 4 laag(je); 5 ~*s* (geneeskrachtige) baden || ~ *de María* bain-marie

baptista *m,v* baptist; **baptisterio** 1 doopkapel; 2 doopvont

baquelita bakeliet

baqueta staafje, stok(je); *a la* ~ hardvochtig, streng; **baquetazo** 1 klap met een stok; 2 harde val; **baqueteado** zwaar beproefd; **baquetear** (*iem*) het leven zuur maken; (*iem*) laten draven; **baqueteo** gedraaf; vermoeidheid

báquico van Bacchus, bacchantisch

bar *m* café, bar; (stations)restauratie

barahúnda kabaal, wanorde

baraja spel kaarten; *jugar con dos* ~*s* dubbel spel spelen; **barajar** 1 (*de kaarten*) schudden; 2 (*fig*) door elkaar halen; 3 hanteren, goochelen met; *se barajan ciertos nombres* (*bij benoeming*) er worden zekere namen genoemd

baranda 1 balustrade, balie, borstwering, hekwerk; 2 (*bij biljart*) band; **barandal** *m* 1 balustrade; 2 onderstuk van balustrade; **barandilla** balustrade, (brug)leuning, reling, hekwerk

baratija prulletje; ~*s* snuisterijen; **baratillo** 1 rommelwinkel; 2 goedkope rommel; *ir de* ~ (*fam*) goedkoop gekleed zijn; **barato** I *bn* goedkoop; II *bw* goedkoop; III *zn* uitverkoop; **baratura** goedkoopte

baraúnda *zie barahúnda*

barba 1 baard; ~ *de ballena* balein(en); ~ *cerrada* dichte baard; ~ *de chivo* puntbaard, sik; ~ *corrida* volle baard; ~*s del diablo* herfstdraden; ~ *incipiente* beginnende baardgroei, stoppelbaard; *con toda la* ~ uit één stuk, flink; *en las mismas* ~*s de* vlak voor de neus van; *miente con toda la* ~ hij liegt dat hij zwart ziet; *por* ~ per persoon; *si sale con* ~ *San Antón, si no la Purísima Concepción* het kan vriezen, het kan dooien; *subirse a las* ~*s de u.p.* brutaal zijn tegen iem; 2 lel (*van kalkoen*); 3 *m* (*theat*) (rol vd) oude man

barbacana 1 schietgat; 2 vrijstaande fortificatie

barbacoa barbecue

barbaridad *v* 1 iets barbaars; 2 dwaasheid; gruwelijke fout; *decir* ~*es* vreselijke dingen zeggen, vloeken; *¡qué* ~*!* ontzettend!, toe maar!; *suelta cada* ~ hij flapt er (van) alles uit || *una* ~ een massa, heel veel; **barbarie** *v* bar-

barendom, barbaarsheid; **barbarismo** barbarisme, fout tegen het taaleigen; **bárbaro I** *bn* 1 barbaars; 2 wreed; afschuwelijk; onbeschaafd; 3 denderend, geweldig; II *zn* barbaar; *invasión de los ~s* (*hist*) volksverhuizing
barbecho tijdelijk braakliggend land, braakland
barbería barbierszaak; **barbero** barbier
barbeta (*scheepv*) sjorring
barbián *m* vlotte sympathieke jongen
barbilampiño (bijna) zonder baard; **barbilla** kin
barbitúrico barbituraat
barbo barbeel (*vis*); ~ *de mar* zeebarbeel, mul
barboquejo kinriem (*van hoed*)
barbotar, **barbotear** (*boos*) mompelen
barbudo met een baard, baardig
barbullar druk (door elkaar) praten
barca (roei)boot; **barcaje** *m* vervoer per boot; prijs voor het overvaren; **barcaza** lichter, schuit, barkas
barcelonés, **-esa** uit Barcelona, Barcelonees
barco schip; ~ *de alta mar* zeeschip; ~ *de cabotaje*, ~ *costero* kustvaarder; ~ *cisterna* tanker; ~ *fluvial* binnenschip; ~ *gemelo* zusterschip; ~ *mamut* mammoetschip; ~ *nocturno* nachtboot; ~ *de pesca* vissersboot; ~ *de recreo* pleziervaartuig; ~ *remolcado* sleepschip; ~ *de vela* zeilboot; *~-vivienda* woonboot; *en* ~ per schip
bardo bard, dichter
baremo tabel (*bv BTW-tabel*); tariefoverzicht
barero graag café's bezoekend; *ser* ~ een kroegloper zijn
bargueño mooi ingelegde kast met laden en vakken (*op een onderstel*)
barítono bariton
barlovento loefzijde; **Barlovento**: *islas de* ~ Bovenwindse eilanden
barman *m* barkeeper
barniz *m* vernis, lak, glazuur; (*fig*) vernisje; **barnizar** lakken, vernissen; glazuren
barométrico barometrisch; **barómetro** barometer
barón *m* baron; **baronesa** barones; **baronía** baronie
barquero schipper, veerman
barquillero, **-era** 1 wafelverkoper, -verkoopster; 2 *m* wafelijzer; **barquillo** wafel, oublie
barra 1 staaf, stang; tralie; pijp (*drop, kaneel*); stokbrood; *~s de armadura* betonijzer; ~ *de chocolate* chocoladereep; ~ *de colgar* kledingstang; ~ *de cortina* gordijnroe; ~ *fija* (*gymn*) rekstok; ~ *de labios* lippenstift; *una* ~ *de oro* een baar goud; *~s paralelas* (*gymn*) brug; ~ *del timón* helmstok; 2 bar (*toonbank*), buffet, toog, tapkast; balie; 3 (noten)balk; 4 ondiepte, zandbank || *no pararse en ~s* korte metten maken
barrabasada 1 wangedrag; baldadigheid; 2 gemene streek
barraca 1 hut; barak, keet; ~ *de feria* kermiskraam; ~ *de tiro* schiettent; 2 Valenciaans type boerenhuis; **barracón** *m* grote barak
barragana bijzit, concubine
barranca, **barranco** ravijn
barredera straatveegmachine; **barredero** slepend, vegend; *red -a* sleepnet; **barredura** veegsel, opgeveegd vuil
barrena boor; ~ *helicoidal* spiraalboor; ~ *de mano* handboor; **barrenar** (uit)boren
barrendero stratenveger
barrenita fret(boor); **barreno** 1 grote boor; 2 boorgat (*in rots*)
barreño teil
barrer 1 (aan)vegen, opvegen, wegvegen; ~ *hacia adentro* op eigen voordeel uit zijn; 2 (totaal) wegnemen, verwijderen, wegvagen; leeghalen
barrera 1 barrière, hindernis, versperring; slagboom, spoorboom; afscheiding, schot rondom de arena; eerste rij (*bij stieregevecht*); (*fig*) scheidsmuur; ~ *arancelaria* tariefmuur; ~ *de fuego* spervuur; ~ (*de seguridad*) vangrail; ~ *del sonido* geluidsbarrière; 2 buut (*in spel*)
barriada (buiten)wijk; (*Am*) armoedige buitenwijk, sloppenwijk
barrica vat, ton (*voor ca 225 l*)
barricada barricade, versperring
barrido (het) vegen; *dar un* ~ even aanvegen; *sirve lo mismo para un* ~ *que para un fregado* hij is overal voor te gebruiken
barriga buik; *criar* ~, *echar* ~ een buikje krijgen; **barrigón**, **-ona**, **barrigudo**, **-a** (dik)buikig; **barriguera** buikriem
barril *m* ton, fust, vat; ~ *de pólvora* kruitvat; *cerveza de* ~ bier uit het vat
barrilete *m* 1 (*techn*) klamp; 2 soort krab; 3 magazijn (*van revolver*); 4 (*Am*) vlieger
barrillo puistje, pukkeltje
barrio buurt, wijk; ~ *bajo* achterbuurt; ~ *de chabolas* krottenwijk, sloppenwijk; ~ *chino* rosse buurt; ~ *comercial* winkelbuurt; ~ *fabril*, ~ *industrial* fabriekswijk; ~ *judío* jodenbuurt; ~ *obrero* arbeiderswijk; ~ *periférico* buitenwijk; ~ *popular* volksbuurt; ~ *residencial*: *a*) villawijk; *b*) woonwijk; *el otro* ~ (*fam*) het hiernamaals; *ir al otro* ~ het hoekje omgaan; *mandar al otro* ~ om zeep helpen; **barriobajero** uit de achterbuurt(en)
barrista *m,v* turn(st)er aan de rekstok
barrizal *m* modderpoel
1 barro modder, slijk; leem; ~ *para modelar* boetseerklei; ~ *refractario* vuurvast aardewerk; *de* ~ aarden, lemen; *arrastrar por el* ~ door het slijk halen
2 barro puistje, pukkeltje
barroco I *bn* barok; *estilo* ~ barokstijl; **II** *zn* barok
barrón *m* (*plantk*) soort helm
barroquismo barok karakter
barrote *m* 1 dikke staaf; 2 (*ijzeren*) steunbalk; 3 tralie, spijl

barruntar vermoeden, voelen aankomen; **barrunto** 1 vermoeden; 2 sprankje, begin, zweem
bartola: *tumbarse a la* ~ er zijn gemak van nemen
bártulos *mmv* spullen; *liar los* ~ zijn biezen pakken
barullo drukte, warboel; *en* ~ bij hopen; *todo era un* ~ alles was in rep en roer
basado: ~ *en* gegrond op, gebaseerd op
basáltico van basalt; **basalto** basalt
basamento basement, voetstuk; **basar**: ~ *en* baseren op, funderen op; **basarse**: ~ *en* 1 zich baseren op; voortbouwen op; 2 berusten op, stoelen op
basca (*vaak mv*) (het) kokhalzen; *sentir ~s* kokhalzen; **bascosidad** *v* smeerboel
báscula bascule, weegschaal; ~ *puente* weegbrug; **bascular** wankelen, balanceren; kantelen, kiepen
base *v* 1 basis, fundering; grondvlak; (*fig*) grond; steunpunt; ~ *aérea* luchtbasis; ~ *de comisión* commissiebasis; ~ *de datos* database; ~ *de discusión* uitgangspunt; ~ *espacial* lanceerbasis; ~ *imponible* belastbaar inkomen; ~ *militar* militaire basis; ~ *múltiple para enchufes* stekkerdoos; ~ *naval* vlootbasis; ~ *de rodado* wielbasis; ~ *tributable* belastbare grondslag; *a ~ de, en ~ a* op grond van; *a ~ de bien: a*) heel goed; *b*) op een nette manier; *a ~ de que* mits; *esa teoría cae por su* ~ die theorie mist elke grond, van die theorie blijft niets over; *constituir la ~ de* de basis vormen van; *partiendo de la ~ de que* ervan uitgaande dat; *poner la ~ de* op stapel zetten; *sentar las ~s de* de grondslag leggen voor; *tomar como* ~ als uitgangspunt nemen, voortbouwen op; 2 (*chem*) base; 3 grondgetal; 4 achterban, basis; **básicamente** in de grond, in wezen; **básico** 1 basis-, grond-; fundamenteel, principieel; elementair; *idea -a* grondgedachte; *pregunta -a* principiële vraag; 2 (*chem*) basisch
basilí *m* (*fam, fig*) oogappel
basílica basiliek
basilisco basilisk; *hecho un* ~ razend, des duivels
básquet *m* basket(bal)
bastante 1 voldoende, genoeg; 2 vrij, tamelijk, nogal, behoorlijk; *tener ~ para vivir* kunnen rondkomen; *~s* ettelijke, heel wat; **bastar** voldoende zijn; *basta con una cucharada* één lepel is genoeg; *no bastan fls 10, no basta con fls 10* f 10 is niet genoeg; *basta de juegos* genoeg gespeeld nu; *basta para hoy* genoeg voor vandaag; *basta y sobra* het is ruimschoots voldoende; *¡basta ya!* genoeg!; *te basta escribir* je hoeft maar te schrijven; **bastarse** het afkunnen; ~ *para* mans genoeg zijn om
bastardear I *intr* ontaarden, verbasteren; II *tr* doen ontaarden, doen verbasteren; **bastardía** 1 (het) bastaard-zijn; 2 onwaardige handeling; **bastardilla**: (*letra*) ~ schuine letter; *en* ~ cursief; **bastardo, -a** I *bn* 1 ontaard; vermengd, onzuiver; 2 bastaard-, onwettig; 3 *letra -a* schuine letter; II *zn* bastaard
bastidor *m* 1 coulisse, onderstel; *entre ~es* (*fig*) achter de schermen; 2 chassis, frame, raam(werk); 3 borduurraam
bastión *m* bastion, bolwerk
basto I *bn* grof, ruw, onbeschaafd; II *zn* 1 pakzadel; 2 *~s* (*Sp kaartsp*) klaveren
bastón *m* (wandel)stok; ~ *de esquiador* skistok; ~ *de mando* staf (*als teken van waardigheid*); ~ *de mariscal* maarschalksstaf; **bastonazo** stokslag; **bastoncillo** staafje; ~ *de algodón* wattenstaafje; **bastonera** paraplubak
basura 1 vuilnis, afval; *~s caseras, ~s domiciliarias* huishoudelijk afval; *arrojar ~s* vuil storten; *¡esa ~!* dat stuk vuil!; 2 rommel, (*fig*) bocht; **basurero** I *zn* 1 vuilnisman; 2 vuilnisbelt, stortplaats; 3 kleine vuilnisemmer; ~ *de pedal* pedaalemmer; II *bn* voor het vuilnis; *carro* ~ vuilniskar
bata 1 peignoir, ochtendjas, kamerjas; 2 stofjas; mouwschort; laboratoriumjas
batacazo zware klap, plof; *darse un* ~ (*fig*) zich een lelijke buil vallen
batahola geraas, kabaal
batalla 1 gevecht, (veld)slag; *de* ~ (*mbt kleren*) die tegen een stootje kunnen, stevig; *librar* ~ strijd leveren; *precios de* ~ dumpprijzen; 2 (innerlijke) strijd; *dar la* ~ ergens tegen ingaan, (*iets, iem*) trotseren; *ganar ~s a* (*iets*) de baas blijven; **batallador, -ora** strijd(st)er; strijdvaardig mens; **batallar** strijden, vechten
1 batallón *m* bataljon
2 batallón, -ona 1 veelomstreden; *cuestión -ona* heet hangijzer; 2 strijdlustig; strijdvaardig
batán *m* 1 vollersmolen; 2 lade (*van weefgetouw*)
batata soort zoete aardappel
bátavo Bataafs
batayola houten reling
bate *m* bat, slaghout (*in honkbal*)
batea 1 platte zinken bak (*bv voor vis*); 2 open laadwagon; 3 platte schuit
bateador *m* honkballer; **batear** slaan met het bat
batel *m* bootje; **batelero** schipper
batería 1 batterij; 2 ~ *de cocina* keukengerei, potten en pannen, pannenset; 3 slagwerk, drums; 4 *m* slagwerker; 5 accu; 6 voetlicht || *aparcar en* ~ schuin parkeren
batiburrillo rotzooi, troep, rommeltje
batida klopjacht, drijfjacht; razzia; **batido** I *bn* verslagen; geslagen; *nata -a* geslagen room; II *zn* 1 milkshake; 2 getoupeerd kapsel; **batidor** *m* garde, klopper; ~ *de huevos* eierklopper; **batidora** mixer; **batiente** I *bn* slaand; *a tambor* ~ met slaande trom; II *m* 1 deurpost; 2 deurvleugel, deel van openslaande deur; *puerta de* ~ klapdeur
batimetría dieptemeting

batín *m* 1 korte kamerjas; 2 huisjasje
batintín *m* tamtam
batir 1 slaan (tegen), beuken; hameren, pletten; (*geld*) munten; ~ *las alas* slaan met de vleugels; 2 (*eieren*) kloppen, klutsen; ~ *la leche* karnen; 3 verslaan; ~ *una marca*, ~ *un récord* een record verbeteren; 4 (*wild*) opjagen; (*buurt*) doorzoeken; 5 (*haar*) touperen; 6 vernietigen; (*tent*) afbreken, neerhalen; **batirse** vechten || ~ *en retirada* de aftocht blazen
batiscafo batyscaaf (*bol voor diepzeeonderzoek*)
batista batist
batracios *mmv* kikvorsachtigen
Batuecas: *estar en las* ~ (*fig*) afwezig zijn, zitten dromen
baturrillo *zie batiburrillo*
baturro, -a (*pop*) Aragonees, Aragonese
batuta dirigeerstok(je); *llevar la* ~ de lakens uitdelen
baúl *m* hutkoffer
bauprés *m* boegspriet
bautismal vd doop; *pila* ~ doopvont; **bautismo** doop; ~ *del aire* luchtdoop; ~ *de fuego* vuurdoop || *romper a u.p. el* ~ iem de hersens inslaan; **bautista** 1 *m,v* baptist; 2 *m* hij die doopt; **Bautista** 1 *El* ~ Johannes de Doper; 2 jongensnaam; **bautizar** 1 dopen; een naam geven; 2 (*melk, wijn*) versnijden (*met water*); **bautizarse** gedoopt worden; **bautizo** doop
bauxita bauxiet
bávaro Beiers
baya (*plantk*) bes
bayeta dweil
bayo, -a 1 geelwit; 2 izabel, izabelkleurig paard
bayoneta bajonet; *enchufe de* ~ bajonetfitting; **bayonetazo** bajonetsteek
baza (*kaartsp*) slag; voordeeltje; *ganar todas las* ~*s* alle slagen halen; *meter* ~ een duit in het zakje doen; *no se puede meter* ~ je komt er niet tussen, je komt niet aan het woord
bazar *m* bazaar, fancy-fair
bazo milt
bazofia 1 etensresten, afval; 2 vies eten; iets smerigs; ~ *de lectura* leesvoer
bazuca bazooka
be *v; zie b*
beatería kwezelachtigheid; huichelachtige vroomheid; **beatificación** *v* zaligverklaring; **beatificar** zalig verklaren; **beatífico** gelukzalig; **beatitud** *v* gelukzaligheid; **beato, -a** I *bn* 1 gelukzalig; 2 zalig verklaard; 3 kwezelachtig, overdreven vroom; II *zn* 1 zalig verklaarde; 2 huichelachtig vroom mens, kwezel
bebé *m* baby; ~ *probeta* reageerbuisbaby
bebedero drinkbak, drinkplaats; **bebedor, -ora** drink(st)er; ~ *habitual* gewoontedrinker; ~ *moderado* matig drinker
bebéfono babyfoon
beber drinken; ~ *más de la cuenta* te diep in het glaasje kijken; ~ *por* drinken op; **beberse** opdrinken; **bebida** drank; ~*s alcohólicas*, ~*s espirituosas* sterke drank; ~ *gaseosa*, ~ *refrescante* frisdrank; *estar entregado a la* ~ aan de drank zijn; **bebido** dronken; **bebistrajo** brouwsel, vies drankje
beca beurs; **becada** (*biol*) houtsnip; **becado, -a** beursstudent(e); **becar** een beurs geven aan; **becario, -a** *zie becado, -a*
1 becerra *zie becerro*
2 becerra (*plantk*) leeuwebekje
becerrada stieregevecht met heel jonge stieren; **becerro, -a** 1 kalf (*van nog geen jaar*); 2 *m* kalfsleer
bechamel *m* béchamel(saus)
becquerel *m* becquerel
becuadro (*muz*) herstellingsteken
bedano soort beitel
bedel *m* (*univ*) pedel
beduino, -a bedoeïen
befa spot, schimpscheuten
begonia begonia
beige, beis I *bn, onv* beige; II *m* beige
béisbol *m* baseball, honkbal
bejín *m* bovist, stuifzwam
bejuco lianen
Belcebú *m* Beëlzebub
beldad *v* schoonheid
Bele *zie Belén*; **belén** *m* 1 kerststal, stalletje; 2 rommel, troep; *meterse en -enes* zich moeilijkheden op de hals halen; **Belén** 1 *m* Bethlehem; 2 *v* meisjesnaam || *estar en* ~ verstrooid zijn
belfo 1 'uitstekende onderlip; paardelip; 2 iem met vooruitstekende onderlip
belga I *bn* Belgisch; II *m,v* Belg(ische); **Bélgica** België
belicista *m,v* voorstand(st)er van oorlog; **bélico** vd oorlog, oorlogs-; *operaciones -as* oorlogshandelingen; **belicosidad** *v* vechtlust; **belicoso** oorlogszuchtig, vechtlustig; **beligerancia** staat van oorlog, (het) in oorlog zijn; **beligerante** oorlogvoerend, in oorlog
Bella: *la* ~ *durmiente del bosque* Doornroosje
bellaco schooier, schobbejak
belladona belladonna
bellaquería schurkenstreek
belleza schoonheid; *productos de* ~ schoonheidsprodukten, cosmetica; **bello** (*lit*) mooi; *un* ~ *carácter* een edel karakter
bellota (*plantk*) eikel
belvedere *m* uitzichttoren, belvédère
bemol *m* 1 (*muz*) mol(teken); *si* ~ bes; 2 ~*es* (*fig*) haken en ogen; *tiene* (*sus*) ~*es* het gaat niet vanzelf
benceno benzeen; (*vroeger*) benzol
bendecir (in)zegenen; **bendición** *v* (in)zegening; *echar la* ~ zegenen; **bendito** 1 gezegend; 2 simpel, onnozel, sullig; **benedictino, -a** I *bn* benedictijns, benedictijner; II *zn* 1 benedictijn, benedictines; *obra de* ~*s* monnikenwerk; 2 *m* benedictine (*likeur*)
benefactor, -ora I *bn* weldadig, gunstig; II *zn* weldoen(st)er; **beneficencia** weldadigheid; **beneficiado, -a** begunstigde; **beneficiar** 1 ten

goede komen aan, tot voordeel strekken, begunstigen, bevorderen; 2 verbeteren, vruchtbaar maken; **beneficiario, -a** begunstigde; ~ *de* aangesloten bij (*bv ziekenfonds*); ~ *de prestaciones* uitkeringsgerechtigde; **beneficiarse** (*con, de*) baat hebben (bij), zijn voordeel doen (met); ~ *de asistencia médica* medische verzorging genieten; **beneficio** winst; voordeel, baat, profijt; *el* ~ *de la duda* het voordeel vd twijfel; ~ *neto* zuivere winst; *a* ~ *de, en* ~ *de* ten bate van, tot nut van, ter wille van; *a* ~ *de inventario: a*) onder voorrecht van boedelbeschrijving; *b*) onder voorbehoud; *dar* ~ iets opleveren; *le hizo mucho* ~ het heeft hem veel goed gedaan; *obtener* ~*s* winst boeken; *redundar en* ~ *de* in het voordeel zijn van; *sacar* ~ *de* verdienen op; **beneficioso** gunstig; ~ *para* bevorderlijk voor; *ser* ~ tot voordeel strekken; **benéfico 1** weldadig, heilzaam; 2 liefdadig, liefdadigheids-

Benelux *m* Benelux

Benemérita: *la* ~ (*Sp*) de Guardia Civil; **benemérito** verdienstelijk

beneplácito instemming

benevolencia welwillendheid, goedgunstigheid; **benévolo** welwillend, goedgunstig; *ser* ~ *con u.p.* iem goedgezind zijn

bengala: ~*s* Bengaals vuur; **bengalí** Bengaals

benignidad *v* mildheid, goedaardigheid; **benigno** mild, goedaardig (*ook med*); *clima* ~ mild klimaat

Benito jongensnaam

benjamín *m* benjamin; nakomertje

benjuí *m* reukhars, benzoë

benzoico benzoë-; **benzol** *m* benzol

beodo dronken

berberecho kokkel (*soort kleine mossel*)

berbiquí *m* omslagboor

berenjena aubergine; **berenjenal** *m* **1** auberginеveld; 2 (*fig*) lastig parket, wespennest

bereber *bn* Berbers

bergantín *m* brigantijn, brik

beriberi *m* beriberi

Berlín *m* Berlijn; **berlina 1** berline (*gesloten rijtuig, meestal tweepersoons*); 2 (*auto*) coupé; **berlinés, -esa** Berlijns

bermejo vuurrood

berreador, -ora (*mbt baby*) schreeuwlelijk; **berrear 1** blèren, krijsen, schreeuwen; 2 loeien; (*mbt olifant*) trompetteren

berrendo (*mbt stier*) bont; ~ *en rojo* roodbont

berrido 1 gekrijs, geschreeuw, geblèr; 2 geloei

berrinche *m* driftbui; *coger un* ~ de pest in krijgen

berro waterkers

berrón, -ona *zie berreador, -ora*

berza soort kool (*groente*)

besamanos *m* **1** officiële ontvangst in paleis; 2 handkus

besamel *m* béchamel(saus)

besana 1 ploegvoor; 2 (het) evenwijdige voren ploegen

besar kussen, zoenen; **beso** kus, zoen; ~ *sonoro* klapzoen

bestia 1 beest, dier; ~ *de carga* lastdier; 2 bruut, schoft; 3 stomkop; **bestial 1** beestachtig; 2 denderend; geweldig; **bestialidad** *v* **1** beestachtigheid; 2 grote stommiteit; schande; 3 massa; **bestializarse** verdierlijken

bestseller *m* best-seller

besugo 1 zeebrasem; 2 dwaas, stomkop; **besuguera** vispan

besuquear kusjes geven; **besuqueo** gezoen, (het) kusjes geven

betarraga biet

bético (*hist*) Andalusisch

betún *m* **1** bitumen, (asfalt)teer; 2 schoensmeer; **betunero** schoenpoetser

bezo 'uitstekende dikke onderlip

biajaiba (*Am*) (*smakelijke*) Antilliaanse vis

biarrota uit Biarritz (*Frans Baskenland*)

biberón *m* zuigfles

bibijagua (*Am, Cuba*) bep schadelijke mier

biblia bijbel; **bíblico** bijbels; **bibliobús** *m* bibliobus; **bibliofilia** bibliofilie; **bibliófilo, -a** bibliofiel; **bibliografía** bibliografie, literatuurlijst; **bibliográfico** bibliografisch; **bibliomanía** bibliomanie; **biblioteca** bibliotheek, leeszaal; ~ *circulante* uitleenbibliotheek; ~ *escolar* schoolbibliotheek; **bibliotecario, -a** bibliothecaris, bibliothecaresse; **biblioteconomía** bibliotheconomie

bicameral (*pol*) met twee kamers; *sistema* ~ tweekamerstelsel

bicarbonato bicarbonaat; ~ *de sosa* zuiveringszout

bicéfalo 1 tweekoppig; 2 met twee leiders

bicentenario tweede eeuwfeest

bíceps *m* biceps

bicha slang; **bicharraco** raar beest; mormel; **bichejo** (*neg*) beestje

bichero pikhaak

bicho (*neg*) (*vnl klein*) beest; dier; ~*s* ongedierte; *mal* ~ schurk, loeder, slecht mens; *todo* ~ *viviente* (*fam*) iedereen, ieder mens

bici *v* (*fam*) fiets; **bicicleta** fiets, rijwiel; ~ *de carreras* racefiets; ~ *de montaña* mountainbike; ~ *plegable* vouwfiets; (*estilo de*) ~ watertrappen; *ir en* ~ fietsen; **biciclo** tweewieler

bicoca 1 kleinigheid; *no es ninguna* ~ dat is een hele klus; 2 koopje; 3 luizebaan

bicolor tweekleurig

bicornio steek (*hoed*)

bicromía tweekleurendruk

bidé *m* bidet

bidimensional tweedimensionaal

bidón *m* blik; jerrycan; ~ *de aceite* olievat; ~ *de leche* melkbus

biela drijfstang

bieldo soort hooivork

bien I *m* goed; ~*es* goederen, have, vermogen, boedel; *el* ~ *común* het algemeen welzijn; ~*es de consumo* consumptiegoederen, verbruiksgoederen; ~*es de equipo* produktiemiddelen;

~es de fortuna aardse goederen; ~ *inmueble* onroerend goed; *~s inmuebles* (*Belg*) inmobiliën; *~es de producción* produktiegoederen; *~es raíces* vastgoed; *~es semovientes* levende have; *el ~ supremo* het hoogste goed; *~es de uso* gebruiksgoederen; *por su ~* (*de Ud.*) om uwentwil; *por tu ~* voor je bestwil; II *bw* 1 goed; lekker; netjes; ~ *hecho: a*) goed gedaan, goed zo; *b*) (*mbt vlees*) goed doorbakken; ~ *puede ser* dat kan wel zijn; *ahora ~, pues ~* welnu; *estar ~: a*) goed zijn, geschikt zijn; *b*) er leuk uitzien; *c*) het goed hebben; *d*) (*mbt kleding*) goed staan; *está ~* dat is goed, o.k.; *¡estaría ~!* (*iron*) dat zou wat moois zijn!; *estar ~ de* goed voorzien zijn van; *hombre de ~* fatsoenlijk man; *huele ~* het ruikt lekker; *más ~* veeleer, liever; *¡ayuda más ~ a tu papá!* help liever je vader!; *¡muy ~!* prima!, uitstekend!; *no estar ~: a*) niet passen, niet horen; *b*) niet lekker zijn, zich niet lekker voelen; *ponerse a ~ consigo mismo* met zichzelf in het reine komen; *sentar ~* goed doen, goed bekomen; *tener a ~* goed vinden; *si lo tiene a ~* als het u goeddunkt; *vivir ~* het goed hebben; 2 heel, erg; *~ difícil* behoorlijk lastig; *es ~ grave* het is niet mis; III *voegw* 1 ~...~ hetzij...hetzij; 2 ~ *que, si* ~ ofschoon; 3 *no ~...* nauwelijks...; *no ~ entró, dijo...* nauwelijks was hij binnen, of hij zei...

bienal I *bn* 1 tweejaarlijks; 2 twee jaar durend; II *v* biënnale

bienaventurado gezegend, (geluk)zalig

bienestar *m* 1 welzijn; ~ (*económico*) welstand, welvaart; *límite del ~* welstandsgrens; *nivel del ~* welvaartspeil; 2 welbehagen

bienhablado keurig sprekend

bienhechor, -ora begunstig(st)er, weldoen(st)er

bienintencionado vol goede bedoelingen

bienio periode van twee jaar

bienquistar (*con*) de gunst doen winnen (van); **bienquisto** gewaardeerd, geliefd

bienvenida verwelkoming, welkom; *dar la ~* verwelkomen, welkom heten; **bienvenido** welkom; *ser ~* welkom zijn

bienvivir goed leven; leven zonder (*financiële*) zorgen

bies *m* biaisband; *al ~* schuin, in schuine richting

bífido gespleten, in tweeën

bifocal (*mbt brilleglas*) met dubbele focus, bifocaal

biftec *m* bieflapje, runderlapje

bifurcación *v* splitsing, tweesprong, driesprong; **bifurcarse** zich vertakken, zich splitsen

bigamia bigamie; **bígamo, -a** bigamist(e)

bígaro, bigarro alikruik, zeeslak

bigote *m* (*soms mv*) snor; *~s caídos* hangsnor || *de ~(s)* geweldig; *tener ~s* volhardend zijn, volhouden; **bigotera** 1 *~s* snor (*na het drinken*); 2 kleine passer; **bigotudo** met grote snor

bigudí *m* krulspeld

bija orleaanboom

bikini *m* bikini

bilabial I *bn* bilabiaal, met beide lippen uitgesproken; II *v* bilabiaal

bilateral tweezijdig, bilateraal

bilbaíno uit Bilbao

biliar vd gal; *cálculo ~* galsteen

bilingüe tweetalig; **bilingüismo** tweetaligheid

bilioso 1 vol gal; 2 opvliegend; **bilis** *v* gal; *tragar ~* zijn woede inslikken, zich inhouden

billar *m* biljart; ~ *ruso* snooker; *jugar al ~* biljarten

billetaje *m* alle kaartjes (*voor loterij, voorstelling*); **billete** *m* biljet, kaartje; plaatsbewijs; ~ (*de banco*) bankbiljet; ~ *de entrada* toegangsbewijs; ~ *kilométrico* (*Sp*) treinbiljet voor bep totaal aantal km; ~ *de lotería* lot; ~ *sencillo* enkele reis; ~ *de tren* treinkaartje; *no hay ~s* (het is) uitverkocht; **billetera, billetero** portefeuille

billón *m* biljoen

bimba hoge hoed

bimensual twee keer per maand (*verschijnend*); **bimestral** 1 om de twee maanden; 2 twee maanden durend

bimotor I *bn* tweemotorig; II *m* tweemotorig vliegtuig

bina tweede grondbewerking; **binar** voor de tweede keer ploegen en wieden; **binario** binair; tweetallig

bingo bingo

binocular binoculair; **binoculares** *mmv* binoculair, verrekijker; **binóculo** lorgnet

binomio tweeterm

binza vlies (*om ei, ui enz*)

biografía biografie, levensbeschrijving; **biografiar** í de levensloop beschrijven van; **biográfico** biografisch; **biógrafo, -a** 1 biograaf, -grafe; 2 *m* (*Am*) bioscoop

biología biologie; **biológico** biologisch; **biólogo, -a** bioloog, -loge

biombo kamerscherm

biomecánica biomechanica

bioquímica biochemie; **bioquímico, -a** I *bn* biochemisch; II *zn* biochemicus, -a

biosfera biosfeer; **biotopo** biotoop

bióxido dioxyde; ~ *de azufre* zwaveldioxyde

bipartición *v* tweeledigheid, deling in tweeën, tweedeling; **bipartidismo** tweepartijenstelsel; **bipartito** tweedelig; met deelneming van twee partijen

bípedo tweevoetig

biplano tweedekker (*vliegtuig*)

bipolar tweepolig

biquini *m* bikini

birlar afhandig maken, afsnoepen, inpikken

birlibirloque: *por arte de ~* als bij toverslag

Birmania Birma; **birmano** Birmaans, Burmaans

birrefringencia dubbele breking

birreme *m* (*hist*) schip met twee rijen roeiriemen

birreta vierhoekige muts, bonnet (*van kardinaal*); ~ *de cardenalicia* kardinaalsbonnet; **birrete** *m* baret (*van hoogleraar, advocaat*)
birria 1 prutswerk, rommel; 2 mormel; (mager) scharminkel; *una ~ de tío* een lor van een vent
bisabuelo, **-a** overgrootvader, -moeder; *~s* (*ook*) overgrootouders
bisagra scharnier, hengsel; *~s y cerraduras* hang- en sluitwerk
bisar herhalen
bisbisar, **bisbisear** fluisteren, mompelen
bisector, **-triz** *bn* (*wisk*) door midden delend; **bisectriz** *v* bissectrice
bisel *m* schuin geslepen rand; **biselar** schuin afslijpen
bisemanal twee maal per week (*verschijnend*)
bisexual biseksueel, tweeslachtig
bisiesto: *año ~* schrikkeljaar
bisilábico, **bisílabo** tweelettergrepig
bismuto bismuth
bisnes *m* (*pop*) drugshandel
bisnieto, **-a** achterkleinkind, -zoon, -dochter
bisojo scheel
bisonte *m* bison
bisoñé *m* toupet
bisoño, **-a** I *bn* ongeoefend, nieuw, onervaren; II *zn* 1 recruut; 2 nieuweling(e)
bisté *m; zie bistec*; **bistec** *m* runderlapje, biefiapje
bisturí *m* operatiemes, scalpel, bistouri
bisutería bijouterieën
bit *m* (*comp*) bit
bita beting
bitácora kompashuisje; *cuaderno de ~* logboek
bíter *m* bitter (*drank*)
bitoque *m* spon, stop van een vat
bituminoso bitumineus, asfalthoudend
bivalente bivalent, tweewaardig
Bizancio Byzantium; **bizantinismo** 1 byzantinisme; 2 muggezifterigheid, haarkloverij; 3 overladenheid (*met details*); 4 verwording, decadentie; **bizantino** 1 Byzantijns; 2 muggezifterig; vergezocht; 3 decadent
bizarría 1 fierheid; 2 edelmoedigheid, zwierigheid; **bizarro** 1 dapper, fier; 2 zwierig, royaal, edelmoedig
bizcar scheel kijken; **bizco** scheel, loens; *mirar ~* loensen || *dejar ~* epateren, de ogen uitsteken; *quedarse ~* (*con*) verbluft zijn (door)
bizcocho 1 scheepsbeschuit; 2 koek, cake; *~ borracho* cake in wijn en suikerstroop; **bizcotela** geglazuurd cakeje
biznieto, **-a** *zie bisnieto, -a*
bizquear scheel kijken, loensen
blablablá *m* blabla
blanca 1 geld; *estar sin ~* op zwart zaad zitten; 2 (*muz*) halve noot; 3 (*pop*) cocaïne; *zie ook blanco*; **Blancanieves** *v* Sneeuwwitje; **blanco**, **-a** I *bn* wit, blank; *~ como la nieve* sneeuwwit; *~ como el papel* zo wit als een doek; *casarse de ~* in het wit trouwen; *en ~*: *a*) (*mbt volmacht, stemmen*) blanco; *b*) onbeschreven; *c*) onwetend; *d*) beteuterd, teleurgesteld; *e*) (*mbt nacht*) slapeloos (*doorgebracht*); *jugar con las -as* (*bij schaaksp*) met wit spelen; II *zn* 1 blanke; 2 *m* doelwit; mikpunt; schietschijf; *dar en el ~* raak schieten, doel treffen; *fallar el ~* misschieten, zijn doel missen; *tomar por ~* op de korrel nemen; 3 *m* niet (*in loterij*); 4 *m* wit; *~ del ojo* oogwit; 5 *m* open plek, gat; 6 *m* (*fam*) glas witte wijn; **blancor** *m; zie blancura*; **blancura** witheid, blankheid; **blancuzco** (*neg*) wittig, witachtig
blandengue (*neg*) slap, week; **blandenguería** (*neg*) slapheid, weekheid
blandir zwaaien; *~ el puño* met zijn vuist zwaaien
blando zacht, week; weekhartig; murw; *~ como la cera* zacht als was; *ballestas -as* slappe veren; **blandura** 1 zachtheid; 2 zachtaardigheid; 3 vleiend woord; **blanduzco** (*neg*) zacht; week; akelig zacht
blanqueado I *bn* 1 gebleekt; *algodón ~* gebleekte katoen; 2 witgepleisterd; II *zn* (het) witten; **blanqueador**, **-ora** I *bn* wit makend; II *zn* witter; **blanquear** I *tr* wit maken; witten; bleken; (*zwart geld*) witwassen; *sin ~* ongebleekt; II *intr* 1 wit schijnen, enigszins wit zijn; 2 witte kleur tonen; 3 wit worden; **blanquecino** witachtig; **blanqueo** (het) witten; **blanquete** *m* blanketsel
blasfemador, **-ora** godslasteraar(ster), iem die (veel) vloekt; **blasfemar** vloeken, godslasterlijke taal uitslaan; **blasfemia** godslastering, vloek; *lanzar ~s* vloeken; **blasfemo**, **-a** I *bn* godslasterlijk; II *zn* godslasteraar(ster)
blasón *m* 1 blazoen, wapenschild; *-ones* (*adellijke*) afkomst; 2 wapenkunde, heraldiek; 3 eer, roem; reden tot trots; **blasonar** (*de*) zich beroemen (op), opscheppen (over), prat gaan (op)
bledo (*plantk*) soort ganzevoet (*eetbaar*), aardbeispinazie || (*no*) *me importa un ~* het kan me geen klap schelen
blenda blende, zwavelzink
blenorragia: *~* (*crónica*) gonorrhoe, druiper
blindado: *coche ~* pantserwagen; **blindaje** *m* 1 pantser (*van schip, tank*); 2 (het) blinderen; **blindar** blinderen; pantseren
bloc *m* blocnote, schrijfblok; *~ de calendario* scheurkalender; *~ de dibujo* schetsboek
blocao blokhuis
blonda 1 zijden kant; 2 blonde vrouw
bloque *m* 1 blok (*steen, hout*); *~ de viviendas* woningblok; *en ~* en bloc; 2 (*pol*) blok; *~ oriental* oostblok; **bloquear** (*weg*) versperren; blokkeren; (*techn*) vergrendelen; *~ una cuenta* een rekening blokkeren; *bloqueado por la nieve* ingesneeuwd; **bloqueo** blokkade; blokkering
blues *m* blues
bluf *m* flop

blusa blouse; **blusón** *m* kiel, lange wijde bloes
b.m. *buque motor* motorschip, m.s.
boa 1 (*dierk*) boa (constrictor); **2** boa (*stola*)
boato praal, pracht
bobada dwaasheid; geleuter; *~s* onzin, apekool; *decir ~s* maar wat kletsen; **bobalicón, -ona** onnozele hals; **bobamente** onnozel, dom; **bobear** domme dingen doen, onzin uitkramen; **bobería** *zie bobada*
bóbilis: *de ~* zomaar cadeau, vanzelf
bobina spoel, klos; bobine; **bobinar** (*draad*) opwinden, opspoelen
bobo, -a I *bn* suf, dom, sullig, onnozel; onbenullig, schaapachtig; **II** *zn* **1** simpele ziel, domme gans; *haciendo el ~* alsof hij niet tot tien kan tellen; **2** (*hist, theat*) komische figuur, grapjas, nar
boca mond; bek (*van dier*); opening; tuit; monding; *~ a ~* mond op mond (*beademing*); *~ abajo* op zijn buik, plat voorover, voorover-liggend, ondersteboven; *~ de alcantarilla* rioolput; *~ arriba* op zijn rug, achteroverliggend; *~ de aspiración* zuigmond; *~ de cangrejo* krabschaar; *~ de carga* vulopening; *~ de escorpión* gifkikker; *~ de fuego* vuurmond; *~ de puerto* havenmond; *~ de regadera* sproeier (*van gieter*); *~ de riego* aansluitpunt van waterslang (*op straat*); *a ~ de jarro: a*) rakelings; *b*) (*fig*) op de man af; *c*) (*mbt drinken*) onmatig; *a ~ llena* ronduit, recht in iems gezicht; *a pedir de ~: a*) te kust en te keur; *b*) gesmeerd (*lopen*), naar wens; *andar de ~ en ~* van mond tot mond gaan; *andar en ~ de la gente* het gesprek vd dag zijn, aanleiding geven tot geroddel; *caer de ~* voorover vallen; *caja de tres ~s* (*elektr*) driewegdoos; *¡cállate la ~!* hou je bek!; *las cartas ~ arriba* open kaart; *cerrar la ~ a u.p., tapar la ~ a u.p.* iem de mond snoeren; *con la ~ llena* met volle mond; *cubrirse la ~* zijn hand voor zijn mond houden; *de ~* alleen met de mond, niet gemeend; *de buena ~* (*mbt wijn*) lekker; *en ~ cerrada no entran moscas* spreken is zilver, zwijgen is goud; *en la ~ del lobo* in het hol vd leeuw; *hablar por ~ de ganso* iem napraten; *hacer ~* een hapje vooraf nemen; *hacer la ~* (*een paard*) aan de teugel wennen; *se me hace la ~ agua* het water loopt me in de mond, het doet me watertanden; *irse de ~, írsele a u.p. la ~* zijn mond voorbijpraten; *mentir con toda la ~* allemaal leugens verkondigen; *no me busques la ~* breek me de bek niet open; *no se le cae de la ~* hij heeft het er steeds over; *no decir esta ~ es mía* geen mond opendoen; *oscuro como ~ de lobo* pikdonker; *para abrir ~* als voorproefje; *poner ~ arriba* (*speelkaart*) omkeren; *por la ~ muere el pez* je kunt maar beter niet teveel zeggen; *¡punto en ~!* mondje dicht!; *quedarse con la ~ abierta* stomverbaasd zijn; *quien tiene ~ se equivoca* vergissen is menselijk; *quitarle a u.p. u.c. de la ~* iem de woorden uit de mond halen; *quitarse u.c. de la ~* iets uit zijn mond sparen; *tener a u.p. sentada en la ~* (*del estómago*) zijn buik van iem vol hebben, iem niet kunnen luchten of zien; *tener la ~ amarga* een bittere smaak in de mond hebben; *traer en ~s a u.p.* over iem roddelen
bocacalle *v* zijstraat
bocadillo 1 broodje, sandwich; **2** (tekst)wolkje (*in strips*); **bocado 1** hap; beet; *~ sin hueso* voordeeltje, iets makkelijks; *con el ~ en la boca* nauwelijks klaar met eten; *no hay para un ~* er is bijna niets (te eten); *no probar ~* niets eten; *ser ~ duro* een hele kluif zijn; **2** (paarde)bit
bocamanga mouwopening (*aan de kant vd pols*)
bocanada 1 ademwolk, (rook)wolk; *~ de gente* drom mensen (*naar buiten komend*); *~ de viento* rukwind; *a ~s: a*) in hevige vlagen; *b*) in drommen; **2** mondvol, slok; **bocata** (belegd) broodje; **bocaza 1** grote mond, muil; **2** *m* flapuit; **bocazas** *m* flapuit; **bocera** koortsuitslag (*om mond*); **boceras** *m* flapuit; sufferd
boceto schets
bocha 1 grote bal (*in jeu de boules*); **2** *~s* jeu de boules
boche *m* kuiltje (*om in te knikkeren*)
bochinche *m* kabaal, troep, bende
bochorno 1 drukkende hitte; benauwdheid; *hace ~* het is drukkend, het is benauwd weer; **2** benauwd gevoel, schaamte; **bochornoso** broeierig, zwoel; benauwd
bocina claxon, toeter; hoorn; *~ de bruma* misthoorn; *tocar la ~* toeteren; **bocinazo** signaal (*van claxon*); *~s* getoeter
bocio (*med*) krop
bock *m* groot glas bier; bierpul
bocoy *m* grote ton
boda (*ook mv*) bruiloft; *~s de oro* gouden bruiloft; *~s de plata* zilveren bruiloft
bodega 1 (voorraad)kelder; wijnkelder; opslagruimte (*ondergronds, in haven*); **2** *~* (*de carga*) (laad)ruim (*in schip*); **3** bodega, wijnhuis (*voor vervaardiging en verkoop*); **4** wijnoogst; **bodegón** *m* **1** goedkoop eethuis, taveerne; **2** stilleven; **bodegonero, bodeguero** kroegbaas
bodijo 1 ongelijk huwelijk; **2** huwelijk zonder feestelijkheid
bodoque *bn* dom, stom
bodorrio 1 *zie bodijo*; **2** huwelijk met veel poespas
bodrio 1 soep voor de armen; **2** smerig eten
B.O.E. *Boletín Oficial del Estado*
bóer *m; mv bóers* (*in Zuid-Afrika*) boer
bofe *m* long (*vnl van vee*) || *echar los ~s* zich uitsloven, zich kapotwerken; **bofetada 1** draai om de oren, mep; klap in het gezicht (*ook fig*); **2** belediging || *darse de ~s* niet bij elkaar passen, (*mbt kleuren*) vloeken; **bofetón** *m* oorvijg
bofia 1 (*pop*) politie; *uno de la ~* een smeris; **2** *m* smeris; rus
bofo sponzig, slap
boga 1 (het) roeien; **2** *estar en ~* in trek zijn, in

de mode zijn; 3 bep riviervis; **bogar** roeien; **bogavante** *m* soort zeekreeft
bogotano uit Bogotá
bohemia 1 bohémienbestaan; 2 (de) bohémiens; **bohémico** Boheems; **bohemio**, **-a** I *bn* 1 Boheems; 2 bohémien-; II *zn* 1 Bohemer, Boheemse; 2 bohémien(ne)
bohío (*Am*) hut
boicot *m* 1 boycot; *formar el ~ a, hacer el ~ a* boycotten; 2 (school)staking; **boicotear** boycotten; **boicoteo** (het) boycotten
boina alpino(pet), Baskische baret
boîte *v* nachtclub, (*soms*) dancing
boj *m* (*plantk*) buks, buxus
bojar 1 de omtrek meten van (*eiland*); varen om, langs; 2 een omtrek hebben van, meten
boje *m; zie boj*
bojeo 1 (het) omvaren, (het) meten van omtrek; 2 omtrek (*van eiland*)
bol *m* kom
bola 1 bal, bol; *~ de billar* biljartbal; *~ del mundo* wereldbol; *~s de naftalina* motteballen; *~ de nieve* sneeuwbal (*ook fig; ook plantk*); *dejar que ruede la ~* Gods water over Gods akker laten lopen; 2 loterijballetje; 3 knikker; 4 bep werpspel (*met ijzeren bal*); kegelbal; 5 schoensmeer; 6 leugen
bolardo bolder
bolchevique *m,v* bolsjevist(e); **bolcheviquismo** bolsjevisme
boleadoras *vmv* lasso met ijzeren ballen aan het eind
bolera kegelbaan
1 bolero *bn* leugenachtig
2 bolero, **-a** *zn* 1 *m* bolero, bep dans; 2 *m,v* iem die de bolero danst; 3 *m* bolero (*vestje*)
boleta 1 toegangsbiljet; 2 bonnetje, briefje (*bv van loterij*)
boletín *m* 1 (invul)bon; 2 bulletin, bericht; *~ de bolsa* beursbericht(en); *~ meteorológico* weeroverzicht; *~ de noticias* nieuwsberichten (*op radio*); **Boletín** *m: ~ Oficial del Estado* (*afk BOE*) (*Sp*) staatsblad, Staatscourant
1 boleto 1 briefje van loterij; invulbon, formuliertje; 2 (*Am*) plaatskaartje, toegangsbewijs
2 boleto (*plantk*) boleet
boli *m* (*fam*) *afk van bolígrafo*
1 boliche *m* 1 kegelspel; 2 kegelbaan; 3 gedraaide versiering (*aan meubels*), bol, knop; 4 bep speelgoed (*stok en bal met gat*); 5 kleine bal (*in jeu de boules*); 6 smeltoven; 7 slechte tabak; 8 (*Am, pop*) kroeg, tent
2 boliche *m* 1 vissersbootje; 2 kleine vis
bólido 1 bolide, meteoorsteen; 2 raceauto
bolígrafo balpen, ballpoint
bolillo klosje (*voor kantklossen*)
bolina: *de ~* bij de wind (*zeilen*)
bolívar *m* munteenheid van Venezuela
bolivianismo typisch Boliviaans woord; **boliviano**, **-a** I *bn* Boliviaans; II *m,v* Boliviaan(se)
bolladura deuk; **bollar** deuken
bollería luxe broodjeswinkel; **bollo** 1 luxe broodje; *no estoy para ~s* ik ben niet in de stemming, mijn hoofd staat er niet naar; 2 deuk; 3 bult, buil; 4 kabaal, onrust, herrie
bollón *m* sierspijker met grote (goudkleurige) kop
bolo 1 kegel; *~s: a*) kegelspel; *b*) kegelbaan; *echar a rodar los ~s* onrust stoken; *jugar a los ~s* kegelen; 2 bol (*als versiering*); 3 dommerd; 4 reizende toneelgroep (*op platteland*) || *~ alimenticio* gekauwde hap eten
bolsa 1 (boodschappen)tas; *~ nevera* koeltas; *~ de viaje* weekendtas; 2 beurs (*in uitdrukkingen*); *¡la ~ o la vida!* je geld of je leven!; *aflojar la ~* in de buidel tasten, dokken; *tener la ~ llena* een volle beurs hebben; 3 (grote) zak; uitgezakte plooi; wal (*onder oog*); *~ de agua caliente* (warmwater)kruik; *~ de basura* vuilniszak; *~ de comida* lunchpakket; *~ de gas* gasbel; *~ de té* theezakje; 4 (koopmans)beurs; *~ del trabajo* arbeidsbureau; *~ de valores* effectenbeurs; **bolsillo** zak; *~ de atrás, ~ posterior* achterzak; *~ interior* binnenzak; *~ de pecho* borstzakje; *con el ~ en seco* platzak; *llenarse los ~s* zijn beurs spekken; *para todos los ~s* voor iedere beurs, betaalbaar; *poder meter en el ~ a u.p.* iem om je vinger kunnen winden; *tirar de ~* betalen, dokken; **bolsista** *m* beursbezoeker, beursspeculant; **bolsita** zakje; *~ de té* theezakje; **bolso** 1 (hand)tas; *~ bandolero* schoudertas; 2 (kleine) zak; **bolsón** *m* grote tas; *~ de bici* fietstas
1 bomba I *zn* 1 bom; *~ de acción retardada, ~ de reloj* tijdbom; *~ atómica* atoombom; *~ H, ~ hidrógena* waterstofbom; *~ de humo* rookbom; *~ incendiaria* brandbom; *~ de mano* handgranaat; *~ napalm* napalmbom; *~ de neutrones* neutronenbom; *~ plástica* kneedbom; *~ rompedora* splinterbom; *caer como una ~* inslaan als een bom; *estalla la ~* de bom barst; 2 sensationeel nieuws; II *bn, onv* geweldig, grandioos; III *bw* fantastisch; *pasarlo ~* het heerlijk hebben, zich kostelijk vermaken
2 bomba pomp; *~ de achique, ~ de carena* lenspomp; *~ de aire* luchtpomp, fietspomp; *~ aspirante* zuigpomp; *~ aspirante-impelente, ~ de doble acción* zuig- en perspomp; *~ de balancín* jaknikker; *~ centrífuga* centrifugaalpomp; *~ de émbolo* zuigerpomp; *~ de engrase* vetspuit (*in garage*); *~ de incendios* brandbluspomp; *~ de inyección* brandstofpomp; *~ neumática* vacuümpomp; *vaciar a ~* leegpompen
bombachas *vmv* (*Am*) pofbroek; **bombacho**: (*pantalón*) *~* plusfour
bombarda 1 (*hist*) kanon; 2 bombarde, bromwerk in orgel; **bombardear** bombarderen; **bombardeo** (het) bombarderen, bomaanval, bombardement; **bombardero**: (*avión*) *~* bommenwerper; **bombardón** *m* bastuba; **bombazo** 1 bominslag; 2 knaller (*prijsstunt*)
1 bombear pompen
2 bombear 1 bombarderen; 2 bol maken; 3 (*bal*) met een boog gooien

3 bombear hogelijk prijzen, roemen
1 bombeo (het) pompen
2 bombeo ronding
bombero brandweerman; *los ~s* de brandweer; *hacer de ~* (*fig*) ergens een domper op zetten
bómbice *m* zijderups
1 bombilla (*Am*) metalen rietje (*om mate mee te drinken*)
2 bombilla gloeilamp; *~ piloto* controlelampje
bombín *m* bolhoed
bombo 1 grote trom; trommel (*bv van loterij*); 2 bombarie; *a ~ y platillos* met veel tamtam, met veel ophef
bombón *m* **1** bonbon; 2 schatje; **bombona 1** mandfles; 2 (gas)fles; **bombonera** bonbonnière; **bombonería** bonbonwinkel
bonachón, **-ona** goedaardig, goedmoedig, goedig; **bonachonería** goedigheid
bonaerense uit Buenos Aires
bonancible rustig; **bonanza** kalm weer; rust; *tiempos de ~* tijden van voorspoed
bondad *v* goedheid; vriendelijkheid; *tenga Ud. la ~ de* wilt u zo vriendelijk zijn om, weest u zo goed om; **bondadoso** goedaardig, mild, zachtaardig
bonete *m* **1** kalotje; 2 bonnet (*van geestelijke*); 3 netmaag, muts (*van herkauwers*)
bongo (*Am*) soort kano
bongó *m* negertrom, bongo; **bongosero** bongospeler
boniato maniok, cassave(wortel)
bonificación *v* **1** bonus, korting; 2 grondverbetering, ontginning
1 bonito tonijn
2 bonito mooi, leuk, aardig (om te zien); *¡~...!* (*iron*) leuk...!; *¡~ viaje!* leuk reisje!, het was me het ritje wel!
bono 1 (waarde)bon; *~-regalo* cadeaubon; 2 obligatie; *~ del Tesoro* schatkistbewijs
boñiga paardemest, koeiemest; **boñigo** paardevijg, koeievlaai
boom *m* boom, hausse
boqueada: *dar las ~s* op sterven liggen, op apegapen liggen, op zijn eind lopen; **boquear 1** steeds de mond openen; 2 zieltogen; 3 op zijn eind lopen; **boquera 1** afvoeropening; geultje, kanaaltje; 2 (*fam*) koortsuitslag; **boquerón** *m* ansjovis; **boquete** *m* gat, opening; **boquiabierto** met open mond, stomverbaasd; **boquilla 1** mondstuk; 2 sigarettepijpje; 3 brander, gaspit || *de ~* alleen met de mond, zogenaamd, niet gemeend; **boquirrubio**, **-a 1** flapuit; 2 naïeveling(e); 3 *m* ijdeltuit, fat
bórax *m* borax, boorzure soda
borbollar, **borbollear** borrelen, pruttelen; **borbolleo** geborrel; **borbollón** *m* (kook)-belletje
borbónico vd Bourbons
borbotar, **borbotear** borrelen, pruttelen; **borboteo** geborrel; **borbotón** *m* (kook)belletje; *a -ones: a*) borrelend, klokkend; *b*) gutsend; *c*) (*mbt praten*) struikelend over zijn woorden, gejaagd
borceguí *m* rijglaars
borda (*scheepv*) boord; *tirar por la ~* overboord gooien; **bordada**: *dar ~s: a*) laveren; *b*) heen en weer lopen
bordado I *zn* borduurwerk; **II** *bn* **1** perfect; 2 geborduurd; **bordador**, **-ora** iem die borduurt; **bordar 1** borduren; 2 (*iets*) heel goed doen, er veel werk van maken
borde *m* rand; kant; zoom (*van bos*); *~ dentado* kartelrand; *~ de refuerzo* versterkingsrand; *al ~ de* vlakbij; *al ~ de la locura* op de rand vd waanzin, de waanzin nabij; *al ~ del mar* aan zee; *lleno hasta el ~* boordevol; **bordear 1** omzomen, omringen; 2 langs de oever lopen van; 3 vlakbij (*iets*) zijn, op de rand staan van; *~ los treinta* bijna dertig zijn
bordelés, **-esa** uit Bordeaux
bordillo trottoirband
bordo zijkant van schip, boord; *a ~* aan boord (*ook van vliegtuig*); *hora de a ~* scheepstijd; *los que van a ~* de inzittenden, (de) passagiers; *segundo a ~* eerste stuurman
bordón *m* **1** pelgrimsstaf; 2 laagste snaar (*bv op gitaar*); 3 refrein; (*fig*) stokpaardje; **bordoncillo** refrein; (*fig*) stokpaardje; **bordonear** zoemen
boreal vh noorden; *aurora ~* noorderlicht
borgoña *m* bourgogne (*wijn*)
bórico: *agua -a* boorwater
borla 1 kwast; 2 poederdons
borne *m* (*elektr*) draadklem
boro (*chem*) boor, borium
borona 1 maïs; 2 maïsbrood
borra 1 grofste vd wol, wolresten, vulsel (*voor kussens*); 2 (katoen)pluis; 3 bezinksel; 4 (*fig*) opvulsel; holle woorden
borrachera dronkenschap; **borrachín** *m* zatlap; **borracho**, **-a I** *bn* dronken; *~ perdido* laveloos, stomdronken; *~ de sueño* slaapdronken; *estar ~* dronken zijn; *ser ~* aan de drank zijn; **II** *zn* dronkaard, dronkelap; **borrachón**, **-ona** zuiplap
borrador *m* **1** klad; eerste concept; 2 kladblok; 3 (borde)wisser; **borraja** borage, bernagie || *quedarse en agua de ~s* op niets uitlopen, in duigen vallen; **borrajear** kladden, neerkrabbelen; **borrar 1** uitvegen, uitgummen, (uit)-wissen; 2 doorhalen, schrappen; 3 doen vervagen
borrasca 1 storm; 2 ruzie; **borrascoso** stormachtig
borrego, **-a** lam, lammetje (*ook fig*); **borreguero**, **borreguil** slaafs
borricada dwaasheid, koppigheid; **borrico**, **-a 1** ezel(in); 2 koppig mens; 3 domoor; 4 *m* zaagbok; **borricote** *m* dommerd; *hecho un ~* al een hele kerel
borrón *m* **1** (inkt)vlek; *~ y cuenta nueva* zand erover; *hacer ~ y cuenta nueva* een streep onder iets zetten; 2 schandvlek, smet; **borroso 1** onduidelijk, wazig; 2 vol bezinksel

borujo klontje (*bv in pap*)
boscaje *m* bossage, struikgewas; **boscoso** bebost, bosrijk; **bosque** *m* bos; ~ *espeso* dicht bos; ~ *maderable* produktiebos; ~ *tropical húmedo* tropisch regenwoud
bosquejar schetsen; **bosquejo** schets
bosquimán *m* bosjesman
bosta paardemest, koemest
bostezar gapen, geeuwen; **bostezo** gaap, geeuw
1 bota laars; hoge schoen, bergschoen; ~ *de fútbol* voetbalschoen; ~ *de goma* rubberlaars; ~ *montañera* bergschoen; ~ *de montar* rijlaars; ~*s de siete leguas* zevenmijlslaarzen; *el gato con* ~*s* de gelaarsde kat || *ponerse las* ~*s* een enorme winst maken
2 bota (*kleine*) wijnzak (*om uit te drinken*)
botadura tewaterlating
botánica plantkunde; **botánico**, **-a** I *bn* botanisch; II *zn* botanicus, -a; **botanista** *m,v* botanicus, -a
botar I *tr* 1 (*iem*) eruit smijten; 2 te water laten; II *intr* 1 (*sp, voetbal*) schieten, trappen; 2 (*mbt bal*) stuiten || *está que bota* hij is razend
botaratada stommiteit; **botarate** *m* stomkop
botavara giek
1 bote *m* boot; ~ *chato* vlet; ~ *de goma* rubberboot; ~ *neumático* opblaasboot; ~ *de remo* roeiboot; ~ *salvavidas* reddingsboot || *chupar del* ~ de situatie uitbuiten
2 bote *m* 1 bus, pot, blik; ~ *de humo* rookbom; 2 fooienpot; 3 ~ *sifónico* zwaanshals (*onder gootsteen*)
3 bote *m* sprong (*van paard*); (*mbt bal*) (het) stuiten
4 bote: *de* ~ *en* ~ propvol, overvol
Botejara: *los* ~ (*vglbaar*) de familie Doorsnee
botella fles; ~ *de agua caliente* (bedde)kruik; ~ *de oxígeno* zuurstoffles; ~ *para tirar* wegwerpfles; **botellazo** klap met fles; **botellero** 1 flessenhandelaar; 2 flessendrager; **botellín** *m* flesje
botica (*ongebr*) 1 apotheek; 2 medicijnen; **boticario**, **-a** apotheker
botija aarden kruik (*met korte, dunne hals*); **botijero**, **-a** kruikenverkoper, -verkoopster; **botijo** (*koelende*) waterkruik (*met hengsel, vulopening en tuit*)
1 botín *m* rijglaars
2 botín *m* (*mil*) buit
botiquín *m* 1 medicijnkastje; verbandtrommel; 2 (*Am*) kroeg; **botiquinero** (*Am*) kroegbaas
botón *m* 1 knoop; 2 knop; bloemknop; ~ *de arranque* startknop; ~ *de mando* bedieningsknop || ~ *de muestra* voorbeeld; ~ *de oro* boterbloem; **botonadura** (de) knopen; knoopgarnituur; **botonería** knopenzaak; **botones** *m* piccolo
botulismo botulisme
bouquet *m* 1 bouquet (*van wijn*); 2 boeket (*bloemen*)
boutique *v* boetiek
bouvier *m* bouvier
bóveda gewelf; crypte; ~ *de arco* booggewelf
bóvidos *mmv* runderen, rundachtigen; **bovino** vh rund; *carne -a* rundvlees
bowling *m* bowling; (het) bowlen; *jugar al* ~ bowlen
box *m* 1 paardebox; ligbox (*voor koe*); 2 garagebox; 3 *zie boxeo*; **boxeador** *m* bokser; **boxear** boksen; **boxeo** (het) boksen; **bóxer** *m* boxer (*hond*)
boya 1 boei, ton; ankerboei; ~ *luminosa* lichtboei; ~ *salvavidas* reddingsboei; 2 drijfkurk
boyada runderkudde
boyante 1 drijvend; 2 succesvol, voorspoedig; stralend (*van trots*)
boyera koeiestal
boy scout *m* padvinder
bozal I *m* muilkorf; II *bn* 1 onervaren; 2 woest
bozo beginnende snor
bracear 1 met de armen zwaaien of slaan; 2 (*sp*) crawlen; 3 proberen los te komen; **bracero** dagloner
braga 1 inlegluier; 2 (*hist*) mannenbroek; 3 (*ook: bragas*) (dames)slip, broekje, (kinder-) onderbroek; **bragado** (*pop*) stoer, vastberaden; **bragapañal** *m* broekluier; **bragazas** *m* held op sokken; **braguero** breukband; **bragueta** gulp; **braguetazo**: *dar* (*un*) ~ (*pop*) met een rijke vrouw trouwen
braille *m* braille
brama bronst(tijd); **bramadera** (soort) ratel
bramante *m* dun touw, touwtje
bramar brullen; loeien; bulderen; (*mbt wind*) gieren; **bramido** geloei, gebrul; (het) gieren (*vd wind*)
branquia kieuw; **branquial** vd kieuwen
brasa gloeiende kool; *a la* ~ geroosterd; **brasero** vuurpot
brasil *m* braziel(hout); **Brasil**: (*el*) ~ Brazilië; **brasileño** Braziliaans
bravata grootspraak, snoeverij; misplaatste stoerheid; **bravío** 1 ongetemd, woest; 2 ontembaar; **bravo** 1 dapper, fier, kloek; 2 woest, ruig; *mar -a* onstuimige zee; *un toro* ~ een gevaarlijke stier; 3 in primitieve staat levend; (*mbt land*) onontgonnen, ruig; 4 heetgebakerd, driftig; *por las -as* onder dreigementen, zeer streng || *¡~!* bravo!; **bravucón** *m* houwdegen, krachtpatser, vechtersbaas; **bravuconear** stoer doen; **bravuconería** krachtpatserij; **bravura** 1 woestheid (*van dier*); 2 bravoure; dapperheid; 3 snoeverij
braza 1 vadem (*ca 1.70 m*); 2 zwemslag; ~ (*clásica*), ~ *de pecho* borstslag, schoolslag; ~ *de espalda* rugslag; ~ *mariposa* vlinderslag; **brazada** 1 (zwem)slag, slag met beide armen, (roei)slag; 2 armvol; **brazado** armvol; **brazal** *m* band om de bovenarm; ~ *de luto* rouwband; **brazalete** *m* 1 armband; ~ *de eslabones* schakelarmband; 2 band om de bovenarm; ~ *negro* rouwband; **brazo** 1 arm; ~ *derecho* (*fig*) rechterhand, hulp; *el* ~ *secular* de wereldlijke

arm, rechterlijke macht; ~ *superior* bovenarm (*van viervoeter*); *a* ~ met de hand (gemaakt); *a* ~ *partido: a*) met de blote handen; *b*) verwoed; *al* ~ over de arm (*dragen*); *cogidos del* ~ gearmd; *con los ~s abiertos* met open armen; *cruzarse de ~s: a*) zijn armen over elkaar slaan; *b*) (*fig*) de handen in de schoot leggen; *ir del* ~ gearmd lopen; *no dar su* ~ *a torcer* voet bij stuk houden; *saludar* ~ *en alto* de fascistengroet brengen; 2 (arm)leuning; 3 balk (*van weegschaal*); giek (*van hijskraan*); 4 spaak; 5 zijarm (*van rivier*); ~ *de mar* zeearm || *hecho un* ~ *de mar* op zijn fraaist gekleed; **brazuelo** onderarm (*van viervoeter*)

brea teer, pek

break *m* 1 stationcar (*auto*); 2 brik (*rijtuig*)

brear mishandelen; het leven zuur maken

brebaje *m* brouwsel

brécol *m* broccoli

brecha bres; gat, opening; ~ *generacional* generatiekloof; *estar en la* ~ op de bres staan

brega 1 worsteling; gezwoeg; *andar a la* ~ zich afbeulen; 2 ruzie; **bregar** 1 sloven, zwoegen, zich afbeulen; 2 ruzie maken; stoeien

breña ruig begroeide kloof

brete *m* 1 (*hist*) voetboei; 2 moeilijkheid, lastig parket; *poner a u.p. en un* ~ iem in verlegenheid brengen

bretón, -ona I *bn* uit Bretagne; II *zn* 1 Breton(se); 2 *m* soort spruitkool

breva 1 vroege (grote) vijg; *más blando que una* ~ zo mak als een lammetje; 2 buitenkansje; *le ha caído una* ~ hij heeft een buitenkansje; *no caerá esa* ~ dat zal niet gebeuren, die vlieger gaat niet op

breve I *bn* kort; summier; *en* ~ binnenkort; II *m* breve, pauselijke brief; **brevedad** *v* kortheid; beknoptheid; *a, con la mayor* ~ (*posible*) zo spoedig mogelijk; *para mayor* ~ kortheidshalve; **breviario** 1 brevier, getijdenboek; 2 samenvatting, beknopt overzicht

brezal *m* heideveld; **brezo** bezemdophei

bribón, -ona schurk, schelm; rakker, guit, boef; **bribonada** schurkenstreek; ondeugende streek; **bribonería** schurkachtigheid; ondeugendheid

bricolaje *m* doe-het-zelf(-werkzaamheden), geknutsel; **bricolar** knutselen (*in huis*)

brida 1 teugel, leidsel, toom; hoofdstel; 2 (*techn*) flens

bridge *m* bridge; *jugar al* ~ bridgen

brigada 1 brigade; team; ~ *de estupefacientes* narcoticabrigade; 2 (*mil, vglbaar*) sergeant-majoor

brillante I *bn* 1 schitterend, glimmend, glanzend; *pintura* ~ glansverf; 2 briljant, glansrijk; II *m* briljant; **brillantez** *v* 1 glans, schittering; 2 (het) briljant zijn; **brillantina** brillantine; **brillar** schitteren, glimmen, glanzen, flonkeren; *brilla el sol* de zon schijnt; **brillo** glans; schijnsel; *de* ~ *mate* matglanzend; *de gran* ~ hoogglanzend; *falta de* ~ dofheid; *perder el* ~ dof worden; *sacar* ~ *a u.c.* iets (op)poetsen; *tomar* ~ gaan glanzen

brincar 1 springen, huppelen; *está que brinca* hij staat op springen; 2 opstuiven; **brinco** sprongetje, luchtsprong; *dar un* ~ opspringen; *dar ~s* huppelen; *dar ~s de alegría* een en al vrolijkheid zijn; *¿por qué dar tanto ~, estando el suelo tan llano?* waarom moeilijk als het ook makkelijk kan?

brindar I *intr* toosten; ~ *por* drinken op, klinken op; II *tr* (aan)bieden; ~ *a u.p. la ocasión de* iem in de gelegenheid stellen om; **brindarse** (*a*) zich aanbieden (om); (*mbt kans*) zich voordoen; **brindis** *m* toost; tafelrede

brío vurigheid, (*fig*) vuur, energie; **brioso** 1 vurig, levendig; 2 zwierig, fier

briqueta briket

brisa bries; ~ *marina* zeewind; *ni una* ~ geen zuchtje wind

británico Brits, Engels

brizna 1 draadje, vezel; halm, sprietje; ~ *de hierba* grashalm; 2 snipper, kruimeltje

broca metaalboor; **brocado** brokaat; **brocal** *m* putrand

brocha (verf)kwast; ~ *de afeitar* scheerkwast; *pintor de* ~ *gorda: a*) schilder van deuren en muren, huisschilder; *b*) kladschilder; **brochazo** streek (*met kwast*)

broche *m* 1 sluiting, gesp; ~ *de presión* drukknoop; 2 broche; *el* ~ *de oro* de klap op de vuurpijl; **brocheta** grilleerspies

bróculi *m* broccoli

broker *m* (*vglbaar*) beursmakelaar, effectenmakelaar

broma grap; mop; geintje; *~s aparte* zonder gekheid; ~ *estupenda* reuzemop; ~ *insípida,* ~ *sin gracia* flauwiteit, flauwe grap; ~ *pesada* misselijke grap; *¡déjate de ~s!* geen grappen!; *echar a* ~, *tomar a* ~ als een grap opvatten, niet serieus nemen, de draak steken met; *festejar una* ~, *reír una* ~ lachen om een grap; *gastar ~s* grappen maken; *hacer una* ~ *a u.p.* iem foppen, iem ertussen nemen; *no estar para ~s* niet in de stemming zijn voor grapjes; *salir por una* ~ duur komen te staan; *va de* ~ het is maar een grap; **bromazo** flauwe grap; bak; **bromear** grappen maken; schertsen; ginnegappen; ~ *de* zich vrolijk maken over; **bromista** *m,v* grapjas, leukerd; plaaggeest

bromo (*chem*) broom; **bromuro** (*chem*) bromide

bronca 1 (heftige) ruzie; *buscar* ~ ruzie zoeken; 2 luidruchtig protest; 3 berisping, uitbrander; *echar una* ~ de mantel uitvegen

bronce *m* 1 brons; *de* ~ bronzen; 2 bronssculptuur; **bronceado** I *bn* gebruind (*door de zon*); bronskleurig; II *zn* bronzen tint; (het) bruin worden

bronco 1 schor, hees; 2 kortaangebonden, kribbig, bars

bronquios *mmv* bronchiën; **bronquitis** *v* bronchitis

broquel *m* klein schild; bescherming
broqueta *zie brocheta*
brotar 1 kiemen, (uit)botten, ontspruiten; 2 opwellen; opkomen; uitbreken; opduiken, ontstaan; **brote** *m* 1 (het) (uit)botten; 2 rank, uitloper; *echar ~s* uitbotten; 3 (het) uitbreken (*bv van epidemie*); begin, ontstaan
broza 1 afval; dorre bladeren; 2 kreupelhout; 3 (*fig*) vulsel, woorden zonder inhoud
bruces: *de ~* voorover, plat op de buik; *darse de ~ con* pal opbotsen tegen
bruja heks; feeks, kreng; *esa vieja ~* die ouwe tang; *zie ook brujo*
Brujas *v* Brugge
brujería hekserij; **brujo**, **-a** I *zn* tovenaar, tovenares; medicijnman; II *bn* betoverend
brújula kompas; *perder la ~* (*fig*) het spoor bijster worden; **brujulear** (*fig*) handig manoeuvreren; **brujuleo** (*fig*) gemanoeuvreer
bruma 1 mist (*vnl boven zee*); 2 *~s* (*fig*) nevelen, duisternis, verwarring; **brumoso** mistig
bruñido (het) polijsten, (het) politoeren; (het) poetsen; **bruñir** polijsten, politoeren; opwrijven, poetsen
brusco 1 bruusk, bars; vinnig; 2 plotseling
Bruselas *v* Brussel; *coles de ~* spruitjes; **bruselense** uit Brussel
brusquedad *v* 1 bruuskheid, barsheid; 2 onverwachtheid
brutal 1 barbaars, bruut, ruw; 2 geweldig, gigantisch; **brutalidad** *v* 1 ruwheid; wreedheid; 2 onverstandigheid; stompzinnigheid; 3 enorme hoeveelheid, massa; **brutalizar** beestachtig behandelen; ruw omgaan met; **brutalizarse** vergroven, afstompen; **bruto**, **-a** I *bn* 1 bruut, ruw; ruig, onbeschaafd; *conducir a lo ~* autorijden als een gek; 2 bot, dom, stom; 3 bruto; *peso ~* brutogewicht; 4 onbewerkt, ruw; *en ~* in ruwe staat; II *zn* woesteling; (*fig*) ezel
bruza harde borstel (*bv voor paarden*); **bruzar** met borstel reinigen, afborstelen
bu *m* boeman
buba zweer (*vnl in lies*)
búbalo soort antilope
bubón *m* gezwel (*van lymfklieren, bv in lies*); **bubónico**: *peste -a* builenpest
bucal vd mond
bucanero boekanier, piraat
bucare *m* koraalboom
búcaro bloemenvaas
buccinador *m* wangspier
buceador, **-ora** (sport)duik(st)er; **bucear** 1 (*sp*) duiken; *sacar buceando* opduiken; 2 *~ en* (*fig*) duiken in, gaan onderzoeken
buchada 1 mondvol vocht; 2 uitgespuugde mondvol; **buche** *m* 1 (*dierk*) krop; 2 mondvol vocht
bucle *m* 1 (pijpe)krul; 2 (*techn*) lus
bucólico bucolisch, herders-, vh landleven
buda *m* boeddha
budín *m* 1 stijve pudding (*bv plumpudding*); 2 pastei (*met vlees, groente, enz*)
budismo boeddhisme; **budista** *m,v* boeddhist(e)
buen *zie bueno*; **buenamente** zonder moeite, gemakkelijk; *en cuanto ~ pueda* zodra ik even kan; **buenaventura** 1 geluk; 2 toekomstvoorspelling; **buenazo**, **-a** goedzak, sul; **buena**: *¡~ la has hecho!* wat ben jij dom geweest!; *a la ~ de Dios* op goed geluk; *de ~s* in een goede bui; *de ~s a primeras* plompverloren, met de deur in huis vallend; *¡ésa sí que es ~!* die is goed!; *¡(hola,) ~s!* dag!, goedemiddag!, goedenavond!; *por las ~s: a*) zonder veel moeite; *b*) goedschiks; *por las ~s o por las malas* goedschiks of kwaadschiks; **bueno** I *bn* (*voor zn mnl enkv: buen*) goed; gezond; (*mbt kind*) zoet, lief; *-a caminata* flinke wandeling; *un buen capital* een aardig kapitaal; *~s días* goedendag, goedemorgen; *~ está lo ~* alles goed en wel; *~ estaría: a*) dat moest er nog bij komen, dat zou het toppunt zijn; *b*) hij zou er mooi aan toe zijn; *lo ~ es que...* (*iron*) het mooiste is dat...; *lo ~ y lo malo* lief en leed; *de buen gusto* smaakvol; *estar ~: a*) in orde zijn, gezond zijn; *b*) (*fig*) erbij zijn; *~s estamos* we zijn erbij, we zijn er geweest; *¡estás tú ~!* ben je helemaal!; *nada ~* weinig goeds; *ponerse ~* genezen; *¡qué ~!* wat leuk!, wat fijn!, enig!, dat treft goed!; *¡qué ~ sería!* wat zou dat heerlijk zijn!; *ser ~: a*) goed (*van karakter*) zijn; *b*) zoet zijn; II *tw* 1 wel, vooruit, goed, ziezo, zo; *~ ¿qué dices?* nou, wat vind je ervan?; *~ ¿y qué?* en wat dan nog?; 2 (*Mexico*) hallo (*bij telef opnemen*)
buey *m* os; *~ marino* zeekoe; *el ~ suelto bien se lame* er gaat niets boven vrijheid; *habló el ~ y dijo mu* hij kwam weer met zijn bekende verhaal; *ojo de ~* patrijspoort; *uncir los ~es al carro* de kar met ossen bespannen
búfalo, **-a** buffel
bufanda sjaal, das
bufar blazen, briesen, snuiven; *está que bufa* hij is razend
bufé *m; zie buffet*; **bufete** *m* 1 (advocaten)kantoor; 2 (cilinder)bureau; 3 (*soms*) buffet, dressoir || *~ rápido* snelbuffet; **buffet** *m* 1 buffet; *~ frío* koud buffet; 2 (stations)restauratie
bufido 1 geblaas, (het) briesen, gesnuif; 2 snauw
bufo grotesk, komisch; **bufón**, **-ona** (hof)nar; **bufonada** grol; **bufonesco** *zie bufo*
buganvilla bougainvillea
bugle *m* (*muz*) bugel
buhardilla 1 dakkapel; 2 dakkamer, zolderkamer; 3 zolder, vliering
búho oehoe
buhonear als marskramer rondtrekken; **buhonería** marskramersartikelen; **buhonero** marskramer
buitre *m* (aas)gier
buitrón *m* soort fuik
bujarrón *m* (*pop*) jongen die zich leent voor homoseksueel contact

buje *m* (naaf)bus, huls
bujía 1 bougie; **2** kaars
bula 1 bul, oorkonde; pauselijke bul; aflaat; **2** oorkondezegel
bulbar *bn* vd (bloem)bollen; **bulbo 1** ~ *(de flor)* (bloem)bol; **2** ~ *dentario* tandmerg, pulpa
buldog *m* bulldog
bulerías *vmv* bep Andalusisch lied en dans
bulevar *m* boulevard, *(Belg)* lei
Bulgaria Bulgarije; **búlgaro** Bulgaars
bulla rumoer, geraas; *armar ~, meter ~* lawaai schoppen; **bullanga** tumult; **bullanguero, -a** druktemaker, -maakster; opruier
bulldozer *m* bulldozer
bullebulle *m,v* druktemaker, -maakster, woelwater
bullicio geraas, rumoer, drukte; **bullicioso** rumoerig, druk; **bullidor, -ora** roerig, druk, altijd bezig; beweeglijk; **bullir 1** koken, borrelen; *le bullía la ira* hij ziedde van woede; **2** krioelen
bulo (vals) gerucht, praatje; **bulón** *m* bout
bulto 1 pak, baal; *a ~* op het oog; *cargado de ~s* bepakt en bezakt; *¿cuántos ~s?* hoeveel stuks bagage?; *de ~* van formaat; *error de ~* ernstige fout; *hacer ~* veel plaats innemen, een groot pak zijn; **2** gedaante; **3** bobbel, knobbel, bult, buil || *buscar el ~ a u.p.* iem op stang jagen; *escurrir el ~* de benen nemen; *estar de ~* voor spek en bonen meedoen
bumerang *m* boemerang
bungalow *m* bungalow
búnker *m* **1** bunker; **2** *(pol)* extreem rechts, verstokte conservatieven
buñuelo 1 beignet; **2** prutswerk
B.U.P. *Bachillerato Unificado Polivalente*
buque *m* schip; *~ almirante, ~ insignia* admiraalsschip, vlaggeschip; *~ de carga, ~ carguero* vrachtboot; *~-escuela* opleidingsschip; *~ fantasma* spookschip; *~ faro* lichtschip; *~ de guerra* oorlogsschip; *~ mercante* koopvaardijschip; *~ motor* motorschip; *~ tanque* tanker; *~ de vapor* stoomboot
buqué *m* bouquet *(van wijn)*
burbuja (lucht)bel, blaasje; **burbujear** bellen vormen; bruisen, pruttelen; *(mbt wijn)* tintelen, sprankelen; **burbujeo** (het) borrelen; (het) sprankelen
burdel *m* bordeel
burdeos *m* bordeaux(wijn); **Burdeos** *m* Bordeaux
burdo plomp, grof, ruw; *~ engaño* grof bedrog, boerenbedrog
bureta *(chem)* buret, maatglas
burgalés, -esa uit Burgos
burgo dorp *(ressorterend onder bep stad)*; **burgomaestre** *m* *(in bep landen)* burgemeester; **burgués, -esa I** *zn* **1** bourgeois(e); **2** *(hist)* burger(es); **II** *bn* vd bourgeoisie, bourgeois, burgerlijk; **burguesía 1** bourgeoisie, middenklasse; **2** *(hist)* burgerij
buril *m* graveernaald
burla spot, plagerij; *~s* hoon; *con aire de ~* spottend; *entre ~s y veras* half spottend half ernstig; *hacer ~ de* bespotten; *no hay ~ con eso* dat is niet om mee te spotten; *tomar a ~ u.c.* spotten met iets, iets niet serieus nemen; **burladero** *(in stieregevecht)* schutting om achter te schuilen; **burlador, -ora I** *bn* spottend; **II** *m* **1** (vrouwen)verleider; **2** spotter; **burlar** bedriegen, misleiden; om de tuin leiden; *burlando* als vanzelf, ongemerkt; *~ la confianza* het vertrouwen beschamen; *~ la ley* de wet ontduiken; *~ la vigilancia* aan de waakzaamheid ontsnappen; **burlarse** *(de)* spotten met, bespotten, uitlachen, een loopje nemen met; **burlesco** burlesk
burlete *m* tochtband, tochtstrip
burlón, -ona I *bn* spottend; *risas -onas* hoongelach; **II** *zn* plaaggeest
buró *m* bureau; **burocracia** bureaucratie; ambtenarij; **burócrata** *m,v* ambtenaar, ambtenares; **burocrático** bureaucratisch
burra 1 ezelin; **2** domme vrouw; **burrada** domme streek, stommiteit; *hacer ~s* zich misdragen; **burriciego** *(fam)* erg bijziend, halfblind; **burro 1** ezel; *apearse de su ~, caer del ~* (eindelijk) toegeven; **2** stomkop, domoor; pummel; woesteling; *hacer el ~* zich misdragen, iets doms doen; **3** ~ *(de carga)* harde werker, zwoeger; *trabajar como un ~* zich een ongeluk werken; **4** zaagbok || *no ver tres en un ~* heel slecht zien
bursátil vd (effecten)beurs, beurs-
bus *m* (auto)bus
busca 1 (het) zoeken; *en ~ de* op zoek naar; **2** (het) zoeken in afvalhopen *(naar iets bruikbaars)*; **buscabroncas** *m* ruziezoeker; **buscachollos** *m* baantjesjager; **buscador, -ora** iem die zoekt; *~ de oro* goudzoeker; **buscaenchufes** *m* baantjesjager; **buscagangas** *m,v* koopjesjager; **buscapié** *m* aangevertje, poging om iem aan het praten te krijgen; **buscapiés** *m* voetzoeker, zevenklapper, rotje; **buscapleitos** *m* querulant; **buscar 1** zoeken; *~ a tientas* tasten naar; *estar buscando a u.p.: a)* iem zoeken; *b)* iem proberen uit zijn tent te lokken, treiteren; **2** (af)halen, ophalen || *buscársela* zijn kostje bij elkaar scharrelen; **buscarruidos** *m,v* ruziezoek(st)er; onruststoker, -stookster; **buscavidas** *m,v* **1** nieuwsgierig mens, steekneus; **2** iem die altijd wel aan de kost weet te komen; **buscón, -ona** zakkenroller, dief, dievegge; **buscona** hoer
busilis *m* *(fig)* kneep; *¡ahí está el ~!* daar zit het hem in!; *allí hay ~* daar zit wat achter; *dar con, en el ~* de spijker op de kop slaan, de kern vd zaak raken; *estar en el ~* op de hoogte zijn
búsqueda (het) zoeken; speurtocht
bustier *m* top, topje; beha zonder bandjes
busto 1 bovenlichaam, buste; **2** borstbeeld
butaca 1 leunstoel, fauteuil; **2** plaats in schouwburg; *~ de patio* parterre, stalles

butano butaan; (*gas*) ~ butagas
buten: *de* ~ (*fam*) prima, perfect
butifarra bep Catalaanse worst
buzo 1 duiker; 2 overall
buzón *m* brievenbus; ~ *de ideas* ideeënbus; *la recogida de los -ones* de buslichting

c *ce v* (*letter*) c
ca: *¡~!* ach, wat!
cabal 1 juist, volledig, onverdeeld; 2 (*mbt persoon*) zoals het behoort, integer || *en sus ~es* bij zijn (volle) verstand
cábala 1 kabbala; 2 *~s* gissingen; 3 *~s* gekonkel
cabalgadura 1 rijdier; 2 lastdier; **cabalgar** 1 paardrijden; 2 ~ *sobre* (*fig*) rusten op; **cabalgata** 1 rit; 2 ruiterstoet; 3 optocht (*met ruiters en praalwagens*)
cabalístico 1 kabbalistisch; 2 geheimzinnig
caballa makreel
caballeresco ridderlijk; **caballería** 1 rijdier; 2 cavalerie, ruiterij || *libro de* ~ ridderroman; **caballeriza** 1 paardestal; 2 stoeterij; 3 box (*voor paard; zitje in café*); **caballerizo** stalknecht; **caballero** 1 ridder; ~ *andante* dolende ridder; 2 heer, gentleman; 3 (*fam*) heroïnegebruiker; **caballerosidad** *v* ridderlijkheid; **caballeroso** ridderlijk; **caballete** *m* 1 nok, dakvorst; 2 schildersezel; 3 (zaag)bok; 4 schraag; **caballista** *m,v* paardrijd(st)er, ruiter; **caballito** 1 paardje; ~ (*de balancín*) hobbelpaard; ~ *del diablo* libelle; ~ *de mar* zeepaardje; 2 *~s* draaimolen; **caballo** 1 paard; ~ *de batalla*: *a*) stokpaardje; *b*) heet hangijzer, hoofdpunt; ~ *de carreras*, ~ *corredor* renpaard; ~ *de fuerza* paardekracht; ~ *de montar* rijpaard; ~ *saltador* springpaard; ~ *semental* dekhengst; ~ *de tiro* trekpaard; ~ *tordo* appelschimmel; ~ *de Troya* Trojaans paard; ~ *de vapor* paardekracht; *a ~*: *a*) te paard; *b*) schrijlings; *a ~ de* (*fig*) steunend op; naar aanleiding van; *a ~ regalado no hay que mirarle el diente* je moet een gegeven paard niet in de bek zien; *jugar a los ~s* paardje spelen; *montar a* ~ paardrijden; 2 (*Sp*) bep speelkaart, (*vglbaar*) vrouw; 3 zaagbok; 4 (*fam*) heroïne; 5 (*fam*) sterke, taaie kerel
caballón *m* aardrug tussen voren
caballuno als van een paard
cabaña hut; ~ *de troncos* blokhut
cabaret *m* nachtclub; **cabaretista** *m,v* artiest(e), entertainer, cabaretier, cabaretière
cabecear 1 knikkebollen; 2 nee schudden; 3 (*mbt schip*) stampen; **cabeceo** 1 (het) knikkebollen; 2 (het) stampen van een schip
cabecera 1 beginpunt; 2 hoofdeinde; hoofd (*van tafel*); *de* ~ bed-; *médico de* ~ huisarts
cabecilla *m* aanvoerder, bendeleider
cabellera 1 haardos; 2 staart (*van komeet*); **ca-**

bello haar; *cortar un ~ en el aire* zeer scherpzinnig zijn; *estar pendiente de un ~* aan een zijden draadje hangen; *zie ook uitdrukkingen met pelo*; **cabelludo** behaard

caber 1 passen, er in kunnen; *no cabe ya nada* er kan niets meer bij; *no ~ en sí* (*de alegría*) dolblij zijn; *no me cabe en la cabeza* dat wil er bij mij niet in; 2 passen, passend zijn, mogelijk zijn; *cabe prever que* het is te voorzien dat; *me cabe el honor* ik heb de eer; *no cabe duda* er is geen twijfel mogelijk; *¡no cabe más!* ongelooflijk!; *todo cabe* alles is mogelijk

cabestrillo mitella; **cabestro** 1 halster; 2 os

cabeza hoofd, kop; *~ abajo* op zijn kop; *~ de ajo(s)* bol knoflook; *~ de alfiler* speldeknop; *~ de chorlito* warhoofd; *~ dura m* stijfkop; *~ de escritura* schrijfkop; *~ de familia m* gezinshoofd; *~ de ganado* stuk vee; *~ de grabación* opnameknop; *~ de lectura* leeskop; *~ de lista m* lijsttrekker; *~ llena de pájaros: a*) warhoofdigheid, lichtzinnigheid; *b*) *m* leeghoofd, warhoofd; *~ de puente* bruggehoofd; *~ de turco* zondebok; *~ vacía m* leeghoofd; *a la ~* aan het hoofd; *ando de ~* mijn hoofd loopt om; *bajar la ~* het hoofd buigen, het hoofd laten hangen; *calentarle a u.p. la ~* iem het hoofd op hol brengen; *dar a u.p. en la ~* iem dwarszitten; *darse con la ~ contra la pared* zich voor zijn kop slaan (*vanwege een stommiteit*); *me da vueltas la ~* het duizelt me; *de ~: a*) voorover; *b*) zonder aarzelen; *en ~* voorop; *estar mal de la ~* niet goed bij zijn hoofd zijn; *ir a la ~* (*sp*) voorstaan, winnen; *ir de ~: a*) heel veel aan zijn hoofd hebben; *b*) in het honderd lopen; *se le fue la ~* hij werd duizelig; *juntar ~s* de koppen bij elkaar steken, brainstormen; *lavarse la ~* zijn haar wassen; *levantar ~* er bovenop komen; *llevar a u.p. de ~* iem veel werk bezorgen; *mala ~: a*) losbol; *b*) slecht geheugen; *estar metido de ~ en* ergens tot over zijn oren in zitten, geheel opgaan in; *meterse de ~ en u.c.* zich ergens op storten, iets aanpakken; *se le ha metido en la ~ que* hij heeft zich in zijn hoofd gezet dat; *mover la ~ negativamente* nee schudden; *mover la ~ en sentido afirmativo* ja knikken; *no estar bien de la ~* niet goed bij zijn hoofd zijn; *partirse la ~* zich het hoofd breken; *pasar por la ~* (*mbt idee*) even opkomen; *perder la ~: a*) zijn zelfbeheersing verliezen; *b*) de kluts kwijtraken; *por ~* per persoon; *quitarse de la ~* uit zijn hoofd zetten; *romperse la ~* zijn nek breken; *romperse la ~ con* zich suf piekeren over, zich het hoofd breken over; *sentar* (*la*) *~* verstandig worden, tot rust komen, zijn wilde haren verliezen; *no sé dónde tengo la ~* mijn hoofd loopt om; *subir a la ~* naar het hoofd stijgen; *tener la ~ en su sitio* verstandig zijn; *traer de ~* veel werk bezorgen; *volver la ~ a u.p.* iem de rug toekeren

cabezada 1 kopstoot; 2 knikje; *dar ~s* knikkebollen; 3 hoofdstel; **cabezazo** kopbal, kopstoot; **cabezón, -ona** 1 met een groot hoofd; 2 koppig (*ook mbt wijn*); **cabezota** 1 groot hoofd; 2 *m,v* iem met een groot hoofd; 3 *m,v* stijfkop; **cabezudo I** *bn* 1 met groot hoofd; 2 stijfkoppig; **II** *zn ~s* figuren in optocht met grote koppen van karton

cabida inhoud, inhoudsmaat

cabildear lobbyen, intrigeren; **cabildeo** kuiperij, gelobby; *~s* gekonkel; **cabildo** 1 gemeentebestuur; 2 kapittel

cabina 1 cabine, badhokje, kleedkamer, telefooncel; *~* (*electoral*) stemhokje; 2 (*scheepv*) hut, kajuit; 3 (*luchtv*) *~* (*de mando*) cockpit

cabizbajo terneergeslagen, somber

cable *m* 1 kabel, snoer, tros; *~ para arranque* startkabel; *~ de extensión* verlengsnoer; *~ prolongador* verlengsnoer; *~ de remolque* sleepkabel; *echar un ~* een handje helpen; 2 telegram; **cablear** (*elektr*) bedrading aanbrengen; **cablegrafiar** í telegraferen; **cablegrama** *m* telegram; **cableo** (*elektr*) bedrading

cabo 1 eind, uiteinde; *al* (*fin y al*) *~* tenslotte; *al ~ de* na verloop van; *estar al ~* (*de la calle*) op de hoogte zijn van iets, iets goed begrepen hebben; *dar ~ a* voltooien; *de ~ a rabo* van a tot z; *llevar a ~* uitvoeren; *no dejar ~ suelto* alles goed regelen; *tirar de ~s* aan de touwtjes trekken; 2 kaap; 3 kabel, tros; *~ de amarre* meertouw; 4 overblijvend stukje; *un ~ de vela* een stompje kaars; 5 (*mil*) korporaal; (*bij politie, vglbaar*) brigadier; **Cabo**: *~ de Buena Esperanza* Kaap de Goede Hoop; (*Ciudad de*) *El ~* Kaapstad; *Islas de ~ Verde* Kaapverdische Eilanden

cabotaje *m* kustvaart

caboverdeano Kaapverdisch

cabra geit; *la ~ tira al monte* het bloed kruipt waar het niet gaan kan; (*loco*) *como una ~* stapelgek; **cabrada** kudde geiten; **cabrear** (*fam*) op stang jagen; **cabrearse** (*fam*) nijdig worden; **cabreo** (*fam*) boosheid; **cabrero** geitehoeder

cabrestante *m* kaapstander

cabria bok (*hijswerktuig*); hijskraan

cabrillas *vmv* 1 (kleine) schuimkoppen; 2 *juego de las ~* (het) stenen keilen

cabrio (dak)spant

cabrío van geiten; *macho ~* bok; **cabriola** bokkesprong, capriool; **cabritilla** geiteleer, schapeleer; **cabrito** 1 geitje; 2 (*fam*) pestkop; 3 (*fam*) bedrogen echtgenoot; **cabrón** *m* 1 bok; 2 (*pop*) bedrogen echtgenoot; 3 klootzak; **cabronada** rotstreek

caca kak, poep

cacahuete *m* pinda; *pasta de ~s* pindakaas

cacao 1 cacao; 2 cacaoboon; 3 cacaoboom

cacarear kakelen, kraaien; **cacareo** gekakel

cacatúa kaketoe

cacereño uit Cáceres

cacería jachtpartij

cacerola pan, braadpan

cachalote *m* potvis

cacharrería (*eenvoudige*) potten- en pannen-

winkel; **cacharro** 1 ruw gemaakte pot, stuk aardewerk; *~s: a)* vaatwerk, potten en pannen; *b)* (*fam*) scherven; 2 ding, onding; 3 vehikel, rammelkast
1 cachaza flegma, onverstoorbaarheid
2 cachaza soort brandewijn (*van suikerriet*)
cachazudo onverstoorbaar
caché *m* cachet
cachear fouilleren
cachemir *m* kasjmier; **cachemira** kasjmier
cacheo fouillering
cachete *m* 1 slag op hoofd of in gezicht; 2 bolle wang; **cachetina** vechtpartij
cachifollar (*fam*) 1 verknoeien, bederven; 2 in zijn hemd zetten
cachimba pijp
cachipolla eendagsvlieg
cachiporra knuppel
cachivaches *mmv* snuisterijen, prullaria
cacho 1 stuk, homp; 2 bakbeest
cachondearse (*fam*) spotten; **cachondeo** spot, grappenmakerij; **cachondez** *v* loopsheid; **cachondo** (*fam*) 1 (*mbt hond*) loops; 2 geil, sexy; 3 grappig
cachorro jong dier, jong, pup, welp
cacica 1 vrouw vd cacique; 2 vrouwelijke cacique; **cacique** *m* 1 stamhoofd (*bij indianen*); 2 plaatselijk potentaat, machtige man, dorpstiran; **caciquismo** aanwezigheid van een cacique; tirannie (*in een dorp*)
caco (*fam*) dief
cacofonía kakofonie
cacto, cactus *m* cactus
cacumen *m* (*fam*) scherpzinnigheid, koppie
cada *bn, onv* elk, ieder; *~ uno, ~ una zelfst* elk, ieder; *¿~ cuánto?* om de hoeveel tijd?; *~ día* dagelijks; *~ dos días* om de dag; *~ dos por tres* ieder moment; *~ quisque* (*fam*) jan en alleman; *~ vez* telkens; *~ vez más* steeds meer; *¡conoce ~ sitio...!* hij kent de gekste plekjes!; *dice ~ cosa* hij zegt de gekste dingen, hij flapt er alles uit
cadalso schavot
cadáver *m* lijk, kadaver; **cadavérico** 1 van een lijk; 2 lijkbleek
cadena 1 ketting, keten, reeks; *~ alimenticia* voedselketen; *~ antideslizante* sneeuwketting; *~ de la buena suerte* kettingbrief; *~ de montañas* bergketen; *~ perpetua* (*mbt straf*) levenslang; *~ de rodillos* fietsketting; *punto ~* kettingsteek; *tirar (de) la ~* (*wc*) doortrekken; *trabajo en ~* werk aan de lopende band; 2 (*tv*) net
cadencia cadans
cadeneta kettingsteek
cadera heup
cadete *m* cadet
caducar verlopen, vervallen; **caducidad** *v* 1 bouwvalligheid; 2 ongeldigheid; *fecha de ~* vervaldag, uiterste verkoopdatum; **caduco** 1 afgeleefd, versleten, aftands; 2 vergankelijk
caer 1 vallen; *~ muy bajo* diep zinken; *dejar ~: a)* (*lett*) laten vallen; *b)* (*een opmerking*) laten vallen, loslaten; *dejarse ~: a)* zich laten vallen; *b)* even langs wippen; *¿en qué día cae?* op wat voor dag valt het?; 2 vallen, sneuvelen; *~ por la patria* sneuvelen voor het vaderland; 3 begrijpen, snappen; *ahora caigo* nu snap ik het; *~ en la cuenta* begrijpen; 4 (*aardr*) liggen; *¿dónde cae ese pueblo?* waar ligt dat dorp?; 5 (*mbt kleren*) passen, staan, zitten; 6 dalen; *cae el día* de avond valt; *cae el sol* de zon daalt; 7 ten deel vallen; *le ha caído el premio* hem is de prijs ten deel gevallen; 8 *~ en* vervallen in; *~ en un error* zich vergissen; *~ en pecado* in zonde vervallen; 9 *no ~ en u.c.* zich iets niet kunnen herinneren, ergens niet opkomen || *~ bien: a)* (*mbt persoon*) een goede indruk maken; *b)* (*mbt voorstel, voedsel*) goed vallen; *~ enfermo* ziek worden; *~ mal: a)* (*mbt persoon*) een onsympatieke indruk maken; *b)* (*mbt voorstel, voedsel*) slecht vallen; *estar al ~* op handen zijn; *estar a lo que caiga* van de hand in de tand leven, geen vaste baan hebben; **caerse** vallen; *~ de tonto* oerdom zijn; *se me cayó el vaso* ik liet het glas (*per ongeluk*) vallen
café *m* 1 koffie; *~ (bien) cargado* sterke koffie; *~ cortado* kop koffie met klein scheutje melk; *~ flojo* slappe koffie; *~ fuerte* sterke koffie; *~ instantáneo* oploskoffie, poederkoffie; *~ negro, ~ solo* zwarte koffie; *~ soluble* oploskoffie; 2 koffiestruik; 3 café || *tener mal ~* uit zijn humeur zijn; **cafecultor** *m* koffieplanter; **cafeína** cafeïne; **cafelicor** *m* koffie met ijs en likeur; **cafetal** *m* koffieplantage; **cafetera** 1 koffiepot; 2 *~ (automática)* koffiezetapparaat, koffieautomaat; *~ exprés* espresso-apparaat; *~ rusa* onding, sta-in-de-weg; **cafetería** cafetaria, lunchroom; **cafetero, -a** I *bn* vd koffie; II *zn* koffieleut; **cafeto** koffiestruik; **cafetucho** 1 vieze koffie; 2 smerig cafeetje
cáfila (*fam*) stoet, rij
cafre *m* 1 kaffer; 2 (*fig*) kaffer, stomkop, bruut
cagada (*pop*) 1 poep; 2 stommiteit; **cagalera** diarree, schijterij; **cagar** 1 kakken, poepen, schijten; 2 verpesten; **cagarse** schijten; *~ en* schijt hebben aan; **cagarruta** keutel; **cagón, -ona** I *bn* schijterig, laf; II *zn* schijtlaars; **cagueta** *m,v; zie cagón*
caída val; *~ del cabello* haaruitval; **caído** hangend, afzakkend; *zie ook caer*; **caigo** *zie caer*
caimán *m* 1 kaaiman, krokodil; 2 sluw persoon
Caín 1 Kaïn; 2 *m* slecht mens; *pasar las de ~* het zwaar te verduren hebben; *venir con las de ~* met kwade bedoelingen komen
caja 1 doos, kist, trommel; *~ acústica* (luidspreker)box; *~ de alquiler* safe; *~ de cambios* versnellingsbak; *~ de caudales* brandkast, kluis; *~ de construcciones* blokkendoos, bouwdoos; *~ de enchufe* stekkerdoos; *~ fuerte* kluis; *~ del interruptor* schakelkast; *~ luminosa* lichtbak; *~ de música* speeldoos; *~ de pinturas* kleurdoos; *~ de seguridad* safe; *~ de tres bocas* (*elektr*) driewegdoos; *~ torácica* borst-

kas; ~ *de velocidades* versnellingsbak; 2 kas, geldla; ~ (*registradora*) kassa; ~ *de ahorros* spaarbank; ~ *de enfermedad*, ~ *de seguro de enfermedad* (*vglbaar*) ziekenfonds; ~*s oficiales* officiële kasinstellingen; *llevar la* ~ de kas houden; 3 bak (*van vrachtwagen*), laadbak; 4 (*techn*) huis (*van pomp*); ~ *de la escalera* trappenhuis; ~ *de polea* katrolblok; 5 kast (*van piano, klok*); ~ *de resonancia* klankkast; 6 lade (*van geweer*); 7 schacht (*van lift*); 8 doodkist || *echar con* ~*s destempladas* eruit smijten; **cajera** caissière; **cajero** kassier; ~ *automático* geld(uitgifte)automaat, giromaat; (*Belg*) postomat; **cajetilla** doosje; **cajista** *m* letterzetter; **cajón** *m* 1 lade; 2 krat; 3 caisson || ~ *de sastre* rommel, rotzooi; *es de* ~ nogal wiedes, dat hoort erbij; *una frase de* ~ een geijkte frase; **cajuela** kistje, kastje

cake *m* (vruchten)cake

cal *v* kalk; ~ *viva* ongebluste kalk; *a* ~ *y canto* hermetisch, volledig; *cerrado a* ~ *y canto* potdicht; *dar una de* ~ *y otra de arena* schipperen; *de* ~ *y canto* (*mbt bouwwerk*): *a*) gemetseld; *b*) heel stevig

1 cala kreek

2 cala peiling

3 cala aronskelk

calabaza 1 kalebas, pompoen; 2 *m* uilskuiken || *dar* ~*s*: *a*) laten zakken (*op examen*); *b*) een blauwtje laten lopen, de bons geven

calabozo kerker

1 calado *zn* diepgang

2 calado *zn* ajourwerk

3 calado *bn* doornat; ~ *hasta los huesos* tot op zijn hemd toe nat; *zie ook calar*

calafatear (op)kalefateren

calamar *m* (*vaak mv*) inktvis

calambre *m* kramp

calamidad *v* 1 ramp, onheil; 2 (*fig*) ramp, stakker, waardeloze figuur; *hecho una* ~ uitgeput, niet om aan te zien

calamina golfplaat (*van zink*)

calamitoso rampzalig, jammerlijk

calaña allooi; *de mala* ~ van laag allooi

calar I *tr* 1 doorweken, door'dringen; 2 door'boren, peilen; 3 (*bril, hoed*) opzetten; *se caló las gafas* hij zette zijn bril op; 4 borduren in ajourtechniek; 5 doorhebben, doorgronden, begrijpen; II *intr* diepgang hebben; ~ *hondo* grote diepgang hebben; **calarse** 1 (*mbt persoon*) doorweekt raken; 2 (*mbt jas*) doorregenen; 3 (*mbt motor*) afslaan

calavera 1 doodshoofd; 2 *m* losbol; **calaverada** dwaasheid

calcar 1 overtrekken; doordrukken; 2 naäpen

calcáreo kalkhoudend

calce *m* 1 velg; 2 wig, blokje (*onder poot van meubel, achter wiel*)

calceta gebreide kous; **calcetín** *m* sok

calcificarse verkalken

calcinar 1 verschroeien, verzengen, blakeren; *la tierra calcinada* de verschroeide aarde; 2 calcineren; **calcio** kalk

calco 1 kopie (*door overtrekken of doordrukken*); 2 carbonpapier; 3 imitatie; **calcomanía** overdrukplaatje, calqueerplaatje

calculable berekenbaar; **calculador, -ora** I *bn* 1 die rekent; 2 berekenend; II *m,v* rekenmachine; **calcular** I *tr* 1 berekenen, becijferen, uitrekenen; 2 ramen, begroten; 3 zich indenken; II *intr* rekenen, sommen maken; ~ *mal* zich verrekenen; **calculista** *m* calculator

1 cálculo 1 (het) rekenen; berekening, calculatie; ~ *aproximado* schatting; ~ *escrito* cijferen; ~ *mental* hoofdrekenen; ~ *mercantil* handelsrekenen; ~ *numérico* cijferen; ~ *de probabilidades* kansrekening; *errar el* ~ zich misrekenen; *error de* ~ misrekening, rekenfout; 2 raming, schatting

2 cálculo (*med*) steen; ~ *biliar* galsteen; ~ *renal* niersteen

caldas *vmv* thermale baden; **caldear** 1 verhitten; 2 (*fig*) warm maken, animeren; **caldeo** (het) verhitten; **caldera** ketel; ~ *de calefacción* verwarmingsketel; ~ *de vapor* stoomketel; *las* ~*s de Pero Botero* de hel; **calderero** ketellapper, koperslager; **calderilla** kleine muntjes, kleingeld

calderón *m* (*muz*) fermate

calderoniano kenmerkend voor Calderón de la Barca, van Calderón de la Barca

caldo bouillon; ~ *de cultivo* kweekvloeistof, voedingsbodem; ~ *de gallina* kippebouillon; *después de muerto le dieron* ~ als het kalf verdronken is, dempt men de put; *es más caro el* ~ *que los caracoles* het sop is de kool niet waard; *hacerle el* ~ *gordo a u.p.* iem begunstigen, vleien

calé I *bn* vd zigeuners; II *m,v* zigeuner

calefacción *v* verwarming; ~ *central* centrale verwarming; *tener encendida la* ~, *tener puesta la* ~ de verwarming aan hebben

caleidoscópico *zie calidoscópico*

calendario kalender

calendas: *por las* ~ *griegas* met sint-juttemis

calentador, -ora I *bn* verwarmend; *elemento* ~ verwarmingselement; II *m* 1 verwarmer; ~ *de agua* fluitketel; 2 beddepan, kruik; 3 geiser, boiler; **calentamiento** verhitting, verwarming; (*sp*) warming-up; **calentar ie** 1 verhitten, verwarmen; koesteren; 2 (*fig*) opwekken; 3 slaan; **calentarse ie** 1 warm worden; 2 opgewonden raken; 3 zin krijgen; **calentura** koorts; ~ *de pollo* kippekoorts, voorgewende ziekte, schoolziekte; **calenturiento** 1 koortsig, met verhoging; 2 opgewonden

calera 1 kalksteengroeve; 2 kalkoven

calesa calèche, soort rijtuig

caleta kreek

caletre *m* talent, goed verstand

calibrar 1 het kaliber meten; 2 ijken; **calibre** *m* kaliber

calicanto metselwerk

calidad *v* kwaliteit, hoedanigheid; ~ *medicinal* geneeskracht; *en* ~ *de* in de kwaliteit van, als;

en esa ~ als zodanig; *voto de* ~ beslissende stem
cálido 1 warm; *un clima* ~ een warm klimaat; 2 hartelijk, warm
calidoscópico caleidoscopisch
calientapiernas *m* beenwarmer; **calientapiés** *m* stoof; **calientaplatos** *m* bordenwarmer
caliente 1 warm; *en* ~ meteen; *las cosas en* ~ je moet het ijzer smeden als het heet is; *muy* ~ heet; 2 vurig; ~ *de cascos* heetgebakerd
califa *m* kalief; **califato** kalifaat
calificable (*de*) wat kan worden gekwalificeerd (als), te kwalificeren (als); **calificación** *v* **1** kwalificatie, beoordeling; 2 cijfer; 3 klassement || *sin* ~ ongeschoold; **calificado 1** belangrijk, vooraanstaand; 2 bevoegd, gediplomeerd; 3 geschoold; *no* ~ ongeschoold; *poco* ~ laaggeschoold; **calificar 1** ~ *de* kwalificeren als, noemen, bestempelen als; uitschelden voor; ~ *a u.p. de mentiroso* iem een leugenaar noemen; 2 beoordelen; cijfers geven voor, corrigeren; ~ *a un alumno* een leerling beoordelen, een leerling een cijfer geven
caliginoso wazig, dof
caligrafía calligrafie, schoonschrift
calima *zie calina*; **calimoso** *zie calinoso*
calina nevel; (*soms*) smog; **calinoso** heiig
cáliz *m* kelk
caliza kalksteen; **calizo** kalkhoudend
callada: *de* ~ stilletjes, in het geheim; *dar la* ~ *por respuesta* geen antwoord geven; **callado** stil, zwijgzaam; *estar* ~ zwijgen; **callar I** *intr* zwijgen; **II** *tr* verzwijgen; **callarse 1** zijn mond houden, niets (meer) zeggen; *cállate* hou je mond; 2 verzwijgen, niet verklappen
calle *v* straat; ~ *comercial* winkelstraat; ~ *sin salida* doodlopende straat; ~ *transversal* dwarsstraat, zijstraat; *dejar en la* ~, *echar a la* ~ op straat zetten, ontslaan; *echar por la* ~ *de en medio* zonder consideratie optreden, vastberaden te werk gaan; *echarse a la* ~ de straat opgaan, in opstand komen; *estar en la* ~ op straat staan; *el hombre de la* ~ de gewone man; *llevar por la* ~ *de la amargura* het leven zuur maken, veel zorg geven; *poner en la* ~ ontslaan; *por la* ~ *de después se va a la casa de nunca* van uitstel komt afstel; *quedarse en la* ~ op straat staan, geen cent bezitten; **callejear** (rond)slenteren, op straat rondhangen; **callejeo** geslenter; **callejero I** *bn* **1** vd straat, straat-; *venta -a* straatverkoop, (het) venten; 2 die graag op straat slentert; **II** *zn* stratengids; **callejón** *m* steeg; ~ *sin salida* doodlopende steeg, slop, impasse, (*Belg*) beluik; **callejuela** straatje
callicida *m* likdoorntinctuur; **callista** *m,v* pedicure; **callo 1** eelt, eksteroog, likdoorn; 2 ~*s* gerecht van pens; **callosidad** *v* eeltplek, eeltachtigheid; **calloso** eeltachtig, vereelt
calma 1 kalmte, rust; ~ *chicha* volslagen windstilte (*op zee*); *mar en* ~ kalme zee; *perder la* ~ uit zijn slof schieten, zijn kalmte verliezen; *tomar u.c. con* ~ het kalm aan doen, niet overhaasten; 2 koelbloedigheid; **calmante I** *bn* kalmerend; **II** *m* kalmerend middel, pijnstiller; **calmar** kalmeren, bedaren, sussen; ~ *el dolor* de pijn verdoven; ~ *la sed* de dorst lessen; **calmarse** bedaren, kalmeren, rustig worden; **calmoso** kalm, rustig, bedaard
caló *m* zigeunertaal
calor *m* warmte; ~ *corporal* lichaamswarmte; ~ *radiante* stralingswarmte; *con este* ~ met deze hitte; *despedir* ~ warmte verspreiden; *en el* ~ *del juego* in het vuur van het spel; *entrar en* ~ warm worden, bijkomen, op temperatuur komen; *guardar el* ~ de warmte vasthouden; *hace* ~ het is warm; *hace un* ~ *sofocante* het is smoorheet; *tener* ~ het warm hebben;
caloría calorie; *bajo en* ~*s* caloriearm; **calórico** calorisch; **calorífico** warmtegevend; *potencia -a* verbrandingswaarde; **calorífugo** hittebestendig; **calorímetro** warmtemeter
calostro biest, eerste zog
calumnia laster; ~*s* lasterpraatjes; **calumniador, -ora I** *bn* lasterend; **II** *zn* lasteraar(ster), kwaadspreker, -spreekster; **calumniar** belasteren, lasteren; **calumnioso** belasterend, lasterlijk; *campaña -a* lastercampagne
caluroso 1 warm, heet; 2 warm, hartelijk; *una -a bienvenida* een hartelijk welkom
calva kale plek
calvario lijdensweg
calvicie *v* kaalheid
calvinismo calvinisme; **calvinista I** *bn* calvinistisch, (*vglbaar*) gereformeerd; **II** *m,v* calvinist(e)
calvo kaal
calza 1 steunblok, wig (*onder poot van meubel, achter wiel*); 2 (*fam*) kous; 3 ~*s* (*vroeger*) onderbroek
calzada rijweg, weg, middenweg
calzado I *bn* **1** geschoeid; 2 vastgezet (*met blokje of wig*); **II** *zn* schoeisel; **calzador** *m* schoenlepel; **calzar 1** (*schoenen*) aantrekken; *¿qué número calza?* wat is uw (schoen)maat?; 2 (*handschoenen*) aanhebben, (*bril*) ophebben; 3 banden leggen om (*wiel*) || *saber lo que calza* er alles van weten, (*iets*) doorhebben; **calzarse 1** aantrekken; 2 (*fam*) overtreffen, beheersen; **calzo** steunblok, wig (*op helling, achter wiel*)
calzón *m* **1** (*vroeger*) broek tot over de knie; *a* ~ *quitado* zonder een blad voor de mond te nemen; 2 *-ones mmv* lange onderbroek; 3 *-ones m* held op sokken; **calzonazos** *m* held op sokken; **calzoncillos** *mmv* (heren)onderbroek
cama bed; ~ *abatible* opklapbed; ~*-armario* bedstede; ~ *elástica* trampoline; ~ *empotrada* bedstede; ~*s gemelas* lits-jumeaux; ~ *de lona* stretcher; ~ *de matrimonio* tweepersoonsbed; ~ *con posiciones* verstelbare stretcher; *caer en* ~ ziek worden; *guardar* ~ het bed houden; *hacer la* ~ het bed opmaken; *levantar la* ~ het bed afhalen

camada 1 worp (*jonge dieren*); 2 bende
camafeo camee
camaleón *m* kameleon
camándulas: *tener muchas ~* sluw zijn, rare streken uithalen
cámara 1 (*hist*) kamer; *~ acorazada* kluis, safe; *~ de calderas* ketelhuis; *~ frigorífica* koelcel; *~ de gas* gaskamer; *~ de horrores* gruwelkamer; *~ sepulcral* grafkamer; *~ del terror* spookhuis; 2 *~* (*fotográfica*) camera, fototoestel; *~ cinematográfica* filmcamera; *~ de espejo* (*reflector*) spiegelreflexcamera; *~ lenta* slow motion; *~ de vídeo* videocamera; 3 *m* cameraman; 4 binnenband; **Cámara** Kamer; *~ de Comercio* Kamer van Koophandel; *~ de los Comunes* Lagerhuis; *~ de los Lores* Hogerhuis
camarada *m,v* kameraad; **camaradería** kameraadschap
camarera 1 serveerster, barjuffrouw; 2 kamermeisje; **camarero** 1 kelner, ober; 2 steward
camarilla camarilla, (hof)kliek
camarín *m* kleedkamer
camarón *m* garnaal
camarote *m* hut (*op schip*)
camastro 1 veldbed; 2 slecht bed
cambalache *m* gesjacher; **cambalachear** sjacheren
cambiadiscos *m* platenwisselaar; **cambiadizo** veranderlijk; **cambiador** *m*: *~ de calor* warmtewisselaar; **cambiante** veranderend; **cambiar** I *tr* 1 ruilen, inruilen; omwisselen, uitwisselen, (*geld*) wisselen; *~ de tiesto* verpotten; *~ por* (in)ruilen voor, omruilen tegen, verwisselen voor; 2 veranderen; (*kleren*) vermaken; 3 (*een kind*) verschonen; II *intr* 1 veranderen; *~ de casa* verhuizen; *~ de dirección* afslaan, een andere weg inslaan; *~ de domicilio* verhuizen; *~ de ideas* van gedachten wisselen; *~ al gas* op gas overschakelen; *~ de manos* in andere handen overgaan; *~ de marcha* (in andere versnelling) schakelen; *~ de opinión*, *~ de parecer* omdraaien, omzwaaien; *~ de postura* een andere houding aannemen; *~ de sitio* verzetten; *~ de táctica* het over een andere boeg gooien; *~ de tren* overstappen; *~ de vida* zijn leven beteren; 2 schakelen (*in auto*); **cambiarse** 1 zich verkleden; 2 *~ en* veranderen in; **cambiazo** plotselinge of grote verandering, ommekeer; *dar un ~* omslaan; **cambio** 1 verandering, ommekeer; *~ de domicilio* adreswijziging; 2 ruil; *~ de aceite* (het) olie verversen; *~ de ideas* gedachtenwisseling; *a ~ de* in ruil voor; *en ~*: *a*) daarentegen; *b*) als tegenprestatie; *libre ~* vrijhandel; 3 *~* (*de marcha*) schakeling; 4 (*hdl*) koers; *~ de compra* aankoopkoers, biedkoers; *~ del día* dagkoers; *~ flotante* zwevende koers; *~ de venta* verkoopkoers, laatkoers, (*Belg*) papierkoers; 5 kleingeld, pasmunt; *¿no tiene ~?* hebt u het niet gepast? || *~ y fuera* over en sluiten; *a las primeras de ~* meteen; **cambista** *m,v* iem die geld wisselt
camelar vleien, lijmen; bedriegen (*met mooie praatjes*)
camelia camelia
camelista *m,v* praatjesmaker, -maakster, fantast(e)
camellear dealen (*handelen in drugs*); **camellero** kameeldrijver; **camello** 1 kameel; 2 kameelhaar; 3 (*drugs*) (kleine) dealer
cameraman *m, mv cameramen* cameraman
camerino kleedkamer (*in theater*)
camilla 1 brancard, draagbaar; 2 (*mesa*) *~* ronde tafel met afhangend kleed en onderop een soort stoof; **camillero** ziekendrager
caminante I *bn* lopend, trekkend; II *m,v* trekker, trekster; reizig(st)er (*te voet*); **caminar** wandelen, trekken; lopen; **caminata** flinke wandeling, wandeltocht; **caminero** vd weg; *peón ~* wegwerker; **camino** weg, route, pad; *~s, canales y puertos* (*vglbaar*) weg- en waterbouw; *~ de* op weg naar; *~ forestal* bosweg; *~ de herradura* ruiterpad; *~ de huida* vluchtweg; *~ de ida* heenweg; *~ de peatones* voetpad; *~ trillado* sleur, platgetreden pad; *~ vecinal* landweg; *~ de vuelta* terugweg; *a medio ~* halverwege; *abrirse ~* zich een weg banen, vooruitkomen (*in het leven*); *de ~*: *a*) reis-; *ropa de ~* reiskleding; *b*) onderweg; *estar de ~* onderweg zijn; *c*) op iems weg; *me viene de ~* het ligt op mijn route; *en ~ de* op weg om; *errar el ~* verdwalen; *ir por buen ~* op de goede weg zijn; *llevar ~ de* (hard) op weg zijn om; *llevar mal ~* niet op de goede weg zijn, het verkeerd aanpakken; *perder el ~* verdwalen; *ponerse en ~* zich op weg begeven; *salir al ~* tegemoet gaan, onderscheppen; *ser un ~ de rosas* over rozen gaan
camión *m* 1 vrachtauto; *~ de la basura* vuilniswagen; *~ cisterna* tankwagen; *~ frigorífico* koelwagen; *~ de mudanzas* verhuiswagen; 2 (*Am*) bus; **camionada** vracht; **camionero** vrachtrijder; **camioneta** bestelauto
camisa 1 overhemd; *~ azul m* falangist; *~ de dormir* nachthemd; *~ de fuerza* dwangbuis; *~ negra m* Italiaanse fascist; *~ parda m* nazi; *~ polo* poloshirt; *~ vieja m* falangist vh eerste uur; *cambiar de ~* van politieke kleur veranderen, omzwaaien; *dejar sin ~* ruïneren; *meterse en ~ de once varas* zich in een moeilijk parket brengen; *no le llega la ~ al cuerpo* hij is doodsbang; 2 (*techn*) binnenbekleding, voering; 3 kaft (*van boek*); **camiseta** hemd, T-shirt; **camisola** 1 babydoll; 2 (sport)shirt; 3 (*vroeger*) elegant overhemd; **camisón** *m* 1 nachthemd; 2 groot hemd
camomilla kamille
camorra ruzie; **camorrista** *m,v* ruziezoek(st)er
camote *m* (*Am*) zoete aardappel; bol, knol
campamento (tenten)kamp; *~ de entrenamiento* opleidingskamp
campana 1 (luid)klok; *~ fúnebre* doodsklok; *echar las ~s al vuelo* veel ophef maken, jubelen; *oír ~s y no saber dónde* de klok horen luiden maar niet weten waar de klepel hangt; 2 klokvormig voorwerp; *~ de la chimenea*

schouw; ~ *extractora*, ~ *de humos* afzuigkap, wasemkap; 3 klokvormige bloem, klokje; 4 stolp; ~ *de buzo* duikerklok; ~ *de cristal* glazen stolp; ~ *neumática* luchtledige bol; **campanada** slag (*van klok*); ~*s* klokgelui; **campanario** klokketoren || *de* ~ beperkt, bekrompen; **campaneo** 1 gebeier; 2 (het) heupwiegen; **campanilla** 1 klokje, schel; 2 huig; 3 ~ *de las nieves* sneeuwklokje || *de (muchas)* ~*s* gewichtig, beroemd, invloedrijk; **campanillear** rinkelen, bellen

campante 1 voldaan, vrolijk, trots; 2 kalm, zonder zich op te winden

campanudo 1 klokvormig; 2 bombastisch, hoogdravend

campánula (*plantk*) klokje

campaña 1 campagne; ~ *calumniosa*, ~ *difamatoria* lastercampagne; ~ *electoral* verkiezingscampagne; ~ *de ocupaciones* kraakactie; ~ *de prensa* perscampagne; ~ *publicitaria* advertentiecampagne, reclamecampagne; *hacer una* ~ *contra* ageren tegen; 2 veldtocht; *emprender una* ~ te velde trekken

campañol *m* woelmuis

campar kamperen || ~ *por sus respetos* onafhankelijk optreden, zijn eigen weg kiezen

campear prijken, opvallen

1 campechano rondborstig, ongedwongen

2 campechano uit Campeche (*Mexico*)

campeón, -ona kampioen(e); voorvecht(st)er; ~ *de ajedrez* schaakmeester; ~ *mundial* wereldkampioen; **campeonato** kampioenschap; *de* ~ fantastisch, eerste klas

campero I *bn* plaatsvindend op het land; landelijk; II *zn* jeep, terreinwagen; **campesina** boerenvrouw, vrouw vh platteland; **campesinado** de boeren, boerenstand; **campesino** I *bn* op het platteland, landelijk, boeren-; II *zn* (kleine) boer, plattelander; **campestre** *zie campesino I*; **camping** *m* camping, kampeerterrein; *hacer* ~ kamperen; **campiña** open veld, vrije natuur, (groen) landschap; **campista** *m,v* kampeerder, kampeerster; **campo** 1 platteland; ~ *través* cross-country; *a* ~ *raso* onder de blote hemel; *a* ~ *traviesa* dwars door het veld; *en el* ~ buiten (de stad), op het land; 2 veld, akker; (*sp*) baan, veld; (*comp*) veld; ~ *de batalla* slagveld; ~ *de deportes* sportterrein; ~ *de fútbol* voetbalveld; ~ *de golf* golfbaan; ~ *de maniobras* oefenterrein; ~ *petrolífero* olieveld; ~ *de tenis* tennisbaan; ~ *de tiro* (*al blanco*) schietterrein; ~ *de tulipanes* bollenveld; ~ *visual* blikveld; 3 (*fig*) terrein, gebied; ~ *de actividad* arbeidsterrein; ~ *de trabajo* werkterrein; *en el* ~ *de* op het gebied van; 4 kamp; ~ *de concentración* concentratiekamp; ~ *de refugiados* vluchtelingenkamp; *levantar el* ~ opbreken; **camposanto** kerkhof; **campus** *m* campus

camuflaje *m* camouflage; **camuflar** camoufleren, afschermen

can *m* (*lit*) hond

cana witte haar; ~*s* wit haar, grijs haar; *echar una* ~ *al aire* de bloemetjes buiten zetten; *peinar* ~*s* oud zijn

Canadá: (*el*) ~ Canada; **canadiense** uit Canada

canal *m* 1 kanaal, gracht, (*Belg*) rei; ~ *de desagüe* uitwateringskanaal; ~ *de drenaje* afwateringskanaal; ~ *de humo* rookkanaal; 2 ~ (*de navegación*) vaargeul; 3 sleuf; 4 (*tv*) kanaal; 5 *m,v* (dak)goot || *abrir en* ~ van onder tot boven opensnijden; **canaladura** cannelure; **canalización** *v* kanalisatie; **canalizar** 1 kanalen aanleggen; 2 kanaliseren (*ook fig*); in banen leiden

canalla 1 rapaille, tuig; 2 *m* schoft, smeerlap, ploert; **canallada** gemene streek, rotstreek; **canallesco** schofterig

canalón *m* dakgoot

canana patroongordel

canapé *m* 1 canapé; 2 belegd toastje

Canarias: *las* (*Islas*) ~ de Canarische Eilanden

1 canario 1 kanarie; 2 (*amarillo*) ~ kanariegeel

2 canario vd Canarische Eilanden, Canarisch

canasta 1 grote mand, korf; 2 bep kaartspel; 3 doelpunt (*bij basketbal*); **canastero, -a** mandenmaker, -maakster, -verkoper, -verkoopster; **canastilla** 1 mandje (*bv naaimandje*); 2 babyuitzet; **canastillo** 1 laag mandje; 2 rond bloemperk; **canasto** hoge cilindervormige mand

cáncamo schroefoog

cancel *m* tochtportaal; **cancela** smeedijzeren toegangshek; **cancelación** *v* 1 (af)betaling, afdoening; 2 opheffing, annulering; **cancelar** 1 annuleren, afzeggen, opheffen, schrappen; 2 (*een schuld*) betalen, afdoen; 3 (*een biljet*) afstempelen; (*kaartje*) knippen

cáncer *m* kanker; ~ *cutáneo* huidkanker; ~ *de mama*, ~ *de pecho* borstkanker; ~ *del pulmón* longkanker; **Cáncer** (*astrol*) Kreeft; **cancerar** 1 kanker veroorzaken; 2 verzieken, (moreel) aantasten; **cancerarse** 1 kanker krijgen; 2 kankerachtig worden; 3 verzieken, bederven, verloederen

cancerbero 1 Cerberus; 2 potige portier, uitsmijter

cancerígeno kankerverwekkend; **canceroso** 1 kanker-; 2 lijdend aan kanker

cancha 1 (*vnl Am*) voetbalveld; 2 (ski)piste; 3 baan (*voor tennis, Baskisch pelota*)

canciller *m* 1 kanselier; 2 (*in Am soms*) minister van buitenlandse zaken; **cancillería** 1 kanselarij; 2 (*in Am soms*) ministerie van buitenlandse zaken

canción *v* lied, liedje; ~ *de cuna* wiegelied; ~ *de moda* schlager; ~ *de protesta* protestsong; ~ *popular* volksliedje || *llevar en -ones a u.p.* iem aan het lijntje houden

candado hangslot

cande: *azúcar* ~ *m* kandij

candeal: *pan* ~ *m* wittebrood

candela 1 kaars; 2 (*Am*) vuur || *dar* ~ slaag ge-

ven; **candelabro** kandelaber; **candelaria** Maria Lichtmis (*2 februari*); **candelero** kandelaar; *en el ~* op een hoge post, in het centrum vd belangstelling
candente (rood)gloeiend; (*fig*) brandend
candidato, **-a** kandidaat, kandidate, gegadigde, aspirant(e); sollicitant(e); *presentarse como ~* zich verkiesbaar stellen; **candidatura** kandidatuur, kandidaatstelling; *presentar su ~ para* zich kandidaat stellen voor
candidez *v* naïviteit; **cándido** naïef, argeloos, onbevangen; **Cándido** jongensnaam
candil *m* olielamp; *buscar con ~* met een kaarsje zoeken; *ni buscado con ~* mooier kan het niet; **candilejas** *vmv* voetlicht
candombe *m* (*Am*) 1 Zuidamerikaanse negerdans; 2 soort negertrom
candor *m* argeloosheid
canela kaneel; *ser ~* fantastisch (goed) zijn
canelones *mmv* canneloni, dikke gevulde macaroni
canesú *m* lijfje zonder mouwen
cangilón *m* bak vh scheprad
cangreja gaffelzeil; **cangrejo** 1 rivierkreeft; *como un ~* knalrood; 2 krab; 3 gaffel
canguelo (*pop*) bangheid; *tener ~* in de rats zitten
canguro 1 kangoeroe; 2 babyoppas, kinderoppas; *hacer de ~* oppassen (*op kinderen*)
caníbal *m* 1 kannibaal, menseneter; 2 (*fig*) woesteling, wreedaard; **canibalismo** kannibalisme
canica knikker; *jugar a las ~s* knikkeren
caniche *m*: (*perro*) *~* poedel
canicie *v* (het hebben van) grijze haren
canícula hondsdagen; **canicular** vd hondsdagen, zeer heet
canijo armetierig
canilla 1 scheen, scheenbeen; 2 pijpbeen; 3 spoel (*in naaimachine*)
canino van honden, honde-; *diente ~* hoektand; *hambre -a* honger als een paard; *raza -a* honderas
canje *m* ruil, uitwisseling; **canjeable** inwisselbaar, te ruilen; **canjear** (*por*) ruilen (voor), uitwisselen (tegen)
cano (*mbt haar, mbt persoon*) grijs, wit
canoa kano; *ir en ~* kanovaren
canódromo (wind)hondenrenbaan
canoísta *m,v* kanovaarder, -vaarster
canon *m* 1 regel, canon; 2 (erfpachts)canon; *cánones* (*soms*) vastrecht; 3 (*muz*) canon; **canónico** 1 kanoniek; 2 (*mbt huwelijk*) kerkelijk; **canóniga** slaapje voor het eten; **canónigo** kanunnik; *vida de ~* heerlijk leventje; **canonizar** heilig verklaren
canoro: *ave -a*, *pájaro ~* zangvogel
canoso met grijs of wit haar, grijs, wit
canotier *m* platte strohoed
cansado 1 moe, vermoeid; *~ de esperar* het wachten moe; *~ de la vida* levensmoe; *estar ~* moe zijn; *estar ~ de ver u.c.* ergens op uitgekeken zijn; *haber nacido ~* liever lui dan moe zijn; 2 vermoeiend; *ser ~* vermoeiend zijn;
cansancio 1 vermoeidheid; *muerto de ~* doodmoe; 2 verveling; *hasta el ~* uitentreuren, tot vervelens toe; **cansar** 1 vermoeien, vermoeiend zijn; *eso cansa mucho* dat is erg vermoeiend; 2 vervelen; **cansarse** 1 moe worden; 2 *~ de u.c.* iets moe worden, ergens genoeg van krijgen; **cansino** 1 vermoeiend; 2 traag
cantábrico vd Cantabrische kust, van Cantabrië
cantador, **-ora** zanger(es); **cantante** I *bn* zingend; II *m,v* zanger(es); **cantaor**, **-ora** flamencozanger(es); **cantar** I *ww* 1 zingen; (*mbt vogels*) fluiten, (*mbt haan*) kraaien; *~ misa* de mis zingen; 2 (*fam*) bekennen, doorslaan; *~ de plano* alles opbiechten; II *m* lied; *~ de gesta* ridderepos; *es otro ~* dat is een ander verhaal, dat is andere koek; **cantarse**: *~ y bailarse solo* het alleen (kunnen) opknappen; **Cantar**: *el ~ de los ~es* het Hooglied
cántara 1 melkbus; 2 (*soms*) waterkruik
cantárida Spaanse vlieg, cantharide
cántaro grote waterkruik; *llover a ~s* gieten (van de regen)
cantata cantate; **cantatriz** *v* zangeres; **cantautor**, **-ora** iem die liederen maakt en zingt;
cante *m* 1 zang; 2 lied
cantera 1 steengroeve; 2 (bron van) talent; **cantería** steenhouwerswerk; **cantero** 1 steenhouwer; 2 (*Am*) bloemperkje
cántico kerkzang
cantidad *v* 1 hoeveelheid; (*gran*) *~* (*de*) een heleboel; *en ~* bij de vleet, in grote hoeveelheden; *tengo ~* ik heb er een heleboel; 2 bedrag; *~ en menos* aftrekpost; 3 (*wisk*) grootheid
cantil *m* rots, klip (*aan de kust of onder water*)
cantilena 1 deuntje, liedje; 2 (*fig*) steeds hetzelfde liedje
cantimplora veldfles
cantina kantine; **cantinera** 1 marketentster; 2 kantinehoudster; **cantinero** kantinehouder
cantizal *m* stenig terrein
1 canto zang, gezang; *~ de cisne* zwanezang; *~ del gallo* hanegekraai; *~ litúrgico* kerkzang
2 canto 1 rand, kant; *~ de pan* kapje (brood); *de ~* op zijn kant; 2 *~* (*rodado*) kiezelsteen; *darse con un ~ en los pechos* een gat in de lucht springen
cantón *m* kanton
cantonera: *~s* hoekbeslag
cantor, **-ora** graag zingend; (*aves*) *-oras* zangvogels
cantueso soort lavendel
canturrear neuriën; **canturreo** (het) neuriën
cánula buisje, pijpje
canutas: *pasarlas ~* het zwaar hebben
canuto 1 (*plantk*) stuk riet, lid; 2 blaaspijp; 3 stickie; 4 koker
caña 1 riet; *~ de azúcar* suikerriet; 2 *~* (*de pescar*) hengel; *pescar con ~* hengelen; 3 bierglas, glas bier; 4 schacht (*van laars*); 5 *~* (*del timón*)

helmstok; **cañada** 1 smalle doorgang tussen heuvels; 2 pad voor trekkend vee; **cañaduz** *v* suikerriet; **cañamazo** stramien; **cáñamo** hennep; **cañaveral** *m* rietveld; **cañear** (glazen) bier drinken; **cañería** buizennet

cañí I *bn* (*fam*) zigeuner-, van een zigeuner; II *m,v* zigeuner(in)

cañizo rieten vlechtwerk (*bv voor daken*); **caño** (korte) buis; **cañón** *m* 1 buis; steel (*van pijp*); ~ *de chimenea* schoorsteenpijp; ~ *de órgano* orgelpijp; 2 loop (*van geweer*); 3 kanon; ~ *de agua* waterkanon; 4 canyon; 5 *-ones* baardstoppels; **cañonazo** kanonschot; **cañonear** kanonnen afvuren; **cañonero** kanonneerboot

caoba mahonie(hout); **caobo** mahonieboom

caolín *m* porseleinaarde

caos *m* chaos, warboel; **caótico** chaotisch, verward

capa 1 cape; *andar de ~ caída* achteruitgaan, aftakelen, het slecht maken; *hacer de su ~ un sayo* zijn eigen gang gaan; 2 laag; ~ *de aceite* olievlek (*op zee*); ~ *cubridora* deklaag; ~ *inferior* onderlaag; ~ *de nubes* wolkendek; *una ~ de pintura* een laag verf; ~ *social* sociale laag; ~ *superior* bovenlaag; *bajo una ~ de modestia* bescheidenheid voorwendend; *so ~ de* onder het mom van

capacidad *v* 1 inhoud, capaciteit; ~ *de acomodo* accomodatie; ~ *de carga* laadvermogen; 2 vermogen, bekwaamheid; ~ *de compra* koopkracht; ~ *de conducir* rijvaardigheid; ~ *de distinción* onderscheidingsvermogen; ~ *de encaje* incasseringsvermogen; ~ *financiera* draagkracht; ~ *idiomática* taalgevoel; ~ *persuasiva* overredingskracht; ~ *productiva* produktiecapaciteit; ~ *profesional* vakbekwaamheid; 3 (*jur*) bekwaamheid; *tener ~ para* bekwaam zijn om; **capacitación** *v* (vak)opleiding, (praktisch) onderwijs; **capacitado** geschoold; **capacitar** (*para*) 1 geschikt maken (voor), een opleiding geven (voor); 2 het recht geven (om); **capacitarse** zich bekwamen

capacho *zie capazo*

capador *m* iem die castreert; **capadura** (het) castreren; **capar** castreren

caparazón *m* 1 (*dierk*) schaal, schild (*bv van schildpad*); 2 (*fig*) schild, bescherming

capataz *m* opzichter, voorman

capaz 1 bekwaam, kundig; ~ *de defenderse* weerbaar; ~ *moralmente* toerekeningsvatbaar; *ser ~ de* in staat zijn om; 2 ~ *para* plaats biedend aan

capazo 1 biezen mand; 2 mandewiegje, reiswieg

capciosidad *v* bedrieglijkheid; addertje onder het gras; **capcioso** bedrieglijk; *pregunta -a* strikvraag

capea amateurstieregevecht; **capear** 1 (*in stieregevecht*) de cape hanteren; 2 aan het lijntje houden; 3 zo goed mogelijk doorkomen, (*gevolgen*) handig opvangen, weten te omzeilen

capellán *m* kapelaan

capelo kardinaalshoed

Caperucita: ~ *Roja* Roodkapje; **caperuza** puntmuts, kapje

capicúa (*mbt getal*) symmetrisch (*bv 34743; bij loten heet dit geluk te brengen*)

capilar 1 vh haar, haar-; *loción ~* haarlotion; 2 (*anat*) capillair; *tubos ~es* haarbuisjes || *grieta ~* haarscheurtje; **capilaridad** *v* capillariteit

capilla 1 kapel; ~ *ardiente* chapelle ardente; *estar* (*como reo*) *en ~*: *a*) ter dood veroordeeld zijn; *b*) in doodsangst zitten; 2 (*muz*) kerkorkest, kapel; 3 camarilla, (hof)kliek

capirotazo knip met vinger en duim (*tegen iems hoofd*); **capirote** *m* hoge puntmuts (*van boetelingen*) || *tonto de ~* stapelgek

capita kleine cape; ~ *de piel* bontcape

capital I *bn* vh grootste belang, belangrijk(ste), hoofd-; *crimen ~* halsmisdaad; *cuestión ~* zeer belangrijke kwestie; *pecado ~* hoofdzonde; *pena ~* doodstraf; II *zn* 1 *m* kapitaal, vermogen; ~ *circulante* bedrijfskapitaal, vlottend kapitaal, werkkapitaal; ~ *escriturado* (*vglbaar*) maatschappelijk kapitaal; ~ *de riesgo* risicodragend kapitaal, venture capital; ~ *social* (*vglbaar in Sp*) geplaatst kapitaal; 2 *v* hoofdstad (*van land of provincie*); 3 *v* hoofdletter; **capitalino** vd hoofdstad; **capitalismo** kapitalisme; **capitalista** I *bn* kapitalistisch; II *m,v* kapitalist(e); **capitalizar** 1 kapitaalwaarde toekennen aan, kapitaliseren; 2 de renten bij een kapitaal voegen; 3 munt slaan uit

capitán *m* 1 (*mil*) kapitein; 2 gezagvoerder, scheepskapitein; ~ *de puerto* havenmeester; 3 aanvoerder, leider; ~ *de industria* grootindustrieel; **capitana** 1 admiraalsschip; 2 kapiteinsvrouw; 3 aanvoerster; **capitanear** aanvoeren, aan het hoofd staan van; **capitanía** 1 functie van kapitein; 2 kantoor van kapitein; 3 havengeld

capitel *m* kapiteel

capitoné *m* (*van binnen beklede*) verhuisauto

capitoste *m* (*fam*) potentaat, baas

capitulación *v* 1 capitulatie; 2 *-ones* (*matrimoniales*) huwelijkse voorwaarden; **capitular** capituleren

capítulo 1 hoofdstuk; *en el ~ de* op het stuk van; 2 kapittel; *llamar a ~* op het matje roepen

capo (maffia)baas

capó *m* motorkap

1 capón *m* kapoen

2 capón *m* tik met knokkels tegen iems hoofd

capot *m; zie capó*; **capota** 1 kap (*vouwdak van auto*); 2 (*hist*) dameshoed met linten onder de kin; **capotar** 1 (*mbt vliegtuig*) met de neus naar beneden neerstorten; 2 (*mbt auto*) over de kop slaan; **capotazo** (*in stieregevecht*) beweging met de cape; *dar un ~* op een moeilijk moment bijspringen; **capote** *m* 1 soort cape; *para su ~* in zichzelf; 2 stierenvechterscape; *echar un ~* (*iem*) op een moeilijk moment er-

gens uit redden; **capotear** 1 (*de stier*) met de cape afleiden; 2 aan het lijntje houden; 3 (*moeilijkheden*) voorkomen, handig uit de weg gaan
capricho gril, opwelling, bevlieging; ~ *de la fortuna* speling vh lot; *a* ~ naar willekeur; *ceder a los ~s de u.p.* aan iems grillen toegeven; *imponer su* ~ zijn zin doordrijven; *por* ~ in een opwelling, voor de grap, zomaar uit nukkigheid; **caprichosidad** *v* grilligheid; **caprichoso** grillig, wispelturig, onberekenbaar, nukkig
caprino van geit(en); **Capricornio** (*astrol*) Steenbok
cápsula 1 dop, kroonkurk, capsule; ~ *espacial* ruimtecapsule; 2 (*med*) capsule; 3 (*anat*) gewrichtsband; ~ *suprarrenal* bijnier; 4 element (*van pick-up*); ~ *magnética* magnetisch element; 5 (patroon)huls
captar 1 vangen, opvangen; (*een zender*) kunnen krijgen; ~ *la atención* weten te boeien; 2 begrijpen; **captarse** zich op de hals halen; **captura** (het) vangen, gevangenneming, vangst; **capturar** vangen, gevangen nemen
capucha 1 kap, capuchon, monnikskap; 2 dop; **capuchina** (*plantk*) Oostindische kers; **capuchino** kapucijner (monnik); **capucho** *zie capucha*; **capuchón** *m* 1 kap, capuchon; 2 jas of cape met capuchon; 3 dop; dopmoer; ~ *protector* (*techn*) beschermkap
capullo 1 (bloem)knop; 2 cocon; 3 (*pop*) voorhuid
caquéctico (*iron*) heel mager, noodlijdend, min; **caquexia** ondervoeding, zwakte
caqui *m* kaki(kleur)
cara 1 gezicht; ~ *a* ~ oog in oog; ~ *abajo* op zijn buik, voorover; ~ *de circunstancias* gelegenheidsgezicht; ~ *o cruz* kruis of munt; ~ *dura: a*) brutaliteit; *b*) *m* brutaal persoon; ~ *de enfado* boos gezicht; ~ *de hereje* boeventronie; ~ *larga* (*fig*) een lang gezicht; ~ *de luna* vollemaansgezicht; ~ *de mala leche* gezicht als een donderwolk; ~ *de palo* strak gezicht; ~ *de pascuas* heel vrolijk gezicht; ~ *de pocos amigos* een nors gezicht; ~ *de vinagre* (een) zuur gezicht; *¿con qué ~?* hoe moet ik dat brengen?; *con una ~ de viva la virgen* doodleuk, alsof er niets aan de hand is, met een onschuldig gezicht; *cruzar la* ~ een slag in het gezicht geven; *dar la* ~ zich blootgeven, openlijk voor iets uitkomen; *dar la ~ por u.p.* voor iem opkomen, zijn nek uitsteken voor iem; (*de*) ~ *a* met het gezicht naar; *de dos ~s* met twee gezichten, dubbelzinnig, tweeslachtig; *echar en* ~ verwijten; *hacer ~ a* het hoofd bieden aan, zich verzetten tegen, trotseren; *no tener ~ para* zich schamen om; *se le cae la ~ de vergüenza* hij schaamt zich dood; *se le nubló la* ~ zijn gezicht betrok; *plantar ~ a* het opnemen tegen (*iem*), openlijk trotseren; *poner ~ de asco* een vies gezicht zetten; *poner mala* ~ een boos gezicht zetten; *tener ~ de sueño* er slaperig uitzien; *tener buena* ~ er goed uitzien; *tener mala* ~ er slecht uitzien; *¡nos veremos las ~s!* wij spreken elkaar nog wel!; *volver la ~ a* zich afwenden van; 2 kant, zijde; kantje (*van brief*); (berg)wand; voorzijde; *las ~s de un cubo* de vlakken van een kubus; *la ~ inferior* de onderzijde; *la otra* ~ de keerzijde
caraba toppunt
carabao karbouw
carabela (*hist*) karveel
carabina 1 karabijn; 2 chaperonne; **carabinero** 1 karabinier; 2 soort grote garnaal
caracará *m* Zuidamerikaanse roofvogel
caracense uit Guadalajara
caracol *m* 1 slak; *escalera de* ~ wenteltrap; 2 snelle draaibeweging (*van paard*) || *¡~es!* potdorie!; **caracola** 1 zeeslak; 2 hoorn van schelp; **caracolear** (*mbt paard*) snel draaien
carácter *m, mv caracteres* 1 karakter, aard; *de ~ confidencial* van vertrouwelijke aard; *sin* ~ zwak, karakterloos; *tener* ~ pit hebben, ruggegraat hebben; 2 letter(teken), karakter; ~ *tipográfico* drukletter; **característica** kenmerk; **característico** karakteristiek, kenmerkend, tekenend, typerend; **caracterizar** karakteriseren, kenmerken, kenschetsen, tekenen, typeren; **caracterizarse** 1 zich kenmerken; 2 zich schminken
caradura 1 brutaliteit; 2 *m,v* brutaal persoon
carajillo koffie met likeur of cognac; **carajo** (*pop*) pik, lul; *¡~!* verdomme!; *me importa un* ~ het kan me geen bal schelen; *irse al* ~ naar de bliksem gaan
caramba: *¡~!* verdorie!
carámbano ijspegel
carambola 1 carambole; 2 toeval
caramelizar karameliseren; **caramelo** 1 karamel; 2 babbelaar, toffee; ~ (*de frutas*) zuurtje
caramillo 1 fluitje van riet, bamboe; 2 (*fam*) roddel(praat)
carantoña: *~s* vleierijen, geflikflooi; *hacer* ~ lief doen, aanhalen
carape: *¡~!* verdorie!, verrek!
caraqueño uit Caracas
carátula 1 masker; 2 tronie; 3 theaterwereld; 4 schutblad, etiket
caravana 1 karavaan; 2 caravan; 3 file
caray: *¡~!* verdorie!, donders!
carbohidrato: *~s* koolhydraten; **carbón** *m* 1 steenkool, kolen; ~ *menudo*, ~ *en polvo* kolengruis; 2 carbon; *copia al* ~ doorslag; 3 houtskool (*om te tekenen*); houtskooltekening; ~ *de leña* houtskool; **carbonada** 1 grote hoeveelheid kolen; 2 (*Am*) soort stoofgerecht; **carboncillo** houtskoolstaafje (*om te tekenen*); **carbonera** kolenbunker; **carbonero** I *bn* vd steenkool, kolen-; II *zn* 1 steenkoolverkoper; 2 koolvis; **carbonífero** steenkoolhoudend; **carbonilla** kolengruis; **carbonización** *v* verkoling; **carbonizarse** verkolen; **carbono** koolstof
carborundo: *tela de* ~ schuurlinnen
carbunclo 1 robijn; 2 (*med*) miltvuur; **carbunco** *zie carbunclo 2*; **carbúnculo** *zie carbunco 1*

carburación *v* carburatie; **carburador** *m* carburator; **carburante** *m* brandstof; **carburar** carbureren
carca (*fam*) reactionair
carcajada schaterlach; *reírse a ~s* schateren; *soltar la ~* het uitschateren; **carcajearse** schateren
carcamal *m* ouwe sok, afgeleefd mens, ouwe knar
cárcel *v* gevangenis; *meter en la ~* gevangen zetten; **carcelario** gevangenis-; **carcelero, -a** cipier, gevangenbewaarder, bewaker, bewaakster
carcinoma *m* kankergezwel
carcoma *m* 1 houtworm; 2 molm; **carcomido** vermolmd, aangevreten
carcunda (*fam*) reactionair
cardán *m* cardan(as); *articulación ~* kruiskoppeling
cardar 1 (*van wol*) kaarden; 2 touperen
cardenal *m* 1 kardinaal; 2 blauwe plek; **cardenalicio** kardinaals-; **cardenillo** kopergroen; **cárdeno** paars
cardiaco, -a, cardíaco, -a I *bn* vh hart, hart-; II *zn* hartpatiënt(e)
cardinal *bn* kardinaal, voornaamst; *número ~* hoofdtelwoord; *puntos ~es* windstreken
cardiograma *m* cardiogram; **cardiología** cardiologie; **cardiólogo, -a** cardioloog, -loge; **cardiovascular** van hart en bloedvaten
cardo distel
cardumen *m* school vissen
carear confronteren
carecer: *~ de* missen, verstoken zijn van
carena 1 onderwatergedeelte van schip; 2 reparatie vd scheepsromp; **carenado, carenadura** (het) repareren vd scheepsromp
carencia (*de*) gebrek (aan), (het) ontbreken (van), tekort (aan); **carente** missend; *~ de sentido* zinloos
careo confrontatie
carestía duurte; *~ de la vida* hoge kosten van levensonderhoud
careta masker; *~ antigás* gasmasker; *~ de oxígeno* zuurstofmasker
carey *m* 1 zeeschildpad; 2 schildpad (*als materiaal*); *gafas de ~* bril met hoornen montuur
carga 1 last, lading; vracht; *~ de cubierta* deklading; *~ explosiva* springlading; *~ general* gemengde lading, stukgoed; *~ a granel* bulklading; *~ inútil* (nutteloze) ballast; *~ de rueda* wieldruk; 2 (het) laden, bevrachting; *~ y descarga* laden en lossen; 3 charge, aanval; *volver a la ~* opnieuw aanvallen; 4 (*fig*) last, belasting; *~ deducible* aftrekpost; *~s del hogar* kosten vd huishouding; *~ impositiva* belastingdruk; *~ de intereses* rentelast; *~ de la prueba* bewijslast; *~s sociales* sociale lasten; *con ~s familiares* met de zorg voor een gezin; *sin ~s* onbelast, onbezwaard; 5 vulling, navulling (*van pen, gasfles*); **cargadero** laadplek, kade; **cargado** 1 beladen, geladen; (*elektr*) onder spanning; 2 bedompt, benauwd; 3 (*mbt thee, koffie*) sterk; *poco ~* slap || *~ de años* hoogbejaard, oud; *~ de espaldas* met een hoge rug; **cargador** *m* 1 havenarbeider, sjouwer; 2 magazijn (*in geweer*); **cargamento** lading, vracht; **cargante** vervelend, lastig; **cargar** I *tr* 1 laden, beladen, inladen; bevrachten; 2 *~ a* toeschrijven aan, afwentelen op, verhalen op; 3 *~ con, de* beladen met; 4 *~ (de)* belasten (met); 5 afschrijven (*van rekening*); *~ en cuenta* debiteren, (be)rekenen, in rekening brengen; *~ en cuenta 10 fls, ~ la cuenta por 10 fls* f 10 afschrijven vd rekening; 6 (na)vullen; 7 (*fam*) hinderen, vervelen, zwaar op de maag liggen, op de zenuwen werken; 8 kunnen bevatten; II *intr* 1 *~ con* op zich nemen, op zich laden; dragen; *~ con las maletas* de koffers sjouwen; 2 *~ en* (*mbt accent*) liggen op; 3 *~ sobre* drukken op; **cargarse** 1 *~ de* zich vullen met; 2 bewolkt raken, donker worden; 3 ergens genoeg van krijgen, boos worden; 4 naar de bliksem helpen; mollen; laten zakken (*op examen*); **cargo** 1 functie; *~ (público)* ambt; *~ directivo* bestuursfunctie; *alto ~: a)* hoge post; *b)* hoge ambtenaar; *jurar el ~* de ambtseed afleggen; 2 (*vaak mv*) aantijging, beschuldiging; 3 last; zorg; *a ~ de* (*afk a/c*): *a)* per adres; *b)* de taak vormend van; *al ~ de* aan het hoofd van, belast met; *a su ~* te uwen laste; *correr a ~ de, ser a ~ de* ten laste komen van, voor rekening zijn van; *hacerse ~ de: a)* beseffen, zich indenken; *b)* onder zijn hoede nemen; *tener a su ~* de zorg hebben over, belast zijn met; *tomar a su ~* op zich nemen, zich ontfermen over; **carguero** vrachtschip
cariacontecido bedrukt, beteuterd, zorgelijk
cariado aangetast door tandbederf, rot; **cariarse** (*mbt tanden*) rotten, aangetast worden
cariátide *v* kariatide
caribe Caribisch; **Caribe** *m* 1 Caribisch gebied; 2 (*Mar*) *~* Caribische Zee
caricatura karikatuur; **caricaturesco** karikaturaal; **caricaturizar** karikaturiseren
caricia liefkozing, streling, aai
caridad *v* 1 (naasten)liefde; 2 aalmoes, goede daad; 3 liefdadigheid, weldadigheid; *vivir de la ~* genadebrood eten
caries *v* cariës, tandbederf
carilampiño baardloos, met gladde huid
carilargo met een lang gezicht
carilla kant (*van vel papier*)
carillón *m* beiaard, carillon, klokkenspel
cariño 1 genegenheid, gehechtheid; tederheid; *tener ~ a* gehecht zijn aan, gesteld zijn op; *le tengo ~* hij ligt mij na aan het hart; *tomar ~ a* genegenheid opvatten voor; 2 (*aanspreekvorm*) liefje; 3 *~s: a)* veel liefs (*aan einde brief*); *b)* betoon van genegenheid, liefkozingen; **cariñoso** lief, hartelijk, liefdevol, aanhankelijk, teer, teder
carioca I *bn* uit Rio de Janeiro; II *zn* 1 *m,v* inwoner of inwoonster van Rio de Janeiro; 2 *v* bep Braziliaanse dans

carisma *m* charisma; **carismático** charismatisch
carita snoetje, toetje
caritativo charitatief, liefdadig
cariz *m* aanzien, wending; *el asunto toma mal* ~ de zaak neemt een slechte wending
carlanca 1 halsband met punten om een hond tegen beten te beschermen; 2 *~s* (*fam*) slimmigheden
carlinga cockpit
carlismo Carlisme; **carlista** *m,v* Carlist(e), aanhanger van Don Carlos (*kroonpretendent in 1833*)
carmelita *m,v* karmeliet(es)
carmen *m* (*in Granada*) mooi huis met tuin; **Carmen** meisjesnaam
carmesí *m* karmijn(rood); **carmín** *m* 1 karmijn(rood); 2 lippenstift
carnada (*dierlijk*) aas; lokmiddel; **carnadura** (*mbt wond*) (het) willen genezen, (het) helen; *tener mala* ~ slecht helen; **carnal** vleselijk; *primo* ~ volle neef
carnaval *m* carnaval; *martes de* ~ vastenavond; **carnavalada** 1 (*neg*) carnavalsgrap; 2 (*fig*) vertoning, farce; **carnavalesco** carnavalesk
carne *v* vlees; ~ *de cañón* kanonnevlees; ~ *de gallina* kippevel; ~ *de horca* galgebrok, iem die nergens voor deugt; ~ *sin hueso: a*) vlees zonder been; *b*) gemakkelijk zaakje, sinecure, makkie; ~ *de membrillo* stevige kweepeergelei (*nagerecht*); ~ *picada* gehakt; *de* ~ *y hueso* van vlees en bloed; *echar* ~(*s*) dik worden; *en* ~ *y hueso* in levende lijve; *en* ~ *viva* opengereten; *en ~s vivas* bloot; *en su propia* ~ aan den lijve; *ni* ~ *ni pescado* vlees noch vis; *metido en ~s* gezet; *poner toda la* ~ *en el asador* alles op alles zetten
carné *m; zie carnet*
carnero 1 ram; 2 *~s* schapewolkjes ‖ *vuelta de* ~ (het) kopje duikelen
carnestolendas *vmv* carnaval
carnet *m* 1 opschrijfboekje; 2 (legitimatie)-bewijs; ~ *de chófer,* ~ *de conducir* rijbewijs; ~ *de direcciones* adresboekje; ~ *de donante* donorcodicil; ~ *de socio* bewijs van lidmaatschap, (*Belg*) lidkaart
carnicería 1 slagerij; 2 slachting; **carnicero, -a** I *bn* 1 (*mbt dieren*) vleesetend; 2 (*mbt mens; fam*) wreed; II *zn* slager, slagersvrouw; (*Belg*) beenhouwer; **cárnico** vlees-; *industria -a* vleesindustrie; **carnívoro** I *bn* vleesetend; II *zn: ~s* vleesetende dieren; **carnosa** *zn* vetplant; **carnosidad** *v* 1 wild vlees; 2 gezetheid; **carnoso** 1 van vlees; 2 vlezig
caro I *bn* 1 duur; 2 dierbaar; II *bw* duur; *costar ~: a*) duur zijn; *b*) duur te staan komen
carota *m,v* brutaal persoon
carótida halsslagader
carotina caroteen
1 carpa karper
2 carpa (*Am*) tent
carpanta (*fam*) (vreselijke) honger
carpeta 1 map, schrijfmap; 2 boekentas; 3 tapijtje, tafelkleed; **carpetazo**: *dar* ~ *a* terzijde leggen, als afgedaan beschouwen
carpintear timmeren; **carpintería** 1 timmerwerk; 2 timmerwerkplaats; 3 houtwerk, kozijnen; ~ *de aluminio* aluminium kozijnen; **carpintero** timmerman; *pájaro* ~ specht
1 carraca ratel
2 carraca oud wrak
carrancista *m* (*Mexico*) aanhanger van Carranza
carrasca, carrasco kleine steeneik
carraspear de keel schrapen; **carraspera** (*fam*) schorheid; **carrasposo** schor, steeds kuchend
carrera 1 (het) rennen, ge'ren; *a la ~: a*) in haast; *b*) op de valreep; *de* ~ in één adem; *en una* ~ heel vlug; *tomar* ~ een aanloop nemen; 2 loop (*van hemellichaam*); 3 route, cross(-country); rit (*van taxi*); 4 wedloop, race; ~ *a campo través* veldloop; ~ *contra reloj* race tegen de klok; ~ *armamentista,* ~ *de armamentos* bewapeningswedloop; ~ *de automóviles* autorace; ~ *de caballos* paardenrennen; ~ *ciclista* wielerwedstrijd; ~ *eliminatoria* afvalrace; ~ *meteórica* bliksemcarrière; ~ *de motos* motorrace; ~ *de obstáculos* race met hindernissen; ~ *a pie,* ~ *pedestre* hardloopwedstrijd; ~ *de relevos* estafetteloop; ~ *de sacos* zaklopen; ~ *de trotones* harddraverijen; ~ *de vallas* hordenloop; 5 ladder (*in kous*); 6 ~ (*universitaria*) studie; *cambiar de* ~ omzwaaien (*in studie*); *dar* ~ laten studeren; *¿qué* ~ *haces?* wat studeer je?; *seguir una* ~ studeren; 7 loopbaan; carrière; *de* ~ beroeps-; *hacer* ~ furore maken, succes hebben; *miltar de* ~ beroepsmilitair; 8 (*techn*) slag (*van zuiger*) ‖ *hacer la* ~ (*mbt prostituée*) tippelen; **carrerilla** 1 loopje; aanloop; *tomar* ~ een aanloop nemen; 2 ladder (*in kous*); 3 (*muz*) loopje; **carrerista** *m,v* 1 liefhebber van paardenrennen; 2 iem die wedt op paardenrennen; 3 (auto)coureur
carreta platte kar; **carretada** karrevracht; **carrete** *m* 1 haspel, klos; 2 spoel; 3 filmrolletje; **carretera** (grote) weg, straatweg, (*Belg*) steenweg; ~ *cinturón,* ~ *de circunvalación* ringweg; ~ *de cuatro vías* vierbaansweg; ~ *nacional* (*vglbaar*) rijksweg; ~ *principal* hoofdverkeersweg; ~ *de prioridad* voorrangsweg; ~ *resbaladiza* (*op verkeersbord*) slipgevaar; ~ *secundaria* binnenweg; **carretero** I *zn* 1 voerman; *jurar como un* ~ vloeken als een ketter; 2 wagenmaker; II *bn* vd weg; *tráfico* ~ wegverkeer; **carretilla** 1 karretje; 2 steekwagen; 3 kruiwagen; ~ *elevadora* (*de horquilla*) (vork)-heftruk; 4 looprek (*om te leren lopen*); 5 rotje, voetzoeker ‖ *de* ~ op zijn duimpje (*kennen*), in één adem (*kunnen opzeggen*); **carretón** *m* 1 kar; 2 looprek op wielen (*om te leren lopen*); 3 draaistel; **carricoche** *m* 1 boerenrijtuig; 2 ouwe kar, rammelkast; **carril** *m* 1 karrespoor;

2 rail; 3 (rij)baan, rijstrook; ~ *de acceso* invoegstrook; ~*-bici* fietspad; *de dos ~es* tweebaans; **carrillo** 1 wang, koon; *comer a dos ~s: a*) flink eten; *b*) luxueus leven; *c*) lucratieve baantjes hebben; 2 (winkel)wagentje, karretje; 3 katrol
1 carrizo riet
2 carrizo winterkoninkje
carro 1 kar; ~ *de asalto,* ~ *de combate* (*mil*) tank; ~ *basurero* vuilniskar; ~ *con toldo* huifkar; *aguantar ~s y carretas* veel geduld hebben; *morir uncido al* ~ in het harnas sterven; *poner el* ~ *delante de las mulas* het paard achter de wagen spannen; *untar el* ~ omkopen; 2 karrevracht; 3 (*Am*) auto; **carrocería** carrosserie, koetswerk; **carromato** 1 kermiswagen; 2 huifkar
carroña stinkend vlees, kreng; **carroñero** aaseter
carroza I *zn* 1 karos; 2 praalwagen; II *bn* (*fam*) ouderwets, uit de tijd; **carruaje** *m* koets, rijtuig
carrusel *m* 1 ruiterfeest, carrousel; 2 draaimolen; 3 optocht; 4 (*fig*) mallemolen
carta 1 brief, schrijven; ~ *comercial* zakenbrief; *~s al director, ~s de los lectores* ingezonden brieven; ~ *pastoral* herderlijk schrijven; ~ *de recomendación* aanbevelingsbrief; ~ *urgente* expresbrief; 2 (speel)kaart; *echar las ~s* de kaart leggen; *enseñar las ~s* zijn kaarten op tafel leggen; *poner las ~s boca arriba* kleur bekennen; 3 document; oorkonde; ~ *de arqueo* meetbrief; ~ *blanca* carte blanche; ~ *de ciudadanía* (bewijs van) burgerrecht; *~s credenciales* geloofsbrieven; ~ *de intenciones* intentieverklaring; ~ *de naturaleza* (bewijs van) staatsburgerschap; ~ *de pago* kwitantie, (*Belg*) kwijtschrift; ~ *de porte* vrachtbrief; ~ *de vecindad* (bewijs van) inschrijving in gemeente; ~ *verde* groene kaart; *tomar* ~ *de naturaleza* inburgeren; 4 (zee)kaart; ~ *de mareas,* ~ *marina,* ~ *marítima* zeekaart; 5 menukaart; *a la* ~ à la carte; 6 (*tv*) ~ *de ajuste* testbeeld || *a* ~ *cabal* door en door; *pecar por* ~ *de más o por* ~ *de menos* te veel aan iets doen of te weinig; *tomar ~s en un asunto* zich bemoeien met een zaak; **Carta** Charter, Handvest
cartagenero uit Cartagena
cartaginense uit Carthago
cartapacio schooltas
cartearse corresponderen, een briefwisseling voeren
1 cartel *m* aanplakbiljet, affiche, plakkaat; ~ *electoral* verkiezingsplakkaat; ~ *publicitario* reclamebord; *prohibido fijar ~es* verboden aan te plakken; *seguir en* ~ op het repertoire blijven
2 cartel *m* kar'tel
cartelera 1 aanplakbord, mededelingenbord; 2 ~ (*de espectáculos*) programmaoverzicht (*van film, toneel*); uitlijst, ladder (*in krant*)
carteo briefwisseling
cárter *m* carter
cartera 1 portefeuille; *robar ~s* zakkenrollen; 2 aktentas, schooltas; 3 (*Am*) handtas; 4 (ministers)portefeuille; *ministro sin* ~ minister zonder portefeuille; *ostentar una* ~ een ministerspost bekleden; **carterista** *m* zakkenroller; **cartero** postbode
cartílago kraakbeen
cartilla abc-boek; ~ *de ahorros* spaarbankboekje; ~ *de escolaridad,* ~ *de notas* (school)rapport; ~ (*de la seguridad social*), ~ *de asistencia sanitaria* (*vglbaar*) ziekenfondskaart || *leer a u.p. la* ~ iem de les lezen
cartografía cartografie; kartering; **cartógrafo, -a** cartograaf, -grafe
cartomancia (het) kaartleggen; **cartomántico, -a** kaartlegger, -legster
cartón *m* 1 karton; ~ *duro* stijf karton; ~ *ondulado* golfkarton; ~ *piedra* papier-maché; ~ *prensado* hardboard; *lotería de -ones* kienspel; 2 slof (*sigaretten*); 3 (*soms*) doos, pak; *leche en -ones* melk in pakken; **cartoné**: *en* ~ gekartonneerd
cartuchera patroongordel; **cartuchero** magazijn; **cartucho** 1 patroon; ~ *de fogueo* losse flodder; ~ (*de recambio*) vulling (*van pen*), patroon; *gastar el último* ~ zijn laatste kruit verschieten; 2 verpakking (*in de vorm van cilinder of puntzak*)
cartuja 1 karthuizerorde; 2 karthuizerklooster; **cartujano, cartujo** karthuizermonnik
cartulina dun karton; ~ *roja* (*sp*) rode kaart
carvajo eik
casa 1 huis; ~ *de alquiler* huurhuis; ~ *de baños* badhuis; ~ *del barrio* buurthuis; ~ *de campo* buitenhuis; ~ *de cartas* (*scheepv*) kaartenhuis; ~ *de citas* bordeel; ~ *de comidas* eethuis; ~ *consistorial* gemeentehuis; ~ *de convalescencia* verpleeghuis, herstellingsoord; ~ *de empeños* lommerd, bank van lening; ~ *encantada* spookhuis; ~ *de huéspedes* pension, logement; ~ *de juego* gokhuis; ~ *de labranza,* ~ *de labor* boerderij; ~ *mortuoria* sterfhuis; ~ *de navegación* (*scheepv*) kaartenhuis; ~ *particular* woonhuis; ~ *de las pesas* waag; ~ *del pueblo* dorpshuis; ~ *real* koningshuis; ~ *refugio* (*para mujeres maltratadas*) blijf-van-mijn-lijf-huis, (*Belg*) vluchthuis; ~ *de reposo* rusthuis, verpleeghuis; ~ *residencial* herenhuis; ~ *señorial* kapitaal herenhuis; ~ *de socorro* eerste-hulppost; ~ *de vecindad* huurkazerne, flatgebouw; ~ *y comida* kost en inwoning; *a* ~ naar huis; *como una* ~ enorm; *echar la* ~ *por la ventana* de bloemetjes buiten zetten, uit de band springen; *en* ~ thuis; *no parar en* ~ uithuizig zijn; *una persona* (*muy*) *de su* ~ een huiselijk mens; *para andar por* ~ niet om over naar huis te schrijven, niet geweldig, huis-tuin en keuken-; 2 kantoor, firma; ~ *de cambio* wisselkantoor; ~ *de comercio* handelsfirma; ~ *editorial* uitgeverij; ~ *matriz* hoofdkan-

toor, (*Belg*) hoofdhuis; ~ *de modas* modehuis; 3 huishouden; *la ~ de tócame Roque* een huishouden van Jan Steen; *llevar la ~* het huishouden doen; *poner ~* een huishouden beginnen, zich inrichten
casaca kazak
casadero huwbaar; **casado** gehuwd; *recién ~s* jonggehuwden
casamata bunker, kazemat
casamentero die graag koppelt; **casamiento** huwelijk; (het) trouwen; ~ *de interés* huwelijk om het geld; **casar** I *tr* 1 trouwen, in de echt verbinden; 2 uithuwelijken; 3 verenigen, rijmen, doen samengaan; II *intr:* ~ *con* samengaan met, passen bij; **casarse** trouwen; ~ *por segunda vez, volver a ~* hertrouwen || *no ~ con nadie* het met niemand eens zijn, zijn eigen weg gaan
cascabel *m* belletje; *poner el ~ al gato* de kat de bel aanbinden; **cascabeleo** belgerinkel
cascada waterval
cascado 1 (*mbt stem*) gebroken; *sonar a ~* een gebarsten klank hebben; 2 (*ongebr*) afgeleefd, uitgeput
cascajo 1 grind; 2 nagerecht van gedroogde vruchten en noten
cascanueces *m* notekraker; **cascar** 1 kraken; 2 (*fam*) slaan; aanvallen; 3 ~ *a* (*fam*) hard werken aan; 4 (*fam*) kletsen, praten, kwaken
cáscara schil, schaal, bolster, dop; ~ *de huevo* eierdop; ~ *de naranja* sinaasappelschil; ~ *de nuez* notedop || *de la ~ amarga* (*pol*) links;
cascarilla velletje (*van rijst*); *arroz con ~* ongepelde rijst; **cascarón** *m* eierschaal; ~ *de nuez* klein scheepje, notedop; *recién salido del ~* onervaren, die net komt kijken; **cascarrabias** *m,v* bullebak, driftkikker
casco 1 helm; ~ *de buzo* duikerhelm; ~ *protector* valhelm; ~ *secador* droogkap; 2 hoef; 3 casco, romp (*van vliegtuig, schip*); ~ *urbano* bebouwde kom, stadskern; 4 schedel; *calentarse los ~s* zich suf piekeren; *levantar de ~s a u.p.* iem het hoofd op hol brengen; *ligero de ~s* leeghoofdig; *sentar los ~s* verstandig worden; 5 scherf; ~ *de granada* granaatscherf; 6 fles, verpakking
cascote *m* puin
caseína caseïne
caserío gehucht, buurtschap; **casero, -a** I *bn* 1 huiselijk, vh huis; *club ~* thuisclub; *conejo ~* tam konijn; *tipo ~* huiselijk type, huismus; 2 thuis gemaakt; II *zn* 1 huisbaas, -bazin, huiseigenaar, -eigenares; 2 huisbewaarder; 3 thuiselftal; **caserón** *m* groot huis, kast van een huis; **caseta** hok(je), badhokje, kleedhokje, cabine, huisje; ~ *de gobierno* stuurhut; ~ *del perro* hondehok
casete 1 *v* cassettebandje; 2 *m* cassetterecorder
casetón *m* vak (*van een plafond*)
casi bijna, haast, nagenoeg
casilla 1 huisje, hokje (*voor wachtpost*); *sacar de sus ~s a u.p.* iem razend maken; *salir de sus ~s* uit zijn vel springen; 2 hokje, vakje, ruitje (*op papier*); **casillero** kast met vakken
casino 1 sociëteit, club; 2 casino
caso 1 geval; ~ *de conciencia* gewetensvraag; *el ~ es que* het is namelijk zo dat; ~ *límite* grensgeval; ~ *perdido* hopeloos geval; ~ *de prueba* testcase; ~ *que, en ~ de que, dado el ~ (de) que* voor het geval dat; *nunca se ha dado el ~* het is nooit gebeurd; *en ~ afirmativo* zo ja; *en ~ negativo* zo nee; *en cualquier ~* hoe dan ook; *en todo ~:* a) hoogstens; b) in ieder geval; c) hoe dan ook; d) indien nodig; *en último ~* desnoods; *hacer ~ (a, de)* aandacht schenken (aan), letten op, luisteren (naar), gehoorzamen; *hacer ~ omiso de* zich niets aantrekken van, buiten beschouwing laten, naast zich neer leggen; *llegado el ~* als puntje bij paaltje komt; *no hacer ~ a u.p.* iem links laten liggen; *no hacer ~ de* geen notitie nemen van, zich niet storen aan, negeren; *no hacer al ~, no venir al ~* niet ter zake doen, er niets mee te maken hebben; *ponerse en el ~ de u.p.* zich in iem verplaatsen; *pongamos por ~* bijvoorbeeld; *pongo por ~* om maar iets te noemen; *ser del ~* op zijn plaats zijn; *sin hacer ~ de* zonder zich te bekommeren om; *vamos al ~* laten we tot de zaak komen; 2 naamval
casorio (*neg; fam*) huwelijk, bruiloft; bruiloftsfeest
caspa roos (*huidschilfers op hoofd*)
casquete *m* helm; kapje; ~ *de buzo* duikerhelm; ~ *esférico* bolsegment; ~ *glaciar* landijs
casquivano leeghoofdig, lichtzinnig
cassette *m,v; zie casete*
casta 1 afkomst; *de ~* rasecht, ras-; *le viene de ~* hij heeft het van geen vreemde; 2 kaste
castaña 1 kastanje; ~ *pilonga* gedroogde kastanje; *sacarle a u.p. las ~s del fuego* voor iem de kastanjes uit het vuur halen; 2 mandfles; 3 *m* (*als bn onv*) bruin; **castañar** *m* kastanjebos;
castañetear 1 castagnetten bespelen, klepperen; ~ *los dedos* met de vingers knippen; 2 (*mbt tanden*) klapperen; 3 (*mbt gewricht*) kraken; **castaño** 1 kastanje; 2 kastanjebruin; ~ *oscuro* donkerblond; (*ya*) *pasa de ~ oscuro* het loopt de spuigaten uit; **castañuela** castagnette
castellanizar (*een woord*) verspaansen; **castellano, -a** I *bn* Castiliaans; *de habla -a* Spaanstalig; II *zn* 1 Castiliaan(se); 2 *m* (het) Castiliaans, (het) Spaans
casticismo zuiverheid, traditionalisme in taal en gewoonten
castidad *v* kuisheid
castigar 1 straffen, bestraffen; *sin ~* ongestraft, straffeloos; 2 teisteren, plagen; **castigo** straf; ~ *corporal* lijfstraf
Castilla Castilië
castillejo 1 (bouw)steiger, hijsstelling; 2 looprek op wieltjes (*om te leren lopen*); **castillo** 1 kasteel, slot; ~ *en el aire* luchtkasteel; ~ *de fuego* groot stuk bij vuurwerk; ~ *de naipes* kaartenhuis; 2 (*scheepv*) ~ (*de proa*) bak, voordek

castizo (ras)echt, oer-; (*mbt taal*) zuiver, puur
casto eerbaar, kuis
castor *m* bever; ~ *del Canadá* bisam
castración *v* castratie; **castrar** castreren
castrense vh leger, militair
castrismo leer van Fidel Castro
casual toevallig; **casualidad** *v* toeval; *por* ~ toevallig; *pura* ~ zuiver toeval
casucha hut, stulp
casulla kazuifel
cataclismo 1 grote ramp; 2 totale ommekeer
catacumbas *vmv* catacomben
catador, -ora proever, proefster; **catadura** 1 (het) proeven; 2 uiterlijk; bakkes
catafalco katafalk
catalán, -ana I *bn* Catalaans; II *zn* 1 Catalaan(se); 2 *m* (het) Catalaans; **catalanismo** 1 Catalaanse zegswijze; 2 catalanisme; voorkeur voor al wat Catalaans is; streven naar Catalonië's onafhankelijkheid
catalejo verrekijker
catalina schakelrad (*in horloge*)
catalizador *m* katalisator
catalogar 1 catalogiseren; 2 rangschikken, rubriceren; **catálogo** catalogus
catalpa catalpa, trompetboom
Cataluña Catalonië
catamarán *m* catamaran
cataplasma *m* 1 pap (*verband op wond*), kompres; 2 kwakkelaar; 3 prutswerk; 4 zeurpiet
cataplum: *¡~!* boem!
catapulta 1 katapult; 2 schietstoel
catar proeven
catarata 1 waterval; 2 (*med*) staar
cátaros *mmv* Katharen
catarro verkoudheid; catarre; ~ *de los henos* hooikoorts; ~ *nasal* neusverkoudheid
catarsis *v* catharsis, loutering
catastral kadastraal; **catastro** kadaster
catástrofe *v* catastrofe, ramp; ~ *minera* mijnramp; **catastrófico** catastrofaal, rampzalig
cataviento windzak
catavinos *m* wijnproever
catch *m* catch-as-catch-can
cate *m* 1 klap; 2 (het) zakken (*voor examen*); **catear** laten zakken (*voor examen*); *le han cateado* hij is gezakt
catecismo catechismus; catechisatie
cátedra 1 katheder; 2 professoraat; leerstoel; *auxiliar de* ~ (*vglbaar*) wetenschappelijk medewerker; *sentar* ~ met gezag oordelen
catedral *v* kathedraal; *como una* ~ enorm, gigantisch
catedrático, -a hoogleraar, professor
categoría 1 categorie; rubriek; ~ *gramatical* woordsoort; *de* ~ aanzienlijk; *de alta* ~ hooggeplaatst; *de quinta* ~ derderangs; 2 klasse, rang; **categórico** beslist, categorisch, pertinent
catequesis *v* catechisatie; **catequista** *m,v* iem die de catechisatie onderwijst; **catequizar** 1 (*iem*) de catechisatie onderwijzen; 2 (*iem*) overhalen, bepraten
caterva massa, troep, stel, span
catéter *m* catheter
1 cateto (*wisk*) rechthoekszijde
2 cateto boerenpummel
cátodo kathode
catolicismo katholicisme; **católico, -a** I *bn* 1 katholiek; 2 in orde, gezond; *no estar muy* ~ niet in vorm zijn, zich niet lekker voelen; *no me parece muy* ~ er zit een luchtje aan; II *zn* katholiek
catón *m* 1 strenge criticus; 2 eerste leesboek (*na de cartilla of abc-boek*)
catorce veertien; **catorceavo, catorceno** *rangtelw* veertiende; **catorzavo** *zn* veertiende deel
catre *m* brits, veldbed, stretcher
caucásico uit de Kaukasus
cauce *m* bedding; *volver a su* ~ weer zijn gewone loop nemen
cauchero rubber-; **caucho** gummi, rubber; *árbol del* ~ rubberboom; *espuma de* ~ schuimrubber
caución *v* borgtocht, cautie
1 caudal *m* 1 (water)verval, debiet; watermassa, opbrengst (*van pomp*); 2 kapitaal, rijkdom, vermogen; 3 overvloed; ~ *léxico* woordenschat; ~ *de palabras* woordenschat, woordenvloed
2 caudal *bn* vd staart; *aleta* ~ staartvin
caudaloso waterrijk
caudillaje *m* caudillo-schap, leiderschap; **caudillo** aanvoerder, leider
caudino: *pasar por las horcas -as* de vuurproef doorstaan
causa 1 oorzaak; ~ *principal* hoofdoorzaak; *a* ~ *de* door, vanwege, wegens; *¿a ~ de qué?* waardoor?; *entre otras ~s porque* onder andere omdat; *por ~s ajenas* door omstandigheden; *por ~ de* door, vanwege; 2 zaak; ~ *pública* algemeen belang; *conocimiento de* ~ kennis van zaken; *digno de mejor* ~ een betere zaak waardig; *hacer ~ común con* gemene zaak maken met, heulen met; 3 (rechts)geding, zaak, (straf)proces; ~ *civil* civiele zaak; ~ *criminal* strafzaak; *conocer de una* ~ (*mbt rechter*) een zaak behandelen; *formar ~ a* (*iem*) een proces aandoen; *se ve la ~ el lunes* de zaak komt maandag voor; **causahabiente** *m,v* rechtverkrijgende; **causal** I *bn* causaal, oorzakelijk; II *v* motief; **causalidad** *v* causaliteit; **causante** *m,v* 1 aansticht(st)er; 2 erflater, -laatster, testateur, -trice; **causar** veroorzaken, teweegbrengen, (*verdriet*) aandoen, aanleiding geven tot; ~ *admiración* bewondering (op)wekken; ~ *daño* schade toebrengen; ~ *escándalo* aanstoot geven; ~ *estragos* vernielingen aanrichten; ~ *gastos a u.p. iem* op kosten jagen; ~ *impresión* indruk maken; ~ *sorpresa* verrassen
cáustico brandend, bijtend
cautela behoedzaamheid, omzichtigheid; *obrar con* ~ voorzichtig te werk gaan; **caute-**

lar: *medida* ~ conservatoire maatregel; **cauteloso** bedachtzaam, behoedzaam, voorzichtig
cauterio 1 (het) uitbranden; 2 drastisch bestrijdingsmiddel; **cauterizar** 1 uitbranden; 2 uitroeien
cautivador, -ora boeiend, meeslepend, spannend; **cautivar** 1 gevangen nemen; 2 (*fig*) boeien, meeslepen, in zijn ban krijgen; **cautiverio** (krijgs)gevangenschap; **cautividad** *v* gevangenschap; **cautivo, -a** gevangene
cauto behoedzaam
cava: *vino de* ~ Sp champagne, mousserende wijn
cavador *m* spitter; **cavar** graven, uitgraven, (om)spitten
caverna 1 hol, grot; 2 (*pol, fam*) uiterst rechts; **cavernícola** I *bn* 1 in holen wonend; 2 reactionair; II *m,v* 1 holbewoner, -bewoonster; 2 reactionair; **cavernoso** 1 van een hol; 2 vol holen || *voz -a* grafstem
cavia cavia
caviar *m* kaviaar
cavidad *v* holte; ~ *abdominal* buikholte; ~ *bucal* mondholte; ~ *torácica* borstholte
cavilación *v* overpeinzing; **cavilar** (*sobre*) peinzen (over), piekeren (over), tobben (over); **caviloso, -a** I *bn* piekerend; II *zn* piekeraar(ster)
cayado 1 stok (*van herder*); 2 staf (*van bisschop*)
Cayetano jongensnaam
caza 1 jacht, (het) jagen; ~ *furtiva* stroperij; *dar* ~ *a* achtervolgen, achternazitten; *pieza de* ~ prooi; 2 wild; wildbraad; ~ *mayor* groot wild; ~ *menor* klein wild; 3 *m* gevechtsvliegtuig, jachtvliegtuig, jager; ~ *a reacción* straaljager; **cazacerebros** *m,v* headhunter; **cazador, -ora** I *bn* jagend, die jaagt; II *zn* jager(es); ~ *de cabezas* headhunter; ~ *furtivo* stroper; ~ *de gangas* koopjesjager; *cuento de* ~ sterk verhaal; **cazadora** 1 (wind)jack; 2 *zie cazador*; **cazamoscas** *m* vliegenvanger; **cazar** 1 jagen op, jacht maken op; ~ *furtivamente* stropen; 2 vangen, schieten, snappen, te pakken krijgen; ~ *al vuelo* in de vlucht schieten; 3 betrappen op; **cazatorpedero** torpedojager
cazo 1 steelpan; *gallina de* ~ soepkip; 2 pollepel; **cazoleta** 1 pannetje; 2 pijpekop
cazón *m* hondshaai
cazuela 1 lage kookpot van aardewerk; pan; ~*-horno* ovenschaal; 2 stoofgerecht; 3 (*hist*) deel in schouwburg waar de vrouwen zaten; 4 (*theat*) engelenbak, schellinkje
cazurrería geslotenheid, ondoorgrondelijkheid; **cazurro** zwijgzaam en slim, gesloten
ce *zie c*; *contar* ~ *por be* van a tot z vertellen; *explicar* ~ *por be* haarfijn uitleggen
CE *v Comunidad Europea* EG
ceba 1 (het) vetmesten; 2 mestvoer
cebada gerst; ~ *en perlas* parelgort
cebar 1 vetmesten; 2 hout op het vuur doen; (*techn*) voeden, met brandstof laden; aan de gang brengen; 3 (*fig*) koesteren, voeden; 4 (*een pijp*) stoppen; 5 (*met aas*) (aan)lokken || ~ *mate* (*Am*) mate(-thee) klaarmaken; **cebarse**: ~ *en* zich vol overgave wijden aan; ~ *en la víctima* zijn slachtoffer woedend verscheuren
cebiche *m; zie seviche*
cebo 1 mestvoer; 2 (lok)aas; *echar* ~ (met aas) lokken; *morder el* ~ (*fig*) happen; *poner* ~ *en el anzuelo* (*met aas*) lokken; 3 (*fig*) voedsel (*voor gevoelens*)
cebolla 1 ui; 2 (bloem)bol; **cebollar** *m* uienveld; **cebollino** 1 uienzaad; 2 dom mens
cebón, -ona I *bn* vetgemest; II *zn* mestvarken
cebra zebra; *paso de* ~ zebrapad
cebú *m* zeboe
ceca munt(gebouw); **Ceca**: *ir de la* ~ *a la Meca* van het kastje naar de muur lopen, stad en land aflopen
ceceante slissend; **cecear** lispelen, slissen; de s als (*Spaanse*) c uitspreken; **ceceo** (het) slissen, gelispel
cecina rookvlees
ceda *zie z*
cedazo (platte) zeef
ceder I *tr* afstaan; ~ *el asiento* opstaan (*voor iem*); ~ *el paso a u.p.* iem laten voorgaan, iem voorrang geven; *¡ceda el paso!* (*op bord*) u nadert een voorrangsweg; II *intr* 1 toegeven, bezwijken, het opgeven; ~ (*a, ante*) wijken (voor), zwichten (voor); *cedieron las risas* het gelach verstomde; *no* ~ *a* niet onderdoen voor; 2 meegeven, rekken
cedilla 1 cedille; 2 c met cedille, ç
cedro ceder
cédula 1 briefje, certificaat, verklaring, document, ceel; ~ *de citación* dagvaarding; ~ *hipotecaria* pandbrief; ~ *de votación* stembiljet; 2 ~ (*de identidad*) (*Am*) identiteitsbewijs
CEE *v Comunidad Económica Europea* EEG
Ceferino jongensnaam
céfiro zachte westenwind, briesje
cegador, -ora verblindend; **cegar ie** I *intr* blind worden; II *tr* 1 verblinden; 2 blind maken; 3 (*een buis, doorgang*) verstoppen; 4 (*een sloot*) dempen; **cegarra, cegarrita** *zie cegato*; **cegato** bijziend, slechtziend; **ceguedad** *v; zie ceguera*; **ceguera** 1 blindheid; ~ *de nieve* sneeuwblindheid; 2 (*fig*) verblinding
ceiba kapokboom
ceja 1 wenkbrauw; ~*s espesas*, ~*s pobladas* zware wenkbrauwen; *arquear las* ~*s* de wenkbrauwen optrekken; *estar hasta las* ~*s de u.c.* iets zat zijn; *fruncir las* ~*s* de wenkbrauwen fronsen; *meterse entre* ~ *y* ~ zich ergens in vastbijten, zich iets in zijn hoofd zetten; *quemarse las* ~*s* hard studeren; *tener a u.p. entre* ~ *y* ~ iem wantrouwen, iem in de gaten houden; 2 'uitstekende rand; 3 kam (*van viool*); 4 (*muz*) snaarklem; **cejar** 1 (*mbt trekdier*) achteruitlopen; 2 opgeven; *no* ~ doorzetten; *no* ~ *en* niet ophouden te, niet aflaten te, niet op-

geven; **cejijunto** 1 grimmig kijkend, met gefronste wenkbrauwen; 2 met doorlopende wenkbrauwen; **cejilla** (*muz*) snaarklem; **cejo**: *fruncir el ~* de wenkbrauwen fronsen
celada 1 helm; 2 hinderlaag; **celador, -ora** bewaker, bewaakster
celandés, -esa *zie zelandés*
celar 1 verbergen; 2 in de gaten houden, wantrouwend volgen
celda cel (*in klooster, gevangenis; van bijen*);
celdilla cel (*van bijen*)
celebérrimo zeer beroemd; **celebración** *v* 1 viering; 2 sluiting (*van huwelijk, contract*); **celebrante** *m* celebrant, dienstdoende priester; **celebrar** 1 vieren; (*bijeenkomst*) houden; ~ *una conferencia* confereren; ~ *misa* de mis lezen; ~ *una reunión* vergaderen; 2 aangaan, sluiten; 3 toejuichen; ~ *que* blij zijn dat; *¡lo celebro!* dat verheugt me!; **celebrarse** plaatsvinden; **célebre** befaamd, beroemd, vermaard; **celebridad** *v* beroemdheid
celemín *m* inhoudsmaat voor droge waren (*ca. 4,5 l*)
celeridad *v* snelheid
celeste 1 vd hemel; 2 (*azul m*) ~ azuren, hemelsblauw, lichtblauw; **celestial** vd hemel, hemels, bovenaards
celestina koppelaarster; **Celestino** jongensnaam
celibatario celibatair; **celibato** celibaat; **célibe** (*lit*) ongehuwd
cello hoepel (*van ton*)
celo 1 ijver, vlijt; *huelga de ~* stiptheidsactie, modelactie; 2 bronst; *en ~* krols, bronstig; 3 *~s* jaloezie; *~s profesionales* beroepsnijd; *tener ~s* (*de*) jaloers zijn (op)
celofán *m* cellofaan
celosía jaloezie (*voor raam*)
celoso 1 (vol)ijverig; 2 ~ *de* gebrand op; 3 ~ (*de*) jaloers (op)
Celsio Celsius
Celso jongensnaam
celta I *bn* Keltisch; II *zn* 1 *m,v* Kelt(ische); 2 *m* (het) Keltisch; **celtibérico** Keltiberisch; **celtíbero** Keltiberiër; **céltico** vd Kelten, Keltisch
célula 1 (*anat, plantk*) cel; ~ *fotoeléctrica* foto-elektrische cel; ~ *germinal* kiemcel; 2 (*pol*) cel; **celular** vd cel(len), cel-; *división ~* celdeling; *prisión ~* celstraf; **celuloide** *m* celluloid; **celulosa** cellulose, celstof
cementación *v* (het) cementeren; **cementar** cementeren (*van metaal e.d.*)
cementerio begraafplaats; ~ *de automóviles* autokerkhof
cemento 1 cement, mortel; ~ *armado* gewapend beton; 2 (*fig*) bindmiddel
cena avondeten; **Cena**: *la Ultima ~, la Santa ~* het heilig avondmaal; **cenáculo** 1 zaal vh laatste avondmaal; 2 literair gezelschap; **cenador** *m* prieel
cenagal *m* 1 modderpoel; 2 (*fig*) wespennest; **cenagoso** modderig
cenar I *intr* het avondeten gebruiken; *hora de ~* tijd voor het avondeten, etenstijd; II *tr* (*'s avonds*) eten; *cenamos pollo* vanavond eten we kip
cenceño mager, droog, tanig
cencerrada ketelmuziek; **cencerrear** I *tr* 1 slecht bespelen (*bv gitaar*); 2 steeds laten klingelen; II *intr* rammelen, piepen; **cencerro** koebel; *a ~s tapados* stilletjes || *como un ~* stapelgek
cendal *m* (*lit*) zeer dunne zijde of linnen
cenefa sierrand (*langs kleed, muur, vloer*)
cenetista *m,v* lid vd CNT; *zie Confederación*
cenicero asbak; **cenicienta** huissloof, assepoester; **Cenicienta**: (*la*) ~ Assepoester; **ceniciento** (as)grauw, grijs
cenit *m* zenit
ceniza 1 as; *~s volcánicas* vulkaanas; *pista de ~s* sintelbaan; *reducir a ~s* vernietigen, verwoesten; *reducirse a ~s* geheel uitbranden; 2 *~s* stoffelijk overschot; **cenizo** iem die ongeluk heeft in het spel of anderen ongeluk brengt; *tener el ~* pech hebben
cenobio (*lit*) klooster
cenotafio cenotaaf, praalgraf
censo 1 telling (*van bevolking*); lijst (*van inwoners en hun bezittingen*); ~ *electoral* kiezerslijst, kiesregister; ~ *ganadero* veestapel; *efectuar un ~* een volkstelling houden; 2 belasting; 3 (*vglbaar*) erfpacht; **censor, -ora** 1 censor, iem die censuur uitoefent; 2 streng criticus; 3 ~ *de cuentas* accountant; ~ *jurado de cuentas* (*vglbaar*) registeraccountant; **censura** 1 censuur; 2 afkeuring; 3 ~ *de cuentas* accountantsonderzoek; **censurable** afkeurenswaard, laakbaar, verwerpelijk; **censurar** 1 censureren; 2 afkeuren, gispen, kritiseren, laken
centauro centaur, paardmens
centavo 1 honderdste (deel); 2 (*Am; vglbaar*) cent
centella 1 bliksemstraal; 2 vonk (*van vuursteen*); 3 plotselinge opflakkering; **centelleante** flikkerend, flonkerend; **centellear** flonkeren, glinsteren, schitteren; **centelleo** flonkering, geflonker
centena *zie 1 centenar*
centenal *m* roggeakker
1 centenar *m* honderdtal; *a ~es* in grote hoeveelheden, bij honderden
2 centenar *m* roggeakker
centenario I *bn* honderdjarig; II *zn* eeuwfeest
centeno rogge
centesimal in honderdsten; honderdtallig; **centésimo** honderdste; **centiárea** (*ongebr*) centiare, vierkante meter; **centígrado** in 100 graden verdeeld; **centigramo** centigram; **centilitro** centiliter; **centímetro** centimeter; **céntimo** (*vglbaar*) cent; *sin un ~* zonder een cent, platzak
centinela *m,v* schildwacht, wachtpost
centolla, centollo soort (eetbare) zeespin
centón *m* lappendeken

centrado 1 gecentreerd, precies in het midden; 2 (*mbt persoon*) op de juiste plaats, gewend; **central** I *bn* centraal; middelste; II *v* 1 centrale; ~ *de fuerza* krachtcentrale; ~ *nuclear* kerncentrale; ~ *sindical* vakcentrale; ~ *telefónica* telefooncentrale; 2 hoofdkantoor; ~ *de correos* hoofdpostkantoor; **centralización** *v* centralisatie; **centralizador, -ora** centraliserend; overkoepelend; **centralizar** centraliseren; **centrar** 1 centreren, richten; ~ *en medio* (*tekst*) centreren; 2 ~ (*en*) concentreren (op), richten (op); 3 op het juiste punt plaatsen; **centrarse** 1 z'n draai vinden; 2 ~ *en* zich bepalen tot, gericht zijn op; **céntrico** centraal
centrifugador *m; zie centrifugadora*; **centrifugadora** centrifuge; **centrifugar** centrifugeren; **centrífugo** centrifugaal, middelpuntvliedend; **centrípeto** centripetaal, middelpuntzoekend
centrista vh (politieke) midden; **centro** 1 centrum, middelpunt, midden; ~ *del campo* (*sp*) middenveld; ~ *de gravedad* zwaartepunt; ~ *de rotación* draaipunt; 2 instelling, inrichting, centrum; ~ *de acogida* opvangcentrum (*voor vluchtelingen*); ~ *de acogida de mujeres maltratadas* blijf-van-mijn-lijf-huis, (*Belg*) vluchthuis; ~ *cívico* (*municipal*) dienstencentrum; ~ *comercial* winkelcentrum; ~ *de día* dagverblijf; ~ *docente*, ~ *de enseñanza* onderwijsinrichting; ~ *electoral* stembureau; ~ *escolar* scholengemeenschap; ~ *de jardinería* tuincentrum; ~ *de rehabilitación* afkickcentrum; ~ *de reunión* trefcentrum; 3 (*sp*) voorzet; 4 ~ *delantero* midvoor; *medio* ~ spil, halfback
Centroamérica Midden-Amerika; **centroamericano, -a** *bn* Middenamerikaans
centroderechista (*pol*) iets rechts vh midden
centroeuropeo Middeneuropees
centroizquierdista (*pol*) iets links vh midden
centuplicar verhonderdvoudigen; **céntuplo** honderdvoud; **centuria** 1 (*lit*) eeuw; 2 (*hist*) centurie, compagnie van honderd man; **centurión** *m* centurio
centzontle *m* spotvogel
ceñido 1 beknopt; 2 strak, nauwsluitend; 3 ~ *a* aansluitend bij; **ceñir i** omgorden; omringen, omsluiten; ~*se la corona* de kroon dragen; **ceñirse i** 1 ~ *a* zich beperken tot; 2 ~ *a* stroken met
ceño gefronst voorhoofd; *arrugar el* ~ het voorhoofd fronsen; **ceñudo** met gefronste wenkbrauwen, boos kijkend
CEOE *Confederación Española de Organizaciones Empresariales*
cepa 1 (boom)stronk; 2 wijnstok; 3 afkomst; *de pura* ~ rasecht, echt
cepillado 1 (het) borstelen; 2 (het) schaven; **cepillar** 1 (af)borstelen; 2 (af)schaven; 3 (*fig*) uitkleden, plukken, geld afhandig maken; **cepillazo** 1 veeg met borstel; 2 ~*s* gevlei; **cepillo** 1 borstel, schuier; ~ *de alambre* staalborstel; ~ *de dientes* tandenborstel; ~ *de fregar* boender; ~ *para las uñas* nagelborstel; ~ *de ropa* kleerborstel; 2 schaaf; 3 offerblok; **cepo** 1 voetangel, klem; 2 offerblok; 3 boomtak; 4 steunblok; 5 krantestok; 6 wielklem (*voor fout geparkeerde auto*)
ceporro 1 stronk te gebruiken als brandhout; 2 lomperik, hannes
cera 1 (bijen)was; ~ *de lustrar* boenwas; ~ *de los oídos* oorsmeer; ~ *para pisos* boenwas; (*blando*) *como una* ~ als was; *dar* ~ *a* in de was zetten; *figura de* ~ wassen beeld; *sacar la* ~ opwrijven, oppoetsen; 2 volgzaam mens, lammetje
cerámica aardewerk, keramiek; **ceramista** *m,v* pottenbakker, -bakster
cerato brandzalf
cerbatana blaaspijp
cerca I *zn* omheining, afsluiting; II *bw* vlakbij; *de* ~ van dichtbij; III *vz:* ~ *de* bij, dichtbij; **cercado** 1 omheind terrein; 2 omheining; **cercanía** buurt, nabijheid; ~*s* omgeving, omstreken; **cercano** nabij; naburig; *los parientes más* ~*s* de naaste verwanten; **cercar** 1 omheinen, omgeven; 2 omsingelen, omringen, omsluiten
cercenamiento (het) afsnijden; besnoeiing; **cercenar** afsnijden; beknotten, besnoeien; bezuinigen op
cerciorarse: ~ *de* (*iets*) nagaan, zich vergewissen van, zich overtuigen van
cerco 1 (het) omheinen; 2 (het) omsingelen, beleg; 3 ring, kring; ~ *anual* jaarring; 4 halo
cerda 1 varkenshaar, paardehaar; 2 zeug; **cerdada** rotstreek
Cerdeña Sardinië
cerdito big(getje); **cerdo** 1 varken, zwijn; *a cada* ~ *le llega su San Martín* iedereen gaat eens voor de bijl; 2 smeerlap
cereal *m* graangewas; ~*es* granen; **cerealista** I *bn* van (de) granen; II *m* graanhandelaar
cerebral 1 hersen-; 2 cerebraal, verstandelijk; **cerebro** 1 hersenen; 2 brein; ~ *electrónico* elektronisch brein; *ser el* ~ *de* het brein zijn achter
ceremonia ceremonie, plechtigheid; ~ *de clausura* sluitingsplechtigheid; ~ *inaugural* openingsplechtigheid; ~ *nupcial* huwelijksplechtigheid; *con gran* ~ plechtstatig; **ceremonial** I *bn* ceremonieel; II *m* ceremonieel; **ceremonioso** plechtig, deftig, zeer beleefd
cereza kers; **cerezal** *m* 1 kerseboom; 2 kersehout
cerilla lucifer; **cerillera** lucifersdoosje
cernedor *m* (platte) zeef; **cerner ie** 1 zeven; 2 bespieden; **cernerse ie** 1 (*mbt vliegtuig, vogel*) zweven; 2 (*mbt wolken, dreiging*) boven het hoofd hangen, samenpakken
cernícalo 1 torenvalk; 2 onhebbelijk mens
cernir ie *zie cerner*
cero nul; ~ *absoluto* absoluut nulpunt; ~ *coma dos* nul komma twee; *cortado al* ~ (*mbt haar*) kaalgeknipt, gemillimeterd; *dos grados bajo* ~

twee graden onder nul; *opción* ~ nuloptie; *ser un* ~ *a la izquierda* een nul zijn; *sobre* ~ boven nul
ceroso wasachtig
cerrado 1 gesloten, dicht; ~ *con llave* op slot; *a ojos ~s* blindelings; *oler a* ~ muf ruiken; 2 (*mbt nacht*) pikdonker; *hace noche -a* het is stikdonker; 3 bewolkt; 4 ontoegankelijk, duister; 5 koppig, ontoegankelijk, gesloten; 6 sloom, traag van begrip || *aplauso* ~ vurig applaus; *barba -a* dichte baard; *curva -a* scherpe bocht; *un inglés* ~ een echte Engelsman; *lluvia -a* zware regen; **cerradura** slot; ~ *antirrobo* stuurslot; ~ *de seguridad* veiligheidsslot; **cerrajería** 1 slotenmakerij, bankwerkerij; 2 (hang- en) sluitwerk; **cerrajero** slotenmaker, bankwerker; **cerrar ie** 1 (af)sluiten, dichtdoen; (*een sloot*) dempen, dichtgooien; (*een kraan*) dichtdraaien; (*het gas*) uitdraaien; ~ *la calle* de straat afzetten; ~ *con fuerza* dichtgooien; ~ *con llave* op slot doen; 2 (*een overeenkomst*) sluiten, aangaan; 3 (*bij breien*) afkanten; **cerrarse ie** 1 dichtgaan; 2 (*mbt lucht*) dichttrekken; 3 ~ *a* zich afsluiten voor; 4 ~ *en* zich terugtrekken in, zich opsluiten in; **cerrazón** *v* 1 koppige geslotenheid; 2 kortzichtigheid, afgestomptheid; 3 zware bewolking
cerrero 1 in het wild levend; 2 onbehouwen; 3 (*mbt voedsel*) bitter, weinig verfijnd
cerril 1 onhebbelijk, ruw, grof, onbeschaafd; 2 dom, traag; 3 (*mbt dier*) wild; **cerrilismo** 1 grofheid, lompheid; 2 domheid, traagheid; 3 koppigheid, kortzichtigheid
cerro heuvel; *irse por los ~s de 'Ubeda* afdwalen
cerrojo 1 grendel; *echar el* ~ vergrendelen; 2 (*sp*) defensief spel
certamen *m* prijsvraag
certero 1 handig, vaardig; 2 trefzeker; *golpe* ~ treffer; **certeza** stelligheid, zekerheid; **certidumbre** *v; zie certeza*; **certificación** *v* attest, bewijs, verklaring; ~ *médica* doktersattest; **certificado** I *bn* aangetekend; gewaarmerkt; II *zn* bewijs, certificaat, getuigschrift, verklaring; ~ *de antecedentes* (*vglbaar*) bewijs van goed gedrag; ~ *de aptitud* akte van bekwaamheid, bevoegdheidsverklaring; ~ *de buena conducta* bewijs van goed gedrag; ~ *de escolaridad* (*Sp*) getuigschrift van doorlopen basisschool (*EGB; zonder diploma*); ~ *de fin de estudios* einddiploma; ~ *de garantía* garantiebewijs; ~ *de graduado escolar* (*Sp*) einddiploma basisschool (*EGB*); ~ *de penales* strafblad; ~ *de piloto* vliegbrevet; ~ *de recepción* ontvangstbewijs; ~ *de vacunación* inentingsbewijs; **certificar** 1 (*brief*) aantekenen; 2 verklaren; 3 waarmerken; **certitud** *v; zie certeza*
cerumen *m* oorsmeer
cerval van een hert; *miedo* ~ doodsangst
cervantesco, **cervantino** van Cervantes; **cervantista** *m,v* Cervantesspecialist(e)
cervato jong hert
cervecería 1 bierbrouwerij; 2 biertapperij; **cervecero**, **-a** I *bn* vh bier, bier-, brouwerij-; II *zn* 1 bierbrouwer; 2 bierverkoper, -verkoopster; **cerveza** bier; ~ *de barril* bier uit het vat; ~ *de botella* flessebier; ~ *a presión* tapbier; ~ (*rubia*) pils
cervical vd hals, hals-; *vértebra* ~ halswervel; **cerviz** *v* nek; *bajar la* ~, *doblar la* ~ het hoofd buigen
cesación *v* onderbreking, (het) stoppen; **cesante** op non-actief gesteld; *dejar* ~: *a*) op wachtgeld stellen; *b*) ontslaan (*van ambtenaar*); **cesantía** 1 non-activiteit; (het) op wachtgeld staan; 2 wachtgeld; **cesar** I *intr:* ~ (*de*) ophouden (met); *no cesa de estudiar* hij studeert maar door; *sin* ~ onophoudelijk, voortdurend; II *tr* 1 beëindigen, staken, afbreken; ~ *la producción* de produktie staken; 2 (*een ambtenaar*) op wachtgeld stellen, op non-actief stellen; ontslaan
césar *m* keizer; **César** jongensnaam; **cesárea** keizersnede
cese *m* 1 (het) ophouden, staking; ~ *de las hostilidades* staking der vijandelijkheden; 2 wachtgeldverklaring; ontslag(aanzegging)
cesio (*chem*) cesium
cesión *v* afstand, cessie; **cesionario**, **-a** cessionaris; **cesionista** *m,v* cedent(e)
césped *m* 1 grasveld, gazon; 2 zode
cesta 1 korf, mand; 2 korf (*van centrifuge*); 3 mandje om mee te slaan in het Baskische pelota-spel; **cestada** mandvol; **cestapunta** Baskisch balspel gespeeld met mandjes aan de hand; *zie chistera, pelota*; **cestería** mandenmakerij; **cesto** mand, korf; ~ *de los papeles* prullenmand
cesura caesuur
cetáceo walvisachtig
cetrería 1 valkenjacht; 2 het africhten van valken
cetrino (*mbt huid*) olijfkleurig, groenachtig geel
cetro scepter
ceutí uit Ceuta (*Sp Marokko*)
ceviche *m; zie seviche*
cf. *confer* vergelijk
cha *m* sjah
chabacanada, **chabacanería** platvloersheid; **chabacano** plat, platvloers
chabola hut, krot; **chabolismo** krottenwijkvorming aan de rand van een stad
chacal *m* jakhals
chacha (*fam*) dienstmeisje; kindermeisje
cháchara geklets, geleuter; **chacharear** tetteren, kwebbelen
chacho (*fam*) jongen, joch; broer
chacina gerookt vlees
chacolí *m* lichte, vrij zure Baskische wijn
chacolotear (*mbt hoefijzers*) klepperen; ratelen
chacona chaconne
chacota rumoerige pret; *tomar a* ~ niet serieus nemen

chacra (*Am*) akker, land; kleine boerderij
chafado 1 beduusd, beteuterd; 2 verzwakt, (*fig*) kapot; **chafar** (*fam*) 1 pletten, vertrappen; 2 kreukelen; 3 verknoeien, verpesten
chaflán *m* afgeschuinde hoek, afschuining
chal *m* sjaal, omslagdoek
chalado 1 geschift, getikt; 2 ~ *por* smoorverliefd op; **chaladura** 1 dwaasheid; 2 verliefdheid
chalán *m* 1 paardenhandelaar; 2 sjoemelaar, oplichter; **chalana** vlet; **chalanear** sjacheren; **chalaneo** gesjacher, gescharrel
chalar gek maken; verliefd maken; **chalarse** (*por*) hevig verliefd worden (op)
chalé *m; zie chalet*
chaleco vest; spencer; ~ *antibalas* kogelvrij vest; ~ *plumífero* bodywarmer; ~ *salvavidas* reddingsvest, zwemvest || *para su* ~ voor zich heen
chalet *m* chalet, villa, landhuis; zomerhuis
chalina sjaaltje, strikdas
chalote *m* sjalot
chalupa sloep
chamaco, -a (*fam*) jochie, meisje
chamarilear sjacheren, scharrelen; **chamarileo** gesjacher, gescharrel; **chamarilero** opkoper, sjacheraar, uitdrager
chamarra jack
chamba (*fam*) gelukkig toeval; *ha sido por* ~ het was meer geluk dan wijsheid; **chambón, -ona** onhandig; die bij toeval succes heeft
chamiza riet voor daken; **chamizo** 1 half verbrand hout; 2 hutje met rieten dak
champán *m* champagne; **champaña** *zie champán*
champiñón *m* champignon
champú *m* shampoo; ~ *colorante* kleurshampoo
chamullar (*fam*) praten; brabbelen
chamuscar blakeren, schroeien; **chamusquina** (het) schroeien; branderige lucht; *huele a* ~ er zwaait wat, dat wordt ruzie
chancear schertsen; **chanchearse**: ~ *de* spotten met, grappen maken over
chancho (*Am*) varken
chanchullero scharrelaar; **chanchullo** gekonkel, gesjacher, zwendel; ~*s* knoeierij
chancla 1 slipper; 2 afgetrapte schoen; 3 onding; nutteloos geval; **chancleta** slipper; **chancleteo** geslof, getik van slippers; **chanclo** 1 soort klomp; 2 rubber overschoen
chandal *m*, **chándal** *m* trainingspak, (*Belg*) jogging
chanfaina gerecht van stukjes orgaanvlees
changador *m* (*Am*) kruier
changurro toebereide zeespin
chanquete *m* soort ansjovis
chantaje *m* chantage; **chantajear** chanteren; **chantajista** *m,v* chanteur
chantillí *m* 1 geklopte room; 2 kantwerk
chanza scherts, plagerij
chao: ¡~! (*fam*) dag!, tot ziens!
chapa 1 plaat (*van hout, metaal*); ~ *de fondo* bodemplaat; ~ *de hierro* plaatijzer; ~ *de madera* fineer; ~ *ondulada* golfplaat; ~ *y pintura* plaat- en spuitwerk; ~ *de virutas de madera* spaanplaat; 2 insigne; button; 3 fiche; nummertje (*van garderobe*); **chapado** 1 gefineerd; 2 bedekt met een laag (*bv van goud*); 3 ~ *a la antigua* ouderwets, vd oude stempel; **chapar** 1 beplaten; 2 fineren; 3 betegelen
chaparro klein en dik, gedrongen
chaparrón *m* stortbui, slagregen; *aguantar el* ~ alles over zich heen laten komen
chapear *zie chapar*; **chapeo** (*iron*) hoed
chapaleteo 1 geklots (*van golven*); 2 geruis (*van regen*)
chapero (mannelijke) prostitué, hoerenjongen
chápiro (*iron*) hoed
chapitel *m* 1 torenspits; 2 kapiteel
chapista *m* plaatwerker; **chapistería** 1 plaatwerkerij; 2 plaatwerk
chapotazo plons; **chapotear** spetteren; **chapoteo** (het) spetteren, (het) klotsen
chapucear afraffelen; klungelen; knoeien, beunhazen; **chapuceramente** slordig, op zijn jan-boerenfluitjes; **chapucería** 1 knoeiwerk, lapwerk; 2 klusje, opknapwerkje; **chapucero, -a I** *bn* slordig, flodderig; **II** *zn* knoei(st)er, beunhaas
chapurrar, chapurrear brabbelen
chapuza 1 knoeiwerk, prutswerk; ~*s* beunhazerij; 2 karweitje, klus, schnabbel; **chapuzar** plonzen; **chapuzarse** in het water plonzen, duiken; **chapuzón** *m* (het) plonzen, duik
chaqué *m* jacquet; **chaqueta** 1 colbert; *cambiar de* ~ (*pol*) van kleur veranderen; *le queda grande la* ~ hij is niet voor zijn taak berekend; 2 damesvest
chaquete *m* triktrak(spel)
chaquetear 1 van politieke kleur veranderen, omslaan; 2 terugkrabbelen, zich bedenken (*uit angst*); **chaqueteo** 1 verandering van inzicht, omslag; 2 (het) terugkrabbelen; **chaquetero, -a** opportunist(e), iem die met alle winden meewaait; **chaquetilla** kort jasje; **chaquetón** *m* warm en ruim jasje; jopper
charada charade
charanga hoempaorkestje; **charango** (*Am*) soort banjo
charca grote plas, poel; **charco** plas, poel; ~ *enlodado* modderpoel; *pasar el* ~ de oceaan oversteken
charcutería 1 vleeswaren; 2 vleeswarenzaak
Charito *afk van Rosario*
charla 1 praatje; gepraat; 2 causerie, voordracht; **charlador, -ora I** *bn* praatgraag; **II** *zn* grage prater, praatster, kletskous, babbelaar(ster); **charlar** praten, babbelen, kwebbelen, kletsen; ~ *por los codos* honderduit praten; **charlatán, -ana** 1 charlatan, praatjesmaker, -maakster, blaaskaak; 2 kwakzalver; 3 straatverkoper, -verkoopster; **charlatanería** geklets, gezwam

charlestón *m* charleston
charlista *m,v* causeur, conferencier; **charlotear** kwekken, kleppen; **charloteo** gebabbel, gekwek
charnego, **-a** scheldwoord voor binnenlandse immigrant in Catalonië
charnela scharnier
Charo *afk van Rosario*
charol *m* 1 lak; 2 lakleer
charrada 1 stommiteit; 2 dans vd charros (*Salamanca*); 3 smakeloze sier, overdaad
charrán *m* schurk; **charranada** schurkenstreek
charretera epaulet
charro, **-a** I *bn* 1 uit de provincie Salamanca; 2 opzichtig; smakeloos; II *zn* 1 iem uit de provincie Salamanca; 2 *m* Mexicaanse ruiter in traditioneel kostuum
chárter *m* charter; *vuelo* ~ chartervlucht
chas: *¡~!* pats!
chascar een knappend geluid maken; knetteren; klakken (*met de tong*); ~ *los dedos* met de vingers knippen
chascarrillo grap
chasco 1 teleurstelling; afknapper, strop; *llevarse un* ~ de kous op de kop krijgen, van een koude kermis thuiskomen, een strop hebben; 2 bedrog
chasis *m* chassis; *quedarse en el* ~ (*fam*) broodmager worden
chasqueado teleurgesteld, genomen; **chasquear** 1 klakken met de tong, een knappend geluid maken, knetteren; ~ *los dedos* met de vingers knippen; 2 teleurstellen; **chasquearse** 1 een strop hebben, teleurgesteld worden; 2 mislukken; **chasquido** 1 (het) klakken; 2 (het) knappen (*van hout*); krak; 3 (het) knetteren (*van schoten*)
chata 1 meisje met stompe neus; 2 (*koosnaam*) liefje, schatje; 3 (*Am*) platte kar
chatarra oudroest, schroot; **chatarrero** schroothandelaar
chatear (*fam*) wijn drinken (*in cafés*); **chateo** (het) wijn drinken
chato, **-a** I *bn* plat, stomp; II *zn* 1 iem met stompe neus; *zie ook chata*; 2 *m* klein wijnglas
chaval *m* jongen, knul; **chavala** meisje, grietje; **chavalería** kinderen, grut; **chavalillo** jochie, knulletje; **chavea** *m; zie chaval*
chaveta I *zn* spie; ~ *hendida*, ~ *partida* splitpen || *perder la* ~ geschift worden; II *bn* getikt, gek;
chavo: *sin un* ~ zonder een cent
chavó *m; zie chaval*
che: *¡~!* hé!
checa (*hist*) tsjeka (*Russische geheime politie*)
checo, **-a** I *bn* Tsjechisch; II *zn* 1 Tsjech, Tsjechische; 2 *m* (het) Tsjechisch; **checoslovaco** Tsjechoslowaaks; **Checoslovaquia** Tsjecho-Slowakije
cheli 1 (*aanspreekvorm, fam*) makker, joh; 2 bep Madrileens jargon
chelín *m* shilling
Chelo *afk van Consuelo*
chepa (*fam*) bochel; **cheposo** gebocheld; **chepudo** (*neg*) gebocheld
cheque *m* cheque; ~ *bancario* bankcheque; ~ *cruzado* gekruiste cheque; ~ *sin fondos* ongedekte cheque; ~ *de viaje*, ~ *de viajero* reischeque
chequeo 1 (medisch) onderzoek; 2 controle (*bv van machine*); 3 douane-onderzoek; fouillering
chéster *m* chesterkaas
chévere (*Am, fam*) leuk
chibcha (*hist*) *bn* vd Chibcha's (*Columbiaans Indianenvolk*)
chic *m* elegantie, chic
chica 1 meisje; 2 dienstmeisje
chicana chicane; *zie ook chicano*; **chicano**, **-a** 1 iem van Mexicaanse afkomst en wonend in de VS; 2 *m* de chicano-taal
chicarrón *m* sterk en groot kind
1 chicha (*kindert*) vlees; *tener pocas ~s* mager zijn || *de ~ y nabo* heel gewoontjes, van niks
2 chicha (*Am*) gegiste maïsdrank, soort maïsbier; *no es ~ ni limonada* het is vlees noch vis
chícharo erwt
chicharra 1 krekel (*dagsjirper*); 2 zoemer (*bel*)
chicharrina (*fam*) grote hitte
chicharro makreel
chicharrón *m* 1 hardgebakken zwoerd; kaantjes; 2 *-ones* soort hoofdkaas, zult; 3 te hard gebakken vlees; 4 iem die erg bruingebrand is
chichería chicha-winkel; *zie 2 chicha*
chichón *m* buil, bult
chicle *m* kauwgom
chico I *bn* klein; II *zn* 1 jongen; *~s* jongelui, jongens en meisjes; 2 boodschappenjongen; leerling; ~ *para los recados* boodschappenjongen
chicolear complimentjes maken; **chicoleo** (het) complimentjes maken
chicoria *zie achicoria*
chicote, **-ota** 1 groot en sterk kind; 2 *m* (*fam*) grote sigaar; 3 *m* (*Am*) zweep
chicuelo kereltje
chiflado geschift, getikt, knettergek; ~ *con u.c.* dol op iets, gek op iets; ~ *por* smoorverliefd op; *le tiene ~ la música* hij is stapelgek op muziek; **chifladura** 1 dwaasheid; 2 waanzinnige hartstocht (*voor iets*); 3 grillige wens, bevlieging; 4 lichte gestoordheid; **chiflar** 1 dol maken; *le chifla el cine* hij is gek op films; 2 (*fam*) fluiten; **chiflarse**: ~ *por* verzot zijn op, gek zijn op
chiíta I *bn* sjiitisch; II *m,v* sjiiet
chilaba djellaba, Noordafrikaanse mantel met capuchon
chile *m* chilipeper, rode peper; **Chile** *m* Chili; **chilenismo** typisch Chileens woord; **chileno**, **-a** I *bn* Chileens; II *zn* 1 Chileen(se); 2 *m* (het) Chileens
chillar 1 gillen, schreeuwen, krijsen; (*mbt muis*) piepen; 2 (*mbt deur*) piepen, knarsen; **chillido** 1 gegil; 2 (*mbt deur*) geknars; **chillón**, **-ona** 1 die veel gilt, schreeuwerig; 2 (*mbt*

geluid) schel, snerpend, schril; 3 (*mbt kleur*) schreeuwend, schril
chimenea 1 schoorsteen(pijp); ~ *de aire*, ~ *de ventilación* luchtkoker; 2 schouw, open haard; 3 (*bergsp*) couloir
chimpancé *m* chimpansee
chimú (*hist*) vd Chimu-cultuur (*Indianenvolk in Peru*)
1 china 1 kiezelsteen; *echar* (*a la*) ~ loting of weddenschap waarbij een steentje in een gesloten vuist wordt gehouden; *le ha tocado la* ~ hij is de pineut; *a quienes toque la* ~ wie het lot treft; 2 belemmering, obstakel
2 china (*Am*) vrouw, meisje
3 china porselein
China: (*la*) ~ China
chinarro grote kiezelsteen
chinchar (*fam*) plagen, pesten, treiteren; *me chincha...* ik vind het oervervelend om...; **chincharse** (*fam*) nijdig worden; *¡para que te chinches!* net goed!, lekker puh!; **chinche** *m,v* 1 wandluis; *morir como ~s* sterven bij bosjes; 2 punaise; 3 pestkop; **chincheta** punaise
chinchilla chinchilla
chinchorrería 1 brutaliteit; lastigheid; veeleisendheid; 2 kletspraatje; **chinchorrero**, **-a** 1 pestkop; 2 roddelaar(ster)
chinchorro klein roeibootje
chinchoso lastig, vervelend, hinderlijk
chinela slipper
chinero servieskast
chingar (*vnl Am*) 1 (*pop*) verpesten, verneuken; 2 lastig vallen, pesten; 3 veel drinken; 4 neuken; **chingarse** (*pop*) 1 mislukken; 2 boos worden, de pest in krijgen; 3 dronken worden; **chingón**, **-ona** (*pop*) pestkop, klootzak
1 chinita klein steentje
2 chinita (*Am*) meisje
1 chino, **-a** I *bn* Chinees; *barrio* ~ (*in Barcelona*) rosse buurt; *cuento* ~ bedrog, sprookjes; II *zn* 1 Chinees, Chinese; 2 *m* (het) Chinees; *es ~ para mí* ik begrijp er geen woord van
2 chino kiezelsteen; *jugar a los ~s* (*kindersp*) raden hoeveel steentjes iem in zijn vuist heeft
3 chino (*Am*) 1 halfbloed (*Indiaan-neger*); 2 (*soms*) Indiaan; 3 bediende, man uit het volk; *trabajar como un* ~ zich kapot werken; 4 kind; 5 (*vriendelijk aansprekend*) (beste) jongen
chip *m* (*comp*) chip
chipén: *de* ~ (*fam*) prima, opperbest
chipirón *m* inktvis
chipriota I *bn* uit Cyprus; II *m,v* Cyprioot, Cypriotische
1 chiquero *zn* stierehok; (*Am*) zwijnestal
2 chiquero *bn* gek op kinderen
chiquilín, **-ina** kind, jongetje, meisje; **chiquillada** kinderstreek, iets kinderachtigs; **chiquillería** (het) kleine grut, kinderschaar; **chiquillo**, **-a** jongetje, dreumes, kleine meid; *¡no seas ~!* doe niet zo kinderachtig!; **chiquiteo** (het) drinken van glazen wijn (*in café's*); *andar de* ~ stappen, aan de boemel zijn; **chiquitín**, **-ina** ventje, meisje; **chiquitito** heel klein; **chiquito**, **-a** I *bn* klein; *dejar* ~ verre overtreffen; *no andarse con -as* niet kinderachtig zijn, doortastend optreden; II *zn* 1 jongetje, meisje; 2 *m* glaasje wijn
chiribita vonk; *echar ~s* razend zijn, vuur spuwen
chiribitil *m* klein, laag kamertje; hokje, zolderkamertje
chirigota grap; **chirigotero**, **-a** grappenmaker, -maakster
chirimbolo 1 (ingewikkeld) ding, geval; 2 *~s* rommeltjes, spullen; gerei
chirimía herdersfluit, schalmei
chirimoya chirimoya (*vrucht*); **chirimoyo** chirimoyaboom
chiringuito (*fam*) consumptietentje, drankenkiosk
chiripa 1 gelukstreffer in het biljart; 2 gelukje, tref; **chiripero** die vaak geluk heeft
chirla kleine mossel
chirlata obscuur speelhol
chirle I *bn* flauw, waterig; II *m* schapekeutels, geitekeutels
chirlo snee of litteken in gezicht; steekwond; (*Am*) klap (*in het gezicht*)
chirola (*Am*) muntje van weinig waarde
chirona nor, bajes, lik, doos
chirriar í 1 knarsen, piepen, gieren; 2 (*bij braden*) sissen; 3 sjirpen, piepen; **chirrido** 1 geknars, gepiep (*van banden bij remmen*); 2 gesis (*bij braden*); 3 gesjirp, gepiep
chis: *¡~!* 1 ssst!; 2 pst, hé!
chisgarabís *m* nietsnut, stomkop; bemoeial
chisguete *m* slok wijn
chisme *m* 1 roddelpraatje, kletspraatje; *~s* geroddel, geklets, lasterpraatjes; 2 (*fam*) ding, snufje, geval; **chismear** roddelen; **chismería** geroddel; **chismero**, **-a** roddelaar(ster); **chismorrear** roddelen, praatjes rondvertellen; **chismorreo** geroddel; **chismorrería** *zie chismorreo*; **chismosear** *zie chismorrear*; **chismoso**, **-a** 1 roddelaar(ster); 2 (*fam*) bemoeial
chispa 1 vonk; *correr como una* ~ zich als een lopend vuurtje verbreiden; *echar ~s* woedend zijn; *echando ~s por los ojos* met vlammende blik; 2 kruimeltje, druppeltje; sprankje, greintje; *ni* ~ geen greintje; 3 intelligentie, levendigheid; *dar ~s* bijdehand zijn; *tener* ~ geestig zijn; 4 clou ‖ *estar ~, tener una* ~ aangeschoten zijn; **chispazo** 1 vonk; 2 schade door overspringende vonk; 3 geïnspireerd moment, uitschieter, vonk; 4 plotselinge gebeurtenis (*die als voorbode fungeert*), voorbode, signaal; 5 roddelpraatje, kletsverhaal; **chispeante** 1 vonken schietend; fonkelend; 2 sprankelend; **chispear** 1 vonken; 2 sprankelen; fonkelen; 3 motregenen; **chispero** 1 man uit volksbuurt in Madrid; 2 vonkenvanger; **chispo** aangeschoten; **chisporrotear** vonken, knetteren; **chisporroteo** (het) vonken, (het) knetteren
chist *zie chis*; **chistar** (*fam*) praten; *sin* ~

zonder een kik te geven; *aceptar u.c. sin* ~ zich iets laten aanleunen; **chiste** *m* 1 mop, grap, kwinkslag; ~ *verde* schuine mop; *caer en el* ~ iets doorhebben; *contar ~s* moppen tappen; *tiene* ~ (*iron*) leuk is dat; 2 clou
chistera 1 hoge hoed; 2 aan de hand bevestigde mand om mee te slaan in Baskisch balspel
chistoso grappig, geestig
chistu *m* Baskische fluit; **chistulari** *m* bespeler vd Baskische fluit
1 chita kootbeentje, bikkel
2 chita: *a la* ~ *callando* stilletjes, heimelijk
chitón: *¡~!* ssst!, mondje dicht
chiva geitje; **chivarse** klikken; **chivatazo**: *dar el* ~ verraden, klikken; **chivato** 1 bokje; 2 klikspaan; 3 verkenningsvliegtuig; **chivo, -a** bokje, geitje; ~ *expiatorio* zondebok
choc *m* (*med*) shock; **chocante** 1 stuitend, aanstootgevend; 2 wonderlijk, vreemd; 3 grappig, geestig, apart; **chocar** I *intr:* ~ (*con, contra*) botsen (tegen), stoten (tegen), in botsing komen (met); ~ *con una mina* op een mijn lopen; ~ *de frente* frontaal botsen; II *tr* 1 verrassen, treffen, schokken; 2 ~ (*los vasos*) klinken (*toosten*); 3 (*de hand*) drukken
chocarrería platvloersheid; **chocarrero** plat, platvloers, grof
chocha houtsnip
chocheando: *ir* ~ kinds worden; **chochear** 1 kinds worden; 2 steeds hetzelfde vertellen; 3 ~ *por u.c.* helemaal weg zijn van iets; **chochera, chochez** *v* 1 kindsheid; 2 gebazel; 3 grote vertedering; **chocho** 1 kinds; 2 buiten zichzelf van vertedering of verliefdheid
1 choclo jonge maïs
2 choclo soort klomp
chocolate *m* 1 chocola; ~ *en taza* chocolademelk; 2 (*pop*) hasj; 3 (*color*) ~ chocoladebruin; *~s* (*fam*) leden vd policía nacional (*in bruin uniform*); **chocolatera** 1 chocoladeverkoopster; 2 chocoladeketel; **chocolatería** 1 chocoladefabriek; 2 chocoladewinkel; cafetaria; **chocolatero** 1 chocoladefabrikant; 2 chocoladeverkoper; **chocolatina** chocolaatje
chófer *m* chauffeur
1 chola intelligentie, koppie
2 chola (*Am; fam*) Indiaanse, mesties (*vrouw*)
cholla *zie 1 chola*
chollo luizenbaan, bof
cholo (*Am; fam*) Indiaan; mesties
cholulteco uit Cholula (*Mexico*)
chompa (*Am*) trui
chopera populierenbos
1 chopo zwarte populier
2 chopo (*fam*) geweer
choque *m* 1 botsing; aanrijding; ~ *en cadena* kettingbotsing; ~ *de opiniones* botsing van meningen; 2 schok, smak; *fuerzas de* ~ stoottroepen; 3 shock
choquezuela knieschijf
chorbo, -a (*pop*) figuur, individu
chori *m* (*pop*) dief, dievegge; **choricear** (*pop*) stelen; **choricería** worstwinkel; **choricero, -a** 1 worstfabrikant; 2 worstverkoper, -verkoopster; 3 (*pop*) dief; **chorizo** 1 chorizo, Spaanse worst; 2 (*pop*) kruimeldief; 3 balanceerstok
chorlito soort plevier || *cabeza de* ~ leeghoofd, warhoofd
chorrada (*pop*) dwaasheid, stommiteit
chorrear I *intr* druipen, stromen; gutsen; ~ *sangre* hevig bloeden; *chorreando* (*agua*) kletsnat, drijfnat; *chorreando amabilidad* overvloeiend van vriendelijkheid; II *tr* zandstralen; **chorreo** (het) stromen, (het) druipen; **chorrera** jabot; **chorretada** heftige straal; **chorro** straal, stroom, scheut; ~ *de agua* waterstraal; *un* ~ *de luz* een bundel licht; ~ *de voz* enorm stemvolume; *a* ~ (neerkomend) met een straal; *a ~s* bij de vleet; *avión a* ~ straalvliegtuig; *hablar a ~s* ratelen; *limpiar a* ~ schoonspuiten; *limpiar con* ~ *de arena* zandstralen; (*limpio*) *como los ~s del oro* brandschoon; *salir a* ~ omhoogspuiten, opspuiten; *soltar el* ~ losbarsten (*in lachen, schreeuwen*)
chotearse (*pop*) spotten; **choteo** (*pop*) spot
chotis *v* Madrileense parendans (*begin 20e eeuw*)
choto, -a 1 bokje, geitje; 2 kalf; 3 (*fam*) dwaas; **chotuno** 1 (*mbt geit*) nog zuigend bij de moeder; 2 (*mbt lam*) zwak, mager || *oler a* ~ stinken (*naar geit*)
chovinismo chauvinisme
chova kraai, roek
choza hut
christmas *m* kerstkaart
chsss *zie chis*
chubasco (regen)bui; *~s dispersos* verspreide buien; *aguantar el* ~ alles over zich heen laten komen
chubesqui *m* warmwaterkruik; soort stoof
chucha 1 teef; 2 (*pop*) peseta; **Chucha** *afk van Jesusa*
chuchería 1 snuisterij; 2 licht lekker hapje
chucho (*neg*) hond; *¡~!* af!; **Chucho** *afk van Jesús*
chucruta zuurkool
chueco (*Am*) krom, met kromme benen
chufa aardamandel; *horchata de ~s* (aard)amandelmelk (*verfrissende drank*)
chufla grap
chufo ingezette krul, rol (*in het haar*)
chulada (*fam*) 1 brutaliteit, brutale houding; opschepperij; 2 lelijke streek; 3 grappig gezegde; **chulapear** de stoere jongen uithangen; vlot doen; **chulapería** stoer gedrag; vlot gedrag; **chulapo, -a** *zie chulo*; **chulapón, -ona** *zie chulo*; **chulear** 1 grappen maken; 2 als pooier leven; **chulearse** 1 grappen maken; 2 opscheppen; **chulería** 1 stoerheid; brutaliteit; 2 opschepperigheid, ijdelheid; 3 charme, vlotheid
chuleta 1 karbonade, kotelet; ~ *de cerdo* varkenskotelet; ~ *de cordero* lamskotelet; 2 spiekbriefje; 3 draai om de oren

chulo, **-a** I *zn* 1 *m,v* iem uit de Madrileense volkswijken; vlotte figuur; 2 *m* pooier, souteneur; II *bn* 1 brutaal, stoer; 2 vlot, charmant; 3 ijdel; opschepperig; 4 (*mbt zaken*) vlot, modern, prima
chumbera vijgencactus; **chumbo** cactusvijg
chunga (*fam*) grap; *de* ~ voor de grap; **chunguearse** (*de*) voor de gek houden
chuño (*Am*) gedroogde aardappel, aardappelmeel
chupa: *poner a u.p. como* ~ *de dómine* iem de mantel uitvegen
chupacirios *m,v* vrome kwezel; **chupachup** *m* (*fam*) lolly; **chupada** 1 (het) zuigen; 2 trek, haal; **chupado** (*fam*) 1 mager; 2 doodmakkelijk; **chupar** I *intr* zuigen; II *tr* 1 zuigen op, sabbelen op; opzuigen; ~ *un caramelo* zuigen op een zuurtje; *¡chúpate ésa!* die kun je in je zak steken!, daar kun je het mee doen!; 2 (*fig*) slurpen; ~ *corriente* stroom slurpen; ~ *energía* energie vreten; 3 trekken aan (*een sigaret*); 4 afhandig maken; **chuparse** mager worden; **chupatintas** *m* pennelikker; **chupete** *m* speen; fopspeen; **chupetear** sabbelen; **chupeteo** (het) sabbelen; **chupetón** *m* krachtige haal; **chupinazo** (*sp, voetbal*) hard schot; **chupón**, **-ona** 1 iem die zuigt; 2 klaploper, -loopster; 3 *m* lolly; 4 *m* waterloot
churrasco (*Am; in Argentinië*) geroosterd vlees
churrería churros-winkel; *zie churro*; **churrero**, **-a** churro-verkoper, -verkoopster
churrete *m* vieze veeg (*vnl in het gezicht*); **churretón** *m; zie churrete*; **churretoso** vol vette vegen, plakkerig
churrigueresco (*Sp*) overladen barokke bouwstijl (*begin 18e eeuw*)
churro 1 gefriteerde deegstengel; 2 (*fam*) mislukking, prutswerk; 3 toevalstreffer, geluk (*in spel*)
churruscarse (*bij het roosteren*) zwart worden
churumbel *m* (*fam*) kind
chuscada grap, grol; **chusco** I *bn* grappig, schertsend, vol grollen; gek; II *zn* homp (*brood*)
chus: *sin decir* ~ *ni mus* zonder een mond open te doen
chusma gespuis, tuig, schorem
chut *m* (*in voetbal*) trap tegen de bal, schot; **chuta** (*drugs*) spuit; **chutar** (*in voetbal*) schieten, trappen (*tegen de bal*) || *¿chuta?* ga je lekker?; *esto va que chuta* het gaat reuze; **chutarse** (*drugs*) spuiten; **chute** *m* (*drugs*) shot; *pegarse un* ~ spuiten
chuzo piek; stok vd nachtwaker || *caen* ~*s* het regent pijpestelen, het valt met bakken uit de hemel
cía heupbeen
Cía. *compañía* maatschappij
cianhídrico: *ácido* ~ blauwzuur; **cianuro** cyaanzout; ~ *potásico* cyaankali
ciar *i* achteruitroeien; wijken
ciática ischias, pijn in de heupzenuw; **ciático** vd heup, heup-
cibernética cybernetica
cicatear beknibbelen; **cicatería** krenterigheid; **cicatero** krenterig
cicatriz *v* litteken; **cicatrización** *v* heling (*van wond*), vorming van litteken; **cicatrizar** I *intr* helen, een litteken vormen; II *tr* (doen) helen
Cicerón *m* Cicero; welsprekend mens, goed redenaar
cicerone *m* gids (*persoon*)
ciclamen *m* cyclaam, cyclamen
cíclico cyclisch; **ciclismo** wielersport; (het) fietsen; **ciclista** *m,v* fiets(t)er; **ciclo** cyclus, kringloop; **ciclomotor** *m* bromfiets, brommer; **ciclón** *m* cycloon, tornado, wervelstorm
cíclope *m* cycloop; **ciclópeo** gigantisch, reusachtig
ciclostilo cyclostyle
ciclotrón *m* cyclotron, deeltjesversneller
cicuta dolle kervel
cidra soort grote citroen; **cidrada** sukade; **cidro** soort citroenboom
ciegamente blindelings; **ciego**, **-a** I *bn* 1 blind; 2 verblind; 3 (*mbt buis*) verstopt || *a -as* blindelings; II *zn* 1 blinde; 2 *m* blindedarm
cielo 1 hemel, lucht; ~ *despejado* heldere hemel; ~ *estrellado* sterrenhemel; ~ *tormentoso* onweerslucht; *a* ~ *descubierto* onder de blote hemel; *al que al* ~ *escupe en la cara le cae* boontje komt om zijn loontje; *caído del* ~, *llovido del* ~: *a*) goed van pas; *b*) onverwacht, zomaar vanzelf; *clamar al* ~ hemeltergend zijn; *coger el* ~ *con las manos* buiten zichzelf raken; *en el séptimo* ~ in de zevende hemel; *ir al* ~ in de hemel komen; *mover* ~ *y tierra* hemel en aarde bewegen; *poner en el* ~ hemelhoog prijzen; *venirse el* ~ *abajo*: *a*) hevig stormen; *b*) een vreselijk kabaal zijn; *ver el* ~ *abierto* een gat in de lucht springen, de toekomst optimistisch zien; 2 plafond (*bv in auto*); ~ *de la boca* gehemelte; ~ *raso* gestuct plafond; 3 schat, engel; *eres un* ~ je bent een engel
ciempiés *m* duizendpoot; **cien** *zie ciento*
ciénaga modderpoel, moddervlakte
ciencia 1 wetenschap; ~*s de la educación* pedagogie; ~*s empresariales* bedrijfskunde; (*Belg*) handelswetenschappen; ~*s* (*exactas*) exacte wetenschappen; ~ *ficción* science-fiction; ~*s físicas*, ~*s naturales* natuurwetenschappen; ~*s ocultas* occulte wetenschappen; 2 kennis; *el árbol de la* ~ de boom der kennis; *a* ~ *cierta* met volledige zekerheid
cienmilésimo honderdduizendste; **cienmilímetro** een honderdste millimeter
cieno modder, slijk
científico, **-a** I *bn* wetenschappelijk, geleerd; *rigurosamente* ~ strikt wetenschappelijk; II *zn* wetenschapper, geleerde; ~ *atómico* atoomgeleerde
ciento (*voor zn cien*) honderd; ~*s de veces* hon-

derden keren; *cien veces* honderd keer; *a ~s* velen, in groten getale; *al 3 por ~, a un 3 por ~* tegen 3 procent; *el 10 por ~, un 10 por ~* tien procent; *el cien por ~* honderd procent, (het) totaal; *un cien por cien* honderd procent, helemaal; *es vasco cien por cien* hij is een echte Bask; *estoy contra cien por cien* ik ben er vierkant tegen; *en tantos por ~* in procenten || *dar ~ y raya a u.p.* iem overtreffen

cierne: *en ~, en ~s: a)* in bloei; *b)* (*fig*) in de dop, in spe, beginnend

cierrapuerta *m* deurdranger; **cierre** *m* **1** sluiting, afsluiting; *~ dominical* zondagssluiting; *el ~ del mercado* het sluiten vd markt; *~ metálico* rolluik (*van metaal*); *~ patronal* lock-out; *~ de tiendas* winkelsluiting; *~ al vacío* vacuümsluiting; *al ~ de esta edición* bij het ter perse gaan; *hora de ~* sluitingstijd; **2** beugel, sluiting, knip, slot; afsluitplaat; *~ de cremallera* ritssluiting; **3** opheffing, sluiting; *~ de empresa* bedrijfssluiting

cierto zeker; *~ día* op een (zekere) dag; *-as personas* bepaalde mensen; *~ de verdad* echt waar; *~ que* weliswaar; (*bien*) *es ~ que* weliswaar; *dar por cosa -a que* (voor zeker) aannemen dat; *de -a edad* van zekere leeftijd, van middelbare leeftijd; *en -a medida* enigermate; *en ~ momento* op een zeker moment; *estar en lo ~* het bij het rechte eind hebben; *hasta ~ punto* tot op zekere hoogte; *lo ~ es que* het is een feit dat; *no por ~* zeker niet!; *por ~* trouwens, overigens; *saber de ~* zeker weten; *salir ~* bewaarheid worden; *es ~: a)* het is waar; *b)* het is zeker; *¿es ~?* is dat zo?; *no es ~* dat is niet waar; *sí por ~* jazeker!

cierva hinde; **ciervo** hert; *~ volante* vliegend hert (*kever*)

cierzo noordenwind

cifra **1** cijfer; *~ de desempleo* werkloosheidscijfer; *~s finales* eindcijfers; *~s provisionales* voorlopige cijfers; *~ tope* recordcijfer, topcijfer; *~ de ventas* omzet; **2** code, geheimschrift; *poner en ~* coderen; **3** monogram; **4** samenvatting; **cifrar** **1** coderen; *escritura cifrada* geheimschrift; **2** *~ en* vestigen op; *~ la esperanza en* zijn hoop vestigen op; *tener la esperanza cifrada en* zijn hoop gevestigd hebben op; **3** *~ en* reduceren tot; **cifrarse**: *~ en* **1** belopen; **2** (*mbt hoop*) gevestigd zijn op

cigala soort kleine zeekreeft

cigarra **1** cicade, krekel (*nachtsjirper*); **2** zoemer (*bel*)

cigarral *m* (*bij Toledo*) buitenhuis met boomgaard

cigarrera **1** sigarenmaakster; **2** sigarenverkoopster; **3** sigarendoos, sigarenkoker; **4** sigarettenkoker; **cigarrillo** sigaret; *~ liado* shagje; **cigarro** **1** sigaar; *~ puro* sigaar; **2** (*pop*) sigaret

cigarrón *m* sprinkhaan

cigoñal *m* primitieve waterputinstallatie

cigoñino ooievaarsjong

cigoto bevruchte eicel

ciguatera (*Am*) **1** bepaalde vissenziekte; **2** ziekte als gevolg vh eten van besmette vis of schaaldieren

cigüeña ooievaar

cigüeñal *m* krukas

cilantro koriander

cilicio boetekleed, boetegordel

cilindrada cilinderinhoud; **cilindrado** (het) walsen; **cilindro** **1** cilinder, rol; *~ de caminos* wals; **2** koker

cima top; toppunt, hoogtepunt; *dar ~ a* voltooien

cimarrón, -ona (*Am*) **1** (*mbt dier*) in het wild levend; verwilderd; **2** (*hist; mbt negerslaaf*) weggelopen, ontvlucht; **3** (*mbt mate-thee*) zonder suiker; **cimarronada** kudde verwilderde dieren; **cimarronear** (*Am*) **1** op de vlucht zijn; **2** mate(-thee) zonder suiker drinken

címbalo **1** klokje; **2** *~s* bekkens, cimbalen; **cimbalero, cimbalista** *m* bekkenist, cimbalist

cimborrio koepel; ondersteuning voor koepel

cimbrar *zie cimbrear*; **cimbreante** dun en buigzaam; **cimbrear** doen zwiepen; buigen; sierlijk bewegen; **cimbrearse** **1** (*mbt stengels*) zwiepen, zich buigen; **2** sierlijk lopen, wiegen; **cimbreo** (het) zwiepen; (het) buigen; (het) gracieus bewegen

cimentación *v* **1** (het) plaatsen van funderingen; **2** grondslag, fundering; **cimentar ie 1** de grondslag leggen voor; *~ en* funderen op; **2** (*fig*) funderen, onderbouwen, hard maken

cimera helmkam

cimiento **1** fundering, fundament; **2** grondslag, fundament

cimitarra (*Turkse*) kromsabel

cinc *m* zinc

cincel *m* beitel; **cincelado** (het) beitelen, (het) ciseleren; **cincelador, -ora** die beitelt, die ciseleert; **cincelar** beitelen, ciseleren

cincha (*bij paard*) (buik)riem, singel; **cinchar** de singel aantrekken bij (*een paard*); **cincho** hoepel, bandijzer (*om ton, wiel*)

cinco vijf; *decirle a u.p. cuántas son ~* iem zeggen waar het op staat, iem ongezouten de waarheid zeggen; *ni ~* geen rooie cent; *¡vengan esos ~!* geef me de vijf!

cincuenta vijftig; **cincuentavo** *zn* vijftigste (deel); **cincuentena** vijftigtal; **cincuentenario** vijftigste verjaardag; **cincuenteno** (*rangtelw*) vijftigste; **cincuentón, -ona** vijftiger

cine *m* **1** bioscoop; *ir al ~* naar de bioscoop gaan; **2** filmisch oeuvre, films; *~ mudo* stomme film; *~ sonoro* geluidsfilm; *hacer ~* films maken; **cineasta** *m,v* cineast(e); **cineclub** *m* filmliga, filmhuis; **cinéfilo, -a** filmliefhebber, -hebster, filmfan

cinegética jachtkunst; **cinegético** vd jacht

cinemascope *m* cinemascope; **cinemateca** filmotheek; **cinematografía** cinematografie, filmkunst; **cinematografiar í** opnemen, ver-

filmen; **cinematográfico** vd film, film-; **cinematógrafo 1** (het) filmen, filmkunst; filmvertoning; 2 (*ongebr*) bioscoop
cinerario voor as, as-; *urna -a* urn (*voor as*)
cinerama *m* cinerama
cinética bewegingsleer; **cinético** kinetisch, bewegings-
cingalés, **-esa** Singhalees; uit Sri Lanka
cínico cynisch, wrang; schaamteloos; **cinismo** cynisme; schaamteloosheid
cinta 1 lint, band, strip, tape; ~ (*auto*)*adhesiva* plakband; ~ *aislante*, ~ *de aislar* isolatieband; ~ *de casete* cassettebandje; ~ *para colgar* lus(je); ~ *de contacto* schakelstrip; ~ *engomada* plakband; ~ *entintada* inktlint; ~ *magnética* magneetband; ~ *magnetofónica* geluidsband; ~ *mecanográfica* schrijfmachinelint; ~ (*métrica*) meetlint, (rol)centimeter; ~ *perforada* ponsband; ~ *sonora* geluidsband; ~ *transportadora* transportband; ~ *virgen* onbespeelde cassette; 2 film(band); ~ *estrecha* smalfilm; ~ *de vídeo* videoband; 3 (*techn*) drijfriem, riem
cintarazo slag met het plat vh zwaard
cinto riem (*om het middel*), gordel; *al* ~ aan de gordel
cintra kromming van boog of gewelf; **cintrado** boogvormig
cintura middel, taille; ~ *de avispa* wespetaille; *meter en* ~ kleinkrijgen, mores leren, temmen, tot rede brengen; *presas de* ~ *abajo* (*sp*) grepen onder de gordel; **cinturón** *m* **1** gordel, koppel; ceintuur, riem; ~ *negro* (*bij judo*) zwarte band; ~ *de seguridad* veiligheidsgordel; ~ *verde* groenstrook; *apretarse el* ~ de buikriem aanhalen; 2 rondweg
cipayo (*hist*) sepoy (*inlandse soldaat in Brits-Indië*)
cipo mijlpaal; grenspaal; gedenkzuil; **cipote** *m* **1** knuppel; 2 stommerd, dommerd; 3 (*pop*) pik, lul
ciprés *m* cipres
circense vh circus, circus-; **circo** circus
circuito 1 omtrek; *planear en* ~ (*mbt vliegtuig*) rondcirkelen; 2 rondreis; parcours; ~ *de footing* trimbaan; 3 circuit; kringloop; ~ *abierto* open circuit; ~ *cerrado* gesloten circuit; ~ *derivado* (*elektr*) groep; *corto* ~ kortsluiting
circulación *v* **1** circulatie, roulatie; ~ *de la sangre* bloedsomloop; *de gran* ~ met grote oplaag; *poner en* ~ in omloop brengen; *retirar de la* ~ uit de circulatie nemen; 2 verkeer; ~ *por carretera* wegverkeer; *permiso de* ~ kentekenbewijs; **circulante** circulerend; *biblioteca* ~ uitleenbibliotheek; *capital* ~ vlottend kapitaal, werkkapitaal; **circular I** *ww* circuleren, rouleren, in omloop zijn; rijden; (*mbt bericht*) de ronde doen; ~ *por la derecha* rechts houden; **II** *v* aanschrijving; circulaire, rondschrijven, (*Belg*) omzendbrief; **III** *bn* cirkelvormig; **circulatorio 1** vh verkeer; 2 vd bloedsomloop; **círculo** cirkel, kring; ~ *de amigos* vriendenkring; ~*s comerciales* handelskringen; ~ *de giro* draaicirkel; ~ *polar* poolcirkel; ~*s profesionales* vakkringen; ~ *vicioso* vicieuze cirkel; ~ *de vuelta* draaicirkel; *altos* ~*s* upper ten
circuncidar besnijden; **circuncisión** *v* besnijdenis
circundar omringen
circunferencia (cirkel)omtrek; **circunferir ie, i** 'omtrekken
circunflejo (accent) circumflex
circunlocución *v* omschrijving; **circunloquio** omhaal van woorden; *no andes con* ~*s* praat er maar niet omheen
circunnavegar om...heen varen
circunscribir 1 beperken, bepalen; 2 (*wisk*) omschrijven; **circunscribirse** (*a*) zich beperken (tot), zich bepalen (tot); **circunscripción** *v* **1** (*wisk*) (het) omschrijven; 2 ~ (*electoral*) kieskring, (*Belg*) kiesarrondissement; **circunscrito 1** beperkt; 2 (*wisk*) omgeschreven
circunspección *v* behoedzaamheid, omzichtigheid; **circunspecto** behoedzaam, omzichtig
circunstancia omstandigheid; ~ *agravante* verzwarende omstandigheid; ~ *atenuante* verzachtende omstandigheid; *cara de* ~*s* gelegenheidsgezicht; **circunstanciado** omstandig, uitvoerig; **circunstancial 1** aan omstandigheden gebonden, tijdelijk; 2 *complemento* ~ bijwoordelijke bepaling
circunvalación *v* **1** (het) omringen; *carretera de* ~ ringweg, rondweg; 2 (*línea de*) ~ ringlijn
cirílico cyrillisch
cirio grote waskaars
cirro schapewolk, cirrus
cirrosis *v* (*med*) cirrose, verharding van organen
cirrus *m; zie cirro*
ciruela pruim; ~ *pasa* pruimedant; **ciruelo** pruimeboom
cirugía chirurgie; ~ *cardíaca* hartchirurgie; ~ *estética*, ~ *plástica* plastische chirurgie; **cirujano** chirurg
cisandino aan deze zijde vd Andes
ciscarse zich bevuilen, het in zijn broek doen
cisco 1 fijne steenkool; *hacer* ~ versnipperen, vernielen; *hacerse* ~ in gruizels vallen, kapotgaan; 2 geraas, rumoer
cisma *m* schisma; scheuring; **cismático** schismatisch, scheuring veroorzakend
cisne *m* zwaan; *canto del* ~ zwanezang
cisplatino aan deze zijde van de La-Platarivier
cister *m* de cisterciënzer orde; **cisterciense** cisterciënzer-
cisterna 1 waterreservoir, bak; 2 stortbak (*van wc*); 3 tank; *barco* ~ tanker; *camión* ~ tankauto; *vagón* ~ tankwagen
cistitis *v* blaasontsteking; **cistoscopio** cystoscoop (*apparaat voor blaasonderzoek*)
cisura insnijding
cita 1 afspraak; *cancelar la* ~ afbellen; *darse* ~ (met elkaar) afspreken; 2 citaat, aanhaling;

citación *v* (het) ontbieden; dagvaarding; exploot; **citado** (boven)genoemd; **citar 1** ontbieden; oproepen; dagvaarden; ~ *a u.p.* een afspraak maken met iem, iem laten komen; *estar citado con* een afspraak hebben met; 2 citeren, aanhalen; 3 noemen, vermelden; 4 (*de stier*) uitdagen, uitlokken; **citarse** (met elkaar) afspreken, een afspraak maken
cítara citer
citología celleer, cytologie; **citoplasma** *m* cytoplasma
cítrico I *bn* citroen-; *ácido* ~ citroenzuur; II *zn* citrusvrucht; **citrino 1** vd citroen; 2 citroengeel; **citrón** *m* citroen
ciudad *v* stad; ~ *baja* benedenstad; ~ *dormitorio* slaapstad; ~ *gemela,* ~ *hermana* zusterstad; ~ *jardín* tuinstad; ~ *natal* geboortestad; ~ *de provincia* provinciestad; ~ *satélite* satellietstad; ~ *universitaria* campus, universiteitscomplex; **ciudadanía** burgerschap; staatsburgerschap; **ciudadano, -a** I *bn* vd stad, stads-, burger-; II *zn* 1 burger(es); 2 staatsburger(es); *-os* (de) burgerij; ~ *de honor* ereburger; *el* ~ *de a pie* de gewone burger; **ciudadela** citadel
cívico vd (goede) burger; fatsoenlijk; *deber* ~ burgerplicht; *guardia -a* burgerwacht; *sentido* ~ burgerzin, gemeenschapszin
civil I *bn* 1 burgerlijk, civiel; 2 beleefd, correct; 3 burgerrechtelijk; II *m* 1 (*fam*) guardia civil, politieagent; 2 niet-militair, burger; **civilista** *m,v* specialist(e) in burgerlijk recht; **civilización** *v* beschaving; **civilizado** beschaafd; **civilizador, -ora** beschavend; **civilizar** beschaven, civiliseren; **civismo 1** burgerzin, gemeenschapszin, (*Belg*) civisme; 2 beleefdheid, welgemanierdheid
cizalla (*vaak mv*) metaalschaar
cizaña 1 dolik (*giftig gras*); 2 iets slechts dat de rest bederft; *meter* ~, *sembrar* ~ tweedracht zaaien; *separar la* ~ *del buen grano* het kaf van het koren scheiden; **cizañero, -a** (*fig*) stoker, stookster, tweedrachtzaai(st)er
claim *m* vordering, claim
clamar schreeuwen om, roepen om; jammeren; *clama al cielo* het is hemeltergend, het is godgeklaagd; **clamor** *m* geschreeuw; klacht; **clamorear** schreeuwen; **clamoreo** (het) schreeuwen, kreet; **clamoroso** luidruchtig, luid; (*fig*) totaal; *un éxito* ~ een daverend succes; *equivocarse clamorosamente* zich gruwelijk vergissen
clan *m* clan
clandestinamente in het verborgene; **clandestinidad** *v* geheim; **clandestino** geheim, heimelijk, illegaal, ondergronds; *trabajo* ~ zwart werk
claque *v* claque
clara *zn:* ~ (*de huevo*) wit (*vh ei*) || *a las* ~*s* duidelijk, openlijk
claraboya bovenlicht, dakraam
clarear dag worden; licht worden; oplichten; **clarearse 1** (*mbt stof*) doorschijnend worden, dun worden; 2 zich in de kaart laten kijken;
clarete I *bn* lichtrood; II *m* lichtrode wijn;
claridad *v* helderheid; duidelijkheid; ~*es* hartige woordjes; ~ *meridiana* grote helderheid; *para mayor* ~ ter verduidelijking; **clarificación** *v* (het) helder maken, (het) klaren; verheldering; **clarificar** helder maken, klaren, zuiveren; verhelderen
clarín *m* klaroen; *toque de -ines* (*mil*) fanfare;
clarinete *m* klarinet; **clarinetista** *m,v* klarinettist(e)
clarividencia helderziendheid; **clarividente** helderziend
claro I *bn* licht; helder; duidelijk; (*mbt huid*) blank; (*mbt thee, koffie*) slap; (*mbt haar*) dun; ~ *como el agua* zo klaar als een klontje, glashelder; *agua -a* helder water; *cantarlas -as* duidelijk zijn, zeggen waar het op staat; *color* ~ lichte kleur; *dejarlo bien* ~ geen twijfel laten bestaan; *lenguaje* ~ klare taal; *no sacar nada en* ~ ergens geen hoogte van krijgen, er geen touw aan vast kunnen knopen; *poner en* ~ verduidelijken; *ponerse en* ~ blijken, duidelijk worden; *rubio* ~ lichtblond; *un sonido* ~ een heldere klank; *tez -a* blanke huid; II *bn* duidelijk; *¡*~*!, ¡*~ *está!* natuurlijk!; *¡*~ *que no!* natuurlijk niet!; *¡*~ *que sí!* natuurlijk wel!; *hablar* ~*: a*) duidelijk spreken; *b*) (*fig*) duidelijke taal spreken || *noche en* ~ slapeloze nacht; III *zn* 1 open plek (*in het bos*); kale plek; 2 moment waarop het niet regent; 3 ~ *de luna* maneschijn; **claroscuro** clair-obscur; licht en donker
clase *v* 1 soort, slag; *de toda*(*s*) ~(*s*) allerlei; 2 stand, rang, klasse; ~ *media* middenklasse; ~ *obrera* arbeidersklasse; ~*s pasivas* niet-werkende deel vd bevolking; ~ *social* maatschappelijke klasse; *las* ~*s superiores* de hogere standen; ~ *turista,* ~ *turística* toeristenklasse; *de primera* ~ eersteklas; *segunda* ~ tweede klas; 3 (*sala de*) ~ (klas)lokaal, klas; 4 les, college; ~ *de baile* dansles; ~ *colectiva* groepsles; ~ *magistral* hoorcollege; ~ *particular* privéles; ~ *práctica,* ~ *seminario* werkcollege; *dar* ~*s* (*en la universidad*), *dictar* ~*s* college geven; *dar* ~ *con* les nemen bij; *dar* ~ *de: a*) les geven in; *b*) les volgen in; *en* ~*: a*) op school; *b*) klassikaal; *faltar a* ~, *no ir a* ~ (de school) verzuimen; *hoy no hay* ~ vandaag is er geen les; *seguir* ~*s de* les volgen in; *tener* ~ *de química* scheikundeles hebben; *tomar* ~(*s*) *con* les nemen bij
clasicismo classicisme; **clasicista** classicistisch; **clásico** klassiek; *ejemplo* ~ schoolvoorbeeld
clasificación *v* classificatie, indeling, klassering, rangschikking; ranglijst; (*sp*) klassement; **clasificador** *m* 1 archiefkast; 2 ordner;
clasificar classificeren, indelen, klasseren, rangschikken, rubriceren, sorteren; **clasista** klasse-; *justicia* ~ klassejustitie
claudicación *v* 1 niet-nakoming; 2 onderwerping; **claudicar** *intr* 1 het laten afweten, ver-

plichtingen niet nakomen; 2 het hoofd buigen, zich onderwerpen
claustral vh klooster; **claustro 1** kloostergang; 2 college van rector en docenten van universiteit of school || ~ *materno* baarmoeder; **claustrofobia** claustrofobie
cláusula 1 clausule, bepaling, beding; ~ *final* slotbepaling; ~ *penal* dwangsom; 2 (*gramm*) zin; ~ *absoluta* absolute constructie (*met gerundio, onbep w of volt dw*); ~ *conjunta* verbonden constructie (*met hetzelfde onderwerp in hoofd- en bijzin*)
clausura 1 kloosterleven; afzondering in het klooster; 2 sluiting; slotzitting; **clausurar** (*een congres, vergadering*) (officieel) sluiten; **clausus**: *numerus ~ m* studentenstop, numerus clausus
clavado 1 (*mbt kleren*) als gegoten; 2 precies (gelijkend op); ~ *su hermano* precies zijn broer; 3 precies (op tijd); *a las tres -as* precies om drie uur; 4 (*fam*) vast en zeker; precies goed || *dejar ~* versteld doen staan; *estar ~ en u.c.* (*fig*) aan iets vast zitten; **clavar 1** (vast)spijkeren; dichtspijkeren; 2 (*een spijker*) inslaan; 3 steken; ~ *un alfiler en* een speld steken in; *se clavó la aguja* hij prikte zich in zijn vinger, de naald schoot in zijn vinger; ~ *la mirada en* de blik (strak) vestigen op; 4 (*onder studenten*) goed beantwoorden; 5 versteld doen staan; 6 een te hoge prijs vragen, te pakken nemen, afzetten
clave *v* 1 (*fig*) sleutel; oplossing; code; ~ *de fa* f-sleutel, bassleutel; ~ *personal* pin-code; ~ *de sol* g-sleutel, vioolsleutel; *posición ~, puesto ~* sleutelpositie; *el punto ~* het kardinale punt; 2 sluitsteen (*in boog*); 3 *m* clavichord; **clavecín** *m* clavichord
clavel *m* anjer, anjelier
clavetear met spijkers versieren
clavicembalista *m,v* clavecinist(e); **clavicémbalo** clavecimbel; **clavicordio** clavichord
clavícula sleutelbeen
clavija 1 spie, pen, pin, stift; 2 ~ (*de enchufe*) stekker; 3 (*muz*) schroef (*bv van viool*); *apretar las ~s a u.p.* iem de duimschroeven aanleggen; **clavo 1** spijker, nagel; ~ *de alambre* draadnagel; ~ *de gota de sebo* spijker met bolle kop; *un ~ saca otro* met het een maak je het ander weer goed; *agarrarse a un ~ ardiendo* zich aan een strohalm vastklampen; *clavar un ~ con la cabeza* heel koppig zijn; *como un ~* zo zeker als wat, precies; *remachar el ~: a*) doorzeuren, doordrammen, hameren op iets; *b*) de zaak nog erger maken, er een schepje bovenop doen; *ser de ~ pasado* van de baan zijn, oude koek zijn; *sujetar con ~s* vastspijkeren; 2 kruidnagel
claxon *m* claxon
clec *m* drukknoop
clemátide *v* clematis
clemencia clementie, genade, goedertierenheid; **clemente 1** clement, genadig; 2 (*mbt weer*) zacht; **clementina** pitloze mandarijn
clepsidra wateruurwerk
cleptomanía kleptomanie; **cleptómano, -a** kleptomaan, -mane
clerecía clerus, geestelijkheid; **clergyman**: *traje ~* moderne priesterkleding (*sinds 1966, ipv soutane*); **clerical** vd clerus, klerikaal; **clericalismo** klerikalisme; **clérigo** geestelijke; **clero** clerus, geestelijkheid
cliché *m* cliché
cliente, -enta klant, cliënt(e), afnemer; bezoek(st)er (*van café*); ~ *asiduo*, ~ *habitual* vaste klant; **clientela** cliëntèle, klantenkring; klandizie; *mucha ~* een drukke praktijk
clima *m* klimaat; ~ *bursátil* beursklimaat; ~ *continental* landklimaat; ~ *laboral* arbeidsklimaat, werksfeer; ~ *marítimo* zeeklimaat; *un ~ riguroso* een guur klimaat; *no resistir el ~* niet tegen het klimaat kunnen
climaterio climacterium
climático *zie climatológico*; **climatización** *v* airconditioning; **climatizado** airconditioned; **climatizar** klimatiseren; **climatológico** vh klimaat, klimaat-, klimatologisch; *condiciones -as* weersomstandigheden
clímax *m* climax
clínica kliniek, ziekenhuis; ~ *de maternidad* kraamkliniek; ~ *pediátrica* kinderziekenhuis; ~ *psiquiátrica* psychiatrische inrichting; **clínico** I *bn* klinisch; *historia -a* ziektegeschiedenis; *ojo ~* klinische blik, scherpzinnigheid; II *zn* clinicus
clip *m* 1 paperclip; 2 haarspeldje
clíper *m* klipper
clisé *m; zie cliché*
clítico *zie enclítico*
clítoris *v* clitoris
cloaca riool; **cloacal** riool-; *red ~* rioolnet
clo: ~ ~ tok tok (*geluid van kip*); **clocar** kakelen
clon *m; zie clown*
clono kloon
cloqueo geklok; **cloquear** kakelen, klokken; ~ *de contento* (*mbt baby*) kraaien
clorar chloren; **clorhídrico**: *ácido ~* zoutzuur; **clorificar** chloren; **cloro** chloor; **clorofila** bladgroen, chlorofyl; **cloroformizar** verdoven met chloroform; **cloroformo** chloroform; **cloromicetina** chloromycetine, chlooramfenicol; **clorosis** *v* chlorose, anemie, bleekzucht; **cloroso** chloorhoudend; **cloruro** chloorverbinding, chloride; ~ *de sodio* keukenzout
clown *m* clown
club *m* club, sociëteit; ~ *casero* thuisclub; ~ *deportivo* sportclub; ~ *náutico* watersportvereniging, jachtclub
clueca I *bn* broeds; II *zn* broedkip
cluniacense vd orde van Cluny
cm *centímetro*; **cmm** *cienmilímetro*
C.N.T. *Confederación Nacional del Trabajo*
coacción *v* dwang; ~ *moral* gewetensdwang, morele dwang; **coaccionar** (*a*) dwingen (om); **coactivo** dwingend

coadjutor, **-ora** 1 assistent(e); 2 *m* hulpbisschop, coadjutor; **coadyuvar** meehelpen, meewerken
coagulación *v* stolling, stremming; **coagulador**, **-ora**, **coagulante** (bloed)stollend, coagulerend; **coagular** doen stollen; **coagularse** stollen; **coágulo** gestolde massa; gestold bloed
coalición *v* coalitie; ~ *gubernamental* regeringscoalitie
coartada alibi; **coartar** (*niet fysiek*) belemmeren, remmen, beperken
coautor, **-ora** 1 mede-auteur; 2 mededader(es)
coaxial met dezelfde as
coba: *dar* ~ vleien
cobalto kobalt
cobarde I *bn* laf; II *m,v* lafaard, bangerd; **cobardía** lafheid
cobaya, **cobayo** 1 Guinees biggetje, cavia; 2 proefkonijn
cobear (*fam*) vleien
cobertera (panne)deksel; **cobertizo** 1 afdak; 2 hok, loods, schuur; **cobertor** *m* sprei; deken; **cobertura** 1 bedekking, laag; 2 dekking, garantie; **cobijar** 1 bedekken; 2 huisvesten; **cobijarse** schuilen; **cobijo** 1 onderdak, schuilplaats; 2 beschutting, bescherming, troost
cobista *m,v* (*fam*) vlei(st)er, strooplikker
cobla Catalaans sardana-orkest
cobra cobra (*slang*)
cobrador, **-ora** 1 ontvang(st)er; ~ *de banco* bankloper; 2 (*in tram*) conducteur, -trice; **cobranza** incasso, inning; **cobrar** 1 innen, incasseren, opstrijken; in rekening brengen; ~ *demasiado* teveel rekenen; ~ *el paro* (*fam*) een w.w.-uitkering hebben; ~ *peaje* tol heffen; ~ *las redes* de netten inhalen; *camarero ¡cobre Ud.!* ober, mag ik afrekenen?; 2 krijgen; ~ *afecto a* genegenheid opvatten voor; ~ *aliento* op adem komen; ~ *ánimo* moed vatten; ~ *importancia* belangrijk worden; ~ *interés por* belangstelling krijgen voor; **cobrarse** 1 zich schadeloos stellen; 2 bijkomen (*na flauwte*)
cobre *m* 1 koper; ~ *para soldar* kopersoldeer; *bañado en* ~ verkoperd; *batir el* ~ zeer energiek te werk gaan; 2 ~*s* koperblazers; **cobrizo** 1 koperhoudend; 2 koperachtig; 3 koperkleurig
cobro incasso, inning; *poner al* ~ betaalbaar stellen; *ponerse en* ~ zich in veiligheid brengen; *presentar al* ~ ter incasso aanbieden
1 coca coca; cocaïne
2 coca slag (*in touw*)
cocaína cocaïne; **cocainómano**, **-a** verslaafd aan cocaïne
cóccix *m* staartbeen, stuitbeen
cocear (*mbt paard*) slaan, achteruitslaan
cocer ue I *tr* koken; (*brood, potten*) bakken; ~ *bien* goed laten doorkoken; ~ *en el horno* bakken in de oven; ~ *al vapor* stomen; II *intr* koken; *el agua cuece* het water kookt
cochambre *m* vuil, vuiligheid; **cochambroso** 1 vuil; 2 gammel
cochazo (*fam*) grote auto, slee; **coche** *m* 1 wagen; wagon; koets, rijtuig; ~-*cama* slaapwagen; ~ *fúnebre* lijkwagen; ~ *grúa* kraanwagen, takelwagen; ~ *de literas* couchetterijtuig; ~ *de pasajeros* personenrijtuig; ~ *postal* postrijtuig; ~ *restaurante* restauratiewagen; ~ *silla* wandelwagen(tje); 2 auto; ~ *de acompañamiento* volgauto; ~ *de alquiler* huurauto; ~ *blindado* pantserauto; ~ *bomba* bomauto; ~ *de carreras* raceauto; ~ *de cinco puertas* stationcar; ~ *de compañía* auto van de zaak; ~ *de cuatro puertas* vierdeurs auto; ~ *oficial* dienstauto; ~-*patrulla* patrouillewagen; ~ *de punto* huurauto; ~-*taller* (*vglbaar*) wegenwachtauto; ~ (*de*) *todo terreno* terreinwagen; ~ *de turismo* personenauto; ~-*vivienda* woonwagen; *pasearse en* ~ rondrijden, toeren || *en el* ~ *de San Fernando* met de benenwagen; **cochecito** wagentje, karretje; wandelwagentje; ~*s de choque*, ~*s eléctricos* botsautootjes; ~ *de niño* kinderwagen; **cochera** 1 koetshuis; 2 remise (*van tram*); (*Belg*) stelplaats; **cochero** koetsier
cochina zeug; *zie ook cochino*; **cochinada** vuile streek; **cochinería** zwijnerij; *hacer* ~*s* vieze dingen doen; **cochinilla** 1 pissebed; 2 cochenille (*soort schildluis*); **cochinillo** speenvarken; ~ *de Indias* Guinees biggetje, cavia; **cochino**, **-a** I *zn* 1 varken; *a cada* ~ *le llega su San Martín* iedereen gaat eens voor de bijl; 2 viespeuk, smeerlap; II *bn* 1 vies; 2 gemeen; **cochiquera** varkensstal
cochura 1 (het) bakken in de oven (*van brood, potten*); 2 wat per keer gebakken wordt; baksel
cocido I *zn* eenpansgerecht (*van kikkererwten, vlees en groenten in bouillon*); *carne para* ~*s* soepvlees; II *bn* gaar
cociente *m* quotiënt; ~ *electoral* kiesdeler; ~ *de inteligencia* (*afk IQ*) intelligentiequotiënt, IQ
cocimiento 1 (het) koken; *de* ~ *rápido* snelkokend; 2 kookvocht; **cocina** 1 keuken; kombuis; ~ *de campaña* veldkeuken; ~-*estar* woonkeuken; 2 fornuis; ~ *de butano* butagasfornuis; ~ *de gas* gasfornuis; 3 (*arte de*) ~ kookkunst; **cocinar** koken; ~ *con gas* koken op gas; **cocinero**, **-a** kok(kin); ~ *de a bordo* scheepskok; ~ *jefe* chefkok; **cocinilla** kookstel; ~ *de keroseno* petroleumstel
cocker *m* cockerspaniel
cócktail *m zie cóctel*
1 coco 1 kokosnoot; kokos; 2 kokospalm; 3 (*fam*) hoofd, bol, raap, kop
2 coco boeman
3 coco 1 insektenlarve; 2 coccus (*bacterie*)
4 coco fijne katoen
cococha kabeljauwwangetje (*lekkernij*)
cocodrilo krokodil
cocota (*fam*) hoofd, kop, test
cocotal *m* kokosplantage; **cocotero** kokospalm
cóctel *m* 1 cocktail; ~ *Molotow* molotov-cock-

tail; 2 cocktailparty; **coctelera** cocktailshaker
cocuyo glimworm
codaste *m* achtersteven
codazo duw met elleboog; *a ~s* met geweld; *dar un ~* stompen met de elleboog; **codear** met de ellebogen duwen; **codearse:** *~ con* omgaan met
codecisión *v* (het) medebeslissen; (*derecho de*) ~ medebeslissingsrecht
codeína codeïne
codeso (*plantk*) soort goudenregen
códice *m* oud manuscript, codex
codicia 1 begeerte, hebzucht; *~ desencadenada, trae pérdida doblada* wie het onderste uit de kan wil hebben, krijgt het lid op de neus; 2 zucht, verlangen; **codiciar** begeren, azen op
codicilo codicil
codicioso begerig, hebzuchtig
codificación *v* 1 codificatie; 2 codering; **codificar** 1 codificeren; 2 coderen; **código** 1 wetboek; *~ de barras* streepjescode; *~ de la circulación* wegenverkeersreglement; *~ civil* burgerlijk wetboek; *~ penal* wetboek van strafrecht; 2 code; *~ de honor* erecode; *~ postal* postcode; *~ de señales* seincode
codillo elleboog (*van viervoeters*)
codirector, -ora medebestuurder, -bestuurster, mededirecteur, -directrice
codo 1 elleboog; *~ con ~* zij aan zij; *alzar el ~* flink drinken, hijsen; *apoyar los ~s en* vooroverleunen op; *charlar por los ~s* honderduit praten; *dar con el ~* aanstoten; *de ~s* leunend op de ellebogen; *desgastarse los ~s* hard studeren; *empinar el ~* flink drinken, hijsen, de fles aanspreken; *hasta los ~s* tot zijn nek, tot over zijn oren; 2 bocht, kniestuk (*in buis*)
codorniz *v* kwartel; *andar de ~* getrippel
coeducación *v* coëducatie
coeficiente *m* cijfer; coëfficiënt; graad; *~ de dilatación* uitzettingscoëfficiënt; *de alto ~ laboral* arbeidsintensief
coercible bedwingbaar; **coerción** *v* onderdrukking; dwang; **coercitivo** dwang-; *medida -a* dwangmaatregel; *medio ~* machtsmiddel
coetáneo, -a tijdgenoot, -genote; **coevo, -a** *zie coetáneo*
coexistencia coëxistentie; *~ pacífica* vreedzame coëxistentie; **coexistir** naast elkaar bestaan
cofa (*scheepv*) mars
cofia kapje
cofirmante *m,v* medeondertekenaar(ster)
cofrade *m,v* lid van congregatie; **cofradía** congregatie, broederschap
cofre *m* (opberg)kist; *~ de alcanfor* kamferkist; *~ trasero* (*in auto*) achterbak
coger I *tr* 1 grijpen, pakken, beetpakken, vatten; opvangen, opvatten; vangen, snappen, oppakken, betrappen, verrassen, overvallen; (*mbt stier*) op de horens nemen; (*bloemen, thee*) plukken; opnemen (*op band*); *cogidos del brazo* gearmd; *~ desprevenido* overvallen, verrassen; *~ una enfermedad* een ziekte oplopen; *~ en flagrante* op heterdaad betrappen; *~ frío* kou vatten; *~ el fruto de* de vruchten plukken van; *~ el hilo* de draad oppakken; *~ el hilo de* inhaken op; *~ a u.p. en mentira* iem op een leugen betrappen; *~ de nuevas a u.p.* nieuw zijn voor iem; *~ el teléfono* de telefoon opnemen; *~ al vuelo* (*een bal*) opvangen; *~se el dedo* zijn vinger knellen; *~se los dedos* (*fig*) zich in de vingers snijden; *no hay por donde ~lo: a*) je krijgt geen vat op hem; *b*) er is geen touw aan vast te knopen; *c*) er is niets op hem aan te merken; *ser cogido en el acto* er gloeiend bij zijn; *tener cogido* vasthebben, vasthouden; 2 vatten, begrijpen; 3 (*fam*) kunnen bevatten; 4 beslaan, bestrijken; 5 (*Am; pop*) (*een vrouw*) pakken, naaien; **II** *intr* 1 wortel schieten; 2 (*rechts, links*) afslaan; *~ a la derecha* rechts afslaan
cogestión *v* medezeggenschap
cogida 1 pluk, fruitoogst; 2 (het) op de hoorns genomen worden; **cogido** *zn* plooi; **cogitabundo** nadenkend
cogollo 1 kern, hart (*bv in krop sla*); 2 loot, spruit; 3 het beste
cogorza (*pop*) dronkenschap
cogotazo slag in de nek; **cogote** *m* nek; **cogotera** achterklep aan hoofddeksel, nekbescherming (*voor mens of dier*)
cohabitación *v* (het) samenwonen; **cohabitar** 1 een woning delen (*met iem*); 2 (*als paar*) samenwonen
cohechar omkopen; **cohecho** corruptie, omkoperij
coheredero, -a mede-erfgenaam, -erfgename
coherencia 1 samenhang; 2 cohesie; **coherente I** *bn* samenhangend, coherent; **II** *m* bindmiddel; **cohesión** *v* cohesie; *medio de ~* bindmiddel
cohete *m* 1 vuurpijl; 2 raket; *~ de largo alcance* lange-afstandsraket
cohibición *v* verlegenheid, remming; **cohibido** verlegen, geremd; **cohibir** verlegen maken, remmen
cohombro grote komkommer
cohonestar 1 in harmonie brengen, rijmen; 2 vergoelijken
coincidencia samenloop; (het) samenvallen, toeval; **coincidente** samenvallend; **coincidir** 1 overeenkomen; *~* (*con*) samenvallen (met); 2 *~* (*con*) instemmen (met); 3 elkaar toevallig treffen; tegelijk aanwezig zijn
coito coïtus
cojear 1 mank lopen, hinken; 2 (*mbt motor*) kloppen; 3 (*mbt meubel*) wiebelen; 4 (*fig*) niet goed lopen; *~ de* mank gaan aan; **cojera** mankheid
cojín *m* (sier)kussen
cojinete *m* lager; *~ de bolas* kogellager; *~ de rodillos* rollager
cojo 1 mank, kreupel; 2 wankel, wiebelend

cojón *m* (*pop*) testikel, kloot, bal; *¡~ones!* godverdomme!; **cojonudo** (*pop*) schitterend, geweldig, verdomd goed

col *v* kool; *~es de Bruselas* spruitjes; *~ de China* Chinese kool; *~ de Milán, ~ rizada,* boerenkool; *entre ~ y ~ lechuga* verandering van spijs doet eten

1 cola 1 staart; einde; *~ de caballo* paardestaart; *~ de milano, ~ de pato* (*techn*) zwaluwstaart; *~ de rata, ~ de ratón* rattestaart (*vijl*); *ir a la ~* achteraanlopen; *mover la ~* kwispelen; *traer ~* een nasleep hebben, een staartje krijgen; 2 sleep (*aan japon*); 3 rij; file; *hacer ~* in de rij staan

2 cola lijm; *~ de pescado* gelatine; *no pega ni con ~* er is geen touw aan vast te knopen, het slaat als een tang op een varken

colaboración *v* medewerking, samenwerking; *prestar su ~* zijn medewerking verlenen; **colaboracionista** *m,v* collaborateur; (*Belg*) incivieк; **colaborador, -ora** medewerk(st)er; **colaborar** 1 medewerken, samenwerken; 2 collaboreren

colación *v* 1 toekenning (*van prebende, van graad*); 2 lichte maaltijd (*in de vasten*); 3 vergelijking (*van teksten*) || *sacar a ~, traer a ~* ter sprake brengen, op de proppen komen met; **colacionar** collationeren, vergelijken

colada 1 (het) bleken; 2 (het) wassen; was; *día de ~* wasdag; *echar a la ~* in de was doen; 3 wasgoed; 4 (*ijzer*) gieten, gieting; 5 nauwe doorgang tussen bergen; **coladero** 1 doorgang; 2 examen of opleiding waarvoor men makkelijk slaagt, makkie; **colado** (*fam*) hevig verliefd; **colador** *m* vergiet, zeef, filter; *~ de té* theezeefje; **coladura** 1 (het) filtreren; 2 (*fam*) flater, miskleun

colapsear (*fig*) instorten, inklappen; **colapso** instorting, collaps

colar ue I *tr* 1 filtreren, zeven; 2 (*de was*) bleken; 3 (*iets*) naar binnen smokkelen; 4 in de maag splitsen, aansmeren; (*een leugen*) doen geloven; II *intr* 1 gefiltreerd worden, 'doorlopen; 2 erdoor komen, geloofd worden; *eso no cuela* die vlieger gaat niet op; **colarse ue** 1 *~* (*sin pagar*) naar binnen glippen (zonder te betalen); 2 voordringen; 3 (*fam*) zich vergissen, zich vergalopperen; 4 *~ por* (*fam*) verliefd worden op

colasín *m* kleuterleesboekje (*op school, voor 4-jarigen*)

colateral: *línea ~* zijtak, zijlinie

colcha (bedde)sprei; **colchón** *m* matras; *~ de aire* luchtkussen; *~ de goma* luchtbed; *~ de muelles* spiraalmatras; *~ neumático* luchtbed; **colchoneta** stoelkussen, bankkussen

cole *m* (*fam*) school

colear 1 met de staart zwaaien, kwispelen; 2 nawerken || *vivito y coleando* springlevend

colección *v* 1 verzameling, collectie, bestand; 2 bundel, verzameling; **coleccionar** verzamelen, sparen; **coleccionista** I *m,v* verzamelaar(ster); II *bn* verzamel-; *afán ~* verzamelwoede; **colecta** collecte; *hacer una ~* collecteren; **colectar** collecteren; **colectividad** *v* 1 gemeenschap; 2 gemeenschappelijk bezit; **colectivismo** collectivisme; **colectivización** *v* (het) collectief maken, (het) collectief worden; **colectivizar** collectief maken, collectiviseren; **colectivo** I *bn* collectief, gemeenschappelijk; II *zn* 1 collectief; 2 (*Am*) gedeelde taxi; kleine autobus; **colector** *m* 1 hoofdriool; 2 ontvanger; 3 (*elektr*) collector

colega *m,v* collega, ambtgenoot, -genote; **colegiación** *v* inschrijving in een beroepsgenootschap; **colegiado** I *bn* 1 ingeschreven in een beroepsgenootschap (*bv van advocaten, artsen*); 2 uit meerdere leden bestaand; *tribunal ~* rechterlijk college; II *zn* (*sp*) scheidsrechter; **colegial** I *bn* 1 vd school; 2 vh beroepsgenootschap; II *zn* 1 *m* scholier; 2 *m* groentje, onervaren kind; 3 *v* collegiale kerk; **colegiala** 1 schoolmeisje; 2 groentje, onervaren kind (*meisje*); **colegiarse** 1 zich inschrijven in een beroepsgenootschap; 2 een beroepsgenootschap vormen; **colegiata** collegiale kerk; **colegio** 1 school; *~ religioso* kloosterschool, katholieke school; *~ mayor* studentenhuis; *~ menor* internaat voor scholieren; 2 beroepsgenootschap, orde (*van advocaten*), broederschap (*van notarissen*); 3 college; *~ electoral* kiescollege; **colegir i**: *~ de, por* afleiden uit

coleóptero schildvleugelige, tor

cólera 1 woede, toorn, razernij; *~ reconcentrada, ~ reprimida* verbeten woede; *entrar en ~, montarse en ~* razend worden; *hervir de ~* koken van woede; 2 *m* cholera; **colérico** woedend, driftig, grimmig

colesterol *m* cholesterol

coleta 1 vlecht hangend op de rug; 2 stierenvechtersvlechtje; *cortarse la ~* de lier aan de wilgen hangen, er mee ophouden; 3 korte toevoeging (*bij een schrijven*); **coletazo** 1 klap met staart; 2 (*fig*) laatste uiting, laatste stuiptrekking; **coletilla** korte toevoeging (*bij een schrijven*); **coleto**: *decir para su ~* tegen zichzelf zeggen, bij zichzelf denken; *echarse al ~* achteroverslaan, verzwelgen

colgado (*pop*) verslaafd; high; **colgadura** draperie; **colgajo** 1 flard, hangende sliert; 2 te drogen hangende tros druiven; **colgamiento** ophanging; **colgante** hangend; **colgar ue** I *tr* 1 (op)hangen; *~ de* hangen aan; *~ los hábitos* zijn beroep opgeven, de lier aan de wilgen hangen; *~ a secar* te drogen hangen; 2 *~* (*el auricular*) (*telef*) ophangen; 3 toeschrijven, aanwrijven; opzadelen met; 4 (*bij examen*) afwijzen; II *intr* 1 hangen; 2 overhangen naar een kant

colibacilo colibacil

colibrí *m* kolibri

cólico koliek; *~ nefrítico, ~ renal* nierkoliek

coliflor *v* bloemkool

coligado verbonden; **coligarse** zich verbinden, een verbond sluiten

colilla peuk; **colillero** peukjesraper
colina heuvel
colindante aangrenzend, belendend; **colindar**: ~ *con* grenzen aan
colirio bepaalde oogdruppels
coliseo coliseum, theater
colisión *v* botsing; aanrijding, aanvaring; **colisionar** botsen
colista *m,v* 1 (*iron*) iem die in de rij staat; 2 laatste bij een wedstrijd, ploeg onderaan de ranglijst
colitis *v* ontsteking van de karteldarm
collado heuvel(rij); **collar** *m* 1 ketting, collier; 2 halsband; 3 (*techn*) ring || ~ *de fuerza* wurggreep; **collera** haam, halsgordel (*voor vee*), gareel
colmar 1 tot de rand vullen; 2 ~ (*de*) overladen (met), overstelpen (met); 3 vervullen, bevredigen
colmena bijenkorf; **colmenar** *m* bijenstal; **colmenero**, **-a** bijenhoud(st)er, imker
colmillo 1 hoektand; *de ~ retorcido* doorgewinterd, doortrapt; *enseñar los ~s* zijn tanden laten zien; 2 slagtand
colmo 1 kop (*op een gevulde schaal, lepel e.d.*); *una cucharada con ~* een volle eetlepel; 2 hoogtepunt, toppunt; *¡es el ~!* dat is het toppunt!; *para ~ de males, por ~ de desgracia* tot overmaat van ramp
colocación *v* 1 plaatsing; 2 baan, betrekking; *cambiar de ~* van baan veranderen; *oferta de -ones* arbeidsaanbod; **colocar** 1 plaatsen, (neer)zetten, leggen, aanbrengen; (*een ruit*) inzetten; ~ *en serie* in serie schakelen; 2 beleggen, uitzetten, vastleggen; ~ *a interés* op rente zetten; 3 een baan geven; stationeren; **colocarse** 1 zich opstellen; ~ *en la fila* in de rij gaan staan; ~ *en la lista negra* het verbruien; 2 in de stemming komen (*door alcohol of drugs*)
colodrillo (*fam*) achterhoofd
colofón *m* 1 colofon; 2 einde, slot
coloide *m* colloïde, colloïdale stof; **coloidal** colloïdaal
Colombia Columbia; **colombianismo** typisch Columbiaans woord; **colombiano**, **-a** I *bn* Columbiaans; II *zn* Columbiaan(se)
colombicultura duivenfokkerij
colombino van Columbus
colombófilo, **-a** duivenhoud(st)er
colon *m* karteldarm
colón *m* munteenheid in El Salvador; **Colón** Columbus; *Cristóbal* ~ Christoffel Columbus
colonia 1 kolonie; 2 nederzetting; 3 vakantiedorp; ~ *infantil* kinderkamp; 4 buitenwijk; 5 (*agua de*) ~ eau de cologne; **coloniaje** *m* (*Sp*) de tijd waarin Spaans-Amerika een kolonie was; **colonial** koloniaal; **colonialismo** kolonialisme; **colonialista** *m,v* kolonialist(e); **colonización** *v* kolonisatie; **colonizador**, **-ora** kolonist(e); **colonizar** koloniseren; **colono** 1 bewoner van een kolonie; 2 pachter
coloquial vd spreektaal; *lenguaje* ~ gewone spreektaal, omgangstaal; **coloquio** 1 colloquium; 2 samenspraak
color *m, soms v* kleur, tint; ~ *base* grondkleur; ~ (*de*) *hueso* gebroken wit; ~ *local* couleur locale; ~ *pastel* pastelkleur; ~ *primario* primaire kleur, hoofdkleur; *cambiar de ~* (*fig*) van kleur verschieten; *de ~es* in kleuren; *de ~ firme, de ~ resistente, de ~ sólido* kleurecht; *de ~ de rosa* rooskleurig; *gente de ~* kleurlingen; *ponerse de mil ~es* knalrood worden; *sacar los ~es* (*a la cara*) doen blozen; *le salen los ~es* hij bloost; *so ~ de* onder voorwendsel dat; *subido de ~* (*mbt mop*) gewaagd, schuin; **colorado** I *bn* rood; *ponerse ~* blozen; II *zn* 1 rood; 2 (*Am; hist*) lid van bep pol partij; **colorante** I *bn* kleurgevend; II *zn* kleurstof, verfstof; **colorar** kleuren; **colorear** I *tr* kleuren; II *intr* rood worden; *los tomates ya colorean* de tomaten krijgen al kleur; **colorearse** rood worden; **colorete** *m* rouge; **colorido** 1 koloriet; kleurenpracht; 2 kleur; **colorín** *m* 1 levendige, felle kleur; 2 mazelen; 3 distelvink, putter; **colorismo** kleurrijkheid, kleurenrijkdom
colosal reusachtig, formidabel, kolossaal; **coloso** kolos, gevaarte; (*fig*) reus
columbrar zien, onderscheiden; vermoeden
columna 1 zuil; ~ *de fuego* vuurzuil; 2 kolom; (*vertikale*) rij (*van cijfers*); ~ *de mercurio* kwikkolom; ~ (*vertebral*) wervelkolom, ruggegraat; ~ *del volante* stuurkolom; 3 column (*in krant, tijdschrift*); 4 colonne; **columnata** zuilengang; **columnista** *m,v* columnist
columpiar (doen) schommelen; **columpiarse** schommelen; **columpio** schommel; ~ *basculante*, ~ *de tabla* wip
colza koolzaad
1 coma *m* (*med*) coma
2 coma komma; *punto y ~* puntkomma; *sin faltar una ~* tot in de puntjes
comadre *v* (*fam*) 1 baker; vroedvrouw; *cuentos de ~* bakerpraatjes; 2 wederzijdse benaming tussen moeder en peetmoeder; 3 dorpsvrouw; kletskous; **comadrear** kletsen, roddelen, kwaadspreken; **comadreja** wezel; **comadreo**, **comadrería** geroddel, vrouwenpraat; **comadrón**, **-ona** verloskundige, vroedvrouw
comanda (*deftig*) bestelling (*in restaurant*); **comandancia** 1 bevelhebberschap; 2 gebied vallend onder een commandant; 3 commandopost; **comandante** *m* 1 aanvoerder, bevelhebber, commandant, gezagvoerder; ~ *en jefe* opperbevelhebber; 2 majoor; **comandar** aanvoeren, het bevel voeren over; **comandita**: *sociedad en ~* commanditaire vennootschap; **comanditario** commanditair; *sociedad -a* commanditaire vennootschap; *socio ~* stille vennoot; **comando** commando
comarca streek; **comarcal** vd streek, streek-; *plan ~* streekplan
comatoso in coma
comba 1 springtouw; *saltar a la ~* touwtje springen; 2 (het) touwtje springen; **combadu-**

ra kromtrekking; **combar** buigen, doen kromtrekken; **combarse** (*mbt hout*) kromtrekken, doorzakken, scheeftrekken
combate *m* gevecht, strijd; (*mil*) treffen; ~ *callejero* straatgevecht; ~ *de lucha* worstelwedstrijd; ~ *naval* zeeslag; ~ *singular* gevecht van man tegen man; *dejar fuera de* ~ buiten gevecht stellen, onschadelijk maken; *rendir* ~ strijd leveren; **combatiente** *m,v* strijd(st)er; **combatir** strijden tegen, bestrijden, bevechten; **combatividad** *v* strijdlust, vechtlust; **combativo** strijdlustig, vechtlustig, weerbaar
combinación *v* 1 combinatie, verbinding; ~ *de fondos* pool; 2 samenspel; 3 onderjurk; 4 cocktail; 5 arrangement, regeling; *estropear la* ~ het plan in de war sturen; **combinado** I *bn* gezamenlijk; ~ *con* gevoegd bij; II *zn* cocktail; **combinar** I *tr* combineren, samenbrengen, met elkaar in verbinding brengen; II *intr*: ~ *con* passen bij, (goed) staan bij; **combinarse** 1 samengaan; ~ *con* kleuren bij; 2 (*chem*) reageren
comburente *m* verbranding teweegbrengend middel; **combustibilidad** *v* brandbaarheid; **combustible** I *bn* brandbaar; II *m* brandstof; *tomar* ~ (*scheepv*) bunkeren; **combustión** *v* verbranding; *de buena* ~ goed brandend; *gases de* ~ verbrandingsgassen; *punto de* ~ brandpunt
comecocos *m* computerspelletje; **comecuras** *m,v* papenvreter; **comedero** I *bn* eetbaar; II *zn* voederbak
comedia komedie, blijspel; ~ *musical* musical; ~ *radiofónica* hoorspel; **comediante, -anta** 1 acteur, actrice; 2 aansteller, aanstelster, kunstenmaker, -maakster
comedido keurig, beleefd; **comedimiento** beleefdheid, ingetogenheid
comediógrafo, -a toneelschrijver, -schrijfster
comedirse i zich ingetogen gedragen, zich inhouden, beleefd zijn
comedón *m* meeëter, vetpuistje; **comedor, -ora** I *bn* veel etend; II *zn* 1 iem met veel eetlust; ~ *de fuego* vuurvreter; 2 *m* eetkamer, eetzaal; ~ (*universitario*) mensa; 3 *m* eethuis; 4 *m* eethoek (*meubels*)
comején *m* termiet
comendador *m* commandeur
comensal *m,v* disgenoot, -genote, aanzittende
comentador, -ora commentator; **comentar** becommentariëren, opmerkingen maken over; ~ *después* nakaarten over; **comentario** commentaar, opmerking; **comentarista** *m,v* commentator, -trice
comenzar ie I *tr* beginnen; (*muz*) inzetten; II *intr* beginnen, aanbreken; (*muz*) inzetten; ~ *a + onbep w* beginnen te; ~ *con + zn* beginnen met; *comenzó con la Edad Media* hij begon met de middeleeuwen; ~ *por*, ~ *+ gerundio* beginnen met (*het eerst doen*); *comenzó diciendo, comenzó por decir* hij begon met te zeggen
comer *ww* 1 eten; ~ *bien* goed eten, lekker eten; ~ *caliente* warm eten; ~ *con desgana* kieskauwen; ~ *con gusto* smullen; *dar de* ~ voeren; *ser de buen* ~ een goede eter zijn; *sin ~lo ni beberlo* zonder er iets aan te doen, helemaal vanzelf; 2 aantasten; (*fig*) opvreten; *le comen los celos* hij wordt verteerd door jaloezie; 3 (*in damspel e.d.*) slaan; ~ *una pieza* een slag maken; **comerse** 1 (*lekker, helemaal*) opeten, verorberen; *¿qué te comerías?* waar zou je trek in hebben?; 2 zich opvreten (*van angst, jaloezie*); 3 (*fig*) inslikken; ~ *el capital* interen; ~ *las palabras* (delen van) woorden inslikken
comercial commercieel, handels-; zakelijk; *calle* ~ winkelstraat; *centro* ~ winkelcentrum; *sentido* ~ zakelijk inzicht; **comercialismo** (*mbt persoon*) commerciële instelling; **comercialización** *v* verhandeling, merchandising, marketing, commercialisering; **comercializar** commercialiseren, verhandelen, op de markt brengen; **comerciante** *m,v* 1 handelaar(ster); 2 winkelier(ster), middenstander; *pequeño* ~ kleine winkelier; **comerciar** (*en, con*) handelen (in); **comercio** handel; winkel, zaak; ~ *al por mayor* groothandel; ~ *al por menor* detailhandel; ~ *de divisas* valutahandel; ~ *en especie*, ~ *de trueque* ruilhandel; ~ *intermediario* tussenhandel; *libre* ~ vrijhandel; ~ *minorista* kleinhandel; *pequeño y mediano* ~ midden- en kleinbedrijf; *el pequeño* ~ (*vglbaar*) de kleine zelfstandige(n), de lagere middenstand
comestible I *bn* eetbaar; *aceite* ~ spijsolie; II *mmv*: *~s* eetwaren, levensmiddelen; *~s finos* delicatessen; *~s naturales* (*eetbare*) reformartikelen; *tienda de ~s* kruidenierswinkel
cometa 1 *m* komeet; 2 *v* vlieger; *correr una* ~ een vlieger oplaten
cometer begaan, plegen, bedrijven; ~ *un desliz* (*fig*) struikelen; ~ *fraude* fraude plegen, frauderen; **cometido** opdracht, taak
comezón *v* 1 kriebel, jeuk; 2 onrust; zucht; *sentir* ~ *de* de aanvechting hebben om
comible (*fam*) te eten, eetbaar
comic, cómic *m* (*soms mv*) strip, beeldverhaal
comicastro slecht acteur
comicidad *v* komisch karakter
comicios *mmv* verkiezingen
cómico, -a I *bn* komisch, komiek, kluchtig; *tira -a* beeldverhaal; II *zn* acteur, actrice
comida voeding, eten, kost; ~ *sustanciosa* stevige kost; *dar la* ~ voeren; *hacer la* ~ het eten klaarmaken, koken 1 maaltijd; ~ *campestre* picknick; 2 middagmaal; 3 (*Am*) avondeten; **comidilla** (*fam*) gespreksonderwerp; *ser la* ~ *de todos* over de tong gaan
comienzo begin, aanvang; *a ~s de mayo* begin mei; *al* ~ voorin (*het boek*); *dar* ~ *a* beginnen met, aanvangen; *estar en los ~s* in de kinderschoenen staan
comillas *vmv* aanhalingstekens
comilón, -ona I *bn* veel etend; II *zn* 1 gulzig-

aard, slokop; smulpaap, lekkerbek; 2 *v* smulpartij
cominería kleinigheid, pietluttig detail; **cominero** pietluttig; **comino** komijn; (*no*) *me importa un* ~ het kan me geen zier schelen

comisar in beslag nemen, verbeurd verklaren; **comisaría** 1 commissariaat, functie van commissaris; 2 (politie)bureau; **comisario** (politie)commissaris; ~ *en jefe* hoofdcommissaris (van politie); **comisión** *v* 1 taak, opdracht; 2 commissie, comité; ~ *mixta* gemengde commissie; 3 commissie, provisie; ~ (*de conclusión*) afsluitpremie (*bij verzekering*); 4 (het) begaan; *la* ~ *de un delito* het begaan van een misdrijf; **comisionado, -a** lasthebber, -hebster; **comisionar** opdracht geven, last geven, machtigen; **comisionista** *m,v* commissionair; **comiso** verbeurdverklaring, confiscatie
comisura hoek, mondhoek, ooghoek
comité *m* comité, commissie; ~ *de acción* actiecomité; ~ *consultivo* adviescommissie; ~ (*ejecutivo*) bestuur (*van club, partij*); ~ *de empresa* ondernemingsraad, (*Belg*) bedrijfsraad; ~ *local* afdelingsbestuur; ~ *de padres* oudercommissie
comitente *m,v* lastgever, -geefster
comitiva optocht, stoet; gevolg; ~ *fúnebre* begrafenisstoet
como 1 zoals, als; ~ *mínimo* op zijn minst; ~ *tal* als zodanig; ~ *testigo* als getuige; *cansado* ~ *nunca* vermoeider dan ooit; *haz* ~ *yo* doe zoals ik; 2 aangezien, daar; ~ *no sabía nada...* omdat ik niets wist...; 3 wanneer, toen; ~ *lo supe* zodra ik het hoorde; 4 ~ (+ *subj*) als, indien; ~ *lo hagas otra vez...* als je dat nog eens doet...; ~ *no sea para...* tenzij het is om...; 5 ~ *que* (+ *indic*): *a*) alsof; *b*) daar; 6 ~ *si* (+ *subj*) alsof; ~ *si fuera* als het ware; ~ *si nada* alsof er niets aan de hand is, doodleuk; **cómo** I *bw* hoe; *¿~ lo haces?* hoe doe je dat?; II *tw: ¡~!* wat!, hoe nu!; *¡~ no!* natuurlijk!; *¡~ que no!* wis en waarachtig wel!, zeker wel!; *contar ~ fue* de toedracht vertellen; *no sé* ~ *decirlo* ik weet niet hoe ik het moet zeggen; III *zn* (het) hoe
cómoda commode, kabinet, ladenkast
comodidad *v* comfort, gemak, gerieflijkheid; welstand; *por mayor* ~ gemakshalve; **comodín** *m* 1 (*kaartsp*) joker; 2 iets dat overal voor kan dienen; **cómodo** gemakkelijk; comfortabel, gerieflijk; **comodón, -ona** *bn* gemakzuchtig
comodoro commodore
comoquiera 1 hoe dan ook; ~ *que sea* hoe het ook zij; 2 ~ *que* aangezien
compactar compact maken; *arcenes sin* ~ zachte berm; **compacto** compact; aaneengesloten
compadecer medelijden hebben met, beklagen; **compadecerse** 1 ~ (*de*) begaan zijn (met), meelij hebben (met); 2 ~ (*con*) zich verdragen (met), zich laten rijmen (met)
compadraje *m* 1 wederzijdse hulp; 2 kliek; gekonkel; **compadrazgo** 1 (het) peet zijn; 2 *zie compadraje*; **compadre** *m* 1 wederzijdse benaming tussen vader en peetvader; 2 (*fam*) vriend, makker
compaginación *v* 1 (het) opmaken (*van pagina*), opmaak; 2 combinatie, ordening, regeling; **compaginador, -ora** (*bij drukwerk*) opmaker, -maakster; **compaginar** 1 ordenen, combineren; ~ *con* verenigen met, rijmen met; 2 (*krant*) opmaken; **compaginarse** harmoniëren; ~ *con* stroken met
compaña (*fam*) gezelschap; **compañerismo** kameraadschap; **compañero, -a** 1 kameraad, makker; 2 vriend(in), levensgezel(lin), partner; 3 -genoot, -genote, maat; ~ *de clase* klasgenoot; ~ *de colegio* schoolvriend; ~ *de estudios* studiegenoot; ~ *de fatigas* lotgenoot; ~ *de viaje* medereizig(st)er, reisgenoot, -genote; **compañía** 1 gezelschap; *darse a malas ~s* zich afgeven met slecht volk, verkeerde vrienden hebben; *me gusta la* ~ ik hou van gezelschap, ik hou van gezelligheid; 2 (*hdl*) maatschappij; ~ *aérea* luchtvaartmaatschappij; ~ *marítima*, ~ *naviera* scheepvaartmaatschappij; ~ *de seguros* verzekeringsmaatschappij; 3 ~ (*teatral*) toneelgezelschap; 4 (*mil*) compagnie
comparable (*a*) vergelijkbaar (met); **comparación** *v* vergelijking; *en* ~ *con* in vergelijking met; *establecer una* ~ een vergelijking trekken, maken; **comparar** vergelijken; *comparado con* vergeleken met; *compárese* (*geb w*) vergelijk, men vergelijke; **comparativo** I *bn* vergelijkend; II *zn* (*gramm*) vergelijkende trap
comparecencia verschijning; (*jur*) comparitie; **comparecer** 1 ~ (*ante*) (*jur*) verschijnen (voor); ~ *en juicio* voor het gerecht verschijnen, terechtstaan; ~ *como testigo* getuigen; *hacer* ~ voorgeleiden; 2 (*fam*) verschijnen, voor de dag komen; **compareciente** *m,v* comparant(e); **comparición** *v* (het) verschijnen
comparsa 1 (vrolijke) optocht, gemaskerde groep; 2 *m,v* figurant(e); 3 *m,v* (*fig*) marionet
compartimento, compartimiento compartiment; ~ *de equipajes* bagageruimte; **compartir** I *tr* delen; ~ *la comida* de maaltijd delen; *comparto su opinión* ik deel uw mening; ~ *los sentimientos de u.p.* met iem meeleven; II *intr:* ~ *en* delen in; ~ *en la alegría* delen in de vreugde
compás *m* 1 maat; ~ *de tres por cuatro* driekwartsmaat; ~ *menor* vierkwartsmaat; *a ~: a*) in de maat; *b*) tegelijk; *fuera de* ~ uit de maat; *llevar el* ~ de maat houden; *marcar el* ~ de maat slaan; 2 kompas; 3 passer; ~ *de corredera* schuifmaat
compasión *v* medelijden; **compasivo** medelijdend, meewarig
compatibilidad *v* verenigbaarheid; **compatibilizar** met elkaar verenigbaar maken; **compatible** verenigbaar, compatibel

compatriota *m,v* landgenoot, -genote
compeler dwingen, noodzaken
compendiar samenvatten; **compendio** uittreksel, (beknopte) samenvatting
compenetración *v* 1 totale vermenging; 2 wederzijds begrip, identificatie; **compenetrarse** 1 elkaar door'dringen; 2 zich met elkaar identificeren, elkaar volledig begrijpen
compensación *v* compensatie, vergoeding, verrekening; ~ *de gastos* (on)kostenvergoeding; ~ *horaria* uurvergoeding; ~ *parcial* tegemoetkoming; *en* ~ *de* in ruil voor; **compensar** I *tr* compenseren, vergoeden, verrekenen; opwegen tegen; ~ *de* schadeloosstellen voor; ~ *el gasto* de kosten dekken; ~*se* elkaar opheffen; II *intr* renderen; een compensatie vormen; **compensatorio** compenserend
competencia 1 bevoegdheid, competentie; *ser de la* ~ *de* ressorteren onder; 2 bekwaamheid; 3 concurrentie, wedijver, rivaliteit; ~ *desleal* oneerlijke concurrentie; ~ *encarnizada* felle concurrentie; *hacer* ~ *a u.p.* iem beconcurreren; 4 (de) concurrenten; **competente** 1 bevoegd, competent; 2 bekwaam, oordeelkundig; **competer**: ~ *a* vallen onder (de bevoegdheid van); **competición** *v* competitie, wedstrijd; **competidor**, **-ora** I *bn* concurrerend; II *zn* concurrent(e); mededing(st)er; deelnemer, -neemster (*aan wedstrijd*); **competir** i (*con*) concurreren (met); zich meten (met), het opnemen (tegen); **competitividad** *v* concurrentievermogen; **competitivo** concurrerend
compilación *v* 1 compilatie, verzameling; 2 (het) samenstellen, samenstelling; **compilar** 1 (*teksten*) verzamelen; 2 (*een boek*) samenstellen
compinche *m,v* 1 (*neg*) makker, kornuit, vriendje, vriendinnetje; 2 medeplichtige
complacencia 1 voldoening; 2 toegeeflijkheid; **complacer** 1 behagen; 2 ter wille zijn, een genoegen doen; **complacerse**: ~ *en* behagen scheppen in, genoegen vinden in; *me complazco en comunicarle* ik heb het genoegen u mede te delen; **complacido** (*de*) tevreden (over); **complaciente** 1 welwillend, beminnelijk; 2 inschikkelijk, toegeeflijk; ~ *consigo mismo* met zichzelf ingenomen
complejidad *v* ingewikkeldheid, complexiteit; **complejo** I *bn* 1 complex; 2 ingewikkeld, gecompliceerd; II *zn* 1 complex; ~ *industrial* industriecomplex; 2 (*psych*) complex; ~ *de culpabilidad* schuldcomplex; ~ *de Edipo* Oedipuscomplex; ~ *de inferioridad* minderwaardigheidscomplex; ~ *reprimido* verdrongen complex
complementar aanvullen; **complementario** aanvullend, complementair; **complemento** 1 aanvulling; tegenhanger; 2 (*gramm*) voorwerp, bepaling; ~ *circunstancial* bijwoordelijke bepaling; ~ *directo* lijdend voorwerp; ~ *indirecto* meewerkend voorwerp; ~ *de lugar* bepaling van plaats; ~ *preposicional* voorzetselvoorwerp; **completamente** volledig, geheel; **completar** aanvullen, suppleren, volledig maken; *sin* ~ onvoltooid; **completo** 1 volledig, volkomen, geheel; all-round, volwaardig; *para ser* ~ volledigheidshalve; *por* ~ helemaal, totaal, faliekant; 2 (*mbt bus, hotel*) bezet, vol, volgeboekt
complexión *v* (lichaams)bouw, postuur
complicación *v* 1 ingewikkeldheid; 2 complicatie, verwikkeling; **complicado** 1 gecompliceerd, ingewikkeld, lastig; 2 ~ *en* verwikkeld in, betrokken bij; **complicar** 1 ingewikkeld maken, moeilijk maken; 2 ~ *en* betrekken in, verwikkelen in; **complicarse** ingewikkeld worden, complicaties vertonen
cómplice *m,v* medeplichtige, handlang(st)er; **complicidad** *v* medeplichtigheid
compló, **complot** *m* komplot, samenzwering; *desbaratar un* ~ een complot verijdelen
complutense 1 uit Alcalá de Henares; 2 *la* (*universidad*) ~ naam van een universiteit in Madrid
componedor, **-ora**: *amigable* ~ arbiter, bemiddelaar(ster); **componenda** doorgestoken kaart, slimme regeling; **componente** I *bn* samenstellend; II *m* 1 component, bestanddeel; 2 lid; ~*s de una banda* leden van een bende; 3 ~*s* (*comp*) hardware; **componer** 1 samenstellen, vormen, maken; 2 repareren; fatsoeneren; (*een ruzie*) goedmaken; 3 componeren; 4 (letter)zetten; 5 klaarmaken || *componérselas* (*para*) het aanleggen (om), bedisselen; **componerse** 1 ~ *de* bestaan uit; 2 zich opknappen, zich mooi maken
comportamiento gedrag, handelwijze; ~ *de compra* koopgedrag; **comportar** 1 met zich meebrengen; 2 verdragen; **comportarse** zich gedragen
composición *v* 1 samenstelling; 2 compositie; ~ *poética* gedicht; 3 opmaak; (het) zetten; vormgeving; 4 opstel || *hacer su* ~ *de lugar* de dingen op een rijtje zetten, het voor en tegen afwegen; **compositor**, **-ora** componist(e)
compostelano uit Santiago de Compostela
compostura 1 samenstelling; 2 reparatie; (het) opknappen, verzorging; *no tener* ~ niet meer gerepareerd kunnen worden; 3 (het) op smaak brengen; 4 ingetogenheid, discretie; *guardar la* ~ zijn fatsoen houden, zich beheersen
compota compote; **compotera** jampot
compra (aan)koop, aanschaf; boodschap; inkoop; *bolsa para* ~*s* boodschappentas; *encargado de* ~*s* inkoper; *hacer* ~*s* boodschappen doen; *ir de* ~*s, salir de* ~*s* gaan winkelen; **comprador**, **-ora** koper, koopster; afnemer, afneemster; **comprar** kopen, afnemen, aanschaffen; inkopen; ~ *a: a*) kopen voor; *b*) kopen van, betrekken van; *¿a quién lo compraste?* van wie heb je het gekocht?; ~ *a crédito* op rekening kopen; ~ *de estraperlo* zwart kopen; ~ *al fiado* poffen; *poderse* ~ verkrijgbaar zijn;

compraventa (contract voor) koop en verkoop; *escritura de* ~ koopakte
comprender 1 begrijpen, bevatten; inzien, beseffen; ~ *mal* verkeerd begrijpen; 2 omvatten, behelzen; **comprendido** inbegrepen; *ir* ~ *en* inbegrepen zijn in; **comprensibilidad** *v* begrijpelijkheid; **comprensible** begrijpelijk; **comprensión** *v* 1 begrip, besef, inzicht; *falta de* ~ onbegrip; 2 (het) omvatten, bereik; **comprensivamente** met begrip; **comprensivo** 1 begrijpend; tolerant; 2 ~ *de* omvattend
compresa 1 kompres; 2 maandverband; **compresión** *v* compressie; **compresor, -ora** I *bn* samenpersend; II *m* compressor; **comprimido** I *bn* samengeperst; *aire* ~ perslucht; II *zn* tablet (*bv aspirine*); **comprimir** (samen)persen, indrukken, comprimeren
comprobable aantoonbaar; **comprobación** *v* 1 controle; *balance de* ~ proefbalans; 2 bevinding, vaststelling; **comprobante** I *bn* bewijzend; II *m* bewijsstuk, bon; ~*s* bewijsmateriaal; ~ *de pago* bewijs van betaling, reçu; **comprobar ue** 1 nagaan, verifiëren, testen, toetsen; ~ *las medidas* nameten; 2 constateren, vaststellen
comprometedor, -ora compromitterend; **comprometer** 1 in gevaar brengen; in verlegenheid brengen; 2 compromitteren; 3 ~ (*a*) verplichten (om, tot), verbinden (om); **comprometerse** 1 ~ (*a*) zich (ver)binden (om), toezeggen; *no querer* ~ zich niet willen verplichten, de boot afhouden, zich op de vlakte houden; 2 zich compromitteren; **comprometido** I *bn* 1 in een hachelijke positie; 2 geëngageerd; *literatura -a* geëngageerde literatuur; 3 ~ (*en*) betrokken (in, bij); *todos están* ~*s* niemand gaat vrijuit; 4 ~ (*a*) verplicht (om); II *zn* verloofde; **compromisario, -a** afgevaardigde; kiesman, -vrouw; **compromiso** 1 schikking, dading, vergelijk, compromis; 2 afspraak, verplichting, toezegging; *contraer un* ~ een verbintenis aangaan; *cumplir con sus* ~*s* zijn verplichtingen nakomen; *faltar a su* ~ in gebreke blijven; *por* ~ alleen uit plichtsgevoel; *sin* ~ vrijblijvend; 3 engagement; betrokkenheid; *literatura de* ~ geëngageerde literatuur; 4 hachelijke positie; *poner en un* ~ *a u.p.* iem in verlegenheid brengen; *¡qué* ~*!* wat een pijnlijke situatie!
compuerta 1 sluisdeur; 2 onderdeur (*van een uit twee delen bestaande deur*)
compuestas *vmv* (*plantk*) composieten; **compuesto** I *bn* 1 samengesteld; *piensos* ~*s* mengvoeder; 2 opgedirkt, mooigemaakt; II *zn* (*chem*) samenstelling, verbinding; ~ *orgánico* organische verbinding
compulsar 1 (*kopie met origineel*) vergelijken; 2 kopie maken van (*een document*); **compulsión** *v* (*jur*) dwang; **compulsivo** dwingend; *neurosis -a* dwangneurose
compunción *v* bedroefdheid; **compungido** bedrukt, triest; **compungirse** bedroefd worden
computación *v* telling; **computador** *m* computer; **computadora** computer; **computadorizar** *zie computerizar*; **computar** 1 tellen, meten; ~ *por* rekenen als; 2 meeberekenen; **computerizar** computeriseren, in de computer verwerken; *fichero computerizado* computerbestand; **cómputo** 1 telling, berekening; 2 (*comp*) uitdraai
comulgar 1 ter communie gaan, communiceren; 2 ~ (*en*) dezelfde ideeën hebben; **comulgatorio** communiebank
común I *bn* 1 gezamenlijk, algemeen; *de* ~ *acuerdo* met onderling goedvinden; *en* ~ gemeen(schappelijk); *mercado* ~ gemeenschappelijke markt; *por lo* ~ doorgaans; *propiedad* ~ gemeengoed; *tener en* ~ gemeen hebben; 2 alledaags, gewoon; *en un esfuerzo* ~ met vereende krachten; *lugar* ~ gemeenplaats; *poco* ~ ongewoon; *sentido* ~ gezond verstand; II *m* gemeenschap; *el* ~ *de las gentes* de meeste mensen; **comuna** 1 commune; 2 (*Am*) gemeente; **comunero** (*hist*) deelnemer aan de opstand vd Comunidades de Castilla (*16e eeuw*); **Comunes** *mmv: Cámara de los* ~ Lagerhuis
comunicable mededeelzaam; **comunicación** *v* 1 mededeling; 2 verbinding; communicatie; *-ones* (verkeers)verbindingen; ~ *aérea* luchtverbinding; *cortar la* ~ de verbinding verbreken; *establecer la* ~ (*telef*) de verbinding tot stand brengen; *medios de* ~ communicatiemiddelen; *medios de* ~ *de masas* massamedia; *ponerse en* ~ *con* zich in verbinding stellen met; 3 omgang; (*in gevangenis*) bezoek; **comunicado** I *bn: bien* ~ met goede verbindingen; *mal* ~ met slechte verbindingen; II *zn* bericht, communiqué; ~ *de inasistencia* bericht van verhindering; ~ *de prensa* persbericht; **comunicante** I *bn* communicerend; *vasos* ~*s* communicerende vaten; II *m,v* zegsman, -vrouw; **comunicar** I *tr* 1 berichten, mededelen; communiceren; 2 ~ *con* in verbinding staan met; (*mbt kamers*) ineenlopen; II *intr* 1 communiceren; 2 (*telef*) in gesprek zijn; *está comunicando* het is in gesprek; **comunicarse** (*a*) (*mbt ziekte, mode*) overslaan (op); **comunicatividad** *v* mededeelzaamheid; **comunicativo** 1 mededeelzaam, spraakzaam; 2 aanstekelijk
comunidad *v* gemeenschap; ~ *autónoma* (*Sp*) autonoom gebied; ~ *de intereses* belangengemeenschap; ~*es* (*hist*) opstanden in Castilië (*16e eeuw*); **Comunidad** *v:* ~ *Económica Europea* E.E.G.; ~ *Europea* E.G.
comunión *v* 1 communie; *primera* ~ eerste communie; 2 gemeenschap van geloofsgenoten
comunismo communisme; **comunista** I *bn* communistisch; II *m,v* communist(e); ~ *de salón* saloncommunist
comunitario communautair
con 1 met; jegens; ~ *su tía se porta bien* tegen-

over zijn tante gedraagt hij zich keurig; 2 ~ + *onbep w: a*) als; ~ *estar allí a las 5, basta* als we daar om 5 uur zijn, is het goed; *b*) hoewel; ~ *ser tan rico* hoewel hij zo rijk is

conato poging

concadenar, concadenarse in elkaar grijpen;

concatenación *v* aaneenschakeling

concavidad *v* holte; **cóncavo** hol

concebible denkbaar; **concebir i 1** zwanger worden (van); 2 zich indenken; begrijpen; *no lo concibo* daar kan ik (met mijn verstand) niet bij, dat kan ik mij niet voorstellen; 3 opvatten; ~ *un plan* een plan opvatten; ~ *sospechas* achterdocht krijgen

conceder 1 verlenen, toekennen, toestaan; ~ *la palabra* het woord geven; ~ *un préstamo* een lening verstrekken; ~ *valor a* waarde toekennen aan; ~*se un descanso* zich rust gunnen; 2 toegeven, erkennen

concejal, -ala gemeenteraadslid; **concejo** gemeenteraad, gemeentebestuur

concentración *v* 1 concentratie; ~ *de fuego* spervuur; ~ *parcelaria* (*vglbaar*) ruil- en herverkaveling; *capacidad de* ~ concentratievermogen; 2 samenscholing; **concentracionario**: *síndrome* ~ kampsyndroom; **concentrado** I *bn:* ~ *en sí mismo* in zichzelf gekeerd; II *zn* concentraat; **concentrar** 1 concentreren, bundelen; 2 indikken; **concentrarse** 1 ~ (*en*) zich concentreren (op); 2 samenstromen; in groten getale aanwezig zijn; **concéntrico** concentrisch

concepción *v* 1 conceptie, bevruchting; 2 opvatting, idee; **Concepción** *v* 1 feest vd ontvangenis van Maria, 8 december; *la Inmaculada ~, la Purísima* ~ de Onbevlekte Ontvangenis; 2 meisjesnaam; **conceptismo** (*Sp*) 17e eeuwse barokke literaire stijl (*rijk aan ideeën en combinaties*), conceptisme; **concepto 1** begrip, idee; ~ *básico* grondbegrip; 2 mening; *un ~ pesimista de* een sombere kijk op; *en mi* ~ naar mijn mening; *tener un alto ~ de* een hoge dunk hebben van; 3 reden; *en ~ de* bij wijze van, uit hoofde van; *por este* ~ uit dezen hoofde; *por ningún* ~ onder geen beding, in geen enkel opzicht; *por todos* (*los*) ~*s* in alle opzichten; 4 post (*van rekening*); **conceptual** vh begrip, begrips-; **conceptuar ú** oordelen; ~ *realizable* uitvoerbaar achten; **conceptuoso** (te) rijk aan ideeën, vernuftig

concerniente (*a*) betreffende; *en lo ~ a* wat betreft; **concernir ie, i** aangaan, betreffen; *en lo que concierne a* aangaande

concertar ie I *tr* 1 overeenkomen; afspreken; (*vrede*) sluiten; 2 bundelen; 3 doen overeenstemmen, in harmonie brengen; II *intr* (*gramm*) overeenkomen; **concertarse ie** afspreken, tot overeenstemming komen; **concertino** eerste violist, concertmeester; **concertista** *m,v* solist(e); concertzanger(es)

concesión *v* 1 concessie, licentie; 2 verlening, gunning; toewijzing; 3 concessie, tegemoetkoming; *hacer -ones* concessies doen; **concesionario, -a** licentiehoud(st)er; (*hdl*) dealer; (alleen)vertegenwoordig(st)er

concha 1 schelp, hoorn, huisje (*van slak*), schild (*van schildpad*); ~ *de ostra* oesterschelp; ~ *de Santiago* jakobsschelp; *de* ~ hoornen, van schildpad; *meterse en su* ~ in zijn schulp kruipen; *tener más ~s que un galápago* zeer gereserveerd zijn; 2 souffleurshokje; 3 baai; **Concha** *afk van Concepción*

conchabarse (*fam*) samenzweren; onder een hoedje spelen; ~ *con* gemene zaak maken met

Conchita *afk van Concepción*

conciencia bewustzijn; besef; geweten; ~ *corporativista* corpsgeest; ~ *de clase* klassebewustzijn; ~ *de culpabilidad* schuldbesef; ~ *del deber* plichtsgevoel; ~ *de grupo* groepsbewustzijn; ~ *de su propio valer* zelfbewustheid; ~ *sucia* slecht geweten; ~ *tranquila* gerust geweten; *a* ~ degelijk, grondig, zorgvuldig; *a ~ de que* in de wetenschap dat; *en* ~ in gemoede, eerlijk gezegd; *hacer examen de* ~ de hand in eigen boezem steken; *le remuerde la* ~ hij heeft wroeging, zijn geweten knaagt; *limpiar la* ~ zijn geweten zuiveren; *sin ~: a*) bewusteloos; *b*) gewetenloos; *tener ~ ancha* het niet zo nauw nemen; *tener ~ estrecha* strenge opvattingen hebben; *tener sobre la* ~ op zijn geweten hebben; *tomar ~ de* zich bewust worden van; **concienciación** *v* bewustwording; **concienzudo** consciëntieus, angstvallig, gedegen, zorgvuldig

concierto 1 concert; ~ *benéfico* weldadigheidsconcert; ~ *de violín* vioolconcert; 2 overeenkomst, harmonie

conciliable verenigbaar; *ser ~ con* te verenigen zijn met; **conciliábulo** geheime samenkomst; **conciliación** *v* verzoening; **conciliador, -ora** verzoenend; **conciliar** I *ww* 1 verzoenen; verenigen; ~ *el sueño* de slaap vatten; ~*se la amistad de u.p.* iems vriendschap winnen; 2 ~ *con* rijmen met; II *bn* vh concilie;

conciliarse 1 samengaan; 2 zich verzoenen;

concilio concilie

concisión *v* beknoptheid, bondigheid; **conciso** beknopt, bondig, kernachtig

concitar ophitsen

conciudadano, -a 1 medeburger(es); 2 stadgenoot, -genote

conclave, cónclave *m* conclaaf

concluir I *tr* 1 afsluiten, besluiten; 2 ~ (*de*) concluderen (uit); 3 (*mbt verdrag*) sluiten; II *intr* eindigen; ~ *en vocal* eindigen op een klinker; ~ *de* (+ *onbep w*) besluiten met; ~ (+ *gerundio*), ~ *por* (+ *onbep w*) besluiten met, eindigen met; *concluyó diciendo* hij besloot met te zeggen; *concluirá por ceder* hij zal tenslotte toegeven; **concluirse** eindigen; **conclusión** *v* 1 beëindiging, einde, besluit; *en* ~ kortom; 2 conclusie, gevolgtrekking, slotsom; *llegar a la ~ de que* tot de conclusie komen dat; *sacar en* ~ concluderen; 3 uitspraak, bewering; **con-**

con

clusivo (*mbt redenering*) sluitend; **concluso** afgesloten, beëindigd; **concluyente** afdoend, beslissend, definitief
concoideo schelpvormig
concomerse zich opvreten (*van woede, ongeduld*)
concomitancia (het) samengaan; **concomitante** begeleidend, bijkomend; *fenómeno* ~ nevenverschijnsel
concordancia 1 overeenstemming; 2 (*gramm*) concordantie; **concordar ue** I *tr* tot overeenstemming brengen; II *intr* 1 overeenkomen; ~ *con* stroken met; 2 ~ *en* het er over eens zijn dat; 3 (*gramm*) concordantie vertonen, overeenstemmen; **concordato** concordaat; **concorde** eenstemmig; **concordia** eendracht, eensgezindheid
concreción *v* 1 (het) concreet maken, (het) concreet worden, (het) concreet zijn; 2 stolling; **concretamente** in concreto; met name; **concretar** concretiseren, concreet maken; uitvoeren, realiseren; **concretarse** concreet worden; ~ *a* zich beperken tot; **concretización** *v* concretisering; **concretizar** concretiseren; **concreto** I *bn* 1 concreet, bepaald, exact; *en* ~ samenvattend, in concreto; 2 zakelijk; II *zn* beton; ~ *armado* gewapend beton
concubina concubine; **concubinato** concubinaat
conculcar overtreden
concupiscencia begeerte; **concupiscente** vol begeerte
concurrencia 1 opkomst, toeloop, drukte; *la* ~ de aanwezigen; 2 (het) samengaan, (het) tegelijk optreden; **concurrente** I *m,v* 1 aanwezige, bezoek(st)er; 2 deelnemer, -neemster (*aan wedstrijd*); II *bn* tegelijk optredend; **concurrido** druk bezocht, druk; **concurrir** 1 samenkomen; 2 ~ *a: a*) aanwezig zijn bij; *b*) bijdragen tot; 3 samenvallen, samengaan; 4 deelnemen (*aan wedstrijd*); 5 het eens zijn; **concursante** *m,v* deelnemer, -neemster, inzend(st)er; **concurso** 1 samenloop; 2 medewerking; *prestar su* ~ zijn medewerking verlenen; 3 aanbesteding; *sacar a* ~ (*público*) aanbesteden; 4 concours, prijsvraag, wedstrijd; ~ *de belleza* schoonheidswedstrijd; ~ *de natación* zwemwedstrijd; ~ (*de televisión*) quiz
concusión *v* knevelarij
condado graafschap; **condal** grafelijk; *la Ciudad* ~ Barcelona; **conde** *m* graaf
condecoración *v* decoratie, onderscheiding; **condecorar** decoreren, onderscheiden
condena veroordeling; ~ *condicional* voorwaardelijk vonnis; *cumplir la* ~ zijn straftijd uitzitten; **condenable** te veroordelen; **condenación** *v* 1 veroordeling; 2 verdoemenis; ~ *eterna* eeuwige verdoemenis; **condenado, -a** I *bn* 1 veroordeeld; 2 verdoemd; ~ *a* gedoemd om; 3 vervloekt, verrekt, rot-; II *zn: trabajar como un* ~, *una -a* zich kapotwerken; **condenar** veroordelen, vonnissen; ~ *a muerte* ter dood veroordelen 1 verdoemen; ~ *a* doemen tot; 2 veroordelen, afkeuren; 3 (*kamer*) afsluiten, (*deur*) buiten gebruik stellen; **condenarse** 1 naar de hel gaan; 2 bekennen; 3 (*fam*) kriegel worden, er wat van krijgen; **condenatorio** veroordelend; *sentencia -a* strafvonnis
condensación *v* condensatie; **condensador, -ora** I *bn* condenserend; II *m* condensator; **condensar** 1 condenseren; 2 samenvatten, inkorten
condesa gravin
condescendencia minzaamheid; toegeeflijkheid; **condescender ie**: ~ *a* zo goed zijn om; **condescendiente** minzaam; toegeeflijk
condición *v* 1 voorwaarde, beding, conditie; voorbehoud; ~ *de entrega* leveringsvoorwaarde; *-ones de pago* betalingsvoorwaarden; ~ *vital* levensvoorwaarde; *a* ~ (*de*) *que lo compres* op voorwaarde dat je het koopt; *cumplir las -ones, reunir las -ones* aan de eisen voldoen; *rendirse sin -ones* zich onvoorwaardelijk overgeven; 2 (*vaak mv*) gesteldheid, toestand; situatie, staat, hoedanigheid; *-ones acústicas* akoestiek; ~ *de socio* lidmaatschap; ~ *social* maatschappelijke positie, stand; ~ *del suelo* bodemgesteldheid; *-ones del tiempo* weersgesteldheid; *-ones de vida* levensomstandigheden; *de* ~ deftig, aristocratisch; *en -ones de funcionamiento* bedrijfsklaar; *en -ones de marcha* rijklaar; *en buenas -ones* in goede staat; *no estar en -ones de, para* niet in staat zijn om, niet geschikt zijn om, voor; **condicional** I *bn* voorwaardelijk; II *m* voltooid verleden toekomende tijd; **condicionar** (*a*) afhankelijk stellen (*van*), conditioneren
condimentación *v* (het) kruiden; **condimentar** op smaak brengen, kruiden; **condimento** kruiderij, (gedroogd) kruid
condiscípulo, -a medeleerling(e)
condolencia condoleantie, medeleven, rouwbeklag; **condolerse ue** (*de*) zijn medeleven betuigen (met)
condominio 1 medeëigendom; 2 condominium
condón *m* condoom
condonar kwijtschelden, schenken
cóndor *m* 1 condor; 2 (*Am*) bep gouden munt
conducción *v* 1 (het) chaufferen, (het) besturen, besturing; *examen de* ~ (auto)rijexamen; 2 geleiding; 3 leiding, buizennet; **conducente**: ~ *a* leidend tot, gericht op; **conducir** 1 geleiden, leiden; brengen, voeren; ~ *a* drijven tot, leiden naar; *¿a qué conduce?* wat heeft het voor zin?; *no* ~ *a nada, no* ~ *a ninguna parte* tot niets leiden; 2 (*auto*) besturen; autorijden; *capacidad de* ~ rijvaardigheid; 3 leiding geven aan, leiden; **conducirse** zich gedragen; **conducta** gedrag; *mala* ~ wangedrag; **conductibilidad** *v; zie conductividad*; **conductividad** *v* geleidingsvermogen; **conductivo** geleidend; **conducto** leiding, kanaal; ~ *auditivo* gehoorgang; ~ *de envío* wijze van overmaking, wijze

van toezending; ~ *lagrimal* traanbuis; ~ *del oído* gehoorgang; *por* ~ *de* via, door bemiddeling van, door tussenkomst van; **conductor, -ora** I *bn* geleidend; II *zn* 1 chauffeur, bestuurder, bestuurster; ~ *auxiliar* bijrijder; ~ *de grúa* kraandrijver; ~ *de tranvía* trambestuurder, -bestuurster; *examen de* ~ rijexamen; 2 leid(st)er; ~ *del juego* spelleid(st)er; 3 *m* stroomdraad
condueño, -a medeëigenaar, -eigenares
condumio (*iron*) eten, kost
conectar 1 aansluiten, koppelen; ~ *con* verbinden met; ~ *a tierra* aarden; 2 inschakelen
conejera konijnehol; **conejillo** 1 konijntje; 2 ~ *de Indias: a*) cavia; *b*) proefkonijn; **conejo** konijn
conexión *v* 1 aansluiting, verbinding, verband; *tener* ~ *con* samenhangen met; 2 (*elektr*) aansluiting; stopcontact, lichtpunt; 3 *-ones* connecties, relaties, vrienden; **conexionar** verbinden, aansluiten; **conexionarse** vrienden maken; **conexo** samenhangend; *un problema* ~ een probleem dat hiermee verband houdt
confabulación *v* komplot, samenzwering; **confabularse** samenspannen, samenzweren
confección *v* 1 vervaardiging; samenstelling; 2 confectie; *traje de* ~ confectiepak; 3 opmaak (*van pagina*); **confeccionado** confectie-, niet op maat gemaakt; **confeccionar** 1 vervaardigen; samenstellen; 2 (*pagina*) opmaken
confederación *v* bond; bondgenootschap; **Confederación** *v:* ~ *Española de Organizaciones Empresariales* (*afk CEOE*) Sp werkgeversverbond; ~ *Nacional del Trabajo* (*afk CNT*) Sp anarchistische vakbond; **confederado, -a** bondgenoot, -genote; **confederarse** een bond vormen, zich aaneensluiten
conferencia 1 lezing, voordracht; 2 conferentie; ~ *de prensa* persconferentie; ~ (*en la*) *cumbre* topconferentie; 3 (*interlokaal*) telefoongesprek; **conferenciante** *m,v* inleid(st)er, spreker, spreekster; **conferenciar** confereren
conferir ie, i verlenen, toekennen; ~ *autoridad* gezag verlenen
confesar ie 1 bekennen, (op)biechten; ~ *de plano* openlijk bekennen, volledig bekennen; 2 de biecht afnemen; 3 (*geloof*) belijden; **confesarse ie** biechten; **confesión** *v* 1 bekentenis; ~ *de culpas* schuldbekentenis; 2 biecht; 3 (geloofs)belijdenis; 4 gezindte; **confesional** 1 confessioneel; 2 vd biecht; **confesionario** biechtstoel; **confeso, -a** 1 iem die juist gebiecht heeft; 2 (*hist*) bekeerde jood of jodin; **confesor** *m* biechtvader
confeti *m* confetti
confiado 1 goed van vertrouwen; argeloos; *pecar de* ~ te goed van vertrouwen zijn; 2 zelfverzekerd, vol vertrouwen; **confianza** vertrouwen; ~ *en sí mismo* zelfvertrouwen; *burlar la* ~ het vertrouwen beschamen; *de poca* ~ onbetrouwbaar; *depositar* ~ *en* vertrouwen stellen in; (*digno*) *de* ~ betrouwbaar; *en* ~ in vertrouwen; *en la* ~ *de que* vertrouwende dat; *hay* ~ we zijn onder elkaar; *inspirar* ~ vertrouwen inboezemen; *tener* ~ *con* op vertrouwelijke voet staan met; *tener* ~ *en* vertrouwen hebben in; **confiar í** 1 ~ (*en*) vertrouwen (op), staat maken op; ~ *en que* erop vertrouwen dat; 2 toevertrouwen; ~ *al papel* op papier zetten;
confidencia confidentie, ontboezeming; *ponerse en plan de* ~*s* vertrouwelijk worden; **confidencial** vertrouwelijk; *estrictamente* ~ strikt vertrouwelijk; **confidente** *m,v* vertrouwenspersoon
configuración *v* 1 vorm, bestel, gesteldheid, opbouw, structuur; ~ *del terreno* bodemgesteldheid; 2 (*comp*) configuratie; ~ *básica* standaarduitvoering; **configurar** vormen, vorm geven aan
confín I *bn* grenzend; II *mmv: -ines* grens; zoom; einde, uithoek; *sin -ines* onbegrensd; **confinar** 1 ~ (*con*) grenzen (aan); 2 verbannen; 3 opsluiten, interneren
confirmación *v* 1 bevestiging, bekrachtiging; 2 (*godsd*) aanneming; vormsel; belijdenis; **confirmar** 1 bevestigen, beamen, bekrachtigen; ~ *el acta* de notulen arresteren, de notulen goedkeuren; 2 (*godsd*) vormen; aannemen
confiscación *v* inbeslagneming, verbeurdverklaring; **confiscar** beslag leggen op, confisqueren, verbeurdverklaren
confitar confijten; **confites** *mmv* zoetigheden; **confitería** banketbakkerij; **confitura** jam
conflagración *v* (het uitbreken van) oorlog
conflictivo conflictief, onverenigbaar; **conflicto** 1 geschil, conflict; ~ *laboral* arbeidsgeschil; 2 dilemma, moeilijk parket
confluencia (het) samenstromen, samenvloeiing; **confluir** samenkomen, samenstromen
conformación *v* vorming, opbouw, structuur; **conformar** 1 vormen; 2 ~ *con* aanpassen bij; **conformarse** (*con*) zich tevreden stellen (met), zich neerleggen (bij), zich schikken (in); **conforme** I *bn* 1 ~ (*a*) gelijk (aan), gelijkluidend (met); in overeenstemming (met); volgens, conform; ~ *a las reglas* volgens de regels; 2 ~ *con* tevreden met; 3 eensgezind, eens; *estar* ~ het ermee eens zijn; II *m* fiat, goedkeuring; III *voegw* zoals; naarmate; zodra; ~ *avanzaba* naarmate hij vorderde; ~ *resulta de* zoals blijkt uit, blijkens; ~ *venga* zodra hij komt; *lo hice* ~ *me lo indicaron* ik deed het zoals mij werd gezegd; IV *tw:* ¡~! afgesproken!, akkoord!; **conformidad** *v* 1 overeenkomst, overeenstemming; *en* ~ *con* conform, overeenkomstig; 2 instemming, eensgezindheid; **conformismo** conformisme; **conformista** *m,v* conformist(e)
confort *m* comfort, gerief; **confortable** comfortabel, gerieflijk; **confortación** *v* lafenis, verkwikking; **confortar** opbeuren, verkwikken
confraternidad *v* broederschap; **confraternizar** verbroederen

confrontación *v* confrontatie; **confrontar** 1 confronteren; *verse confrontado con* geconfronteerd worden met, te kampen hebben met; 2 vergelijken; **confrontarse** (*con*) geconfronteerd worden met; ~ *con la realidad* de werkelijkheid onder ogen zien
confundido verward, beteuterd, van zijn stuk gebracht, verlegen; **confundir** 1 doen vervagen, verdoezelen; 2 verwarren, door elkaar halen; 3 zich vergissen in; 4 verlegen maken, (*iem*) in de war maken; beschaamd doen staan; 5 (*iets*) wegmaken; **confundirse** 1 zich vergissen, in de war raken; 2 vaag worden; 3 ~ *con* versmelten met; **confusión** *v* 1 verwarring, warboel, begripsverwarring; ~ *verbal* spraakverwarring; 2 verlegenheid, verwarring; **confuso** 1 verward, confuus, bedremmeld, van streek; 2 vaag, onduidelijk
conga bep Zuidamerikaanse dans
congelación *v* bevriezing; ~ *de los precios* bevriezing vd prijzen; ~ *rápida* diepvries; ~ *salarial* loonstop, bevriezing vd lonen; **congelados** *mmv* diepvriesprodukten; **congelador** *m* vrieskist; ~ *vertical* vrieskast; **congelar** 1 bevriezen, invriezen; 2 blokkeren, bevriezen
congénere *m,v* soortgenoot, -genote; **congenialidad** *v* geestverwantschap; **congeniar** (*con*) het kunnen vinden (met), elkaar liggen
congénito aangeboren
congestión *v* 1 congestie; 2 (verkeers)opstopping; **congestionado** verstopt; (*mbt weg, kruispunt*) overbelast; *el tráfico está* ~ het verkeer zit vast; *estar* ~ *de rabia* stikken van woede; **congestionar** 1 congestie veroorzaken; 2 een opstopping veroorzaken
conglomeración *v* samenvoeging, opeenhoping, conglomeraat; **conglomerado** 1 conglomeraat; 2 board; ~ *chapado* meubelplaat; (*tabla de*) ~ *duro* hardboard; **conglomerar** samenvoegen, samenpersen
conglutinar lijmen
congoja 1 benauwdheid; 2 angst, beklemming; 3 droefheid, smart
congoleño, -a, congolés, -esa Kongolees, uit de Kongo
congraciarse (*con*) in het gevlei komen (bij), de gunst winnen (van)
congratulación *v* gelukwens; **congratular** (*por*) feliciteren (met)
congregación *v* 1 broederschap; 2 congregatie; **congregar** bijeenbrengen; **congregarse** bijeenkomen, zich verzamelen
congresista *m,v* 1 congresgang(st)er; 2 (*VS; Am*) congreslid; **congreso** congres; **Congreso** 1 (*vglbaar*) Tweede Kamer; 2 parlementsgebouw
congrio zeepaling
congruencia 1 congruentie; 2 logisch verband; **congruente** 1 congruent; 2 ~ (*con*) logisch overeenstemmend (met)
cónico kegelvormig
conífera, conífero naaldboom
conjetura gissing; ~*s* een slag in de lucht; **conjeturar** gissen
conjugación *v* 1 (*gramm*) vervoeging; 2 verbinding; **conjugar** 1 (*gramm*) vervoegen; 2 samenvoegen
conjunción *v* 1 (*gramm*) voegwoord; 2 samenloop; **conjuntamente** gezamenlijk; **conjuntiva** conjunctiva, (oog)bindvlies; **conjuntivitis** *v* conjunctivitis, bindvliesontsteking; **conjuntivo** 1 verbindend; 2 voegwoordelijk; **conjunto** I *bn* gezamenlijk; verbonden; II *zn* 1 geheel, samenstel; *cuadro de* ~ verzamelstaat; *en* ~ (alles) samen; *en su* ~ in zijn totaliteit; 2 ensemble; team; ~ *folklórico* folkloristisch ensemble; ~ *rockero* rockgroep; 3 complet; twinset; deux-pièces; ~ *pantalón* broekpak; 4 (*wisk*) verzameling
conjura, conjuración *v* samenzwering; **conjurado, -a** samengezworene; **conjurador, -ora** samenzweerder, -zweerster; **conjurar** I *tr* bezweren; ~ *el peligro* het gevaar bezweren; II *intr* samenzweren; **conjurarse** samenzweren
conllevar 1 verdragen, (*ergens*) mee leven; 2 aan het lijntje houden; 3 (met zich) meebrengen, impliceren
conmemoración *v* herdenking; **conmemorar** gedenken, herdenken; **conmemorativo** herdenkings-; *libro* ~ gedenkboek
conmigo met mij; (*para*) ~ jegens mij; *estuvo simpático* ~ hij was aardig voor me
conminación *v* dreigement; **conminar** (*con*) dreigen (met); **conminatorio** dreigend; *carta -a* dreigbrief
conminuto: *fractura -a* splinterbreuk
conmiseración *v* medelijden
conmoción *v* 1 schok; opschudding, beroering, deining; ~ *cerebral* hersenschudding; 2 hevige ontroering; 3 aardschok; 4 oproer; ~ *popular* volksoproer; **conmocionar** schokken
conmovedor, -ora (ont)roerend, aangrijpend, aandoenlijk; **conmover ue** 1 schokken, doen schudden; 2 aangrijpen, (ont)roeren; **conmoverse ue** ontroerd worden; **conmovido** aangedaan, bewogen
conmutación *v* ruil, verwisseling; schakeling; ~ *de pena* verlichting van straf; **conmutador** *m* schakelaar; ~ *selector* keuzeschakelaar; **conmutar** 1 verwisselen; (om)schakelen; 2 (*straf*) verlichten
connatural (*van nature*) eigen, aangeboren
connivencia medeplichtigheid; *estar en* ~ *con* onder één hoedje spelen met
connotación *v* connotatie, verwante betekenis; **connotar** impliceren; aanduiden, duiden op
cono kegel; ~ *de abeto* sparappel; ~ *truncado* afgeknotte kegel; ~ *de viento* windzak; **Cono**: ~ *Sur* zuidelijk deel van Zuid-Amerika
conocedor, -ora I *bn* kennend; ~ *de* op de hoogte van, bekend met; II *zn* kenner; fijnproever, -proefster; **conocer** 1 kennen, leren kennen; *le conocía poco* ik kende hem nauwe-

lijks; *se conocieron en París* ze leerden elkaar in Parijs kennen; *dar a* ~ bekend maken; 2 ~ *de: a*) verstand hebben van; *b*) (*mbt rechter*) behandelen; **conocerse**: ~ *como* bekend staan als; *se conoce que* het is te merken (te zien, te horen) dat; **conocido, -a** I *bn* bekend; *ser* ~ *de antemano* van tevoren vaststaan; II *zn* bekende, kennis; **conocimiento** 1 kennis; ~*s librescos* boekenwijsheid; ~*s náuticos* zeemanschap; ~ *del ordenamiento constitucional* staatsinrichting (*schoolvak*); ~ *previo* voorkennis; ~ *profesional* vakkennis; ~(*s*) *profundo*(*s*) grondige kennis; ~*s* (*técnicos*) knowhow, deskundigheid; *adquirir* ~*s* kennis verwerven; *con* ~ *de causa* met kennis van zaken; *para su* ~ ter kennisneming, te uwer informatie; *poner en* ~ *de* ter kennis brengen van; *sin mi* ~ zonder mijn medeweten, buiten mij om; *tener* ~ *de* kennis hebben van; 2 bewustzijn; *estar sin* ~ buiten kennis zijn; *perder el* ~ flauwvallen, bewusteloos raken; *recobrar el* ~ bijkomen; 3 connossement, vrachtbrief (*voor vervoer te water*)

conque dus, derhalve

conquense uit Cuenca (*Spanje*)

conquista 1 verovering; (*hist*) verovering van (Latijns-)Amerika; 2 verworvenheid, verovering; **conquistador, -ora** I *bn* veroverend; II *zn* veroveraar(ster); *-ores* (*hist*) veroveraars van (Latijns-)Amerika; **conquistar** veroveren

consabido welbekend, bewust

consagración *v* wijding, inwijding; **consagrado** 1 gewijd; 2 aloud, gevestigd; geijkt; *opinión -a* gevestigde mening; **consagrar** 1 wijden, inwijden; ~ *a* wijden aan; 2 bevestigen; **consagrarse** 1 ~ *a* zich wijden aan; 2 ~ (*como*) erkenning vinden (als)

consanguíneo, -a bloedverwant(e); **consanguinidad** *v* bloedverwantschap

consciente bewust; ~ *de culpa* schuldbewust; ~ *de sí mismo* zelfbewust; ~ *de sus actos* toerekeningsvatbaar; *estar* ~ bij bewustzijn zijn; *ser* ~ *de su deber* zich (van) zijn plicht bewust zijn

consecución *v* 1 (het) bereiken; verwerkelijking; 2 haalbaarheid; **consecuencia** gevolg, consequentie, uitvloeisel; *a* ~ *de* tengevolge van; *en* ~ bijgevolg; *enterarse sin más* ~*s* voor kennisgeving aannemen; *pasar sin mayores* ~*s* met een sisser aflopen; *por* ~ bijgevolg, dientengevolge; *sacar en* ~ concluderen; *traer* ~*s* (belangrijke) gevolgen hebben; **consecuente** 1 daaropvolgend, daaruit voortvloeiend; 2 consequent; **consecutivo** opeenvolgend; *tres días* ~*s* drie dagen achter elkaar; **conseguir i** bereiken, erin slagen om; ~ *dominar* onder controle krijgen; ~ *una promesa de u.p.* een belofte van iem loskrijgen; *no lo va a* ~ het zal hem niet lukken; *tratar de* ~ streven naar

consejero, -a 1 adviseur; 2 lid van een raad; lid van raad van bestuur; (*Belg*) beheerder; **consejo** 1 advies, raad; *pedir* ~ *de* raad vragen aan; *por* ~ *de* op aanraden van; *tomar* ~ *de* te rade gaan bij; 2 raad; ~ *de administración* (*vglbaar*) raad van bestuur, (*Belg*) beheerraad; ~ *de dirección* (*vglbaar*) raad van bestuur; ~ *de guerra* krijgsraad; ~ *de ministros* ministerraad; ~ *de Seguridad* Veiligheidsraad (*bij VN*); ~ *de vigilancia* raad van toezicht

consenso consensus, eenstemmigheid; *de común* ~ met algemene instemming; *de mutuo* ~ met wederzijds goedvinden; *llegar al* ~ overeenstemming bereiken

consentido 1 verwend; over het paard getild; 2 te toegeeflijk; (*mbt echtgenoot*) die ontrouw van zijn vrouw tolereert; **consentidor, -ora** al te toegeeflijk; **consentimiento** toestemming, goedvinden; bereidverklaring; **consentir ie, i** 1 (*ook* ~ *en*) toelaten, goedvinden, toestemmen (in); 2 verdragen, kunnen hebben; **consentirse ie, i** doorbuigen, het begeven

conserje *m,v* conciërge, portier; **conserjería** portiersloge

conserva conserve; inmaak; ~*s* conserven; *en* ~ in blik; **conservabilidad** *v* houdbaarheid; **conservación** *v* 1 behoud, instandhouding; ~ *de la naturaleza* natuurbehoud; ~ *del medio ambiente* milieubehoud; 2 onderhoud; **conservador, -ora** I *bn* 1 conserverend; 2 behoudend, conservatief; II *zn* 1 conservator, -trice; 2 *m* conserveermiddel; **conservadurismo** conservatisme; **conservante** *m* conserveermiddel, (*Belg*) bewaarmiddel; **conservar** 1 behouden, bewaren; in stand houden; ~ *el calor* de warmte vasthouden; ~ *un secreto* een geheim bewaren; *bien conservado* (*mbt persoon*) nog jeugdig; 2 conserveren, inleggen, inmaken; 3 onderhouden; 4 (*planten in winter*) overhouden; **conservarse** stand houden, voortduren; ~ *bien: a*) goed houdbaar zijn; *b*) goed blijven; **conservatismo** conservatisme; **conservativo** conserveermiddel, (*Belg*) bewaarmiddel; **conservatorio** conservatorium; **conservero** vd conserven; *industria -a* conservenindustrie

considerable aanzienlijk; **consideración** *v* 1 beschouwing, overweging; afweging, beoordeling; *en* ~ *a* gezien, met het oog op, vanwege; *tomar en* ~ in aanmerking nemen; 2 kiesheid, eerbied, hoogachting; *por* ~ *a* uit eerbied voor; *tener* ~ *con* ontzien; 3 *-ones* overwegingen || *herido de* ~ zwaar gewond; **considerado** 1 beschouwd; *bien* ~ (alles) welbeschouwd; 2 geacht, gewaardeerd; 3 kies, tactvol; **considerando** (het) aangezien (*in bv vonnis*); punt van overweging; **considerar** 1 beschouwen, overwegen, overdenken; ~ (*como*) *ventaja* als een voordeel beschouwen; ~ *preciso* nodig achten; *considera que…* bedenk wel dat…; 2 van mening zijn; 3 respecteren; **considerarse** 1 (*ook* ~ *como*) gelden als; 2 zich achten, zich voelen; ~ *feliz* zich gelukkig prijzen; ~ *por encima de* zich verheven voelen boven

consigna 1 consigne, leus, parool, wachtwoord; 2 opdracht, bevel; 3 bagagedepot; **consignación** *v* 1 consignatie; 2 vermelding; **consignar** 1 ~ (*por escrito*) (schriftelijk) vastleggen, vermelden; ~ *en el acta* in de notulen opnemen; 2 in bewaring geven; 3 consigneren; 4 ~ *para* (*een bedrag*) bestemmen voor; **consignatario** geconsigneerde; ~ (*de buque*) scheepsagent
consigo met zich; *llevar dinero* ~ geld bij zich hebben; *traer* ~ met zich meebrengen
consiguiente (*a*) voortvloeiend (uit); *el perjuicio* ~ het daaraan verbonden nadeel; *por* ~ derhalve
consistencia consistentie, stevigheid; **consistente** consistent, stevig
consistir: ~ *de* bestaan uit; ~ *en* bestaan in, gelegen zijn in
consistorial 1 consistoriaal; 2 vh gemeentebestuur; *casa* ~ gemeentehuis, raadhuis; **consistorio** 1 consistorie, vergadering van kardinalen; 2 gemeentebestuur; 3 gemeentehuis
consocio, -a medelid
consola console
consolación *v* troost; **consolador, -ora** troostend; **consolar ue** troosten; **consolarse ue** troost vinden
consolidación *v* versteviging, consolidering; **consolidar** consolideren, verstevigen
consomé *m* bouillon, consommé
consonancia 1 (mooie) samenklank, harmonie; 2 overeenstemming; *en* ~ *con* in overeenstemming met; 3 rijm; **consonante** I *bn* 1 gelijkklinkend; 2 overeenkomstig; 3 rijmend; *rima* ~ volrijm; II *v* medeklinker
consorcio syndicaat, pool, consortium; **consorte** *m,v* echtgenoot, -genote, gemaal, gemalin; *príncipe* ~ prins-gemaal
conspicuo opvallend, markant; vooraanstaand
conspiración *v* samenzwering; **conspirador, -ora** samenzweerder, -zweerster; **conspirar** samenspannen, samenzweren
constancia 1 volharding, standvastigheid; 2 (het) vastleggen; vermelding; (het) vaststaan; *dejar* ~ *de* vastleggen, getuigen van; **constante** I *bn* 1 constant, aanhoudend, gestaag; 2 standvastig, stabiel; *un humor* ~ een gelijkmatig humeur; II *v* (*wisk*) constante; **constar** 1 vaststaan; blijken; vermeld staan; *hacer* ~ vastleggen, (duidelijk) te kennen geven; *me consta que* voor mij staat vast dat; *que te conste* het zij je gezegd, het is maar dat je het weet; 2 ~ *de* bestaan uit
constatación *v* vaststelling; **constatar** constateren, vaststellen
constelación *v* 1 sterrenbeeld; 2 constellatie
consternación *v* consternatie, ontsteltenis; **consternado** onthutst, ontsteld; **consternar** diep treffen, sterk aangrijpen
constipación *v* 1 obstipatie; 2 verkoudheid; **constipado** I *bn* verkouden; II *zn* verkoudheid; **constipar** verkouden maken; **constiparse** verkouden worden
constitución *v* 1 vorming, samenstelling; 2 oprichting, vestiging; 3 gestel, constitutie; ~ *física* lichaamsbouw; 4 grondwet; *jurar la* ~ de eed op de grondwet afleggen; 5 (het) stellen; ~ *en mora* ingebrekestelling; **constitucional** constitutioneel, grondwettelijk; **constituir** 1 oprichten, vestigen; vormen, samenstellen; ~ *un gobierno* een regering vormen; ~ *una sociedad* een vennootschap oprichten; 2 vormen, zijn; ~ *delito* een misdrijf zijn; *la falta de tiempo constituye un problema* het tijdgebrek is een probleem; 3 stellen; ~ *fianza* borg stellen; 4 ~ *en* maken tot || ~ *heredero* tot erfgenaam benoemen; **constituirse** 1 (*mbt tribunaal*) bijeenkomen; 2 officieel verschijnen, zich melden; 3 ~ *en* worden tot; zich opwerpen tot; ~ *en grupo* een concern vormen; **constituyente** I *bn* samenstellend; II *zn* 1 *m* bestanddeel; 2 *m* (*taalk*) constituent; 3 *v* constituerende vergadering
constreñimiento dwang; **constreñir i** 1 dwingen; 2 beperken; **constreñirse i** 1 zich geweld aandoen; 2 zich beperken
construcción *v* 1 bouw, aanleg (*van weg*), constructie; uitvoering; ~ *de casas prefabricadas* montagebouw; ~ *de maquetas* modelbouw; ~ *naval* scheepsbouw; *-ones nuevas* nieuwbouw; ~ *utilitaria* utiliteitsbouw; ~ *de viviendas* woningbouw; *caja de -ones* bouwdoos; *de* ~ *sólida* in solide uitvoering; *diseño y* ~ ontwerp en uitvoering; 2 constructie, bouwsel, gebouw; ~ *de acero* staalconstructie; ~ *sobre pilotes* paalwoning; 3 (*gramm*) constructie; ~ *de la frase* zinsbouw; **constructivo** vd bouw; constructief; *crítica -a* opbouwende kritiek; **constructor, -ora** I *bn* bouwend; *empresa -a* bouwbedrijf; II *zn* 1 bouw(st)er; 2 *v* bouwbedrijf; **construir** 1 bouwen, (*wegen*) aanleggen; 2 construeren, verzinnen
consubstancial (*a*) inherent (aan), eigen (aan)
consuegros *mmv* ouders van schoonzoon of schoondochter, medeschoonouders
consuelo troost; *no tener* ~ *ni sosiego* rust noch duur hebben, niet weten waar je het moet zoeken; *un pobre* ~, *un triste* ~ een schrale troost; *sin* ~ ontroostbaar; **Consuelo** meisjesnaam
consuetudinario gewoonte-; *derecho* ~ gewoonterecht
cónsul *m,v* consul; **consulado** consulaat; **consular** consulair
consulta 1 (het) consulteren, (het) advies vragen, ruggespraak; (*vaak mv*) overleg, beraadslagingen; ~*s mutuas* onderling overleg; ~ *previa* vooroverleg; *obra de* ~ naslagwerk; 2 (het) adviseren, advies; 3 (*med*) consult; praktijk; spreekkamer; *abrir una* ~ een praktijk beginnen; (*hora de*) ~ spreekuur; **consultante** adviserend; **consultar** 1 raadplegen; ~ *a un médico* een arts raadplegen; ~ *el reloj* op

zijn horloge kijken; 2 over'leggen; ~ *u.c. con u.p.* met iem over iets beraadslagen; **consultivo** adviserend, raadgevend; *oficina -a* adviesbureau; **consultor, -ora** I *bn* adviserend; *empresa -ora* adviesbureau; *ingeniero ~* raadgevend ingenieur; II *zn* adviseur, consulent(e); *~ de empresas* organisatieadviseur; *servicio de -ores* adviesbureau; **consultoría** adviesbureau; *~ de empresas* organisatiebureau; **consultorio** 1 (*vglbaar*) polikliniek; consultatiebureau; 2 (*med*) spreekkamer; 3 consulentenservice; *~ jurídico* rechtswinkel, wetswinkel; 4 vragenrubriek

consumación *v* (het) volbrengen, voltooiing; **consumado** voldongen, volleerd; *un ~ estafador* een enorme oplichter; *hecho ~* voldongen feit, fait accompli; **consumar** begaan, voltooien; **consumarse** 1 geschieden, plaatsvinden; 2 (*mbt kaars*) opbranden

consumición *v* 1 (het) uitteren, (het) wegkwijnen; 2 vertering, consumptie; **consumidor, -ora** gebruik(st)er; verbruik(st)er; consument(e); *organización de -ores y usuarios* (*vglbaar*) consumentenbond; **consumir** 1 vernielen, verteren; *le consume la impaciencia* hij wordt verteerd door ongeduld; 2 gebruiken, verbruiken, consumeren; *la calefacción consume mucho gas* de verwarming verbruikt veel gas; 3 (*in het lichaam*) verbranden; **consumirse** opraken, opbranden, verteerd worden; verkoken; verschrompelen; wegkwijnen, verkommeren; *~ de sed* vergaan van dorst; **consumismo** consumentisme; **consumo** gebruik, verbruik, consumptie; *~ alimenticio* voedselverbruik; *~ de corriente* stroomverbruik; *~ de drogas* druggebruik; *~ energético* energieverbruik; *bienes de ~* verbruiksgoederen, consumptiegoederen; *de ~ económico* zuinig in het gebruik; *de ~ inmediato* voor direct gebruik; *sociedad de ~* consumptiemaatschappij; **consunción** *v* (het) verteerd worden, (het) uitteren

consuno: *de ~* in gezamenlijk overleg

consuntivo consumptief

consustancial (*a*) eigen (aan), inherent (aan)

contabilidad *v* boekhouding; **contabilización** *v* (het) boeken; **contabilizar** boeken; **contable** I *bn* te boeken; te tellen; *valor ~* boekwaarde; II *m,v* boekhoud(st)er; *jefe ~* hoofdboekhouder

contactar contact leggen met, contact opnemen met; **contacto** 1 contact; aanraking; *~ estrecho* nauw contact; *~ flojo* (*techn*) los contact; *~ sexual* geslachtsgemeenschap; *poner en ~ con* in contact brengen met; *tomar ~ con* contact opnemen met; 2 *~s* connecties, contacten

contado schaars; *~s casos* schaarse gevallen; *a pasos ~s* met afgepaste schreden; *unos fls 25 mal ~s* een slordige f 25 || *al ~* contant; *por de ~* uiteraard, beslist; *zie ook contar*; **contador, -ora** I *bn* tellend; II *zn* 1 boekhoud(st)er; 2 *m* teller, meter; *~ del gas* gasmeter; *~ de revoluciones* toerenteller; 3 *m* telraam; **contaduría** 1 boekhouding, administratie; 2 voorverkooploket

contagiar besmetten, aansteken; **contagiarse** 1 besmet worden; 2 besmettelijk zijn; **contagio** 1 besmetting; aanstekelijkheid; 2 (kleine) epidemie; **contagiosidad** *v* besmettelijkheid; **contagioso** besmettelijk; aanstekelijk

container *m* container

contaminación *v* 1 besmetting; 2 vervuiling; *~ acústica* geluidshinder; *~ del agua* watervervuiling; *~ aérea, ~ del aire, ~ atmosférica* luchtverontreiniging, (*Belg*) luchtbezoedeling; *~ ambiental, ~ del medio ambiente* milieuvervuiling; **contaminar** 1 besmetten; 2 vervuilen, verontreinigen

contante contant; *en dinero ~* (*y sonante*) in klinkende munt; **contar ue** I *tr* 1 tellen; rekenen; *~ entre* rekenen tot; *sin ~ el viaje* de reis niet meegerekend; *tiene sus días contados* zijn dagen zijn geteld; 2 vertellen; *~ chistes* moppen tappen; *no es para contado* het is onvoorstelbaar, het is ongelooflijk; II *intr* 1 tellen; *eso no cuenta* dat telt niet; *lo que cuenta es...* waar het op aankomt is...; *y para de ~* en dat is alles, en dan heb je het gehad, meer niet; 2 *~ con* (kunnen) rekenen op; (kunnen) beschikken over; *~ con amigos influyentes* beschikken over invloedrijke vrienden; *cuenta conmigo, puedes ~ conmigo* je kunt op me rekenen

contemplación *v* 1 beschouwing; 2 *-ones* consideratie; *no andar con -ones* korte metten maken; **contemplador, -ora** I *bn* bespiegelend; II *zn* iem die beschouwt; **contemplar** aanschouwen, gadeslaan; beschouwen; onder ogen zien; **contemplativo** beschouwelijk, bespiegelend

contemporáneo, -a I *bn* huidig, eigentijds; II *zn* tijdgenoot, -genote

contemporización *v* inschikkelijkheid; **contemporizador, -ora** inschikkelijk; **contemporizar** toegeven, inschikkelijk zijn, (*fig*) meegaan

contención *v* beheersing, matiging; indamming; *~ de (los) precios* prijsbeheersing; *medida de ~* beperkende maatregel; *presa de ~* stuwdam; **contencioso** omstreden, contentieus

contendiente I *bn* strijdend; II *m,v* tegenstand(st)er

contenedor *m* container; **contener** 1 bevatten, behelzen; 2 bedwingen; inhouden; onderdrukken; tegenhouden; *~ las lágrimas* zijn tranen inhouden; **contenerse** zich bedwingen, zich inhouden, niets laten merken; **contenido** I *bn* ingehouden; II *zn* inhoud; gehalte; *~ de azúcar* suikergehalte; *~ de humedad* vochtgehalte; *~ material* zakelijke inhoud; *~ de proteínas* eiwitgehalte

contentadizo snel tevreden; **contentamiento** *zie contento*; **contentar** tevredenstellen; **con-**

tentarse: ~ *con* genoegen nemen met, volstaan met; **contento** I *bn* tevreden, blij, voldaan; ~ *con* tevreden met; ~ *de* tevreden over, blij met; II *zn* tevredenheid
contera punt (*van wandelstok, paraplu*)
contertulio, -a medebezoek(st)er; medestamgast
contestación *v* antwoord, beantwoording; **contestador** *m*: ~ *automático* (*telef*) antwoordapparaat; **contestar** 1 (*soms* ~ *a*) beantwoorden, antwoorden op, (*de telefoon*) aannemen; *quedar sin* ~ onbeantwoord blijven; 2 tegenspreken; **contestatario** (*fig*) dwars, protesterend; **contestón, -ona** (*fam*) 1 ad rem, die altijd zijn woordje klaar heeft; 2 altijd tegensprekend, dwars
contexto verband; context; *sacar del* ~ uit zijn verband rukken; **contextura** verband, samenhang; weefsel, structuur
contienda strijd
contigo met jou; (*para*) ~ jegens jou
contigüidad *v* (het) aan elkaar grenzen; **contiguo** aangrenzend, belendend
continencia onthouding, kuisheid
continental continentaal; *clima* ~ landklimaat; **continente** I *bn* ingetogen, kuis; II *m* 1 vasteland, continent, werelddeel; 2 vat; 3 houding
contingencia eventualiteit, mogelijkheid; **contingentar** contingenteren; **contingente** I *bn* mogelijk, eventueel; II *m* quota, contingent
continuación *v* vervolg, voortzetting; follow-up; *a* ~ vervolgens, in aansluiting daarop; **continuador, -ora** I *bn* voortzettend; II *zn* voortzet(s)ter; **continuamente** voortdurend, aldoor; **continuar ú** I *tr* voortzetten, doorgaan met; ~ + *gerundio* doorgaan met..., blijven...; ~ *leyendo* doorlezen, blijven lezen; II *intr* doorgaan, voortduren; *continuará* wordt vervolgd; **continuidad** *v* continuïteit; follow-up; **continuo** aanhoudend, onafgebroken, onophoudelijk, voortdurend; traploos
contonearse (heup)wiegen; **contoneo** (het) heupwiegen
contorno 1 omtrek, contouren; 2 (*vaak mv*) omgeving
contorsión *v* verdraaiing, (het) verwringen; **contorsionista** *m,v* slangemens
contra I *vz* tegen; ~ *reloj* (*mbt race*) tegen de klok; *estar en* ~ *de u.c.* tegen iets zijn; *ir en* ~ *de* indruisen tegen; *votar* ~, *votar en* ~ *de* stemmen tegen; *votar en* ~ tegenstemmen; II *zn* 1 *m* tegen; *el pro y el* ~ het voor en tegen; 2 *v* (*fam*) moeilijkheid; *llevar la* ~ dwarsliggen; 3 *la* ~ (*Am, Nicaragua*) de contra's
contraatacar een tegenaanval doen; **contraataque** *m* tegenaanval
contrabajo (*muz*) (contra)bas
contrabalancear een tegenwicht geven tegen
contrabandear smokkelen; **contrabandeo** (het) smokkelen; **contrabandista** *m,v* smokkelaar(ster); **contrabando** smokkel, smokkelarij; *de* ~ stiekem, in het geheim; *hacer* ~ smokkelen; *introducir de* ~ naar binnen smokkelen
contrabarrera tweede rij zitplaatsen (*bij stieregevecht*)
contracción *v* 1 samentrekking; 2 (het) krimpen
contracepción *v* anticonceptie; **contraceptivo** I *bn* contraceptief; II *zn* anticonceptiemiddel
contrachapado I *bn* gelaagd; II *zn*: ~ *múltiple* multiplex; **contrachapeado**: *madera -a* multiplex
contracorriente: *ir a* ~ (*fig*) tegen de stroom ingaan
contráctil samentrekbaar
contractual vh contract, contractueel
contradecir tegenspreken, betwisten; **contradecirse** elkaar tegenspreken; (met elkaar) in tegenspraak zijn; **contradicción** *v* tegenspraak; tegenstelling, tegenstrijdigheid; *en* ~ *con* in strijd met; *no admite* ~ er valt niet aan te tornen; **contradictorio** tegenstrijdig; *sentimientos* ~*s* gemengde gevoelens
contraer 1 aangaan, sluiten; ~ *deudas* schulden aangaan; ~ *matrimonio* in het huwelijk treden; ~ *nuevo matrimonio* hertrouwen; ~ *una obligación* een verplichting aangaan; 2 (*gewoonte*) aannemen; zich op de hals halen; ~ *una enfermedad* een ziekte oplopen; ~ *el hábito de* zich aanwennen; 3 (doen) samentrekken; **contraerse** zich samentrekken, inkrimpen
contraespionaje *m* contraspionage
contrafallar (*kaartsp*) overtroeven
contrafirmar medeondertekenen
contrafuerte *m* 1 steunbeer; 2 hielversterking (*in schoen*); **contrafuerza** tegenkracht
contragolpe *m* 1 terugslag; 2 tegencoup
contrahacer namaken, nabootsen; **contrahecho** 1 nagemaakt; 2 mismaakt, gebocheld, scheefgegroeid
contrahuella stootrand (*op trap*)
contraincendios brandblus-
contraindicación *v* contra-indicatie; **contraindicado** schadelijk
contralmirante *m* schout-bij-nacht
contralto 1 alt(stem); 2 *v* alt(zangeres)
contraluz *v* tegenlicht; *a* ~ tegen het licht
contramaestre *m* bootsman
contramanifestación *v* tegenmanifestatie
contramano: *a* ~ tegen de rijrichting in
contramedida tegenmaatregel
contraminar 1 tegenmijnen; 2 onder iems duiven schieten
contraofensiva tegenaanval
contraorden *v* tegenorder
contraparte *v* counterpart, partner (*in ontwikkelingswerk*); **contrapartida** 1 tegenboeking; 2 compensatie; *en* ~ *de* als tegenprestatie voor; 3 *zie contraparte*
contrapedal: *freno de* ~ terugtraprem

contrapelo: *a* ~ tegen de draad in, tegen de haren in
contrapesar tegenwicht geven tegen, compenseren; **contrapeso** tegenwicht; *servir de ~ a* een tegenwicht vormen tegen
contraponer stellen tegenover; **contraponerse** (*a*) (*ergens*) tegenover staan
contraportada achterplat (*van boek*)
contraposición *v* 1 (het) tegenover elkaar stellen; 2 tegenstelling
contrapresión *v* tegendruk, (*fig*) tegengas
contraprestación *v* tegenprestatie
contraproducente averechts, met tegengestelde uitwerking
contraproposición *v* tegenvoorstel; **contrapropuesta** tegenvoorstel
contraproyecto tegenproject
contrapunto contrapunt; contrast
contraria: *llevar la ~* tegenwerken, tegenspreken, in de contramine zijn; **contrariar í** 1 tegenspreken, dwarsliggen, dwarsbomen; tegenwerken; 2 hinderlijk zijn; *¿te contraría?* vind je het vervelend?; **contrariedad** *v* tegenslag, moeilijkheid; **contrario, -a** I *bn* 1 tegengesteld, strijdig; anti, (er)tegen; vijandig; (*mbt verkeer*) tegemoetkomend; *lo ~* het tegendeel; *~ a la ley* wederrechtelijk; *~ a la verdad* onwaar; *al ~* daarentegen, integendeel; *al ~ de* precies anders dan; *aviso* (*en*) ~ tegenbericht; *de lo ~* anders; *por el ~, por lo ~, todo lo ~* integendeel; *tráfico ~* tegemoetkomend verkeer; *viento ~* tegenwind; *ser ~ a: a*) afwijzend staan tegenover, wars zijn van; *b*) indruisen tegen, in strijd zijn met; 2 ongunstig; II *zn* tegenstand(st)er || *al ~, por el ~* integendeel
contrarreforma contrareformatie
contrarréplica (*jur*) dupliek
contrarrestar tegengaan, de kop indrukken; weerstaan
contrarrevolución *v* contrarevolutie; **contrarrevolucionario** contrarevolutionair
contraseguro tegenverzekering
contrasentido inwendige tegenspraak; *es un ~* het is waanzin
contraseña 1 wachtwoord; 2 contramerk, bewijsje, sortie
contrastar I *intr*: ~ (*con*) contrasteren (met), afsteken (tegen); II *tr* 1 beproeven; 2 ijken; **contraste** *m* 1 contrast, tegenstelling; *en ~ con* in tegenstelling tot; 2 keur (*op goud*)
contrata 1 dienstverleningsovereenkomst (*vaak tussen overheid en particulier bedrijf*); 2 aangenomen werk; 3 arbeidscontract (*van bv toneelspeler*); **contratación** *v* aanneming, aanstelling (*van personeel*); **contratante** *m,v* contractpartij, contractant(e); **contratar** 1 (*personeel*) aannemen, aanstellen, aanwerven; 2 overeenkomen, contracteren; *~ un préstamo* een lening sluiten
contratiempo 1 tegenslag, tegenvaller; 2 (*muz*) syncope; *a ~* tegen de maat in
contratista *m,v* aannemer; *~ principal* hoofdaannemer; **contrato** contract, overeenkomst; *~ entre compañeros* samenlevingscontract; *~ de compraventa* koopcontract; *~ estándar* standaardcontract; *~ de trabajo* arbeidsovereenkomst; *sin ~* freelance
contratuerca borgmoer
contravalor *m* tegenwaarde
contravención *v* overtreding; *en ~ a la ley* in strijd met de wet
contraveneno tegengif
contravenir (*soms ~ a*) overtreden
contraventana luik (*voor raam, binnen of buiten*)
contraventor, -ora overtreder, -treedster
contraviento: *a ~* tegen de wind in
contrayente die een overeenkomst aangaat; die een huwelijk aangaat; *las partes ~s* de contracterende partijen
contribución *v* contributie; **contribuir** 1 ~ (*a*) bijdragen (tot, aan); 2 belasting betalen; **contribuyente** I *bn* 1 die belasting betaalt; 2 die een bijdrage betaalt; II *m,v* 1 belastingbetaler, belastingplichtige; 2 contribuant(e), donateur, -trice
contrición *v* berouw
contrincante *m,v* rivaal, rivale
contristarse (*lit*) bedroefd raken
contrito berouwvol
control *m* controle, toezicht; inspectie; beheersing; *~ aéreo* (lucht)verkeersleiding; *~ aislado* steekproef; *~ médico para deportistas* sportkeuring; *~ de nacimientos, ~ de la natalidad* geboortecontrole; *~ de pasaportes* paspoortcontrole; *~ de precios* prijsbeheersing; *~ de vuelo* vluchtleiding; *apretar el ~* de controle verscherpen; *ejercer el ~ de* controle uitoefenen; *fuera de ~* stuurloos; *someter a ~* (*telefoon*) afluisteren; *tener bajo ~* onder controle hebben, in bedwang hebben; **controlable** 1 controleerbaar; 2 bedwingbaar; **controlador** *m*: *~ aéreo* (lucht)verkeersleider; **controlar** 1 inspecteren, controleren; nakijken; toezicht houden op; 2 beheersen, onder controle houden; **controlarse** zich beheersen, zichzelf in bedwang houden
controversia controverse, geschil, onenigheid, meningsverschil; **controvertido** omstreden; *punto ~* twistpunt, strijdvraag; **controvertir ie, i** (*lit*) bespreken, discussiëren over
contubernio kliek, kongsi; samenspanning
contumacia 1 halsstarrigheid, koppigheid; 2 (*jur*) verstek, niet-verschijnen; **contumaz** 1 koppig, halsstarrig, onverbeterlijk; 2 (*jur*) niet-verschenen, bij verstek veroordeeld; 3 ziektekiemendragend
contundencia beslistheid, afdoendheid; **contundente** beslist, afdoend, overtuigend; *ser ~* tegenspraak uitsluiten
contusión *v* kneuzing; **contusionar** kneuzen
conurbación *v* uitgestrekt stedelijk gebied (*ontstaan door samenvoeging*); (*vglbaar*) randstad

convalecencia herstel (*van ziekte*); *casa de ~* verpleeghuis, herstellingsoord; **convalecer** herstellen (*van ziekte*); **convaleciente** herstellende

convalidación *v* erkenning (*van buitenlands diploma*); **convalidar** (*een elders gevolgde studie*) erkennen, geldig verklaren

convencer overtuigen; ompraten; *¡convéncete!* geloof het nu maar!; *no me convence* het kan me niet bekoren, ik vind het maar matig; **convencimiento** overtuiging; *llegar al ~ de que* tot de overtuiging komen dat

convención *v* 1 overeenkomst; 2 conventie, vergadering, congres; **convencional** conventioneel; *armas ~es* conventionele wapens; **convencionalismo** 1 conventies; 2 conventioneel gedrag; **conveniencia** 1 nut, wenselijkheid; *mirar su ~* op zijn voordeel uit zijn; 2 overeenkomst; 3 betrekking (*in huishouding*); 4 *~s* (*sociales*) conventies; **conveniente** wenselijk, raadzaam, geschikt; passend, behoorlijk; **convenientemente** op passende wijze, naar behoren; **convenio** overeenkomst, verdrag, akkoord; *~ colectivo laboral* (*vglbaar*) cao; **convenir** 1 (*ook: ~ en*) overeenkomen, afspreken, (*met elkaar*) besluiten; *hemos convenido* (*en*) *vernos* we hebben afgesproken elkaar te ontmoeten; 2 *~ en* toegeven, het eens zijn met (*iets*); 3 passen, schikken, uitkomen; passend zijn; *ahora no me conviene* nu schikt het mij niet; *no te conviene fumar* roken is niet goed voor je; *según convenga* zoals het het beste uitkomt

conventillo (*Am*) huurkazerne; **convento** klooster

convergencia (het) samenkomen in een punt; **converger**, **convergir** samenkomen (*in een punt*)

conversación *v* gesprek, onderhoud; bespreking; *la ~ languidece* het gesprek wil niet vlotten; *~ por teléfono* telefoongesprek; *~ preliminar* voorbespreking; *entablar ~ con* aan de praat raken met; *participar en la ~* meepraten, deelnemen aan het gesprek; **conversador**, **-ora** (gezellige) prater, praatster; aangenaam causeur; **conversar** praten, converseren

conversión *v* 1 bekering; 2 (*financ*) omrekening; 3 (*chem*) omzetting; **converso**, **-a** (*hist*) bekeerling(e), tot christendom bekeerde jood of islamiet; **convertibilidad** *v* 1 convertibiliteit; 2 (*chem*) omzetbaarheid; **convertible** 1 inwisselbaar, te converteren; 2 omzetbaar; 3 (*mbt auto*) met te openen dak, cabriolet; **convertir ie**, **i** 1 *~* (*en*) veranderen (in), maken (tot), verwerken (tot); *eso lo convirtió en un hombre feliz* dat maakte van hem een gelukkig man; 2 *~* (*a*) bekeren (tot); 3 omrekenen; 4 (*chem*) omzetten; **convertirse ie**, **i** 1 *~* (*en*) veranderen (in), worden; *~ en humo* in rook opgaan; *~ en realidad* werkelijkheid worden; 2 *~* (*a*) zich bekeren (tot); *~ al catolicismo* katholiek worden

convexidad *v* bolheid; **convexo** bol

convicción *v* overtuiging; *~ religiosa* geloofsovertuiging; *la firme ~* de vaste overtuiging

convicto schuldig bevonden

convidar (*a*) 1 uitnodigen (voor); trakteren (op); 2 noden (tot)

convincente overtuigend

convite *m* uitnodiging; feestelijk maal

convivencia 1 samenleving; *espíritu de ~* geest van verdraagzaamheid; 2 (het) samenwonen;

convivir 1 samenwonen; 2 in goede harmonie leven

convocación *v; zie convocatoria*; **convocar** 1 bijeenroepen, oproepen, aanschrijven; 2 (*een vergadering*) beleggen, uitschrijven; **convocatoria** aanschrijving, convocatie; *secundar la ~* gehoor geven aan de oproep; *segunda ~* (*vglbaar*) herkansing, herexamen

convólvulo (*plantk*) winde

convoy *m* 1 konvooi, geleide; 2 treinstel; 3 olie-en-azijnstel

convulsión *v* 1 kramp, stuip; schok; 2 (*fig*) schok, stuiptrekking; agitatie; **convulsionar** doen stuiptrekken, schokken; **convulsivo** krampachtig, verkrampt; *risa -a* lachstuip

conyugal echtelijk; **cónyuge** *m,v* echtgenoot, -genote

coña (*pop*) spot; flauwe grap; onzin

coñac *m* cognac

coñazo (*pop*) vervelend mens; iets vervelends; **coñearse** (*pop*) spotten, flauwe grappen maken; **coño** (*pop*) kut; *¡~!* kut!, shit!

cooperación *v* medewerking, samenwerking; *~ al desarrollo* ontwikkelingssamenwerking; **cooperador**, **-ora** I *bn* samenwerkend; II *m,v* ontwikkelingswerk(st)er; medewerk(st)er; **cooperante** *m,v* ontwikkelingswerk(st)er, (*Belg*) coöperant; **cooperar** meewerken, samenwerken; **cooperativa** coöperatie; *~ de consumo* verbruikscoöperatie; **cooperativista** *m,v* voorstand(st)er vh coöperatieve systeem

cooptación *v* coöptatie

coordenadas *vmv* coördinaten

coordinación *v* coördinatie; **coordinado** (*gramm*) nevenschikkend; **coordinador**, **-ora** I *bn* coördinerend; overkoepelend; II *zn* 1 coördinator, -trice; 2 *v* overkoepelend orgaan, overkoepelende organisatie; **coordinar** coördineren, afstemmen; bundelen

copa 1 glas (*op voet*), coupe; borrel; beker (*als trofee*); *~ de grasa* (*techn*) vetpot; *~ del mundo* wereldbeker; *~ de retorno*, *~ de turno* wisselbeker; *~ de veneno* gifbeker; *ir de ~s* gaan stappen, kroeglopen; *partido de ~* bekerwedstrijd; 2 kroon, kruin; 3 bol (*van hoed*); 4 cup (*van beha*); 5 *~s* (*Sp kaartsp*) harten

copal *m* kopal, soort hars

copar 1 (*mil*) insluiten; 2 (*bij goksp*) evenveel inzetten als de bank bevat; 3 (alle) zetels krijgen (*bij verkiezing*); (alles) te pakken krijgen; (alles) nemen; in de wacht slepen; *~ la atención* alle aandacht opeisen

coparticipación *v* deelgenootschap; **copartícipe** *m,v* deelgenoot, -genote
copartidario, -a partijgenoot, -genote
copear (*glaasjes*) drinken
copec *v* kopeke (*Russische munt*)
copeo (het) kroeglopen; *ir de ~* gaan stappen
copero (*sp*) vd beker, beker-
copete *m* 1 kuif; 2 kop (*op vol glas*) ‖ *de alto ~* deftig, van adellijke afkomst; verwaand
copia 1 (het) kopiëren; 2 kopie; doorslag; *~ autenticada* gewaarmerkte kopie; *~ conforme, ~ fiel* gelijkluidend afschrift; *la ~ en limpio* het net (*overgeschreven van klad*); *por la ~* voor afschrift; 3 (*lit*) overvloed; **copiador, -ora** I *bn* kopiërend; II *zn* 1 iem die kopieert, kopiist(e); 2 *m* kopieboek; **copiadora** kopieerapparaat; **copiar** 1 kopiëren, overschrijven; (*foto*) afdrukken; (*op school*) afkijken, overschrijven; *~ sin más* klakkeloos overschrijven; 2 nabootsen, imiteren
copiloto tweede piloot
copiosidad *v* overvloedigheid; **copioso** overvloedig, copieus
copista *m,v* iem die kopieert, kopiist(e); **copistería** kopieerinrichting
copita glaasje; *una ~ de más* een glaasje te veel
copla vierregelig versje; *venir con ~s* met uitvluchten komen, er omheen praten
1 copo 1 pluk (*te spinnen wol*); 2 *~* (*de nieve*) (sneeuw)vlok; *~s de avena* havermout; *~s de maíz* cornflakes
2 copo 1 omsingeling; 2 zak van visnet
copra kopra
coproducción *v* coproduktie, gezamenlijke produktie
copropiedad *v* medeëigendom; **copropietario, -a** medeëigenaar, -eigenares
copto, -a I *bn* Koptisch; II *zn* Kopt, Koptische
cópula 1 verbinding; 2 coïtus; 3 koppelwerkwoord; 4 nevenschikkend voegwoord; **copular, copularse** paren; **copulativo** (*gramm*) koppelend; *conjunción -a* nevenschikkend voegwoord; *verbo ~* koppelwerkwoord
coque *m* cokes
coqueta 1 kokette vrouw; 2 kaptafel; **coquetear** koketteren; **coqueteo** gekoketteer; **coquetería** behaagzucht; **coqueto** koket; **coquetón, -ona** I *bn* 1 koket, behaagziek; 2 gezellig, aantrekkelijk, grappig; II *zn* behaagzieke persoon, flirt
coquina soort kleine mossel
coracero 1 kurassier; 2 stinkstok (*sigaar*)
coraje *m* 1 moed; 2 woede; *me da ~* het maakt me woedend
1 coral *m* koraal
2 coral *v* (*Am*) bepaalde gifslang
3 coral I *bn* vh koor; II *m,v* (*muz*) koraal
coralífero van koraal
coralillo (*Am*) bepaalde gifslang
coralina koraalmos; **coralino** van koraal; koraalrood
Corán: *el ~* de koran; **coránico** vd koran
coraza 1 kuras; 2 pantser (*ook fig*)
corazón *m* 1 hart; gemoed; *con el ~ encogido, con el ~ en un puño* met een bezwaard gemoed, in grote angst; *con el ~ en la mano* volmaakt openhartig; *con el ~ sangrante* met bloedend hart; *con el ~ temblando* met kloppend hart; *de ~: a*) in zijn hart; *b*) van harte; *de lo que está lleno el ~ habla la boca* waar het hart vol van is loopt de mond van over; *de todo ~* van ganser harte; *en pleno ~ de Madrid* in het hartje van Madrid; *levantar el ~* een hart onder de riem steken, bemoedigen; *llevar el ~ en la mano* het hart op de tong hebben; *lo que le diga el ~* wat uw hart u ingeeft; *no le cabe el ~ en el pecho* hij heeft een goed hart; *no tener ~* harteloos zijn; *no tener ~ para* het hart niet hebben om; *padecer del ~* het aan zijn hart hebben; *se me encoge el ~* het wordt mij bang om het hart; *se me parte el ~* mijn hart breekt; *sin ~* gevoelloos; *tener el ~ en su sitio* het hart op de juiste plaats hebben; *todo ~* een en al hartelijkheid; 2 (*plantk*) hart, klokkehuis; *~ de alcachofa* artisjokkehart ‖ *¡~ mío!* mijn hartje, mijn liefste; **corazonada** ingeving, voorgevoel
corbata stropdas; *~ de lazo* vlinderdasje
corcel *m* (*lit*) paard
corchea achtste noot
corcheta oog (*van haak- en oogsluiting*); **corchete** *m* 1 haak en oog; 2 haak (*van haak- en oogsluiting*); 3 rechte haak ([])
corcho 1 kurk; 2 dobber
corcova bochel; **corcovado** gebocheld, mismaakt; **corcovear** (*mbt dier*) bokken; **corcovo** bokkesprong (*met hoge rug*)
cordada (*bergsp*) cordée, groep aan een touw;
cordaje *m* 1 (*scheepv*) tuig; 2 alle snaren (*bv van gitaar*); **cordal** 1 *m* staartstuk (*van viool*), snaarhouder; 2 *v* verstandskies; **cordel** *m* (dun) touw; **cordelería** touwslagerij; touwwinkel
cordera 1 lam; 2 (*fig*) lammetje; **cordero** 1 lam; *~ pascual* paaslam; 2 lamsvlees, schapevlees; 3 gelooid lamsvel; 4 (*fig*) lammetje, volgzaam mens
cordial I *bn* hartelijk; *con un saludo ~* (*slotformule*) met vriendelijke groet; II *m* versterkende drank; **cordialidad** *v* hartelijkheid
cordillera bergketen
córdoba *m* munteenheid van Nicaragua
cordobán *m* corduaan, Spaans geiteleer
cordobés, -esa uit Córdoba
cordón *m* 1 koord, veter; (*elektr*) snoer; *~ de extensión* verlengsnoer; *~ umbilical* navelstreng; 2 afzetting, kordon; *~ policial* politiekordon
cordura verstand, verstandigheid; (gezond) oordeel
coreano, -a I *bn* Koreaans; II *zn* Koreaan(se)
corear 1 in koor herhalen; (*leuzen*) aanheffen; 2 bijvallen
coreografía choreografie; **coreógrafo, -a** choreograaf, -grafe

coriáceo leerachtig
corifeo coryfee, leider; kopstuk
corintio Korinthisch
corista 1 *m,v* koorlid; 2 *v* revuegirl
coriza neusverkoudheid
cormorán *m* aalscholver
cornada stoot met de horens (*door stier*); **cornamenta** gewei
cornamusa doedelzak
córnea (harde) hoornvlies; wit vh oog; **cornear** op de horens nemen, met de horens stoten
corneja 1 kraai; 2 soort kleine uil
córneo van hoorn, hoornen
córner *m* corner, hoekschop
corneta soort klaroen; jachthoorn; **cornetín** *m* kornet (à pistons)
cornisa 1 kroonlijst; 2 kronkelende weg langs kust of berghelling, corniche
corno (*muz*) hoorn; ~ *inglés* althobo, Engelse hoorn; **cornucopia** 1 hoorn des overvloeds; 2 spiegel met kaarshouders; **cornudo** I *bn* 1 met horens, gehoornd; 2 (*mbt echtgenoot*) bedrogen; II *zn* hoorndrager, bedrogen echtgenoot; **cornúpeta** *m* gehoornd dier; vechtstier; **cornúpeto** *zie cornúpeta*
coro koor; ~ *hablado* spreekkoor; ~ *masculino* mannenkoor; *hacer* ~ *a* zich aansluiten bij; *reja del* ~ koorhek
corocha schadelijke rups op de druivenplant
corola bloemkroon
corolario gevolgtrekking, uitvloeisel; corollarium
corona 1 kroon; (*fig*) troon; monarchie; ~ *de espinas* doornenkroon; ~ *imperial* keizerskroon; *abdicar la* ~ afstand doen vd troon; *ceñirse la* ~ de troon bestijgen; 2 krans; ~ *de laureles* lauwerkrans; ~ (*de muerto*) rouwkrans; *no se admiten ~s* 'geen bloemen' (*in overlijdensadvertentie*); 3 aureool, halo, nimbus; 4 tonsuur; **coronación** *v* 1 voltooiing, kroon op het werk; klap op de vuurpijl; 2 (*bouwk*) kroonlijst, kroonstuk; **coronar** I *tr* 1 kronen; 2 bekronen; voltooien, afronden; 3 een damsteen plaatsen op (*een damsteen*); II *intr* (*mbt kind tijdens geboorte*) het hoofd tonen; **coronarse** *zie coronar II*; **coronario** kransvormig, kroonvormig; *arteria -a* kransslagader
coronel *m* kolonel
coronilla 1 kruin; *andar de ~: a*) het vreselijk druk hebben; *b*) heel bereidwillig zijn; *estar hasta la* ~ het zat zijn, ergens zijn buik van vol hebben; 2 tonsuur
corpiño 1 lijfje zonder mouwen, keurslijf; 2 top, topje; 3 (*Am*) beha
corporación *v* 1 raad, college; (*cultureel*) genootschap, bond; 2 gemeenteraad, stadsbestuur
corporal lichamelijk; *daños ~es* lichamelijk letsel; *loción* ~ bodylotion
corporativismo corporatief systeem, corporatisme; **corporativista** corporatistisch; *conciencia* ~ korpsgeest; **corporativo** corporatief; *espíritu* ~ korpsgeest
corpóreo lichamelijk, materieel
corpulencia zwaarlijvigheid; **corpulento** zwaarlijvig, corpulent
Corpus *m:* ~ (*Christi*) sacramentsdag (*2e donderdag na Pinksteren*)
corpúsculo microscopisch klein deeltje
corral *m* 1 erf; *aves de* ~ pluimvee; 2 (*hist*) ~ (*de comedias*) theater (*op binnenplaats*); **corralito** (baby)box
correa riem; (*techn*) snaar; ~ (*de reloj*) horlogebandje; ~ (*de transmisión*) drijfriem; ~ *en V* V-snaar; ~ *del ventilador* ventilatorriem; *ajustar la* ~ de buikriem aanhalen || *tener* ~ veel kunnen hebben; **correaje** *m* riemenstel
corrección *v* 1 verbetering; correctie; herstel (*gezegd na een foute melding*); 2 (het) nakijken (*van schoolwerk*), correctie; 3 juistheid; 4 standje, aanmerking; 5 correctheid, correct gedrag; **correccional** I *bn* correctioneel; *juez* ~ (*vglbaar*) politierechter; II *m* tuchtschool, tuchthuis; **correctivo** I *bn* corrigerend; II *zn* straf; **correcto** 1 correct, juist, gepast; 2 correct, keurig; **corrector**, **-ora** I *bn* corrigerend; II *zn* 1 corrector, -trice; 2 *m* ~ (*de dentadura*) beugel (*om tanden*)
corredera 1 (*scheepv*) log; 2 gleuf, rail; schuif; *de* ~ schuivend; 3 kakkerlak; **corredero** schuivend, glijdend; *puerta -a* schuifdeur; **corredizo** makkelijk los te maken; *nudo* ~ lus, strik || *puerta -a* schuifdeur; **corredor**, **-ora** I *bn* lopend; (*ave*) *-ora* loopvogel; II *zn* 1 renner, hardloper, -loopster; ~ *de fondo* lange-afstandsloper; 2 (auto)coureur; 3 makelaar; ~ *de buques*, ~ *marítimo* cargadoor; ~ *de fincas* makelaar in onroerend goed; ~ *de seguros* verzekeringsmakelaar; 4 *m* gang; (*scheepv*) gangboord; ~ *aéreo* aanvliegroute; ~ *verde* groenstrook; **correduría** makelaardij
corregible te verbeteren, corrigeerbaar
corregidor *m* (*hist*) 1 plattelandsrechter; 2 burgemeester; **corregidora** vrouw vd corregidor
corregir *i* 1 verbeteren; (*gebit*) reguleren; ~ *un desperfecto* een euvel verhelpen; 2 (*schoolwerk*) corrigeren, nakijken; 3 een standje geven, straffen; **corregirse** *i* zijn leven beteren
correlación *v* correlatie, verband; **correlacionar** (*con*) correleren (aan), in verband brengen (met); **correlativo** correlatief, met elkaar verband houdend
correligionario gelijkgezind
correntino uit Corrientes (*Argentinië*)
correo 1 (*ook mv*) post, posterijen, postwezen, (*vglbaar*) ptt; postkantoor; *central de ~s* hoofdpostkantoor; *echar al* ~ posten; *por* ~ *urgente* per expresse; *voy a ~s* ik ga even naar de post; 2 post, brieven; ~ *aéreo* luchtpost; 3 (*tren*) ~ boemeltrein, stoptrein; 4 koerier
correoso 1 elastisch, buigzaam; 2 taai
correr I *intr* 1 rennen, hollen; hardrijden, ra-

cen; *¡corre!* vlug!; *corriendo* heel snel, in de gauwigheid; ~ *de un lado a otro* heen en weer rennen; ~ *detrás de u.p.* iem achternarennen; ~ *en auxilio de u.p.* iem te hulp snellen; *a todo* ~ in volle vaart; *el que no corre, vuela* iedereen wil er het eerste bij zijn; *ir a* ~ *mundo* de wijde wereld ingaan; *llegar corriendo* komen aanhollen; *¡no corras!* haast je niet!; *quien mucho corre pronto para* haastige spoed is zelden goed; *salir corriendo* wegrennen; 2 (*mbt weg*) lopen; (*mbt water, rivier*) stromen; (*mbt tijd*) verstrijken; (*mbt wind*) blazen; (*mbt gerucht*) de ronde doen; *corre mucho viento* het waait hard; *corre la voz* het gerucht gaat; *al* ~ *de los años* met het verstrijken der jaren; *dejar* ~ op zijn beloop laten; 3 (*mbt munt*) geldig zijn || ~ *con los gastos* de kosten dragen; ~ *por cuenta de* voor rekening komen van; II *tr* lopen; ~ *los 500 metros* de 500 meter lopen 1 (*gordijnen*) dichtdoen, opendoen; (*grendel*) dichtschuiven, openschuiven; ~ *la coma* de komma verplaatsen; ~ *la silla* de stoel opschuiven; 2 afreizen; ~ *el mundo* de hele wereld rondreizen; 3 (*wild*) opjagen; 4 (*de stier*) bevechten || ~*la* het ervan nemen, veel uitgaan; **correría** inval, strooptocht; **correrse** 1 verschuiven; 2 opschuiven; 3 te ver gaan; 4 (*mbt kleuren*) 'doorlopen; 5 ~ *de* zich schamen voor

correspondencia 1 overeenkomst, gelijkenis; *en* ~ als betaling, ter compensatie; *tener* ~ beantwoord worden; 2 correspondentie, briefwisseling; ~ *comercial* handelscorrespondentie; *curso por* ~ schriftelijke cursus; *llevar la* ~ de correspondentie voeren; 3 post, brieven; 4 aansluiting (*tussen treinen*); verbinding (*tussen plaatsen*); **corresponder** *intr* 1 overeenkomen; ~ *a* beantwoorden aan; ~ *a u.p.* iems gevoelens beantwoorden; ~ *a las esperanzas* aan de verwachtingen voldoen; 2 passen, betamen; ~ *a* passen bij, behoren bij; 3 ten deel vallen, toekomen; *le corresponde pagar* hij moet betalen; *me correspondió la mitad* ik kreeg de helft; **corresponderse** 1 ~ (*con*) corresponderen (met); 2 elkaars gevoelens beantwoorden; 3 (*mbt kamers*) met elkaar in verbinding staan; **correspondiente** 1 bijbehorend, desbetreffend; 2 corresponderend; *académico* ~ corresponderend lid vd Sp Academie; 3 (*wisk; mbt hoeken*) overstaand

corresponsabilidad *v* medeverantwoordelijkheid; **corresponsal** *m,v* correspondent(e); **corresponsalía** correspondentschap

corretaje *m* 1 makelaarsambt; 2 makelaarsloon, courtage; **corretear** 1 heen en weer dribbelen; 2 maar wat rondlopen (*op straat*); **correveidile** *m,v* klikspaan; **corrida** 1 holletje; *dar una* ~ even rennen; *en una* ~ in een wip; 2 ~ (*de toros*) stieregevecht || *decir de* ~ opratelen; **corrido** I *bn* 1 (*mbt gewicht, aantal*) ruim; *cincuenta años* ~*s* ruim 50 jaar; 2 beschaamd; 3 ervaren; 4 (*mbt balkon*) 'doorlopend; *metro* ~ strekkende meter || *de* ~ vlot, zonder haperen; II *zn* Mexicaans lied en dans; **corriente** I *bn* 1 stromend; *agua* ~ stromend water, leidingwater; 2 (*mbt maand, jaar*) lopend, huidig; *asuntos* ~*s* lopende zaken; 3 gewoon, courant, gebruikelijk, gangbaar; *fuera de lo* ~ ongewoon; *la moda* ~ de heersende mode; *los precios* ~*s* de geldende prijzen; *salir de lo* ~ iets bijzonders zijn; *los tipos más* ~*s* de meest voorkomende types; *vino* ~ landwijn; 4 vloeiend, soepel; *un estilo* ~ een vloeiende stijl || *estar al* ~: *a*) op de hoogte zijn; *b*) bij zijn; *ponerse al* ~ zich op de hoogte stellen; II *v* 1 stroming; richting; ~ *circulatoria* verkeersstroom; ~ *de fondo* onderstroom; ~ *marina* zeestroming; *contra la* ~ tegen de stroom in; *de* ~ *rápida* snelstromend; *dejarse llevar por la* ~ met de stroom meegaan; *llevar la* ~ *a u.p.* met iem meepraten, iem naar de mond praten; *seguir la* ~ met de stroom meegaan; 2 ~ (*de aire*) luchtstroom, tocht; *hay* ~ het tocht; 3 (*elektr*) stroom; ~ *alterna* wisselstroom; ~ *continua,* ~ *directa* gelijkstroom; ~ *débil* zwakstroom; ~ *intensa* krachtstroom; ~ *parásita* wervelstroom; *tener* ~ onder stroom staan; **Corriente**: *la* ~ *del Golfo* de Golfstroom; **corrientemente** vlot, vloeiend

corrillo kringetje, groepje

corrimiento 1 verschuiving; ~ *de fronteras* grensverschuiving; ~ *de tierras* aardverschuiving; ~*s en el partido* verschuivingen in de partij; 2 schaamte, verlegenheid

corro kring; *hacer* ~ een kring vormen (*om iem of iets heen*); *jugar al* ~ spel in de kring doen

corroboración *v* bevestiging; **corroborar** bevestigen, staven

corroer aantasten, wegvreten; **corroído** verweerd, weggevreten

corromper 1 schaden, bederven; 2 verzieken; op het slechte pad brengen; ontucht plegen met (*minderjarige*); 3 omkopen; **corromperse** 1 bederven; 2 aan lager wal raken; **corrosión** *v* corrosie, aantasting; *resistente a la* ~ roestbestendig; **corrosivo** I *bn* bijtend, corrosief; II *zn* afbijtmiddel, bijtend middel; **corrupción** *v* 1 bederf; verrotting; 2 omkoping; corruptie; **corruptela** corruptie, omkoperij; **corruptibilidad** *v* 1 omkoopbaarheid; 2 bederfelijkheid; **corrupto** corrupt; **corruptor, -ora** iem die bederft, omkoopt, op het slechte pad brengt, ontucht pleegt (*met minderjarigen*)

corsario kaper, piraat

corsé *m* korset

corso Corsicaans

corta *zie corto*

cortacéspedes *m* grasmaaier; **cortacircuitos** *m* (*elektr*) zekering; **cortada** snee (*brood*); **cortado** I *bn* 1 (*mbt melk*) geschift, zuur; 2 beschaamd, verward; 3 (*mbt stijl*) houterig, met korte zinnetjes; 4 (*mbt weg*) ~ (*por obras*) opgebroken; afgesloten; II *zn* koffie met weinig melk; **cortador, -ora** I *bn* snijdend, snij-; *máquina -ora* snijmachine; II *m* 1 coupeur; 2 ~ *de* *oxiacetileno* snijbrander; **cortadora** snijmachine; ~ *de césped* grasmaaier; **cortadura 1** snee, inkeping, kloof; 2 snijwond; **cortafuego** brandgang; **cortalonchas** *m* plakkensnijder, schaaf; **cortante** snijdend, scherp; vinnig; *frío* ~ snerpende kou; *viento* ~ schrale wind; **cortapapeles** *m* briefopener, vouwbeen; **cortapisa** obstakel; *poner ~s a u.p.* iem dwars zitten; **cortapuros** *m* sigarenschaartje; **cortar 1** snijden, afsnijden, doorsnijden; knippen, afknippen, doorknippen; afhakken, omhakken; kappen; (*banden*) verbreken; stansen; (*stroom*) uitschakelen; ~ *al rape* millimeteren; ~ *por lo sano* korte metten maken; *~le la cabeza a u.p.* iem een kopje kleiner maken; *~le a u.p. en seco* iem plotseling in de rede vallen; 2 afsluiten, versperren; ~ *el paso* tegenhouden, stuiten; ~ *la vista* het uitzicht belemmeren; 3 versnijden (*bv met water*); 4 (*kaartsp*) couperen; 5 verlegen maken, verwarren; **cortarse 1** schiften, zuur worden; 2 (*mbt lijnen*) elkaar snijden; 3 (*mbt huid, vd kou*) springen; *se le cortan las manos* haar handen springen; 4 blijven steken, stokken; *se le cortó la respiración* haar adem stokte; **cortauñas** *m* nagelknipper

1 corte *m* 1 (het) knippen; knip, keep, kerf, snee; doorsnede; scherpe kant; ~ *longitudinal* langsdoorsnede; *hacer un ~ de manga a* stoppen met, kappen met; 2 afsluiting; onderbreking; ~ *de corriente* afsluiting van stroom; 3 snit, coupe, pasvorm; 4 coupon stof (*voldoende voor kledingstuk*); 5 coupure (*in film*)

2 corte *v* 1 hof, hofhouding; gevolg; residentie; *hacer la* ~ het hof maken; 2 (*soms*) rechtbank

Cortes *vmv* (*hist, vglbaar*) Eerste en Tweede Kamer

cortedad *v* 1 schaarste; 2 verlegenheid

cortejar het hof maken; **cortejo 1** stoet, optocht; ~ *fúnebre* rouwstoet; 2 nasleep; 3 hofmakerij; **cortés** beleefd, hoffelijk, wellevend; hoofs; **cortesana** courtisane; **cortesano I** *bn* vh hof; **II** *zn* hoveling; **cortesía** beleefdheid, hoffelijkheid, wellevendheid; ~ *de...* welwillend ter beschikking gesteld door...; *por* ~ beleefdheidshalve

corteza 1 (boom)bast, schors; ~ *de roble* eikeschors; 2 korst; ~ *de limón* citroenschil; ~ *del queso* kaaskorst; ~ *terrestre* aardkorst; ~ (*de tocino*) zwoerd; *bajo ruda ~ almendra blanca* ruwe bolster blanke pit

cortijero, -a 1 hoevebewoner, -bewoonster; 2 *m* oudste knecht op boerderij; **cortijo** boerenhoeve

cortina gordijn; ~ *de enrollar* rolgordijn; ~ (*puerta*) *de acero* stalen rolluik; *correr la ~: a*) het gordijn opentrekken; *b*) het gordijn sluiten; *c*) er niet meer over praten; *descorrer la ~: a*) het gordijn opentrekken; *b*) iets onthullen; **cortinaje** *m* (de) gordijnen

cortisona cortison(e)

corto 1 kort; ~ *de alcances* beperkt van begrip, niet erg snugger; ~ *circuito* kortsluiting; ~ *de dinero* krap bij kas; ~ *de respiración* kortademig; ~ *de vista* bijziend, kortzichtig; *a la -a o a la larga* vroeg of laat; 2 schuchter; ~ *de ánimo* bangelijk || *quedarse ~: a*) niet ver genoeg schieten; *b*) te weinig geven, te weinig zeggen; **cortocircuito** kortsluiting; **cortometraje** *m* korte film

coruñés, -esa uit La Coruña

corva knieholte

1 corvejón *m* (*dierk*) spronggewricht

2 corvejón *m* zeeraaf, aalscholver

córvidos *mmv* raafachtigen

corvina ombervis

corvo krom

corzo, -a reebok, reegeit, ree

cosa 1 ding, zaak; ~ *de* ongeveer; *~(s) de comer* iets eetbaars, eten; ~ *del otro jueves*, ~ *del otro mundo* iets bijzonders; ~ *nunca vista* iets ongehoords; *la ~ es que...* de kwestie is dat..., het punt is dat...; *a ~ hecha* met opzet; *a otra ~ mariposa* en daarmee uit; *ahí está la ~* dat is het punt; *así las ~s...* zo stonden de zaken toen..., terwijl de zaken er zo voor stonden...; *cada ~ por su lado* (alles) overal verspreid, rommelig; *como quien no quiere la ~* achteloos, zo ongemerkt, langs zijn neus weg; *como si tal ~* alsof er niets aan de hand is, alsof het niets is; *cualquier ~* wat dan ook; *decir una ~ por otra: a*) liegen; *b*) zich vergissen; *decir cuatro ~s a u.p.* iem de waarheid zeggen; *dejarse de ~s* ophouden met dat gedoe; *derecho de ~s* zakenrecht; *eso será ~ de ver* dat moet ik nog zien; *eso ya es otra ~* dat verandert de zaak, dat is heel iets anders; *llamar las ~s por su nombre* de dingen bij hun naam noemen; *lo que son las ~s* zo zie je maar weer; *no hay ~ con ~* het is er een bende; *¡no hay tal ~!* maak dat een ander wijs!, geen sprake van!; *no es ~ de que...* dat is (nog) geen reden om..., het gaat niet aan dat...; *no es ~ de risa* dat is niet om te lachen; *no es la ~ para menos* de zaak is er ernstig genoeg voor; *...o ~ así* ...of zo; *poner las ~s en su lugar* de dingen op een rijtje zetten; *por cualquier ~* om het minste of geringste; *por tan poca ~* om zo'n kleinigheid; *¡qué ~s tienes!* hoe kom je daarbij!, doe niet zo raar!; *sentirse poca ~* zich klein voelen, aan zichzelf twijfelen; *es ~ de* het is zaak om; *es ~ de ver* het is de moeite waard; *es ~ hecha* het is een uitgemaakte zaak; *toda la ~* de hele boel; 2 *la ~* (*fam*) heroïne

cosaco kozak

coscorrón *m* klap op het hoofd; *darse un ~* zijn hoofd stoten (*ook fig*)

cosecha oogst, pluk; oogsttijd; *es una idea de su ~* dat idee komt uit zijn koker; **cosechadora** oogstmachine; **cosechar** oogsten; **cosechero, -era** oogst(st)er; plukker, plukster

coseno cosinus

coser 1 naaien; ~ *un botón* een knoop aannaaien; 2 ~ *a* doorzeven met; ~ *a balazos* met ko-

gels doorzeven || *todo es ~ y cantar* het gaat van een leien dakje, het is een peuleschil; **cosido 1** (het) naaien; 2 naad
cosmético I *bn* kosmetisch; II *mmv: ~s* cosmetica
cósmico kosmisch; **cosmología** kosmologie; **cosmonauta** *m,v* kosmonaut(e); **cosmopolita** I *bn* kosmopolitisch, grootsteeds; II *m,v* wereldburger, kosmopoliet; **cosmos** *m* kosmos
cosquillas *vmv: hacer ~* kietelen; **cosquillear** kriebelen, kietelen; **cosquilleo** gekietel, kriebel
1 costa kust; *en la ~* aan de kust, aan zee
2 costa kosten, prijs; *~s* (*del juicio*) proceskosten; *a ~ de* ten koste van; *a toda ~* tot iedere prijs; *condenar en ~s* (*jur*) veroordelen tot de kosten
costado zij, zijde, zijkant; *al ~ del barco* langszij; *de ~: a*) op zijn zij (*liggend*); *b*) zijdelings; *español por los cuatro ~s* op en top een Spanjaard (*met vier Sp grootouders*)
costal *m* grote zak; *un ~ de huesos* een mager scharminkel
costar ue kosten; *cueste lo que cueste* tot iedere prijs; *~ mucho: a*) duur zijn; *b*) veel moeite kosten; *~* (*trabajo*) moeite kosten; *¿cuánto cuesta?* hoeveel kost het?; *le costará caro* het zal hem duur komen te staan
costarricense, **costarriqueño**, **-a** Costaricaans
coste *m* kosten; *~ de adquisición* aanschaffingskosten; *el ~ de la vida* de kosten van levensonderhoud
1 costear bekostigen
2 costear langs de kust varen
costeño vd kust
costero I *bn* vd kust, kust-; *navegación -a* kustvaart; II *zn* (*barco*) *~* kustvaarder
costilla 1 rib; *~ flotante* zwevende rib; *medirle a u.p. las ~s* iem afranselen; 2 spant; 3 (*iron*) wederhelft
costo (*ook mv*) kosten; *el ~ de la vida* de kosten van levensonderhoud; *al ~* tegen kostprijs; *cubrir los ~s* de kosten dekken; **costoso** duur, prijzig
costra korst (*bv op wond*)
costumbre *v* gewoonte, zede; *~s alimentarias* eetgewoonten; *~ fija* vaste gewoonte; *buenas ~s* fatsoen, goede zeden; *de ~* gewoonlijk; *mala ~* verkeerde gewoonte; *perder la ~ de u.c.* iets ontwennen; **costumbrismo** costumbrisme (*19e-eeuws lit genre; beschrijving van scènes uit dagelijks leven*); **costumbrista** costumbristisch
costura 1 naad; *~ soldada* lasnaad; *sentar las ~s: a*) de naden platstrijken; *b*) een lesje geven, bestraffen; *sin ~* naadloos; 2 (het) naaien; *alta ~* haute couture; **costurera** naaister; **costurero** naaidoos; **costurón** *m* 1 lelijke naad; 2 (*fam*) opvallend litteken
1 cota maliënkolder
2 cota hoogteaanduiding (*op kaart*); hoogte; *conseguir la ~ electoral más elevada* het hoogste aantal stemmen krijgen
cotarro 1 (*hist*) armelijke herberg; *dirigir el ~* de baas (van het spul) zijn; *se alborota el ~* het wordt onrustig; 2 zijkant van een ravijn
cotejar (*kopie en origineel*) vergelijken; **cotejo** vergelijking
cotidiano dagelijks
cotiledón *m* zaadlob
cotilla *m,v* kletskous, roddelaar(ster); **cotillear** kletsen, roddelen; **cotilleo** geroddel; **cotillón** *m* cotillon, figurendans; *artículos de ~* feestartikelen
cotizable te taxeren; te noteren (*op de beurs*); **cotización** *v* 1 (beurs)notering, koers (*van effecten*); *~ del día* dagkoers; 2 bijdrage, premie (*aan volksverzekering*); *tipo de ~* bijdragepercentage, (*Belg*) bijdragevoet; **cotizar 1** noteren (*op de beurs*); *~ precios* prijsopgave doen; *estar cotizado* in trek zijn; *no cotizado* (*mbt fonds*) incourant; 2 een bijdrage betalen (*bv aan volksverzekering*); 3 een bijdrage laten betalen; **cotizarse 1** *~* (*a*) genoteerd staan (op); 2 gewaardeerd worden; in aanzien staan
coto afgegrensd stuk land; *~ de caza* begrensd jachtterrein; *poner ~ a* paal en perk stellen aan, indammen
cotorra 1 papegaaitje; 2 ekster; 3 zwamneus, leuteraar(ster); **cotorrear** kwekken, ratelen; **cotorreo** geklets, gekwebbel
C.O.U. *Curso de Orientación Universitaria* (*vglbaar*) laatste jaar vwo
covacha (*neg*) kleine grot; hokje
cow-boy *m* cowboy
coxalgia soort heupjicht; **coxis** *m* stuitbeen
coy *m* (*scheepv*) hangmat
coyote *m* coyote, prairiewolf
coyunda 1 jukriem (*voor ossejuk*); 2 (*iron*) echtelijk juk
coyuntura 1 (*anat*) geleding; 2 omstandigheden; 3 conjunctuur; *~ alta* hoogconjunctuur; *~ ascendente* opgaande conjunctuur; *~ descendente* dalende conjunctuur; *baja ~* laagconjunctuur; 4 tijdsgewricht; **coyuntural** conjunctureel
coz *v* trap (*naar achteren*)
crac I *m* ineenstorting, krach; II *tw: ¡~!* krak!
cracking *m* cracking, (het) kraken (*van aardolie, aardgas*)
cráneo schedel, hersenpan; *aplastar el ~* de hersens inslaan
crápula 1 losbandig bestaan, liederlijkheid; dronkenschap; 2 *m* liederlijke vent; **crapuloso** liederlijk, smerig
craquear (*chem*) kraken; **craqueo** *zie cracking*
craso dik, vet; enorm; *un ~ error* een grove fout
cráter *m* krater
crawl *m* crawl; *nadar el ~* crawlen
creación *v* schepping; creatie; oprichting, vestiging; **creacionismo** creationisme (*lit genre begin 20e eeuw*); **creador**, **-ora** I *bn* schep-

pend, creatief; *espíritu* ~ scheppend vermogen, creativiteit; II *zn* schepper, maker, maakster; **Creador**: *el* ~ de Schepper; **crear** 1 scheppen, creëren; 2 oprichten, instellen, in het leven roepen; ~ *stocks* voorraden vormen; **creativo** creatief
crecer 1 groeien; (*mbt dagen*) lengen; 2 toenemen; (*mbt rivier*) wassen; 3 (*bij breien*) meerderen; **crecerse** trots zijn, moed krijgen; **creces** *vmv: con* ~ ruim, ruimschoots; **crecida** (*mbt rivier*) (het) wassen, stijging; **crecido** 1 flink, aanzienlijk; *un* ~ *porcentaje* een hoog percentage; 2 (*mbt kind*) al groot; **creciente** toenemend; *luna* ~ wassende maan; *marea* ~ vloed; **crecientemente** in toenemende mate; **crecimiento** 1 groei; opkomst; 2 toename, vermeerdering
credenciales *vmv* geloofsbrieven; **credibilidad** *v* aannemelijkheid, geloofwaardigheid; **crédito** 1 geloof; *dar* ~ *a, prestar* ~ *a* geloof hechten aan; *digno de* ~ aannemelijk, geloofwaardig; 2 krediet, tegoed; claim, vordering; ~ *bancario* bankkrediet; ~ *comercial* handelskrediet; *un* ~ *contra* een claim op, een vordering op; ~ *marítimo* scheepskrediet; ~*s no dispuestos* kredieten waarover men kan beschikken; ~ *suplementario* aanvullend krediet, (*Belg*) bijkrediet; *a* ~ op krediet, op rekening; 3 credit; 4 goede naam; *persona de* ~ iem met een goede reputatie; **credo** 1 (*r-k*) credo, geloofsbelijdenis; 2 diepe overtuiging, credo; **credulidad** *v* goedgelovigheid, lichtgelovigheid; **crédulo** goedgelovig, lichtgelovig; **creencia** 1 geloof, vertrouwen; 2 (*godsd*) geloof; *la* ~ *en Dios* het geloof in God; 3 (*godsd*) gezindte, geloof; **creer** geloven; menen, denken; ~ *en* geloven in; *¿creerás que…?* wil je wel geloven dat…?; *creo que sí* ik geloof van wel; *dar en* ~ *que* gaan geloven dat; *hacer* ~ doen geloven, aanpraten; *lo creo imposible* ik acht het onmogelijk; *¡no creas!* heus!, echt waar!; *no creo que venga* ik denk niet dat hij komt; *es de* ~ *que* het valt aan te nemen dat; *te creí en España* ik dacht dat je in Spanje zat; *¡ya lo creo!* nou en of!, en hoe!; **creerse** 1 (*iets ongeloofwaardigs*) geloven, (vast) geloven; *no me lo creo* (*fam*) dat kan ik niet geloven; *¿qué se cree?, ¿qué se habrá creído?* wat denkt hij wel!; *¡que te crees tú eso!* dat had je gedroomd!; *y yo me lo creí* en ik (domoor) geloofde het; 2 ~ *algo,* ~ *alguien* een hoge dunk van zichzelf hebben; **creíble** geloofwaardig; **creído** 1 overtuigd; ~ *de que…* ervan overtuigd dat…; 2 ingebeeld, zelfingenomen
1 crema 1 room; ~ *pastelera* banketbakkersroom; *con toda su* ~ (*mbt melk*) vol; 2 vla; 3 crème; ~ *bronceadora* zonnebrandcrème; ~ *para el calzado* schoencrème || *la* ~ het puikje
2 crema (*taalk*) trema
cremación *v* crematie
cremallera 1 tandrad; *ferrocarril de* ~ tandradbaan; 2 ritssluiting
crematística (*lit*) economie, staathuishoudkunde
crematorio crematorium
cremoso romig
crencha scheiding (*in haar*)
crep *m; zie crepé*
crepe *v* flensje, pannekoek
crepé *m* 1 crèpe (*weefsel*); 2 rubber (*voor schoenzool*); *suela de* ~ spekzool
crepitación *v* geknetter; **crepitante** (*mbt vuur*) knappend; **crepitar** knetteren
crepuscular vd schemering; **crepúsculo** schemer, schemering, (*Belg*) valavond
creso rijkaard
crespo kroezig; *pelo* ~ kroeshaar
crespón *m* crèpe (*weefsel*)
cresta 1 kam (*van haan*); *dar a u.p. en la* ~ iem op zijn nummer zetten; 2 (berg)kam; 3 toppen vd golven
creta krijt, zeer fijne kalksteen
cretinismo cretinisme, zwakzinnigheid; **cretino, -a** 1 zwakzinnige; 2 stomkop, idioot
cretona cretonne (*gebloemde katoen*)
creyente *m,v* gelovige
cría 1 (het) fokken, teelt; ~ *de ganado* veefokkerij, veeteelt; ~ *de ovejas* schapenteelt; 2 jong (*dier*); *tener* ~ jongen; 3 dracht jongen; broedsel; 4 (het) voeden; *ama de* ~ voedster, min; 5 klein meisje; **criadero** 1 kwekerij; fokkerij; visvijver; ~ *de aves* pluimveefokkerij; ~ *de cerdos* varkensfokkerij; ~ *de ostras* oesterbank; ~ *de truchas* forellenkwekerij; 2 (*fig*) broedplaats, broeinest; 3 mijn, (minerale) laag; **criadilla** testikel (*van dier*); **criado, -a** I *bn: bien* ~ goed opgevoed; *mal* ~ slecht opgevoed; II *zn* (huis)knecht, dienstbode, bediende; **criador, -ora** I *bn* voedend; II *zn* fokker, fokster; ~ *de palomas* duivenhouder; ~ *de vinos* wijnbouwer; **crianza** 1 (het) zogen, (het) grootbrengen, (het) fokken; 2 zoogtijd; 3 opvoeding; **criar** í 1 zogen; voeden; 2 fokken; kweken; 3 grootbrengen; opvoeden; ~ *entre algodones* in de watten leggen; 4 voortbrengen, scheppen, doen ontstaan; 5 (*wijn tijdens het rijpingsproces*) behandelen; **criarse** í 1 opgroeien; 2 ontstaan; **criatura** schepsel; baby, (de) kleine; *ser una* ~ (nog) een kind zijn
criba (platte) zeef; **cribado** (het) zeven; **cribar** zeven
cricket *m* cricket
crimen *m* misdaad, wandaad; ~ *capital* halsmisdrijf; **criminal** I *bn* misdadig; II *m,v* misdadig(st)er; ~ *de guerra* oorlogsmisdadiger; **criminalidad** *v* 1 misdadigheid; 2 criminaliteit; **criminalista** *m,v* 1 criminoloog, -loge; 2 strafpleit(st)er; **criminología** criminologie
crin *v* manen (*van paard*)
crío, -a baby; kind
criollo, -a 1 creool(se); 2 blanke geboren in Latijns-Amerika
cripta crypt, grafkelder
criptógamo bedektbloeiende, sporeplant

criptograma *m* cryptogram
criquet *m; zie cricket*
crisálida (*dierk*) pop
crisantemo chrysant
crisis *v* crisis; ~ *energética* energiecrisis; ~ *ministerial* kabinetscrisis; ~ *de nervios* zenuwinzinking; ~ *petrolera* oliecrisis; ~ *de la vivienda* woningnood
crisma 1 *m,v* chrisma, zalvingsolie; 2 *v* (*fam*) kop; *romper la* ~ de hersens inslaan
crismas *m* kerstkaart
crisol *m* smeltkroes
crispado krampachtig, verkrampt, verwrongen; **crispar** 1 samentrekken, vertrekken; 2 (*fam*) zenuwachtig maken, op iems zenuwen werken; **crisparse** krampachtig samentrekken; *sus dedos se crispan en el respaldo* zijn vingers klemmen zich om de leuning
cristal *m* 1 (*geol*) kristal; ~ *de roca* bergkristal; 2 glas, kristal; ~ *armado* draadglas; ~ *de aumento* vergrootglas; ~ *esmerilado* matglas; ~*es de hielo* ijskristallen; ~ *hilado* glasvezel; ~ *inastillable* splintervrij glas; ~ *de luna* spiegelglas; ~ *opalino* matglas; 3 ruit; **cristalería** 1 glasfabriek; 2 glaszaak; 3 glaswerk; stel glazen; **cristalero** iem die ruiten inzet; **cristalino** I *bn* 1 glazen, kristallen; 2 kristalhelder; II *zn* lens (*vh oog*); **cristalización** *v* kristallisering; **cristalizar**, **cristalizarse** (uit)kristalliseren
cristianar dopen; **cristiandad** *v* christenheid; **cristianismo** 1 christendom; 2 christenheid; **cristianización** *v* kerstening; **cristianizar** kerstenen; **cristiano**, **-a** I *bn* christelijk || *hablar en* ~ duidelijke taal spreken; II *zn* 1 christen, christin; ~ *viejo* (*hist*) christen die geen joodse of Moorse voorouders heeft; 2 sterveling, mens; **Cristo** 1 Christus; *donde ~ dio las tres voces* (*y nadie le oyó*) ver van de bewoonde wereld; *poner como un* ~ vreselijk toetakelen; *le sienta como a un ~ dos pistolas* het past helemaal niet bij hem; 2 crucifix; **Cristóbal** jongensnaam
criterio 1 criterium, maatstaf; *amplio de* ~ ruim van opvattingen; 2 oordeel, mening, inzicht; *establecer* ~ (*mbt commissie*) een uitspraak doen; *para el ~ europeo* naar Europese begrippen
crítica 1 kritiek, beoordeling, recensie; ~ *demoledora* vernietigende kritiek; *hacer una ~ de* (*een boek*) beoordelen; 2 ~*s* gevit, kritiek; 3 roddel; **criticable** laakbaar; **criticar** 1 (be)kritiseren, aanmerkingen maken op, schande spreken van; ~ *a u.p.* op iem vitten; ~ *duramente* veel kritiek hebben op, afkraken; 2 beoordelen, recenseren; **criticastro** criticaster, muggezifter; **crítico**, **-a** I *bn* kritisch, kritiek; hachelijk, zorgwekkend; II *zn* criticus, recensent(e); **criticón**, **-ona** erg kritisch; bedillerig; **critiqueo** (*fam*) voortdurende kritiek, gevit; **critiquizar** vitten, betuttelen, bedillen
croar kwaken
croata Kroatisch
croché *m* haakwerk; **crochet** *m; zie croché*
croco saffraan
crol *m* crawl
cromado I *bn* verchroomd; II *zn* (het) verchromen; **cromar** verchromen; **cromático** 1 kleuren-; *filtro* ~ kleurfilter; 2 (*muz*) chromatisch; *escala -a* chromatische toonladder; **cromatismo** 1 (*muz*) chromatisch karakter; 2 kleuring; **cromo** 1 chroom; *acero al* ~ chroomstaal; 2 plaatje, prent
cromosoma *m* chromosoom
crónica kroniek; verslag; ~ *de la semana* weekoverzicht; **crónico** chronisch; **cronista** *m,v* kroniekschrijver, -schrijfster; ~ *de deportes* sportjournalist(e)
cronograma *m* tijdschema
cronología chronologie; **cronológico** chronologisch
cronometrador, **-ora** tijdopnemer, -neemster; **cronometraje** *m* tijdmeting; **cronometrar** de tijd opnemen; **cronómetro** stopwatch
croquet *m* (*sp*) croquet
croqueta kroket
croquis *m* schets
cross-country *m* cross-country; veldloop
crótalo 1 klepper; 2 ratelslang
croupier *m; zie crupier*
cruce *m* 1 (het) kruisen, (het) oversteken; ~ *de frontera* grensoverschrijding; *luz de* ~ dimlicht; 2 kruising (*van wegen; bij fokken*); ~ *a nivel* gelijkvloerse kruising; ~ *de peatones* voetgangersoversteekplaats; ~ *de prioridad* voorrangskruising; ~ *en trébol* klaverblad(kruising); ~ *de vías* spoorwegovergang; 3 uitwisseling; ~ *de disparos* schietpartij; **crucero** 1 (*bouwk*) dwarsbeuk, transept; 2 cruise; 3 (het) kruisen (*van schepen*), (het) heen en weer varen; 4 kruiser; ~ *acorazado* pantserkruiser; **cruceta** 1 kruisstang; 2 (borduur)kruisje; **crucial** 1 kruisvormig; 2 beslissend, fundamenteel
crucíferas *vmv* kruisbloemigen
crucificación *v* kruisiging; **crucificar** kruisigen; **crucifijo** crucifix; **crucifixión** *v* kruisiging
crucigrama *m* kruiswoordraadsel; ~ *blanco* doorloper
crudeza ruwheid, rauwheid, hardheid; **crudo** I *bn* 1 (*mbt eten*) rauw; *verduras -as* rauwkost; 2 ruw, onbewerkt; *seda -a* ruwe zij; 3 naturel; ongebleekt; 4 cru, ruw; (*mbt licht*) hard, fel; *luz -a* hard licht; II *zn* ruwe olie
cruel wreed; **crueldad** *v* onbarmhartigheid, wreedheid; **cruento** bloedig
crujido geritsel (*van zij*); gekraak (*van brekende tak*); geknars (*van tanden*); **crujiente** bros, knappend, krokant; **crujir** 1 ritselen; 2 kraken
crupier *m* croupier
crustáceo schaaldier
cruz *v* 1 kruis; kruisje; ~ *gamada* hakenkruis; ~ *del Sur* zuiderkruis; *con los brazos en* ~ met

gespreide armen; *gran ~* grootkruis; *hacerse cruces* zich bekruisen (*uit angst, verbazing enz*); *punto de ~* kruissteek; *tener en u.p. una ~* heel wat met iem te stellen hebben; 2 kruis (*in broek*); 3 schoft (*van paard*) || *¡~ y raya!* nu is het genoeg!, het is uit!, het is voorgoed van de baan; **Cruz**: *la ~ Roja* het Rode Kruis; **cruzada** kruistocht; **cruzado** I *bn* gekruist; dwars over; *palabras -as* kruiswoordpuzzel; II *zn* 1 kruisridder; 2 munteenheid van Brazilië; **cruzamiento** kruising; **cruzar** kruisen; oversteken, 'overvaren; door'snijden; (*sp*) door het doel gaan; *~ los dedos* (*vglbaar*) duimen; **cruzarse** elkaar kruisen; (*mbt lijnen*) elkaar snijden || *~ de brazos: a*) zijn armen over elkaar slaan; *b*) (*fig*) de handen in de schoot leggen; *cruzársele los cables a u.p.* razend worden

cta. cte. *cuenta corriente*

ctra. *carretera*

cuaderna spant; **cuadernillo** katern; **cuaderno** schrift; *~ de anillas* multomap; *~ de apuntes* aantekenboekje; *~ de bitácora* logboek; *~ de música* muziekboekje

cuadra 1 (paarde)stal; 2 (*fig*) zwijnestal; **cuadrado** I *bn* vierkant; *dos metros ~s* twee vierkante meter; *raíz -a* vierkantswortel; II *zn* 1 vierkant; *dos metros en ~* twee meter in het vierkant; 2 kwadraat; *elevar al ~* in de tweede macht verheffen; 3 (boks)ring; **cuadragésima** (*lit*) (de) vasten; **cuadragésimo** veertigste; **cuadrangular** vierhoekig; **cuadrante** *m* 1 kwadrant; 2 zonnewijzer; **cuadrar** I *tr* 1 (*iets*) vierkant maken; 2 in het kwadraat verheffen; 3 (*rekening*) sluitend maken; II *intr* 1 *~* (*con*) passen (bij); 2 (*mbt rekeningen*) kloppen; **cuadrarse** 1 in de houding gaan staan; 2 (*mbt paard, stier*) koppig stil blijven staan; 3 (*fig*) de poot stijf houden; **cuadratura** kwadratuur; *la ~ del círculo* de kwadratuur vd cirkel, onmogelijkheid

cuadrícula ruitje (*op ruitjespapier*); **cuadriculado** met ruitjes; *papel ~* ruitjespapier; **cuadricular** in ruitjes verdelen

cuadrienal vierjaarlijks; **cuadrienio** periode van vier jaar

cuadrilátero I *bn* vierhoekig; II *zn* 1 vierhoek; 2 (boks)ring

cuadrilla 1 ploeg; bende; boevenbende; *~ de ladrones* roversbende; *~ de provocadores* knokploeg; 2 helpers vd stierenvechter; 3 quadrille (*dans*)

cuadringentésimo vierhonderdste

cuadrito ruitje; *tela a ~s* ruitjesstof

cuadro 1 ruit (*in stof*), vierkantje; *tela a ~s* geruite stof, geblokte stof; 2 schilderij; scène, beeld; *~ de costumbres* zedenschets; 3 frame (*van fiets*); 4 (planten)bed, perk; 5 bord, paneel; *~ (de control)* bedieningspaneel; *~ de instrumentos* instrumentenbord; 6 tabel, overzicht, staat; *~ clínico, ~ patológico* ziektebeeld; *~ de conjunto* verzamelstaat; 7 groep (*dansers*); 8 kader; *~s* kader, staf; *~ docente e investigador* wetenschappelijke staf

cuadrumano vierhandig; **cuadrúpedo, -a** viervoeter; **cuádruple** I *bn* viervoudig; II *m* viervoud; **cuadruplicado** in viervoud; **cuádruplo** viervoud; *~s* vierling

cuajada wrongel, gestremde melk, kwark; **cuajado** (*de*) vol (met), overladen (met); **cuajar** *ww* I *tr* 1 dik laten worden, doen stollen; 2 *~ de* bedekken met; II *intr* 1 stremmen; 2 vast worden; (*mbt sneeuw*) blijven liggen; (*mbt plan*) werkelijkheid worden, lukken; (*mbt mode*) in de smaak vallen; III *m* lebmaag; **cuajarón** *m* klont; **cuajo** 1 leb, maagenzym; stremsel, stolling, stremming; 2 lebmaag; 3 kalmte, bedaardheid || *de ~* met wortel en tak, volledig

cual I *betr vnw*: *el ~* welke, die; *...las ~es personas nunca volvieron* ...welke personen nooit zijn teruggekeerd; *motivos por los ~es* redenen waarom; *por lo ~...* om welke reden...; II *onbep vnw: ~ más, ~ menos* de een meer dan de ander; *a ~ más* om het hardst; *a ~ mejor* de een nog beter dan de ander; *cada ~* iedereen; III *bw* net als; *~ padre tal hijo* zo vader zo zoon; *~ prevé el artículo 3* als voorzien in artikel 3; **cuál** *vrag vnw; meestal zelfst* welk(e); *¿~ de los dos?* welk van beide?, wie van beiden?; *¿~ es el ancho?* hoe breed is het?; *¿~ es su nombre?* hoe is uw naam?; *no importa ~* het doet er niet toe welk(e)

cualidad *v* eigenschap; kwaliteit; **cualitativo** kwalitatief

cualquiera I *bn* (*voor zn cualquier*) iedere willekeurige, welke...ook; *cualquier cosa* wat dan ook; *de cualquier manera, de cualquier modo* hoe dan ook, hoe het ook zij; *en cualquier momento* op enig moment; *en cualquier parte* waar dan ook; *una suma ~* een willekeurig bedrag; II *onbep vnw* iedereen; wie dan ook; *~ de los dos* een van beide, welk doet er niet toe; *~ entiende* daar krijg je geen hoogte van; *~ te entiende* niemand kan jou begrijpen; *~ sea* welke dan ook; *a ~ le pasa* dat kan de beste overkomen; *no es un ~* hij is de eerste de beste niet

cuan zo...als; *~ largo era* zo lang als hij was, languit; **cuán**: *¡~ + bn!* hoe...; *¡~ difícil es!* wat is dát moeilijk!

cuando I *voegw* wanneer; toen; *~ más* op zijn hoogst; *~ menos* op zijn minst; *~ (era) pequeño* toen ik klein was; *~ quieras* wanneer je maar wilt; *~ la veía* als ik haar zag; *aun ~* ook als, ook al; *aun ~ se atreva* zelfs als hij het durft; *de ~ en ~* nu en dan, van tijd tot tijd; II *voorz* tijdens, bij; **cuándo** *vrag* wanneer; *¿de ~ acá?, ¿desde ~?* sinds wanneer?; **cuandoquiera** wanneer dan ook

cuantía hoeveelheid, mate

cuántico (*natk*) vd quanten

cuantioso overvloedig; *contar con ~s medios* kapitaalkrachtig zijn; **cuantitativo** kwantitatief

cuanto I *bn* (*betr*) zoveel als, alles wat; ~ *antes* zo spoedig mogelijk; ~*s le conocen...* iedereen die hem kent...; ~ *más mejor* hoe meer hoe beter; ~ *más que* temeer daar; *-as personas, tantos pareceres* zoveel hoofden, zoveel zinnen; ~ *quieras* zoveel je maar wilt; *unos ~s* enkele, een stuk of wat; *en ~: a*) zodra; *b*) in de hoedanigheid van, als, qua; *en ~ a* wat betreft; *en ~ tal* als zodanig; *por ~: a*) aangezien; *b*) voor zover; *tanto más ~ que* zoveel temeer omdat; II *zn* quantum; **cuánto** (*vrag*) hoeveel; *¿~ vale?* wat kost het?; *¿-as veces?* hoe vaak?; *¡~ lo siento!* wat spijt mij dat!; *¿~s sois?* met zijn hoevelen zijn jullie?; *¿~ (tiempo)?* hoe lang?; *¿a ~s estamos?* de hoeveelste is het vandaag?; *decirle a u.p. -as son cinco* iem ongezouten de waarheid zeggen, iem zeggen waar het op staat
cuáquero, -a quaker
cuarcita kwartsiet
cuarenta veertig || *cantarle a u.p. las ~* iem op zijn donder geven; **cuarentena** 1 veertigtal; 2 quarantaine; **cuarentón, -ona** iem van in de veertig, veertiger
cuaresma vasten(tijd)
cuarta (een) vierde deel
cuartanas *vmv* vierdendaagse koorts
cuarteado craquelé; **cuartear** 1 een helling zigzag afdalen; 2 (*in vieren*) verdelen; **cuartearse** barsten, scheuren
cuartel *m* 1 kazerne; ~ *general* hoofdkwartier; *una lucha sin ~* een harde strijd; 2 kwartier (*op wapenschild*); **cuartelada** (*mil*) opstand; **cuartelero** vd kazerne; *vida -a* kazerneleven
cuarterón, -ona kind van blanke en mesties
cuarteto (*muz*) kwartet
cuartilla velletje (*papier*)
cuarto I *rangtelw* vierde || *de tres al ~* onbeduidend; II *zn* 1 (een) kwart; ~ *de final* kwartfinale; ~ *de hora* kwartier; *tres ~s* driekwart; *tres ~s de lo mismo* van hetzelfde laken een pak; 2 kamer; ~ *de atrás* achterkamer; ~ *de baño* badkamer; ~ *de calderas* ketelhuis, machinekamer; ~ *de estar* woonkamer; ~ *de huéspedes* logeerkamer; ~ *oscuro* donkere kamer; ~ *de provisiones* voorraadkamer; ~ *ropero* garderobekamer; ~ *trastero* rommelkamer, berghok; ~ *de vestir* kleedkamer; *poner ~* een huis inrichten; 3 (*fam*) munt, geld; *~s* beetje geld; *darle un ~ al pregonero* iets van de daken schreeuwen; *esos cuatro ~s* die paar centen; *por cuatro ~s* voor een krats; *sin un ~* zonder een cent; 4 pand (*bij naaien*); ~ *delantero derecho* rechter voorpand; 5 kwartier (*vd maan*); ~ *menguante* laatste kwartier; 6 ~ *delantero* voorhand (*van paard*); ~ *trasero* achterhand (*van paard*), bil; **cuartucho** benepen kamertje, hok
cuarzo kwarts; *reloj de ~* kwartshorloge
cuasicontrato stilzwijgende overeenkomst
cuaternario quartair
cuatrero veedief, paardedief
cuatrillizos, -as *mv* vierling
cuatrimotor I *bn* viermotorig; II *m* viermotorig toestel
cuatrisílabo met vier lettergrepen
cuatro 1 vier; *doblar en ~* in vieren vouwen; 2 een stuk of wat; ~ *días* een blauwe maandag; ~ *gotas* een paar druppels; ~ *letras* kattebelletje, krabbel; *más de ~* velen, menigeen; **cuatrocientos, -as** vierhonderd
cuba ton, vat; kuip || ~ *libre* rum-cola; *como una ~* apezat, laveloos
cubano, -a I *bn* Cubaans; II *zn* Cubaan(se)
cubertería bestek
cubeta 1 vaatje; 2 platte rechthoekige bak (*bv in laboratorium*)
cubicación *v* verheffing in de derde macht; **cubicar** 1 in de derde macht verheffen; 2 de inhoud bepalen van; **cúbico** 1 kubiek; 2 kubusvormig; **cubículo** hokje, vertrekje
cubierta 1 bedekking; overtrek; (dek)kleed; (boek)omslag, kaft; buitenband; sprei; ~ *del motor* motorkap; *a ~ de las miradas* aan het gezicht onttrokken; 2 (*scheepv*) dek; ~ *de botes* sloependek; ~ *de paseo* promenadedek; ~ *de popa* achterdek; ~ *superior* bovendek; ~ *toldillo* zonnedek; 3 (*Am*) envelop; **cubierto** 1 couvert; bestek; 2 menu met vaste prijs || *a ~* beschut; *a ~ de* beschermd tegen; *bajo ~* onder een dak, binnen; *ponerse a ~* beschutting zoeken, schuilen; *zie ook cubrir*
cubil *m* hol, leger (*van wild dier*)
cubilete *m* beker
cubismo kubisme
cubito blokje; ~ *de caldo* bouillonblokje; ~ *de hielo* ijsblokje
cúbito ellepijp
cubo 1 kubus; blok (*speelgoed*); 2 emmer; ~ *de la basura* vuilnisemmer; 3 naaf; 4 (*wisk*) derde macht
cubrecadena *m* kettingkast; **cubrecama** *m* sprei; **cubrejuntas** *m* afdekstrip; **cubrir** (*de*) bedekken (met); overdekken (met); ~ *de luto* in rouw dompelen; ~ *la olla* een deksel op de pan doen 1 dekken; ~ *el daño* de schade dekken; ~ *los gastos* de kosten dekken; ~ *la necesidad* de behoefte dekken; ~ *una vacante* in een vacature voorzien; 2 (*afstand*) afleggen; 3 (*een periode*) bestrijken; **cubrirse** 1 ~ (*de*) zich bedekken (met); (iets) op zijn hoofd zetten; ~ *la boca* zijn hand voor zijn mond houden; 2 ~ *contra* zich dekken tegen; 3 (*mbt hemel*) bewolkt raken, dichttrekken; 4 (*mbt vacature*) voorzien worden in; *se ha cubierto la vacante* in de vacature is voorzien
cucamonas *vmv* aanhalig gedrag, apeliefde
cucaña klimpaal
cucar knijpen; ~ *los ojos* de ogen half dicht knijpen
cucaracha 1 kakkerlak; 2 (*pop*) peuk van stickie
cuchara 1 lepel; ~ *de palo* houten lepel; *meter su ~* een duit in het zakje doen; 2 (*techn*) grij-

per; **cucharada** lepel(vol); *una ~ de azúcar* een schep suiker; *~ con colmo* volle eetlepel; *~ rasa* afgestreken eetlepel; *meter la ~* een duit in het zakje doen; **cucharadita** schepje(vol), theelepel(vol); **cucharear** lepelen; **cucharetear** 1 lepelen; 2 zijn neus in andermans zaken steken; **cucharilla** theelepel; **cucharón** *m* 1 opscheplepel; pollepel; 2 (*techn*) grijper; *grúa de ~* grijperkraan

cuchichear fluisteren, smoezen; **cuchicheo** (het) fluisteren, fluistering

cuchilla 1 hakmes, breed mes; 2 scheermesje; 3 mes in een machine; 4 (*Am*) lage bergketen; **cuchillada**, **cuchillazo** messteek; **cuchillería** messenfabriek, messenzaak

cuchillo 1 mes; *~ dentado* kartelmes; *~ de trinchar* voorsnijmes; *hundir un ~ en* een mes steken in; *pasar a ~* over de kling jagen; 2 iets wat in een scherpe punt uitloopt; ingezette driehoek (*in kleding*); 3 *~* (*de aire*) ijskoude luchtstroom, tocht; *~ de luz* dun streepje licht

cuchipanda vrolijke maaltijd

cuchitril *m* 1 zwijnestal; 2 hokje

cuchufleta grap

cuclillas: *en ~* gehurkt; *ponerse en ~* hurken

cuclillo koekoek

1 cuco koekoek

2 cuco 1 leep, sluw, uitgekookt; *es muy ~* hij is zo glad als een aal; 2 leuk, aardig om te zien

cucurucho 1 puntzak; 2 puntmuts

cueca (*Am*) bep dans in o.a. Chili

cuello 1 hals, nek; *~ de botella* flessehals, (*fig*) knelpunt; *~ de cisne* zwanehals; *~ uterino* baarmoederhals; *a voz en ~* keihard (*schreeuwen*); *agarrar por el ~* bij de strot grijpen; *cortar el ~* de keel afsnijden; *torcerse el ~* zijn nek verrekken; 2 kraag, boord; *~ postizo* losse (stijve) boord; *~ vuelto* col; *delincuencia de ~ blanco* witte-boordencriminaliteit; *número de ~* boordwijdte; *proletariado de ~ y corbata* witte-boordenproletariaat

cuenca bekken, bassin; *~* (*del ojo*) oogkas; *~* (*del río*) rivierbekken, stroomgebied; **cuenco** 1 holte; 2 kom

cuenta 1 (op)telling; (het) rekenen, berekening; *la ~ atrás* (het) aftellen; *beber más de la ~* te diep in het glaasje kijken; *echar ~s* plussen en minnen, nadenken; *echar la ~, sacar la ~* uitrekenen; *en resumidas ~s* om kort te gaan, samenvattend; *entrar en ~* in aanmerking komen; *hay que tener en ~...* men moet wel bedenken...; *llevar la ~ de* tellen; *más de la ~* teveel; *perder la ~* de tel kwijt zijn; *tener en ~ u.c.* rekening houden met iets; *teniendo en ~* met inachtneming van; *tomar en ~* in aanmerking nemen, meetellen; *tomárselo en ~ a u.p.* het iem aanrekenen; 2 rekening; *~ bancaria* bankrekening; *~ en común* gezamenlijke rekening; *~ corriente* (*afk cta. cte.*) rekening-courant; *~ de giro postal* postgirorekening; *~ de pérdidas y ganancias* winst- en verliesrekening; *a ~ de* op kosten van; *a fin de ~s* per slot van rekening; *abonar en ~* bijschrijven; *abrir una ~* een rekening openen; *ajustar ~s* onderling afrekenen; *ajustar las ~ a u.p.* iem zeggen waar het op staat; *cargar en ~* in rekening brengen, debiteren; *eso corre de mi ~* dat komt voor mijn rekening; *extracto de ~* rekeningafschrift; *gastos por su ~ de Ud.* uitgaven te uwen laste; *ingresar en la ~* op de rekening storten; *no querer ~s con* niets te maken willen hebben met; *por ~ y riesgo de* voor rekening en risico van; *poner en ~* verrekenen; *por su ~*: *a*) voor eigen rekening; *b*) op eigen gelegenheid; *saldar una ~* een rekening vereffenen; *es ~ tuya* dat is jouw zaak, je gaat je gang maar; *tener una ~ pendiente con u.p.* met iem een appeltje te schillen hebben; *tener la ~ en rojo* rood staan; *trabajar por su ~* freelance werken; 3 rekenschap; *dar ~ de*: *a*) rekenschap geven van; *b*) verslag doen van, meedelen; *c*) verteren, opeten, erdoor jagen, soldaat maken; *dada ~* in aanmerking genomen, overwegende; *darse ~ de*: *a*) beseffen, zich realiseren, inzien; *b*) (op)merken, bespeuren; *con su ~ y razón* met een reden; *hacerse ~ de* zich voorstellen dat, doen alsof; *pedir ~s a* rekenschap vragen; *rendir ~s* rekenschap en verantwoording afleggen; 4 kraal || *a ~ de qué* waarom, om welke reden; *caer en la ~* de zaak door krijgen

cuentabolas *m* telraam; **cuentacorrentista** *m,v* rekening-couranthoud(st)er; **cuentagotas** *m* pipet; *con ~* druppelsgewijs; **cuentakilómetros** *m* kilometerteller; **cuentaminutos** *m*: (*avisador*) *~* keukenwekker; **cuentarrevoluciones** *m* toerenteller

cuentista *m,v* 1 verhalenschrijver, -schrijfster; 2 kletskous, fantast(e); opschepper, opschepster; verteller van sterke verhalen; **cuento** 1 verhaal; relaas; *~ de cazador* sterk verhaal; *~ chino* verzinsel, ongeloofwaardig verhaal; *~s de comadre* bakerpraatjes; *~* (*de hadas*) sprookje; *el ~ de la lechera* te optimistische berekening; *~ de miedo* griezelverhaal; *el ~ de nunca acabar* een eindeloze geschiedenis; *dejarse de ~s* er niet langer omheen draaien; *estar en el ~* op de hoogte zijn; *ir con el ~* overbrieven, uit de school klappen; *no querer ~s con* niets te maken willen hebben met; *es ~ largo* dat is een heel verhaal; *sin ~* ontelbaar; *tener mucho ~* veel praats hebben, aan de weg timmeren; *traer a ~* ter sprake brengen; *no viene a ~* dat heeft er niets mee te maken; 2 kletsverhaal, aantijging; 3 smoesje

cuerda 1 touw, koord, lijn; *~ de trepar* klimtouw; *andar en la ~ floja* (*fig*) balanceren; *bailar en la ~ floja* koorddansen; *contra las ~s* met de rug tegen de muur; *juego de la ~* (het) touwtrekken; *siempre se rompe la ~ por lo más delgado* een ketting is zo sterk als zijn zwakste schakel; *tirar de la ~*: *a*) misbruik maken van iems geduld; *b*) iem afremmen; 2 snaar; *las ~s* de strijkers; *instrumento de ~* strijkinstrument; *poner ~s a* (met snaren) bespannen; *tocar la ~ sensible* de gevoelige snaar raken; 3 *~s vocales* stembanden; 4 veer (*in horloge*); *dar ~ a: a*) (*horloge*) opwinden; *b*) (*iem*) aanmoedigen; *tener ~ para rato* nog even voort kunnen, voorlopig niet uitgesproken zijn; 5 (*wisk*) koorde || *por debajo de ~* heimelijk; *ser de la misma ~* van hetzelfde slag zijn

cuerdo verstandig

cuerna gewei; **cuerno** 1 hoorn; *oler a ~ quemado* argwaan wekken; *poner los ~s* (*mbt vrouw*) haar man bedriegen; 2 (*muz*) hoorn || *mandar al ~* naar de maan sturen

cuero 1 leer; *~ artificial* kunstleer; *~ de cabra* geiteleer; *~ graso* vetleer; *~ para techos* dakleer; 2 huid (*van dier*) || *~ cabelludo* hoofdhuid; *en ~s* poedelnaakt

cuerpo 1 lichaam, lijf; romp; (*chem*) stof; iets vasts, element, ding; hoofdbestanddeel; *~ a ~* man tegen man; *~ celeste* hemellichaam; *~ del delito* corpus delicti; *~ extraño* vreemd element; *~ de leyes, ~ legal* wetsverzameling; *~ químico* chemische verbinding; *~ simple* (*chem*) element; *a ~* zonder jas; *a ~ limpio* ongewapend; *a ~ de rey* vorstelijk; *armario de tres ~s* driedelige kast; *en ~ y alma* met hart en ziel; *espejo de ~ entero* passpiegel; *hacer de ~* poepen; *meter en el ~* opzadelen met, (*iem iets*) aandoen; *tomar ~* gestalte krijgen; 2 korps; lichaam; *~ de ballet* corps de ballet; *~ docente* lerarenkorps; *~ diplomático* corps diplomatique; *~ de ejército* legerkorps; *~ de élite* elitecorps; *~ legislativo* wetgevend lichaam; *~ de policía* politiekorps; 3 lijk; *de ~ presente* opgebaard; *misa de ~ presente* rouwdienst; 4 *~ de popa* achterschip; *~ de proa* voorschip; 5 (*techn*) huis; *~ de bomba* pomphuis

cuervo raaf; *cría ~s y te sacarán los ojos* ondank is 's werelds loon

cuesta (berg)helling; *~ abajo* bergafwaarts; *la ~ de los años* de last der jaren; *la ~ de enero* de (*krappe*) maand na de feestdagen; *a ~s* op de rug; *en ~* hellend; *se me hace ~ arriba* het valt mij zwaar; *llevar a ~s* op zijn rug dragen, sjouwen met; *tener a ~s* opgescheept zitten met

cuestación *v* collecte

cuestión *v* kwestie, aangelegenheid; *~ candente* brandend probleem; *~ capital* kernprobleem; *~ de confianza* vertrouwenskwestie; *~ de* (+ *aantal*) een kwestie van, ongeveer; *~ secundaria* bijzaak; *~ vital* levensvraag; *en ~* bewust; *el caso en ~* het bewuste geval; *en ~ de* wat betreft; *no hay ~ de que...* er is geen sprake van dat...; **cuestionable** twijfelachtig, betwistbaar; **cuestionar** vraagtekens plaatsen bij; **cuestionario** vragenlijst, enquêteformulier

cueva 1 hol, grot; *~ de los leones* leeuwekuil; 2 kelder

cuidado 1 zorg, zorgvuldigheid; *¡~!* voorzichtig!; *~ con* voorzichtig met; *andar con ~* voorzichtig zijn; *tratar con ~* ontzien, voorzichtig behandelen; 2 zorg, hoede; *al ~ de: a*) toevertrouwd aan, onder de hoede van; *b*) (*afk a|c*) per adres; *c*) belast met; *tener ~* (*de*) oppassen (voor); 3 ongerustheid; *estar con ~* bezorgd zijn; *¡no hay ~!* geen nood!; *pierda Ud. ~* maakt u zich niet bezorgd; *me trae sin ~* het laat me koud; 4 (*vaak mv*) verzorging; *~s domiciliarios* thuiszorg; (*unidad de*) *~s Intensivos* Intensive Care(afdeling) || *¡~ que lo sabe!* en of hij het weet!; *de ~* gevaarlijk; *estar de ~* ernstig ziek zijn; *un tipo de ~* iem om voor op te passen; **cuidador, -ora**: *~ de niños* kinderoppas; **cuidadoso** 1 *~* (*de, con*) zorgvuldig (in, met); 2 *~* (*con*) zorgzaam (voor); **cuidar**: *~* (*de*) verzorgen, zorgen voor, passen op; zuinig zijn op; *~ al enfermo, ~ del enfermo* zorgen voor de zieke; *~ con esmero* koesteren; *~ de que todo salga bien* zorgen dat alles goed afloopt; **cuidarse** 1 zich verzorgen; 2 oppassen, voorzichtig zijn; *~ de que* er voor zorgen dat; *¡cuídate muy bien de...!* denk erom dat je niet...!; 3 *~ de* zich bekommeren om; *no se cuida de mí* hij bekommert zich niet om mij

cuita verdriet, zorg

culata 1 (geweer)kolf; 2 cylinderkop; **culatazo** 1 slag met de kolf; 2 terugstoot (*van geweer*)

culebra slang; **culebrear** zigzaggen; **culebrón** *m* (*fam*) (zeer lange) televisieserie

culinario culinair

culito bips

culminación *v* hoogtepunt; **culminante** hoogste; *punto ~* hoogtepunt; **culminar** (*en*) culmineren (in), zijn hoogtepunt vinden (in)

culo kont, gat, reet; *~ de mal asiento* iem die geen zitvlees heeft; **culón, -ona** (*pop*) met breed achterwerk

culpa schuld; *echar la ~ a* de schuld geven aan; *limpio de ~* van schuld gezuiverd; *por su ~* door zijn toedoen; *es tu propia ~* het is je eigen schuld; *tener la ~ de que* er de schuld van hebben dat; **culpabilidad** *v* (het) schuldig zijn, schuld; **culpabilizar** een schuldgevoel geven; schuldig maken; **culpable** I *bn ~* (*de*) schuldig (aan); II *m,v* schuldige; boosdoen(st)er; *principal ~* hoofdschuldige; **culpar** (*de*) beschuldigen (van), de schuld geven (van); **culposo** strafbaar; niet vrij van schuld

cultalatiniparla (*iron*) pedant jargon

culteranismo (*Sp*) 17e-eeuwse barokke literaire stijl (*rijk aan moeilijke beeldspraak*)

cultismo Spaans woord dat zijn Latijnse vorm behouden heeft, geleerd woord

cultivable te bebouwen; **cultivado** 1 (*mbt persoon*) ontwikkeld; 2 (*mbt plant*) gekweekt; 3 (*mbt grond*) in cultuur gebracht; **cultivador, -ora** I *bn* 1 die bebouwt; die kweekt, die teelt; 2 die beoefent; II *zn* 1 landbouwer, kweker; teler; 2 beoefenaar(ster); **cultivadora** cultivator (*soort ploeg*); **cultivar** 1 (*land*) bewerken; bebouwen; *sin ~* braak, onbebouwd; 2 (*ge-*

was) verbouwen; telen, kweken; 3 beoefenen; ~ *la ciencia* wetenschap beoefenen; 4 cultiveren; **cultivo** 1 bebouwing, bewerking (*vh land*); ~ *de tierras* landbouw; *poner en* ~ in cultuur brengen, ontginnen; *tierra de* ~ bouwland; 2 (het) kweken; teelt, verbouw; kweek; ~ *de bulbos* bollenteelt; *caldo de* ~ kweekbodem, voedingsbodem; 3 gewas; 4 beoefening

culto I *bn* ontwikkeld; II *zn* 1 cultus; ~ *de los héroes* heldenverering; ~ *a la personalidad* persoonsverheerlijking; 2 ~ (*divino*) kerkdienst; *libertad de* ~*s* vrijheid van godsdienst; **cultura** 1 cultuur, beschaving; 2 ontwikkeling; **cultural** cultureel; **culturismo** bodybuilding

cumbre *v* 1 top; hoogtepunt; *en la* ~ *del poder* op het toppunt vd macht; 2 (*conferencia*) ~ top(conferentie)

cumpleaños *m* verjaardag; *celebra su sesenta* ~ hij viert zijn zestigste verjaardag; *¡feliz* ~*!* gefeliciteerd met je verjaardag!

cumplido I *bn* 1 voltooid; volmaakt; *un* ~ *profesor* een uitstekende leraar; *tiene sesenta años* ~*s* hij is over de zestig; 2 attent, beleefd; II *zn* compliment; ~*s* plichtplegingen, poespas; *por* ~ uit beleefdheid, voor de vorm; *visita de* ~ beleefdheidsbezoek; **cumplidor, -ora** plichtsgetrouw, betrouwbaar; ~ *de su deber* plichtsgetrouw; **cumplimentar** 1 ~ (*por*) complimenteren (met); 2 (*opdracht*) uitvoeren; (*formulier*) invullen; **cumplimiento** nakoming, vervulling, uitvoering; *dar* ~ *a* gevolg geven aan; *riguroso* ~ strikte naleving; **cumplir** I *tr* 1 (*opdracht*) uitvoeren; vervullen; (*wet*) naleven, nakomen; ~ (*con*) *su deber* zijn plicht vervullen; ~ *lo prometido*, ~ *su promesa* zijn woord houden, zijn belofte nakomen; ~ *los requisitos* aan de vereisten voldoen; 2 voltooien; ~ *años* jarig zijn; ~ *cinco años* vijf (jaar) worden; ~ *condena* zijn straf uitzitten; II *intr* 1 goed werk leveren; doen wat beloofd is; zijn plicht doen; 2 ~ *con* nakomen, vervullen, voldoen aan; *para* ~ voor de vorm; 3 ~ *a* de taak zijn van; *cumple al director*... het is de taak vd directeur...; 4 (*mbt termijn*) vervallen; **cumplirse** 1 in vervulling gaan; 2 (*mbt termijn*) vervallen

cúmulo 1 hoop, grote hoeveelheid; 2 stapelwolk

cuna 1 wieg; bakermat; ~ *portátil* reiswieg; 2 afkomst; 3 spel waarbij men met een draad figuren tussen de vingers spant

cundir 1 zich verspreiden; opgeld doen; 2 opleveren, niet gauw op zijn; resultaat hebben; *esta lana cunde mucho* deze wol breit erg uit

cuneiforme wigvormig; *escritura* ~ spijkerschrift

cuneta greppel, goot

cuña 1 wig; keg; *meter* ~ een wig drijven; 2 televisiespot

cuñado, -a zwager, schoonzuster

cuño 1 muntstempel; 2 (*fig*) stempel; *de nuevo* ~ nieuw, pas in gebruik

cuota 1 bijdrage; aandeel; premie (*in de volksverzekering*); contributie, (*Belg*) lidgeld; ~ *de entrada* inschrijfgeld; ~ *del mercado* marktaandeel; 2 quota, quote; quotum

cuplé *m* luchtig liedje (*op toneel gezongen*); **cupletista** *m,v* (*nu ongebr*) liedjeszanger(es)

cupo 1 (evenredig) deel, aandeel (*in kosten*), quotum; quota, contingent; 2 rantsoen; 3 aantal plaatsen (*in voertuig*)

cupón *m* coupon; bon; ~ *respuesta* antwoordcoupon; *lotería de -ones* (*Sp*) blindenloterij

cúpula koepel

cuquería listigheid, slimheid

1 cura *m* pastoor; ~ *castrense* aalmoezenier

2 cura kuur, behandeling; genezing; ~ *de deshabituación*, ~ *de privación* ontwenningskuur; ~ *de reposo* rustkuur; ~ *de urgencia* (*med*) spoedbehandeling; *la primera* ~ de eerste hulp

curación *v* genezing; ~ *por la fe* gebedsgenezing; **curado** I *bn* (*mbt vlees, vis*) gedroogd; *zie ook curar* || *estar* ~ *de espanto* niet gauw schrikken; II *zn* 1 behandeling; 2 (*techn*) uitharding; **cúralotodo** wondermiddel; **curandero, -a** kwakzalver, medicijnman, wonderdokter; **curar** I *tr* 1 genezen; 2 (*vlees*) laten drogen, roken; (*hout, leer*) behandelen; II *intr* 1 genezen, beter worden; 2 (*mbt hout*) uitwerken; **curarse** genezen, helen; bijkomen; ~ *en salud* het zekere voor het onzekere nemen

curare *m* curare, Indiaans vergif in pijlen

curasao *zie curazao*

curatela curatele

curativo genezend, geneeskrachtig

curato 1 pastoorsambt; 2 parochie

curazao curaçao (*likeur*)

cúrcuma kurkuma, geelwortel

curda (*fam*) 1 dronkenschap; *coger una* ~ zich bedrinken; 2 *m* dronkelap

curdo Koerdisch

cureña affuit

curia balie (*advocaten, rechters*)

curiana kakkerlak

curiosear snuffelen, grasduinen, rondneuzen; **curiosidad** *v* 1 merkwaardigheid; bezienswaardigheid; zeldzaamheid; 2 nieuwsgierigheid; ~ *morbosa* ziekelijke nieuwsgierigheid; *tener* ~ *por saber* nieuwsgierig zijn naar; 3 netheid; **curioso** 1 merkwaardig, curieus, opmerkelijk, bezienswaardig; 2 nieuwsgierig; *los* ~*s* de omstanders; 3 netjes, ordelijk

currículo, currículum vitae *m* levensbeschrijving, curriculum vitae

currinche *m* 1 leerling-journalist; 2 nietsnut, prutser

curro 1 ijdel, trots; 2 vol zelfvertrouwen

Curro *afk van Francisco*

curruscante knapperend

currutaco, -a 1 fat, modepop; opzichtig mens; 2 onbenul

cursar 1 studeren; ~ *derecho* rechten studeren; ~ *estudios de* studeren voor; 2 (*een cursus*) door'lopen; ~ *el primer año* het eerste jaar

volgen; 3 sturen, indienen; ~ *una orden* een order doen uitgaan
cursi aanstellerig; kitscherig, banaal; **cursilería** kitscherigheid; banaliteit; aanstellerij
cursillista *m,v* cursist(e); **cursillo** (korte) cursus; lezingenreeks; ~ *acelerado* spoedcursus, stoomcursus; ~ *de perfeccionamiento* bijscholingscursus; ~ *de repaso* nascholingscursus
cursivo cursief; *en letra -a* cursief
curso 1 loop, verloop; ~ *inferior* benedenloop; ~ *de pensamientos* gedachtengang; ~ *superior* bovenloop; *dar* ~ *a: a*) verzenden; *b*) de vrije loop laten; *en* ~ lopend; *en el* ~ *de* in de loop van; *en* ~ *de ejecución* in uitvoering; *poner en* ~ in omloop brengen; *seguir su* ~ (*normal*) een normaal verloop hebben; 2 cursus, (*Belg*) leergang; schooljaar, leerjaar; ~ *acelerado* spoedcursus; ~ *inicial,* ~ *de iniciación* beginnerscursus; ~ *de orientación universitaria* (*afk COU*) toelatingscursus (*voor universiteit*), (*vglbaar*) laatste jaar vwo; ~ *de perfeccionamiento* cursus voor gevorderden; ~ *preparatorio* vooropleiding; ~ *de reciclaje,* ~ *de repaso* nascholingscursus; *pasar de* ~ overgaan; *perder el* ~, *repetir el* ~ zittenblijven, doubleren; *seguir un* ~, *tomar un* ~ een cursus volgen
cursor *m* cursor
curtido I *zn* (het) looien; II *bn* verweerd, tanig, doorgroefd; gehard; *está* ~ hij heeft veel meegemaakt, hij is door de wol geverfd; **curtidor** *m* leerlooier; **curtiduría** leerlooierij; **curtir** 1 (leer)looien; *sin* ~ ongelooid; 2 tanen; harden; **curtirse** tanig worden; gehard worden
curva 1 kromme lijn; curve; boog; bocht; ~ *cerrada* scherpe bocht; ~ *exterior* buitenbocht; ~ *interior* binnenbocht; ~ *de nivel* hoogtelijn; ~ *peligrosa* gevaarlijke bocht; ~ *en S* S-bocht; ~ *suave* vloeiende bocht; *describir una* ~, *inscribirse en una* ~ een bocht beschrijven; 2 ronding; **curvado** gekromd, krom; **curvar** krommen, buigen; **curvatura** kromming; **curvo** krom, gebogen
cusca: *hacer la* ~ dwars zitten, lastig vallen
cuscurro, cuscurrón *m* korst brood
cúspide *v* top; toppunt
custodia 1 beheer, bewaring, hoede; beheersing; *bajo la* ~ *de* onder de hoede van, onder berusting van; *derechos de* ~ bewaarloon; 2 bewaking; 3 monstrans; **custodiar** bewaken; beschermen; **custodio**: *ángel* ~ beschermengel
cutáneo vd huid; *afección -a* huidaandoening; *cáncer* ~ huidkanker; **cutis** *m* (gezichts)huid; teint
cutre vulgair, ordinair; smakeloos; smerig, goor; gierig
cuy *m* (*Am*) cavia
cuyo wiens, wier, waarvan; *el país -a lengua estudio* het land waarvan ik de taal bestudeer
cuzcuz *m* koeskoes
cuzqueño uit Cuzco (*Peru*)
cv *caballo de vapor* paardekracht

d *de v* (*letter*) d
D. *Don*; **Da.** *Doña*
dacha Russisch buitenhuis
dactilar vd vinger; *huella* ~ vingerafdruk; **dactilografía** (het) machineschrijven; **dactiloscopia** dactyloscopie
dadaísmo dadaïsme
dádiva gave, gift; **dadivoso** mild, royaal
1 dado dobbelsteen; *jugar a los* ~*s* dobbelen
2 dado *bn* 1 gegeven; *dadas las circunstancias* gezien de omstandigheden; 2 ~ *a* verslaafd aan, dol op; geneigd tot; *ser poco* ~ *a* geen liefhebber zijn van; 3 ~ *que* aangezien
dador, -ora gever, geefster
daga degen
dalia dahlia
dalle *m* zeis
dálmata Dalmatisch; *perro* ~ dalmatiër; **dalmática** liturgisch overkleed, dalmatiek; **dalmático** Dalmatisch
daltoniano kleurenblind; **daltonismo** kleurenblindheid
dama 1 dame; ~ *de compañía* gezelschapsdame; ~ *de honor,* ~ *de palacio* hofdame; 2 (*damsp*) dam; 3 (*kaartsp*) vrouw; 4 (*schaken*) koningin; 5 ~*s* damspel; *jugar a las* ~*s* dammen
damajuana mandfles
damasco 1 damast; 2 soort abrikoos
damasquinado inlegwerk met goud en zilver (*bv uit Toledo*)
damero dambord
damisela (*lit*) juffertje
damnificar schaden
dancing *m* dancing
dandi *m* dandy
danés, -esa I *bn* Deens; II *zn* 1 Deen(se); 2 *m* (het) Deens
Danubio Donau
dantesco 1 dantesk, (als) van Dante; 2 huiveringwekkend
danza 1 dans; ~ *de espadas* zwaarddans; 2 (het) gebeuren, gedoe; *andar en la* ~ bij de zaak betrokken zijn; *estar en* ~: *a*) (*mbt zaak*) aan de gang zijn; *b*) (*mbt persoon*) in touw zijn, in de weer zijn; *meterse en la* ~ zich met de zaak bemoeien; *que siga la* ~ laat ze hun gang maar gaan; **danzante** I *bn* dansend; dansant; II *m,v* 1 danser(es); 2 bemoeial; stomkop; druktemaker, -maakster; **danzar** 1 dansen; 2 druk in de weer zijn, druk bewegen; 3 zich ergens mee bemoeien; **danzarín, -ina** danser(es)

dañar schaden; beschadigen; afbreuk doen aan; **dañino** schadelijk; **daño** (*soms mv*) schade; *~s en la carrocería* blikschade; *~s corporales* lichamelijk letsel; *~s inmateriales: a*) immateriële schade; *b*) smartegeld; *~s materiales* materiële schade; *~s y perjuicios* schadevergoeding; *causar ~* schade berokkenen; *hacer ~ a: a*) pijn doen; *b*) kwaad doen; *hacerse ~* zich bezeren; *sufrir ~* schade lijden, letsel oplopen; **dañoso** schadelijk

dar I *tr* 1 geven; toedienen; *~ algo* (*bueno*) *por* er iets voor overhebben om; *~ betún* insmeren (*met schoensmeer*); *~ clase*(*s*) *de: a*) les geven in; *b*) les volgen in; *~ de comer* te eten geven; *~ crédito a* geloof hechten aan; *~ a entender* te verstaan geven; *~ fuerzas* sterken; *~* (*mucho*) *que hacer* veel te doen geven, veel werk bezorgen; *~ muerte* doden; *~ una película* een film draaien; *~ que pensar, ~ en qué pensar* te denken geven; *~se postín* zich een air geven, deftig doen; *~ que sentir* last bezorgen; *te dará que sentir* het zal je berouwen; *~ sepultura* begraven; *más vale ~ que recibir* het is beter te geven dan te ontvangen; *me da algo* (*fig*) ik krijg er wat van; *me da el corazón que*... mijn hart zegt me dat...; *no hay para ~ y vender* het ligt niet voor het oprapen; 2 veroorzaken; maken; *~ gusto* plezier doen; *~ miedo* angst aanjagen; *~ un paso* een stap doen; *~ pasos: a*) stappen; *b*) stappen ondernemen; *no ~ paso* geen stap verzetten; *~ un salto* een sprong maken; *~ voces* schreeuwen; *~ la vuelta a: a*) omkeren; *b*) (*ergens*) omheen rijden; *~ la vuelta al corro* de kring rondgaan; *~ vueltas* cirkelen; *~ vueltas a: a*) (*iets*) ronddraaien; *b*) piekeren over, zinnen op; 3 (*mbt klok*) slaan; *al ~ las doce* klokslag twaalf; 4 raken, treffen; *¿te ha dado?* heeft hij je geraakt?; *tirar a ~* gericht schieten; 5 *~ por* beschouwen als; *~se por contento* er genoegen mee nemen; *~ por descontado* als vanzelfsprekend beschouwen, ervan uitgaan (*dat*); *~se por desaparecido* vermist worden; *~ por sabido* aannemen, bekend veronderstellen; *~ por sentado* aannemen, ervan uitgaan (*dat*); *~se por vencido* zich gewonnen geven; *no ~se por aludido* zich van de domme houden; *no ~se por vencido* volhouden || *¡dale!* en maar volhouden!; *dale que dale* en aldoor maar (bezig met)...; *dale que dale al estudio* en maar studeren!; *~ de baja* (*lid*) royeren, schrappen; *~se de baja* (*lidmaatschap, abonnement*) opzeggen; *~ igual, lo mismo* er niet toe doen; *dársela a u.p.* iem erin laten lopen; *a mí no me la dan* mij krijgen ze niet, ik vlieg er niet in, ik laat me niets wijsmaken; *¡ahí me las den todas!* het kan me niks meer schelen!; *donde las dan las toman* wie kaatst moet de bal verwachten; *no ~ una* er altijd naast zitten; *qué más da* wat geeft het, wat doet het ertoe; *¡tanto da!* wat maakt het uit!, hindert niet!; II *intr* 1 *~ a: a*) in werking brengen; *b*) (*mbt raam, deur*) uitzien op, uitkomen op; *le dio a la manivela* hij draaide aan de zwengel; *dio a timbre* hij drukte op de bel; *~le a* zich ijveri bezighouden met; 2 *~ con* ontmoeten, stuite op; botsen tegen, aanlopen tegen; *no ~ con: a* niet kunnen vinden; *b*) (*iem*) mislopen; *no do con la palabra* ik kan niet op het woord ko men; 3 *~ en* raken, treffen; (*mbt zon*) schijne op; *~ en el blanco* doel treffen, in de roc schieten; *~ con los dedos en* tikken op; *~ de lle no en* precies terechtkomen op; *~ en la solu ción* de oplossing op het spoor komen; *ahor dan en decir que*... en nu zeggen ze notaben dat...; 4 *~ para* genoeg zijn voor; 5 *~ pa* (*+ meew vw*) zin krijgen in, het in zijn hoof krijgen om; *ahora le da por la música* en n heeft hij zich op de muziek gestort; *le dio pa pintar* hij wou ineens gaan schilderen || *~ de s* meegeven, elastisch zijn, rekken; veel opleve ren; *una paella da mucho de sí* van paella ku je goed uitdelen; **darse** 1 'voorkomen; *es caso se da poco* dat geval doet zich zelde voor; *~ bien: a*) (*mbt plant*) goed gedijen, he goed doen; *b*) goed afgaan; *se le dan bien lo idiomas* talen gaan hem goed af; 2 (*mbt film* draaien, vertoond worden; 3 *~ a* zich over geven aan; zich wijden aan; *~ a la bebida* aa de drank zijn; *~ a la fuga* op de vlucht slaan; *a ver* zich laten zien; 4 *~ contra* zich stoten te gen || *dárselas de*... de...uithangen; *dárselo de ingenuo* naïef doen; *dárselas de gran seño* de grote meneer uithangen; *no se le da nad del fracaso* de mislukking kan hem niks sche len

dardo werppijl(tje); *~s* (*sp*) darts

dársena (*open*) dok

darwinismo darwinisme

datar dateren; *~ de* dateren van

dátil *m* dadel; **datilera** dadelpalm

dativo (*gramm*) datief, derde naamval

dato gegeven

dB *decibel, decibelio*

de I *v; zie d*; II *vz* 1 van; *~ lunes a sábado* va maandag tot zaterdag; *es ~ mi padre* het van mijn vader; *es ~ plata* het is van zilver; vanuit, uit; *~ lejos* uit de verte; *vengo ~ Ma drid* ik kom uit Madrid; 3 met; *el hombre d traje gris* de man in het grijze pak; *la ~ los pen dientes* de vrouw met de oorbellen; *un vaso leche* een glas melk; 4 bij wijze van, als; *~ pa sano* in burger; *~ postre* als nagerecht; *~ visi* op bezoek; *está aquí ~ asistente* hij is hier a assistent; 5 afgetrokken van; *tres ~ cinco so dos* vijf min drie is twee, drie vd vijf is twee; *~* (*+ onbep w*) als, indien; *~ saberlo: a*) als i het wist; *b*) als ik het geweten had; *~ ser así* a dat zo is

dé *zie dar*

deambular (*zomaar*) rondlopen, zwerve slenteren; **deambulatorio** omgang achter h altaar

deán *m* deken

debacle *v* (*iron*) ramp, afgang

debajo I *bw* eronder, lager; *estar* ~ onder liggen; II *vz:* ~ *de* onder
debate *m* debat, discussie; ~*s* beraadslagingen; **debatido** omstreden; **debatir** bespreken, discussiëren over; **debatirse** zich verweren, worstelen (*om los te komen*)
debe *m* debet
debelar overwinnen, onderwerpen
deber I *ww* 1 verschuldigd zijn; te danken hebben, danken; *¿cuánto le debo?* hoeveel ben ik u schuldig?; *se lo debemos* we zijn het hem schuldig, we zijn het hem verplicht; 2 ~ (+ *onbep w*) moeten, behoren, verplicht zijn; *deberías saberlo* je zou beter moeten weten; *así debe ser* zo hoort het; 3 ~ (*de*) (+ *onbep w*) wel zullen, wel moeten; *Ud. debe de estar cansado* u zult wel moe zijn; II *m* 1 plicht; ~*es sociales* sociale verplichtingen; *faltar a su* ~ zijn plicht verzaken; 2 (*vaak mv*) huiswerk; **deberse** te danken zijn; te wijten zijn; *a esto se debe que…* hierdoor komt het dat…; **debidamente** behoorlijk, op de juiste wijze; **debido** 1 verschuldigd; *lo* ~ het achterstallige, de schuld; 2 behoorlijk; *a su* ~ *tiempo* te zijner tijd; *como es* ~ zoals het hoort; *para el* ~ *orden* voor de goede orde; 3 ~ *a* dankzij, doordat, te wijten aan
débil zwak, slap; flauw; flets; ~ *mental* debiel, zwakbegaafd; *un carácter* ~ een zwak karakter, een week karakter; *luz* ~ zwak licht; **debilidad** *v* 1 zwakheid, slapheid; ~ *mental* achterlijkheid; 2 zwak; *tener* ~ *por* een zwak hebben voor; **debilitación** *v* verzwakking; **debilitamiento** verzwakking; **debilitar** (doen) verzwakken; **debilitarse** verzwakken, achteruitgaan; **débilmente** zwak, slap, flauwtjes; **debilucho** minnetjes, miezerig
debitar debiteren, (*rekening*) belasten; **débito** debet, verschuldigd bedrag; *nota de* ~ debetnota
debut *m* debuut; **debutante** *m,v* debutant(e), beginner; **debutar** debuteren
década decennium, periode van tien jaar; *la* ~ *de los veinte* de jaren twintig
decadencia verval, achteruitgang, decadentie, zedenbederf; **decadente** in verval; decadent
decaer achteruitgaan, teruglopen, aftakelen, dalen, afnemen
decágono tienhoek
decagramo (*afk Dgr*) decagram, tien gram
decaído 1 neerslachtig; 2 slap, hangerig; **decaimiento** achteruitgang
decalcificar ontkalken
decalitro (*afk Dl*) decaliter, tien liter; **decálogo**: *el* ~ de tien geboden; **decámetro** (*afk Dm*) decameter, tien meter
decanato decanaat; **decano, -a** 1 deken (*persoon*); 2 (*univ*) voorzitter van faculteit, decaan; 3 oudste lid
1 decantar 'overgieten, decanteren; **decantarse**: ~ *a, hacia, por* neigen naar, tot
2 decantar hogelijk prijzen, loven; **decantado** onvolprezen
decapar (*techn*) ontroesten in zuurbad
decapitación *v* onthoofding; **decapitar** onthoofden
decápodo tienpotig; **decasílabo** tienlettergrepig; **decatlón** *m* tienkamp
decena tiental; ~*s de miles* tienduizenden; **decenal** 1 tienjaarlijks; 2 tienjarig
decencia fatsoen; eerbaarheid; *con* ~ keurig, netjes
decenio decennium, periode van tien jaar; **deceno** tiende
decentarse (*mbt zieke*) 'doorliggen
decente fatsoenlijk, net; keurig, behoorlijk, betamelijk; *un sueldo* ~ een redelijk inkomen
decepción *v* teleurstelling; **decepcionante** teleurstellend; sneu; **decepcionar** teleurstellen; tegenvallen
deceso (het) overlijden
dechado voorbeeld, model
decibel *m* (*afk dB*) decibel; **decibelio** *zie decibel*
decidido vastberaden, beslist, gedecideerd, doelbewust, resoluut; ~ *a* vastbesloten om;
decidir 1 beslissen over; 2 besluiten; zich voornemen; *decidió quedarse* hij besloot te blijven; 3 de doorslag geven; 4 doen besluiten; **decidirse** 1 tot een besluit komen, besluiten; ~ *a* (vast) besluiten om; ~ *por* besluiten tot, zijn keus vestigen op; *no me decido* ik kan maar niet besluiten, ik kan er maar niet toe komen; 2 (*mbt zaak*) beslist worden, zijn beslag krijgen
decigramo (*afk dgr*) decigram, een tiende gram; **decilitro** (*afk dl*) deciliter, een tiende liter
décima 1 tiende (deel); 2 tienregelig gedicht; 3 een tiende graad (*temperatuur*); *unas* ~*s* (*de fiebre*) verhoging; **decimal** I *bn* decimaal, tientallig; *correr el punto* ~ de komma verplaatsen; *fracción* ~ tiendelige breuk; II *m* cijfer achter de komma; **decímetro** (*afk dm*) decimeter, een tiende meter; **décimo** I *rangtelw* tiende; II *zn* 1 tiende (deel); 2 een tiende lot; **decimocuarto** veertiende; **decimooctavo** achttiende; **decimoquinto** vijftiende; **decimoséptimo** zeventiende; **decimosexto** zestiende; **decimotercero**, **decimotercio** dertiende; **decimonono**, **decimonoveno** negentiende; **decimonónico** negentiende-eeuws
decir I *ww* 1 zeggen; *¡diga!* (*bij opnemen van telef*) hallo!; *digamos* laat ons zeggen, pakweg; *dime con quién andas y te diré quién eres* zeg mij wie je vrienden zijn en ik zal zeggen wie je bent; ~ *misa* de mis lezen; ~ *para sí* bij zichzelf zeggen; ~ *por ahí* rondvertellen; ~ *por* ~ *u.c.* zomaar iets zeggen; ~ *que no* nee zeggen; ~ *que sí* ja zeggen; ~ *y hacer* zo gezegd, zo gedaan, in een wip; *dicho y hecho* zo gezegd, zo gedaan; *del dicho al hecho hay gran trecho* zeggen en doen zijn twee; *blanco, digo negro* wit, ik bedoel zwart; *como quien dice* om zo te zeggen; *con* ~*le que…* als ik zeg dat…; *¡cual-*

quiera diría que…! men zou denken dat…!, het lijkt wel of…!; *¡cualquiera lo diría!* dat had ik nooit gedacht!; *dejarse* ~ zich laten ontvallen; *es* ~ dat wil zeggen, namelijk; *es muy fácil de* ~ dat is gemakkelijk gezegd; *¡haberlo dicho!* had dat dan gezegd!; *lo que se dice…* wat je noemt…; *me han dicho* ik heb gehoord, ik heb me laten vertellen; *ni que* ~ *tiene* dat spreekt vanzelf; *no digamos* om niet te spreken (van); *¡no me digas!* nee maar!, hoe is het mogelijk!; *por* ~ *lo menos* om het zacht te uit te drukken; *por así* ~*lo* bij wijze van spreken; *¡que lo diga!* zegt u dat wel!; *el qué dirán* wat de mensen (ervan) zeggen; *que ya es* ~ en dat wil wat zeggen; *querer* ~*: a)* bedoelen; *b)* betekenen; *¡quién lo diría!* wie had dat gedacht!; *Ud. dirá* u moet het maar zeggen; 2 luiden; *¿qué dice el periódico?* wat staat er in de krant?; *el refrán dice* het spreekwoord luidt; 3 (*fig*) aanspreken, zeggen; *no me dice nada* het spreekt me niet aan; II *m* zegswijze; *es un* ~*: a)* het is maar bij wijze van spreken; *b)* pakweg

decisión *v* 1 beslissing; ~ *de los árbitros* uitspraak van arbiters; ~ *final* eindbeslissing; 2 besluit; *toma de -ones* besluitvorming; 3 beslistheid, doortastendheid; **decisivo** beslissend, doorslaggevend, bepalend

declamación *v* voordracht, declamatie; **declamador, -ora** voordrachtskunstenaar, -kunstenares; **declamar** voordragen, declameren, opzeggen; *arte de* ~ voordrachtskunst; **declamatorio** hoogdravend, plechtig

declaración *v* 1 verklaring; ~ *de aduana* douaneverklaring; ~ *de amor* liefdesverklaring; ~ *jurada* beëdigde verklaring; ~ *de nulidad* nietigverklaring, vervallenverklaring; ~ *de principios* beginselverklaring; ~ *de testigos* getuigenverklaring; *hacer una* ~, *prestar* ~ een verklaring afleggen; *toma de* ~ verhoor; *tomar* ~ *a* (*getuige*) horen; 2 aangifte, opgave; ~ *fiscal,* ~ (*de la renta*) belastingaangifte; ~ *de nacimiento* geboorteaangifte; (*impreso de*) ~ aangiftebiljet; 3 afkondiging (*van staking*); **declarante** *m,v* iem die verklaart, declarant(e); **declarar** 1 verklaren; een verklaring afleggen; ~ *en contra de* getuigen tegen; ~*se a favor de u.c.* zich voor iets verklaren; ~ *en quiebra* failliet verklaren; ~ *en rebeldía* verstek verlenen; *tener que* ~ moeten getuigen, op het (politie)-bureau moeten komen; 2 (*bij douane; geboorte*) aangeven, aangifte doen; 3 (*staking*) afkondigen, uitroepen; 4 (*bridgesp*) bieden; **declararse** 1 ontstaan, uitbreken; 2 zijn liefde verklaren

declinación *v* 1 afwijking, declinatie; 2 teruggang; 3 (*gramm*) verbuiging; **declinar** I *tr* 1 (*aanbod*) afwijzen, afslaan, bedanken voor; 2 (*gramm*) verbuigen; II *intr* 1 achteruitgaan, tanen; vervallen; 2 (*mbt dag*) ten einde neigen, dalen; 3 ~ *de* afwijken van

declive *m* helling; steilte; *en* ~ schuin aflopend, hellend; *estar en* ~ hellen

decolonización *v* dekolonisatie; **decolonizador**: *proceso* ~ dekolonisatieproces

decoloración *v* verbleking, ontkleuring; **decolorante** *m* bleekmiddel; **decolorar** bleken, ontkleuren; **decolorarse** verbleken, verkleuren, verschieten

decomisar confisqueren, verbeurd verklaren;

decomiso beslag, verbeurdverklaring

decoración *v* 1 ~ (*interior*) binnenhuisarchitectuur, woninginrichting; aankleding, stoffering; 2 (*theat*) decor; **decorado** (*theat*) decor;

decorador, -ora binnenhuisarchitect(e); ~ (*de escaparates*) etaleur, etaleuse; **decorar** (*huis*) inrichten, stofferen; **decorativo** decoratief

decoro 1 decorum, stijl; *mantener el* ~ zijn stand ophouden; 2 fatsoen; **decoroso** keurig, netjes, fatsoenlijk

decrecer afnemen, verminderen; **decrecimiento** vermindering

decrépito afgeleefd, aftands; bouwvallig; **decrepitud** *v* aftandsheid, verval; bouwvalligheid

decretar verordenen; (*mbt rechter*) beslissen

decreto decreet; verordening; ~ *ley* wetsdecreet

decúbito (*mbt lichaam*) in liggende houding; ~ *prono* voorover (liggend); ~ *supino* op de rug (liggend)

décuplo tienvoud

dedada 1 vingervol; *una* ~ *de miel: a)* een likje honing; *b)* een doekje voor het bloeden; 2 vuile vinger(afdruk); **dedal** *m* 1 vingerhoed; 2 vingerbeschermer

dédalo doolhof, wirwar

dedicación *v* 1 toewijding, inzet; plichtsbesef; 2 opdracht (*in boek*); 3 werktijd; ~ *absoluta,* ~ *exclusiva,* ~ *plena* volle werktijd, volledige dagtaak; **dedicar** (*a*) wijden (aan), besteden (aan); bestemmen (voor); (*een boek*) opdragen (aan); **dedicarse**: ~ *a* zich wijden aan, beoefenen, zich toeleggen op; **dedicatoria** opdracht (*in boek*)

dedil *m* vingerbeschermer; **dedillo**: *al* ~ op zijn duimpje (*kennen*); **dedo** 1 vinger; ~ *anular* ringvinger; ~ *del corazón,* ~ *medio* middelvinger; ~ *gordo,* ~ *pulgar* duim; ~ *índice* wijsvinger; ~ *meñique* pink; *a* ~*: a)* willekeurig, met de natte vinger; *b)* (*mbt benoeming*) uit vriendjespolitiek; *a dos* ~*s de* vlak bij, op de rand van; *chuparse los* ~*s* zijn vingers aflikken; *cogerse los* ~*s: a)* zijn vingers knellen; *b)* erbij zijn, zich verrekend hebben; *cruzar los* ~*s* (*vglbaar*) duimen (*voor goede afloop*); *dale un* ~ *y se tomará hasta el codo* geef hem een vinger en hij pakt de hele hand; *hacer* ~*s* vingeroefeningen doen; *se le hacen los* ~*s huéspedes: a)* hij is erg argwanend, hij ziet overal spoken; *b)* hij maakt zich weer illusies; *mamarse el* ~ dom zijn; *meterle a u.p. los* ~*s en la boca* iem aan het praten krijgen, iem uithoren; *morderse los* ~*s* berouw hebben, zich verbijten; *no chuparse el* ~ slim zijn, niet op zijn achterhoofd gevallen zijn; *no mover un* ~ geen vinger uitsteken; *no tener dos* ~*s de frente* heel dom zijn; *no ver los* ~*s de la mano* geen hand voor ogen zien; *poner el* ~ *en la llaga* de vinger op de zere plek leggen; *poner a u.p. los cinco* ~*s en la cara* iem een klap in zijn gezicht geven; *señalar con el* ~: *a*) met de vinger aanwijzen; *b*) nawijzen; *teniendo cuatro* ~*s de frente* met een beetje gezond verstand; 2 ~ (*del pie*) teen; **dedocracia** systeem van vriendjespolitiek

deducción *v* 1 (*rekenk*) aftrekking; 2 aftrek(post); ~ *de impuestos* belastingaftrek; 3 conclusie; **deducible** aftrekbaar; **deducir** 1 aftrekken, korten, inhouden; 2 ~ *de* afleiden uit, concluderen uit, opmaken uit; **deducirse** (*de*) blijken (uit); *de esto se deduce* hieruit valt af te leiden; **deductivo** logisch concluderend

defacto (*ook: de facto*) in feite

defecación *v* (*med*) ontlasting; **defecar** (*med*) ontlasting hebben

defección *v* afvalligheid

defectivo 1 gebrekkig; 2 (*verbo*) ~ defectief werkwoord (*dwz waarvan niet alle vormen voorkomen*); **defecto** 1 (het) ontbreken, afwezigheid, ontstentenis; *en* ~ *de* bij afwezigheid van; *por* ~ (*bij afronden*) naar beneden; 2 fout, gebrek; defect, mankement, tekortkoming; slechte eigenschap; ~ *fisico* lichaamsgebrek; ~ *del habla* spraakgebrek; ~ *oculto* verborgen gebrek; ~ *de tejedura* weeffout; *poner* ~*s* aanmerkingen maken; **defectuoso** gebrekkig, onvolledig, onvolmaakt

defender ie 1 verdedigen, opkomen voor; 2 (*belangen*) behartigen; ~ *de, contra* verdedigen tegen, beschermen tegen; **defenderse ie** 1 zich verdedigen, zich (ver)weren; 2 zich redden (*bv in vreemde taal*); het rooien, het bolwerken; ~ *con* zich behelpen met; **defendible** verdedigbaar

defenestrar uit het raam gooien; (*fig*) aan de kant zetten

defensa 1 verdediging, verweer, afweer; ~ *antiaérea* luchtafweer; ~ *propia* zelfverdediging; *en* ~ *de* ter verdediging van; *legítima* ~ noodweer; *salir a la* ~ *de, salir en* ~ *de* op de bres springen voor; 2 ~ (*nacional*) defensie; 3 bescherming; ~ *de intereses* behartiging van belangen; 4 muurtje (*langs weg*); 5 (*scheepv*) stootkussen; 6 *m,v* (*sp*) achterspeler, -speelster, back; **defensivo** defensief, verdedigend; *actitud -a* afweerhouding; *arma -a* verdedigingswapen; *estar en la -a* in het defensief zijn; *ponerse a la -a* een defensieve houding aannemen; **defensor, -ora** verdedig(st)er, pleitbezorg(st)er, pleit(st)er, voorvecht(st)er; ~ *del pueblo* ombudsman, -vrouw

deferencia 1 respect, eerbied; 2 beminnelijkheid; **deferente** 1 eerbiedig; 2 beminnelijk; **deferir ie, i** (*a, con*) uit beleefdheid instemmen (met), zich voegen (naar); zo vriendelijk zijn (om)

deficiencia gebrek; tekortkoming; ~ *de* tekort aan; ~ *mental* achterlijkheid; *las* ~*s del sistema* de fouten vh systeem; *por* ~ *en las pruebas* wegens gebrek aan bewijs; **deficiente** 1 gebrekkig; onvolledig, ondeugdelijk; 2 gehandicapt, onvolwaardig; ~ *fisico* lichamelijk gehandicapt; ~ *mental* geestelijk gehandicapt

déficit *m* tekort; ~ *de caja* kastekort; ~ *de financiación* financieringstekort; ~ *de viviendas* tekort aan woningen; **deficitario** een tekort vormend; *saldo* ~ nadelig saldo

definible definieerbaar; **definición** *v* 1 definitie, omschrijving, (begrips)bepaling; *por* ~ per definitie; 2 (*tv*) definitie; ~ *de la imagen* beeldscherpte; **definido** 1 (*duidelijk*) bepaald, (*fig*) omlijnd; 2 (*gramm*) bepaald; *zie pretérito*; **definir** definiëren, omschrijven, bepalen; preciseren, omlijnen; ~ *su objetivo* zich een doel stellen; **definirse** zich duidelijk uitspreken; **definitivo** definitief; *en -a: a*) definitief, voorgoed; *b*) al met al, kortom; *juicio* ~ eindoordeel; *obra -a* standaardwerk; *sacar en -a* concluderen

deflación *v* deflatie

deflagración *v* verbranding; **deflagrar** ontvlammen, verbranden

defoliante *m* ontbladeringsmiddel; **defoliar** ontbladeren

deforestación *v* ontbossing, kaalslag

deformación *v* vervorming; beschadiging; ~ *profesional* beroepsdeformatie; **deformador, -ora** vervormend; *espejo* ~ lachspiegel; **deformar** vervormen; misvormen, schenden; **deformarse** vervormd raken; vormeloos worden; (*mbt hout*) trekken; **deforme** vervormd, mismaakt; **deformidad** *v* vervorming, mismaaktheid, misvormdheid

defraudación *v* bedrog; ~ *fiscal* belastingontduiking; **defraudador, -ora I** *bn* 1 teleurstellend; 2 bedrieglijk; **II** *zn* bedrieg(st)er; ~ *del fisco* belastingontduik(st)er; **defraudar** 1 teleurstellen, tegenvallen; ~ *la confianza* het vertrouwen beschamen; 2 bedriegen, oplichten; (*betaling*) ontduiken; ~ *al fisco* de belasting ontduiken

defunción *v* (het) overlijden, sterfgeval

degeneración *v* verwording, degeneratie; **degenerar** (*en*) ontaarden (in), verworden (tot); verslechteren

deglución *v* (het) inslikken; **deglutir** inslikken

degollación *v* (het) kelen, (het) onthoofden; *la* ~ *de los inocentes* de kindermoord te Bethlehem; **degollar ue** 1 de keel afsnijden, kelen; onthoofden; 2 (*fig*) vermoorden, verpesten; ~ *la pieza* het stuk vermoorden, het stuk heel slecht spelen; **degollina** bloedbad, slachting (*ook fig, bv bij examen*)

degradación *v* 1 achteruitgang (*bv van buurt*), verpaupering; verloedering; 2 degradatie, verlaging in rang; **degradante** vernederend; **degradar** 1 degraderen, in rang verlagen; 2 (*fig*) verlagen, (doen) verloederen; **degradarse** zich verlagen, verloederen

degüello bloedbad, slachting; *entrar a ~* iedereen in de pan hakken (*bij verovering*); *tirar a ~* het op iems ondergang voorzien hebben

degustación *v* proeverij, (het) proeven, (het) keuren; **degustar** proeven, keuren

dehesa weiland

deicida *m,v* moordenaar of moordenares van een god (*meestal van Christus*); **deidad** *v* godheid; **deificar** vergoddelijken, vergoden

dejación *v* 1 afstand (*bv van recht*); 2 verwaarlozing (*van plicht*); *hacer ~ de* verwaarlozen; **dejadez** *v* slordigheid; **dejado** 1 laks, slordig; 2 futloos, terneergeslagen || *~ de la mano de Dios* van God en de mensen verlaten; **dejar** 1 achterlaten, verlaten; 2 laten, laten rusten; *¡deja!: a*) geef eens hier; *b*) hou op!; *¡déjalo!, ¡deja eso!: a*) laat maar; *b*) hou op, hou er maar over op; *¡déjame!* laat me gaan!, laat me los!; *~ aparte, ~ fuera* buiten beschouwing laten; *~ atrás* achter zich laten; *~ a su mujer* zijn vrouw verlaten; *~ una mujer y dos hijos* een vrouw en twee kinderen nalaten; *~* (*para otro día*) uitstellen; *~ la universidad* ophouden met studeren; 3 neerzetten, neerleggen; *~ en la calle a u.p.* iem op straat zetten; *~ en la esquina* op de hoek afzetten; *¿dónde lo dejo?* waar zal ik het laten?, waar zal ik het neerzetten?; 4 (*erfenis*) nalaten; vermaken; 5 ~ (+ *onbep w*) laten; *~se decir* zich laten ontvallen; *~ que desear* te wensen overlaten; *~ hacer* zijn gang laten gaan; *déjame hacer a mí* laat het maar aan mij over; *~ pasar* doorlaten; *~ ver* laten zien, (*iets*) voordoen; 6 ~ (+ *bn*), ~ (+ *volt dw*) maken, in een bep toestand brengen; *~ mudo* doen verstommen; *~ perplejo* versteld doen staan; *~ sentado* vastleggen; *~ sentado que* vooropstellen dat; *~ sin efecto* (*regeling*) buiten werking stellen; 7 *~ de: a*) nalaten om, verzuimen om; *b*) ophouden met; *~ de beber* stoppen met drinken, het drinken laten; *no dejes de avisarme* waarschuw me vooral; *no dejaré de escribirte* ik zal je beslist schrijven || *~la* afkicken; **dejarse** 1 ~ + *onbep w* zich laten...; *~ caer: a*) zich laten vallen; *b*) zich laten terneerslaan; *c*) even langswippen; *~ ir* zich laten gaan, loskomen; 2 zich verwaarlozen; 3 *~ de* ophouden met; *déjate de tonterías* hou maar op met die onzin; **dejo** 1 vleugje, zweem; 2 toontje (*bij spreken*), licht accent

de jure rechtens

del van de, van het; *~ niño* van het kind

delación *v* aangifte, aanklacht

delantal *m* schort, voorschoot; **delante** I *bw* voorop, van voren, aan de voorkant, ervoor; *ir ~* vooroplopen; *tener ~* (*iem iets*) voorhouden; *tener por ~* voor de boeg hebben; II *vz: ~ de* voor (*ivm plaats*); in bijzijn van; *~ de sus ojos* voor zijn ogen; *pasar por ~ de u.c.* voor iets langs lopen; **delantera** 1 voorste deel; voorpand; 2 voorsprong; *tomar la ~ a u.p.* vóór iem komen, een voorsprong krijgen op iem, iem de loef afsteken; 3 (*theat*) voorste rij;

delantero I *bn* zich vooraan bevindend, voorop; *faro ~* koplamp; II *zn* (*sp*) voorhoedespeler; *~ centro* midvoor

delatador, -ora die aangeeft, die aanklaagt; (*fig*) verradend; **delatar** aangeven; verklikken, verraden; **delator, -ora** I *zn* aanbreng(st)er, verrader, verraadster, verklikker, verklikster; II *bn* verradend, veelzeggend

delectación *v* genot

delegación *v* 1 delegatie, afvaardiging; 2 (*officieel*) plaatselijk kantoor, afdeling; **Delegación** *v: ~ de Hacienda* (*vglbaar*) belastingkantoor, ontvangkantoor; **delegado, -a** afgevaardigde, gecommitteerde; **delegar** afvaardigen; *~ en* delegeren aan

deleitar genot verschaffen; **deleitarse** (*con en*) genieten (van); **deleite** *m* genot; **deleitoso** heerlijk, verrukkelijk

deletrear spellen; **deletreo** (het) spellen

deleznable 1 broos, bros; 2 vergankelijk zwak

delfín *m* 1 dolfijn; 2 (*hist*) Franse kroonprins

delgadez *v* magerte; slankheid; **delgadito** magertjes; **delgado** 1 dun; mager; tenger, slank *hilar ~* een Pietje precies zijn; 2 (*mbt water*) zacht; **delgaducho** magertjes, iel, spichtig

deliberación *v* 1 bespreking, overleg; *-ones* beraadslagingen, overleg; *-ones sindicales* vakbondsoverleg; 2 beraad, overweging; **deliberadamente** moedwillig, met opzet, willens en wetens, bewust; **deliberado** 1 welbewust, weloverwogen; 2 opzettelijk, moedwillig; **deliberar** over'leggen; *~ sobre: a*) beraadslagen over; *b*) zich beraden over

delicadeza 1 teerheid, zachtheid; 2 kiesheid tact, gevoeligheid; *falta de ~* gebrek aan tact 3 (*verfijnde*) attentie; 4 zwakte (*van gezondheid*); **delicado** 1 teer, fijn, zacht; verfijnd; 2 gevoelig, subtiel, fijnbesnaard, kies; kieskeurig; *poco ~* tactloos; 3 zwak (*van gezondheid*) (over)gevoelig; kleinzerig; 4 netelig, pijnlijk precair

delicia iets heerlijks, weldaad, zaligheid; *una ~ de niño* een schat van een kind, een heerlijk kind; *con ~* behaaglijk; **delicioso** heerlijk verrukkelijk, weldadig

delictivo, delictuoso strafbaar, misdadig

delimitación *v* afbakening, begrenzing; **delimitar** afbakenen, begrenzen

delincuencia criminaliteit, misdadigheid; *~ juvenil* jeugdcriminaliteit; **delincuente** *m,v* delinquent(e), misdadig(st)er; *~ habitual* beroepsmisdadiger

delineante *m,v* bouwkundig tekenaar; **delinear** uittekenen, schetsen

delinquir een misdrijf begaan

delirante 1 ijlend; 2 (*mbt applaus*) stormachtig; **delirar** 1 ijlen (*van koorts*); 2 wartaal uitslaan, gek zijn; 3 *~ por* stapelgek zijn op

delirio 1 (het) ijlen; delirium; 2 waan; waanzinnige hartstocht; *~ de grandezas* grootheidswaan

delito misdrijf, delict, vergrijp; wandaad; ~ *de fraude* fraude; ~ *de fuga* (*vglbaar*) doorrijden na ongeval, (*Belg*) vluchtmisdrijf; ~ *de incendio* brandstichting; ~ *contra la moral,* ~ *sexual* zedendelict; *cometer un* ~ een misdrijf begaan
delta *m* (*aardr*) delta; **deltoide**: (*avión*) ~ *m* deltavliegtuig
demacración *v* ernstige vermagering; **demacrado** vermagerd, uitgemergeld, uitgeteerd
demagogia demagogie; **demagógico** demagogisch; **demagogo, -a** demagoog, -goge, volksmenner
demanda 1 (*econ*) vraag; *atender a la* ~ in de vraag voorzien; *hubo* (*una*) *gran* ~ *de* er was grote vraag naar; **2** (*jur*) eis; *admitir una* ~ een eis ontvankelijk verklaren; *presentar una* ~ *contra* een eis indienen tegen; **3** streven, poging || *en* ~ *de* vragend om, op zoek naar; **demandado, -a** gedaagde; **demandante** *m,v* eiser(es); ~ *de empleo* werkzoekende; **demandar 1** (*jur*) eisen, vorderen; **2** wensen
demarcación *v* **1** afbakening; **2** rayon; **demarcar** afbakenen
demás *bn, onv* (*voorafgegaan door el, la, lo, los, las*) overige, andere; *lo* ~ de rest; *los* ~ de anderen, de overigen; *las* ~ *casas* de andere huizen; *en los* ~ *casos* in de overige gevallen; *por lo* ~ overigens, trouwens; **demasía 1** overmaat; *en* ~ overmatig, buitensporig, uiterst; **2** onbeschaamdheid; vermetelheid; misdrijf; exces; **demasiado I** *bn* teveel; *-as cosas* teveel dingen; *es* ~ *para mí* het wordt mij te machtig; **II** *bw* te; ~ *grande* te groot
demencia dementie; waanzin; **demente** dement; waanzinnig
demérito tekort, gebrek
democracia democratie; **demócrata** *m,v* democraat, democrate; **democrático** democratisch; **democratización** *v* democratisering; **democratizar** democratiseren
democristiano christen-democratisch
demografía demografie; **demográfico** demografisch; *excedente* ~ bevolkingsoverschot; *oleada -a* geboortengolf
demoledor, -ora afbrekend, vernietigend; **demoler ue** afbreken, slopen, vernielen; **demolición** *v* afbraak, sloop
demonio 1 duivel; *¡~!* verdorie!; *darse a todos los ~s* tekeergaan, vloeken en tieren; *de mil ~s, de todos los ~s* heidens, enorm; **2** lastpak || *a ~s* heel vies
demora vertraging, oponthoud; *sin* ~ terstond, onverwijld; **demorar** vertragen, uitstellen; **demorarse 1** dralen, talmen; zich (*ergens*) ophouden; **2** zich verlaten
demostrable aanwijsbaar; **demostración** *v* **1** demonstratie; vertoon; ~ *de gratitud* dankbetuiging; ~ *de poder* machtsvertoon; **2** (het) aantonen, bewijs; **demostrar ue** aantonen, bewijzen, demonstreren; **demostrativo 1** demonstratief, duidelijk; *un ejemplo* ~ een duidelijk voorbeeld; **2** (*gramm*) aanwijzend
demudado verwrongen; **demudarse** zichtbaar van streek raken, van kleur verschieten; *sin* ~ zonder blikken of blozen
denegación *v* **1** weigering, afwijzing; **2** ontkenning, loochening; **denegar ie** *tr* **1** weigeren, afwijzen; **2** ontkennen; ~ *con la cabeza* nee schudden
dengue *m* **1** aanstellerij, kieskeurigheid; *hacer ~s* zich aanstellen; **2** aansteller; **3** bep tropenkoorts; **dengoso** gemaakt, aanstellerig
denigración *v* beschimping; **denigrante** kwetsend, vernederend; **denigrar** kleineren, afgeven op, afkammen
denodado dapper, onvervaard
denominación *v* naam, benaming; **denominador, -ora I** *bn* benoemend; **II** *m* (*rekenk*) noemer
denostar ue beledigen
denotar aanwijzen, wijzen op, duiden op, aangeven
densidad *v* dichtheid; ~ *de audiencia* kijkcijfers; ~ *de población* bevolkingsdichtheid; **denso 1** dicht, compact; *niebla -a* dichte mist; **2** (*mbt boek, betoog*) rijk aan inhoud; gedegen
dentado I *bn* getand, gekarteld; *cuchillo* ~ kartelmes; **II** *zn* tanding; **dentadura** gebit; ~ *postiza* kunstgebit; **dental, dentario** vd tanden, tand-; *esmalte* ~ tandglazuur; **dentellada** beet; **dentellado** gekarteld; **dentellar** kartelen; **dentición** *v* (het) tanden krijgen; **dentífrico I** *bn: pasta -a* tandpasta; **II** *zn* tandpasta; **dentirrostro** tandsnavelig; **dentista** *m,v* tandarts
dentro I *bw* binnen; erin, binnenin; *hacia* ~ binnenwaarts; *por* ~ *y por fuera* van binnen en van buiten; **II** *vz:* ~ *de* **1** (*ivm plaats*) binnen; ~ *de la casa* binnenshuis; **2** (*ivm tijd*) over; ~ *de un mes* over een maand, binnen een maand; ~ *de poco* binnenkort
denuedo moed, voortvarendheid; inzet
denuesto belediging
denuncia 1 aangifte; beschuldiging; *presentar* ~ een aanklacht indienen; **2** ~ *de un tratado* opzegging van een verdrag; **denunciador, -ora, denunciante** *m,v* aanbreng(st)er, aangever, -geefster; **denunciar 1** aanbrengen, aangeven, aanklagen; **2** aan de kaak stellen, openlijk veroordelen; **3** (*verdrag*) opzeggen; **4** wijzen op; verraden, onthullen
deparar bereiden, bezorgen, verschaffen, aanbieden
departamental departementaal; **departamento 1** afdeling; ~ *de personal* personeelsafdeling; ~ *de ventas* verkoopafdeling; **2** departement, ministerie; **3** coupé, compartiment; ~ *de fumadores* rookcoupé; **4** (*Am*) flat, appartement
departir (*lit*) converseren
depauperación *v* verzwakking; verarming; **depauperar 1** verzwakken; **2** (doen) verarmen; **depauperarse 1** verzwakken; **2** verarmen, verpauperen

dependencia 1 afhankelijkheid; 2 bijgebouw; 3 afdeling (*op kantoor*); 4 bijkantoor; 5 personeel; 6 ~*s* vertrekken; **depender** (*de*) afhankelijk zijn (van), afhangen (van); ressorteren (onder); *depende* dat hangt ervan af; *en lo que de mí depende* voorzover het van mij afhangt; *todo depende* alles is betrekkelijk; **dependienta** verkoopster, winkelmeisje; **dependiente** I *bn* afhankelijk; II *m* verkoper, winkelbediende

depilación *v* ontharing; **depiladora** ontharingsapparaat; **depilar** ontharen

deplorable betreurenswaardig, erbarmelijk, ellendig, treurig; **deplorar** betreuren

deponer I *tr* 1 (*de wapens*) neerleggen; 2 (*hoge ambtenaar*) afzetten; II *intr* (*jur*) een verklaring afleggen

deportación *v* deportatie; **deportar** deporteren

deporte *m* sport; ~ *al aire libre* buitensport; ~ *hípico* paardesport; ~ *de invierno* wintersport; ~ *náutico* watersport; ~*s sobre pista* baansporten; ~ *en sala* zaalsport; *hacer* ~ aan sport doen; **deportista** I *bn* sportief; II *m,v* sportman, -vrouw, sportliefhebber, -liefhebster; **deportividad** *v* sportiviteit; **deportivo** I *bn* 1 vd sport, sport-; *noticias -as* sportberichten; *puerto* ~ jachthaven; *resultados* ~*s* sportuitslagen; 2 sportief; II *zn* sportwagen

deposición *v* 1 afzetting (*uit ambt*); 2 verklaring voor de rechter; 3 (*med*) ontlasting; **depositante** *m,v* iem die (*iets*) in bewaring geeft; iem die geld stort; **depositar** 1 in bewaring geven, deponeren; (*geld*) storten, inleggen; ~ *una fianza* een borgsom storten; 2 plaatsen; ~ *un beso en* een kus drukken op; ~ *confianza en* vertrouwen stellen in; ~ *la esperanza en* zijn hoop vestigen op; ~ *en el suelo* op de grond zetten; **depositarse** bezinksel vormen, neerslaan; **depositario, -a** bewaarder, bewaarster; **depósito** 1 bewaring; *dar en* ~ in bewaring geven; *recibir en* ~ in bewaring nemen; 2 deposito; 3 opslagplaats; pakhuis; bergruimte; ~ *aduanero*, ~ *franco* entrepot; ~ *de armas* wapendepot; ~ *de cadáveres* lijkenhuisje; ~ *de chatarra* schroothoop; 4 (water)reservoir, bak; ~ *para vidrio* glasbak; 5 bezinksel; afzetting; ~ *aluvial* aanslibbing; 6 magazijn (*van geweer*)

depravación *v* verdorvenheid, bederf; ~ *moral* zedenbederf; **depravado** verdorven; **depravador, -ora** verderfelijk; **depravar** slecht maken, bederven

depreciación *v* waardevermindering; ~ *de la moneda* geldontwaarding; **depreciar** de prijs doen dalen van, de waarde verminderen van

depredación *v* plundering; verwoesting

depresión *v* 1 laagte, diepte, trog; 2 depressie, inzinking; laagconjunctuur; ~ *nerviosa* zenuwinzinking; 3 daling vd luchtdruk, depressie; **depresivo** 1 depressief; 2 vernederend; **deprimente** deprimerend; **deprimido** gedeprimeerd, bedrukt; **deprimir** deprimeren

deprisa haastig, snel; ~ *y corriendo* hals over kop, in allerijl

depuración *v* zuivering; (*Belg*) epuratie; **depurador, -ora** zuiverend; (*planta*) *-ora* zuiveringsinstallatie; **depurar** zuiveren; louteren; **depurativo** bloedzuiverend

derecha 1 rechterkant; *a la* ~, *hacia la* ~ rechts, rechtsom; *circular por la* ~, *llevar por la* ~ rechts houden; *el cuarto por la* ~ de vierde van rechts; *tomar por la* ~, *torcer por la* ~ rechts afslaan; 2 (*pol*) rechts, rechtervleugel; *ser de* ~*s* rechts zijn; **derechamente** 1 rechtstreeks; 2 rechtschapen, rechtmatig; **derechazo** klap met de rechterhand; (*bokssp*) rechtse; **derechismo** (*pol*) rechtsheid; **derechista** (*pol*) rechts; **derechización** *v* verrechtsing; **derecho** I *zn* recht; aanspraak; ~*s* rechten, leges; ~*s de aduana*, ~*s arancelarios* douanerechten; ~ *aéreo* luchtrecht; ~ *ambiental* milieurecht; ~ *de asilo* asielrecht; ~*s de autor* auteursrechten, royalties; ~ *civil* burgerlijk recht; ~*s civiles* burgerrechten; ~ *comparado* rechtsvergelijking; ~ *consuetudinario* gewoonterecht; ~*s de consumo* accijnzen; ~ *de cosas* zakenrecht; ~*s de custodia* bewaarloon; ~ *disciplinario* tuchtrecht; ~*s de entrada*, ~*s de importación* invoerrechten; ~ *exclusivo* alleenrecht; ~ *a la existencia* bestaansrecht; ~ *fiscal* belastingrecht; ~ *de gentes* volkenrecht; ~*s humanos* mensenrechten; ~ *internacional público* internationaal publiek recht; ~ *marítimo* zeerecht; ~ *mercantil* handelsrecht; ~*s de muelle*, ~*s de puerto* havenrechten; ~ *de participación* deelgerechtigdheid; ~ *al pataleo* (*fam*) recht om te protesteren; ~ *penal* strafrecht; ~ *personal*: *a*) personenrecht; *b*) persoonlijk recht; ~ *de preferencia* recht van voorkeur; ~ *privado* privaatrecht; ~ *procesal civil* burgerlijk procesrecht; ~ *público* staatsrecht; ~ *de las obligaciones* verbintenissenrecht; ~ *real* zakelijk recht; ~*s de sucesión* successierechten; ~ *de uso* gebruiksrecht; ~ *al veto* vetorecht; ~ *de voto*, ~ *a votar* kiesrecht; *con* ~ *a la jubilación* pensioengerechtigd; *con pleno* ~ met het volste recht; *conforme a* ~, *según* ~ volgens de wet; *dar* ~ *a* recht geven op; *de* ~, *en* ~ rechtens; *de pleno* ~ (*mbt lid*) volwaardig; *estar en su* ~ in zijn recht staan; *exento de* ~*s* vrij van rechten; *hacer valer un* ~, *valerse de un* ~ van een recht gebruik maken; *no hay* ~ dat is geen manier, dat kan niet door de beugel, dat is geen stijl; *en perfecto* ~ het volste recht; *reservados todos los* ~*s* alle rechten voorbehouden; *ser de* ~ wettig zijn; *tener* ~ *a* recht hebben op, aanspraak kunnen maken op; *tener el* ~ *de* het recht hebben om; II *bn* 1 (lijn)recht; rechtop, overeind; recht (*bij breien*); ~ *del este* (*mbt wind*) pal uit het oosten; *del* ~ met de goede kant voor of boven; *ponerse* ~ recht gaan zitten; *un punto* ~ (*bij breien*) één recht; (*todo*) ~, *a*) rechtdoor; *b*) regelrecht; *una vuelta al, del* ~ (*bij breien*) een pen recht; 2 rechter-; *mano -a*

rechterhand || *a ~s* goed, zoals het hoort; **derechohabiente** *m,v* rechthebbende
deriva (het) afdrijven, drift; *hielos a la ~* drijfijs; *irse a la ~* afdrijven, op drift raken; **derivación** *v* 1 aftakking; 2 (woord)afleiding; afgeleide vorm; **derivada** (*wisk*) (*función*) ~ afgeleide functie; **derivado** I *bn* afgeleid; *circuito ~* (*elektr*) groep; *producto ~* bijprodukt; II *zn* 1 (*chem*) derivaat; 2 (*gramm*) afleiding; **derivar** I *tr* 1 (een andere kant op) leiden; aftappen; 2 ~ (*de*) afleiden (van), ontlenen (aan); *~ un derecho de* een recht ontlenen aan; 3 (*woord*) afleiden; 4 (*wisk*) (*een functie*) afleiden; II *intr* 1 (*mbt schip*) afdrijven; 2 *~ de* voortkomen uit; **derivarse** 1 *~ de* afstammen van; voortkomen uit; 2 *~ hacia* gaan in de richting van; **derivativo** derivatief
dermatitis *v* huidontsteking; **dermatología** dermatologie; **dermatólogo, -a** dermatoloog, -loge
derogación *v* afschaffing, annulering; **derogar** afschaffen; herroepen, intrekken; **derogatorio** afschaffend, ter annulering
derrama (hoofdelijke) omslag, verdeling van belasting over de bewoners; **derramamiento** (het) vergieten, (het) morsen, uitstorting; verspreiding; *~ de sangre* (het) bloedvergieten; **derramar** 1 morsen; (*glas*) omgooien; *~ lágrimas* tranen storten; *~ sangre* bloed vergieten; 2 uitstrooien, verspreiden; 3 (*belasting*) verdelen over de bewoners; **derramarse** uitvloeien; zich verspreiden; **derrame** *m* 1 uitstorting, verspreiding, (het) morsen; 2 lekkage; gelekt vocht; 3 (*med*) vloeiing; *~ de sangre* bloeduitstorting, bloedverlies; *~ sinovial* vocht in gewricht
derrapar (*mbt auto*) slippen, uit de bocht vliegen; **derrape** *m* slip (*door auto*)
derredor: *en ~* rondom, eromheen
derrengado gammel, doodmoe; **derrengar ie** 1 de ruggegraat breken van; 2 zeer vermoeien, kapot maken; **derrengarse ie** 1 zijn lendenen breken; *~ al levantar u.c.* zich vertillen; 2 uitgeput raken, (*fig*) kapot gaan
derretimiento (het) smelten; *punto de ~* smeltpunt; **derretir i** (doen) smelten; **derretirse i** smelten
derribar omgooien, omtrekken, omverwerpen, slopen, vellen; afbreken; neerschieten; neerslaan; **derribo** 1 afbraak, sloop; *empresario de ~s* aannemer van sloopwerken; 2 puin
derrocamiento omverwerping; **derrocar** omverwerpen
derrochador, -ora verkwistend; **derrochar** verkwisten, verbrassen; **derroche** *m* 1 verkwisting, verspilling; 2 overvloed
derrota 1 nederlaag; *~ aplastante* verpletterende nederlaag; 2 (*scheepv*) koers; **derrotado** 1 verslagen; 2 versleten, kapot; **derrotar** verslaan; vernietigen; **derrote** *m* opwaartse hoornstoot (*door stier*); **derrotero** richting, koers; **derrotismo** defaitisme; **derrotista** defaitistisch
derruir slopen, neerhalen
derrumbadero steile wand, steilte, afgrond; **derrumbado** onderuit gezakt (*zitten*); **derrumbamiento** instorting; **derrumbar** slopen, neerhalen; doen instorten; **derrumbarse** in(een)storten, in elkaar zakken; (*mbt prijzen*) kelderen; **derrumbe** *m* instorting
derviche *m* derwisj
desabollar uitdeuken
desaborido 1 smakeloos; (*fig*) zonder kraak of smaak, zouteloos; 2 (*mbt persoon*) saai; **desabrido** 1 smakeloos, zouteloos; 2 nors, gemelijk, onvriendelijk, stuurs; 3 (*mbt klimaat*) guur, ruw
desabrigar het dek wegnemen; *ir desabrigado* te dun gekleed gaan
desabrochar losmaken, losknopen
desacatamiento *zie desacato*; **desacatar** 1 oneerbiedig bejegenen; 2 niet gehoorzamen; **desacato** 1 oneerbiedigheid; 2 belediging (*van ambtenaar in functie*)
desacertado verkeerd; **desacertar ie** er naast zitten, zich vergissen, een verkeerde keus doen; **desacierto** vergissing, misgreep
desacompasado uit de maat
desaconsejar afraden, ontraden
desacoplar afkoppelen
desacorde (*muz*) vals, ontstemd
desacostumbrado ongebruikelijk, ongewoon; **desacostumbrar** ontwennen; **desacostumbrarse** afleren, ontwennen, afwennen
desacreditado in diskrediet; **desacreditar** in diskrediet brengen, blameren
desacuartelar (*troepen*) uit de kazerne halen
desacuerdo meningsverschil, onenigheid; gebrek aan overeenstemming
desafecto I *bn*: *~* (*a*) afkerig (van); onverschillig (jegens); II *zn*: *~* (*hacia*) afkeer (van); onverschilligheid (jegens)
desafiante uitdagend; **desafiar í** 1 uitdagen, tarten; 2 trotseren, het hoofd bieden aan
desafilado bot, stomp; **desafilar** bot maken, stomp maken; **desafilarse** bot worden, stomp worden
desafinado (*muz*) vals, ontstemd; **desafinar** ontstemd zijn, vals klinken; geen wijs kunnen houden; **desafinarse** *zie desafinar*
desafío 1 uitdaging; 2 duel
desaforadamente in het wilde weg; bovenmatig; uit alle macht; **desaforado** extreem, buitensporig, uitzinnig
desafortunado 1 ongelukkig; 2 onfortuinlijk
desafuero baldadigheid, exces, onrechtmatigheid, brutaliteit, misbruik; *~s* straatschenderij
desagradable onaangenaam, onplezierig, akelig, onverkwikkelijk; **desagradado** misnoegd; **desagradar** ontstemmen, niet bevallen, mishagen
desagradecer ondankbaar zijn; **desagradecido** ondankbaar; **desagradecimiento** ondankbaarheid

desagrado ongenoegen, ontstemming; *mostrar* ~ ongenoegen doen blijken; *tener gesto de* ~ zuinig kijken
desagraviar (*een belediging*) goedmaken; ~ *a u.p.* iem genoegdoening geven voor een belediging; **desagravio** (*de*) (het) goedmaken (*van belediging*), genoegdoening (voor); *en* ~ *de* als schadeloosstelling voor (*een onrecht*)

desaguadero afwatering; uitwateringskanaal; **desaguar** I *tr* droogmaken; lozen, spuien; II *intr* 1 ~ *en* afwateren in; uitmonden in; 2 ~ *por* weglopen via; **desaguarse** afwateren; **desagüe** *m* 1 afvoer(buis); 2 afwatering, lozing, uitwatering
desaguisado I *bn* onterecht, onredelijk, onbillijk; II *zn* 1 overtreding, onrecht, misstap; 2 mankement; 3 iets onhandigs; iets stouts
desahogado 1 (*mbt kamer, kleding*) ruim; 2 (*mbt leefwijze*) ruim, royaal; *un empleo* ~ een heel goede baan; *vivir* ~ ruimschoots kunnen rondkomen; 3 (*fam*) brutaal, vrijmoedig; **desahogar** 1 (*gevoelens*) de vrije loop laten; ~ (*su pena*) *en* (zijn verdriet) afreageren op; 2 (*het verkeer*) ontlasten; **desahogarse** 1 zijn hart uitstorten, zijn hart luchten; ~ *con u.p.* iem eens flink de waarheid zeggen; ~ *en u.p. de u.c.* iets op iem afreageren; ~ *llorando* uithuilen; 2 zich van schulden bevrijden; **desahogo** 1 ontboezeming; opluchting, verlichting; 2 ruimheid (*van kamer*); 3 ~ (*económico*) materiële welstand, goede doen; *vivir con* ~ royaal kunnen leven; 4 vrijmoedigheid
desahuciar 1 iedere hoop ontnemen; (*een zieke*) opgeven; *desahuciado* ten dode opgeschreven, hopeloos; 2 ~ *a u.p.* iem de huur opzeggen; iem zijn huis uitzetten; **desahucio** uitzetting (*van huurder*)
desairado 1 gekwetst; 2 weinig eervol; *quedarse en una situación -a* in zijn hemd staan; **desairar** voor het hoofd stoten, bruuskeren; **desaire** *m* 1 kwetsende handeling, belediging; *hacer un* ~ *a u.p.* iem voor het hoofd stoten; 2 (*techn*) ontluchting; **desaireación** *v* ontluchting
desajustado (*mbt deur*) ontzet; **desajustar** 1 losmaken; 2 ontregelen; ontwrichten; **desajuste** *m* 1 (het) uit elkaar halen; 2 ontregeling; 3 (het) niet aansluiten (*bv van onderwijs bij praktijk*)
desalado ijlings, hals over kop
desalar ontzouten
desalentado moedeloos, in de put; **desalentar ie** ontmoedigen; **desalentarse ie** ontmoedigd raken, versagen; **desaliento** moedeloosheid, neerslachtigheid; ontmoediging
desalfombrar de tapijten opnemen
desaliñado slordig, slonzig; **desaliño** slordigheid, onverzorgdheid
desalmado, -a (gewetenloze) schurk, snoodaard
desalojamiento ontruiming; **desalojar** 1 ontruimen; 2 (*iem*) eruit zetten; 3 (*water*) verplaatsen; **desalojarse** vertrekken, verhuizen; **desalojo** 1 ontruiming; 2 waterverplaatsing
desalquilar niet meer huren; ontruimen; *estar desalquilado* (*mbt huis*) leegstaan; **desalquilarse** (*mbt huis*) leeg komen te staan
desamarrar de kabels losgooien van (*schip*)
desambientado 1 (*mbt persoon*) uit zijn doen, niet op zijn gemak (*in vreemde omgeving*); 2 (*mbt zaak*) niet op zijn plaats, uit de toon vallend
desamor *m* 1 onverschilligheid; 2 vijandigheid
desamortización *v* secularisatie (*van kerkelijk onroerend goed*), (het) uit de dode hand brengen; **desamortizar** uit de dode hand brengen, seculariseren
desamparado hulpeloos; onverzorgd; **desamparar** in de steek laten, onverzorgd achterlaten, zijn handen van iets aftrekken; **desamparo** hulpeloosheid; verlatenheid
desamueblar de meubels verwijderen uit
desanclar de ankers lichten
desandar (*weg*) weer terug afleggen; ~ *lo andado* op zijn schreden terugkeren
desangramiento ernstig bloedverlies; **desangrar** 1 hevig doen bloeden; 2 geld afpersen; **desangrarse** hevig bloeden; doodbloeden
desanimación *v* moedeloosheid, landerigheid, matheid; **desanimado** moedeloos, mat, landerig, weinig geanimeerd; **desanimar** ontmoedigen, de moed benemen; afschrikken; **desanimarse** de moed verliezen; versagen; **desánimo** moedeloosheid, neerslachtigheid
desanudar (*veters, knoop*) losmaken
desapacibilidad *v* onvriendelijkheid; guurheid; **desapacible** onaangenaam; ruw; guur; onvriendelijk
desaparecer verdwijnen; tenietgaan; vermist raken; *hacer* ~ doen verdwijnen, verdrijven, wegwerken; **desaparecido** weg; vermist
desaparejar 1 (*schip*) aftakelen; 2 (*paard*) afzadelen, aftuigen
desaparición *v* verdwijning; ~ *por el foro* stille aftocht
desapasionado onpartijdig, nuchter, objectief
desapegarse (*de*) geen belangstelling meer hebben (voor); **desapego** onverschilligheid
desapercibido 1 ongemerkt; *pasar* ~ onopgemerkt blijven; 2 niet op zijn hoede, ergens niet op verdacht; onvoorbereid
desapoderado onbeheerst
desapolillar motvrij maken
desaprensión *v* ongegeneerdheid, gebrek aan consideratie; **desaprensivo** ongegeneerd, zonder scrupules
desaprobación *v* afkeuring; **desaprobar ue** afkeuren, veroordelen, laken; **desaprobatorio** afkeurend
desaprovechado 1 aan wie iets niet besteed is, die geen gebruik maakt van kansen; 2 onbenut; **desaprovechar** onbenut laten, verknoeien; (*tijd*) verlummelen
desarbolar (*scheepv*) van de masten ontdoen

desarmable afneembaar, uitneembaar; **desarmante** ontwapenend; **desarmar 1** ontwapenen; **2** demonteren, uit elkaar halen; (*tent*) afbreken; (*schip*) onttakelen; **desarme** *m* **1** ontwapening; **2** demontering; ~ *arancelario* afbraak van douanetarieven
desaromatizarse zijn geur verliezen
desarraigado ontworteld, ontheemd; **desarraigar 1** ontwortelen; **2** uitroeien, uitbannen; **desarraigo 1** ontworteling; **2** uitroeiing
desarrapado in lompen gehuld
desarreglado 1 slordig, wanordelijk, rommelig; **2** onklaar, niet in orde; *estar* ~ (*mbt klok ook*) van slag zijn; **desarreglar 1** in de war brengen, rommelig maken; **2** ontregelen, stuk maken; in de war sturen; **desarreglo 1** wanorde, rommel; **2** defect, (het) kapot zijn; **3** storing, stoornis
desarrollado ontwikkeld; *completamente* ~ volgroeid; **desarrollar** ontwikkelen (*ook fot*); tot ontwikkeling brengen; ontplooien; (*pk*) leveren; *el motor desarrolla 20 caballos* de motor levert 20 pk; **desarrollarse 1** zich ontwikkelen, (uit)groeien; zich ontplooien; **2** zich afspelen, verlopen; **desarrollo** ontwikkeling; groei; ontplooiing; verloop; ~ *incontrolado* wildgroei; ~ *muscular* spierontwikkeling; *ayuda al* ~ ontwikkelingshulp; *en* ~ in opkomst, in wording; *país en* (*vías de*) ~ ontwikkelingsland
desarrugar gladstrijken; rimpels wegwerken
desarticulación *v* ontwrichting; ontmanteling; (het) oprollen (*van bende*); **desarticular** ontwrichten; demonteren, uit elkaar halen; ontmantelen; (*bende*) oprollen; **desarticularse** ontwricht worden, uiteenvallen; (*mbt stoet*) uiteengaan
desaseado slordig, vuil, slonzig, morsig; **desaseo** rommeligheid; smerigheid
desasirse zich loswerken
desasistir in de steek laten
desasnar (*fam*) enige beschaving bijbrengen
desasosegado onrustig; **desasosegar ie** ongerust maken; **desasosegarse ie** ongerust worden; **desasosiego** onrust
desastrado 1 in vodden; **2** vuil, onverzorgd, smerig; **desastre** *m* ramp, onheil; ~ *aéreo* vliegramp; *es un* ~ alles loopt in het honderd, het is een puinhoop, het lijkt nergens naar; **desastroso** rampzalig
desatado 1 (*mbt schoen*) los, met losse veters; **2** (*mbt persoon*) losgeslagen; **desatar 1** losmaken; ~ *una campaña* een campagne ontketenen; **2** (*woede*) opwekken; **desatarse 1** losgaan; **2** uitbarsten (*in tranen, in woordenvloed*); (*mbt storm*) losbreken; ~ *contra* uitvaren tegen, uitvallen tegen; **3** vrijmoedig worden, zich niet langer beheersen
desatascar 1 (*leiding*) ontstoppen; losmaken (*uit beklemde positie*); **2** belemmeringen wegnemen, (*de weg*) vrijmaken
desatención *v* **1** gebrek aan aandacht; **2** onbeleefdheid; **desatender ie** ne'geren, naast zich neerleggen, geen gevolg geven aan, in de wind slaan; **desatendido** (*mbt zieke*) onverzorgd; **desatento 1** onoplettend; **2** onhoffelijk
desatinado 1 verkeerd, onjuist; dwaas, onzinnig; *la idea no es -a* het idee is niet gek; **2** (*mbt persoon*) de kluts kwijt, onbezonnen; **desatino 1** absurditeit, dwaasheid, gekkenwerk; ~*s* gebazel, onzin; **2** tactloosheid
desatornillar losschroeven
desatracar de kabels losgooien
desatrancar 1 ontgrendelen; **2** ontstoppen
desautorización *v* **1** intrekking van machtiging; **2** diskrediet; **3** ontkenning (*van bewering*); **desautorizar 1** geen toestemming geven tot, voor; **2** afkeuren; in diskrediet brengen; **3** ontkennen, logenstraffen
desavenencia onenigheid; onmin; **desavenido** oneens; vijandig; *un matrimonio* ~ een ongelukkig huwelijk; **desavenir** verdeeldheid stichten, tweedracht zaaien; **desavenirse** onenigheid krijgen
desayunar I *intr* ontbijten; **II** *tr* bij het ontbijt gebruiken; *¿qué desayunas?* wat wil je bij het ontbijt?; **desayunarse 1** ontbijten; ~ *con café* koffie drinken bij het ontbijt; **2** iets voor het eerst horen (*later dan anderen*); *¿ahora te desayunas?* kom je daar nu pas achter?; **desayuno** ontbijt; ~ *fuerte* stevig ontbijt
desazón *v* onbehagen, onrust; **desazonado** onbehaaglijk, onrustig; **desazonar 1** uit zijn humeur brengen, irriteren; **2** onzeker maken; **desazonarse 1** boos worden; **2** onzeker worden; zich zorgen maken
desbancar verdringen, (*iem*) eruit werken; *quedar desbancado* niet aan zijn trekken komen
desbandada wilde vlucht; *a la* ~ wanordelijk, alle kanten op; **desbandarse** zich verspreiden; (*ordeloos*) vluchten
desbarajustar in de war sturen; **desbarajuste** *m* (*ordeloze*) bende, janboel, keet, troep; ~ *circulatorio* verkeerschaos; **desbaratado** wanordelijk; **desbaratamiento 1** verwarring; **2** verijdeling; **desbaratar 1** in de war sturen; te gronde richten; **2** verijdelen; ~ *un complot* een complot verijdelen
desbarrar raaskallen
desbastar 1 afschaven, ruw bewerken; **2** beschaving bijbrengen; **desbaste** *m* (het) afschaven
desbloquear vrijgeven; **desbloqueo** (het) vrijgeven; (het) in de vrije stand zetten
desbocado ongeremd; **desbocarse** op hol slaan (*ook fig*)
desbordamiento (*mbt water*) overloop, (het) buiten de oevers treden; **desbordante 1** 'overlopend, overvol; **2** grenzeloos, tomeloos; **desbordar I** *tr* overschrijden; te boven gaan; **II** *intr* **1** (*mbt rivier*) 'overlopen, buiten zijn oevers treden; **2** uit de hand lopen; **3** ~ *de* 'overlopen van; ~ *de alegría* overlopen van vreug-

de; **desbordarse** 1 'overlopen; 2 de grenzen te buiten gaan; 3 buiten zichzelf raken (*van vreugde*); **desborde** *m; zie desbordamiento*
desbravar temmen
desbrozar 1 schoonmaken (*van dorre bladeren*); 2 (*fig; de weg*) vrijmaken; **desbrozo** 1 (het) schoonmaken; 2 hoop dorre bladeren; snoeisel

descabalar incompleet maken
descabalgar van het paard stijgen; *no hay quien lo descabalgue* hij zit stevig in het zadel
descabellado onwijs, waanzinnig; *los sueños más ~s* de stoutste dromen; **descabellar** (*de stier*) de genadesteek toebrengen (*in de nek*)
descabezar onthoofden; de top (*van iets*) afhakken; (*boom*) toppen || *~ un sueño* een uiltje knappen, een dutje doen
descacharrado (*mbt auto*) in de prak; **descacharrar** (*fam*) kapot maken, in de prak rijden
descafeinado cafeïnevrij
descalabazarse zich suf piekeren
descalabrado ontredderd, verslagen; **descalabradura** gat in het hoofd; **descalabrar** 1 een hoofdwond toebrengen aan; verwonden; mishandelen; 2 zeer benadelen; **descalabro** ramp, nederlaag; sof, mislukking
descalcificar ontkalken
descalificar diskwalificeren
descalzar 1 de schoenen uittrekken; 2 steunblok(je) (*bv achter wiel*) weghalen; **descalzo** blootsvoets; *carmelita ~* ongeschoeide karmeliet
descamarse (*mbt huid*) afschilferen
descaminado (*fig*) op het verkeerde spoor; *andar ~* er naast zitten, het mis hebben; **descaminar** 1 doen verdwalen; op de verkeerde weg brengen; 2 verbeurd verklaren
descamisado 1 zonder hemd; 2 straatarm, haveloos
descampado open veld, kale vlakte
descansabrazos *m* armleuning; **descansado** 1 rustig; 2 rustgevend; **descansapiés** *m* voetsteun; **descansar** I *intr* 1 (uit)rusten; pauzeren; *¡que descanse(s)!* welterusten!; 2 *~ en, sobre* rusten op, steunen op; berusten op; II *tr* 1 doen (uit)rusten, steunen; 2 *~ en* toevertrouwen aan; **descansarse** (*en, con*) zich verlaten op; **descansillo** trapportaal, overloop; **descanso** rust; adempauze; pauze; *~ dominical* zondagsrust; *~ nocturno* nachtrust
descapotable (*mbt auto*) met vouwdak, met open dak
descapsulador *m* (fles)opener
descarado brutaal; **descararse** 1 brutaal doen; 2 zich vermannen; iets pijnlijks zeggen
descarga 1 lossing, (het) lossen; 2 (het) afvuren; *~ cerrada* salvo; 3 bevrijding van last, wegnemen van de druk, ontlasting; 4 (*elektr*) ontlading; *~ eléctrica* elektrische schok; **descargadero** losplaats; **descargador** *m* sjouwerman; **descargar** I *tr* 1 lossen, afladen, uitladen; *~ de* ontheffen van, ontlasten van; 2 ontladen; *~ su furia en* zijn woede koelen op; *~ el pecho* zijn hart uitstorten; 3 afvuren; *~ el golpe* toeslaan; II *intr* zich ontladen; **descargarse** 1 afreageren, stoom afblazen; 2 *~ de* zich ontdoen van (*een last*); *~ del trabajo en u.p.* het werk op iem afschuiven; **descargo** 1 (het) lossen; 2 decharge; kwijting; (*jur*) vrijpleiting; *en ~ de mi conciencia* om mijn geweten te ontlasten, uit plichtsbesef; 3 creditpost
descarnadamente ronduit, keihard; **descarnado** 1 heel mager, uitgemergeld; 2 (*fig; mbt feit*) naakt, nuchter
descaro brutaliteit, vrijpostigheid; *tener el ~ de* het bestaan om
descarriado afgedwaald, verdwaald; **descarriamiento** (*fig*) ontsporing; **descarriar í** van het (juiste) spoor afbrengen; **descarriarse í** verdwalen, van de kudde afraken; van het rechte pad afwijken, ontsporen; **descarrilamiento** (*lett*) ontsporing; **descarrilar, descarrilarse** (*mbt trein*) ontsporen, uit de rails lopen; **descarrío** (het) verdwalen; (*fig*) ontsporing
descartar verwerpen, uitsluiten, van de hand wijzen; **descartarse**: *~ de* (*kaartsp*) zich ontdoen van, (*kaarten*) weggooien
descascarar doppen, pellen; **descascarillar** doen schilferen; **descascarillarse** (af)bladderen, (af)schilferen
descastado ontaard
descendencia 1 afkomst, afstamming; 2 nageslacht, nakomelingschap; **descendente** dalend; neergaand; *viento ~* valwind; **descender ie** I *intr* 1 (neer)dalen, naar beneden gaan; (*fig*) achteruitgaan; 2 *~ de* afstammen van; 3 *~ de* stappen uit (*tram*); II *tr* lager plaatsen, naar beneden halen, (naar) beneden brengen; **descendiente** I *bn* (neer)dalend, neergaand; II *m,v* afstammeling(e), nakomeling(e); **descendimiento** 1 daling; 2 kruisafneming; **descenso** 1 daling, afdaling; *~ de la matriz* (*med*) verzakking; 2 (*fig*) teruggang, achteruitgang; 3 (*sp*) degradatie
descentrado 1 buiten het middelpunt geplaatst; 2 onaangepast; *estar ~* zijn draai niet kunnen vinden; **descentralización** *v* decentralisatie; **descentralizar** decentraliseren; **descentrar** 1 uit het middelpunt halen, decentreren; 2 uit zijn evenwicht brengen
desceñir i losgespen
descepar uitrukken (*met wortel en al*)
descerrajar 1 openbreken; (*kluis*) kraken; (*slot*) forceren; 2 (*schot*) lossen
descifrable ontcijferbaar; (*mbt schrift*) leesbaar; **descifrar** ontcijferen; decoderen; ontraadselen
desclavar 1 (*spijkers*) uittrekken; 2 de spijkers trekken uit
descoco onbeschaamdheid
descolgar ue (*van een haak*) afnemen; *~ el auricular* de hoorn opnemen; **descolgarse ue** 1 losraken en vallen; 2 zich laten zakken; afda-

len; 3 ~ (*por*) binnenvallen, langskomen; ~ *con* komen aanzetten met
descollar ue uitblinken, uitmunten
descolonizar dekoloniseren
descolorido verbleekt; bleek
descombrar vrijmaken (van puin), puin ruimen
descomedido 1 buitensporig; 2 brutaal; onvertogen; **descomedimiento** onwellevendheid, grofheid; **descomedirse i** zich vergaloppperen, over de schreef gaan
descompasado buitensporig, zeer onregelmatig; (*fig*) waanzinnig
descomponer 1 ontleden, ontbinden; afbreken; 2 kapot maken; ontregelen, in de war maken; 3 in de war sturen; 4 (*iem*) van zijn stuk brengen; irriteren; **descomponerse** 1 (*mbt lijk*) tot ontbinding overgaan; (*mbt voedsel*) verteerd worden; 2 onwel worden; 3 boos worden, driftig worden; 4 (*mbt maag*) van streek raken; 5 kapot gaan; **descomposición** *v* 1 ontbinding; ontleding; 2 vervorming; 3 (het) uiteenvallen; 4 ontregeling; ~ *del vientre* buikpijn, diarree; **descompostura** 1 (het) kapot gaan; 2 onbeschaamdheid; **descompuesto** 1 stuk, kapot; 2 (ver)rot; 3 in de war, ontredderd, van streek, ontdaan; 4 woedend; *ponerse* ~ woedend worden
descomunal ontzaglijk
desconcertado onthutst, perplex, van de kaart, verbijsterd; **desconcertante** verwarrend; **desconcertar ie** in de war brengen, van zijn stuk brengen; **desconcertarse ie** in verwarring raken
desconchar doen afschilferen, doen afbladderen; **desconcharse** (af)bladderen, (af)schilferen
desconcierto 1 verwarring, ontsteltenis; 2 gebrek aan orde; wanorde
desconectar uitschakelen; (*radio*) afzetten; (*verbinding*) verbreken; **desconexión** *v* 1 gebrek aan contact, gebrek aan samenhang; 2 (het) uitschakelen; *con ~ automática* (*mbt recorder*) slaat automatisch af
desconfiado argwanend, wantrouwend; **desconfianza** achterdocht, wantrouwen; **desconfiar í** (*de*) wantrouwen; *desconfíe de las imitaciones* hoedt u voor namaak
descongelación *v* ontdooiing; **descongelador** *m* ruitenontdooier; **descongelar** ontdooien
descongestión *v* (het) vrijmaken; ontlasting (*bv van wegen*); **descongestionar** ontstoppen, vrijmaken, van congestie bevrijden; (*het verkeer*) ontlasten
desconocedor, -ora (*de*) onbekend (met), niet op de hoogte (van); **desconocer** niet bekend zijn met; **desconocido, -a** I *bn* 1 onbekend, vreemd; 2 onherkenbaar; *está -a* ze is onherkenbaar; *totalmente* ~ wildvreemd; II *zn* onbekende, vreemde; **desconocimiento** (*de*) onbekendheid (met)
desconsideración *v* 1 miskenning; 2 onhebbelijkheid, onkiesheid; **desconsiderado** 1 nietsontziend; 2 onhebbelijk
desconsolado ontroostbaar; troosteloos; **desconsolador, -ora** bedroevend; **desconsolar ue** bedroefd maken; **desconsolarse ue** bedroefd worden; **desconsuelo** verdriet, bedroefdheid
descontable aftrekbaar; **descontado**: *dar por* ~ ervan uitgaan dat, erop rekenen dat; *por* ~ vanzelfsprekend, uiteraard
descontaminar de vervuiling doen afnemen
descontar ue (*de*) aftrekken (van), afhouden (van), in mindering brengen (op), verrekenen, verdisconteren
descontentadizo nooit tevreden; sjagrijnig; **descontentar** ontevreden maken, ontstemmen; **descontento** I *bn*: ~ (*con, de*) ontevreden (met, over); II *zn* ontevredenheid; onvrede
descontrolado onbeheerst, in (het) wilde weg, ongecontroleerd
desconvocar (*oproep*) intrekken
descorazonado moedeloos, in de put; **descorazonar** de moed ontnemen, ontmoedigen; **descorazonarse** de moed verliezen, het bijltje erbij neergooien
descorchar 1 ontkurken; 2 (*kurkeik*) van schors ontdoen; **descorche** *m* 1 ontkurking; 2 ontschorsing (*van kurkeik*)
descornar ue de hoorns wegnemen
descorrer (*grendel*) wegschuiven; (*gordijnen*) opendoen; (*sluier*) oplichten
descortés onbeleefd, onheus, onwellevend; **descortesía** onbeleefdheid
descortezar (*boom*) van schors ontdoen
descoser (los)tornen; **descosido** I *bn* 1 losgetornd; 2 rommelig, onsamenhangend; veel pratend; *como un* ~ als een dolle; II *zn* torn(tje) || *hablar por los ~s* iem de oren van het hoofd praten
descoyuntamiento 1 ontwrichting; 2 dodelijke vermoeidheid; **descoyuntar** 1 ontwrichten; verdraaien; 2 dodelijk vermoeien; **descoyuntarse** verstuiken, verrekken; ~ *de risa* het uitgieren
descrédito diskrediet; *ir en ~ de* ten nadele zijn van
descreído ongelovig; goddeloos; **descreimiento** ongeloof
descremar afromen
describir beschrijven; omschrijven; ~ *como* voorstellen als; **descripción** *v* beschrijving; omschrijving; *superar toda* ~ iedere beschrijving tarten; **descriptible** te beschrijven; **descriptivo** beschrijvend
descristianizar ontkerstenen
descrito: *no ser para* ~ met geen pen te beschrijven zijn; *zie ook describir*
descuajar 1 ontwortelen, uitrukken; 2 (*fig*) uitbannen; 3 tot wanhoop brengen
descuajaringar uit elkaar halen; stuk maken;

descuajaringarse 1 zich kapot lachen; 2 uitgeput raken
descuartizar vierendelen
descubierto I *bn* onbedekt; open; onbewolkt; blootshoofds; *al* ~ openlijk; *a cielo* ~ onder de blote hemel; *en* ~ (*mbt cheque*) ongedekt; *poner al* ~ aan het licht brengen; *ser* ~ uitkomen; II *zn* tekort (*op rekening*); **descubridor, -ora** ontdekker; **descubrimiento** ontdekking; vinding; vondst; *el* ~ (*hist*) de ontdekking van Amerika; **descubrir** 1 ontdekken; ~ *la verdad* achter de waarheid komen; 2 (*een geheim*) onthullen, openbaren; 3 bespeuren; overzien; 4 ~ *a u.p.* iem doorzien; **descubrirse** 1 aan het licht komen; 2 zijn hoed afnemen; ~ *ante* (*fig*) zijn petje afnemen voor, bewonderen; 3 zich bloot geven, zijn bedoelingen tonen; zijn hart uitstorten
descuento aftrek, korting, reductie, inhouding; disconto
descuidado 1 nonchalant, laks, nalatig; onachtzaam; 2 slordig, onverzorgd; 3 nergens op verdacht; 4 gerust, vrij van zorgen; zorgeloos; **descuidar** verwaarlozen, veronachtzamen; *¡descuide Ud.!* maakt u zich geen zorgen!; **descuidarse** zich verwaarlozen; *a poco que te descuides, si te descuidas* als je even niet oplet, voor je 't weet; *no* ~ goed uitkijken, zijn maatregelen nemen; **descuidero** kruimeldief; **descuido** 1 nonchalance, onachtzaamheid, slordigheid, nalatigheid; (*como*) *al* ~ (zogenaamd) achteloos, bestudeerd onverschillig; *en un* ~ in een onbewaakt ogenblik; *en un* ~ *de su madre* toen zijn moeder even niet oplette; *por* ~ per ongeluk; 2 ongelukje; vergissing; verzuim; 3 verwaarlozing, veronachtzaming
desde 1 (*ivm plaats, tijdstip*) vanaf; ~ *abajo* van onder af; ~ *allí* daarvandaan; ~ *las dos* vanaf twee uur; ~ *entonces* sindsdien; ~ *hace* sinds (*tijdsduur*); ~ *hace dos años* sinds twee jaar; ~ *ya* reeds nu; 2 ~ *que* sinds; ~ *que vivo aquí* sinds ik hier woon || ~ *luego* natuurlijk, uiteraard
desdecir: ~ *de* uit de toon vallen bij, niet het peil halen van, niet passen bij, (*zijn afkomst*) verloochenen; *no* ~ *de* helemaal passen bij, overeenkomen met; **desdecirse**: ~ *de* (*woorden*) terugnemen, intrekken
desdén *m* verachting, minachting; *con* ~ smalend, verachtelijk
desdentado tandeloos
desdeñable te versmaden, te verwaarlozen; **desdeñar** 1 minachten; 2 versmaden; 3 onbelangrijk achten, verwaarlozen; **desdeñoso** laatdunkend, schamper, verachtelijk
desdibujado vaag, vervaagd; **desdibujar** 1 doen vervagen, verdoezelen; 2 vervormen; **desdibujarse** vervagen, vervlakken
desdicha 1 ongeluk, tegenspoed; *por* ~ helaas; *está hecho una* ~ er is niets meer van over, het is niet meer om aan te zien; 2 (*mbt persoon*) hopeloos geval; **desdichado** ongelukkig
desdoblable splitsbaar; **desdoblamiento** deling in tweeën, splitsing; ~ *de la personalidad* gespleten persoonlijkheid; **desdoblar** 1 openvouwen; 2 (in tweeën) splitsen; ~ *a* omzetten in
desdoro schande
deseable wenselijk; begeerlijk; **desear** 1 wensen, verlangen, willen; *deseo que venga* ik wil dat ze komt; *dejar que* ~ te wensen overlaten; *es de* ~ het is wenselijk; 2 toewensen; ~ *éxito* succes wensen; **desearse**: *de* ~ indien gewenst
desecación *v* drooglegging; **desecar** droogleggen
desechable wegwerp-; *jeringuilla* ~ wegwerpspuitje; **desechar** 1 afdanken; weggooien; 2 verwerpen, uitsluiten; zich iets uit het hoofd zetten; **desecho** 1 afdankertje; restant; ~*s* afval(stoffen); 2 uitschot; 3 wrak (*persoon*)
desembalar uitpakken
desembarazado 1 vrij, ongehinderd; 2 ongedwongen, vrijmoedig; **desembarazar** (*de*) vrijmaken (van), ontdoen (van), leegmaken; **desembarazarse**: ~ *de* zich ontdoen van, opruimen, wegdoen
desembarcadero aanlegplaats; **desembarcar** I *tr* ontschepen; II *intr* van boord gaan; aan land gaan; **desembarco** ontscheping, landing, dropping; *tropas de* ~ landingstroepen
desembargar vrijgeven (*na beslaglegging*), het beslag opheffen van
desembarque *m* lossing; ontscheping
desembarrancar (*schip*) vlot krijgen
desembocadura monding, riviermond; **desembocar** (*en*) uitmonden (in); uitlopen (op)
desembolsar (af)betalen; (*geld*) uitgeven; **desembolso** betaling; storting; uitgave; *sin* ~*s* met gesloten beurzen
desembozar ontmaskeren; **desembozo** openheid
desembragado ontkoppeld; *estar* ~ (*mbt auto*) in zijn vrij staan; **desembragar** ontkoppelen; **desembrague** *m* ontkoppeling
desembrollar ontwarren, uiteenrafelen
desembuchar zeggen wat men op zijn hart heeft; *bueno, ¡desembucha!* voor de dag ermee!, steek maar van wal!
desemejanza verschil, ongelijksoortigheid
desempacar uitpakken
desempacho onbevangenheid, vrijmoedigheid
desempaquetar uitpakken
desempatar (*sp; bij stemming*) beslissen (*na gelijkspel of staking vd stemmen*); **desempate** *m* 1 (*sp*) puntenverschil; beslissende punt; (*partido de*) ~ beslissingswedstrijd; 2 (*votación de*) ~ tweede stemming (*om te beslissen*)
desempedrar ie (*de straat*) opbreken
desempeñar 1 (*pand*) inlossen; 2 (*taak*) vervullen; (*rol*) spelen; (*functie*) bekleden, uitoefenen; **desempeñarse** zijn schulden inlossen; **desempeño** 1 (het) inlossen; 2 vervulling (*van functie*); 3 handigheid; veelzijdigheid

desempleado, -a I *bn* werkloos; II *zn* werkloze; **desempleo** werkloosheid; ~ *encubierto* verborgen werkloosheid
desempolvar 1 afstoffen; 2 opdiepen, oprakelen
desencadenar ontketenen; **desencadenarse** losbarsten
desencajado uit zijn voegen; (*mbt gezicht*) verwrongen, vertrokken; **desencajar** ontwrichten; uit zijn voegen rukken; **desencajarse** (*mbt gezicht*) vertrekken
desencajonar uit een kist halen; uit een la halen; (*stier*) uit de kist halen waarin hij is vervoerd
desencallar (*schip*) weer vlot krijgen
desencantar 1 de betovering opheffen; 2 teleurstellen; **desencanto** ontgoocheling, teleurstelling
desencapotarse (*mbt hemel*) helder worden
desenchufar uit het stopcontact halen, uitschakelen
desenclavar ontgrendelen
desencogerse zijn verlegenheid overwinnen
desencolerizar doen bedaren
desenconarse (*mbt ontsteking*) verminderen, bedaren
desendurecimiento ontharding
desenfadaderas *vmv* (*fam*) gemak om zich ergens uit te redden, handigheid; **desenfadado** vrijmoedig, kordaat; onbekommerd; brutaal; **desenfadar** tot bedaren brengen, (*iems*) boosheid kalmeren; **desenfado** 1 vrijmoedigheid; 2 brutaliteit
desenfoque *m* 1 (*fot*) verkeerde instelling; 2 onjuiste aanpak
desenfrenado bandeloos, ongebreideld, tomeloos; **desenfrenarse** 1 uit de band springen, zich laten gaan; 2 losbarsten; **desenfreno** bandeloosheid
desenfundar uit de hoes halen
desenganchar loshaken; ontkoppelen; uitspannen; **desengancharse** afkicken
desengañado teleurgesteld, gedesillusioneerd; **desengañar** ontgoochelen, uit de droom helpen; teleurstellen; **desengañarse**: ~ *de* (*vergissing*) inzien; terugkomen van, zijn bekomst hebben van; *¡desengáñate!* geloof me nou maar!; **desengaño** ontgoocheling, ontnuchtering, desillusie; teleurstelling
desengrasar I *tr* ontvetten; II *intr* vermageren
desenhebrar: ~ (*la aguja*) de draad uit de naald halen
desenlazar ontwarren, losmaken; **desenlace** *m* ontknoping, afloop; *tener un* ~ *feliz* goed aflopen
desenmarañar ontwarren, ontrafelen; uitpluizen
desenmascarar ontmaskeren
desenmudecer het stilzwijgen verbreken
desenojar doen bedaren, (*iems*) boosheid wegnemen
desenredar ontwarren, uiteenrafelen; **desenredarse** uit de knoop raken
desenrolar afmonsteren
desenrollar afrollen, afwikkelen, afwinden
desenroscar losschroeven
desensibilizar ongevoelig maken
desentenderse ie: ~ *de* voorbijgaan aan, doof zijn voor, naast zich neerleggen; **desentendido**: *hacerse el* ~ zich van de domme houden, niets laten merken; **desentendimiento** onverschilligheid
desenterrar ie opgraven
desentonadamente (*muz*) vals; **desentonado** 1 (*muz*) vals; 2 (*mbt kleur*) vloekend; **desentonar** 1 vals klinken; 2 detoneren; uit de toon vallen; 3 (*mbt kleur*) vloeken
desentramparse zich van schulden bevrijden
desentrañar doorgronden, ontcijferen
desentrenado uit training
desentronizar onttronen
desentumecerse weer lenig worden, zijn stijfheid verliezen
desenvainar (*zwaard*) uit de schede trekken
desenvoltura vrijmoedigheid; vlotheid; **desenvolver ue** 1 uitpakken, loswikkelen; 2 uiteenzetten; **desenvolverse ue** 1 zich ontwikkelen, groeien; 2 zich redden, zijn weg vinden; **desenvolvimiento** ontwikkeling; **desenvuelto** ongedwongen, vlot, vrijmoedig, nonchalant
deseo 1 verlangen, wens; ~ *de* verlangen naar, om; *a medida de los ~s* naar wens; *arder en ~s de* branden van verlangen om; *fuerte* ~ hevig verlangen; *por expreso* ~ *suyo* op zijn uitdrukkelijk verlangen; *satisfacer los ~s de u.p.* aan iems wensen tegemoetkomen; *vivo* ~ vurig verlangen, sterke aandrang; 2 (geluk)wens; *~s de éxito* wensen voor succes; *~s de felicidad* gelukwensen; **deseoso** (*de*) verlangend (naar), belust (op)
desequilibrado onevenwichtig; labiel; **desequilibrar** uit zijn evenwicht brengen; ontwrichten; **desequilibrio** onevenwichtigheid; *corregir el* ~ het evenwicht herstellen
deserción *v* desertie; ~ *escolar* schoolverzuim;
desertar 1 deserteren; 2 overlopen; ~ *de* (*fig*) afvallen van
desértico woestijnachtig, verlaten
desertor *m* 1 deserteur; 2 overloper
desescombrar (*een plek*) vrijmaken van puin
desesperación *v* wanhoop, vertwijfeling; **desesperado** wanhopig, vertwijfeld, radeloos, ten einde raad; *a la -a* wanhopig, zonder enige hoop; **desesperante** wanhopig (makend); **desesperanza** wanhoop, vertwijfeling; **desesperanzador, -ora** wanhopig (makend); **desesperanzar** wanhopig maken; **desesperanzarse** wanhopig worden; **desesperar** I *tr* wanhopig maken; II *intr:* ~ (*de*) wanhopen (aan); **desesperarse** wanhopen, wanhopig worden
desestimación *v* 1 onderschatting, minachting; 2 afwijzing (*van verzoek*); **desestimar** 1 (*verzoek*) afwijzen; 2 onderschatten, minachten

desfachatado onbeschaamd; **desfachatez** *v* onbeschaamdheid, brutaliteit
desfalcar verduisteren; **desfalco** verduistering; fraude
desfallecer *intr* 1 (bijna) flauwvallen, bezwijken; 2 versagen; **desfallecimiento** 1 flauwte; 2 zwakte, inzinking
desfasado onaangepast, uit het ritme; **desfase** *m* 1 (*techn*) faseverschil; 2 onaangepastheid; gebrek aan aansluiting
desfiguración *v* vervorming, verdraaiing, valse voorstelling van zaken; **desfigurado** misvormd, mismaakt; vervormd; *horrorosamente* ~ gruwelijk verminkt; *letra -a* verdraaid handschrift; **desfigurar** 1 misvormen; 2 vervormen, verdraaien, vertekenen; 3 onherkenbaar maken
desfiladero bergengte; **desfilar** achter elkaar lopen; paraderen; **desfile** *m* defilé; optocht; ~ *de flores* bloemencorso; ~ *militar* militaire parade; ~ *de modelos* modeshow
desflecado gerafeld, rafelig; **desflecarse** rafelen
desflorar 1 (*uiterlijk*) bederven; verknoeien; 2 ontmaagden; 3 even aanstippen
desfogar (*en*) afreageren (op), ontladen (op); **desfogarse** uitrazen, stoom afblazen
desfondar 1 de bodem stuk maken van, de bodem verwijderen uit; 2 diep omspitten; **desfondarse** 1 de bodem verliezen; 2 uitgeput zijn
desgaire *m* 1 achteloosheid; slordigheid; *al* ~: *a*) achteloos, terloops; *b*) zomaar; *pasear al* ~ zomaar wat wandelen; 2 plompheid
desgajar (*tak*) afbreken, losrukken; **desgajarse** afvallen, loslaten
desgalichado slungelig
desgana gebrek aan eetlust; tegenzin; *a* ~, *con* ~: *a*) met lange tanden; *b*) node, met tegenzin; *comer con* ~ kieskauwen; **desganado** zonder eetlust; *estar* ~ geen trek hebben; **desganar** de (eet)lust ontnemen; **desganarse** zijn eetlust kwijtraken; geen zin hebben
desgañitarse 1 zich schor schreeuwen, krijsen; 2 schor worden
desgarbado plomp, houterig, slungelig
desgarrado brutaal; **desgarrador, -ora** hartverscheurend; **desgarradura, desgarramiento** scheur; **desgarrar** (ver)scheuren; **desgarrarse** (in)scheuren; **desgarro** 1 brutaliteit; 2 scheur; **desgarrón** *m* 1 (grote) scheur; 2 flard
desgastable aan slijtage onderhevig; **desgastado** versleten; **desgastar** (ver)slijten; afdragen; afslijten; **desgastarse** slijten; **desgaste** *m* slijtage; *guerra de* ~ slijtageslag; *resistente al* ~ slijtvast
desglosar 1 (*blad*) verwijderen, losmaken; 2 (*kosten*) verdelen over verschillende posten; **desglose** *m* 1 verwijdering; 2 verdeling (*van kosten over posten*)
desgobierno ongeregeldheid, ongeordendheid; gebrek aan leiding
desgracia ongeluk, onheil, ellende; bezoeking; ~*s personales* persoonlijke ongelukken; *caer en* ~ in ongenade vallen; *está en* ~: *a*) hij is niet in de gratie; *b*) er rust geen zegen op; *por mayor* ~ tot overmaat van ramp; **desgraciadamente** helaas; ~ *sí* jammer genoeg wel; **desgraciado, -a** I *bn* ongelukkig, jammerlijk; II *zn* 1 ongelukkige; 2 lammeling, mormel; **desgraciar** 1 verknoeien, schaden; doen mislukken; 2 verwonden; 3 (*fam*) ontmaagden, verkrachten; **desgraciarse** 1 mislukken; 2 elkaar schade berokkenen
desgranar 1 (*korrels, druiven*) afplukken (*van aar, tros*); 2 de pitjes halen uit; (*erwten*) doppen; 3 (*kralen vd rozenkrans*) door de vingers laten gaan; ~ *el rosario* de rozenkrans bidden
desgrasar ontvetten; **desgrase** *m* ontvetting
desgravación *v*: ~ (*fiscal*) (belasting)verlaging; **desgravar** (*belasting*) verlagen
desgreñado met verwarde haren, piekerig; **desgreñar** haar in de war maken
desguace *m* sloop; ~ *de automóviles* autosloperij
desguarnecer (*de*) ontdoen (*van versiering, tuigage, snaren*)
desguazar (*schip, auto*) slopen
deshabillé *m* ochtendjapon, peignoir
deshabitado onbewoond
deshabituación *v* ontwenning, (het) afkicken; *cura de* ~ ontwenningskuur; **deshabituarse ú** (*de*) ontwennen, afwennen
deshacer 1 losmaken; stuk maken; ongedaan maken; (*breiwerk*) uithalen; (*bed*) in de war maken; ~ *las maletas* de koffers uitpakken; 2 (*iem*) verwarren, ontmoedigen; kapot maken; 3 doen smelten; 4 (*belediging*) wreken; **deshacerse** 1 uiteenvallen, verbrokkelen; verdwijnen; (*mbt mist*) optrekken; ~ *en polvo* tot stof vergaan; 2 zich uitsloven; ~ *en* zich uitputten in; ~ *en lágrimas* tranen met tuiten huilen; 3 totaal van streek raken; ongeduldig worden; 4 ~ *de*: *a*) zich ontdoen van (*iem*); *b*) (*iets*) van de hand doen, opdoeken, opruimen; 5 ~ *por* gek zijn op
desharrapado in lompen, sjofel
deshecho kapot; bekaf; *con los nervios* ~*s* op van de zenuwen
deshelar ie (doen) ontdooien; **deshelarse ie** ontdooien
desherbar ie wieden
desheredado, -a onterfde; misdeelde, arme sloeber; **desheredar** onterven
desherrumbrar ontroesten
deshidratar dehydreren, water onttrekken aan, drogen
deshielo dooi; (het) ontdooien
deshilachado gerafeld, rafelig; **deshilachar** pluizen, (uit)rafelen; franje maken aan; **deshilacharse** rafelen, pluizen; **deshilar** uitrafelen, franje maken aan; **deshilarse** rafelen
deshilvanado onsamenhangend, als los zand
deshinchar doen slinken; de zwelling wegnemen van; **deshincharse** slinken, leeglopen

deshojador *m* ontbladeringsmiddel; **deshojar** ontbladeren; **deshojarse** zijn bladeren verliezen; **deshoje** *m* het vallen vd bladeren
deshollinador *m* 1 schoorsteenveger; 2 ragebol, bezem (*van schoorsteenveger*); **deshollinar** (*schoorsteen*) vegen
deshonestidad *v* onfatsoenlijkheid; **deshonesto** onfatsoenlijk, onbehoorlijk; oneerbaar; *abusos ~s* (*jur*) ontucht; **deshonor** *m* eerverlies; schande, smet; **deshonra** schande, schandvlek; **deshonrar** onteren, te schande maken
deshora ongelegen moment; *a ~* bij nacht en ontij
deshuesar 1 uitbenen; 2 (*olijven*) ontpitten
deshumanizar ontmenselijken; **deshumano** onmenselijk
desiderátum *m* wens, gewenst iets
desidia slordigheid, nalatigheid; **desidioso** slordig, nalatig
desierto I *bn* 1 verlaten, uitgestorven; woest; 2 (*mbt prijs*) niet toegekend; (*mbt concours*) waarvoor geen deelnemers zijn; *declarar ~ un premio* een prijs niet toekennen; **II** *zn* woestijn; woestenij
designación *v* 1 benoeming; 2 benaming, aanduiding; **designar** 1 benoemen, aanstellen, (*opvolger*) aanwijzen; 2 aanduiden, noemen; 3 (*plaats, datum*) bepalen, aanwijzen; **designio** oogmerk, plan, voornemen
desigual 1 ongelijk, verschillend; 2 oneffen, hobbelig, ongelijk; 3 wisselend; **desigualar** ongelijk maken; **desigualdad** *v* 1 ongelijkheid; 2 oneffenheid; hobbel
desilusión *v* desillusie, ontgoocheling, teleurstelling; **desilusionar** zijn illusies ontnemen, ontgoochelen, teleurstellen
desincrustar (af)bikken
desinencia (*gramm*) uitgang
desinfección *v* desinfectie, ontsmetting; **desinfectación** *v* zuivering (*van ongedierte*); **desinfectante** *m* ontsmettingsmiddel; **desinfectar** ontsmetten, zuiveren
desinflado (*mbt band*) leeg, slap; **desinflar** laten leeglopen; (*fig*) doorprikken; **desinflarse** 1 (*mbt band*) leeglopen; 2 op niets uitdraaien; 3 (*fig*) ineenschrompelen; de moed verliezen
desinformar verkeerd voorlichten
desinsectación *v* zuivering (van insekten); **desinsectar** vrijmaken van insekten
desintegrable ontbindbaar; *sustancia ~* splijtstof; **desintegración** *v* desintegratie, (het) uiteenvallen; (*chem*) afbraak; *~ nuclear* kernsplijting; *germen de ~* splijtzwam; **desintegrar** doen uiteenvallen; (*chem*) afbreken; **desintegrarse** uiteenvallen; (*mbt atoom*) splijten
desinterés *m* 1 onbaatzuchtigheid; 2 (*soms*) gebrek aan belangstelling, ongemotiveerdheid; **desinteresado** 1 belangeloos, onbaatzuchtig; 2 ongemotiveerd; **desinteresarse** (*de*) onverschillig worden (voor)
desintoxicar ontdoen van gif; nuchter maken
desistir (*de*) afstand doen (van), afzien (van), laten schieten
deslavazado 1 slap; 2 onsamenhangend, als los zand
desleal 1 trouweloos, ontrouw; *competencia ~* oneerlijke concurrentie; 2 afvallig; **deslealtad** *v* trouweloosheid, verraad
desleimiento (het) oplossen; **desleír** i oplossen, aanlengen
deslenguado brutaal, los in de mond
desliar í (*een pakje*) openmaken; (*touw*) losmaken
desligado los; **desligadura** (het) losmaken; (het) losraken; **desligar** 1 losmaken; (*fig*) scheiden; *~ la práctica de la teoría* de praktijk van de theorie scheiden; 2 *~ de* ontheffen van, ontslaan van (*plicht*); **desligarse** zich losmaken
deslindamiento afbakening; **deslindar** afbakenen; **deslinde** *m* afbakening; afscheiding
desliz *m* misstap, (het) uitglijden; *cometer un ~* (*fig*) struikelen, uitglijden; **deslizamiento** (het) uitglijden; **deslizante** glad; *¡piso ~!* slipgevaar!; **deslizar** 1 laten glijden, schuiven; 2 (*heimelijk*) toestoppen; 3 langs zijn neus weg zeggen, zich laten ontvallen; **deslizarse** 1 glijden; afglijden; uitglijden; (*mbt tijd*) verglijden; 2 (*fig*) uitglijden, struikelen, een misstap begaan; 3 (*fig*) te ver gaan; 4 wegslippen, (in)sluipen; *se ha deslizado una falta* er is een fout in geslopen
deslomar 1 in elkaar slaan; 2 (*fig*) kapot maken, uitputten; **deslomarse** zich kapot werken
deslucido 1 vaal, dof; kaal; 2 weinig briljant; onbeduidend; **deslucimiento** vaalheid; **deslucir** 1 zijn glans ontnemen, ontluisteren, ontsieren; 2 in diskrediet brengen
deslumbrador, -ora verblindend; **deslumbramiento** verblinding; **deslumbrante** (oog)verblindend, schel; **deslumbrar** 1 verblinden; 2 een overweldigende indruk maken; 3 verwarren; overdonderen
deslustrar 1 dof maken; 2 ontsieren; zijn glans ontnemen; 3 in diskrediet brengen; **deslustrarse** dof worden; (*mbt metaal*) aanslaan
desmadejado verzwakt, slap; **desmadejamiento** slapheid, zwakte
desmadrarse over de schreef gaan, zonder scrupules handelen; **desmadre** *m* troep, chaos; *fue el ~* het hek was van de dam, het liep totaal uit de hand
desmallar (*breiwerk*) uithalen
desmamar spenen
1 desmán *m* exces; wandaad; uitspatting; *-anes* (*ook*) straatschenderijen, uitwassen
2 desmán *m* muskusrat
desmandado ongezeglijk, ongehoorzaam; **desmandarse** 1 niet langer gehoorzamen; uit de band springen; 2 brutaal worden; 3 van de kudde afdwalen

desmano: *a* ~ buiten bereik; *me cae a* ~ dat ligt nogal buiten mijn route
desmantelamiento ontmanteling; **desmantelar** 1 ontmantelen; afbreken; 2 (*schip*) aftakelen, aftuigen; 3 (*woning*) leeghalen
desmañado onhandig, onbeholpen, houterig
desmaquillador *m* (*make-up*) remover; **desmaquillar** make-up verwijderen
desmarcar het merk verwijderen; **desmarcarse** (*sp*) de tegenstander weten te misleiden
desmayado 1 zwak, krachteloos; *caer* ~ flauwvallen; 2 (*mbt kleur*) verbleekt, bleek; **desmayar** I *tr* doen flauwvallen; II *intr* verslappen, versagen; **desmayarse** 1 flauwvallen; 2 slap neerhangen; **desmayo** 1 flauwte; 2 treurwilg
desmedido mateloos, bovenmatig, buitensporig; **desmedirse i** (*fig*) te ver gaan
desmedrado mager, iel; **desmedrar** bederven, aantasten; **desmedrarse** verkommeren, vermageren; **desmedro** 1 achteruitgang; vermagering; 2 schade, nadeel
desmejoramiento achteruitgang, verslechtering; **desmejorar** achteruitgaan, afzakken; **desmejorarse** verslechteren
desmelenar het haar in de war maken; **desmelenarse** 1 (*mbt haar*) in de war raken; 2 zich laten meeslepen (*door hartstocht*)
desmembrar ie aan stukken snijden, verdelen, verbrokkelen; afsnijden, scheiden; **desmembrarse ie** uiteenvallen
desmemoriado vergeetachtig; **desmemoriarse** vergeetachtig worden; dingen vergeten
desmentido dementi, ontkenning; **desmentir ie, i** ontkennen, tegenspreken, logenstraffen; verloochenen; niet overeenkomen met; **desmentirse ie, i** zijn woorden terugnemen; zich verloochenen
desmenuzable brokkelig, bros, kruimelig; **desmenuzamiento** verbrokkeling, verkruimeling; **desmenuzar** 1 verkruimelen, verbrokkelen; 2 uitrafelen, uitpluizen; **desmenuzarse** kruimelen, brokkelen
desmerecedor, -ora: ~ *de u.c.* iets niet verdienend, iets onwaardig; **desmerecer** I *tr* (*iets*) niet verdienen; II *intr* 1 het slecht doen; minder worden (*van kwaliteit*); 2 ~ (*de, junto a*) ongunstig afsteken (bij), onderdoen (voor); **desmerecimiento** gebrek aan verdienste, tekortkoming
desmesurado bovenmatig, overdadig, buitensporig (groot, veel)
desmigajar, desmigar (ver)kruimelen, verbrokkelen
desmilitarizar demilitariseren
desmirriado iel, miezerig, mager en zwak
desmitificar ontmythologiseren
desmochar 1 afknotten, bekorten; verminken; 2 (*onderwerp*) vluchtig behandelen
desmonetizar zijn waarde ontnemen; **desmonetizarse** zijn waarde verliezen
desmontable I *bn* uitneembaar; II *m* bandenlichter; **desmontaje** *m* demontage; **desmontar** I *tr* 1 demonteren, uit elkaar halen, (*tent*) afbreken; verwijderen; 2 kappen; ontbossen; 3 (*terrein*) nivelleren, afgraven; 4 uit het zadel werpen; II *intr* ~ (*de*) afstappen (van); **desmontarse**: ~ *de* afstappen van; **desmonte** *m* 1 afgraving; berg zand, berg aarde; ~*s* afgegraven terrein; 2 ontbossing; ~ *total* kaalslag
desmoralización *v* 1 demoralisering; 2 zedenbederf, verloedering; **desmoralizador, -ora** 1 demoraliserend; 2 zedenbedervend; **desmoralizar** 1 demoraliseren; 2 zedelijk bederven, slecht maken
desmoronadizo brokkelig; **desmoronado** vervallen; **desmoronamiento** instorting, verbrokkeling; **desmoronar** 1 doen verbrokkelen; doen instorten; 2 (*fig*) ondergraven; **desmoronarse** afbrokkelen, instorten, vervallen; afkalven
desmovilización *v* demobilisatie; **desmovilizar** demobiliseren
desnacionalizar 1 denationaliseren; privatiseren; 2 van de volksaard beroven
desnarigado zonder neus; met kleine, platte neus
desnatado afgeroomd, mager; *leche -a* magere melk; **desnatadora** afromer (*machine*); **desnatar** afromen (*ook fig*)
desnaturalización *v* ontaarding; **desnaturalizado** ontaard; gedenatureerd; **desnaturalizar** 1 doen ontaarden, denatureren, vervormen; 2 verbannen
desnivel *m* 1 (niveau)verschil; 2 hobbel (*in terrein*); 3 greppel (*naast weg*); **desnivelación** *v* (het) ongelijk maken, denivellering; **desnivelar** ongelijk maken (*van niveau*), denivelleren
desnucar de nek breken van, nekken; **desnucarse** zijn nek breken
desnuclearizar kernwapenvrij maken
desnudar 1 ontbloten; uitkleden; 2 (*fig*) uitkleden; ruïneren; **desnudarse** 1 zich uitkleden; 2 ~ *de* zich ontdoen van; **desnudez** *v* naaktheid; **desnudismo** nudisme; **desnudista** *m,v* nudist(e); **desnudo** I *bn* 1 naakt, bloot; ~ *de* ontbloot van, zonder; 2 (*fig*) kaal; naakt; 3 (*mbt draad, metaal*) ongeïsoleerd, blank; II *zn* (*beeldende kunst*) naakt
desnutrición *v* ondervoeding; **desnutrido** ondervoed; **desnutrirse** ondervoed raken
desobedecer niet gehoorzamen; zondigen tegen; (*bevel*) niet opvolgen; **desobediencia** ongehoorzaamheid; **desobediente** ongehoorzaam, ongezeglijk
desobligar van verplichting ontheffen
desobstruir ontstoppen, vrijmaken
desocupación *v* 1 ontruiming; 2 leegstand; 3 (*vnl Am*) werkloosheid; (het) niets doen; **desocupado** 1 (*mbt persoon, zaak*) vrij, onbezet; 2 (*vnl Am*) werkloos; **desocupar** vrijmaken, leegmaken; ontruimen; **desocuparse** vrijkomen; klaar zijn (*met werk*)
desodorante *m* deodorant

desoír negeren, geen gehoor geven aan, geen gevolg geven aan
desojarse zijn ogen bederven; turen
desolación *v* 1 verwoesting; eenzaamheid; 2 verslagenheid; **desolado** 1 eenzaam, verlaten; 2 verslagen, troosteloos, in zak en as; **desolador, -ora** 1 alles verwoestend; 2 bedroevend; **desolar ue** verwoesten; **desolarse ue** zeer bedroefd worden, ontroostbaar zijn
desolidarizarse niet langer solidair zijn
desolladero plaats waar wordt gevild; **desollado** onbeschaamd, brutaal; **desollador, -ora** 1 die vilt; 2 die een woekerprijs vraagt; **desolladura** 1 schaafwond, ontvelling; 2 (het) villen; **desollar ue** 1 villen, (af)stropen; 2 (*huid*) schaven, ontvellen; 3 het vel over de oren halen, villen; ernstig benadelen; geen spaan heel laten van; ~ *vivo: a*) vreselijk afzetten, (*fig*) uitkleden; *b*) (af)kraken (*met kritiek*)
desorbitado extreem, exorbitant; **desorbitar** 1 doen uitpuilen; 2 over'drijven; **desorbitarse** (*mbt ogen*) uitpuilen
desorden *m* wanorde, warboel, rommel; *desórdenes* ongeregeldheden, onlusten, ordeverstoringen; *desórdenes callejeros* rellen; *en* ~ rommelig, verward; **desordenado** rommelig, wanordelijk, ordeloos, ongeordend; **desordenar** rommelig maken, in de war maken; **desordenarse** 1 rommelig worden; 2 van de regel afwijken, te ver gaan
desorganización *v* gebrek aan organisatie; **desorganizar** in de war sturen
desorientación *v* verwarring; **desorientado** 1 uit zijn doen, in de war, onwennig; onzeker; het spoor bijster; *ir* ~ gedemotiveerd raken, het niet meer zien zitten; 2 (*fig*) op het verkeerde spoor; **desorientar** het spoor bijster doen raken, in de war brengen, onzeker maken; **desorientarse** 1 verdwalen; 2 de kluts kwijt zijn
desovar paaien; **desove** *m* 1 (het) kuitschieten; 2 paaitijd
desovillar (*kluwen*) afwinden
desoxidante *m* ontroester; **desoxidar** roestvrij maken
despabilado pienter, slim, bijdehand; **despabilar** I *tr* 1 (*kaars*) snuiten; aanwakkeren; 2 goed wakker maken, wakker schudden (*ook fig*); II *intr* goed wakker worden; **despabilarse** 1 goed wakker worden; 2 iets doorkrijgen, zijn verstand gebruiken; opschieten
despachar I *tr* 1 afhandelen, afdoen, afmaken, afwikkelen; afwerken, zich afmaken van; ~ *en la aduana* inklaren; ~ *de salida* (*schip*) uitklaren; 2 (*iem*) te woord staan, helpen; ~ *con buenas palabras* afschepen; 3 wegsturen; zenden; (*huurder*) uit huis zetten; 4 verkopen; *allí despachan bebidas* daar verkopen ze drank; 5 (*fig*) koud maken, naar de andere wereld helpen; 6 soldaat maken; II *intr* 1 opschieten; 2 zaken afdoen; **despacharse** 1 zich haasten; 2 ~ *de* zich vrijmaken van; 3 ~ (*a su gusto*) vrijuit spreken, van wal steken; zijn gang gaan;
despacho 1 afdoening, afhandeling, afwikkeling; ~ *en la aduana* inklaring; 2 kantoor, bureau, werkkamer; kantoormeubilair; *horas de* ~ lokettijden; 3 verkooplokaal; ~ *de bebidas* tapperij; ~ *de billetes* kaartverkoop, loket; 4 bericht, dispache, nota
despachurrar pletten, verpletteren
despacio *bw* 1 langzaam; 2 zacht; **despacioso** langzaam, kalm; **despacito** *bw* 1 langzaam aan; 2 zachtjes
despampanante (*fam*) adembenemend, fantastisch, flitsend; **despampanar** I *tr* 1 (*wijnstok*) snoeien; 2 (*fam*) versteld doen staan; II *intr* (*fam*) zijn hart uitstorten; **despamparnarse** zich (ernstig) bezeren || ~ *de risa* zich bescheuren (*vh lachen*)
despanzurrar 1 de buik opensnijden van; 2 doen openbarsten
desparejado enkel (*stuk*); *dos calcetines* ~*s* twee verschillende sokken; **desparejo** ongelijkmatig
desparpajo 1 vrijmoedigheid; voortvarendheid; *con* ~ ongegeneerd; 2 brutaal gedrag
desparramado 1 wijd, ruim, open; 2 verspreid; **desparramar** 1 verspreiden, uitstrooien; 2 morsen, omgooien; 3 (*aandacht*) versnipperen; 4 verkwisten; **desparramarse** 1 zich verspreiden; 2 zich verstrooien, plezier maken
despatarrado 1 met wijdgespreide benen; 2 stomverbaasd, verbluft; **despatarrarse** 1 op de grond ploffen; 2 stomverbaasd zijn
despavorido angstig; ontzet; **despavorirse** angstig worden, schrikken
despecho ergernis, nijd, verbittering; *a* ~ *de* ondanks, ...ten spijt
despechugado met de kraag wijd open; **despechugar** het borstvlees afsnijden van (*kip*); **despechugarse** hals (en borst) ontbloten
despectivo minachtend, laatdunkend, geringschattend, verachtelijk, misprijzend
despedazamiento (het) in stukken snijden; (het) uiteentrekken; **despedazar** 1 in stukken snijden, stuktrekken; kapot maken; 2 snipperen; 3 (*fig*) verscheuren
despedida afscheid; **despedir i** 1 ontslaan; afmonsteren; ~ *a u.p.* iem zijn congé geven; *ser despedido* ontslagen worden, afvloeien; 2 uitgeleide doen; uitluiden; 3 wegsturen; afschepen; (*huurder*) opzeggen; (*mbt bv paard*) afgooien (*van ruiter*); 4 (*geur, warmte*) afgeven, verspreiden; **despedirse i** 1 afscheid nemen; scheiden; ~ *a la francesa* het hazepad kiezen; 2 ~ *de* (*fig*) afschrijven
despegado onverschillig; onvriendelijk, koud; **despegar** I *tr* losmaken; *no* ~ *los labios* geen mond opendoen; II *intr* (*mbt vliegtuig*) opstijgen, loskomen, van de grond komen; **despego** 1 onverschilligheid; 2 onbaatzuchtigheid; **despegue** *m* (het) opstijgen, start
despeinado met verwarde haren; **despeinar** het haar in de war brengen

despejado 1 onbewolkt, helder; 2 (*mbt voorhoofd*) hoog; (*mbt kamer, plein*) ruim, open; 3 wakker, helder; *conservar la mente -a* het hoofd koel houden; 4 open, vrij; 5 bijdehand, snel van begrip; **despejar** 1 vrijmaken, ontruimen; leegmaken; ~ *dudas* twijfel wegnemen; ~ *la mente* de zinnen verzetten, op andere gedachten komen; ~ *obstáculos* obstakels wegnemen; ~ *el terreno* ruim baan maken; 2 ophelderen; 3 (*wisk; onbekende*) oplossen; 4 (*bal*) terugspelen; 5 ontnuchteren; **despejarse** 1 opklaren; 2 afleiding zoeken; 3 wakker worden; 4 bijkomen (*in de frisse lucht*); 5 (het, iets) doorkrijgen; 6 weer nuchter worden; **despeje** *m* ontruiming; **despejo** 1 ontruiming; 2 ongedwongenheid; 3 helder verstand

despellejar 1 villen, stropen; 2 kritiseren; kwaad spreken over

despeluznante huiveringwekkend

despenalización *v* (het) niet langer strafbaar stellen, (*Belg*) depenalisering

despenar uit zijn lijden helpen

despensa provisiekamer, vooraadkast

despeñadero steile helling, afgrond; **despeñar** naar beneden gooien; **despeñarse** naar beneden storten

despepitar de pitten halen uit; **despepitarse** 1 opgewonden praten; 2 ~ *por* stapelgek zijn op

desperdiciador, -ora spilziek, verkwistend; **desperdiciar** verspillen, verkwisten; **desperdicio** 1 verkwisting, verspilling; ~ *de fuerzas* krachtverspilling; 2 *~s* afval; *~s de cocina* keukenafval; *~s radiactivos* radioactief afval || *no tener* ~ niet te versmaden zijn, (*fig*) nooit weg zijn

desperdigar verspreiden

desperecerse: ~ *por* (*fam*) smachten naar, een moord doen voor

desperezarse zich uitrekken; **desperezo** (het) zich uitrekken

desperfecto foutje, gebrek, euvel, tekortkoming

despersonalización *v* depersonalisatie, verlies vd persoonlijkheid

despertador *m* wekker; ~ *de viaje* reiswekker; **despertar ie** wakker maken; (op)wekken; ~ *el apetito* de eetlust opwekken; **despertarse ie** wakker worden, ontwaken; ~ *sobresaltado* wakker schrikken

despiadadamente ongenadig; **despiadado** genadeloos, meedogenloos, nietsontziend, onbarmhartig

despido ontslag; afvloeiing; ~ *forzoso* gedwongen ontslag

despierto 1 wakker; monter; 2 bijdehand, kien, slim

despilfarrador, -ora I *bn* verkwistend; **II** *zn* verkwister; **despilfarrar** verkwisten, verspillen, verbrassen; **despilfarro** verkwisting, verspilling

despintado verveloos; **despintar**: ~ *de* (*zijn afkomst*) verloochenen; onderdoen voor; **despintarse** verveloos worden; vervagen; (*mbt kleur*) verbleken; *no se me despintará* ik zal zijn gezicht niet vergeten

despiojar 1 ontluizen; 2 uit de misère halen

despiporren: *el* ~ (*fam*) het toppunt; een bende

despistado verstrooid; het spoor bijster; uit zijn doen; **despistar** op een dwaalspoor brengen; (*iem*) in de war brengen; **despistarse** de weg kwijtraken; in de war raken; **despiste** *m* 1 verstrooidheid; 2 plotselinge verandering van richting

desplacer mishagen, niet bevallen

desplante *m* 1 brutaliteit; 2 onjuiste houding (*bv in dans*)

desplazado ontheemd; *sentirse* ~ zich niet thuis voelen; **desplazamiento** verplaatsing; verschuiving; ~ (*de agua*) waterverplaatsing; **desplazar** verplaatsen; verleggen; voortbewegen; ~ *del poder* uit de macht ontzetten; **desplazarse** zich verplaatsen; zich voortbewegen; (*mbt accent*) ver'springen; *poder* ~ mobiel zijn

desplegable *m* vouwblad, prospectus; **desplegar ie** uitvouwen, uitspreiden; ontplooien; aan de dag leggen; ~ *las alas* de vleugels uitslaan; ~ *las redes* de netten uitgooien; **despliegue** *m* (het) uitvouwen; ontplooiing; vertoon; ~ *de fuerzas* machtsvertoon

desplomarse 1 in elkaar zakken; instorten; 2 omlaag schieten, zich laten vallen

desplumar (kaal)plukken; (*fig*) plukken

despoblación *v* ontvolking; **despoblado I** *bn* 1 ontvolkt; 2 (*mbt hoofd*) kalend; **II** *zn* verlaten plek, niet bewoonde plek; **despoblar ue** ontvolken; ~ *de* ontdoen van; **despoblarse ue** ontvolkt raken

despojar: ~ *de* ontdoen van, beroven van; **despojarse**: ~ *de* zich ontdoen van, (*kleren*) uittrekken; **despojo** 1 beroving; 2 (*vaak mv*) buit; prooi; 3 *~s*: *a*) stoffelijk overschot; *b*) eetbaar afval van vee of gevogelte

desportillar (*aardewerk*) aan de rand beschadigen; *un plato desportillado* een bord waar een scherf af is; **desportillarse** *intr* scherven

desposado pas getrouwd, jonggehuwd; **desposar** in de echt verbinden; **desposarse** 1 huwen; 2 in ondertrouw gaan

desposeer (*de*) ontnemen; **desposeerse**: ~ *de* afstand doen van; **desposeído, -a** bezitloze, have-not

desposorios *mmv* 1 huwelijk; 2 ondertrouw

déspota *m* despoot; **despótico** heerszuchtig; **despotismo** absolute macht, willekeur; ~ *ilustrado* verlicht despotisme

despotricar onzin uitkramen, van leer trekken

despreciable verachtelijk; *un factor no* ~ een niet te verwaarlozen factor; **despreciar** minachten, neerkijken op; verachten, versmaden; **despreciativo** minachtend, misprijzend; **desprecio** minachting, verachting; ~ *de la muerte* doodsverachting; *mirar con* ~ met de nek aankijken

desprender 1 losmaken, loskrijgen; 2 loslaten; (*geur*) afgeven; **desprenderse** 1 loslaten, losraken, losschieten; (*mbt knoop*) eraf gaan; 2 ~ *de* zich ontdoen van, afstand doen van, het doen zonder; 3 ~ *de* blijken uit; **desprendido** onbaatzuchtig, vrijgevig; **desprendimiento** 1 (het) losgaan, (het) loslaten; ~ *de calor* warmteafgifte; ~ *de tierras* neervallend puin (*aarde en stenen*); 2 vrijgevigheid

despreocupación *v* onbezorgdheid; **despreocupado** onbekommerd, onbezorgd, zorgeloos, luchtig; **despreocuparse**: ~ *de* zich geen zorgen (meer) maken over; afstand nemen van, naast zich neerleggen

desprestigiar in diskrediet brengen; ontluisteren; **desprestigio** prestigeverlies

desprevenido onvoorbereid; *coger* ~ (*fig*) overvallen, overrompelen

desproporción *v* wanverhouding; **desproporcionado** onevenredig; ~ *con* buiten verhouding tot

despropósito iets dat nergens op slaat

desproveer: ~ *de* ontnemen; **desprovisto**: ~ *de* gespeend van

después I *bw* daarna, later; achteraf; *poco* ~ even later, kort daarna; II *vz:* ~ *de* na; ~ *de todo* al met al, alles welbeschouwd; III *voegw:* ~ (*de*) *que* nadat

despuntar I *tr* de punt verwijderen van; II *intr* 1 (*mbt plant*) uitbotten; 2 (*mbt dag*) krieken, aanbreken; 3 uitblinken

desquiciado overstuur, van streek; dolzinnig; **desquiciamiento** ontwrichting; **desquiciante** ontwrichtend; **desquiciar** 1 ontwrichten, ontregelen; van streek maken; uit het evenwicht brengen; 2 uit de hengsels lichten; **desquiciarse** 1 van streek raken, uit zijn evenwicht raken; 2 uit de hengsels gelicht worden; 3 ontwricht raken

desquitar 1 (*iets*) goedmaken; 2 wreken; **desquitarse** 1 zijn schade inhalen; 2 ~ (*de*) zich wreken (voor), revanche nemen (voor); **desquite** *m* revanche, wraak; vergelding; *en* ~ *de* als vergelding voor

desratizar vrijmaken van ratten

desriñonar afbeulen

desrizar de krullen verwijderen uit, ontkrullen, ontkroezen

destacado vooraanstaand; opvallend, saillant, markant; **destacamento** detachement; **destacar** 1 detacheren; ~ *a 300 policías* 300 agenten inzetten; 2 doen uitkomen; benadrukken; *hay que* ~... speciaal vermeld moet worden...; **destacarse** opvallen, afsteken, uitkomen; ~ *contra* zich aftekenen tegen

destajar (*kaartsp*) couperen; **destajo** stukwerk; *a* ~ op stukloon; *salario a* ~ stukloon

destapador *m* flesopener; **destapar** 1 openen; ontkurken; het deksel afnemen van; 2 de dekens aftrekken van; **destaparse** 1 zich blootgeven, zijn ware aard tonen; 2 zich blootwoelen; 3 (*fam*) een striptease uitvoeren, strippen; **destape** *m* 1 (het) openen; (het) ontkurken; 2 bevrijding van taboes; grotere vrijheid; 3 (*fam*) striptease; **destaponar** de dop afhalen van

destartalado haveloos; vervallen, krakkemikkig

destechar het dak wegnemen van

destejer (*breiwerk, weefsel*) uithalen; ongedaan maken

destellar flonkeren, flikkeren; **destello** flonkering, glinstering; flits; opflakkering; ~*s* geflonker; *ni* ~ *de vida* geen sprankje leven; *señal a* ~*s* flikkerlicht

destemplado 1 (*muz*) ontstemd, vals; 2 bars, boos, onvriendelijk, ontstemd; heftig, kort aangebonden; 3 licht koortsig; 4 (*mbt weer*) veranderlijk; **destemplanza** 1 (*muz*) (het) ontstemd zijn; 2 onbeheerstheid, barsheid; kribbige opmerking; 3 verhoging, lichte koorts; 4 (*mbt weer*) veranderlijkheid; 5 (*mbt metaal*) ontharding; **destemplar** 1 (*muz*) doen ontstemmen; 2 (*metaal*) ontharden, temperen; **destemplarse** ontstemd raken

desteñido verschoten; **desteñir i** I *tr* (*kleur*) doen verbleken, doen verschieten; II *intr* (*mbt kleur*) afgeven; **desteñirse i** verkleuren, verschieten; (*que*) *no se destiñe* kleurecht

desternillarse: ~ *de risa* gieren van het lachen

desterrado, -a balling(e); **desterrar ie** verbannen; ~ *de* bannen uit

destetar spenen, van de borst afnemen; **destete** *m* (het) spenen, (het) van de borst afnemen

destiempo: *a* ~ op een ongelegen ogenblik; bij nacht en ontij

destierro verbanning; ballingschap; oord van ballingschap

destilación *v* distillatie; **destiladera** distilleerapparaat; **destilador, -ora** I *bn* distillerend; II *zn* 1 distillateur, stoker; 2 *m* distilleerapparaat; 3 *m* filter; **destilar** 1 distilleren, stoken; 2 filtreren; laten doorsijpelen; *destila tristeza* de droefheid druipt eraf; **destilería** distilleerderij, stokerij

destinación *v* bestemming; **destinar** 1 ~ *a* bestemmen voor; 2 stationeren, plaatsen; 3 (*bedrag*) uittrekken; **destinatario, -a** geadresseerde, (*Belg*) bestemmeling; ontvanger; ~*s* doelgroep; **destino** 1 bestemming; ~ *final* eindbestemming; 2 lot; ~ *adverso* noodlot, ongelukkig gesternte; 3 baan, functie

destitución *v* afzetting, ontzetting (*uit ambt*); **destituir** afzetten, ontzetten (*uit ambt*), zetten uit (*functie*)

destornillado getikt, dwaas; **destornillador** *m* schroevedraaier; ~ *de estrella* kruiskopschroevedraaier; **destornillar** losschroeven; **destornillarse** de kluts kwijtraken, doorslaan

destrabar losmaken

destreza behendigheid, vaardigheid, vingervlugheid

destripacuentos *m,v* iem die anderen in de rede valt en op de clou vooruitloopt; **destripar** 1 de ingewanden verwijderen uit; de buik openrijten van; 2 het binnenste verwijderen uit; de vulling halen uit; 3 verpletteren; 4 het effect bederven van, de clou verraden van || ~ *terrones* ploeteren op het land; **destripaterrones** *m* (arme) dagloner, ploeteraar

destronamiento onttroning; **destronar** onttronen, van de troon stoten

destrozado 1 kapot; in de prak; 2 op van vermoeidheid, kapot; in de vernieling; *con el alma -a* zielsbedroefd; **destrozar** vernielen, kapot maken, vernietigen; vermorzelen; verbrijzelen; **destrozo** vernieling; *hacer ~s* grote schade aanrichten

destrucción *v* vernietiging, verwoesting, vernieling; verdelging; **destructividad** *v* vernielzucht; **destructivo** afbrekend, verwoestend; vernietigend; **destructor, -ora** I *bn* vernietigend, verwoestend; II *m* torpedojager; **destruir** vernietigen, verwoesten, vernielen; verdelgen; de grond inboren; (*plannen*) in de war sturen; **destruirse** (*wisk, mbt getallen*) elkaar opheffen

desulfurar ontzwavelen

desuncir (*ossen*) uitspannen

desunido verdeeld; **desunión** *v* (het) uiteenvallen; verdeeldheid; *sembrar ~* verdeeldheid zaaien; **desunir** scheiden, verdelen

desusado 1 verouderd; 2 ongebruikelijk; **desuso** (het) niet (meer) gebruiken; *caer en ~* in onbruik raken, verouderen; *dejar en ~* niet meer gebruiken

desustanciado smakeloos, flauw

desvaídamente zonder elan, mat; **desvaído** 1 bleek, verkleurd; 2 vaag; nietszeggend, onbeduidend

desvainar (*bonen*) doppen

desvalido hulpeloos, verlaten

desvalijamiento beroving; **desvalijar** beroven, plunderen

desvalorar *zie desvalorizar*; **desvalorización** *v* ontwaarding; *~ monetaria* geldontwaarding; **desvalorizar** de waarde verminderen van; **desvalorizarse** devalueren

desván *m* vliering, zolder

desvanecer doen vervagen, verdoezelen, doen verdwijnen; **desvanecerse** 1 verdwijnen; 2 flauwvallen; **desvanecimiento** 1 verdwijning; 2 flauwte; 3 verwaandheid

desvariar í 1 ijlen; 2 raaskallen, wartaal uitslaan; **desvarío** 1 (het) ijlen; 2 ongerijmdheid, dwaasheid; *~s* wartaal

desvelado wakker; *tener ~* uit de slaap houden; **desvelar** 1 uit de slaap houden; 2 onthullen; **desvelarse**: *~ por* zich uitsloven om, zijn uiterste best doen om; **desvelo** 1 slapeloosheid; 2 *~s* gezwoeg, toewijding, zorgen

desvencijado wankel, gammel; *vehículo ~* rammelkast; **desvencijar** (*delen*) los doen raken, ontwrichten, kapot maken

desventaja nadeel, bezwaar; **desventajoso** nadelig, onvoordelig

desventura ongeluk; **desventurado, -a** I *bn* 1 ongelukkig; 2 gierig; II *zn* 1 stakker, arme ziel; 2 gierigaard

desvergonzado schaamteloos; **desvergonzarse ue** (*a*) zo brutaal zijn (om); **desvergüenza** schaamteloosheid, brutaliteit, schande

desvestir i uitkleden

desviación *v* 1 afwijking; *~ de la columna vertebral* scheefgroei vd wervelkolom; *realizar una brusca ~* plotseling uitwijken; 2 omleiding, wegomlegging; 3 afslag; **desviacionismo** (het) afwijken van bep principes (*bv pol*); **desviacionista** *m,v* dissident(e); **desviar** í 1 omleiden, van richting doen veranderen; *~ un golpe* een klap afweren; *~ un peligro* een gevaar afwenden; 2 *~ de* (*iem*) afbrengen van; **desviarse** í 1 afdwalen; 2 *~* (*hacia*) afslaan (naar), uitwijken; *~ del camino recto* van de rechte weg afraken; 3 (*mbt wijzer*) uitslaan

desvinculación *v* ontkoppeling; **desvincular** loskoppelen, ontkoppelen, losmaken

desvío 1 wegomlegging, omleiding; (*spoorw*) zijspoor; 2 afslag; 3 onvriendelijkheid, koelheid

desvirtuar ú 1 ontkrachten, zijn kracht ontnemen; ontzenuwen; 2 vertekenen, verdraaien, scheef voorstellen; **desvirtuarse ú** zijn kracht verliezen, aan geur of smaak inboeten

desvivirse 1 *~ por* stapelgek zijn op; hunkeren naar; 2 *~* (*por*) zich het vuur uit de sloffen lopen, zich uitsloven (voor)

desyerbar wieden

detalladamente in details, uitvoerig; **detallado** gedetailleerd, uitvoerig, omstandig; *más ~* nader; *informes más ~s* nadere inlichtingen; **detallar** 1 nauwkeurig omschrijven; 2 in het klein verkopen; **detalle** *m* 1 detail, bijzonderheid; *~s ampliativos* nadere bijzonderheden; *ahí está el ~* daar zit 'm de kneep; *al ~* en detail, in het klein (*verkopen*); *con todo ~* in details; *con todo lujo de ~s* in geuren en kleuren; *conocer los ~s* er het fijne van weten; *en ~* gedetailleerd; *en sumo ~* tot in de finesses; *entrar en ~s* in details treden; 2 bijkomstigheid; *no es más que un ~* dat is maar bijzaak; 3 clou; 4 aardigheidje, klein cadeautje, attentie; **detallista** I *bn* perfectionistisch; pietluttig; II *m,v* detaillist, kleinhandelaar

detección *v* ontdekking; **detectar** ontdekken; opsporen; **detective** *m,v* detective; *~ privado* privédetective; **detector** *m* detector; *~ de mentiras* leugendetector

detención *v* 1 (het) tegenhouden; 2 (het) stilstaan; onderbreking; vertraging; 3 aanhouding, arrestatie, inhechtenisneming; *~ preventiva* preventieve hechtenis; 4 grote aandacht; *estudiar con ~* met zorg bestuderen; **detener** 1 tegenhouden, stopzetten, doen stoppen; staande houden; ophouden, vertragen; *~ el paso* zijn schreden inhouden; 2 aanhouden,

arresteren, oppakken; 3 achterhouden, bewaren; **detenerse 1** stoppen, stilhouden, tot stilstand komen; blijven staan; 2 zich ophouden
detenidamente grondig, degelijk, ingespannen; *estudiar* ~ onder de loep nemen; *estudiar más* ~ nader bestuderen; **detenido, -a** I *bn* 1 grondig, gedegen, diepgaand, nauwkeurig; *examen más* ~ nader onderzoek; 2 (*mbt voertuig*) stilstaand; 3 onder arrest; *tener* ~ vasthouden; II *zn* arrestant(e); **detenimiento** grondigheid, nauwkeurigheid
detentación *v* onrechtmatige toeëigening; **detentador, -ora** iem die zich wederrechtelijk iets toeëigent, usurpator; **detentar** zich wederrechtelijk toeëigenen, zich meester maken van
detergente I *bn* reinigend; II *m* wasmiddel
deterioración *v* verslechtering, bederf; **deteriorado** gehavend; **deteriorar** bederven, aantasten; beschadigen; **deterioro** achteruitgang, bederf, beschadiging, verslechtering; *de fácil* ~ bederfelijk; *sufrir* ~ beschadigd worden, bederven
determinación *v* 1 vaststelling, bepaling; *pendiente de* ~ nader te bepalen; 2 vastberadenheid, beslistheid; 3 besluit; *tomar una* ~ een besluit nemen; **determinado** 1 bepaald; *bien* ~ scherp omlijnd; 2 vastberaden; **determinante** I *bn* bepalend, doorslaggevend, maatgevend; II *m* (*wisk*) determinant; **determinar** 1 bepalen, vaststellen; ~ *su posición* zijn standpunt bepalen; *a* ~ *más tarde* nader te bepalen; 2 ~ (*a*) doen besluiten (om); 3 bepalend zijn voor, leiden tot, veroorzaken; **determinarse** (*a*) het besluit nemen (om), er toe komen (om); **determinismo** determinisme
detersión *v* reiniging; **detersivo** (*med*) zuiverend middel
detestable afschuwelijk, verfoeilijk, onuitstaanbaar; **detestar** verafschuwen, het land hebben aan
detonación *v* knal, ontploffing; **detonador** *m* 1 springstof; 2 detonator; slaghoedje; **detonante** 1 ontplofbaar; 2 uit de toon vallend; **detonar** knallen, ontploffen
detractor, -ora kwaadspreker, -spreekster; iem die kritiek heeft, criticus
detrás I *bw* erachter; van achteren, achteraan, achterin; II *vz:* ~ *de* achter; *estar* ~ *de: a*) zich bevinden achter; *b*) opjagen, achter de vodden zitten; *c*) uit zijn op, het gemunt hebben op; *por* ~ *de* achter...langs; *por* ~ *de u.p.* achter iem om, achter iems rug
detrimento nadeel; *en* ~ *de* ten nadele van
detrito, detritus *m* (*vaak mv*) gruis; afval, resten
deuda 1 schuld; *las* ~*s le ahogan* hij stikt in de schulden; ~ *bancaria* bankschuld; ~ *exterior* buitenlandse schuld; ~ *flotante* vlottende schuld; ~ *pública* staatsschuld; ~ *tributaria* belastingschuld, bedrag vd aanslag; ~ *vencida* vervallen schuld; *contraer* ~*s* zich in de schulden steken; *liquidar una* ~ een schuld aflossen; *llenarse de* ~*s* zich diep in de schulden steken; *prisión por* ~*s* (*jur*) gijzeling; *lo prometido es* ~ belofte maakt schuld; 2 *zie deudo*; **deudo, -a** verwant(e), familielid; nabestaande; **deudor, -ora** I *bn* schuldig; *saldo* ~ debetsaldo; II *zn* debiteur, -trice, schuldenaar, schuldenares; ~ *hipotecario* hypotheekgever
devaluación *v* devaluatie; **devaluar ú** *tr* devalueren; **devaluarse ú** *intr* devalueren
devanadera haspel; *mi cabeza es una* ~ mijn hoofd draait ervan; **devanado** 1 (het) winden; 2 (*elektr*) wikkeling; **devanador, -ora** I *bn* (op)windend; II *m* spoel, klosje (*waarop garen gewonden wordt*); **devanadora** spoelwinder; **devanar** (*garen*) winden, opwinden; **devanarse:** ~ *los sesos* zich suf piekeren, zijn hersens afpijnigen; **devaneo** 1 onnozel tijdverdrijf; 2 flirt; kortstondige verliefdheid
devastación *v* verwoesting; **devastador, -ora** verwoestend; **devastar** verwoesten
devengar 1 recht krijgen op (*betaling*); verdienen; 2 opleveren, afwerpen; ~ *intereses* rente opleveren; **devengo** verdiende bedrag, loon
devenir I *ww* (*ongebr*) worden; II *m* wording
devoción *v* 1 vroomheid; verering; *-ones* religieuze praktijken; 2 toewijding, overgave; voorliefde; *sentir* ~ *a* gesteld zijn op; **devocionario** gebedenboek
devolución *v* teruggave; terugbetaling; ~ *del saludo* beantwoording vd groet; **devolver ue** 1 teruggeven; terugsturen, retourneren; (*bal*) teruggooien; (*groet*) beantwoorden; 2 vergelden; vergoeden; ~ *mal por bien* goed met kwaad vergelden; 3 terugleggen; 4 braken, overgeven; 5 ~ *a* herstellen in (*oude toestand*)
devorador, -ora verslindend; **devorar** 1 verslinden, opschrokken; 2 (*fig*) vernietigen, verteren
devoto 1 vroom, godsdienstig; 2 toegewijd; ~ *de* verknocht aan
dextrosa druivesuiker, dextrose
dextrógino rechtsdraaiend
dextrórsum naar rechts
deyección *v* 1 lava, (vulkanisch) puin; 2 (*med*) ontlasting
dgr *decigramo*; **Dgr** *decagramo*
DGS *Dirección General de Seguridad*
di 1 *zie dar*; 2 *zie decir*
día *m* dag; *un* ~ op een dag, eens; ~ *a* ~, ~ *tras* ~ elke dag, voortdurend; ~ *de ánimas*, ~ *de difuntos* allerzielen (*2 november*); ~ *de la colada* wasdag; *un* ~ *es un* ~ het is maar één keer feest; *un* ~ *de éstos* (een) dezer dagen; ~ *de exposición* kijkdag; ~ *festivo* feestdag; ~ *hábil* werkdag; *el* ~ *del juicio: a*) de dag des oordeels; *b*) met sint-juttemis; ~ *laborable* werkdag; ~ *lectivo* lesdag, collegedag; *el* ~ *menos pensado, el mejor* ~: *a*) op een goede dag; *b*) ieder moment (*kan het gebeuren*); *un* ~ *y otro* dag in dag uit, elke dag; ~ *de pago* betaaldag; *los* ~*s no pasan por ti* jij ziet er altijd even jong

uit, jij wordt maar niet ouder; *~ de Reyes* driekoningen (*6 januari*); *~ del santo* naamdag; *un ~ sí y otro no* om de dag; *~ de suerte* geluksdag; *~ tras ~* dag in dag uit; *~ útil* werkdag; *a ~s* wisselend; *al ~* bij de tijd, up to date; *al otro ~* de volgende dag; *¡buenos ~s!* goedendag, goedemorgen; *cada ~ más* steeds meer; *cada dos ~s* om de dag; *cada ocho ~s* om de week; *cada quince ~s* om de veertien dagen; *como del ~ a la noche* een verschil van dag en nacht; *cualquier ~: a*) op een goede dag; *b*) ieder moment (*kan het gebeuren*); *c*) (*iron*) nooit; *cuatro ~s* een paar dagen, een blauwe maandag; *dar los buenos ~s* goedendag zeggen; *de ~* overdag, als het licht is; *de ~ en ~* van dag tot dag, met de dag; *dejar para otro ~* uitstellen; *dos veces al ~* tweemaal daags; *en pleno ~* op klaarlichte dag; *¿en qué ~ cae?* op wat voor dag valt het?; *en su ~* te zijner tijd, mettertijd; *entrado en ~s* op leeftijd; *entre ~* (*mbt eten*) tussendoor; *está en ~s* (*mbt vrouw*) de baby kan iedere dag komen; *hace buen ~* het is mooi weer; *hace mal ~* het is slecht weer; *hasta otro ~* tot kijk; *hay más ~s que longaniza* het is niet alle dagen feest; *mantenerse al ~* bijblijven; *no tener más que el ~ y la noche* straatarm zijn; *otro ~* een andere keer; *el otro ~* onlangs, laatst; *otro ~ será* dat komt nog wel eens; *poner al ~* bijwerken; *puede ocurrir de un ~ a otro* het kan iedere dag gebeuren; *¿qué ~ es?* wat voor dag is het?; *raya el ~, rompe el ~* de dag breekt aan; *tal ~ hará un año* (*fam*) je doet maar, het kan mij niet schelen; *tiene sus ~s contados* zijn dagen zijn geteld; *todo el santo ~* de godganse dag; *vivir al ~* bij de dag leven; *ya es de ~* het is al licht

diabetes *v* suikerziekte; **diabético, -a** suikerpatiënt(e)

diablesa duivelin; **diablo** duivel; *¡~!* grote hemel!, wel allemensen!; *~ cojuelo* kwelgeest; *el ~ encarnado* de duivel in eigen persoon; *el ~ que lo entienda* iem die dat begrijpt is knap; *~ predicador* huichelaar, iem met mooie praatjes; *como el ~, de (todos) los ~s, más que el ~* vreselijk veel, hevig, enorm; *darse a todos los ~s* te keer gaan, des duivels zijn, zich blauw ergeren; *irse al ~* naar de bliksem gaan; *me mandó al ~* hij zei dat ik naar de maan kon lopen; *más sabe el ~ por viejo que por ~* het komt op ervaring aan; *un pobre ~* een arme drommel, armoedzaaier, stakker; **diablura** (kwajongens)streek; *~s* kattekwaad; **diabólico** duivels

diábolo diabolo (*speelgoed*)

diaconato diaconaat; **diácono** diaken

diacronía diachronie, historische ontwikkeling

diadema diadeem

diafanidad *v* doorzichtigheid (*ook fig*); **diáfano** ijl, doorzichtig (*ook fig*), helder

diafragma *m* 1 diafragma, lensopening; 2 middenrif; 3 membraan

diagnosis *v* diagnostiek, (het) interpreteren van ziekteverschijnselen; **diagnosticar** diagnostiseren; **diagnóstico** diagnose

diagonal I *bn* diagonaal, schuin; II *v* diagonaal; *en ~* schuin, diagonaal

diagrama *m* diagram; schema; **diagramación** *v* lay-out, opmaak (*van krant*)

dial *m* zoekvenster (*in radio*)

dialectal dialect-; dialectisch; **dialectalismo** dialectwoord, dialectvorm; **dialéctica** dialectiek; **dialéctico** vd dialectiek, dialectisch; **dialecto** dialect, streektaal, tongval

diálisis *v* dialyse; *~ del riñón* nierdialyse

dialogante: *actitud ~* bereidheid tot overleg; **dialogar** een gesprek voeren, converseren; **diálogo** dialoog, samenspraak

diamante *m* 1 diamant; *~ (en) bruto* ruwe diamant; 2 (*kaartsp*) ruiten; **diamantífero** diamanthoudend; **diamantino** van diamant; (*lit*) onverzettelijk, hard; **diamantista** *m,v* diamantslijper, diamantverkoper, -verkoopster

diametralmente (*fig*) lijnrecht, haaks; totaal; **diámetro** diameter, middellijn; *~ de giro* draaicirkel

diana 1 (*mil*) reveille; 2 midden van schietschijf, roos

diapasón *m* stemvork; *bajar el ~* zachter gaan spreken; *subir el ~* luider gaan spreken

diapositiva dia, lichtbeeld; *~ en color* kleurendia

diariamente dagelijks; **diario** I *bn* dagelijks, van alle dag; *a ~* dagelijks, elke dag; *de ~* (*mbt kleding*) dagelijks, gewoon; *para ~* voor dagelijks gebruik; II *zn* 1 dagboek; *~ (de a bordo)* logboek, scheepsjournaal; *~ de clase* klasseboek; 2 dagblad, krant; *~ hablado* nieuws (*op radio, tv*), nieuwsberichten; *~ de la noche, ~ de la tarde* avondblad; 3 dagelijkse uitgaven

diarrea diarree, buikloop

diáspora verstrooiing (*van een volk*), diaspora

diatriba heftige kritieken, uitval

dibujante *m,v* tekenaar, tekenares; *~ de publicidad* reclametekenaar; **dibujar** tekenen; schetsen; **dibujarse** zich aftekenen, verschijnen; **dibujo** 1 (het) tekenen; *~ lineal* (het) lijntekenen; *estuche de ~* passerdoos; 2 tekening; *~ abocetado* schetstekening; *~s animados* tekenfilm; *~ en corte, ~ en sección* doorsnedetekening; *~ de ejecución, ~ de trabajo* werktekening; *~ al pastel* pasteltekening; *~ a pluma* pentekening; 3 dessin; patroon

dicción *v* 1 spreektrant; voordracht; 2 uitspraak; **diccionario** woordenboek; *~ de bolsillo* zakwoordenboek; *~ manual* handwoordenboek

dicha geluk; *por ~* gelukkig; **dicharacha** *zie dicharacho*; **dicharachero** 1 geestig, vlot pratend; 2 grof in de mond; **dicharacho** 1 grappige opmerking; 2 grove uitlating; **dicho** I *bn* gezegd; (boven)genoemd; *lo ~* het blijft zoals afgesproken; *~ y hecho* zo gezegd zo gedaan; *mejor ~* liever gezegd, beter gezegd; *no ser*

para ~ onbeschrijflijk zijn; *retirar lo* ~ zijn woorden terugnemen; *zie ook decir*; II *zn* gezegde; *del* ~ *al hecho hay gran trecho* zeggen en doen zijn twee, praatjes vullen geen gaatjes || *tomarse los* ~*s* (*vglbaar*) in ondertrouw gaan, aantekenen; **dichosamente** gelukkig; **dichoso** 1 gelukkig; 2 verduiveld, vervloekt; *ese* ~ *examen* dat rotexamen
diciembre *m* december
dicotomía dichotomie, tweedeling
dictado 1 (het) dicteren, dictaat; *al* ~ gedicteerd; 2 voorschriften; *al* ~ *de* op bevel van, gehoorzamend aan; 3 benaming; **dictador** *m* dictator; **dictadura** dictatuur
dictáfono dictafoon, dicteerapparaat
dictamen *m* oordeel (*van deskundigen*); advies; *emitir un* ~ een advies uitbrengen; **dictar** 1 dicteren; ~ *clases* college geven; 2 uitvaardigen; (*vonnis*) vellen, uitspreken, wijzen; ~ *un fallo,* ~ *sentencia* (*jur*) uitspraak doen; 3 voorschrijven; ingeven; ~ *la ley a u.p.* iem de wet voorschrijven; *lo que dicte la conciencia* wat het geweten ingeeft
dictatorial dictatoriaal
dicterio belediging, scheldwoord
didáctica (vak)didactiek; **didáctico** vh onderwijs; didactisch
didelfo buideldier
diecinueve negentien; *en el siglo* ~ in de negentiende eeuw; **dieciocho** achttien; **dieciséis** zestien; **diecisiete** zeventien
diedro: *ángulo* ~ standhoek
Diego jongensnaam
diente *m* 1 tand; kartel (*in mes*); ~*s* (*ook*) kartelrand; ~ *de arriba* boventand; ~ *canino* hoektand; ~ *cariado* rotte tand; ~*s de embustero* gebit waaruit tanden ontbreken, "fietsenrek"; ~ *de espiga* stifttand; ~ *incisivo* snijtand; ~ *de leche* melktand; ~ *de león* paardebloem; ~ *molar* kies; ~ *de perro* tweetandige beitel; ~ *picado* rotte tand; ~ *venenoso* giftand; *se le alargan los* ~*s, se le ponen los* ~*s largos* het water loopt hem in de mond; *apretar los* ~*s* de tanden op elkaar zetten; *cambiar de* ~*s* (*tanden*) wisselen; *dar* ~ *con* ~ klappertanden; *de* ~*s afuera* onoprecht; *echar* ~*s* (*fam*) tanden krijgen; *echar los* ~*s* vuur spuwen; *enseñar los* ~*s* zijn tanden laten zien; *entre* ~*s* binnensmonds; *estar a* ~ niet gegeten hebben; *hablar entre* ~*s* mompelen; *hincar el* ~ *a* zijn tanden zetten in; *lavarse los* ~*s* zijn tanden poetsen; *no llega a un* ~, *no tiene para un* ~ dat stop je in een holle kies; *partir con los* ~*s* (*iets*) doorbijten; *rechinar los* ~*s* knarsetanden; *reír entre* ~*s* grinniken; *tener buen* ~ een goede eter zijn; 2 ~ *de ajo* teentje knoflook; **dientimellado** met een gebit waaruit tanden ontbreken
diéresis *v* 1 diaeresis, (het) scheiden van twee klinkers; 2 trema, umlaut, deelteken
Diesel: *aceite* ~ dieselolie; *motor* ~ dieselmotor
diestra rechterhand; **diestro** I *bn* 1 rechts, rechter-; *a* ~ *y siniestro: a*) in het wilde weg; *b*) naar alle kanten; 2 handig, behendig; vaardig, bekwaam; II *zn* 1 stierenvechter; 2 rechterhand
dieta 1 dieet; 2 ~*s* presentiegeld, vacatiegeld; 3 (*hist*) rijksdag; **Dieta**: *la* ~ *polaca* de Poolse landdag; **dietario** huishoudboek; **dietética** dieetleer, voedingsleer; **dietético, -a** I *bn* dieet-; *alimentos* ~*s* dieetvoeding; II *zn* diëtist(e)
diez tien; ~ *mil* tienduizend; **diezmar** decimeren, veel slachtoffers maken onder; **diezmilésimo** tienduizendste; **diezmilímetro** een tiende millimeter; **diezmo** (*hist*) tiend
difamación *v* smaad, laster, verdachtmaking, aantasting van iems goede naam; **difamador, -ora** I *bn* lasterend; II *zn* lasteraar(ster); **difamar** belasteren, zwart maken, onteren; **difamatorio** lasterlijk, smadelijk; *campaña -a* lastercampagne
diferencia 1 verschil; onderscheid; (*mbt rivier*) verval; *una* ~ *acusada* een duidelijk verschil; ~ *de nivel* niveauverschil, ~ *de opiniones,* ~ *de pareceres* verschil van mening; *a* ~ *de* in afwijking van, in tegenstelling tot; *con gran* ~ verreweg; *con pocos años de* ~ met een paar jaar verschil, kort na elkaar; 2 geschil; meningsverschil; **diferenciación** *v* differentiatie; **diferencial** 1 *m* (*wisk*) differentiaal; 2 *v* (*techn*) differentieel; **diferenciar** I *tr* onderscheiden; II *intr:* ~ (*en*) verschillen (in); **diferenciarse** 1 verschillen; 2 ~ (*de*) zich onderscheiden (van); **diferente** verschillend, anders, afwijkend; **diferir ie, i** I *tr* uitstellen; II *intr* verschillen
difícil moeilijk, lastig; ~ *de prever* moeilijk te voorzien; *es* ~ *que* het is onwaarschijnlijk dat, er is weinig kans dat; *resultar* ~ moeilijk vallen; *se me hace* ~ het valt mij zwaar; *lo veo* (*muy*) ~ ik heb er een hard hoofd in, ik zie het somber in; **dificultad** *v* moeilijkheid, probleem; bezwaar; strubbeling; *poner* ~*es a u.p.* het iem lastig maken; **dificultar** bemoeilijken; belemmeren; **dificultoso** moeizaam, zwaar
difteria difterie
difumar, difuminar verdoezelen; **difuminarse** vervagen, vervlakken; **difumino** doezelaar
difundir 1 verbreiden; 2 uitzenden; **difundirse** verspreid worden; bekend worden; opgang maken
difunto, -a I *bn* wijlen; II *zn* overledene
difusión *v* verbreiding, verspreiding; *medios de* ~ media; **difuso** verward, vaag; **difusor, -ora** I *bn* verbreidend; II *m* straalkachel
digerible verteerbaar; **digerir ie, i** verteren; verwerken; **digestible** *zie digerible*; **digestión** *v* (spijs)vertering; *de fácil* ~ licht verteerbaar; **digestivo** I *bn* 1 spijsverterings-; *trastornos* ~*s* spijsverteringsstoornissen; 2 goed voor de spijsvertering; II *zn* likeur
digitación *v* vingerzetting; **digital** I *bn* 1 digi-

taal; 2 vd vingers; *huella ~* vingerafdruk; **II** *v* vingerhoedskruid
dignarse (*soms ~ de*) zich verwaardigen om; *no ~ mirar a u.p.* iem geen blik waardig keuren; **dignatario, -a** hoogwaardigheidsbekleder, dignitaris, functionaris; **dignidad** *v* waardigheid; eergevoel, gevoel van eigenwaarde; fatsoen; **digno** waardig; *~ de alabanza* loffelijk, prijzenswaard; *~ de confianza* betrouwbaar; *~ de crédito* geloofwaardig; *~ de mención* noemenswaard; *~ de respeto* eerbiedwaardig; *~ de verse* bezienswaardig; *una vivienda -a* een behoorlijke woning
digresión *v* uitweiding; afdwaling; *-ones* omhaal
diita *m* dagje; *¡vaya ~!* het was me het dagje wel!
1 dije *m* bedeltje, hanger; juweel (*ook fig*)
2 dije *zie decir*
dilaceración *v* verscheuring; **dilacerar** verscheuren
dilación *v* uitstel; *sin ~* onverwijld
dilapidación *v* verkwisting; **dilapidador, -ora** verkwistend; **dilapidar** verkwisten
dilatación *v* (*natk*) uitzetting; **dilatado** wijd, uitgestrekt; **dilatar 1** (*natk*) doen uitzetten; 2 vertragen, uitstellen; **dilatarse** uitzetten; steeds langer worden; *~ en* uitweiden over; **dilatoria** vertragingsmanoeuvre; *andar con ~s* rekken; **dilatorio** *bn* (*vnl jur*) vertragend
dilección *v* genegenheid; **dilecto** (*lit*) geliefd, dierbaar
dilema *m* dilemma
diletante *m,v* dilettant(e); beunhaas; **diletantismo** dilettantisme; beunhazerij
diligencia 1 zorgvuldigheid; ijver; *con la mayor ~* met bekwame spoed; 2 postkoets; 3 (*vnl jur*) stap, handeling; uitvoering; *~s* (*ook*) voorbereidingen voor het proces; **diligenciar 1** stappen doen voor; 2 een (*voorgeschreven*) aantekening maken op; **diligente 1** zorgvuldig; vlijtig, ijverig; 2 (*jur*) gereed; *la parte más ~* de meest gerede partij
dilucidación *v* opheldering; **dilucidar** ophelderen
dilución *v* verdunning; **diluir** verdunnen, aanlengen; versnijden
diluviano vd zondvloed; **diluvio 1** zondvloed; 2 stortregen; (*fig*) regen, overvloed; **diluviar** stortregenen
diluyente I *bn* verdunnend; **II** *m* (verf)verdunner, thinner
dimanar (*de*) voortvloeien (uit)
dimensión *v* afmeting, maat, grootte
dimes y diretes *mmv* geharrewar
diminutivo I *bn* verkleinend; **II** *zn* verkleinwoord; **diminuto** heel klein, nietig
dimisión *v* (het) aftreden; *presentar la ~* zijn ontslag indienen; **dimisionario** demissionair; **dimitente** aftredend; **dimitir** aftreden; *~ su cargo* zijn ambt neerleggen; *~ de presidente* aftreden als voorzitter

din *m* geld; *sin el ~ no hay dan* geen geld geen Zwitsers, zonder geld bereik je niets
Dinamarca Denemarken; **dinamarqués, -esa** Deens
dinámica *zn* dynamica; **dinámico** dynamisch; **dinámico-biológico** biologisch-dynamisch; **dinamismo** dynamiek, energie
dinamita dynamiet; **dinamitar** (*met dynamiet*) opblazen; **dinamitero, -a 1** dynamiteur; 2 terrorist(e)
dinamizar dynamisch(er) maken; **dinamo, dínamo** *v* dynamo
dinar *m* munteenheid van Joegoslavië
dinastía dynastie; **dinástico** dynastiek
dineral *m* (*fig*) kapitaal, hap geld; **dinero** geld; *~ en caja* kasgeld; *~ contante, efectivo* contant geld, klinkende munt; *~ llama ~* geld wint geld; *el ~ no me alcanza* ik kom met dat geld niet toe; *el ~ se ha hecho redondo para que ruede* geld moet rollen; *el ~ lo puede todo, por ~ baila el perro* voor geld is alles te koop; *~ público* algemene middelen; *~ de soborno* steekpenningen; *~ suelto* los geld, kleingeld; *andar bien de ~* goed bij kas zijn; *andar mal de ~* slecht bij kas zijn; *de ~* rijk, welgesteld; *depositar ~* geld storten; *derrochar el ~, tirar el ~* met geld smijten; *gastar ~ en* geld besteden aan; *no llevar ~ encima* geen geld bij zich hebben; *pagar buen ~* dik betalen; *poner ~ encima* ergens geld op toe leggen; *por ~* tegen betaling; *sacar ~ de* geld slaan uit
dinosaurio dinosaurus
dintel *m* bovendrempel (*van kozijn*)
diñar: *~la* de pijp uitgaan, doodgaan
diócesis *v* diocese, bisdom, aartsbisdom
diodo diode
dios *m* god, godheid; *~es* godendom; *los ~es griegos* de Griekse goden; *~ del sol* zonnegod; *sin ~* goddeloos; **Dios** *m* God; *~ aprieta pero no ahoga* God geeft je benauwenis maar laat je niet stikken, God geeft koude naar kleren; *~ nos coja confesados* op hoop van zegen; *~ los cría y ellos se juntan* soort zoekt soort; *~ mediante* bij leven en welzijn; *a la buena de ~* op de bonnefooi, op hoop van zegen; *un alma de ~* een simpele ziel; *se armó la de ~ es Cristo* toen had je de poppen aan het dansen, er ontstond een enorme heibel; *así me asista ~ todopoderoso* zo waarlijk helpe mij God almachtig; *¡(ay) ~ mío!* lieve God!; *clamar a ~* hemeltergend zijn; *como ~ manda* zoals het hoort; *como ~ le trajo al mundo* in adamskostuum; *costar ~ y ayuda* veel voeten in de aarde hebben; *eso no hay ~ que lo arregle* daar helpt geen lieve moeder aan; *estar de ~: a)* voorbeschikt zijn; *b)* onontkoombaar zijn; *gracias a ~* God zij dank, goddank; *¡no lo permita ~!* dat verhoede God!; *¡por ~!* grote genade!, in hemelsnaam!; *por* (*el amor de*) *~* om godswil; *si ~ quiere* bij leven en welzijn; *todo ~* iedereen; *¡válgame ~!* grote hemel!; **diosa** godin
dióxido: *~ de carbono* kooldioxyde

diploma *m* diploma; brevet; ~ *de natación* zwemdiploma; *sin* ~ (*mbt docent*) onbevoegd; **diplomacia** diplomatie; **diplomado** gediplomeerd; **diplomar** diplomeren; **diplomarse** een diploma halen; **diplomática** diplomatie; **diplomático, -a** I *bn* diplomatiek; II *zn* diplomaat, diplomate
dipsomanía drankzucht
díptero tweevleugelig
diptongación *v* verandering van klinker in tweeklank, diftongering; **diptongar** als tweeklank uitspreken; **diptongarse** (*mbt klinker*) veranderen in een tweeklank; **diptongo** tweeklank
diputación *v* afvaardiging, deputatie; ~ *provincial* (*vglbaar*) provinciale staten; **diputado, -a** gedeputeerde, volksvertegenwoordig(st)er, kamerlid, parlementslid; ~ *por León* afgevaardigde voor Leon; **diputar** 1 achten, beschouwen als; 2 afvaardigen
dique *m* 1 dijk, dam; ~ *de cierre* afsluitdijk; ~ *de contención* (stuw)dam; ~ *fluvial* rivierdijk; ~ *de mar* zeedijk; *poner* ~(*s*) *a* bedijken, inpolderen, indammen; 2 dok; ~ *flotante* drijvend dok; ~ *seco* droogdok; 3 hindernis
diquelar in de smiezen krijgen
dirección *v* 1 adres; ~ *postal* postadres, correspondentieadres; 2 leiding; bestuur, directie; leiderschap; ~ *de* (*la*) *empresa* bedrijfsleiding; ~ *de escena* regie; ~ *general* directoraat-generaal; 3 besturing; ~ *asistida* stuurbekrachtiging; 4 richting; ~ *doble* tweerichtingsverkeer; ~ *prohibida* verboden in te rijden; ~ *única* eenrichtingsverkeer; ~ *del viento* windrichting; **Dirección** *v:* ~ *General de Seguridad* (*afk DGS; Sp*) staatsveiligheidsdienst
directa hoogste versnelling, overdrive; **directiva** 1 richtlijn; 2 bestuur (*bv van club*); ~ *local* afdelingsbestuur; **directivo** I *bn* leidend; *personal* ~ leidinggevend personeel; II *zn* topfunctionaris; directielid; ~*s* kader, staf; **directo** I *bn* 1 direct, rechtstreeks; (*mbt trein*) doorgaand; *emisión en* ~ live-uitzending; *enlace* ~ rechtstreekse verbinding; 2 vrijmoedig, direct; II *zn* (*bokssp*) directe
director, -ora I *bn* leidend; II *zn* directeur, -trice; leid(st)er; hoofd (*van school*); rector, rectrix; (*Sp*) hoofdredacteur, -redactrice; ~ *adjunto* adjunct-directeur; ~ *de cine* filmregisseur; ~ *de escena* regisseur; ~ *médico* geneesheer-directeur; ~ *de orquesta* dirigent; ~ *de tesis* (*univ*) promotor; **directorio** 1 (het) geheel aan normen; 2 adresboek; 3 directorium; **directriz** *v* 1 (*vaak mv*) richtlijn; 2 (*wisk*) richtlijn; **dirigente** I *bn* leidend, leidinggevend; heersend; II *m,v* leid(st)er; bestuurder, bestuurster; machthebber; ~ *de la huelga* stakingsleider; ~ *obrero* arbeidersleider; ~ *del partido* partijleider; **dirigible** I *bn* bestuurbaar; II *m* zeppelin; **dirigir** 1 leiden, besturen; dirigeren; regisseren; ~ *el debate* de discussie leiden; ~ *los estudios de u.p.* iem bij de studie begeleiden; 2 ~ *a* richten tot, adresseren aan; ~ *hacia* richten naar; ~ *la palabra a u.p.* iem aanspreken, het woord tot iem richten; ~ *sus pasos hacia* zijn schreden richten naar; **dirigirse** 1 ~ *a* zich richten tot, benaderen, aanspreken, toespreken, zich wenden tot; 2 ~ *a, hacia* zich begeven naar; **dirigismo** dirigisme; geleide economie
dirimente ontbindend; onoverkomelijk; **dirimir** 1 ontbinden; 2 beslechten, bijleggen
discal vd tussenwervelschijf
discernimiento inzicht, onderscheidingsvermogen; **discernir ie** I *tr* 1 onderscheiden; 2 toekennen; II *intr* een goed inzicht hebben
disciplina 1 discipline; tucht; ~ *militar* krijgstucht; 2 (studie)vak; 3 ~*s* (boete)gesel; pak slaag; **disciplinar** 1 (*iem*) aan tucht wennen, disciplineren; 2 geselen; 3 beheersen, inhouden; **disciplinario** disciplinair; *derecho* ~ tuchtrecht
discípulo, -a leerling(e), volgeling(e); *hacerse* ~ *de* in de leer gaan bij
disc-jockey *m* disc-jockey
disco 1 schijf; ~ *de control* parkeerschijf; ~ *fijo* (*comp*) harde schijf; ~ (*floppy*) diskette, floppy; ~ *del freno* remschijf; ~ (*selector*) kiesschijf; ~ *solar* zonneschijf; 2 (grammofoon)plaat; steeds hetzelfde verhaal; ~ *compacto* compact disc, cd; ~ *de larga duración* elpee, langspeelplaat; *cambiar de* ~*: a*) een andere plaat opzetten; *b*) over iets anders beginnen; 3 discus; 4 stoplicht; ~ (*de señales*) (*spoorw*) schijfsignaal, seinpaal; *saltarse el* ~ door rood rijden; **discófilo, -a** (grammofoon)platenliefhebber, -liefhebster; **discoidal** schijfvormig
díscolo ongezeglijk, lastig
disconforme oneens; **disconformidad** *v* 1 gebrek aan overeenkomst; 2 gebrek aan overeenstemming, (het) niet eens zijn
discontinuidad *v* gebrek aan continuïteit; **discontinuo** steeds onderbroken, onregelmatig
discordancia gebrek aan overeenstemming; **discordante** vals; niet bij elkaar passend; uit de toon vallend; tegenstrijdig; *una nota* ~ een storend element; **discordar ue** 1 niet overeenstemmen; vals klinken; (*mbt kleur*) vloeken; 2 het niet eens zijn; **discorde** 1 oneens; 2 (*muz*) vals; **discordia** tweedracht, verdeeldheid; *manzana de la* ~ twistappel; *provocar la* ~ tweedracht stichten; *punto de* ~ geschilpunt
discoteca discotheek
discreción *v* verstand; overleg; discretie; *a* ~ naar believen, naar eigen goeddunken; *dejar a la* ~ facultatief stellen; *disparar a* ~ erop los schieten; *vino a* ~ wijn zoveel men wil; **discrecional** 1 verstandelijk; *facultades* ~*es* verstandelijke vermogens, inzicht; 2 overgelaten aan eigen inzicht; facultatief, niet verplicht; *parada* ~ (*mbt bus*) halte op verzoek
discrepancia verschil; ~ (*de pareceres*) meningsverschil; **discrepante** verschillend, afwijkend; **discrepar** 1 verschillen, afwijken; 2 ~ (*en*) van mening verschillen (in)

discreto 1 verstandig; 2 bescheiden, discreet; onopvallend; 3 redelijk; *un sueldo* ~ een redelijk salaris
discriminación *v* discriminatie, achterstelling; ~ *racial* rassendiscriminatie; **discriminar** 1 onderscheiden; 2 discrimineren, achterstellen; **discriminatorio** discriminerend

disculpa verontschuldiging, excuus; *en tono de* ~ op verontschuldigende toon; *ofrecer ~s* zijn verontschuldigingen aanbieden; **disculpar** 1 verontschuldigen, excuseren, goedpraten; *¡disculpe!* pardon!; 2 ~ *de* vrijpleiten van; **disculparse** (*de*) zich verontschuldigen (voor); afzeggen
discurrir I *intr* 1 denken, zijn verstand gebruiken; ~ *poco* niet nadenken; 2 (*lit*) verlopen; 3 (*lit; mbt rivier*) lopen, stromen; II *tr* uitdenken
discursear (*neg*) een rede houden, oreren; **discursivo** 1 redenerend, verstandelijk; 2 beschouwelijk; **discurso** 1 rede(voering), speech; ~ *de bienvenida* welkomstrede; ~ *conmemorativo* herdenkingsrede; ~ *radiado,* ~ *radiofónico* radiotoespraak; *pronunciar un* ~ een redevoering houden; 2 verloop (*vd tijd*); 3 betoog; (*taalk*) discours; *el hilo del* ~ de draad vh betoog; 4 rede, vermogen tot redeneren, verstand
discusión *v* 1 gesprek, bespreking, debat; *-ones* beraadslagingen; *-ones parlamentarias* kamerdebatten; *base de* ~ uitgangspunt; 2 discussie, twistgesprek; *una* ~ *acalorada* een verhitte discussie; *no admitir* ~ niet ter discussie staan; **discutible** aanvechtbaar, betwistbaar; *es* ~ *si* het is de vraag of; **discutido** besproken; omstreden; **discutir** I *tr* 1 bespreken, bepraten, behandelen, het hebben over, debatteren over, discussiëren over; 2 tegenspreken; II *intr* 1 discussiëren, bekvechten, ruzie maken, woorden hebben; 2 ~ *de, sobre* discussiëren over
disecación *v* 1 sectie, ontleding; 2 (het) opzetten (*van dieren*); **disecado** 1 (*mbt bloem*) gedroogd; 2 (*mbt dier*) opgezet; **disecador** *m* preparateur, iem die dieren opzet; **disecar** 1 ontleden; opensnijden; 2 (*planten*) drogen; 3 (*dieren*) opzetten; **disección** *v* ontleding, (het) opensnijden, sectie; *mesa de* ~ snijtafel
diseminación *v* 1 verspreiding; 2 (*med*) uitzaaiing; **diseminar** 1 verspreiden; 2 (*med*) uitzaaien
disensión *v* onenigheid, ruzie
disentería dysenterie
disentimiento meningsverschil; **disentir ie, i** (*de*) (het) oneens zijn (met); afwijken (van); *disentimos en eso* wij zijn het daar niet over eens
diseñador, -ora ontwerp(st)er, vormgever; ~ *de moda* modeontwerper; **diseñar** ontwerpen; **diseño** ontwerp, design; opzet; vormgeving; schets; beschrijving; *de* ~ *robusto* in stevige uitvoering
disertación *v* uiteenzetting, verhandeling, betoog; voordracht; **disertar**: ~ *sobre* behandelen, een uiteenzetting geven over
disfavor *m* nadeel; iets onaardigs
disforme misvormd
disfraz *m* 1 vermomming; masker (*ook fig*); voorwendsel; 2 aanfluiting; **disfrazado** vermomd, verkapt; **disfrazar** vermommen, verkleden; verbloemen; ~ *la voz* zijn stem verdraaien; **disfrazarse** zich vermommen, zich verkleden
disfrutar (*ook* ~ *de*) genieten (van); ~ (*de*) *buena salud* een goede gezondheid genieten; ~ (*d*)*el fin de semana* van het weekend genieten;
disfrute *m* genot
disgregación *v* (het) uiteenvallen; **disgregar** scheiden, uiteen doen vallen; (*menigte*) verspreiden; **disgregarse** uiteenvallen
disgustado ontstemd, boos, gebelgd; **disgustar** ontstemmen; ~ *a u.p.* zich iems ongenoegen op de hals halen; **disgustarse** boos worden, ontstemd raken; **disgusto** 1 ongenoegen, ergernis; verdriet; *a* ~ met tegenzin; *a* ~ *de* tegen de zin van; *dar un* ~ *a u.p.* iem verdriet doen, iem teleurstellen; *estar a* ~ het niet naar zijn zin hebben; *llevarse un* ~ iets naar vinden, zich teleurgesteld voelen; 2 onaangenaamheid, narigheid; ruzie; pijnlijke kwestie
disidencia afwijkende mening(en), gebrek aan overeenstemming; **disidente** *m,v* dissident(e); tegenstemmer, -stemster; **disidir** afwijken, niet overeenstemmen
disimetría asymmetrie
disimilitud *v* verschil, ongelijkheid
disimulación *v* veinzerij, (het) verbergen; **disimulado, -a** I *bn* 1 achterbaks, gluiperig, geniepig; 2 heimelijk, verholen; *a la -a* stiekem; II *zn* huichelaar(ster), veinzer; *hacerse el* ~ zich van de domme houden, doen alsof je neus bloedt; **disimular** I *tr* 1 verbergen; verheimelijken; verdoezelen; *no* ~ *u.c.* iets niet onder stoelen of banken steken; 2 door de vingers zien; II *intr* 1 huichelen, veinzen, doen of men iets niet merkt; **disimulo** achterbaksheid, heimelijkheid; *con* ~ achterbaks; *sin* ~ onverholen
disipación *v* 1 (het) optrekken (*van nevel*); 2 verkwisting; 3 losbandigheid; **disipado** 1 verkwistend; 2 losbandig; **disipador, -ora** verkwistend; **disipar** 1 doen verdwijnen, doen vervagen; (*mist*) verdrijven; 2 verkwisten; (*aandacht*) versnipperen; **disiparse** verdampen, optrekken; verdwijnen
dislate *m* dwaasheid, onzin
dislexia dyslexie, leesblindheid
dislocación *v* ontwrichting; **dislocar** verrekken, ontwrichten; **dislocarse** uit het lid raken; **disloque** *m* (*fam*) toppunt; *¡es el* ~*!* dat is het einde!
disminución *v* vermindering, verkleining; *hacer -ones* (*bij breien*) minderen; *continuar las -ones* blijven minderen (*bij breien*); **disminuido** gehandicapt; **disminuir** I *tr* 1 vermin-

deren; verkleinen; ~ *la marcha* vaart minderen; 2 kleineren; II *intr* (ver)minderen, minder worden; afnemen, slinken, teruglopen; *su vista disminuye* zijn ogen worden slechter
disnea benauwdheid, ademhalingsstoornissen; **disneico** kortademig
disociación *v* ontbinding; scheiding; **disociar** ontbinden; scheiden
disoluble oplosbaar; **disolución** *v* 1 ontbinding (*ook fig*); ~ *del Congreso* ontbinding vd Tweede Kamer; 2 oplossing; 3 solutie (*om banden te plakken*); 4 losbandigheid; **disoluto** losbandig; **disolvente** I *bn* 1 oplossend; 2 ondermijnend; II *m* oplosmiddel; afbijtmiddel; **disolver ue** 1 oplossen; 2 (*fig*) ontbinden, een eind maken aan; ~ *el matrimonio* het huwelijk ontbinden
disonancia wanklank, dissonant; **disonante** vals klinkend; uit de toon vallend; **disonar ue** vals klinken; ~ *de* niet passen bij, uit de toon vallen bij
dispar uiteenlopend, ongelijk
disparadero trekker (*van vuurwapen*); *poner a u.p. en el* ~ iem zijn geduld doen verliezen; **disparado**: *salir* ~ (*fig*) wegvliegen; **disparador, -ora** 1 iem die schiet, schutter; 2 *m* trekker (*van geweer*); 3 *m* (*fot*) ontspanner; ~ *de flash* flitser; **disparar** I *tr* afschieten, afvuren; (*schot*) lossen; (*bal*) wegschieten, weggooien; ~ *el flash* flitsen; II *intr* schieten; ~ *a, contra* schieten op, beschieten; **dispararse** 1 (*mbt prijzen*) omhoog vliegen; 2 (*mbt geweer*) afgaan; *sin* ~ *un tiro* zonder slag of stoot; 3 plotseling in actie komen; wegrennen; 4 zijn zelfbeheersing verliezen, zich laten gaan
disparatado onzinnig, dwaas; **disparatar** wartaal uitslaan; **disparate** *m* (*vaak mv*) dwaasheid, gekkenwerk; nonsens, apekool, waanzin; *decir ~s* onzin uitkramen; *soltar un* ~ vloeken || *un* ~ veel, heel erg; *costar un* ~ een kapitaal kosten
disparejo ongelijk
disparidad *v* ongelijkheid; ~ *de cultos* verschil in geloof; *hay* ~ *de criterios* de meningen lopen uiteen
disparo schot
dispendio verspilling, onnodige uitgave; **dispendioso** duur
dispensa vrijstelling, dispensatie; **dispensación** *v* vrijstelling, dispensatie, ontheffing; **dispensar** 1 verstrekken, verlenen, geven; 2 (*ook* ~ *de*) kwijtschelden; vrijstellen van, ontheffen van; vergeven; *dispensar a u.p.* (*de*) *una multa* iem een boete kwijtschelden; *¡dispense!* pardon!; **dispensario** centrum voor (bijna) kosteloze medische en farmaceutische dienstverlening; (*gratis*) polikliniek
dispepsia spijsverteringsstoornis
dispersar verspreiden; uiteendrijven; (*aandacht*) versnipperen; **dispersarse** zich verspreiden; uitzwermen; **dispersión** *v* (ver)spreiding; **disperso** verspreid; *chubascos ~s* plaatselijke buien; **dispersor, -ora** verspreidend
displicencia 1 onvriendelijkheid, koelheid; 2 nonchalance; **displicente** 1 onvriendelijk, koel, onverschillig; 2 slordig, nonchalant
disponer 1 schikken, opstellen; klaarmaken, in orde brengen; inrichten; 2 beschikken, bepalen; *los estatutos disponen que* in de statuten wordt bepaald dat; 3 ~ *a* voorbereiden op; 4 ~ *de* beschikken over; **disponerse** (*a, para*) zich gereedmaken (om, voor), aanstalten maken (om); **disponibilidad** *v* 1 beschikbaarheid; 2 *~es* beschikbare (geld)middelen; **disponible** beschikbaar; *estar* ~ ter beschikking staan; **disposición** *v* 1 opstelling; inrichting; ~ *de prueba* proefopstelling; 2 bepaling, beschikking; voorschrift; ~ *legal* wettelijke bepaling; ~ *transitoria* overgangsbepaling; *derogar una* ~ een bepaling intrekken; 3 bereidheid; *en* ~ *de* gereed om; 4 beschikking; *estar a la* ~ *de* ter beschikking staan van, klaar staan voor; *puesta a* ~ terbeschikkingstelling; *quedar a* ~ ter inzage liggen; *tener la* ~ *de* de beschikking hebben over; 5 gesteldheid; gezindheid, instelling; ~ *de ánimo* gemoedsgesteldheid, stemming; *-ones para el dibujo* aanleg voor tekenen; *de* ~ *soñadora* dromerig van aard; **dispositivo** I *bn* beschikkend; II *zn* mechaniek, (technisch) snufje, voorziening; ~ *antirrobo* inbraakbeveiliging; ~ *de disco* diskdrive; ~ *hombre muerto* dodemansknop; ~ *intrauterino* (*afk Diu*) spiraaltje; ~ *de protección,* ~ *protector* beveiliging; ~ *de seguridad* veiligheidsvoorziening; **dispuesto** gereed; ~ (*a ayudar*) hulpvaardig; ~ *a luchar* strijdvaardig; *bien* ~ *con, hacia* gunstig gestemd jegens; *estar* ~ *a* bereid zijn om, gereed zijn om; *no* ~ *a* onwillig om; *todo está* ~ alles staat klaar
disputa onenigheid, twist(gesprek), woordenwisseling; *~s* gekibbel; **disputar** I *tr* betwisten, ruzie maken om, kibbelen over; II *intr* ~ (*por*) ruzie maken (over); **disputarse** elkaar (iets) betwisten, vechten om; *se disputan el premio* ze vechten om de prijs
disquisición *v* 1 betoog, uiteenzetting; onderzoek; 2 *-ones* uitweidingen
distancia afstand; ~ *auditiva* gehoorsafstand; ~ *focal* brandpuntsafstand; ~ *de freno* remweg; ~ *prudente* veilige afstand; *curso a* ~ schriftelijke cursus; *poca* ~ een klein eindje; *¿qué* ~ *hay?* hoe ver is het?; **distanciamiento** verwijdering; vervreemding; **distanciar** verwijderen; uiteen plaatsen; distantiëren; **distanciarse** (*de*) zich distantiëren (van); vervreemden (van); **distante** afgelegen, ver; ~ *de* verwijderd van; *mantener* ~ op een afstand houden; **distar** ver afliggen van; ~ *de ser fácil* verre van gemakkelijk zijn
distender ie uitrekken, spannen; (*spier*) verrekken; **distensión** *v* 1 (*pol*) ontspanning; 2 verrekking; ~ *muscular* verrekking van een spier; 3 uitrekking

distinción *v* onderscheid; verschil; *sin* ~ door elkaar 1 ~ (*honorífica*) onderscheiding, eer; 2 distinctie, voornaamheid; **distingo** voorbehoud; **distinguible** te onderscheiden; **distinguido** 1 aanzienlijk; deftig; ~ *señor:* (*briefaanhef*) zeer geachte heer,; 2 vooraanstaand; **distinguir** 1 onderscheiden; onderkennen; uit elkaar houden; *no* ~: *a*) geen verschil zien, geen verschil maken; *b*) weinig inzicht hebben; *saber* ~ weten wat de moeite waard is, een goed inzicht hebben; 2 (kunnen) zien, onderscheiden; 3 een onderscheiding toekennen aan; eren; 4 voortrekken; **distinguirse** zich onderscheiden, uitblinken; **distintivo** I *bn* onderscheidend; II *zn* onderscheidingsteken; insigne; **distinto** (*de*) verschillend (van), anders (dan)

distorsión *v* verdraaiing; verstuiking

distracción *v* 1 afleiding, ontspanning; amusement, vermaak; 2 (moment van) verstrooidheid; **distraer** afleiden, bezighouden; **distraerse** 1 zich vermaken, afleiding zoeken, zich ontspannen; 2 niet opletten; *no* ~ *de* zijn hoofd houden bij; **distraído** 1 verstrooid; onoplettend, afwezig; 2 onderhoudend; vermakelijk

distribución *v* 1 verdeling; (ver)spreiding; (*hdl*) distributie; ~ *uniforme* gelijkmatige verdeling; 2 indeling (*bv van huis*); inrichting; ~ *del tiempo* tijdsindeling; **distribuidor**, **-ora** 1 (*hdl*) dealer; 2 iem die verdeelt; 3 *m* verdeelstekker; 4 *m* ~ *automático* automaat (*voor eetwaren, sigaretten*); **distribuir** 1 verdelen; uitdelen; distribueren; ~ *entre* verdelen onder; 2 (*meubels*) een plaats geven, plaatsen; ~ *la casa* het huis indelen, inrichten; **distribuirse** zich verspreiden; verspreid staan

distrito district; ambtsgebied; rayon; stadsdeel, wijk; ~ *electoral* kiesdistrict

disturbio opstootje; ~*s* onlusten, troebelen, relletjes, wanordelijkheden

disuadir (*de*) ontraden, afbrengen (van); **disuasión** *v* (het) afraden; afschrikking; *política de* ~ afschrikkingspolitiek; **disuasivo**, **disuasorio** afschrikkend; die afraadt, waarschuwend

disyuntiva keuze (*tussen twee dingen*), alternatief; **disyuntivo** scheidend

ditirambo lofzang

Diu *m dispositivo intrauterino* spiraaltje

diurético diuretisch, het urineren bevorderend

diurno 1 vd dag; *luz -a* daglicht; 2 een dag durend

divagación *v* 1 afdwaling; 2 uitweiding; **divagar** afdwalen; niet tot de zaak komen, in de ruimte praten

diván *m* bank, divan

divergencia 1 afwijking; 2 verschil van mening; **divergente** afwijkend, uiteenlopend, divergerend; **divergir** uiteenlopen, afwijken

diversidad *v* verscheidenheid; veelheid; ~ *racial* verscheidenheid van rassen; **diversificación** *v* spreiding; variatie; ~ *de riesgos* risicospreiding; **diversificar** spreiden; variëren; **diversión** *v* 1 afleiding, vermaak, amusement, vertier; ~ *para sí* binnenpretje; 2 (*maniobra de*) ~ afleidingsmanoeuvre; **diverso** verschillend

divertido grappig, leuk; *¡estamos ~s!* (*iron*) we kunnen onze lol wel op!; **divertimiento**: ~ *estratégico* afleidingsmanoeuvre; *zie ook diversión*; **divertir ie**, **i** 1 afleiden; 2 amuseren, vermaken; **divertirse ie**, **i** zich amuseren, plezier hebben, zich vermaken

dividendo 1 dividend; ~ *pasivo* (*Sp*) aanvullende kapitaalstorting op aandelen; 2 (*rekenk*) deeltal; **dividir** 1 verdelen; splitsen; scheiden; verkavelen; (*woord*) afbreken; 2 (*rekenk*) delen

divinamente goddelijk; fantastisch, geweldig; **divinidad** *v* godheid; **divinizar** vergoden; **divino** goddelijk; *culto* ~ godsdienstoefening

divisa 1 embleem, kenteken; 2 devies, lijfspreuk, motto, parool; 3 ~*s* deviezen, valuta('s)

divisar ontwaren, in het oog krijgen, bespeuren

divisibilidad *v* deelbaarheid; **divisible** deelbaar; **división** *v* 1 deling; verdeling; scheiding, splitsing; verkaveling; ~ *celular* celdeling; ~ *del trabajo* taakverdeling; 2 scheidingswand, partitie; 3 snede; 4 verdeeldheid, tweespalt; 5 (*rekenk*) deling; 6 divisie; ~ *de honor* eredivisie; **divisor** *m* (*rekenk*) deler; *máximo común* ~ grootste gemene deler; **divisorio** scheidend, tussen-; *línea -a de aguas* waterscheiding; *tabique* ~ tussenschot

divorciar het huwelijk ontbinden van; **divorciarse** (*jur*) scheiden; **divorciado** 1 gescheiden; 2 (*mbt meningen*) verdeeld; **divorcio** (echt)scheiding

divulgación *v* verbreiding, verspreiding; **divulgar** verbreiden, verspreiden, ruchtbaarheid geven aan; onthullen; **divulgarse** bekend worden

dizque *m* (roddel)praatje; aanmerking

dl *decilitro*; **Dl** *decalitro*

dm *decímetro*; **Dm** *decámetro*

DNA *m* (*biol*) DNA

do (*muz*) do, c

dobladillar (om)zomen; **dobladillo** zoom, omslag; **doblado** dubbelgevouwen; ~ *sobre* gebogen over; **dobladura** (het) vouwen; vouw

doblaje *m* nasynchronisatie; **doblar** I *tr* 1 verdubbelen; ~ *la edad a* twee keer zo oud zijn als; 2 (dubbel)vouwen, omvouwen, opvouwen; ~ *en cuatro* in vieren vouwen; 3 buigen; ~ *la rodilla* de knie buigen; ~ *y estirar* buigen en strekken; 4 (*hoek*) omslaan; (*kaap*) omvaren; 5 (*bladzij*) omslaan; 6 nasynchroniseren; II *intr* 1 afslaan, afbuigen; 2 (*theat*) doubleren; twee rollen spelen; 3 (*mbt klok*) luiden; ~ *a muerto* de doodsklok luiden; 4 (*mbt stier*) bezwijken; **doblarse** buigen, doorbuigen; **doble** I *bn* dubbel; tweeledig; *espía ~* dubbelspion; *habitación ~* tweepersoonskamer; *el seis ~ (sp)* dubbel zes; *vía ~* dubbelspoor; II *zn* 1 *m* (het) dubbele; 2 *m* vouw; 3 *m* (*sp*) double, dubbelspel; 4 *m,v* dubbelgang(st)er; stuntman, -vrouw; 5 *m* gelui van doodsklokken; III *bw* dubbel; *~ mayor* twee keer zo groot; *ver ~* dubbel zien; **doblegable** buigzaam; **doblegar** (doen) buigen; **doblegarse** wijken; **doblemente** dubbel; **doblez** 1 *m* vouw, zoom; plooi; ezelsoor; 2 *v, soms ook m* dubbelhartigheid, onoprechtheid

doblón *m* (*hist*) dubloen, gouden munt

doce twaalf; **doceavo** een twaalfde deel; **docena** dozijn, twaalftal

docencia 1 (het) doceren; onderricht, onderwijs; *impartir ~* doceren; 2 leraarsambt; *ejercer la ~* docent zijn; **docente** I *bn* docerend; *centro ~* onderwijsinstelling; *profesión ~* leraarsambt; II *m,v* docent(e), leerkracht

dócil gedwee, gewillig, meegaand, volgzaam; **docilidad** *v* gedweeheid, meegaandheid

docto geleerd; **doctor, -ora** 1 doctor; 2 dokter; **doctorado** doctorsgraad, doctoraat; *hacer el ~* promoveren; **doctorar** de doctorstitel verlenen; **doctorarse** promoveren

doctrina leer; *~ cristiana* christelijke leer; *~ religiosa* geloofsleer; **doctrinal** doctrinair, leerstellig; theoretisch; **doctrinario** *zie doctrinal*

documentación *v* 1 documentatie; 2 papieren, stukken; legitimatie(bewijs); **documentado** 1 gedocumenteerd; 2 goed op de hoogte; 3 in het bezit van een legitimatiebewijs; **documental** I *bn* op documenten gebaseerd; II *m* documentaire; **documentalista** *m,v* documentalist(e); **documentar** 1 documenteren; 2 (*iem*) op de hoogte stellen; **documento** document, stuk; oorkonde; *~s* stukken, bescheiden; *~ de identidad* identiteitsbewijs; *~ de prueba* bewijsstuk

dodecasílabo met twaalf lettergrepen

dogal *m* halster, touw, strop; *estar con el ~ al cuello* tot over zijn oren in de problemen zitten

dogma *m* dogma, leerstuk; **dogmático** leerstellig, dogmatisch; **dogmatismo** dogmatisme; **dogmatizar** 1 (onware) dogma's onderwijzen; 2 eigen meningen als waarheid brengen

dogo: *perro ~* dog (*hond*)

dólar *m* dollar

dolencia kwaal; **doler ue** pijn doen; *le duele la cabeza* hij heeft hoofdpijn; *ahí le duele* daar zit 'm de kneep; **dolerse ue** (*de, con*) betreuren, bedroefd zijn over; *me duele por él* het spijt me voor hem

dolicocéfalo dolichocefaal, langschedelig

dolido (*de*) bedroefd (over); **doliente** I *bn* lijdend; II *m,v* (*vaak iron*) patiënt(e), zieke

dolmen *m* dolmen; (*vglbaar*) hunebed

dolo list, bedrog

dolor *m* 1 pijn; *~ de cabeza* hoofdpijn; *~es de cabeza* kopzorgen; *~ de corazón* berouw; *~ de costado* steek in de zij; *~ de muelas* kiespijn; *~es del parto* barensnood; *~ reflejo* weerpijn; *~ de tripas, ~ de vientre* (*fam*) buikpijn; *estar con ~es* in barensnood verkeren; *sensible al ~* kleinzerig; 2 leed, smart; *~ acompañado es menos ~* gedeelde smart is halve smart; **Dolores** meisjesnaam; **dolorido** (*mbt plek*) pijnlijk; **doloroso** 1 pijnlijk; 2 smartelijk

doma (het) temmen; **domador, -ora** temmer, temster, dompteur; **domar** 1 temmen; (*paard*) afrijden; dresseren; 2 bedwingen; onderwerpen; **domeñar** bedwingen; onderwerpen

domesticación *v* (het) temmen, (het) tam maken; **domesticado** tam; **domesticar** temmen, tam maken; tot huisdier maken; handelbaar maken; **domesticidad** *v* tamheid; **doméstico, -a** I *bn* huiselijk; huishoudelijk; *aluminio ~* aluminiumfolie; *personal ~* huispersoneel; II *zn* knecht, dienstbode

domiciliación *v* domiciliëring; **domiciliado** wonende, woonachtig, gevestigd; **domiciliamiento** vestiging; **domiciliar** 1 vestigen; 2 domiciliëren; **domiciliarse** zich (metterwoon) vestigen; **domiciliario** vh huis, huis-, thuis-; *arresto ~* huisarrest; *basuras -as* huisvuil; **domicilio** woonplaats; plaats van vestiging; *~ (social)* zetel (*van vennootschap*), statutaire zetel; *cambio de ~* adreswijziging, verhuizing; *con ~ en* gevestigd te; *entrega a ~* bezorging aan huis; *tener ~ en* (*hdl*) zetelen in

dominación *v* overheersing; **dominador, -ora** (over)heersend; **dominante** I *bn* (over)heersend, bazig, dominant; II *v* (*muz*) dominant, grote kwint; **dominar** 1 overheersen, domineren; de overhand hebben; 2 beheersen, in bedwang houden, bedwingen; *~ un idioma* een taal beheersen; *~ el incendio* de brand meester worden; *~ su pasión* zijn hartstocht de baas zijn; 3 over'zien, uitsteken boven; **dominarse** zich beheersen, zich goedhouden

dómine *m* (school)frik, pedante figuur; *allí se come con el ~ Cabra* daar is schraalhans keukenmeester

domingo zondag; *~ de Pascua* eerste paasdag; *~ de Ramos* Palmpasen; **Domingo** jongensnaam; **dominguero, -a** I *bn* zondags; *traje ~* zondagse pak; II *zn* zondagsrijd(st)er; **dominguillo** duikelaartje; **dominical** vd zondag; *cierre ~* zondagssluiting; *descanso ~* zondagsrust

dominicano 1 vd Dominicaanse Republiek; 2 vd dominicanen; **dominico** dominicaner

dominio 1 heerschappij, macht; gezag; 2 (*jur*) vrije beschikking; 3 domein; (*fig*) gebied; 4 beheersing; *~ del español* beheersing vh Spaans; *~ del idioma* taalbeheersing; *~ de sí mismo* zelfbeheersing || *ser del ~ público* een publiek geheim zijn

dominó *m* dominospel

1 don *m* gave; ~ *de gentes* gave om met mensen om te gaan; ~ *de lenguas* talenknobbel; ~ *de palabra* gave vh woord
2 don *m* (*beleefdheidsvorm, geplaatst voor voornaam; afk D.*) de heer; ~ *Felipe* mijnheer Felipe; *Señor Don Felipe Puente* (*op brief*) de heer Felipe Puente; *un* ~ *Juan* een Don Juan, een charmeur; *un* ~ *Nadie* een lor, een kerel van niks
donación *v; zie donativo*; **donador, -ora** schenk(st)er; (bloed)donor
donaire *m* charme
donante *m,v* 1 schenk(st)er; donateur, -trice; 2 donor; ~ *de sangre* bloeddonor; **donar** schenken; **donatario, -a** begiftigde, begunstigde; **donativo** donatie, gift, schenking
doncel *m* (*lit*) jonge knaap, jonge man; **doncella** 1 maagd; 2 (*lit*) jonge vrouw; 3 dienstmaagd
donde *betr* waar, alwaar; ~ *las dan las toman* wie kaatst moet de bal verwachten; ~ *sea* onverschillig waar; **dónde**: *¿~?* waar?; waarheen?; *¿de ~?* waarvandaan?, vanwaar?; **dondequiera** waar dan ook
donjuanesco (als) van een Don Juan
doña (*beleefdheidsvorm, geplaatst voor voornaam; afk Da.*) mevrouw; ~ *María* mevrouw María; *Señora Doña María Valdés de Polo* (*op brief; vglbaar*) mevrouw M. Polo-Valdés
dopaje *m* doping; **doparse** doping gebruiken; **doping** *m* doping
doquier, doquiera waar dan ook; *por* ~ alom, overal
dorada goudbrasem; **dorado I** *bn* verguld; goudgeel; (*lit*) gouden, gulden; **II** *zn* 1 (het) vergulden; 2 (het) bruinen (*in de zon*); gebruinde tint; 3 (*Am*) naam van diverse zoet- en zoutwatervissen; **dorar** 1 vergulden (*ook fig*); 2 bruinen, goud kleuren; 3 aanbraden; **dorarse** bruin worden
dormida (het) slapen, slaap; **dormidera** 1 soort papaver; 2 (*Cuba*) kruidje-roer-me-niet; **dormido** 1 in slaap; *estar* ~ slapen; 2 (*mbt ledematen*) gevoelloos; slapend; **dormilón, -ona** slaapkop; **dormilona** luie stoel; **dormir ue, u I** *intr* slapen; ~ *de costado* op zijn zij slapen; ~ *profundamente* diep in slaap zijn; *dejar* ~ *u.c.* iets laten rusten; *tener sin* ~ wakker houden; **II** *tr* 1 in slaap wiegen; 2 onder narcose brengen || ~ *la siesta* een middagslaapje doen; **dormirse ue, u** 1 inslapen; 2 (*mbt lichaamsdeel*) slapen; *se me ha dormido el pie* mijn voet slaapt; **dormitar** dommelen, sluimeren, suffen; **dormitarse** indommelen, indutten; **dormitivo I** *bn* slaapverwekkend; **II** *zn* slaapmiddel; **dormitorio** 1 slaapkamer; 2 slaapzaal
dorsal I *bn* vd rug; *espina* ~ ruggegraat, wervelkolom; **II** *m* (*sp*) rugnummer; **dorseo** rugslag; **dorso** 1 rug (*van dier*); 2 achterkant; *al* ~ aan ommezijde; 3 rug (*van hand*)
dos twee; *los* ~ allebei; (*a*) *cada* ~ *por tres* ieder ogenblik, om de haverklap; *de* ~ *en* ~ twee aan twee, paarsgewijs; *en* ~ doormidden; *en un* ~ *por tres* in een oogwenk; *una de* ~: *te vas o te quedas* een van tweeën: je gaat of je blijft; **doscientos, -as** tweehonderd
dosel *m* baldakijn
dosificación *v* dosering; **dosificar** doseren; **dosis** *v* dosis
dos piezas *m* 1 deux-pièces; 2 bikini
dossier *m* dossier
dotación *v* 1 bemanning; personeel; 2 (het) schenken; schenking; 3 toegekende personele of geldmiddelen; **dotado** 1 ~ *de* bedeeld met, begiftigd met; voorzien van; 2 *muy* ~ begaafd; *un país muy* ~ een rijk land; **dotar** 1 ~ *con, de* begiftigen met, be'delen met; uitrusten met; 2 personele of geldmiddelen toekennen aan; **dote** *v* 1 bruidsschat; 2 ~*s* aanleg, begaafdheid; ~*s de mando* leidinggevende capaciteiten; ~*s de organización* organisatietalent; *de grandes* ~*s* talentvol
dovela (*bouwk*) sluitsteen van een gewelfboog
doy *zie dar*
dozavo twaalfde deel
Dr. *doctor* doctor; **Dra.** *doctora* doctor
draconiano zeer streng, drastisch
draga baggermolen, ~ *aspiradora de arena* zandzuiger; ~ *de rosario* jakobsladder; ~ *vertedora* baggerschuit; **dragado** (het) baggeren; **dragar** (uit)baggeren
dragón *m* 1 draak; 2 soort hagedis; 3 (*mil*) dragonder
drama *m* drama; **dramático** dramatisch; vh toneel; *arte* ~ toneelkunst; *autor* ~ toneelschrijver; *obra -a* toneelstuk; **dramatismo** dramatisch karakter; **dramatización** *v* dramatisering; **dramatizar** dramatiseren; **dramaturgo, -a** toneelschrijver, -schrijfster, dramaturg(e); **dramón** *m* draak (van een stuk)
drástico drastisch, ingrijpend, radicaal
drenaje *m* 1 drainage; (het) droogmaken; (het) aftappen; 2 (het) afvoeren (*van etter*); **drenar** 1 draineren, droogleggen; 2 (*etter*) afvoeren
driblar (*voetbalsp*) dribbelen
dril *m* dril, keper (*weefsel*)
droga verdovend middel; drug; ~*s blandas* soft drugs; ~*s duras*, ~*s fuertes* hard drugs; **drogadependiente** *m,v* verslaafde; **drogadicción** *v* (drugs)verslaving, verslaafdheid; **drogadicto, -a** (drugs)verslaafde; **drogar** 1 drugs toedienen; bedwelmen; 2 doping geven; **drogarse** drugs gebruiken; doping gebruiken; **drogata** *m,v* (*fam*) verslaafde, junk; **drogota** *m,v; zie drogata*; **droguería** drogisterij; drogisterijartikelen; **droguero** drogist
dromedario dromedaris
drupa vlezige vrucht met pit (*bv pruim, perzik*)
dualidad *v* tweeledigheid; (het) bestaan uit twee; **dualismo** dualisme
dubitativo twijfelend
dublé *m* doublé
ducado 1 hertogdom; *gran* ~ groothertogdom; 2 (*hist*) dukaat; **ducal** hertogelijk

ducentésimo tweehonderdste
ducha douche; ~ *de agua fría* koude douche (*ook fig*); **duchar** douchen; **ducharse** zich douchen
ducho ervaren; gewiekst; doorgewinterd
dúctil 1 buigzaam; kneedbaar; 2 volgzaam, soepel; **ductibilidad** *v* 1 buigzaamheid; 2 volgzaamheid, soepelheid
duda twijfel; *despejar ~s* de twijfel wegnemen; *fuera de toda* ~ boven alle twijfel verheven; *no cabe* ~ het lijdt geen twijfel; *poner en ~ u.c.* iets in twijfel trekken; *sacar de ~s* opheldering geven, uitleggen; *salir de ~s* zekerheid krijgen; *sin ~: a*) vast, (hoogst)waarschijnlijk; *b*) ongetwijfeld; *sin ~ alguna* ongetwijfeld; **dudar** I *intr* 1 ~ *acerca de*, ~ *sobre* twijfelen over; ~ *de* twijfelen aan; ~ *de que* betwijfelen of, eraan twijfelen dat; *dudo de que lo entienda* ik betwijfel of ze het begrijpt; ~ *si* twijfelen of; *hacer* ~ aan het twijfelen brengen; (*no*) ~ *en* (niet) schromen om, (niet) aarzelen om; 2 ~ *de* verdenken; II *tr* betwijfelen, niet geloven; *¡no lo dudes!* twijfel daar maar niet aan!, reken er maar op!; **dudoso** twijfelachtig, onzeker, dubieus; *caso* ~ twijfelgeval
1 duelo duel, strijd
2 duelo rouw; rouwstoet || *sin* ~ overvloedig
duende *m* 1 kabouter; 2 spook; *hay ~s* het spookt; 3 charme, grote innemendheid; **duendecillo** kaboutertje
dueño, **-a** baas, bazin; eigenaar, eigenares; hospes, hospita; heer of vrouw des huizes; *hacerse ~ de* zich meester maken van; *ser ~ de sí mismo* zijn gevoelens meester zijn; *ser ~ de la situación* de toestand meester zijn; *ser* (*muy*) *~ de hacer u.c.* het volste recht hebben om iets te doen; *es Ud. muy* ~ gaat uw gang; *sin* ~ onbeheerd
duermevela *m* hazeslaapje, halfslaap
dueto duet
dulce I *bn* 1 zoet; 2 zacht(aardig), liefelijk; II *m* zoete spijs; *~s* zoetigheid; *un ~ amargo* (*fig*) een bittere pil; ~ *de membrillo* kweepeergelei; ~ *seco* geconfijte vrucht; **dulcemente** zacht, zoetjes; **dulcificar** 1 zoeten, zoet maken; 2 verzachten
dulcinea geliefde (*vrouw*)
dulzaina soort herdersfluit
dulzón, **-ona** zoetig; wee, zoetelijk; **dulzor** *m* zoetheid; zoete smaak; **dulzura** 1 zoetheid; 2 zachtaardigheid, liefheid
dumdum: *bala* ~ dumdumkogel
dumping *m* dumping
duna duin
dúo 1 duo; 2 duet
duodécimo I *rangtelw* twaalfde; II *zn* twaalfde deel
duodenal vd twaalfvingerige darm; **duodeno** twaalfvingerige darm
dúplica (*jur*) dupliek; **duplicación** *v* verdubbeling; **duplicado** I *bn* dubbel; *por* ~ in tweevoud; II *zn* duplicaat; **duplicar** verdubbelen; kopiëren; **duplicarse** verdubbeld worden;
dúplice dubbel; **duplicidad** *v* 1 (het) dubbel zijn; 2 dubbelhartigheid, onoprechtheid; **duplo** tweevoud
duque *m* hertog; *gran* ~ groothertog; **duquesa** hertogin; *gran* ~ groothertogin
durabilidad *v* duurzaamheid; **durable** duurzaam; **duración** *v* duur; lengte (*van film*); ~ *de la pena* straftijd; *de ~ ilimitada* van onbeperkte duur; *de larga ~* (*mbt contract*) langlopend; **duradero** duurzaam; **durante** gedurende; tijdens; ~ *la comida* onder het eten; **durar** (voort)duren; aanhouden; ~ *mucho* (*mbt kleren*) lang meegaan; **durativo**: *aspecto* ~ duratief aspect
durazno (*soms*) perzik; (*soms*) abrikoos
dureza 1 hardheid; taaiheid; 2 hardvochtigheid; *hablar con* ~ hard toespreken; *se lucha con* ~ er wordt zwaar gevochten; 3 (*med*) verharding; hard gezwel
durmiente I *bn* slapend; II *zn* 1 *m* (*spoorw*) dwarsligger; legger; ~ *empotrado* ingemetselde dwarsbalk; 2 *v*: *la bella* ~ (*del bosque*) de schone slaapster, Doornroosje
duro I *bn* 1 hard; stug; taai; ~ *como el acero* staalhard; ~ *como el mármol*, *más ~ que una piedra* bikkelhard, keihard; ~ *de oído* hardhorend; ~ *como el vidrio* glashard; *ballestas -as* stijve veren; *en lo más ~ de la pelea* in het heetst vd strijd; *huevo* ~ hardgekookt ei; *los mandos están ~s* (*mbt auto*) hij schakelt stroef; *pan* ~ oud brood; 2 moeilijk, inspannend; *estar ~ de pelear* moeilijk te hanteren zijn, zich niet gauw laten vermurwen; *se me hace* ~ het valt mij zwaar; 3 ongevoelig; hard(vochtig), streng; *en tono* ~ op barse toon; *ser ~ con u.p.* iem hard aanpakken || *estar a las -as y a las maduras* de prettige en minder prettige kanten van iets aanvaarden; II *bw* hard; *¡~ con él!* geef hem ervan langs!; *¡dale ~!: a*) sla erop los!; *b*) doe je best!; *pegar* ~ hard slaan; III *zn* (munt van) vijf peseta

Eee

e

1 e *v* (*letter*) e
2 e en (*ipv y voor i of hi*); *padre e hijo* vader en zoon
E *Este* oosten
ea: *¡~!* vooruit!, kom op!
easonense (*lit*) uit San Sebastián
ebanista *m* meubelmaker, schrijnwerker; **ebanistería** meubelmakerij; **ébano** ebbehout
ebonita eboniet
ebriedad *v* dronkenschap; **ebrio** dronken, beschonken; *~ de alegría* dronken van vreugde
ebullición *v* kookpunt
ebúrneo (*lit*) van ivoor, als ivoor
eccehomo *m* 1 ecce-homo, beeld van Jezus met doornenkroon; 2 zielig, gewond mens
eccema *m* eczeem
echada 1 worp; 2 manslengte; **echado** 1 liggend; *~ para adelante* voorover; 2 *~ a perder* bedorven, verknoeid; *zie ook echar*; **echador, -ora** schenk(st)er; iem die werpt; *~ de cartas* waarzegger, -zegster; **echar** 1 gooien, werpen, strooien, weggooien; (in)schenken, gieten; (*rook*) uitblazen; (*sigaret*) opsteken; *~ abajo* slopen, neerhalen; *~ al aire* opgooien; *~ azúcar en el té* suiker in de thee doen; *~ en cara* verwijten; *~ chispas* vonken; *echando chispas por los ojos* met vlammende blik; *~ de comer* (*dieren*) te eten geven; *~ (al correo)* posten; *~ un discurso* een redevoering houden; *~ el freno* op de handrem zetten; *~ gasolina* tanken; *~ más* bijgieten; *~ petróleo* olie spuiten; *~ sangre por la nariz* een bloedneus hebben; *~ la vista encima* in het oog krijgen; 2 eruit gooien, verwijderen (*vh veld, van school*); *~ fuera* eruit zetten; *~ a patadas a u.p.* iem eruit trappen; 3 beginnen te krijgen; *~ brotes* botten; *~ canas* vergrijzen; *~ dientes* tanden krijgen; *~ hojas* blad krijgen; 4 (*leeftijd*) geven, schatten; *le echo 30 años* ik schat hem 30; 5 *~ a perder: a*) bederven, verknoeien; *b*) (*een kans*) vergooien; 6 *~ a + onbep w* (*van ww van beweging*) beginnen te; *~ a andar: a*) beginnen te lopen; *b*) (*mbt trein*) in beweging komen; *c*) nog in de kinderschoenen staan; 7 *~ a faltar, ~ de menos* missen || *~ a broma u.c.* ergens een grapje van maken, iets als een grap opvatten; *~ de largo* (te) royaal omspringen met, verspillen; *~lo todo a rodar* alles verknoeien; *~ de ver* toevallig (even) zien, doorhebben, in de gaten krijgen, merken; **echarse** 1 zich storten; *~ al agua* in het water springen; *~ (para) atrás* terugdeinzen, terugkrabbelen; *~ a la calle* de straat opgaan; *~ encima* overvallen; *se nos echó encima la noche* de nacht overviel ons; *~ fuera* zich ergens van losmaken; *~ a una parte* opzij gaan; 2 gaan liggen; *~ en la cama* in bed gaan liggen; 3 *~ a + onbep w* beginnen te (*lachen, huilen*); *~ a reír* in de lach schieten; *~ a perder* bederven; *se echó a correr la noticia* het nieuws verbreidde zich || *~ de ver* opvallen, in de gaten lopen; *echárselas de* zich het air geven van; *echárselas de poeta* de dichter uithangen
echarpe *m* sjaal
eclampsia (aanval van) stuipen, toeval
ecléctico eclectisch, het beste kiezend van verschillende dingen
eclesiástico I *bn* kerkelijk; II *zn* geestelijke
eclipsar 1 verduisteren; 2 (*fig*) overschaduwen; **eclipsarse** 1 verduisterd worden; 2 stil verdwijnen, eclipseren; **eclipse** *m* verduistering; *~ lunar* maansverduistering; *~ solar* zonsverduistering
eclosión *v* ontluiking; (*fig*) ontstaan, geboorte
eco echo, galm; *hacer ~: a*) echoën; *b*) effect hebben; *hacerse ~ de* verbreiden, vertolken; *ser ~ de u.p.* iem napraten; *tener ~ (entre)* weerklank vinden (onder)
ecología ecologie, milieukunde; **ecológico** ecologisch; **ecologista** *bn* ecologisch; *partido ~* (*vglbaar*) groene partij, groenen; **ecólogo, -a** ecoloog, -loge, milieudeskundige
economato coöperatieve winkel (*voor bedrijfsgroep*), (*vglbaar*) bedrijfscoöperatie; **econometría** econometrie; **economía** 1 economie; *~ dirigida* geleide economie; *~ doméstica* huishoudkunde; *~ de empresa* bedrijfseconomie; (*Belg*) handelswetenschappen; *~ política* staathuishoudkunde; *~ rural* landbouwhuishoudkunde; 2 bezuiniging; zuinigheid; **económico** 1 economisch; 2 financieel; *asuntos ~s* geldzaken; *posibilidades -as* draagkracht; *socorrer económicamente* financieel steunen; 3 zuinig, spaarzaam; 4 goedkoop, voordelig; **economista** *m,v* econoom; *~ de empresa* bedrijfseconoom; (*Belg*) handelsingenieur; **economizar** I *tr* sparen op, zuinig zijn met; besparen; II *intr* sparen, zuinig zijn;
ecónomo: *cura ~* plaatsvervangend pastoor
ecoscopia echoscopie
ecosistema *m* ecosysteem
ecosonda echolood
ectópico (*med*) buiten zijn plaats, buitenbaarmoederlijk
ECU *m* Ecu (*Europese munteenheid*)
ecuación *v* vergelijking; *~ de segundo grado* vierkantsvergelijking
ecuador *m* equator, evenaar; **Ecuador** *m* Ecuador
ecuánime gelijkmoedig; **ecuanimidad** *v* gelijkmoedigheid
ecuatorial vd evenaar; **ecuatoriano** Ecuatoriaans

ecuestre ruiter-; *estatua* ~ ruiterstandbeeld
ecuménico oecumenisch
eczema *m*; *zie eccema*
edad *v* 1 leeftijd; ~ *adulta* volwassenheid; *llegar a la* ~ *adulta* volwassen worden; ~ *casadera* huwbare leeftijd; ~ *escolar* leerplichtige leeftijd; *la* ~ *del juicio* de jaren des onderscheids; ~ *legal de la jubilación* pensioengerechtigde leeftijd; *la* ~ *loca* de wilde jaren; ~ *militar* dienstplichtige leeftijd; ~ *del pavo* puberjaren; *a la* ~ *de* op de leeftijd van; *de* ~ (*avanzada*) bejaard, op leeftijd; *de cierta* ~, *de* ~ *madura* van middelbare leeftijd; *la mayor* ~ de meerderjarigheid; *mayor de* ~ meerderjarig; *menor de* ~ minderjarig; *¿qué* ~ *tienes?* hoe oud ben je?; *rebajar la* ~ de leeftijd verlagen; *la tercera* ~: *a*) de ouderdom; *b*) de bejaarden; 2 tijdperk, periode; ~ *del bronce* bronstijd; **Edad**: *la* ~ *Antigua* de Oudheid; *la* ~ *Media* de middeleeuwen; *la Alta* ~ *Media* de vroege middeleeuwen; *la Baja* ~ *Media* de late middeleeuwen; *la* ~ *de Oro* de Gouden Eeuw
edema *m* oedeem
edén *m* paradijs, lusthof; **Edén** *m* paradijs, Eden
edición *v* uitgave, druk, editie; ~ *ampliada* vermeerderde druk; ~ *escolar* schooluitgave; ~ *íntegra* onverkorte uitgave; ~ *reelaborada*, ~ *revisada* herziene druk
edicto edict, verordening
edificabilidad *v* mogelijkheid van bebouwing; bouwvolume; **edificable** te bebouwen; *hacer* ~ bouwrijp maken; *terreno* ~ bouwterrein; **edificación** *v* 1 bouwsel; gebouw(en); *la* ~ *actual, la* ~ *existente* de bestaande bebouwing; *-ones bajas* laagbouw; 2 (het) bouwen; *en proceso de* ~ in aanbouw; **edificador**, **-ora** I *bn* 1 bouwend; 2 stichtelijk; II *zn* bouw(st)er; **edificante** opbouwend, stichtelijk, verheffend; **edificar** 1 bouwen; *sin* ~ onbebouwd; 2 (*fig*) stichten; **edificio** gebouw, bouwwerk; ~*s altos* hoogbouw; ~ *de apartamentos* flatgebouw; ~*s bajos* laagbouw; ~ *torre* torenflat
edil *m* (*lit*) gemeenteraadslid; **edilicio** vd raadsleden
Edipo Oedipus; *complejo de* ~ Oedipuscomplex
editar uitgeven; **editor**, **-ora** I *bn* uitgevend; II *zn* uitgever, -geefster; **editorial** I *bn* 1 uitgevers-; 2 redactioneel; II *zn* 1 *m* artikel vd redactie; 2 *v* uitgeverij
edredón *m* dekbed
educación *v* 1 opvoeding; ~ *física* lichamelijke opvoeding; (*buena*) ~ beleefdheid, wellevendheid; *mala* ~ onbeleefdheid; *tratar con* ~ netjes behandelen; 2 onderwijs, opleiding, scholing, ontwikkeling; ~ *a distancia* afstandsonderwijs; ~ *general básica* (*afk EGB*) basisonderwijs (*in Sp 8 jaar: van 6-14*); ~ *preescolar* peuter- en kleuteronderwijs; ~ *sexual* seksuele voorlichting; ~ *vial* verkeer (*schoolvak*); **educacional** opvoedkundig; *obra* ~ (*vglbaar*) vormingswerk; **educado** opgevoed; *bien* ~ beleefd; *mal* ~ onbeleefd, ongemanierd; **educador**, **-ora** I *bn* opvoedend; II *zn* opvoed(st)er; groepsleid(st)er (*in kinderhuis*); ~ *especializado* (*vglbaar*) orthopedagoog; **educando**, **-a** (*lit*) leerling(e), pupil; **educar** 1 opvoeden, grootbrengen; 2 opleiden, scholen, ontwikkelen; **educarse** opgroeien; **educativo** opvoedend, vormend
edulcorante *m* zoetje, zoetstof; **edulcorar** zoet maken, zoeten
EEUU *Estados Unidos* (*de Norteamérica*)
efe *v*; *zie f*
efebo (*lit*) jongeling
efectismo effectbejag; **efectista** *bn* uit op effect; **efectivamente** 1 inderdaad, zowaar; 2 metterdaad; **efectividad** *v* 1 (nuttig) effect; 2 (datum van) ingang; **efectivo** I *bn* 1 effectief, daadwerkelijk; *dinero* ~ contanten, klinkende munt; *hacer* ~: *a*) uitbetalen; *b*) uitvoeren; 2 in vaste dienst; II *zn* 1 contant geld; *en* ~ in contanten; 2 ~*s* krijgsmacht; **efecto** 1 effect (*ook van bal*); gevolg, uitwerking, inwerking; doel; ~ *acústico* geluidseffect; ~ *curativo* geneeskracht; ~ *dañino* nadelige invloed; ~ *explosivo* knaleffect; ~ *invernadero* broeikaseffect; ~ *secundario* neveneffect; *a* ~*s de*: *a*) in verband met, met het oog op; *b*) teneinde; *al* ~ daartoe, met dat doel, te dien einde; *bajo los* ~*s del alcohol* onder invloed; *en* ~ feitelijk, inderdaad, in feite; *llevar a* ~ ten uitvoer leggen; *para los* ~*s del caso* terzake, in dit verband; *por* ~ *de* als gevolg van; *producir* ~ (*mbt middel*) werken; *ya no producir* ~ uitgewerkt zijn; *sufrir los* ~*s* de gevolgen ondervinden; *surtir* ~ effect sorteren, rechtsgeldig zijn; 2 (*jur*) (rechts)kracht; *quedar sin* ~ niet (meer) van kracht zijn, vervallen; 3 artikel; ~*s* goederen, bezittingen; ~*s* (*mobiliarios*) inboedel; ~ *negociable* handelseffect; ~*s públicos* effecten; **efectuar ú** uitvoeren, verrichten; ~ *un giro a la derecha* (*mbt auto*) naar rechts draaien; **efectuarse ú** plaatsvinden, geschieden
efemérides *vmv* 1 gedenkwaardige dagen; belangrijke gebeurtenissen; mijlpalen; 2 (beschrijving van) gebeurtenissen op dezelfde dag in verschillende jaren
efervescencia 1 (het) mousseren, (het) bruisen; 2 bruisend karakter, onstuimigheid, opwinding; **efervescente** bruisend; onstuimig
eficacia 1 doelmatigheid, efficiëntie; 2 rechtsgeldigheid; **eficaz** doeltreffend, effectief, doelmatig, efficiënt, afdoend; *ser* ~ (*mbt middel*) (goed) werken; **eficiencia** efficiëntie, doelmatigheid; werkzaamheid; **eficiente** efficiënt, doeltreffend
efigie *v* beeltenis
efímera eendagsvlieg; **efímero** 1 eendags-; 2 vluchtig, kortstondig
eflorescencia 1 uitslag (*bv op muur*); 2 rode uitslag (*op gezicht*)
efluvio 1 uitwaseming; 2 (*fig*) uitstraling

efusión *v* 1 uitstraling; 2 uitbarsting (*van gevoelens*); 3 hartelijkheid; **efusividad** *v* hartelijkheid; **efusivo** hartelijk
EGB *Educación General Básica; zie educación*
egipcio, -a I *bn* Egyptisch; II *zn* Egyptenaar, Egyptische; **Egipto** Egypte; **egiptología** egyptologie
eglafino schelvis
égloga herdersgedicht
ego (het) ego; **egocéntrico** egocentrisch; **egoísmo** egoïsme; **egoísta** I *bn* egoïstisch, zelfzuchtig; II *m,v* egoïst(e); **egolatría** zelfverheerlijking
egregio uitnemend
egresado (*Am*) *bn* in bezit van diploma (*van school of universiteit*); **egresar** (*Am*) zijn opleiding voltooien; **egreso** 1 (het) afgeschreven worden (*van bankrekening*); 2 (*Am*) afsluitend examen
eh: *¡~!* hé! kom 'ns!; *¿~?* hè?; *me entiendes ¿~?* je begrijpt me wel hè?
eje *m* as, spil; (*fig*) kern; *~ cardán* cardanas; *~ cigüeñal* krukas; *~ de cola, ~ de la hélice* schroefas; *~ de las equis, ~ de las x* x-as; *~ de las íes, ~ de las y* y-as; *~ de impulsión, ~ propulsor* aandrijfas; *~ de levas* nokkenas; *~ longitudinal* lengteas; *~ terrestre* aardas; *partir por el ~* (*fig*) kapot maken
ejecución *v* 1 uitvoering, tenuitvoerlegging; *poner en ~* ten uitvoer leggen; 2 voltrekking (*van vonnis*), terechtstelling; 3 (*jur*) executie, beslaglegging en verkoop (*wegens schuld*); **ejecutable** uitvoerbaar; **ejecutante** *m,v* uitvoerende; **ejecutar** 1 uitvoeren; 2 (*vonnis*) voltrekken; terechtstellen; 3 (*jur*) executeren, dwingen tot betaling van schulden; **ejecutiva** (*vglbaar*) dagelijks bestuur; **ejecutivo** I *bn* 1 uitvoerend; *poder ~* uitvoerende macht; 2 dringend; snel; 3 (*jur*) executoir, invorderbaar; II *zn* staflid; **ejecutor, -ora** 1 iem die (iets) uitvoert; 2 *~ testamentario, -a* executeur-testamentair; **ejecutoria** 1 bewijs van adeldom; 2 verdienste; 3 definitief vonnis; **ejecutoría** ambt van executeur; **ejecutorio** (*mbt vonnis*) definitief
ejem: *¡~!* ahum!
ejemplar I *bn* voorbeeldig; II *m* exemplaar; *~ de muestra* proefexemplaar; *~ único* unicum; *¡vaya ~!* dat is me d'r een!; **ejemplaridad** *v* voorbeeldig karakter; **ejemplarizar** 1 een voorbeeld geven van; 2 (*fig*) een voorbeeld zijn voor; **ejemplificar** met voorbeeld(en) illustreren; **ejemplo** voorbeeld, toonbeeld, staaltje; *~ clásico* schoolvoorbeeld; *dar (el) ~* het voorbeeld geven; *poner de ~* ten voorbeeld stellen; *poner un ~* een voorbeeld geven; *poner por ~* als voorbeeld noemen; *por ~* bijvoorbeeld; *servir de ~* tot voorbeeld strekken
ejercer 1 uitoefenen, gebruik maken van; *~ una acción* een rechtsvordering instellen; *~ el derecho de voto* het stemrecht uitoefenen; *~ la medicina* de medische praktijk uitoefenen; *~ presión sobre* druk uitoefenen op; 2 beoefenen; 3 *~ de* werkzaam zijn als (*in vrij beroep*); *~ de médico* een medische praktijk hebben; **ejercicio** 1 oefening; (*op school*) opgave; *~ escrito* proefwerk; *~s espirituales* (*r-k*) geestelijke oefeningen, retraite en meditatie; *~s físicos* lichamelijke oefening; *~ oral* mondeling examenonderdeel; *~ de pulsación* vingeroefening; *~ de redacción* steloefening; 2 beoefening; 3 uitoefening; *el ~ del mando* het leiding geven; *en ~* (*mbt arts, advocaat*) praktiserend; 4 lichaamsbeweging; *hacer ~* beweging nemen; 5 *~ (social)* boekjaar; *~ fiscal* belastingjaar; 6 *~s* exercitie; **ejercitar** 1 oefenen; (*soldaten*) drillen; 2 gebruik maken van; (*een recht*) uitoefenen; **ejercitarse** zich oefenen; **ejército** leger; *~ de tierra* landmacht; **Ejército**: *~ de Salvación* Leger des Heils
ejidatario boer op een ejido 2; **ejido** 1 meent; gemeenschappelijke weidegrond; 2 (*Mexico*) ejido, bij wet toegewezen landbouwperceel
ejote *m* (*Am*) sperzieboon
el *lidw mnl enkv* de, het
él *pers vnw 3e persoon mnl enkv* 1 (*ondw*) hij; 2 (*na vz*) hem; *con ~* met hem
elaboración *v* 1 (planning en) uitwerking; *la ~ de una teoría* de ontwikkeling van een theorie; 2 verwerking, bewerking; *~ de datos* gegevensverwerking; 3 vervaardiging; **elaborador, -ora** 1 iem die bewerkt, uitwerkt, vervaardigt; 2 *m ~ de textos* tekstverwerker; **elaborar** 1 verwerken, bewerken; *sin ~* onbewerkt; 2 vervaardigen, maken; 3 (opzetten en) uitwerken; uitdenken; voortborduren op; *~ una teoría* een theorie ontwikkelen
elasticidad *v* elasticiteit, rek, veerkracht; **elástico** I *bn* 1 elastisch, rekbaar; verend; *cama -a* trampoline; 2 elastieken; *cinta -a* elastieken band, elastiek; II *zn* 1 elastiek(je); 2 elastische boord (*aan kledingstuk*); 3 *~s* bretels
ele *v*; *zie l*; *en ~* L-vormig
elección *v* verkiezing; *-ones anticipadas* tussentijdse verkiezingen, vervroegde verkiezingen; *-ones legislativas* kamerverkiezingen; *-ones municipales* gemeenteraadsverkiezingen; *~ preliminar* voorverkiezing; **electivo** (*mbt functie*) waarin door verkiezing wordt voorzien; **electo** gekozen, maar nog niet in functie; *resultar ~* gekozen worden; **elector, -ora** I *zn* kiezer; II *bn* kiezend; *príncipe ~* (*hist*) keurvorst; **electorado** (de) kiezers; *el ~ flotante* de zwevende kiezers; **electoral** kies-, kiezers-, verkiezings-; *cabina ~* stemhokje; *campaña ~* verkiezingscampagne; *distrito ~* kiesdistrict; *resultados ~es* verkiezingsuitslagen; **electorero, -a** iem die de verkiezingen manipuleert
electricidad *v* elektriciteit; *~ para fuerza* krachtstroom; **electricista** I *bn* elektrotechnisch; II *m,v* elektricien; **eléctrico** elektrisch; **electrificar** elektrificeren; **electrizar** elektri-

seren; **electrocardiograma** *m* elektrocardiogram; **electrochoque** *m* shocktherapie; **electrocución** *v* elektrokutie; **electrocutar** elektrokuteren; **electrodo** elektrode; **electrodoméstico**: (*aparatos*) *~s* huishoudelijke elektrische apparaten; **electroencefalograma** *m* elektro-encefalogram; **electrógeno** elektriciteit opwekkend; *grupo ~* aggregaat; **electroimán** *m* elektromagneet; **electrólisis** *v* elektrolyse; **electromagnético** elektromagnetisch; **electromotor** *m* elektromotor; **electromotriz**: *fuerza ~* elektromotorische kracht; **electrón** *m* elektron; **electrónica** elektronika; **electrónico** elektronisch; **electroscopio** elektroscoop; **electrostática** elektrostatica; **electrostático** elektrostatisch; **electrotecnia** elektrotechniek; **electrotécnico** elektrotechnisch; **electroterapia** elektrotherapie

elefante *m; v soms -anta* olifant; *~ blanco* (*Am*) prestigeproject (*duur en van weinig nut*); *~ marino* zeeolifant; *memoria de ~* stalen geheugen; **elefantiasis** *v* elefantiasis

elegancia gratie, elegantie, sierlijkheid, chic; **elegante** elegant, gracieus, chic, stijlvol

elegía klaagzang, elegie

elegibilidad *v* verkiesbaarheid, benoembaarheid; **elegible** verkiesbaar, benoembaar; **elegido** gekozen, uitverkoren; **elegir i 1** (uit)kiezen, selecteren; 2 verkiezen; **elemental** elementair; **elemento** element; *~ calentador* verwarmingselement; *~ constituyente* bestanddeel; *~s interiores* binnenwerk; *~s de juicio* gegevens om een oordeel op te baseren; *~ oracional* zinsdeel; *~ secundario* bijkomstigheid; *contiene un ~ de verdad* er zit wel iets waars in; *en su ~* in zijn element

elenco leden van toneelgezelschap, tableau de la troupe

elepé *m* elpee, langspeelplaat

elevación *v* 1 verheffing, opheffing; *~ a potencias* machtsverheffing; 2 verhoging; *~ de los precios* prijsstijging; *~ de terreno* verhoging; 3 hoogte; **elevado** 1 hoog; 2 hoogstaand, verheven; (*fig*) gedragen; *un fin ~* een verheven doel; **elevador, -ora** I *bn* opheffend; *máquina -ora* hefwerktuig; II *m* 1 elevator; 2 (*Am*) lift; **elevamiento** *zie elevación*; **elevar** 1 verheffen, opheffen, optillen; *~ al cuadrado* in het kwadraat verheffen; 2 verhogen, opvoeren; *~ los costos* de kosten doen stijgen; *~ el nivel* het peil verhogen; 3 oprichten; 4 een hogere positie geven, bevorderen; 5 (*een klacht*) indienen || *~ protestas* leiden tot protest; **elevarse** 1 zich verheffen; 2 stijgen; opstijgen; 3 een hoge positie bereiken; 4 *~ a* (*mbt kosten*) belopen

eliminación *v* verwijdering, eliminering; **eliminador, -ora** eliminerend; **eliminar** elimineren, afschaffen; uitschakelen, verwijderen; ondervangen; *~ calor* warmte afvoeren; *~ dificultades* moeilijkheden uit de weg ruimen; *~ toda posibilidad de* iedere mogelijkheid uitsluiten om; **eliminatoria** afvalwedstrijd, voorronde; **eliminatorio** eliminerend

elipse *v* ellips; **elipsis** *v* (*gramm*) ellips; **elíptico** elliptisch

elisión *v* elisie, (het) wegvallen van een eind- of tussenklinker

élite *v* elite; **elitista** elitair

elixir *m* elixer; wondermiddel

ella *pers vnw 3e persoon vrl enkv* 1 (*ondw*) zij; 2 (*na vz*) haar; *con ~* met haar; **ellas** *pers vnw 3e persoon vrl mv* 1 (*ondw*) zij; 2 (*na vz*) haar, hen, ze; *de ~* van hen, van haar, van ze

elle *v naam vd lettercombinatie ll* (*vaak als aparte letter vh alfabet beschouwd*)

ello *pers vnw 3e persoon onz* 1 (*ondw*) het; *~ es que...* zoveel is zeker dat...; 2 (*na vz*) er-, hier-; *de ~ no sé nada* ik weet er niets van; *por ~* daarom; *sobre ~* hierover, erover; **ellos** *pers vnw 3e persoon mmv* 1 (*ondw*) zij; 2 (*na vz*) hen, ze; *a ~* aan hen

elocución *v* wijze van zich uitdrukken, spreektrant; **elocuencia** welsprekendheid; **elocuente** 1 welsprekend; *ojos ~s* sprekende ogen; 2 welbespraakt

elogiable prijzenswaardig; **elogiar** prijzen, roemen; **elogio** lof, loftuiting, lofrede; *superior a todo ~* boven alle lof verheven; **elogioso** prijzend, lovend, complimenteus

elote *m* (*Am*) (jonge) maïskolf

elucidar verhelderen, verduidelijken, toelichten; ophelderen

elucubración *v* overpeinzing, denkwerk; beschouwelijk geschrift

eludir ontwijken, ontlopen; *~ la ley* de wet ontduiken

emanación *v* uitwaseming; **emanar** I *intr*: *~* (*de*) voortvloeien (uit), afkomstig zijn (van); II *tr* uitstralen, (*fig*) ademen

emancipación *v* emancipatie; **emancipar** 1 vrijmaken, mondig maken, emanciperen; 2 mondig verklaren; **emanciparse** zich vrijmaken, mondig worden

emascular (*man*) steriliseren; castreren

embadurnar volsmeren; beklodderen; **embadurnarse** (*de*) zich volsmeren (met)

embajada ambassade; **embajador, -ora** 1 ambassadeur, ambassadrice; 2 boodschapper, -schapster; **embajadora** vrouw van ambassadeur

embalador, -ora verpakker, -pakster; **embalaje** *m* verpakking, emballage; **embalar** verpakken; *sin ~* onverpakt; **embalarse** 1 meer vaart krijgen, wegschieten, pezen, sjezen; 2 heel vlug praten; 3 enthousiast worden

embaldosado I *bn* (*mbt vloer*) betegeld; II *zn* 1 (het) betegelen; 2 tegelvloer; **embaldosar** betegelen

embalsamamiento balseming; **embalsamar** balsemen

embalse *m* spaarbekken, stuwmeer

embarazado 1 geremd, verlegen; 2 zwanger; *-a de seis meses* zes maanden zwanger; **embara-**

zador, -ora hinderlijk, pijnlijk; **embarazar 1** belemmeren, verhinderen; 2 verlegen maken; 3 zwanger maken; **embarazarse** in de war raken, verlegen worden; **embarazo 1** obstakel, belemmering; 2 verlegenheid; *ocultar su ~* zich een houding geven; 3 zwangerschap; **embarazoso** lastig, hinderlijk, pijnlijk
embarcación *v* vaartuig, schip; *~ de salvamento* reddingsboot; **embarcadero** steiger; **embarcar** I *tr* 1 inschepen; verladen, verschepen; 2 (*iem*) betrekken (*in een zaak*); II *intr* scheep gaan; **embarcarse 1** aan boord gaan; 2 *~ en, con u.c.* iets aanpakken, zich ergens in steken; **embarco** inscheping; verlading
embargar 1 hinderen, belemmeren; *la emoción le embargaba la voz* van emotie kon hij geen woord uitbrengen; 2 (*jur*) beslag leggen op; (*schip*) aan de ketting leggen; 3 (*fig*) in beslag nemen; 4 (*nieuws*) achterhouden; **embargarse** (*en*) opgaan (in), zich in beslag laten nemen (door); **embargo 1** (*jur*) beslag(legging); *~ preventivo* conservatoir beslag; 2 embargo || *sin ~* toch, niettemin
embarque *m* (het) inladen; (het) verschepen
embarrancar aan de grond lopen
embarrilar in vaten doen
embarullar (*alles*) door elkaar gooien; verhaspelen; knoeien in, met; afraffelen
embastar rijgen, met grote steken naaien
embate *m* (het) aanstormen, geweld (*vd golven*); rukwind
embaucador, -ora I *bn* bedrieglijk; II *zn* bedrieg(st)er; **embaucamiento** bedriegerij, bedotterij; **embaucar** bedotten; *~ a u.p.* iem in de luren leggen, iem zand in de ogen strooien, iem iets voorspiegelen
embaular 1 in een (hut)koffer stoppen; 2 schrokken; 3 proppen
embeber I *tr* 1 opzuigen; 2 *~ de* doordrenken met, bevochtigen met; 3 (*schroef*) verzinken; *cabeza embebida* verzonken kop; 4 (aan)rimpelen (*bij naaien*); II *intr* krimpen; **embeberse** 1 krimpen; 2 *~ de* doordrenkt raken (met), doordrongen raken (van); 3 *~ en* verzinken in, geheel opgaan in
embelecador, -ora *zie embaucador*; **embelecamiento** bedriegerij; **embelecar** bedotten, voor de gek houden; **embeleco** geflikflooi; bedotterij, bedrog
embelesador, -ora betoverend; **embelesar** (*fig*) verrukken, betoveren, in verrukking brengen; **embeleso** (*fig*) verrukking, betovering
embellecedor, -ora I *bn* verfraaiend; II *m* 1 (sier)wieldop; 2 chroomstrip; **embellecer** mooi maken, verfraaien; **embellecimiento** verfraaiing
emberrincharse heel driftig worden
embestida aanval; **embestir i** aanvallen, zich storten op; rammen
embetunado: *papel ~* asfaltpapier; **embetunar 1** teren; 2 (*met schoensmeer*) insmeren
emblema *m* embleem, zinnebeeld
embobamiento naïeve bewondering; verbazing, verbouwereerdheid; **embobar** versteld doen staan; **embobarse** zich vergapen
embocadura 1 smalle ingang; monding; nauwe doorgang; 2 mondstuk; 3 smaak (*van wijn*); **embocar 1** in de mond stoppen; in een opening steken; 2 (*het eten*) opschrokken; 3 (*een straat*) inrijden; 4 ondernemen, aanpakken
1 embolado leugen, bedrog; *meter un ~ a u.p.* iem voor de gek houden
2 embolado *bn* (*mbt stier*) met houten balletjes op de hoorns
embolia embolie
émbolo zuiger
embolsar in een zak doen; in zijn zak steken; **embolsarse** (*geld*) opstrijken
emboquillado (*mbt sigaret*) met mondstuk, met filter
emborrachador, -ora dronken makend; bedwelmend; **emborrachar** dronken maken; bedwelmen; **emborracharse 1** zich bedrinken; 2 (*mbt kleuren*) 'doorlopen; 3 duizelig worden, bedwelmd raken
emborrascarse stormachtig worden
emborronar 1 bekladden, volkladden; 2 (*met inkt*) vlekken
emboscada hinderlaag; *tender una ~ a u.p.* iem in een hinderlaag lokken; **emboscado, -a** I *bn*: *estar ~* in een hinderlaag liggen; II *zn* onderduik(st)er; **emboscar** verdekt opstellen; **emboscarse 1** zich verbergen, onderduiken; 2 zich in een hinderlaag opstellen; 3 infiltreren (*als spion in een organisatie*); zich indekken (*in organisatie, om vervolging te ontgaan*); 4 een makkelijk baantje nemen
embotado 1 bot, stomp; 2 afgestompt; **embotador, -ora** geestdodend; **embotamiento 1** (het) stomp worden; 2 afstomping; **embotar 1** stomp maken; 2 afstompen; doen verslappen; **embotarse 1** stomp worden; 2 afstompen
embotellado I *bn* 1 in flessen, gebotteld; 2 kant en klaar, voorbereid, uit het hoofd geleerd; 3 (*mbt verkeer*) vast; *estar ~* vastzitten; II *zn* (het) bottelen; **embotellador, -ora** iem die bottelt, bottelaar; **embotelladora** bottelmachine; **embotellamiento 1** (het) bottelen; 2 (verkeers)opstopping; 3 *soltar un ~* een verhaal, les opspuiten; **embotellar 1** bottelen; 2 (in zijn hoofd) stampen; 3 blokkeren, vastzetten; een opstopping veroorzaken in
embotijarse 1 zwellen; 2 bijna in huilen uitbarsten; 3 nijdig worden
embozadamente in bedekte termen, heimelijk; **embozar** verhullen; **embozarse** (*en, con*) zich hullen (in), zich inpakken (*in sjaal, onder deken, zodat onderste gezichtshelft bedekt wordt*); **embozo 1** deel van sjaal of cape dat onderste gezichtshelft bedekt; overslag; 2 omslag (*van laken*); 3 *~s* (*fig*) omwegen; *sin ~s* openlijk

embragar koppelen; de koppeling laten opkomen; **embrague** *m* 1 koppeling; ~ *deslizante* slippende koppeling; ~ *de disco* plaatkoppeling; 2 (het) koppelen
embravecer woest maken; **embravecerse** woest worden; **embravecimiento** razernij, woede
embrear teren
embriagador, **-ora** dronken makend, bedwelmend; **embriagante** *zie embriagador*; **embriagar** dronken maken, bedwelmen; **embriagarse** zich bedrinken, dronken worden; **embriaguez** *v* dronkenschap
embridar de teugels aanleggen
embrión *m* 1 embryo; 2 (*fig*) kiem, oorsprong, begin; **embrionario** embryonaal, in de kiem
embrocar 'overgieten
embrollado warrig, verward; **embrollar** 1 in de war maken; 2 knoeien in, sjoemelen met; **embrollarse** in de war raken; **embrollo** 1 warboel; wespennest; 2 verzinsel, leugen; 3 vuil zaakje; ~*s* sjoemelarij, geknoei, kuiperij; **embrollón**, **-ona** knoei(st)er, scharrelaar(ster); (*fig*) stoker, stookster
embromar er tussen nemen, foppen; grappen maken
embrujador, **-ora** beheksend, betoverend; **embrujar** beheksen, betoveren; **embrujo** betovering
embrutecedor, **-ora** afstompend; **embrutecerse** verruwen, afstompen; **embrutecimiento** verruwing, afstomping
embuchado 1 worst; 2 heimelijke toevoeging (*bv extra stembriefjes*); 3 eigen toevoeging (*door acteur*); 4 bedrog; 5 ingehouden boosheid; **embuchar** (*ergens*) instoppen, inproppen; (*eten*) haastig naar binnen werken
embudo trechter; ~ *de granada* granaattrechter; *ley del* ~ (het) meten met twee maten
embuste *m* leugen, verzinsel; zwendel; ~*s* bedrog; *pillar a u.p. en un* ~ iem op een leugen betrappen; **embustero**, **-a** leugenaar(ster), bedrieg(st)er, zwendelaar(ster); ~ *de marca mayor* aartsleugenaar
embutido 1 (het) vullen, (vol)stoppen, inproppen, persen; 2 worst; ~*s* vleeswaren; 3 (het) inleggen, inlegwerk; (het) verzinken; 4 (het) in vorm persen; **embutir** 1 (*worst*) stoppen; inproppen, vullen; *embutido en un abrigo viejo* gestoken in een oude jas; 2 inleggen; verzinken; 3 (*metalen platen*) in vorm persen; 4 (*eten*) naar binnen werken; **embutirse**: ~ *en* zich persen in (*te strakke kleding*)
eme *v*; *zie m*
emergencia 1 (het) opduiken, (het) bovenkomen; 2 nood(situatie); *en caso de* ~ in geval van nood; *salida de* ~ nooduitgang; **emerger** bovenkomen, opdoemen
emético braakmiddel
emigración *v* emigratie; (de) emigranten; **emigrante** I *bn* emigrerend; *pájaro* ~ trekvogel; II *m,v* emigrant(e); **emigrar** 1 emigreren; wegtrekken; 2 (*mbt vogels*) trekken; **emigratorio** vd emigratie
eminencia 1 verheffing in terrein, heuvel; 2 voortreffelijkheid; 3 uitblinker, vooraanstaande figuur; 4 eminentie (*titel van bv kardinaal*); **eminente** voortreffelijk, uitmuntend
emir *m* emir (*Arabische vorst*); **emirato** emiraat
emisario, **-a** 1 boodschapper, -schapster, bode; 2 *m* afwateringskanaal; **emisión** *v* 1 uitzending; ~ *en directo* rechtstreekse uitzending, live-uitzending; 2 uitgifte (*van aandeel, postzegel*), emissie; afgifte; ~ *de calor* warmteafgifte; ~ *de un pasaporte* afgifte van een paspoort; **emisor**, **-ora** I *bn* uitzendend; II *zn* 1 *m* (radio)zendapparaat; 2 *v* (radio)zendstation, zender; ~ *clandestina* geheime zender; ~ *de interferencia* stoorzender; ~ *pirata* piratenzender; ~ *poderosa* sterke zender; ~ *de refuerzo* steunzender; **emitir** 1 uitzenden; 2 uitgeven, uitbrengen; (*warmte, reuk*) afgeven; ~ *diagnóstico* diagnose stellen; ~ *un empréstito* een lening uitschrijven; ~ *un fallo* (*mbt rechter*) een uitspraak doen; ~ *su juicio* zijn oordeel uitspreken; ~ *moneda* geld in omloop brengen; ~ *sellos* postzegels uitgeven; ~ *su voto* zijn stem uitbrengen
emoción *v* emotie, ontroering; opwinding; *sin* ~ onaangedaan; **emocionado** aangedaan, bewogen; **emocional** gemoeds-, emotioneel; **emocionante** aangrijpend, (ont)roerend, opwindend; **emocionar** aangrijpen, (ont)roeren; **emocionarse** ontroerd worden
emolumento (*vaak mv*) beloning, emolument
emotividad *v* gevoeligheid; **emotivo** 1 gevoelig, emotioneel; 2 gemoeds-; 3 (ont)roerend
empacado (het) verpakken in balen; **empacar** verpakken (*in balen*); **empacarse** 1 koppig zijn, zich vastbijten (*in iets*); 2 (*mbt dier*) stokstijf blijven staan
empachado 1 lijdend aan indigestie; 2 verlegen, geremd; **empachar** 1 indigestie veroorzaken, (*maag*) overladen; 2 verlegen maken; belemmeren; 3 vermommen; **empacharse** 1 ~ (*con*) indigestie krijgen (van); 2 ~ (*de*) schromen (om), verlegen worden; **empacho** 1 indigestie; 2 schroom, gêne; *no tener* ~ *en* niet schromen om, er geen been in zien om
empadrarse (*mbt kind*) teveel aan de vader of de ouders hangen
empadronamiento inschrijving in het (bevolkings)register; **empadronar** inschrijven in (bevolkings)register (*ook bij volkstelling, verkiezingen*); **empadronarse** zich laten inschrijven (*in bevolkingsregister, bij volkstelling, verkiezingen*)
empajar 1 met stro bedekken, met stro vullen; 2 (*dieren*) opzetten
empalagar 1 ziek maken van zoetigheid (*ook fig*); doen walgen; *me empalaga* ik word er misselijk van; 2 hinderen, vervelen; **empalagarse** gaan walgen van, zich (*iets*) tegen eten;

empalago 1 walging; 2 hinder; **empalagoso** 1 walgelijk zoet, misselijk makend; 2 (*fig*) kleverig, zoetsappig; slijmerig; 3 vervelend
empalidecer verbleken
empalizada palissade
empalmadura *zie empalme*; **empalmar** I *tr* 1 laten aansluiten, verbinden; 2 (*touw*) splitsen || *~la* voorlopig nog niet uitgepraat zijn; II *intr*: ~ (*con*) aansluiten (op, bij), aansluiting hebben (op); **empalme** *m* 1 aansluiting; knooppunt; 2 (het) verbinden; (hout)verbinding; verbindingsweg
empanada 1 (*vglbaar*) pastei(tje); 2 verzwijging, bedrog; **empanadilla** (*vglbaar*) saucijzenbroodje; (*vglbaar*) amandelbroodje; **empanar** I *tr* paneren; II *intr* zeer vruchtbaar zijn
empantanado: *dejar* ~ (*iem*) in de steek laten; **empantanar** 1 (*water*) in een stuwmeer verzamelen; 2 (*een zaak*) doen stagneren
empañar 1 (*baby*) in doeken wikkelen, inbakeren; luier omdoen; 2 (*glas*) doen beslaan; dof maken; bezoedelen; **empañarse** beslaan; (*mbt metaal*) aanslaan
empapado doorweekt, kletsnat; ~ *de* doortrokken van; ~ *en sudor* doordrenkt met zweet; **empapador** *m* overluier (*van badstof*); **empapamiento** (het) doorweekt raken, (het) doornat zijn; **empapar** 1 (door en door) nat maken; 2 (*vocht*) opnemen, absorberen; **empaparse** 1 kletsnat worden; 2 ~ *de, en* doordrongen raken van, zich volzuigen met; *¡para que te empapes!* het is maar dat je het weet!, lekker puh!
empapelado 1 behang; 2 (het) behangen; **empapelador** *m* behanger; **empapelar** 1 met papier bedekken, behangen; 2 (*fam*) erbij lappen, een proces aandoen
empaque *m* 1 voornaam uiterlijk; 2 gewichtigdoenerij; 3 (*Am*) brutaliteit; **empaquetado** verpakking; (*techn*) pakking; **empaquetador, -ora** verpakker, -pakster; **empaquetadura** (*techn*) pakking; **empaquetar** 1 verpakken; 2 proppen
emparedado 1 sandwich; 2 (*hist*) iem die ingemetseld is; **emparedamiento** (het) inmetselen, (het) verbergen in muur; **emparedar** 1 tussen twee muren verstoppen, in de muur verstoppen; 2 (*iem*) opsluiten; inmetselen
emparejado gelijk op, naast elkaar; *ir* ~ *con* gelijke tred houden met; **emparejamiento** paarvorming; **emparejar** I *tr* 1 een paar maken van; in paren opstellen; combineren; 2 gelijk maken; 3 (*deur, raam*) bijna sluiten, aan laten staan; II *intr* 1 ~ (*con*) een paar vormen (met), horen (bij); 2 ~ *con: a*) inhalen, in de pas komen met; *b*) op het niveau komen van, ter hoogte komen van
emparentado 1 ~ (*con*) (*door huwelijk*) verwant (aan); aangetrouwd; *estar bien* ~ van goede familie zijn; 2 (*fig*) verwant
emparrado 1 prieel; 2 latwerk (*voor klimplant*)
emparrillar roosteren, grilleren
empastar 1 (*tand*) vullen; 2 kartonneren, inbinden in karton; kaften; 3 dik met verf bedekken; **empaste** *m* 1 (het) vullen (*van tand*), vulling; 2 (het) kartonneren; kaft; 3 (het) met verf bedekken
empatado quitte; onbeslist; *estar ~s* (*sp*) gelijkstaan; **empatar** 1 gelijkstaan (*bij stemming*); *los votos empatan* de stemmen staken; 2 (*sp*) gelijk spelen; **empate** *m* 1 gelijkspel; *el tanto del* ~ de gelijkmaker; 2 staking van stemmen; *hay ~ de votos* de stemmen staken
empavesado *zn* pavoisering; **empavesar** pavoiseren
empavonado staalblauw; **empavonar** (*staal*) blauwen, verharden
empavorecer angst inboezemen
empecatado 1 heel ondeugend, onverbeterlijk; 2 (*fam, iron*) verrekt
empecer verhinderen, beletten
empecinado halsstarrig, (stijf)koppig; **empecinamiento** koppigheid
empedernido 1 ongevoelig, wreed; 2 onverbeterlijk, verstokt, verwoed
empedrado plaveisel, bestrating; **empedrar ie** 1 plaveien, bestraten; 2 ~ *de* volstoppen met, bezaaien met
empeine *m* wreef
empellón *m* duw, por, zet; *a -ones* al duwend
empeñadamente met grote ijver; **empeñado** 1 schulden hebbend; ~ *hasta los codos* tot over zijn oren in de schulden; 2 heftig || *estar* ~ *en* zijn zinnen erop gezet hebben om, vastbesloten zijn om; **empeñar** belenen, verpanden; ~ *su alma* zijn ziel verkopen; ~ *su palabra* zijn woord geven; **empeñarse** 1 ~ (*en*) zijn uiterste best doen (om); ~ *en u.c.* iets met alle geweld willen (bereiken), ergens op staan; 2 ~ *en* zich steken in (*een discussie*); 3 zich in de schulden steken; **empeño** 1 hardnekkigheid; 2 ijver, inzet; streven; poging; *poner todos sus ~s en* zijn uiterste best doen om; 3 verpanding
empeoramiento achteruitgang, verslechtering; **empeorar** I *tr* slechter maken, verergeren; II *intr* achteruitgaan, verslechteren; **empeorarse** achteruitgaan, verslechteren
empequeñecer 1 verkleinen; 2 kleineren; 3 als onbelangrijk doen voorkomen, bagatelliseren; **empequeñecerse** kleiner worden; **empequeñecimiento** verkleining
emperador *m* keizer; *pez* ~ zwaardvis; **emperatriz** *v* keizerin
emperejilar mooi maken, opdoffen
emperezar uitstellen; **emperezarse** lui worden
emperifollar *zie emperejilar*
empernar met bouten vastzetten
empero echter, niettemin, evenwel
emperrarse 1 ~ (*en*) zich vastbijten (in); 2 ~ *con* zijn zinnen zetten op; 3 boos worden
empezar ie I *tr* beginnen; (*brood*) aansnijden; II *intr* 1 beginnen, aanvangen; ~ *por arriba* bovenaan beginnen; 2 ~ *a* + *onbep w* beginnen te; 3 ~ *por,* ~ + *gerundio* eerst…, begin-

nen met...; *empezando por* te beginnen met, vanaf; *empezó por decir, empezó diciendo* hij begon met te zeggen, eerst zei hij; **empiece** *m* begin
empinado 1 kaarsrecht; 2 steil; **empinar** 1 overeind zetten; 2 omhoog tillen; (*een drinkkaraf*) omhooghouden om er uit te drinken; *~la, ~ el codo* veel (*alcohol*) drinken
empingorotado verwaand; **empingorotar** (*ergens*) bovenop zetten; **empingorotarse** zichzelf omhoogsteken
empiparse zijn buikje vol eten
empírico empirisch
empitonar op de horens nemen
empizarrado (het) plaatsen van een leien dak; **empizarrar** (*dak*) met leisteen dekken
emplasto 1 pleister, kompres; 2 papperige stamppot, brij; 3 lapmiddel || *estar hecho un ~* heel zwak zijn, kwakkelig zijn
1 emplazamiento dagvaarding
2 emplazamiento 1 plaatsing; 2 ligging
1 emplazar dagvaarden
2 emplazar plaatsen
empleado, **-a** I *zn* 1 employé(e), werknemer, -neemster; *el ~ medio* (*vglbaar*) de modale werknemer; *~s subalternos* lager personeel; 2 kantoorbediende; (*Belg*) bediende, hoofdarbeider; 3 ~ (*público, -a*) ambtenaar; II *bn* gebruikt; *bien ~* welbesteed; *te está bien ~* het is je verdiende loon; **emplear** 1 gebruiken; besteden; 2 in dienst nemen; **emplearse** 1 werk hebben; ~ *como* werkzaam zijn als; ~ *en* werkzaam zijn in; 2 ~ *en* zich bezighouden met; **empleo** 1 gebruik; 2 baan, betrekking; ~ *fijo* vaste baan; ~ *honorífico* erebaantje; ~ *interino, ~ temporal* tijdelijke baan; ~ *a tiempo parcial* deeltijdbaan; *sin ~* werkloos; 3 werkgelegenheid; *generar ~* werkgelegenheid scheppen; *pleno ~, ~ total* volledige werkgelegenheid; **empleómano**, **-a** baantjesjager, -jaagster
emplomado: *vidrio ~, cristales ~s* glas-inlood; **emplomar** 1 in lood vatten, met lood vullen; 2 (*pakket*) van een loodje voorzien; 3 (*Am*)(*een kies*) vullen
empobrecer arm maken; **empobrecerse** verarmen; verpauperen; **empobrecimiento** verarming
empollado: ~ *en* zeer goed op de hoogte van; **empollar** 1 (uit)broeden (*ook fig*); 2 blokken, ploeteren; **empollón**, **-ona** blokker, zwoeg(st)er, ploeteraar(ster)
empolvar (be)poederen
emponzoñamiento vergiftiging; **emponzoñar** vergiftigen; bederven, verpesten
emporio 1 grote handelsplaats, emporium, stapelplaats; 2 cultureel bloeiende rijke plaats
emporrado (*drugs*) stoned
empotrable in te bouwen; *aparato ~* inbouwapparaat; **empotrado** ingebouwd; **empotrar** inbouwen
emprendedor, **-ora** ondernemend, voortvarend; **emprender** ondernemen, aanpakken; ~ *un viaje* een reis aanvaarden || *~la con u.p.* iem te lijf gaan
empresa onderneming; bedrijf; (*Belg*) uitbating; ~ *agrícola* landbouwbedrijf, boerenbedrijf; ~ *agropecuaria* gemengd bedrijf; ~ *arriesgada* waagstuk; ~ *comercial, ~ mercantil* handelsonderneming; ~ *constructora* bouwbedrijf; ~ *editora* uitgeverij; ~ *estatal, ~ pública* staatsbedrijf, overheidsbedrijf; ~ *de familia, ~ familiar* familiebedrijf; ~ *filial* dochteronderneming; ~ *individual* eenmansbedrijf; ~ *naviera* rederij; ~ *de servicio público* openbaar nutsbedrijf; *hombre de ~* iem uit het bedrijfsleven, zakenman; *pequeña y mediana ~* midden- en kleinbedrijf; **empresariado** (de) ondernemers, werkgevers, (*Belg*) patronaat; **empresarial** 1 vd ondernemers; 2 bedrijfs-; *estudios ~es* (*vglbaar*) bedrijfskunde; **empresario** 1 ondernemer; ~ *de derribos* sloper; ~ *de mudanzas* verhuizer; ~ *de pompas fúnebres* begrafenisondernemer; *los pequeños ~s* de kleine zelfstandigen; 2 impresario
empréstito lening; ~ *del estado* staatslening
empringar (*pop*) invetten, insmeren
empujar duwen; dringen; *¡no empujen!* niet dringen!; **empuje** *m* 1 duw, stoot; druk; 2 stuwkracht, pit, voortvarendheid; **empujón** *m* 1 duw, por, stoot, zet; *a -ones: a*) met horten en stoten; *b*) moeizaam; 2 ruk, snelle verandering; *en un ~* in een ruk; *he dado un ~ al trabajo* ik ben geweldig opgeschoten
empuñadura handvat, gevest, knop (*van stok*); **empuñar** grijpen, omklemmen; ~ *el timón* het roer grijpen
emú *m* emoe (*soort struisvogel*)
emulación *v* wedijver; prestatiedrang, ambitie; **emulador**, **-ora** wedijverend; **emular** (*a, con*) wedijveren (met)
emulgente *m* emulgator
émulo, **-a** rivaal, rivale
emulsión *v* emulsie
en *vz* 1 in, op, te; ~ *bicicleta* op de fiets; ~ *el bolso* in de zak; ~ *casa* thuis; ~ *buenas condiciones* in goede staat; ~ *chandal* in trainingspak; ~ *el mar* in de zee, op zee; ~ *la mesa* op tafel; ~ *París* te Parijs; ~ *tren* met de trein; 2 in, op (*ivm tijd*) ~ *lunes* op een maandag; ~ *verano* in de zomer, 's zomers; ~ *vida de tu padre* toen je vader nog leefde; *lo hago ~ dos días* dat doe ik in twee dagen; 3 als, in de rol van; *con Carmen Amaya en María de la O* met C. A. als M. de la O; 4 ~ + *tijdsbepaling kan ontkennende betekenis hebben: ~ mi vida* (*voor het ww*) van mijn leven niet, nooit; ~ *todo el día me he bañado* ik heb de hele dag niet gezwommen; 5 ~ + *gerundio* zodra ..., direct nadat; (~) *oyendo el ruido, corrió afuera* toen hij het lawaai hoorde, rende hij naar buiten; ~ *viéndolo* (meteen) toen hij het zag
enagua onderrok
enajenable vervreemdbaar; **enajenación** *v* 1

vervreemding (*ook jur*); 2 extase; (geestelijke) afwezigheid; 3 ~ (*mental*) waanzin, krankzinnigheid; **enajenado**, **-a** krankzinnige; **enajenamiento** *zie enajenación*; **enajenar** 1 vervreemden; overdragen; 2 buiten zichzelf brengen, verbijsteren; 3 in verrukking brengen; **enajenarse** 1 buiten zichzelf raken; gek worden; 2 (*goodwill*) verliezen, verbeuren; ~ *la voluntad de u.p.* iem tegen zich in het harnas jagen; 3 ~ *de* zich ontdoen van

enaltecedor, **-ora** verheffend, verheerlijkend; **enaltecer** verheerlijken; **enaltecimiento** verheerlijking, lof

enamoradizo gauw verliefd; **enamorado** (*de*) verliefd (op); *perdidamente* ~ tot over de oren verliefd; **enamoramiento** verliefdheid; **enamorar** verliefd maken; **enamorarse** (*de*) verliefd worden (op); weg zijn (van); **enamoricarse**, **enamoriscarse** (*de*) een beetje verliefd worden (op)

enano, **-a** I *zn* dwerg; II *bn* heel klein, dwerg-; *palma -a* dwergpalm

enarbolar 1 (*vlag*) uitsteken, voeren; 2 (*met een stok, wapen*) zwaaien; (*fig*) schermen met

enarcar (*de wenkbrauwen*) optrekken

enardecer aanzetten, prikkelen; opwinden; **enardecerse** in vuur en vlam raken; **enardecimiento** grote opwinding, vurigheid, vuur

enarenar met zand bestrooien; **enarenarse** 1 (*mbt haven*) verzanden; 2 (*mbt schip*) stranden

encabestrar de halster aandoen

encabezamiento aanhef, inleiding, (brief-) hoofd; **encabezar** 1 staan boven, voorafgaan aan; ~ *la lista* bovenaan de lijst staan; 2 (*een geschrift*) beginnen, openen; 3 (*vergadering*) voorzitten; 4 (*Am*) aanvoeren; 5 alcohol toevoegen aan (*wijn*)

encablado bedrading

encabritarse 1 steigeren; 2 nijdig worden; **encabronarse** nijdig worden

encadenamiento 1 ketening; 2 aaneenschakeling; **encadenar** 1 ketenen, kluisteren; in boeien slaan; 2 verbinden, aaneenschakelen; 3 aan banden leggen

encajador, **-ora** tegenslagen goed verwerkend, met een groot incasseringsvermogen; **encajar** I *tr* 1 inpassen; (*edelsteen*) inzetten; 2 ~ *u.c. a u.p.* iem iets aansmeren, iem met iets opschepen; iem iets in de maag splitsen; 3 (*fig*) incasseren; (*tegenslag*) verwerken; 4 (*een klap*) verkopen; trakteren op (*een preek*); 5 (*kledingstuk*) aantrekken, (*hoed*) op zijn hoofd zetten; II *intr* 1 ~ *con* passen bij, overeenkomen met; 2 ~ *en* passen in; ~ *mal* (*mbt deur*) klemmen, slecht sluiten; **encajarse** 1 vast komen te zitten, klem raken; 2 (*kleding*) aantrekken; 3 zich aanpassen, zijn draai vinden; **encaje** *m* 1 (*techn*) (het) inpassen; holte; samenvoeging; 2 kant(werk); 3 (*capacidad de*) ~ incasseringsvermogen

encajonado I *bn* klem zittend; II *zn* schacht; **encajonar** 1 in kisten doen; 2 in het nauw drijven; 3 bekisten; 4 (*een muur*) verstevigen; **encajonarse** (*mbt rivier*) door een engte stromen

encalado (het) kalken, (het) witten; **encalar** (wit)kalken, witten

encalladura, **encallamiento** (het) stranden; **encallar** stranden, vastlopen, aan de grond raken (*ook fig*); *estar encallado* vastzitten; **encallarse** *zie encallar*

encallecerse 1 eelt krijgen, vereelten; 2 (*door te lang koken*) taai worden; 3 gehard worden; 4 (*fig*) hard worden, ongevoelig worden; **encallecido** 1 eeltig; 2 gehard

encamarse (*mbt zieke*) naar bed gaan

encaminar 1 op weg helpen, de weg wijzen; *ir mal encaminado* niet op de goede weg zijn; 2 ~ *a* (*fig*) richten op; *medidas encaminadas a* maatregelen gericht op, maatregelen die tot doel hebben om

encamisar 1 (*iem*) een hemd aantrekken; 2 (*iets*) omhullen

encanalar kanaliseren

encanallar (*iem*) op het slechte pad brengen; **encanallarse** zich encanailleren; ~ *con* zich afgeven met

encandilar 1 (*fig*) verblinden, paf doen staan; 2 verlokken (*door iets verleidelijk voor te stellen*); **encandilarse** (*mbt ogen*) 1 gaan glanzen; 2 verlekkerd zijn, verrukt zijn

encanecer grijs worden; oud worden; **encanecido** (*mbt haar*) grijs

encanijado zwak, armetierig; **encanijar** doen vermageren, verzwakken; **encanijarse** (weg-) kwijnen, verzwakken

encantado 1 verrukt, zeer verheugd; ¡~ (*de conocerle*)! aangenaam!, prettig u te ontmoeten!; 2 betoverd; *casa -a* spookhuis; **encantador**, **-ora** I *bn* 1 allerliefst, charmant, innemend; verrukkelijk; 2 schitterend, heerlijk; II *zn* tovenaar, tovenares; ~ *de serpientes* slangenbezweerder; **encantamiento** 1 betovering, ban; 2 bezweringsformule; **encantar** 1 verrukken, bekoren; *le encantan los viajes* hij is dol op reizen; 2 betoveren; (*slangen*) bezweren; **Encantes** *mmv* rommelmarkt (*in Barcelona*); **encanto** 1 bekoorlijkheid, innemendheid, charme, bekoring, lieflijkheid; *ensalza su* ~ het verhoogt uw charme; 2 (*mbt persoon*) lieverd, schat || *como por* ~ als bij toverslag

encañado 1 rieten schutting; 2 waterleiding; **encañar** 1 (*water*) door buizen leiden; 2 draineren; 3 (*planten*) stutten

encañonado 1 met ronde plooien; 2 door een pijp geleid; **encañonar** 1 door een nauwe pijp leiden; 2 op de korrel nemen, richten op; 3 in ronde plooien strijken (*bv kraag*)

encapotado (*mbt hemel, lucht*) bedekt, betrokken, bewolkt; **encapotamiento** (het) betrekken; **encapotarse** 1 (*mbt lucht*) betrekken; 2 fronsen

encapricharse (*con, por*) zijn zinnen zetten (op), (*fig*) weglopen (met); verliefd worden (op)

encapuchado met een (puntige) kap op (*bv in processie*); **encapuchar** een kap opzetten
encarado: *bien* ~ knap (*om te zien*); *mal* ~ lelijk
encaramar 1 (*ergens*) bovenop plaatsen; omhoog hijsen; 2 zeer prijzen; op een hoge post zetten; **encaramarse** (*a*) klauteren (op), zich hijsen (op), klimmen (op)
encaramiento confrontatie; **encarar** 1 het hoofd bieden; 2 strak aankijken; 3 tegenover elkaar plaatsen; 4 (*het geweer*) aanleggen, richten; **encararse** 1 tegenover elkaar (gaan) staan; 2 ~ *con* strak aankijken, zich (fel) richten tot; het hoofd bieden aan, staan voor, (moeten) aanpakken
encarcelamiento opsluiting (*in gevangenis*); **encarcelar** gevangenzetten
encarecer I *tr* 1 de prijs verhogen van; 2 hoog opgeven van, prijzen; 3 op het hart drukken, sterk aanraden; II *intr* duurder worden; **encarecidamente** met klem; *decir* ~ op het hart drukken; **encarecimiento** 1 prijsverhoging, (het) duurder worden; 2 aandrang, nadrukkelijkheid
encargado, -a I *bn*: ~ *de* belast met; *estar* ~ *de* de zorg hebben over, belast zijn met; II *zn* iem die ergens mee belast is; zetbaas; ~ *del almacén* magazijnmeester; ~ *de compras* (*hdl*) inkoper, -koopster; ~ *de negocios: a*) zaakwaarnemer; *b*) zaakgelastigde; **encargar** 1 opdragen; *me ha encargado que te lo dijera* dat moest ik je van hem zeggen; 2 ~ *de* de zorg toevertrouwen voor, belasten met; 3 bestellen; 4 aanraden; **encargarse**: ~ *de* zorgen voor, op zich nemen; *me encargaré de que se calle* ik zal zorgen dat hij zijn mond houdt; *tú te encargas del postre* jij zorgt voor het dessert; **encargo** 1 opdracht; 2 bestelling; *de* ~, *por* ~ op bestelling; *venir como hecho de* ~ net van pas komen; 3 boodschap
encariñado: ~ *con* gehecht aan, erg gesteld op; **encariñar** genegenheid opwekken; **encariñarse** (*con*) genegenheid opvatten (voor), gehecht raken (aan)
encarnación *v* 1 vleeswording; 2 belichaming; **Encarnación** meisjesnaam; **encarnado** 1 (vuur)rood; 2 vleesgeworden, in persoon; **encarnadura** (het) helen; *tiene mala* ~ zijn wonden helen slecht; **encarnar** I *intr* 1 vlees worden; 2 (*mbt wond*) helen; II *tr* belichamen; symboliseren; **encarnarse** 1 vlees worden, incarneren; 2 ~ *con* zich verbinden met; **encarnecer** dik worden
encarnizado 1 fel, verbitterd, verwoed; 2 (*mbt ogen*) met bloed doorlopen; **encarnizamiento** verbittering, heftigheid; bloeddorstigheid, wreedheid; **encarnizarse** (*en, con*) geheel verscheuren; wreed optreden (tegen); zich vastbijten (in)
encarpetar in mappen opbergen
encarrilar 1 op de rails plaatsen; 2 (*de goede kant op*) leiden, richting geven; in het gareel brengen; **encarrilarse** in het gareel lopen, een regelmatig leven leiden
encartación *v* (*hist*) gebied dat een privilege geniet; **Encartaciones**: *las* ~ streek in Noord-Spanje; **encartar** 1 (*iem*) opnemen (*in bedrijf, op kohier*); 2 bij verstek veroordelen; 3 (*kaartsp*) een kaart neerleggen in een kleur die andere spelers moeten volgen; **encartarse** kaarten van andermans kleur nemen en vasthouden; **encarte** *m* 1 (*kaartsp*) (het) neerleggen van een kaart in een kleur die andere spelers moeten volgen; 2 inlegvel
encartonar 1 in karton pakken; 2 kartonneren
encasillado geheel van vakjes; **encasillar** in hokjes stoppen; indelen
encasquetar 1 (*hoed*) stevig op zijn hoofd zetten; 2 (*idee*) bijbrengen, erin stampen; 3 opdringen, in de maag splitsen; (*iem*) opschepen met; **encasquetarse** (*mbt idee*) zich vastzetten
encasquillarse (*mbt loop van geweer*) verstopt raken; blijven steken
encastillado 1 hooghartig, trots; 2 koppig; **encastillarse**: ~ *en* (*fig*) zich vastbijten in, zich niet laten afbrengen van; zich opsluiten in, zich verschansen in
encastrable in te bouwen; *horno* ~ inbouwoven; **encastrado** ingebed; **encastrar** 1 inbouwen; 2 in elkaar doen grijpen (*bv tandwielen*), koppelen
encausar een (straf)proces beginnen tegen
encáustico boenwas
encauzar 1 in een bedding leiden; indammen; 2 leiden; ~ *por buen camino* in goede banen leiden
encebarse: ~ (*en*) 1 zich overgeven (*aan een ondeugd*); 2 wreed optreden
encebollado met uien bereid
encefalitis *v* encefalitis, hersenontsteking; **encéfalo** hersenen; **encefalograma** *m* encefalogram
encelamiento 1 jaloezie; 2 bronst; **encelar** jaloers maken; **encelarse** 1 jaloers worden; 2 bronstig zijn
encenagado 1 bedekt met modder, modderig; 2 verdorven; **encenagamiento** 1 (het) bemodderd raken; verdorvenheid; 2 (het) wegzinken in modder; **encenagarse** 1 bemodderd raken; 2 in modder wegzinken, in modder blijven steken; 3 een verdorven leven leiden
encendedor *m* aansteker; ~ *mecánico* gasaansteker; **encender ie** 1 aansteken, aandoen, (*vuur*) aanmaken; ~ *la radio* de radio aanzetten, de radio aandoen; 2 (*strijd*) doen ontbranden; (*enthousiasme, woede*) wekken; 3 ~ (*la lengua*) branden (op de tong); 4 rood kleuren, doen gloeien; **encenderse ie** 1 (*mbt licht*) aangaan; in brand vliegen; 2 (*fig*) ontbranden, ontvlammen; *volvió a* ~ *la lucha* de strijd laaide weer op; 3 (*mbt ogen*) fonkelen; 4 blozen; **encendido** I *bn* 1 (*mbt licht, kachel*) aan; *dejar -a la luz* het licht aan laten; *estar* ~ branden, aan zijn; *seguir* ~ aan blijven; *la estufa -a* de brandende kachel; 2 (*rojo*) ~ vuurrood; II

enc

zn 1 ontsteking (*van motor*); ~ *por chispa* vonkontsteking; 2 (het) ontsteken
encerado I *bn* 1 in de was gezet; 2 waskleurig; II *zn* 1 (school)bord; 2 (*waterdicht*) wasdoek; 3 (het) in de was zetten; **encerador, -ora** 1 iem die vloeren wrijft; 2 *v* vloerwrijver (*apparaat*); **encerar** in de was zetten, boenen, wrijven
encerrado, -a *zn* bezet(s)ter (*van gebouw, bij protestactie*); **encerrar ie** 1 opsluiten; insluiten; omsluiten; 2 inhouden; *sus palabras encierran un secreto* in zijn woorden schuilt een geheim; 3 (*sp*) klem zetten; **encerrarse ie** zich opsluiten; ~ *en* (*uit protest*) bezetten; **encerrona** 1 dwangpositie; 2 bezetting (*protestactie*)
encestar 1 (*bij basketbal*) scoren; 2 in manden doen; **enceste** *m* punt (*bij basketbal*)
enchapado beplating; **enchapar** fineren; beplaten
enchapinado op een gewelf gebouwd
encharcado vol plassen, overstroomd; **encharcamiento** plassenvorming, overstroming; **encharcar** plassen vormen in, over'stromen; **encharcarse** (*mbt land*) vol plassen raken, over'stromen
enchilada (*Mexico*) pittig gevulde maïspannekoek; **enchilar** (*Am*) met Spaanse pepers kruiden
enchiquerar 1 de stier insluiten in chiquero; 2 (*fam*) in de gevangenis stoppen
enchironar (*fam*) in de bajes stoppen
enchufado, -a iem die door relaties een baan heeft gekregen; **enchufar** 1 in elkaar schuiven, samenvoegen; 2 (*elektr*) inschakelen; 3 aan een baan helpen; **enchufarse** door relaties een baan krijgen, zich ergens indringen; **enchufe** *m* 1 stopcontact en stekker samen; ~ *de bayoneta* bajonetfitting; 2 ~ (*de toma*) stopcontact; ~ *triple*, ~ *de tres clavijas* driewegstekker(doos); *base múltiple para ~s* verdeelstekker; *caja de* ~ stekkerdoos; 3 (*soms*) stekker; 4 (*fig*) kruiwagen; *entrar por* ~ ergens indraaien; 5 mooi baantje (*dankzij relaties*); 6 (het) verbinden, (het) ineenschuiven; 7 mof (*van pijp*); **enchufillo** *zie enchufe 5*; **enchufismo** vriendjespolitiek
enchularse 1 met ongure types omgaan, als een chulo gaan leven; 2 (*mbt vrouw*) verslingerd raken aan een chulo
encía tandvlees
encíclica: ~ (*papal*) encycliek
enciclopedia encyclopedie; *es una* ~ hij is een wandelende encyclopedie; **enciclopédico** encyclopedisch; **enciclopedismo** encyclopedisme (*18e eeuwse filosofische leer in Frankrijk*)
encierro 1 opsluiting; retraite; gevangenis, cel (*ook fig*); 2 bezetting (*protestactie*); 3 (het) brengen over straat van de stieren naar de hokken voor het gevecht (*een evenement, bv in Pamplona*); 4 stierenhok (*bij arena*)
encima I *bw* 1 bovenop, erop, daarop; erboven; *estar* ~ (*fig*) voor de deur staan, ophanden zijn; *hacerse* ~ zich bevuilen, het in zijn broek doen; *la hoja de* ~ het bovenste blad; *llevar* ~: *a*) op zak hebben, bij zich hebben; *b*) (*kleren*) aan hebben; *poner dinero* ~ er geld op toeleggen; *por* ~: *a*) er bovenuit (stekend); *b*) er overheen, erover; *c*) vluchtig; *por ~ del hombro* uit de hoogte; *sacarse de* ~ kwijtraken, van zich afschudden; *venir* ~ boven het hoofd hangen; 2 bovendien; voorts; II *vz* 1 ~ *de* boven; (boven)op; ~ *de su cabeza* boven zijn hoofd; ~ *del techo* op het dak; *estar ~ de u.c.* ergens achterheen zitten; *estar ~ de u.p.* iem achter de vodden zitten; 2 ~ *de + onbep w* behalve; ~ (*de*) *que + ww-vorm* behalve dat, niet alleen...; ~ *de que no ve, no oye* behalve dat hij blind is, is hij ook nog doof; *por ~ de* boven (*vaak fig*); *creerse por ~ de* zijn neus ophalen voor; *estar por ~ de la ley* boven de wet staan; *muy por ~ de los fls 100* ver boven de f 100; **encimera** 1 bovenkastje (*in keuken*); 2 kookplaat (*zonder oven*); **encimero** bovenste, boven-
encina 1 steeneik; 2 eikehout; **encinar** *m* eikebos(je)
encinta zwanger
encintado stoeprand; **encintar** met linten versieren
encismar *zie encizañar*; **encizañar** tweedracht zaaien
enclavado ingesloten, omsloten; **enclave** *m* enclave
enclenque magertjes, miezerig, ziekelijk
enclítico (*gramm*) enclitisch, gehecht aan voorafgaand woord
encobar broeden
encobrado verkoperd
encofrado 1 houten stutwerk (*in mijn*); 2 bekisting (*voor beton*)
encoger I *tr* doen krimpen; intrekken; ~ *el ánimo* het hart ineen doen krimpen; ~ *el dedo* zijn vinger terugtrekken; II *intr* krimpen; *no encoge* (*op etiket*) krimpvrij; **encogerse** 1 krimpen; 2 in elkaar krimpen, ineenkrimpen, ineenduiken; 3 de moed verliezen; bang worden || ~ *de hombros* zijn schouders ophalen; **encogido** bedeesd, beschroomd, verlegen; bang; *con el corazón* ~ met een bezwaard gemoed; **encogimiento** 1 (het) krimpen, krimp; 2 verlegenheid; bangelijkheid || ~ *de hombros* (het) schouderophalen
encolado (het) insmeren met lijm; (het) lijmen
1 encolar 1 met lijm insmeren; (vast)lijmen; 2 (*wijn*) klaren
2 encolar op een moeilijk bereikbare plaats gooien (*bv bal*)
encolerizar woedend maken; **encolerizarse** woedend worden, opvliegen
encolumnar in kolommen plaatsen
encomendar ie toevertrouwen; opdragen; **encomendarse ie** (*a*) zich toevertrouwen (aan), zich aanbevelen (bij); **encomendero** 1 boodschapper; 2 (*hist, in Am*) iem die een encomienda beheert

encomiar roemen, ophemelen; **encomiástico** lovend
encomienda 1 recht om belasting te heffen; 2 (*hist*) Indiaans gebied of dorp, waar iem belasting mocht heffen en Indianen liet werken in ruil voor bescherming; 3 commandeurschap (*van mil orde*)
encomio lof(tuiting); *digno de ~* prijzenswaardig
enconado 1 (*mbt wond*) vurig ontstoken; 2 verbeten, verbitterd, verwoed; **enconamiento** ontsteking; **enconar** 1 (*wond*) doen ontsteken, doen zweren; 2 verbitteren, opzwepen, verhitten; op de spits drijven; **enconarse** 1 (gaan) zweren; 2 zich toespitsen, heftig worden; **enconoso** kwaaddenkend
encontradizo, -a: *hacerse el ~, hacerse la -a* net doen alsof men iem toevallig ontmoet; **encontrado** tegenstrijdig, tegenovergesteld; **encontrar ue** 1 vinden; ontmoeten; aantreffen; (*hartelijkheid*) ondervinden; *~ la pista de* op het spoor komen van; *es difícil ~ café* het is moeilijk om aan koffie te komen; *no encontré mis llaves* ik miste (ineens) mijn sleutels; *no le encuentra nada* hij ziet er niets in; *¿qué gracia le encuentras?* wat vind je daar nu leuk aan?; 2 vinden, menen; *lo encuentro caro* ik vind het duur; *le encontré mala cara* ik vond dat hij er slecht uit zag; **encontrarse ue** 1 zich bevinden; *~ de manifiesto* ter inzage liggen; *~ sin nada* niets hebben; 2 het maken; *~ mal: a*) er slecht aan toe zijn; *b*) zich niet lekker voelen; *¿se encuentra bien su mamá?* maakt uw moeder het goed?; *¿te encuentras mejor?* voel je je beter?; 3 elkaar ontmoeten, elkaar treffen, samenkomen; botsen; 4 *~ con* (*toevallig*) tegenkomen, tegen het lijf lopen, aantreffen; stuiten op; *~ con dificultades* moeilijkheden ondervinden, op bezwaren stuiten; *se encontró con que* hij kwam tot de ontdekking dat, hij kwam voor de verrassing te staan dat ‖ *no ~* (*en*) zijn draai niet kunnen vinden, zich niet kunnen vinden (in), het niet eens zijn (met); **encontronazo** botsing; *darse un ~* botsen
encopetado 1 verwaand; 2 van hoge afkomst; **encopetarse** snoeven, zichzelf omhoogsteken
encorajinar boos maken; **encorajinarse** boos worden
encorchar 1 (*flessen*) kurken; 2 (*bijenzwerm*) vangen en in korf drijven
encorchetar van haken voorzien; dichthaken
encordar ue van snaren voorzien, bespannen
encornadura hoorngestel, (de) horens
encorsetar 1 in een corset rijgen; 2 (*fig*) in een keurslijf dwingen, beperken
encortar 1 bekorten; 2 verlegen maken
encortinar van gordijnen voorzien
encorvado gebogen, krom; **encorvadura, encorvamiento** kromming; **encorvar** krommen, buigen; **encorvarse** 1 krom worden; krom gaan lopen; 2 doorbuigen
encrespado (*mbt zee*) woelig; **encrespar** 1 (*haar*) doen krullen; 2 (*zee*) woelig maken; 3 (*gemoederen*) prikkelen, in beweging brengen; **encresparse** 1 (*mbt zee*) woelig worden; (*mbt golven*) witte koppen krijgen; 2 in vuur en vlam raken; heftig worden; zich verscherpen; 3 ingewikkeld worden
encristalar van ruiten voorzien, glas plaatsen in
encrucijada 1 kruispunt van wegen; driesprong, viersprong; 2 (*fig*) moeilijk punt, dilemma
encuadernación *v* 1 (het) boekbinden; 2 band (*van boek*); **encuadernador, -ora** boekbind(st)er; **encuadernar** (in)binden
encuadramiento omlijsting; **encuadrar** 1 inlijsten; 2 omlijsten; doen passen (in); 3 *~ en* indelen bij; **encuadre** *m* 1 (*fot*) focussing, instelling; 2 omlijsting
encubar in vaten gieten
encubierto bedekt, verborgen; verholen, verkapt; **encubridor, -ora** heler, heelster; iem die iets verzwijgt; **encubrimiento** (het) verbergen, (het) verzwijgen; heling; **encubrir** 1 verhullen, mas'keren, verzwijgen; verbloemen, met de mantel der liefde bedekken; 2 helen
encuentro 1 ontmoeting, samenkomst; kennismaking; *ir al ~ de, salir al ~ de: a*) tegemoetgaan; *b*) (*fig*) tegemoetkomen; 2 vondst; 3 botsing (*van auto's*); 4 onenigheid, botsing; 5 (*sp*) treffen, wedstrijd; *~ final* eindwedstrijd, finale
encuesta 1 onderzoek; 2 enquête, opinieonderzoek; **encuestado, -a** ondervraagde; **encuestador, -ora** enquêteur, -trice; **encuestar** ondervragen, enquêteren
encumbrado 1 hoog verheven; 2 op een hoge post; **encumbramiento** 1 verheffing; 2 hoge post; 3 verheerlijking; *~ propio* zelfverheerlijking; **encumbrar** 1 verheffen; op een hoge post plaatsen; 2 verheerlijken; **encumbrarse** zich verheffen; *~ con* zich laten voorstaan op
encunar 1 in de wieg leggen; 2 (*mbt stier*) (*iem*) tussen de horens nemen
encurtido I *bn* ingelegd; II *mmv*: *~s* zoetzuur; tafelzuur; **encurtir** inleggen (*in azijn*)
ende: *por ~* derhalve
endeble zwak; **endeblez** *v* zwakte
endecasílabo elflettergrepig
endecha klaagzang
endemia endemische ziekte; **endémico** endemisch, inheems
endemoniadamente verduiveld; **endemoniado** 1 bezeten; 2 erg ondeugend, lastig; 3 verrekt, vervelend, rot-; 4 heel slecht, afschuwelijk, smerig
endentar ie 1 (*wiel*) tanden, van tanden voorzien; 2 (*met tanden*) in elkaar doen grijpen; **endentecer** tanden krijgen
enderezador, -ora I *bn* rechtmakend; regulerend; II *m* beugel (*om tanden*); **endereza-**

miento (het) rechtbuigen; (het) rechtzetten; ~ *dental* tandregulatie; **enderezar** 1 rechtbuigen; rechtleggen, rechtzetten (*ook fig*); oprichten, rechtop zetten; (*tanden*) reguleren; 2 ~ *a* richten op; **enderezarse** 1 zich oprichten, overeind komen; 2 ~ *a* gericht zijn op
endeudado in de schulden; *estar* ~ *con* in het krijt staan bij; **endeudarse** schulden maken
endiablado 1 verduiveld, verrekt; lastig; 2 smerig, heel vies, afschuwelijk
endibia *zie endivia*
endilgar 1 in elkaar flansen; 2 opdringen, in de maag splitsen, opzadelen met
endino vervloekt, ellendig
endiosamiento vergoding, verafgoding; **endiosar** vergoden, verafgoden; **endiosarse** buitensporig verwaand zijn
endivia witlof, (*Belg*) witloof
endocardio binnenwand van het hart
endocrino endocrien; **endocrinología** endocrinologie
endogamia endogamie, inteelt
endomingado in zijn zondagse kleren; **endomingar** op zijn zondags aankleden
endosable endossabel; **endosante** *m,v* endossant(e); **endosar** 1 endosseren; 2 opzadelen met; **endosatario**, **-a** geëndosseerde; **endose** *m*; *zie endoso*; **endoso** endossement
endovenoso intraveneus
endrina sleepruim, vrucht vd sleedoorn
endrino I *zn* sleedoorn; II *bn* blauwachtig zwart
endulzador, **-ora** I *bn* zoet makend; II *m*: ~ *del agua* waterontharder; **endulzamiento** 1 ontharding; 2 (het) zoeten; **endulzar** 1 (ver)zoeten; 2 zacht maken
endurecer (ver)harden, hard maken; **endurecerse** verharden, hard worden; **endurecimiento** verharding
ene *v zie n;* ~ *veces* x keer, heel vaak
enea lisdodde; *silla de* ~ rieten stoel, stoel met rieten zitting
eneasílabo negenlettergrepig
enebrina jeneverbes; **enebrino** jeneverbes(struik)
enemiga 1 vijandschap, afkeer; 2 *zie enemigo*; **enemigo**, **-a** I *zn* vijand(in); *el* ~ (*malo*) de duivel; ~ *mortal*, ~ *nato* aartsvijand, doodsvijand; ~ *público* staatsvijand, volksvijand; II *bn* vijandig; vijandelijk; ~ *de* afkerig van; **enemistad** *v* vijandschap; vete; **enemistado**: ~ *con* in onmin met; *estar* ~ *con* op gespannen voet staan met; **enemistar** (*con*) ruzie doen krijgen (met); **enemistarse** (met elkaar) breken, vijanden worden
eneolítico uit de bronstijd
energética energetica; **energético** vd energie; *crisis -a* energiecrisis; **energía** 1 energie, fut, voortvarendheid, werkkracht, werklust; 2 (*techn*) energie; ~ *atómica* atoomenergie, atoomkracht; ~ *eólica* windenergie; ~ *nuclear* kernenergie; ~ *solar* zonneënergie; **enérgico** energiek, krachtdadig, (levens)krachtig, voortvarend; *poco* ~ slap, halfslachtig; **energizar** (*elektr*) onder spanning zetten; **energúmeno**, **-a** razende Roeland; *hecho un* ~ buiten zichzelf van woede
enero januari
enervamiento verslapping, verzwakking; **enervar** 1 lusteloos maken, doen verslappen; 2 (*argument*) verzwakken
enésimo zoveelste; *por -a vez* voor de zoveelste keer
enfadadizo gauw boos; **enfadado** boos, kwaad, verbolgen; *estar* ~ *con u.p.* boos zijn op iem; **enfadar** boos maken; **enfadarse** (*con*) boos worden (op); **enfado** boosheid; *poner cara de* ~ boos kijken; **enfadoso** vervelend, naar
enfaldado (*mbt kind*) steeds optrekkend met vrouwen
enfamiliado familieziek
enfangado modderig; **enfangar** met modder bedekken; modderig maken; **enfangarse** 1 zich modderig maken; 2 in de modder blijven steken; 3 zich overgeven aan ondeugd; zich in kwalijke zaken mengen
enfardar in balen verpakken
énfasis *m* nadruk, klem, emfase; *con* ~ nadrukkelijk; *dar* ~ *a* kracht bijzetten; **enfático** klemmend, nadrukkelijk; **enfatizar** beklemtonen
enfermar I *intr* ziek worden; ~ *del estómago* een maagkwaal krijgen; II *tr* ziek maken (*ook fig*); **enfermedad** *v* ziekte, kwaal; *~es cardiovasculares* hart- en vaatziekten; ~ *contagiosa* besmettelijke ziekte; ~ *crónica* slepende ziekte, chronische aandoening; ~ *gástrica* maagziekte; ~ *del hígado* leveraandoening; ~ *infantil* kinderziekte; ~ *del legionario* veteranenziekte; ~ *nerviosa* zenuwaandoening; *una* ~ *perniciosa* een slopende ziekte; ~ *pulmonar* longziekte; ~ *del sueño* slaapziekte; ~ *venérea* geslachtsziekte; *coger una* ~, *contraer una* ~ een ziekte oplopen; **enfermera** verpleegster; ~ *en jefe* hoofdverpleegster; ~ *de noche* nachtzuster; **enfermería** 1 ziekenboeg; 2 (de) zieken; **enfermero** (zieken)broeder, verpleger; **enfermizo** ziekelijk; *ser* ~ kwakkelen, sukkelen; **enfermo**, **-a** I *bn* ziek; ~ *de* lijdend aan; ~ *de gravedad* zwaar ziek; ~ *mental* geestesziek; ~ *de muerte* doodziek; ~ *de los nervios*, ~ *neurótico* zenuwziek; *poner* ~ ziek maken (*ook fig*); *ponerse* ~ ziek worden; II *zn* zieke, patiënt(e); verpleegde; ~ *de* lijd(st)er aan; ~ *de cáncer* kankerpatiënt; ~ *del corazón* hartpatiënt
enfervorizar aanvuren, aanmoedigen, enthousiast maken
enfilar I *tr* 1 (*weg*) ingaan; ~ *la calle* de straat inslaan; 2 richten; II *intr* 1 ~ *a*, ~ *hacia* afgaan op
enfisema *m* emfyseem
enfiteusis *v* erfpacht; **enfiteuta** *m,v* erfpacht(st)er

end

enflaquecer I *tr* doen vermageren; II *intr* vermageren, mager worden; **enflaquecimiento** sterke vermagering
enfocar 1 (*fot*) instellen; 2 ~ *hacia* richten naar; 3 (*fig*) belichten, benaderen; **enfoque** *m* 1 (*fot*) instelling; 2 (*fig*) belichting, benadering, aanpak
enfoscar aanstrijken (*met cement*)
enfrascarse: ~ *en* 1 zich begeven in; 2 opgaan in (*spel, boek*)
enfrentado: ~*s* (lijnrecht) tegenover elkaar; **enfrentamiento** confrontatie; botsing; **enfrentar** 1 het hoofd bieden; 2 confronteren, tegenover elkaar stellen; **enfrentarse**: ~ *con*: *a*) te staan komen voor, geconfronteerd worden met, zich gesteld zien tegenover; *b*) het hoofd bieden aan, weerstaan, optreden tegen; *verse enfrentado con los hechos* met zijn neus op de feiten gedrukt worden; *verse enfrentado con problemas* met moeilijkheden te kampen hebben; **enfrente** I *bw* 1 aan de overkant, er tegenover; 2 recht voor zich; II *vz*: ~ *de* tegenover
enfriamiento 1 afkoeling; 2 verkoudheid; **enfriar** í 1 laten afkoelen, koelen; *no dejar* ~ warm houden; 2 doen bekoelen; **enfriarse** í 1 afkoelen, koud worden; 2 bekoelen; 3 verkouden worden
enfundar in een hoes steken
enfurecer woedend maken, hels maken; **enfurecerse** 1 woedend worden, uit zijn vel springen; 2 (*mbt zee*) woelig worden; **enfurecido** woedend; **enfurecimiento** woede
enfurruñado wrevelig, kriegel; *estar* ~ zitten kniezen, pruilen; **enfurruñamiento** korzeligheid, boosheid; **enfurruñarse** 1 (*fam*) een beetje boos worden, mokken; 2 (*fam*) bewolkt raken; een dreigend aanzien krijgen
engalanar tooien, versieren
engallado stoer, zelfvoldaan; **engallarse** een hoge borst opzetten
enganchado (*fam*) verslaafd (aan drugs); **enganchador** *m* ronselaar; **enganchar** 1 (aan)haken, (aan)koppelen; (vast)haken; 2 werven, ronselen; aan de haak slaan, strikken; 3 (*trekdier*) inspannen; **engancharse** 1 blijven haken; 2 (*mil*) dienst nemen; 3 (*fam*) verslaafd raken (*aan drugs*); **enganche** *m* 1 werving, ronseling; 2 koppeling (*van wagens*); **enganchón** *m* 1 (het) blijven haken; 2 winkelhaak, scheur
engañabobos *m* 1 oplichter; 2 doorzichtige truc; **engañadizo** makkelijk te bedriegen; **engañador**, **-ora** I *bn* bedrieglijk, misleidend; II *zn* bedrieg(st)er; **engañar** bedriegen, misleiden, foppen, erin laten lopen, voor de gek houden; ~ *con falsas apariencias* (*iem*) iets voorspiegelen; ~ *el hambre* de honger tijdelijk stillen; ~ *el sueño* de slaap verdrijven; *dejarse* ~ erin vliegen; **engañarse** 1 zich vergissen; 2 zich iets wijsmaken; *es* ~ *a sí mismo* dat is zelfbedrog; **engañifa** (*fam*) fopperij; **engaño** 1 bedrog, bedriegerij, afzetterij, misleiding; ~ *burdo* boerenbedrog; ~ *en el juego* vals spel; *caer en el* ~ erin lopen; *llamarse a* ~ zeggen dat men bedrogen is; 2 vergissing; *deshacer un* ~ een vergissing rechtzetten, uit de droom helpen; *estar en un* ~ zich vergissen; *salir del* ~ uit de droom geholpen worden; 3 rode lap vd stierenvechter; 4 lokmiddel (*bij het vissen*); **engañoso** bedrieglijk
engarce *m* 1 (het) rijgen; 2 vatting; (het) zetten (*van edelsteen*); 3 verbinding
engarrotarse klem raken, vastlopen
engarzar 1 rijgen; 2 (*edelsteen*) vatten; 3 verbinden
engastador *m* zetter (*van edelstenen*); **engastadura** (het) zetten (*van edelsteen*); **engastar** zetten, vatten; **engaste** *m* 1 (het) zetten; 2 kas (*van edelsteen*)
engatusador, **-ora** vleiend; **engatusar** inpalmen, lijmen, paaien, om de tuin leiden
engendrador, **-ora** I *bn* verwekkend; II *m* verwekker; **engendramiento** verwekking; **engendrar** 1 verwekken, voortbrengen; 2 uitlokken, veroorzaken, voortbrengen; **engendro** 1 monster, mormel, misbaksel; 2 knoeiwerk
englobar 1 omvatten, overkoepelen; 2 ~ (*en*) onderbrengen (in), opnemen (in)
engolado opgeblazen, aanmatigend, ijdel; **engolamiento** verwatenheid, ijdelheid
engolfarse: ~ *en* opgaan in, zich verdiepen in
engolosinador, **-ora** aanlokkelijk; **engolosinar** (*iem*) lekker maken, aanlokken; **engolosinarse** (*con*) verzot raken (op)
engomado I *bn* 1 gegomd; *cinta -a* kleefband; 2 (*Am*) opgeprikt, fatterig; II *zn* 1 (het) gommen; 2 stijfsel; **engomar** 1 insmeren met gom, gommen; 2 (*kleren*) stijven
engordar I *tr* dik maken; (*vee*) mesten; II *intr* dik worden, aanzetten; zich verrijken; **engordarse** dik worden; zich verrijken; **engorde** *m* (het) mesten; *ganado de* ~ mestvee
engorro (*fam*) gezeur, vervelend gedoe, last; **engorroso** lastig, vervelend
engranaje *m* 1 (het) in elkaar grijpen (*van tandraderen*); 2 tandwerk; raderwerk (*ook fig*); ~ *tensor* kettingspanner; 3 (*rueda de*) ~ tandrad; **engranar** in elkaar grijpen (*ook fig*); ~ *con* grijpen in
engrandecer 1 groter maken; vergroten, uitbreiden; 2 prijzen, ophemelen; **engrandecerse** groter worden; **engrandecimiento** vergroting, uitbreiding
engrapadora nietmachine; **engrapar** (vast)nieten
engrasadera (*techn*) vetpot; **engrasado** (het) smeren; **engrasador**, **-ora** I *bn* smerend; II *m* 1 (*techn*) vetpot; 2 iem die smeert, olieman; **engrasamiento** *zie engrase 1*; **engrasar** smeren, invetten; **engrase** *m* 1 smering, (het) (door)smeren; 2 smeermiddel
engreído verwaand, zelfingenomen; **engrei-**

miento verwaandheid; **engreír** *i* verwaand maken; **engreírse** *i* verwaand worden
engrescar stoken, ophitsen
engrosamiento (het) dikker worden; toename; **engrosar ue** I *tr* 1 dik(ker) maken; 2 doen toenemen; versterken; II *intr* (aan)zwellen, toenemen; *engrosa la masa* de menigte groeit aan; **engrosarse** 1 dik(ker) worden; 2 toenemen
engrudo plaksel (*van stijfsel*)
enguantarse handschoenen aantrekken
enguatar watteren
enguijarrar met kiezels plaveien
enguirnaldar met slingers versieren
enguiscar stoken, tegen elkaar opzetten
engullir naar binnen werken
enharinar met meel bedekken, met meel bestrooien
enhebrar 1 ~ (*la aguja*) de draad in de naald steken; 2 (*kralen*) rijgen
enhiesto (*lit*) kaarsrecht; steil
enhorabuena: *¡~!* wel gefeliciteerd!; *dar la ~ por* feliciteren met
enhornar in de oven zetten
enigma *m* raadsel; **enigmático** raadselachtig
enjabonado I *bn* ingezeept; II *zn* (het) inzepen; **enjabonadura** (het) inzepen; **enjabonar** 1 inzepen; 2 vleien, strooplikken
enjaezar (*paard*) optuigen
enjalbegado I *bn* witgepleisterd; II *zn* (het) pleisteren, (het) witten; **enjalbegar** witten, kalken
enjambrar uitzwermen; **enjambre** *m* bijenvolk; zwerm; drom
enjarciar (*schip*) optuigen
enjaretado houten rooster; **enjaretar** 1 in elkaar flansen; 2 afraffelen; 3 opdringen, in de maag splitsen
enjaular 1 in een kooi zetten; 2 (*fam*) gevangenzetten
enjoyar met sieraden tooien
enjuagar (uit)spoelen, afspoelen; **enjuagarse** zijn mond spoelen; **enjuague** *m* 1 (het) spoelen; 2 geknoei, gescharrel, intriges
enjugar 1 (af)drogen; 2 (*tekort*) aanzuiveren, wegwerken
enjuiciamiento 1 berechting; ~ *civil* burgerlijke rechtsvordering; ~ *criminal* strafvordering; 2 oordeel; **enjuiciar** 1 berechten; 2 oordelen over
enjundia 1 diepgang, (ideeën)rijkdom; 2 sterk karakter; **enjundioso** met diepgang, krachtig; waardevol
enjuto mager
enlace *m* 1 aansluiting, verbinding; ~ *directo* rechtstreekse verbinding; ~ *sindical* contactpersoon in vakbond; 2 verbintenis; *el próximo ~* het voorgenomen huwelijk; 3 vereniging (*van legers*)
enladrillado stenen vloer; **enladrillar** met (bak)stenen bevloeren
enlatado I *bn* in blik; II *zn* (het) inblikken; **enlatar** inblikken
enlazar I *tr* 1 aan elkaar binden, vaststrikken; 2 verbinden; (*legers*) verenigen; 3 (*dier*) in een strik vangen; II *intr* 1 (*mbt trein*) aansluiting hebben; 2 ~ *con* aansluiten op; verband houden met; **enlazarse** 1 verbonden worden; 2 verband houden; aansluiten; 3 trouwen
enlistonado latwerk
enlodamiento (het) bemodderen; **enlodar** 1 bemodderen; 2 onteren, belasteren
enloquecedor, -ora 1 waar men gek van wordt, om gek van te worden; 2 zeer verleidelijk; **enloquecer** I *tr* gek maken, dol maken; II *intr* gek worden; **enloquecerse** gek worden; **enloquecimiento** (het) gek worden, (het) gek maken
enlosado I *bn* betegeld; II *zn* tegelvloer; **enlosador** *m* tegelzetter; **enlosar** betegelen
enlucido I *bn* bepleisterd; II *zn* pleisterwerk; **enlucir** (be)pleisteren
enlutado in de rouw; **enlutar** 1 in rouw kleden; 2 in rouw dompelen; **enlutarse** in de rouw gaan
enmaderado houtwerk; betimmering; beschot; **enmaderar** (*met hout*) beschieten, betimmeren
enmadrarse (*mbt kind*) zich te veel aan zijn moeder hechten, eenkennig worden
enmarañamiento 1 warboel, verwarring; 2 (het) in de war maken; **enmarañar** 1 in de war maken, in de knoop maken; 2 extra ingewikkeld maken, vertroebelen; **enmarañarse** in de war raken
enmarcar inlijsten; *narración enmarcada* raamvertelling
enmascarado gemaskerd; **enmascarar** 1 vermommen, mas'keren; 2 verhullen, verbloemen
enmasillar stoppen (*van schilderwerk*), met stopverf dichtmaken
enmendable te verbeteren, voor verbetering vatbaar; **enmendador, -ora** verbeterend; **enmendar ie** 1 verbeteren; goedmaken; 2 amenderen; **enmendarse ie** zijn leven beteren; **enmienda** 1 verbetering; *no tiene ~* hij is onverbeterlijk; 2 amendement
enmohecer 1 met roest bedekken, met schimmel bedekken; 2 onbruikbaar maken; **enmohecerse** 1 (be)schimmelen; (ver)roesten; 2 onbruikbaar worden; **enmohecimiento** schimmelvorming, uitslag (*op muur*)
enmoquetado met vaste vloerbedekking; *~ techo-suelo* geheel gestoffeerd
enmudecer I *tr* doen zwijgen; II *intr* verstommen; stil worden; **enmudecimiento** (het) zwijgen
ennegrecer zwart maken; **ennegrecerse** zwart worden, heel donker worden
ennoblecedor, -ora verheffend; **ennoblecer** 1 in de adelstand verheffen; 2 veredelen, verheffen; **ennoblecimiento** verheffing (*in de adelstand*)
enojadizo gauw boos, kribbig; **enojado** boos,

verstoord; **enojar** boos maken, ergeren; **enojarse** (*con*) boos worden (op), zich ergeren (aan, over); **enojo** boosheid, ongenoegen; woede; *mirar con* ~ kwaad kijken; **enojoso** ergerlijk, hinderlijk, vervelend
enología wijnkunde; **enólogo, -a** wijndeskundige
enorgullecer trots maken; **enorgullecerse** trots worden; ~ *de* zich beroemen op
enorme enorm, geweldig, immens, reusachtig; **enormidad** *v* 1 enorme afmetingen; massa; 2 enormiteit, stommiteit, gruwel || *una* ~ ontzettend veel
enotecnia techniek vd wijnbehandeling
enquiciar 1 (*deur, raam*) in de scharnieren hangen; 2 in orde brengen, normaliseren
enquistado 1 als een cyste; 2 (*fig*) diep geworteld; ingebed; **enquistarse** 1 een cyste vormen; 2 zich indringen
enrabiar boos maken; **enrabiarse** nijdig worden
enraizar wortel schieten; ~ *en* (*mbt fout*) gelegen zijn in
enramada 1 (de) takken; 2 afdak van takken
enrarecer 1 (*gas*) verdunnen; 2 schaars maken; **enrarecerse** 1 ijl worden; 2 schaars worden; **enrarecido** (*mbt atmosfeer*) ijl, dun; **enrarecimiento** 1 verdunning (*van lucht*); 2 schaarste, (het) schaars worden
enrasar glad afstrijken; effenen; **enrase** *m* nivellering
enredadera klimplant, slingerplant; **enredado** verward; **enredador, -ora** *zn* intrigant(e), roddelaar(ster); **enredar** I *tr* 1 in de war brengen; knoeien in (*rekening*); 2 stoken, tot ruzie aanzetten; onrust zaaien; 3 gecompliceerd maken; 4 (*iets*) betrekken (*in een kwestie*); II *intr* 1 stout zijn, lastig zijn; 2 konkelen, sjoemelen; 3 ~ *con* prutsen aan; **enredarse** 1 in de war raken; niet uit zijn woorden kunnen komen; 2 ~ *en* zich verstrikken in, betrokken worden in; verward raken in; 3 ruzie krijgen; ~ *a golpes* handgemeen worden; 4 (*mbt plant*) klimmen; 5 ~ *con* (*neg*) een verhouding hebben met; **enredo** 1 verwarring; wespennest; 2 geknoei, kuiperij; 3 (liefdes)verhouding, avontuur; 4 ~*s* spulletjes; 5 verwikkeling, intrige (*in toneelstuk*); **enredoso** ingewikkeld, moeilijk, lastig
enrejado I *bn* getralied; II *zn* traliewerk, hekwerk, rooster; **enrejar** van een hek voorzien; **enrejonado** latwerk
enrevesado ingewikkeld, onoverzichtelijk
enriquecedor, -ora verrijkend; **enriquecer** I *tr* 1 rijk maken, verrijken; verfraaien; 2 (*splijtstof*) opwerken; II *intr* rijk worden; goed gedijen; **enriquecerse** rijk worden
enriscado (*mbt terrein*) oneffen, ruig, rotsachtig
enrocar (*schaaksp*) rokeren
enrojecer I *tr* rood maken; II *intr* rood worden; blozen; **enrojecerse** rood worden; blozen; **enrojecimiento** (het) rood worden; (het) blozen
enrolamiento aanmonstering; **enrolar** I *tr* 1 werven, aanmonsteren; 2 ergens bij betrekken; II *intr* aanmonsteren, dienst nemen; **enrolarse** aanmonsteren, dienst nemen; zich inschrijven
enrollar 1 oprollen; winden; (*film*) spoelen; ~ *en* wikkelen op; *cortina de* ~ rolgordijn; 2 ~ (*en*) verstrikken (in), betrekken (in); **enrollarse** (*en*) verward raken (in), betrokken worden (in); zich bezighouden (met)

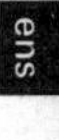

enronquecer I *tr* schor maken; II *intr* schor worden; **enronquecerse** schor worden; **enronquecido** hees, schor; **enronquecimiento** schorheid
enroñar aankoeken
enroque *m* (*schaaksp*) rokade
enroscadura, enroscamiento 1 (het) oprollen; (het) winden; 2 (het) inschroeven; **enroscar** 1 oprollen, winden; 2 inschroeven; **enroscarse** kringelen
ensacar in zakken doen
ensaimada soort koffiebroodje
ensalada 1 salade; ~ *de frutas* vruchtensla; ~ *mixta* gemengde sla; ~ *rusa* (*vglbaar*) huzarensla; 2 mengeling; **ensaladera** slakom; **ensaladilla:** ~ (*rusa*) huzarensla, slaatje
ensalivar met speeksel bevochtigen
ensalmar 1 door gebed genezen; 2 (*gebroken been*) zetten; **ensalmo** bezwering, gebedsgenezing; (*como*) *por* ~ als bij toverslag
ensalzador, -ora verheerlijkend; **ensalzamiento** verheerlijking; **ensalzar** verheerlijken, ophemelen, roemen; ~ *el encanto* de charme verhogen
ensamblado, ensambladura *zie ensamblaje*; **ensamblaje** *m* assemblage, (het) samenvoegen; **ensamblar** assembleren, in elkaar zetten; **ensamble** *m*; *zie ensamblaje*
ensanchador, -ora verwijdend; ~ *de la mente* geestverruimend; **ensanchamiento** verwijding, verruiming; uitbreiding; **ensanchar** 1 verruimen, verwijden, verbreden, (*kleding*) uitleggen; 2 uitbreiden; **ensancharse** 1 zich uitbreiden; 2 zich (trots) voelen, (*fig*) groeien; **ensanche** *m* uitbreiding (*vnl bij stad*), toevoeging
ensangrentar met bloed bevlekken
ensañamiento verbetenheid, woede; **ensañar** woedend maken; ophitsen; **ensañarse** (*con, en*) razend worden (op); wreed optreden (tegen)
ensartar 1 (*kralen*) rijgen; ~ *una aguja* een draad in de naald doen; 2 uitkramen; (*fig*) aaneenrijgen
ensayador, -ora keurmeester, keurder; **ensayar** 1 beproeven, testen, keuren, een proef nemen met; 2 repeteren, instuderen; 3 ~ *a* proberen om; **ensayarse** (zich) oefenen, repeteren; **ensayista** *m,v* essayist(e); **ensayo** 1 proef(neming), toets; ~ *de materiales* materia-

lenonderzoek; *pedido de* ~ proeforder; *por vía de* ~ bij wijze van proef; *tubo de* ~ reageerbuis; 2 repetitie; 3 essay
enseguida (direkt) daarna, even later
ensenada baai
enseña vaandel, standaard; **enseñado** onderwezen; gedresseerd; **enseñante** *m,v* leerkracht, docent(e); **enseñanza** onderwijs, onderricht; ~ *de adultos* volwassenenonderwijs; ~ *básica* basisonderwijs; ~ *en clase* klassikaal onderwijs; ~ *por correspondencia* schriftelijk onderwijs; ~ *a distancia* afstandsonderwijs; ~ *especial* buitengewoon onderwijs, speciaal onderwijs; ~ *media* middelbaar onderwijs; ~ *postescolar* vervolgonderwijs; ~ *preescolar* kleuteronderwijs; ~ *primaria* lager onderwijs; ~ *privada* particulier onderwijs, bijzonder onderwijs; ~ *pública* openbaar onderwijs; ~*(s) en régimen nocturno* avondonderwijs; ~ *secundaria, segunda* ~ middelbaar onderwijs; ~ *superior* hoger onderwijs; *impartir* ~ onderwijs geven; *recibir* ~ onderwijs genieten; **enseñar** 1 onderwijzen, onderrichten, leren, doceren; ~ *historia* geschiedenis doceren; ~ *a nadar* (*iem*) leren zwemmen; *¡ya le enseñaré!* ik zal hem leren!; 2 wijzen; voordoen; (ver)tonen, laten zien; ~*le a u.p. el camino* iem de weg wijzen; ~ *mediante cálculos* voorrekenen
enseñorearse: ~ *de* (*vaak iron*) zich toeëigenen
enseres *mmv* benodigdheden, gerei, gereedschap
ensilar in een silo bewaren
ensilladura 1 (het) zadelen; 2 deel vd rug waarop zadel ligt; **ensillar** zadelen
ensimismado in zichzelf gekeerd, in gedachten (verzonken); **ensimismamiento** (*fig*) afwezigheid; (het) in gedachten zijn; **ensimismarse** in gedachten verzinken
ensoberbecer trots maken; **ensoberbecerse** trots worden
ensombrecer 1 donker maken, verduisteren; 2 een domper zetten op, somber maken; **ensombrecerse** 1 donker worden; 2 somber worden
ensoñador, **-ora** dromerig; **ensoñar ue** illusies hebben, in zijn dromen zien
ensordecedor, **-ora** oorverdovend; **ensordecer** 1 doof maken; 2 (*geluid*) dempen; **ensordecerse** 1 doof worden; 2 (*mbt geluid*) doffer worden; **ensordecimiento** 1 verdoving, doofheid; 2 (het) zwakker worden (*mbt geluid*)
ensortijar *tr* (*haar*) krullen; *pelo ensortijado* krullend haar
ensotanado zwartrok
ensuciar vuil maken, bevuilen, besmeuren; ~*lo todo* zitten te kliederen, zitten te knoeien; **ensuciarse** 1 zich vuil maken; 2 (*fig*) zijn handen vuil maken
ensueño droom(beeld), illusie
entablado planken vloer; samengevoegde planken; **entablar** 1 met planken bedekken, betimmeren, beschieten; 2 beginnen, entameren, aanknopen; ~ *amistad* vriendschap sluiten; ~ *un diálogo* een dialoog aangaan; ~ *la lucha* de strijd aanbinden; ~ *relaciones* betrekkingen aanknopen; een relatie beginnen; 3 (*schaaksp; de stukken*) opzetten; **entablarse** (*mbt gesprek*) zich ontspinnen; beginnen
entablillar spalken
entalladura inkeping, kerf; **entallar** I *tr* 1 tailleren; 2 inkepingen maken in; kerven; 3 beeldhouwen; (*hout*) snijden; II *intr* goed of slecht zitten in de taille; **entallarse** (*mbt kledingstuk*) getailleerd zijn
entallecer, **entallecerse** stengels krijgen, uitlopen
entarimado parketvloer; plankier; **entarimar** met parket beleggen; betimmeren
ente *m* 1 wezen; *un* ~ *de ficción* een fantasie, schepping vd verbeelding; 2 (*fig*) vreemde vogel, figuur
enteco zwak, mager
entelar (*kaart*) op linnen plakken
entelequia verzinsel, vrucht vd verbeelding
entendederas *vmv* (*vaak neg*) begripsvermogen, verstand; *malas* ~ weinig verstand; **entendedor**, **-ora** verstaander; *a buen* ~ *con pocas palabras basta* een goed verstaander heeft maar een half woord nodig; **entender ie** I *ww* 1 verstaan, begrijpen; *entiéndase bien* let wel; ~ *mal* verkeerd begrijpen, verkeerd opvatten; ~ *por* verstaan onder; *bien entendido que, entendiéndose que* met dien verstande dat; *dar a* ~ te verstaan geven, te kennen geven; *darse a* ~, *hacerse* ~ zich verstaanbaar maken, zich begrijpelijk uitdrukken; *se da por entendido que, se entiende que* aangenomen wordt dat; *no darse por entendido* zich van de domme houden; *por esto se entiende* hieronder wordt verstaan; 2 menen; 3 ~ *de* verstand hebben van, op de hoogte zijn van; 4 ~ *en* (*mbt rechter; een zaak*) behandelen; II *m* mening; *a mi* ~ naar mijn mening, mijns inziens; **entenderse ie** 1 het (*met elkaar*) kunnen vinden, overweg kunnen; 2 weten waar je het over hebt; 3 ~ *con: a*) zich verstaan met (*iem*), overleg plegen met; *b*) wijs kunnen uit, weg weten met; **entendible** verstaanbaar, begrijpelijk; **entendido** (*en*) deskundig (inzake), goed op de hoogte (met), thuis in; ~ *en materia de arte* kunstkenner; **entendimiento** verstand, inzicht, begrip; *buen* ~ goede verstandhouding, overeenstemming
entenebrecer somber maken, verduisteren; **entenebrecerse** somber worden
entente *v* goede verstandhouding; pact, verbond
enterado op de hoogte; *estar* ~ *de* bekend zijn met; *no estar* ~ *de* onkundig zijn van, niet op de hoogte zijn met; *zie ook enterar*
enteramente geheel, helemaal
enterar (*de*) op de hoogte stellen (van), meedelen, vertellen; *darse por enterado* laten blijken

dat men iets gehoord heeft; *no darse por enterado* zich van de domme houden; *quedar enterado* op de hoogte zijn; **enterarse** (*de*) 1 vernemen, horen, er achter komen; *¿ahora te enteras?* weet je dat nu pas?; *no me enteré de su nombre* zijn naam is mij ontgaan; *para que te enteres* 't is maar dat je het weet; 2 zich op de hoogte stellen (van); 3 beseffen, begrijpen, merken; *no se entera de lo que lee* het dringt niet tot hem door wat hij leest

entereza 1 integriteit, rechtschapenheid; 2 kracht, karaktervastheid; 3 doelbewustheid, vastberadenheid; **enterizo** uit één stuk; gaaf

enternecedor, -ora vertederend, aandoenlijk; **enternecer** vertederen; **enternecerse** vertederd raken, week worden; **enternecimiento** vertedering

entero I *bn* 1 (ge)heel, totaal, volledig; *por ~* helemaal; 2 gaaf, intact; *leche -a* volle melk; 3 integer, met een sterk karakter; II *zn* 1 heel loterijbiljet; 2 punt (*op de beurs*), (reken)eenheid; 3 (*rekenk*) een hele

enterramiento begrafenis, teraardebestelling; **enterrar ie** begraven, bedelven; *nos enterrará a todos* hij overleeft ons allen nog; **enterrarse ie** zich begraven; *~ en vida* zich levend begraven (*bv in een gehucht*)

entibar stutten, steunen (*vnl in mijn*)

entibiar 1 lauw maken; 2 doen verflauwen; **entibiarse** 1 lauw worden; 2 verflauwen; bekoelen

entidad *v* 1 instelling, instantie, lichaam; rechtspersoon; *~ asesora* adviserende instantie; *~ benéfica* liefdadigheidsinstelling; *~ de gestión* beleidslichaam; *~ pública* staatsinstelling; *~es de servicios* dienstverlenende instellingen; 2 wezen; kern; (het) zijn; *de ~* belangrijk; *tiene apenas ~* het mag geen naam hebben

entierro 1 begrafenis; *~ nacional* staatsbegrafenis; 2 begrafenisstoet; *es un ~ silencioso* niemand zegt een woord, er gaat een dominee voorbij

entintado I *bn* met inkt doordrenkt; *cinta -a* inktlint; II *zn* (het) inkten; **entintar** met inkt doordrenken

entoldado 1 (het) spannen van een zeil; 2 afdekking; zonnescherm; 3 danstent; **entoldar** overspannen (*met zonneschermen*)

entomología insektenleer; **entomólogo, -a** insektendeskundige

entonación *v* 1 intonatie; 2 (*muz*) inzet; **entonar** I *tr* 1 inzetten, aanheffen; intoneren; 2 (*kleuren*) combineren; 3 kracht geven; II *intr* 1 zuiver zingen; 2 *~ con* kleuren bij, staan bij; **entonarse** 1 opkikkeren, bijkomen; 2 opzwellen van trots, trots zijn

entonces 1 toen, destijds; *el ~ ministro* de toenmalige minister; *desde ~* van toen af; *en aquel ~, por* (*aquel*) *~* in die tijd, toentertijd; 2 dan; dus; *~ no te ayudo* dan help ik je niet; *¡(pues) ~...!* dus...!; *~ no es cierto* het is dus niet waar

entontecer suf maken; *~ a u.p.* iems hoofd op hol brengen; **entontecerse** zijn hoofd kwijtraken; **entontecimiento** verdwazing

entorchado 1 omwikkelde draad; 2 goudborduursel (*op uniform*); **entorchar** omwikkelen

entornado op een kier; *ojos ~s* halfgesloten ogen; **entornar** op een kier zetten; *~ los ojos* zijn ogen half sluiten, turen; **entorno** omgeving, milieu

entorpecer 1 stroef maken, doen verstijven; belemmeren; *~ el tráfico* het verkeer ophouden; 2 afstompen, suf maken; **entorpecido** (*mbt ledematen*) stijf; **entorpecimiento** 1 verstijving; belemmering; 2 afstomping, versuffing

entrada 1 ingang; inrit; *~ lateral* zijingang; *~ principal* hoofdingang; 2 (het) binnengaan, (het) binnenkomen; inval; *la ~ del otoño* het begin vd herfst; *~ en la CE* toetreding tot de EG; *~ en dique* (*scheepv*) (het) dokken; *~ en funciones* ambtsaanvaarding; *~ en servicio* indiensttreding; *~ solemne* intocht; *de ~* om te beginnen; 3 toegang; toegangsbewijs, kaartje; publiek, recette; *~ de favor* vrijkaartje; *~ gratuita: a*) gratis toegang; *b*) vrijkaartje; *~ libre* vrij entree; *dar ~ a* toegang verlenen tot; *prohibida la ~* verboden toegang; 4 vestibule, entree; 5 voorgerecht, entree; 6 (*muz*) inzet; 7 boeking, inschrijving; 8 *~s* ontvangsten, inkomsten; 9 aanbetaling; 10 wijdte (*van halsopening*); **entrado**: *~ en años* op leeftijd

entramado latwerk, houten frame

entrambos, -as beide(n)

entrampado: *estar ~* tot over zijn oren in de schuld zitten; *estar ~ con u.p.* bij iem in het krijt staan; **entramparse** zich in de schulden steken

entrante komend, beginnend

entraña 1 *~s* ingewanden; *sin ~s* gevoelloos, harteloos; 2 *~s* (het) binnenste; 3 (*soms mv*) kern; **entrañable** innig; *afecto ~* diepe genegenheid; *un amigo ~* een zeer dierbare vriend; **entrañar** inhouden, met zich meebrengen

entrar I *intr* 1 *~* (*en, a*) binnenkomen, (naar) binnen gaan, ingaan; binnenvallen, toetreden (tot); *~ en el puerto* de haven binnenlopen; *~ en vigor* van kracht worden, ingaan; *hacer ~* binnenlaten, binnenroepen; *no ~ ni salir* zich er buiten houden; 2 (*fig*) erin gaan, erin willen, erin kunnen; pakken, aanslaan; *a mí no me entran esas fórmulas* die formules kan ik niet begrijpen; *ese tipo no me entra* ik mag die man niet; 3 *~ a* (*iem*) benaderen, (*iets*) aanpakken; 4 *~ en* passen in, inbegrepen zijn; *entran 100 galletas en un kilo* er gaan 100 koekjes in een kilo; *no entra en mi estrategia* dat past niet in mijn strategie; *en esta salsa entran tomates* in deze saus zitten tomaten; 5 *~ en* ingaan op; *~ en detalles* in detail treden; *~ en materia* terzake komen; 6 (*muz*) inzetten, erbij komen; II *tr* 1 binnenbrengen; stoppen in; 2 (*mil; soms ~ en*) veroveren || *~ en colisión con* in aanvaring komen met, in botsing komen met

entre *vz* 1 tussen; ~ *tú y yo: a*) tussen jou en mij; *b*) jij en ik samen; ~ *todos* met zijn allen; 2 bij, onder, te midden van; ~ *los griegos* bij de Grieken; ~ *risas* onder gelach; ~ *semana* door de week; *comer ~ horas* tussendoor wat eten; *elegir de ~ sus miembros* uit hun midden kiezen; *por ~ los árboles* tussen de bomen door; *ha sucedido algo ~ medio* er is iets tussen gekomen
entreabierto half open; **entreabrir** half openen
entreacto korte pauze, entr'acte
entrecano grijzend, peper-en-zout
entrecavar licht omspitten
entrecejo ruimte tussen wenkbrauwen, voorhoofd; *arrugar el ~, fruncir el ~* de wenkbrauwen fronsen
entrechocar rammelen, klapperen
entrecomar tussen komma's plaatsen
entrecomillar tussen aanhalingstekens plaatsen
entrecoro ruimte tussen koor en hoofdaltaar
entrecortado haperend, steeds onderbroken; **entrecortarse** haperend spreken
entrecot *m* entrecôte
entrecruzar kruisen; *~se* elkaar kruisen, verweven worden
entrecubierta tussendek
entredicho: *estar en ~* een omstreden punt zijn, betwijfeld worden; *poner en ~* op losse schroeven zetten, in twijfel trekken
entrefino (*mbt vermicelli*) middeldun
entrega 1 (op)levering; overhandiging, afgifte, bezorging; uitreiking; ~ *a domicilio* wordt thuis bezorgd; ~ *escalonada* levering in gedeelten; ~ *inmediata: a*) spoedbestelling; *b*) uit voorraad leverbaar; 2 aflevering; *novela por ~s* feuilleton, vervolgverhaal; 3 overgave; 4 (uit)betaling; *mediante ~ de* tegen storting van; 5 uitlevering; **entregar** 1 (op)leveren; overhandigen; bezorgen, ter hand stellen, inleveren; (*diploma, prijs*) uitreiken; ~ *en cambio de* inruilen voor; 2 (*stad*) overgeven; 3 (uit)betalen, afdragen; **entregarse:** ~ (*a*) zich overgeven (aan); zich wijden (aan); ~ *a la aventura* zich in het avontuur storten; ~ *a la bebida* aan de drank raken; ~ *a la policía* zich aangeven
entrelazar vervlechten, ineenstrengelen, verweven
entremedias tussendoor
entremés *m* 1 (*hist*) korte klucht; 2 *-eses* hors d'oeuvres
entremeter tussenstoppen; **entremeterse** (*ergens*) tussen kruipen, zich indringen; **entremetido, -a I** *bn* bemoeiziek; **II** *zn* bemoeial; **entremetimiento** bemoeizucht
entremezclar door elkaar mengen
entrenador, -ora train(st)er; **entrenamiento** training; opleiding; *falto de ~* ongeoefend; **entrenar** *tr* trainen, oefenen; africhten; **entrenarse** trainen
entreoír half horen
entrepaño 1 (wand)paneel; 2 plank (*in kast*)
entrepierna 1 (*anat*) kruis; 2 kruis (*van broek*)
entrepiso tussenverdieping
entrepuente *m* tussendek
entresacar ertussenuit halen, uitdunnen
entresijo 1 (het) verborgene; *~s* (*fig*) haken en ogen, iets duisters; 2 (*anat*) mesenterium
entresuelo tussenverdieping; eerste verdieping (*boven souterrain*)
entresurco ruimte tussen twee voren
entretanto ondertussen, inmiddels
entretejer verweven, verstrengelen
entretela grof voeringlinnen, versteviging
entretener 1 bezighouden; amuseren, afleiden; ~ *la espera* het wachten korten; 2 ophouden, (doen) vertragen; ~ *con promesas* aan het lijntje houden; 3 in stand houden, handhaven; **entretenerse** 1 ~ (*en, con*) zich bezighouden (met); 2 ~ *con* zich onderhouden met; 3 zich ophouden; treuzelen; **entretenida** maintenee; **entretenido** 1 onderhoudend; amusant; 2 tijdrovend; **entretenimiento** 1 (*techn*) onderhoud; behoud; 2 vermaak, amusement
entretiempo 1 (*sp*) rust; 2 voorseizoen, naseizoen; *abrigo de ~* demi, lichte overjas
entreventana penant
entrever vaag zien, bespeuren, een glimp opvangen van; voorzien; *dejar ~* in het vooruitzicht stellen; **entreverse** (*vaag*) in zicht komen
entreverado vermengd; *tocino ~* doorregen spek; **entreverar** (*de*) doorspekken (met), afwisselen (met)
entrevía ruimte tussen de rails
entrevista onderhoud; interview, vraaggesprek; ~ *de evaluación* beoordelingsgesprek; **entrevistador, -ora** interview(st)er; **entrevistar** interviewen; **entrevistarse** (*con*) een onderhoud hebben (met)
entristecedor, -ora bedroevend; **entristecer** bedroeven, treurig maken; **entristecerse** treurig worden; **entristecido** bedroefd
entrometer *zie entremeter*; **entrometido** indringerig, bemoeiziek; **entrometimiento** bemoeizucht
entroncar 1 ~ (*con*) verwant zijn (aan); 2 ~ *con* een verbinding hebben met, aansluiten op
entronizar op de troon plaatsen; een belangrijke plaats geven aan, verheffen
entronque *m* 1 verwantschap; 2 aansluitingspunt, verbinding
entubar buizen leggen
entuerto 1 onrecht; belediging; 2 *~s* naweeën
entumecerse stijf worden, verstijven; (*mbt lippen*) zwellen; **entumecido** stijf, verstijfd, gevoelloos; (*mbt lippen*) gezwollen; **entumecimiento** verstijving
enturbiar vertroebelen; verstoren; **enturbiarse** troebel worden; verstoord worden
entusiasmado enthousiast, geestdriftig; **entusiasmar** enthousiast maken; *me entusiasma...*

ik ben dol op…; **entusiasmarse** (*con*) enthousiast zijn (over, met), blij zijn (met), warmlopen (voor); **entusiasmo** enthousiasme; *infundir ~ a u.p. por u.c.* iem voor iets warm maken; **entusiasta** I *bn ~ (de)* enthousiast (over, voor); II *m,v* enthousiast(e); **entusiástico** enthousiast

enumeración *v* opsomming; telling; **enumerar** opsommen, opnoemen

enunciación *v* uiting; **enunciado** 1 probleemstelling; 2 taaluiting; **enunciar** uiten, uiteenzetten, formuleren

envainar in de schede steken; in etui doen

envalentonamiento bemoediging; **envalentonar** bemoedigen; **envalentonarse** 1 moed vatten; 2 overmoedig worden, brutaal worden

envanecedor, -ora ijdel makend; **envanecer** ijdel maken, trots maken; *~se (de)* trots zijn (op)

envarar stijf maken, (doen) verstijven; **envararse** stijf worden

envasado (het) verpakken; (het) in potten, blikken of zakken doen; **envasar** verpakken; in potten, blikken of zakken doen; *~ al vacío* vacuüm verpakken; **envase** *m* 1 verpakking, emballage; pot, blik, doos; *~ no retornable* wegwerpverpakking, geen statiegeld; *~s vacíos* (*Belg*) leeggoed; 2 (het) verpakken, (het) inblikken

envejecer I *tr* oud maken; II *intr* oud worden, verouderen; aftakelen; *envejece la población* de bevolking vergrijst; **envejecerse** oud worden; **envejecimiento** veroudering; vergrijzing

envenenador, -ora vergiftigend; **envenenamiento** vergiftiging; **envenenar** vergiftigen

envergadura 1 omvang, belang; 2 draagwijdte, reikwijdte, spanwijdte

envés *m* verkeerde kant, onderkant, achterkant

enviado, -a gezant(e); afgezant(e); **enviar í** sturen, zenden, doen toekomen; *~ al otro mundo* naar de andere wereld helpen; *~ con* meegeven aan

enviciar I *tr* verslaafd maken, (*iem*) bederven; II *intr* te veel blad krijgen (*en te weinig vruchten*); **enviciarse** (*con*) verslaafd raken aan

envidar (*kaartsp*) overbieden

envidia jaloezie, afgunst, nijd; *~ mortal* dodelijke afgunst; *~ profesional* broodnijd; *le come la ~, rabia de ~* hij wordt verteerd door jaloezie; *dar ~ a u.p.* iem jaloers maken; *¡pura ~!* dat is de kift!; *tener ~ a* jaloers zijn op, benijden; **envidiable** benijdenswaardig; **envidiar** benijden, misgunnen; **envidioso** (*de*) jaloers (op), afgunstig (op)

envilecedor, -ora onterend, verloederend; **envilecer** (*in waarde*) verlagen; onterend zijn voor; **envilecerse** zich verlagen, aan lager wal raken; **envilecimiento** laagheid; ontering, verloedering

envío 1 (ver)zending; *~ urgente* spoedzending; 2 verwijzing

envite *m* 1 (*kaartsp*) verhoogde inzet; 2 duw; 3 ruk voorwaarts

enviudar weduwe worden, weduwnaar worden

envoltorio bundel; **envoltura** omhulsel, wikkel, bekleding; buitenkant; **envolvente**: *movimiento ~* omtrekkende beweging; **envolver ue** 1 omhullen, hullen in, wikkelen in; inpakken; *~ u.c. en un papel* ergens een papier om doen; 2 omsingelen, insluiten; (*in discussie*) inpakken; 3 *~ en* betrekken in, verwikkelen in; 4 inhouden; **envolvimiento** omsingeling; **envuelto** (*en*) 1 gehuld (in); 2 betrokken (bij)

enyesado I *bn* in gips; II *m* gipsverband; **enyesar** in het gips doen, een gipsverband aanleggen om

enzarzar (*personen*) tegen elkaar opzetten; **enzarzarse** elkaar in de haren vliegen, een twistgesprek voeren; *~ a puñetazos* handgemeen worden

enzima enzym

eñe *v*; *zie ñ*

eólico vd wind; *energía -a* windenergie

epatar epateren

eperlano spiering

épica epiek

epicentro epicentrum

épico 1 episch; *poema ~* epos; 2 geweldig, gigantisch

epicúreo epicurisch; genietend vh leven

epidemia epidemie; **epidémico** epidemisch

epidérmico epidermisch; **epidermis** *v* epidermis, opperhuid

Epifanía Driekoningen (*6 januari*)

epiglotis *v* epiglottis, strotklepje

epígrafe *m* opschrift, titel; motto

epilepsia epilepsie, vallende ziekte; *ataque de ~* toeval; **epiléptico** epileptisch, lijdend aan epilepsie

epílogo epiloog, naschrift

episcopado 1 episcopaat; bisschopsambt; 2 (de) bisschoppen; **episcopal** bisschoppelijk; *sede ~* bisschopszetel

episódico episodisch, bijkomstig; **episodio** episode

epístola (*lit*) brief; **epistolar** in briefvorm; *amigo ~* penvriend; *novela ~* roman in briefvorm

epitafio grafschrift, epitaaf

epitalamio huwelijkszang

epíteto epitheton

epítome *m* samenvatting, kort overzicht

época tijdperk, tijd; *~ de la cría* broedtijd; *~ glacial* ijstijd; *~ de heladas* vorstperiode; *~ del hierro* ijzertijd; *~ de lluvias* regentijd; *adelantarse a su ~* zijn tijd vooruit zijn; *hacer ~, marcar ~* baanbrekend zijn; *venir de la ~ en que* stammen uit de tijd dat

epopeya 1 epos, heldendicht; 2 grootse prestatie

equiángulo gelijkhoekig
equidad *v* billijkheid
equidistancia gelijke afstand; **equidistante** (*de*) op gelijke afstand (van); (*fig*) het midden houdend (tussen); **equidistar** (*de*) op gelijke afstand liggen (van); (*fig*) het midden houden (tussen)
équidos *mmv* paardachtigen
equilátero gelijkzijdig
equilibrado evenwichtig; (*mbt begroting*) sluitend; **equilibrar** in evenwicht brengen; (uit)-balanceren; **equilibrio** evenwicht; ~ *de fuerzas* machtsevenwicht; *hacer ~s para vivir* de eindjes aan elkaar knopen; *perder el ~* zijn evenwicht verliezen; *perturbar el ~* het evenwicht verstoren; *poner en ~* in evenwicht brengen, uitbalanceren; *tener ~* een goed evenwichtsgevoel hebben; **equilibrista** *m,v* evenwichtskunstenaar, -kunstenares
equimosis *v* blauwe plek
1 equino zeeëgel
2 equino (*lit*) vh paard
equinoccio dag-en-nachtevening, equinox
equipado toegerust; *completamente ~* met alle toebehoren; **equipaje** *m* bagage; ~ *de mano* handbagage; *hacer el ~* de koffers pakken; **equipamiento** uitrusting; *~s* voorzieningen; **equipar** (*de*) toerusten (met), outilleren (met), uitrusten (met), voorzien (van)
equiparable (*a*) vergelijkbaar (met); **equiparación** *v* (*a*) gelijkstelling (met); **equiparar** (*a*) gelijkstellen (met), gelijktrekken
equipo 1 team, ploeg; elftal; ~ *de cámara* cameraploeg; ~ *decanal* (*vglbaar*) faculteitsbestuur; ~ *de fútbol* voetbalelftal; ~ *de noche* nachtploeg; ~ *de salvamento* reddingsploeg; ~ *seleccionado* (*sp*) kernploeg, selectie-elftal; 2 uitrusting, outillage; installatie; apparatuur; (*comp*) hardware; ~ *de buzo* duikersuitrusting; ~ *de cubierta* dekwerktuigen; ~ *de deporte* sportuitrusting; ~ *de energía eléctrica* elektrische installatie; *~s de escucha y grabación* afluisterapparatuur; ~ *fabril* fabrieksinstallatie; ~ *motriz* drijfwerk; ~ *de novia* (bruids)uitzet; *bienes de ~* produktiemiddelen
equis *v* 1 *zie x*; 2 onbekend aantal; *cada ~ años* iedere zoveel jaar; 3 *rayos ~* röntgenstralen
equitación *v* paardrijkunst; (het) paardrijden
equitativo rechtvaardig, billijk
equivalencia gelijkwaardigheid; **equivalente** I *bn* gelijkwaardig; equivalent; II *m* tegenwaarde; equivalent; **equivaler** (*a*) gelijk staan (met); ~ *a* erop neerkomen dat
equivocación *v* vergissing; *por ~* per abuis, bij vergissing; **equivocado** verkeerd, fout; *estar ~* zich vergissen, het mis hebben; *número ~* (*telef*) verkeerd verbonden; **equivocar** *tr* 1 zich vergissen in; verwisselen; 2 (*iem*) in de war maken; **equivocarse** (*de*) zich vergissen (in); ~ *de camino* verkeerd lopen, de verkeerde weg nemen; ~ *clamorosamente,* ~ *de medio a medio* zich lelijk vergissen; ~ *de puerta* de verkeerde deur nemen; **equívoco I** *bn* 1 dubbelzinnig; 2 verdacht, onduidelijk; II *zn* 1 dubbelzinnigheid, woordspeling; 2 misverstand
1 era tijdperk; ~ *cristiana* christelijke jaartelling
2 era dorsvloer; dorpsplein
erario schatkist
ere *v*; *zie r*
erección *v* 1 oprichting; instelling, vestiging; 2 erectie; **eréctil** wat zich kan oprichten (*bv stekels*); **erecto** stijf; recht overeind
eremita *m* kluizenaar, heremiet
erg *m* erg (*eenheid van arbeid*); **ergio** *zie erg*; **ergonomía** ergonomie
erguido rechtop; fier; *llevar -a la cabeza* met opgeheven hoofd lopen, zich nergens voor hoeven te schamen; **erguir ie, i** oprichten; **erguirse ie, i** 1 zich oprichten; *a lo lejos se yergue una torre* in de verte verheft zich een toren; 2 trots zijn, zich op de borst slaan
erial I *bn* braakliggend; II *m* braakland
erigir 1 oprichten, bouwen; 2 ~ *en* verheffen tot, maken tot; ~ *en norma* tot norm verheffen; **erigirse**: ~ *en* zich opwerpen als
erisipela belroos, erysipelas, huidontsteking
eritema *m* vurige roodheid vd huid; ~ *solar* zonnebrand
eritrocito rood bloedlichaampje
erizado 1 stekelig; 2 stijf, rechtopstaand; 3 ~ *de* bezaaid met; **erizar** (*haar, stekels*) overeind zetten; *el gato eriza el pelo* de kat zet zijn haren overeind; **erizarse** 1 (*mbt haar, stekels*) overeind gaan staan; *se me erizó el pelo* de haren rezen mij te berge; 2 (*fig*) al zijn stekels opzetten, een defensieve houding aannemen; 3 ~ *de* volraken met; **erizo** 1 egel; ~ *de mar* zeeëgel; 2 schuw mens; onhandelbare figuur
ermita 1 afgelegen kapel; 2 kluizenaarswoning, kluis; **ermitaño** kluizenaar, heremiet
erosión *v* erosie; **erosionar** erosie veroorzaken in; afslijpen, wegvreten; **erosivo** afslijpend, eroderend
erótico erotisch; **erotismo** erotiek; **erotómano, -a** erotomaan, erotomane
errabundo zwervend
erradicación *v* uitroeiing, uitbanning; **erradicar** met wortel en tak uitrukken; uitbannen, uitroeien
errado verkeerd, onjuist; *estar ~* zich vergissen; *golpe ~* klap die zijn doel mist
erraj *m* gruiskool van gestampte olijvepitten
errante zwervend; *el judío ~* de wandelende jood; **errar ie I** *intr* 1 zwerven, dwalen; 2 zich vergissen; ~ *es humano* vergissen is menselijk; **II** *tr* (*ook ~ en*) mislopen, missen; ~ *el blanco* zijn doel missen; ~ *el cálculo* zich misrekenen; ~ *el camino* verdwalen; ~ *el golpe* misslaan, misgooien; ~ *el tiro* misschieten; **errata** drukfout
erre *v* dubbele r; *zie r* || ~ *que* ~ (*boos gezegd*) en maar doorgaan!, het houdt niet op!
erróneo onjuist, fout, verkeerd; **error** *m* ver-

gissing, fout, dwaling; misvatting, onjuistheid; ~ *de apreciación* beoordelingsfout; ~ *básico* basisfout; ~ *de bulto, craso* ~ enorme fout; ~ *de cálculo* misrekening; ~ *garrafal* reuzeblunder; ~ *de imprenta* drukfout; ~ *de máquina* tikfout; *caer en un* ~, *incurrir en un* ~ in een fout vervallen; *estar en un* ~ zich vergissen
ertzaintza Baskische politie
eructar oprispen, boeren; **eructo** oprisping, boer
erudición *v* eruditie, belezenheid, geleerdheid; **erudito** erudiet, belezen, geleerd, geletterd
erupción *v* 1 uitbarsting; *entrar en* ~ (*mbt vulkaan*) uitbarsten; 2 ~ (*cutánea*) huiduitslag; **eruptivo** 1 met (huid)uitslag gepaard; 2 vd uitbarsting afkomstig; *rocas -as* stollingsgesteente
esa, ésa *zie 2 ese*
esbeltez *v* slankheid; **esbelto** slank, rank
esbirro 1 gerechtsdienaar; 2 (*neg*) politieagent, knecht, handlanger
esbozar schetsen; ~ *una sonrisa* flauwtjes glimlachen; **esbozo** schets
escabechar 1 inleggen (*in kruidenazijn*); 2 laten zakken, afwijzen (*bij examen*); 3 (*fam*) afmaken, doden; **escabeche** *m* 1 inlegazijn; 2 ingelegde vis of vlees; **escabechina** (*fig, fam*) slachting (*bv bij examen*)
escabel *m* 1 voetenbankje; 2 kruk(je)
escabrosidad *v* 1 oneffenheid, ruigheid (*van terrein*); 2 scabreus karakter; **escabroso** 1 (*mbt terrein*) geaccidenteerd, ruig, moeilijk begaanbaar; 2 hachelijk, moeilijk; 3 haast obsceen, (*mbt mop*) schuin, scabreus
escabullirse wegglippen, er tussenuit knijpen, zijn hielen lichten
escacharrar (*fam*) (*serviesgoed*) breken; kapot maken, in de soep laten lopen
escachifollar 1 voor piet snot zetten; 2 (*plan*) in het honderd laten lopen
escafandra duikerpak
escala 1 ladder; ~ *de corredera* schuifladder; ~ *de cuerda,* ~ *de viento* touwladder; 2 schaal; ~ *graduada* schaalverdeling; ~ *logarítmica* logaritmentafel; ~ *remunerativa,* ~ *salarial* salarisschaal, (*Belg*) weddeschaal, barema; *en gran* ~ op grote schaal, grootscheeps; *en pequeña* ~ op kleine schaal, kleinschalig; 3 scala; ~ *de colores* kleurenschaal; ~ (*musical*) toonladder; 4 ~ (*intermedia*) (tussen)landing; *hacer* ~: *a*) (*mbt schip*) aanleggen; *b*) (*mbt vliegtuig*) een tussenlanding maken; *hacer* ~ *en* (*haven*) aandoen, een tussenlanding maken (*op vliegveld*); *vuelo sin* ~*s* non-stopvlucht; 5 ranglijst, (*mil*) hiërarchie; **escalable** beklimbaar; **escalada** 1 beklimming; 2 escalatie (*van conflict*); **escalador, -ora** (berg)klimmer, -klimster; **escalafón** *m* ranglijst (*naar anciënniteit en hiërarchie*); **escalamiento** 1 beklimming; 2 inklimming; (*robo con*) ~ inbraak; **escalar** 1 (*berg, muur*) beklimmen; 2 inklimmen; inbreken in; 3 (*fig*) opklimmen tot; 4 treden maken in (*terrein*)
Escalda *m* Schelde
escaldado door schade en schande wijs geworden, doorgewinterd; **escaldar** 1 blancheren; met kokend water overgieten; 2 (*ijzer*) roodgloeiend maken; 3 vernederen, erin laten lopen; **escaldarse** (*mbt huid*) schrijnen
escaleno ongelijkzijdig
escalera 1 trap; ~*s arriba* de trap op; ~ *de caracol* wenteltrap; ~ *de incendio* brandtrap; ~ *de mano* ladder; ~ *mecánica,* ~ *rodante* roltrap; *correr* ~*s abajo* de trap afrennen; *subir las* ~*s* de trap opgaan; 2 (*kaartsp*) straat; **escalerilla** 1 trapje; 2 hangstrip (*voor boekenplanken*); 3 (*kaartsp*) straat
escalfar pocheren
escalinata brede toegangstrap, bordes
escalo (het) inklimmen; *robo con* ~ inbraak
escalofriado rillerig; **escalofriante** huiveringwekkend, ijselijk; **escalofrío** rilling, huivering
escalón *m* trede; sport (*van ladder*); opstapje; ~ *lateral* steile kant (*van weg*); **escalonado** trapsgewijs; (*mbt betaling*) gespreid; geleidelijk, getrapt; **escalonamiento** spreiding (*in de tijd*); ~ *de vacaciones* vakantiespreiding; **escalonar** 1 indelen (*in etappes*); spreiden (*over de tijd*); 2 op gelijke afstanden plaatsen
escalope *m* schnitzel, lapje (*vlees*)
escalpar scalperen; **escalpelo** scalpel; **escalpo** scalp
1 escama schub; vlok; ~*s de jabón* zeepvlokken
2 escama 1 ~*s* instinctieve terughoudendheid; 2 argwaan
escamado achterdochtig, argwanend
1 escamar van schubben ontdoen, schrappen
2 escamar verdacht voorkomen, met argwaan vervullen
escamarse argwaan koesteren; **escamón, -ona** wantrouwig
escamoso 1 geschubd; 2 schilferig
escamotear 1 wegmoffelen (*bv bij goochelen*); 2 verdonkeremanen; **escamoteo** (het) wegmoffelen; gegoochel
escampada opklaring; **escampar** opklaren; *¡ya escampa!: a*) het klaart op; *b*) daar hebben we de poppen aan het dansen!
escanciar (*lit; wijn*) schenken
escandalera (*fam*) schandaal; **escandalizado** geschokt; **escandalizar** I *tr* schokken, choqueren; II *intr* een schandaal veroorzaken; **escandalizarse** (*de*) zich stoten (aan), aanstoot nemen (aan); zich ergeren (aan); **escándalo** 1 schandaal; ~ *de soborno* omkoopschandaal; 2 kabaal, spektakel, tumult; *llamar a* ~ moord en brand roepen; **escandaloso** 1 schandalig, aanstootgevend; stuitend; 2 luidruchtig, lawaaierig
escandallo 1 peillood; peiling, onderzoek; 2 (*hdl*) prijsvaststelling; prijsetiket; **escandallar** 1 peilen; 2 de prijs vaststellen van; van prijsetiket voorzien
Escandinavia Scandinavië; **escandinavo, -a** I

bn Scandinavisch; II *zn* Scandinaviër, Scandinavische
escandir scanderen
escáner *m* scanner
escaño 1 bank; 2 (*pol*) zetel
escapada 1 ontsnapping; 2 slippertje; *hacer una* ~ een slippertje maken ‖ *en una* ~ vliegensvlug; **escapar** ontsnappen, ontvluchten, wegkomen; ~ *con el susto* met de schrik vrijkomen; *dejar* ~ eruit flappen; *dejar* ~ *un punto* een steek laten vallen (*bij breien*); **escaparse** 1 ontsnappen, ontglippen; ~ (*a, de*) ontkomen (aan), ontvluchten (aan); ~ *de casa* van huis weglopen; *se me escapó la palabra* het woord ontviel mij; 2 ontgaan; *mucho se le escapa* veel ontgaat hem, hij mist veel
escaparate *m* etalage; **escaparatista** *m,v* etaleur
escapatoria 1 uitweg; ontsnappingsmogelijkheid; voorwendsel; 2 snoepreisje; **escape** *m* 1 lek; lekkage; ontsnapping (*van stoom*); 2 uitweg; *no hay* ~ er is geen ontkomen aan; 3 uitlaat; *gases de* ~ uitlaatgassen ‖ *a* ~ ijlings, vlug
escápula schouderblad
escaque *m* vak (*op dam- of schaakbord*); **escaqueado** geblokt; **escaquearse** zich drukken
escarabajo 1 kever, tor; 2 mormel, onderkruipsel
escaramujo 1 wilde roos, egelantier; 2 rozebottel
escaramuza schermutseling
escarapela kokarde
escarbadientes *m* tandestoker; **escarbar** (*en*) 1 wroeten (in) (*ook fig*); omwoelen; scharrelen (in), snuffelen (in); ~ *en el pasado* wroeten in het verleden; 2 porren (*in vuur*); 3 peuteren (*aan wond*)
escarceo 1 ~*s* wendingen (*van paard*); 2 gekabbel, geklots; 3 uitweiding; probeersel; (*fig*) uitstapje
escarcha rijp, ijzel; ijsvorming; *flores de* ~ ijsbloemen; **escarchado** 1 berijpt, beijzeld; 2 geglaceerd; **escarchar** I *intr* ijzelen, rijp vormen; II *tr* (*vruchten*) glaceren
escarda 1 (het) wieden; 2 distelhaak; **escardar** van distels ontdoen, wieden; **escardilla** kleine hak (*om te wieden*); **escardillo** 1 soort schoffel; kleine hak; 2 lichtreflectie
escariar (*gat*) ruimer maken, (op)ruimen
escarificador *m* 1 cultivator, soort eg; 2 (*med*) kopmes, scarificator; **escarificar** 1 (*land*) met cultivator bewerken; 2 (*med*) lichte insnijdingen maken; 3 (*weg*) opbreken
escarlata 1 scharlakenrood, bloedrood; 2 scharlaken (*stof*); **escarlatina** roodvonk
escarmentar ie I *tr* (*streng*) straffen; (*iem*) mores leren; II *intr* leergeld betalen; door schade en schande wijs worden; ~ *en cabeza ajena* van andermans fouten leren; **escarmiento** les; (*voorbeeldige*) straf
escarnecedor, -ora smadelijk; **escarnecer** beschimpen, honen, bespotten; **escarnecimiento** wrede spot; **escarnio** hoon, bespotting, schimpscheuten; *hacer* ~ *de* beschimpen
escarola andijvie
escarpa steile helling; escarpe; **escarpado** steil; **escarpadura** *zie escarpa*; **escarpia** muurduim
escarpín *m* 1 lichte schoen; 2 oversok, (*vglbaar*) klompsok
escasamente schaars, nauwelijks, spaarzaam; **escasear** schaars zijn; **escasez** *v* schaarste; armoede; karigheid, schraalheid; ~ *de dinero* geldgebrek; ~ *de lluvia* geringe regenval; ~ *de personal* personeelstekort; ~ *de víveres* voedselschaarste; ~ *de viviendas* woningnood; **escaso** schaars, gering; karig, schraal, weinig; *las -as veces que* de zeldzame keren dat; *andar muy* ~ *de tiempo* in tijdnood zitten; *estar* ~ *de dinero* slecht bij kas zijn; *un 40 por 100* ~ een kleine 40 procent; *tres años* ~*s* nauwelijks drie jaar
escatimar beknibbelen op; *no* ~ *gastos* geen kosten sparen
escayola gips, pleister; **escayolado** in gips; **escayolar** in het gips doen; **escayolista** *m* stukadoor
escena 1 tafereel, scène; *dar una* ~, *hacer una* ~ een scène maken; 2 toneel, podium; *llamada a* ~ (het) terugroepen vd acteurs (*dmv applaus*); *llevar a* (*la*) ~, *poner en* ~ op het toneel brengen; *puesta en* ~ mise-en-scène; *salir a* ~ op het toneel verschijnen; *vuelta a la* ~ comeback; **escenario** 1 toneel, podium; ~ *bélico* strijdtoneel; 2 omgeving, achtergrond; **escénico** vh toneel; *adaptación -a* toneelbewerking; **escenificación** *v* enscenering; **escenificar** ensceneren, in scène zetten; **escenografía** scenografie, decorontwerp; decor; **escenógrafo, -a** decorontwerp(st)er; decorschilder
escepticismo scepsis; **escéptico, -a** I *bn* sceptisch; II *zn* scepticus, -a; twijfelaar(ster)
escindible splijtbaar; **escindir** (doen) splijten; **escindirse** splijten; **escisión** *v* splijting; (*fig*) scheuring, breuk; ~ *nuclear* kernsplijting
esclarecedor, -ora verhelderend; **esclarecer** duidelijk maken, ophelderen; **esclarecido** vooraanstaand; voornaam; **esclarecimiento** opheldering, verduidelijking
esclava 1 slavin; 2 slavenarmband; **esclavina** (*hist*) schoudercape, pelerine; **esclavitud** *v* slavernij, slavenleven; **esclavizar** tot slaaf maken; (*iem*) voor zich laten sloven; **esclavo, -a** slaaf, slavin; ~ *del trabajo* slaaf van zijn werk, zwoeger; ~ *negro* negerslaaf
esclerosis *v* weefselverharding; ~ *múltiple* multiple sclerose
esclusa sluis; **esclusero** sluiswachter
escoba bezem, veger; ~ *blanda* zwabber; ~ *metálica* bladhark; **escobada** 1 veeg met de bezem; 2 veegbeurt; **escobazo** klap met bezem; *echar a* ~*s* de deur uitsmijten
escobén *m* kluisgat
escobilla stoffer, borstel; ~ (*de carbón*) kool-

borstel; ~ *y cogedor* stoffer en blik; **escobillón** *m* 1 luiwagen; 2 flesseborstel; 3 (*spoorweg*) baanruimer; **escobón** *m* 1 ragebol; 2 stoffer
escocedura schrijnende plek; (het) schrijnen; **escocer ue** 1 schrijnen, branden, prikken; 2 (*fig*) steken; *le escuece por dentro* inwendig steekt het hem
escocés, -esa I *bn* Schots; *falda -esa* geruite rok; II *zn* Schot(se); **Escocia** Schotland
escocido I *bn* gekwetst, pijnlijk getroffen; II *zn*; *zie escocedura*; **escocimiento** *zie escocedura*
escoda bikhamer; **escodar** (af)bikken
escofina grove vijl
escoger (uit)kiezen, een keus doen; *no nos es dado* ~ we hebben het niet voor het kiezen; *tener donde* ~ een ruime keus hebben; **escogido** 1 uitgelezen; keurig; 2 kieskeurig; *tropas -as* keurtroepen
escolapio, -a 1 broeder of zuster vd orde vd Escuelas Pías; 2 leerling(e) vd Escuelas Pías
escolar I *bn* vd school, school-; *año ~, curso ~* leerjaar, schooljaar; *de edad* ~ leerplichtig; *material* ~ leermiddelen; II *m,v* scholier(e); **escolaridad** *v* 1 (het) scholier zijn; ~ *obligatoria* leerplicht; 2 schooltijd, aantal jaren onderwijs; **escolarización** *v* (het) verschaffen van onderwijs; **escolarizar** 1 scholen bouwen in; 2 (*iem*) naar school doen gaan; onderwijzen
escolástica scholastiek
escollera golfbreker; **escollo** 1 klip, rots (*net onder water*); 2 hindernis, struikelblok
escolopendra duizendpoot
escolta escorte, geleide; **escoltar** escorteren; begeleiden
escombrera puinhoop; **escombro** (*vaak mv*) puin; *verter ~s* puin storten
esconder verbergen, verstoppen, wegstoppen; ~ *el juego* zich niet in de kaart laten kijken; **esconderse** zich verbergen, zich verschuilen; schuilgaan; **escondidas**: *a* ~ in het geheim, tersluiks, heimelijk; **escondido** verborgen, verscholen; **escondimiento** (het) verbergen; **escondite** *m* 1 verstopplaats; 2 verstoppertje; *jugar al* ~ verstoppertje spelen; **escondrijo** schuilplaats
escopeta jachtgeweer; ~ *de aire comprimido* windbuks; **escopetazo** 1 geweerschot; schotwond; 2 (*fig*) donderslag bij heldere hemel
escopladura keep, insnijding; **escoplo** beitel; ~ *de punzón* steekbeitel
escora 1 slagzij; (het) hellen, (het) rollen, (het) slingeren; 2 (*scheepsbouw*) stut; **escorar** I *intr* 1 (over)hellen, rollen, slingeren, slagzij maken; 2 (*mbt getij*) op zijn laagst zijn; II *tr* (*een schip*) stutten
escorbuto scheurbuik
escorchón *m* schaafwond, ontvelling
escoria 1 sintel, slak (*na verbranding*); 2 vulkaanslakken; 3 uitschot
escoriación *v* ontvelde plek, schaafwond
escorpión *m* schorpioen; **Escorpión** *m* (*astrol*) Schorpioen
escorzar perspectivisch verkorten; **escorzo** verkorte vorm
escorzonera schorseneer
escota (*scheepv*) schoot
escotado, escotadura hals(uitsnijding)
1 escotar elk een deel betalen
2 escotar (*hals*) uitsnijden, decolleteren
1 escote *m* door ieder te betalen deel; *a* ~ elk zijn deel, voor gezamenlijke rekening
2 escote *m* halsuitsnijding; decolleté; ~ *en pico* punthals, V-hals; *de mucho* ~ laag uitgesneden
escotilla (*scheepv*) luik; **escotillón** *m* luik in vloer, kelderluik; valluik; luik in toneelvloer
escozor *m* 1 branderig gevoel, schrijnend gevoel; 2 wrok; wroeging, spijt
escriba *m* 1 (*joods*) schriftgeleerde; 2 pennelikker; **escribanía** (*hist*) 1 secretariaat, griffie; notariaat; 2 schrijfstel, inktstel; **escribano** (*hist*) 1 secretaris, griffier; 2 notaris || ~ *del agua* schrijvertje (*soort watertor*); **escribiente** *m,v* klerk; **escribir** schrijven; ~ *a máquina* typen; **escribirse** elkaar schrijven; ~ *con* corresponderen met; **escrito** I *bn* geschreven; schriftelijk; *hay ~, está* ~ er staat geschreven; *poner por* ~ op schrift stellen; *por* ~ schriftelijk; *zie ook escribir*; II *zn* 1 geschrift; ~ *de queja* bezwaarschrift; 2 schriftelijk examen; 3 (*gerechtelijk*) stuk; **escritor, -ora** schrijver, schrijfster; **escritorio** 1 (schrijf)bureau; *objetos de* ~ schrijfbehoeften; 2 kantoor; **escritura** 1 (het) schrijven; 2 geschrift; 3 handschrift; 4 (letter)schrift; ~ *cifrada* geheimschrift; ~ *cuneiforme* spijkerschrift; ~ *invertida* spiegelschrift; *en ~ rusa* in Russisch schrift; 5 (*notariële*) akte; ~ *de compra*(*venta*) koopakte; ~ *matriz* minuut; ~ *pública* notariële akte; **Escritura**: *La Sagrada* ~ de Heilige Schrift, de bijbel; **escrituración** *v* (het) passeren van een akte; *gastos de* ~ notariskosten; **escriturar** in een akte vastleggen, een akte passeren
escroto scrotum, balzak
escrúpulo bezwaar, scrupule, bedenking; *sentir ~s de* zich bezwaard voelen om; *sin ~s* gewetenloos; **escrupulosidad** *v* nauwgezetheid; **escrupuloso** angstvallig, consciëntieus, nauwgezet; fijngevoelig
escrutador, -ora I *bn* vorsend; *mirada -ora* vorsende blik; II *zn* 1 stemopnemer, -opneemster; 2 *m* stemmenteller (*apparaat*); **escrutar** 1 (af)turen, onderzoekend aankijken; onderzoeken; 2 (*stemmen*) tellen; **escrutinio** telling (*van stemmen*); stemming; *proceder al* ~ de stemmen (gaan) tellen
escuadra 1 eskader; 2 (teken)driehoek; L-ijzer, T-ijzer; 3 (*techn*) winkelhaak, hoek; *a ~, de* ~ haaks, met rechte hoeken; 4 ploeg; **escuadrar** tot een rechthoek bewerken, vierkant hakken; **escuadrilla** escadrille; (vliegtuig)forma-

tie; **escuadrón** *m* eskadron; ~ *de la muerte* doodseskader
escualidez *v* 1 magerte; 2 (*soms*) smerigheid; **escuálido** 1 heel mager, vel over been; 2 (*soms*) vuil, goor
escucha 1 (het) luisteren; *estar a la* ~ afluisteren, proberen iets te horen; *aparato de* ~ afluisterapparaat; 2 *m* luisterpost; **escuchar** luisteren naar; aanhoren, beluisteren; **escucharse** zichzelf graag horen spreken
escuchimizado broodmager, miezerig, iel
escudar beschermen, verdedigen; **escudarse** (*con, en*) zich verschansen (achter), zich verschuilen (achter); **escudero** schildknaap; **escudilla** kom; **escudo** 1 schild; bescherming; beschermplaatje; 2 ~ (*de armas*) wapenschild, familiewapen; 3 spiegel (*van schip*); 4 munteenheid van Portugal
escudriñar onderzoeken, navorsen
escuela school; ~ *de Bellas Artes* kunstacademie; ~ *de conductores* (auto)rijschool; ~ *de deportes* sportschool; ~ *de equitación* (paard)rijschool; ~ *del hogar* (*vglbaar*) huishoudschool; ~ *de hostelería* hotelschool; ~ *militar* militaire academie; ~ *nacional* (*vglbaar*) rijksschool; ~ *de náutica* zeevaartschool; ~ *normal* (*hist*) kweekschool; ~ *de párvulos* kleuterschool; ~ *superior* hogeschool; ~ *técnica* technische school; (*Belg*) beroepsschool; ~ *técnica superior* technische hogeschool; ~ *universitaria* (*vglbaar*) hbo-instelling; ~ *de vela* zeilschool; *de la vieja* ~ vd oude stempel; *pasar por la* ~ *de* in de leer gaan bij; **Escuela**: ~*s Pías* (*r-k*) orde vd escolapios (*eind 16e eeuw gesticht*)
escueto sober, zonder opsmuk; *los ~s hechos* de naakte feiten, de nuchtere feiten
esculpir beeldhouwen
escultismo *zie escutismo*
escultor, -ora beeldhouw(st)er; **escultórico** vd beeldhouwkunst; **escultura** 1 beeldhouwkunst; 2 beeldhouwwerk, sculptuur; **escultural** *zie escultórico*
escupidera 1 kwispedoor, spuwpot; 2 (*soms*) po; **escupido** I *bn* precies (gelijkend op); II *zn* klodder spuug; **escupir** 1 (uit)spugen, spuwen; 2 minachten; **escupitajo, escupitinajo** 1 (het) spuwen; klodder spuug; *echar ~s* spuwen; 2 (*fam*) evenbeeld
escurreplatos *m* afdruiprek; **escurridera** afdruiprek; **escurridero** 1 lekbak; 2 afdruiprek; **escurridizo** glad, glibberig; ~ *como una anguila* zo glad als een aal; **escurridor** *m* 1 vergiet; lekbakje; 2 afdruiprek; 3 wringer; **escurriduras** *vmv* lekvocht; laatste druppels; **escurrir** I *tr* 1 laten uitlekken, laten uitdruipen; afgieten; ~ *la botella* de laatste druppels uit de fles schenken; *peso escurrido* uitlekgewicht; 2 uitwringen; II *intr* 1 lekken, druipen; 2 glad zijn, glibberig zijn; **escurrirse** 1 uitlekken, uitdruipen; 2 uitglijden; 3 wegglippen, ontglippen; 4 ~ (*en*) zich vergissen (in), te ver gaan (in), (*fig*) uitglijden
escutismo padvindersactiviteiten, padvinderij
esdrújulo met klemtoon op voorvoorlaatste lettergreep
1 ese *v* 1 *zie s*; 2 zigzagbocht; zigzagbeweging; *hacer ~s* lopen te slingeren; 3 S-vormige schakel; 4 klankgat (*in viool*)
2 ese *aanw vnw* 1 (*bijvgl*) die, dat (*bij aangesprokene*); die bewuste; *esa mujer* die vrouw; 2 *ése, ésa* (*zelfst*) die, dat; *¡a ése!* houd de dief!; *en ésa* in uw woonplaats, te uwent; *¡ni por ésas!* geen sprake van!, ho maar!; 3 *eso* (*zelfst*) dat; *¡eso es!, ¡eso, eso!* juist!, precies!; *eso no* (*lo*) *sé* dat weet ik niet; *eso sí* dat wel; *a eso de las dos* omstreeks twee uur; *aun con eso* zelfs dan nog; *¿cómo es eso?* hoe kan dat?, hoe zit dat?; *en eso* op dat moment; *no sabe ni eso del asunto* hij weet er geen klap van; *por eso* daarom; *por eso mismo* daarom juist; *y eso que*… en dat terwijl…; *¿y eso qué?* en wat dan nog?
esencia 1 wezen; kern, (*fig*) zwaartepunt; *en* ~, *por* ~ in wezen; *la quinta* ~ de kwintessens; 2 essence; 3 (*soms*) benzine; **esencial** wezenlijk, essentieel, fundamenteel; *en lo* ~ in wezen, in de grond; *lo* ~ het belangrijkste; **esencialmente** in wezen, in de grond
esfera 1 bol; ~ *celeste* hemelruim; ~ *terrestre* aardbol; 2 (*sociale*) omgeving, sfeer, kring; ~ *de acción*, ~ *de actividad* werkingssfeer; ~ *de influencia* invloedssfeer, machtssfeer; 3 ~ (*del reloj*) wijzerplaat; **esfericidad** *v* bolvorm; **esférico** bolvormig; *forma -a* bolvorm
esfinge *v* 1 sfinx; 2 soort nachtvlinder
esfínter *m* sluitspier, kringspier
esforzado dapper, heldhaftig; **esforzar ue** forceren; **esforzarse ue** (*por, para*) zijn best doen (om), zich inspannen (om), zich beijveren (om); ~ *en lo posible* alles in het werk stellen; **esfuerzo** (krachts)inspanning, poging; financiële inspanning; kracht; ~*s* pogingen, streven; ~ *de frenado* remkracht; ~ *inútil* verloren moeite; ~ *supremo* uiterste inspanning, topprestatie; *en un* ~ *común* met vereende krachten; *hacer un* ~: *a*) flink aanpakken, zijn best doen, (*fig*) doorbijten; *b*) (financiële) offers brengen; *tiene que hacer un* ~ *por su parte* van zijn kant moet hij ook wat doen; *el mínimo* ~ de minste weerstand; *no ahorrar ~s, no perdonar* ~ zich veel moeite getroosten, niets ongedaan laten, geen moeite sparen
esfumar verdoezelen; **esfumarse** 1 verdwijnen, vervagen; 2 zijn biezen pakken; **esfumino** doezelaar
esgrima schermkunst; **esgrimidor, -ora** scherm(st)er; **esgrimir** 1 (*een wapen*) zwaaien, dreigen met; 2 schermen met; ~ *argumentos* met argumenten schermen
esguince *m* 1 verstuiking; 2 ontwijkende beweging; 3 afkeurend gebaar, minachtend trekje
eslabón *m* 1 schakel; 2 vuurslag; 3 wetstaal; **eslabonamiento** aaneenschakeling; **eslabonar** aaneenschakelen, verbinden

eslalom *m* slalom
eslavo Slavisch
eslinga strop (*voor het hijsen*), lus
eslogan *m* slogan, slagzin, leus
eslora (scheeps)lengte
eslovaco Slowaaks
esmaltar 1 emailleren; ~ *al fuego* (*ook*) moffelen; 2 (*nagels*) lakken; 3 (kleurig) sieren; **esmalte** *m* 1 email; 2 ~ (*dental*) (tand)glazuur; 3 lak; vernis; ~ (*para las uñas*) nagellak; 4 voorwerp van email
esmerado 1 zeer verzorgd, verfijnd; *atención -a* uitstekende verzorging; 2 zeer zorgvuldig
esmeralda smaragd; **Esmeralda** meisjesnaam
esmerarse (*en*) zijn beste beentje voorzetten (bij), de uiterste zorg besteden (aan)
esmeril *m* amaril, slijpsteen; *tela de* ~ schuurlinnen; **esmerilado** geslepen, gepolijst; *papel* ~ schuurpapier; *vidrio* ~ matglas; **esmerilar** slijpen, polijsten, bijwerken, schuren
esmero grote zorg, zorgvuldigheid; *hacer u.c. con mucho* ~ ergens veel werk van maken, ergens veel zorg aan besteden
esmirriado magertjes, armetierig
esmoquin *m* smoking
esnifar (*drugs*) snuiven
esnob I *bn* snobistisch; bekakt; blasé; II *m,v* snob; **esnobismo** snobisme
esnórquel *m* snorkel
eso *zie 2 ese*
esófago slokdarm
esotérico esotherisch
espabilado bijdehand, kien, snugger; **espabilar** I *tr* 1 (*kaars*) snuiten; aanwakkeren; 2 goed wakker maken; II *intr* goed wakker worden; **espabilarse** goed wakker worden; opschieten
espachurrar (*fam*) fijndrukken; platslaan
espaciado I *bn* gespatieerd, met tussenpozen; II *zn* afstand, spatie; ~ *entre líneas* regelafstand; ~ *proporcional* proportioneel schrift; **espaciador** *m* spatietoets; **espacial** vd ruimte, ruimtelijk; *era* ~ ruimtetijdperk; *nave* ~ ruimteschip; **espaciar** spatiëren; spreiden; ~ *los pagos* de betaling spreiden; ~ *el paso* langzamer gaan lopen; **espacio** 1 ruimte, (open) plaats; spatie; ~ *aéreo* luchtruim; ~ *de aire* (*intermedio*) spouw; ~ *cerrado* afgesloten ruimte; ~ *interior* binnenruimte; ~ *intermedio* tussenruimte; ~ *libre* lege ruimte, speelruimte; *un* ~ *de tiempo* een spanne tijds, tijdsbestek; ~ *verde* groenstrook; *ocupar* ~ ruimte innemen; *por* ~ *de* voor de duur van; 2 ruimte, heelal; 3 (*radio, tv*) programma; ~ *publicitario* reclame-uitzending; **espacioso** ruim, wijd
espada 1 degen, zwaard; ~ *de dos filos* tweesnijdend zwaard; *ceñir* ~ het zwaard aangorden, in het leger zijn; *entre la* ~ *y la pared* tussen twee vuren, met de rug tegen de muur; 2 (*Sp kaartsp*) schoppen; 3 stierenvechter, matador; **espadachín** *m* houwdegen, vechtjas
espadaña 1 lisdodde; 2 klokketoren
espadón *m* hoge piet
espagueti *m* (*vaak mv*) spaghetti
espalda 1 (*vaak mv*) rug; achterkant; *a ~s de* achter (om); *a sus ~s* buiten hem om, achter zijn rug om; *caerse de ~s* achterover vallen (*ook van verbazing*); *cargado de ~s* met een hoge rug; *con las ~s cubiertas* met dekking in de rug; *dar las ~s* vluchten; *de ~s* liggend op zijn rug; *echarse u.c. a la(s) ~(s)* iets naast zich neer leggen; *echarse u.c. sobre las ~s* iets op zich nemen; *guardarse las ~s* zich dekken (*in de rug*); *medir las ~s* een pak slaag geven; *nadar de* ~ rugzwemmen; *por la* ~ van achteren; *ser ancho de ~s* brede schouders hebben; *tener anchas las ~s, tener buenas ~s* een brede rug hebben; *te tira de ~s* daar val je van achterover; *volver la* ~ *a u.p.* iem de rug toekeren; 2 achterpand; **espaldar** *m* 1 rugleuning; 2 latwerk; 3 rug (*van dier*); **espaldarazo** 1 slag op de rug; 2 ridderslag; *dar el* ~ *a u.p.* iem erkennen; **espaldera** 1 latwerk (*voor klimplanten*); 2 (*gymn*) wandrek; **espaldilla** 1 schouderstuk (*van dier*); 2 schouderblad
espantada 1 (*wilde*) vlucht; 2 (het) plotseling ergens mee stoppen; **espantadizo** schichtig, schrikachtig, schuw; **espantador, -ora** schrikaanjagend; **espantajo** 1 vogelverschrikker; 2 spookbeeld; **espantapájaros** *m* vogelverschrikker; **espantar** verschrikken, aan het schrikken maken; wegjagen; **espantarse** 1 hevig schrikken; 2 vluchten; **espanto** 1 (*hevige*) schrik, ontzetting; afgrijzen; *de* ~ verschrikkelijk; *es de ~, es un* ~ het is verschrikkelijk; *está curado de* ~ het doet hem niets meer, hij is door de wol geverfd; 2 ziekte door schrik; **espantoso** verschrikkelijk, ontzettend; vervaarlijk
España Spanje; *la* ~ *negra* negatief beeld van Spanje in het buitenland; *la* ~ *de pandereta* het folkloristische Spanje, het Spanje van de clichés; **español, -ola** I *bn* Spaans; *a la -ola* op zijn Spaans; II *zn* 1 Spanjaard, Spaanse; 2 *m* (het) Spaans; **españolada** 1 iets typisch Spaans; 2 clichévoorstelling van Spanje; **españoleta** spanjolet; **españolismo** 1 (het) Spaans zijn; Spaans karakter; 2 gehechtheid aan Spanje; 3 typisch Spaans woord; **españolización** *v* verspaansing; **españolizar** verspaansen
esparadrapo hechtpeister, leukoplast
esparaván *m* sperwer
esparavel *m* werpnet
esparceta (*plantk*) hanekam
esparcido verspreid, verbreid; **esparcimiento** 1 (het) uitstrooien, verspreiding; 2 verstrooiing, ontspanning, vertier, recreatie; **esparcir** (uit)strooien, verspreiden; ~ *el ánimo* afleiding zoeken, zich verstrooien; ~ *las nubes* de wolken verdrijven; **esparcirse** 1 zich verspreiden; 2 zich verstrooien, afleiding zoeken
espárrago asperge; *mandar a freír ~s* de laan uitsturen, zeggen dat iem kan opvliegen; *¡vete*

esp

a freír ~s! hoepel op!, loop naar de pomp!; **esparragal** *m* aspergeveld; **esparraguera 1** aspergeplant; 2 aspergeschaal
espartal *m* veld met espartogras
espartano Spartaans
esparto espartogras (*gebruikt voor matten, touw*)
espasmo kramp; **espasmódico** in een kramp, krampachtig; *ataque ~* krampaanval; **espástico** spastisch
espatarrarse 1 perplex zijn; 2 de benen wijd spreiden; **espatarrado:** *quedarse ~* perplex zijn
espato spaat
espátula spatel; plamuurmes
espavorido angstig, ontzet
especia (*droog*) kruid, specerij
especial speciaal, bijzonder; eigenaardig; *algo ~: a*) iets bijzonders; *b*) een beetje eigenaardig; *educación ~* buitengewoon onderwijs (*aan kinderen met handicap*); **especialidad** *v* 1 bijzonderheid; 2 specialisme, vakgebied; 3 specialiteit; **especialista I** *bn* specialistisch; II *m,v* 1 specialist(e); *remitir a un ~* verwijzen naar een specialist; *trabajo de ~* vakwerk; 2 stuntman, -vrouw; **especialización** *v* specialisatie; **especializado 1** geschoold; *no ~* ongeschoold; *poco ~* laaggeschoold, laag gekwalificeerd; 2 *~ en* gespecialiseerd in; **especializar** zich specialiseren; **especializarse** (*en*) zich specialiseren (in); **especialmente** in het bijzonder, extra, hoofdzakelijk, vooral
especie *v* 1 soort; *~ (animal)* diersoort; *una ~ de…* een soort…; *en ~* in natura; *comercio en ~* ruilhandel; 2 gerucht || *bajo ~ de* met de schijn van
especiero 1 specerijenverkoper; 2 kruidenrekje
especificación *v* 1 specificatie, omschrijving, opgave; 2 (*bouwk*) bestek; **especificar** specificeren, (nader) omschrijven, preciseren, opgave doen van; **especificativo** (*gramm*) bepalend, beperkend; **especificidad** *v* specifiek karakter; **específico I** *bn* specifiek; *peso ~* soortelijk gewicht; II *zn* (*med*) specifiek middel, specialité
espécimen *m, mv especímenes* voorbeeld, staal, proefexemplaar
especioso bedrieglijk
espectacular spectaculair, opzienbarend, geweldig; **espectáculo** schouwspel, aanblik; vertoning; voorstelling, show; *~ de mirilla* peepshow; *~ para niños* kindervoorstelling; *dar el ~* een scène maken, de boel op stelten zetten; *pieza ~* spektakelstuk; **espectador, -ora** toeschouw(st)er, kijk(st)er
espectral 1 vh spectrum; 2 geheimzinnig, spookachtig; **espectro 1** (geest)verschijning, spook; 2 spectrum; *~ de colores* kleurenspectrum; *el ~ político* het politieke spectrum
especulación *v* bespiegeling, speculatie; *~ del suelo* grondspeculatie; **especulador, -ora** speculant(e); **especular** speculeren; overdenken; *~ con* handig benutten; *~ en* speculeren in, handelen in; *~ sobre* nadenken over; **especulativo 1** speculatief; 2 beschouwelijk; **espéculo** (*med*) spiegel, speculum
espejear spiegelen, schitteren; **espejismo** luchtspiegeling; **espejo** spiegel; *~ burlesco, ~ cómico* lachspiegel; *~ de cuerpo entero* passpiegel; *~ de popa* (*scheepv*) achterspiegel; *~ reflector* spiegelreflex; *~ retrovisor* achteruitkijkspiegel; *asomarse al ~* voor de spiegel gaan staan; *brillar como un ~* glimmen als een spiegel; *mirarse al ~, mirarse en el ~* zich in de spiegel bekijken; *tender un ~ a u.p., tender un ~ delante de u.p.* iem een spiegel voorhouden; **espejuelo** lokspiegel; lokkertje
espeleología speleologie; **espeleólogo, -a** speleoloog, -loge
espeluznante huiveringwekkend, eng; **espeluznar** de haren te berge doen rijzen; schokken, doen huiveren; **espeluznarse** gruwen, huiveren; **espeluzno 1** huivering, rilling; 2 griezel, wangedrocht
espera (het) wachten, afwachting; wachttijd; *a la ~ de, en ~ de* in afwachting van; *actitud de ~* afwachtende houding; *solicitar ~* uitstel van betaling vragen
esperantista *m,v* esperantist(e); **esperanto** (het) Esperanto
esperanza hoop; verwachting; *~ de vida* levensverwachting; *abrigar ~s* verwachtingen koesteren; *confirmar las ~s* aan de verwachting beantwoorden; *depositar la ~ en, poner sus ~s en* zijn hoop vestigen op; *poner muchas ~s en* veel verwachten van; *secreta ~* stille hoop; **esperanzado** van hoop vervuld; *estar muy ~ de que* goede hoop hebben dat; **esperanzador, -ora** hoopgevend, hoopvol; **esperar I** *tr* 1 hopen (op); *espero que venga* ik hoop dat hij komt; 2 wachten op; afwachten; *hacerse ~* uitblijven, op zich laten wachten; 3 verwachten, tegemoetzien; *espero que vendrá* ik verwacht dat hij komt; *no esperaba menos* ik had niet anders verwacht; *no esperaba tanto* dat had ik niet verwacht; II *intr* 1 hopen; *~ en Dios* vertrouwen op God; *es de ~* het is te hopen; *quien espera, desespera* aan wachten komt geen eind; 2 wachten, te wachten staan; *puedes ~ sentado* dan kun je lang wachten; *¿qué le espera?* wat staat hem te wachten?; **esperarse 1** wachten; *¡espérate!* wacht even!; 2 verwachten; *él no se espera tal cosa* hij verwacht zoiets niet
esperma *m,v* 1 sperma; 2 *~ (de ballena)* kaarsvet; **espermatozoide** *m* zaadcel
esperpéntico gedrochtelijk, griezelig; **esperpento 1** (wan)gedrocht; 2 20e-eeuws grotesk genre in de Sp literatuur
espesar (*saus*) dikker maken, binden; **espesarse** dikker worden; (*mbt woud*) dichter worden; **espeso** dik; (*mbt bos*) dicht; *peine ~* stofkam; **espesor** *m* dikte; *una capa de 2 me-*

tros de ~ een 2 meter dikke laag; **espesura** 1 dikte; 2 dichte begroeiing, dicht kreupelhout
espetar 1 aan een spies rijgen, spietsen; 2 (*een vraag*) afvuren; **espetón** *m* lange haak; pook; spies
espía *m,v* spion(ne); ~ *doble* dubbelspion; **espiar** í bespieden, bespioneren, begluren, in de gaten houden
espichar (*fam*) het hoekje omgaan
espichón *m* verspieder
espiga 1 (koren)aar; ~ *de maíz* maïskolf; 2 pen, pin, stift; *diente de* ~ stifttand; 3 visgraat(dessin); **espigado** 1 in het zaad geschoten; 2 met hoge stam, opgeschoten; 3 lang en slank, opgeschoten; **espigapez** *v* visgraatmotief (*in vloer*); **espigar** (*aren*) lezen; verzamelen, bijeenzoeken; **espigarse** ineens lang worden, uitschieten; **espigón** *m* 1 krib (*in rivier*), strekdam, pier; 2 (*scherpe*) punt, spits; 3 angel; 4 *-ones* verkeersdrempel(s); **espiguilla** visgraat (*motief in stof*)
espín *m*: (*puerco*) ~ stekelvarken; **espina** 1 doorn; 2 graat; ~ *dorsal* ruggegraat, wervelkolom; ~ *de pez* visgraat; 3 stekel (*van egel*), pen; 4 splinter (*in vinger*) || *dar mala* ~ een onprettig (voor)gevoel geven; *me da mala* ~ ik vertrouw het niet; *sacarse la* ~: *a*) (*bij het spel*) zich revancheren; *b*) zijn hart eens luchten
espinaca spinazie (*plant*); ~*s* spinazie (*gerecht*)
espinal vd ruggegraat; *médula* ~ ruggemerg; **espinazo** wervelkolom (*van dier; iron van mens*)
espinela bepaald 10-regelig Sp gedicht
espineta spinet
espingarda 1 (*hist*) lang Moors geweer; 2 (*fam*) lang en mager mens
espinilla 1 scheen; 2 meeëter, vetpuistje; **espinillera** scheenbeschermer
espino meidoorn; ~ *artificial* prikkeldraad; **espinoso** 1 stekelig; 2 lastig, netelig
espionaje *m* spionage; ~ *industrial* bedrijfsspionage
espiración *v* uitademing
espiral I *v* 1 spiraal; ~ *inflacionista* inflatiespiraal; *en* ~ spiraalsgewijs; 2 (*med*) spiraaltje; II *bn* spiraalvormig
espirar uitademen
espiritismo spiritisme; **espiritista** I *bn* spiritistisch; II *m,v* spiritist(e); **espíritu** *m* 1 geest; ~ *acogedor* gastvrijheid; ~ *de ahorro* zuinigheid; ~ *cívico* gemeenschapszin; ~ *comercial* handelsgeest; ~ *congenial* geestverwant(e); ~ *de convivencia* geest van verdraagzaamheid; ~ *corporativo* corpsgeest; ~ *creador* creativiteit; ~ *emprendedor* ondernemingsgeest; ~ *de equipo* teamgeest; ~*s malignos* boze geesten; ~ *mercantil* koopmansgeest; ~ *de sacrificio* offervaardigheid; ~ *de venganza* wraakzucht; *estrecho de* ~ kleingeestig; *exhalar el* ~ de geest geven; *levantar el* ~ een hart onder de riem steken; *tener* ~ *de contradicción* een dwarsligger zijn; 2 ~ (*de vino*) spiritus, wijngeest; **Espíritu**: *el* ~ *Santo* de Heilige Geest;
espiritual 1 geestelijk; 2 spiritueel, fijnzinnig;
espiritualidad *v* 1 geestelijk karakter, immaterieel karakter; 2 spiritualiteit, fijnzinnigheid; **espirituoso** (*mbt vocht*) geestrijk; *bebidas -as* spiritualiën
espita pin, kraantje (*onderin vat*)
esplendidez *v* 1 pracht (en praal), luister; 2 vrijgevigheid; **espléndido** 1 schitterend, prachtig, magnifiek, luisterrijk; 2 royaal, zeer vrijgevig; **esplendor** *m* 1 praal, pracht, luister; 2 schittering; glans; **esplendoroso** 1 stralend; 2 schitterend, prachtig
esplénico vd milt
espliego lavendel
esplín *m* zwaarmoedigheid, spleen
espolear de sporen geven, aansporen; **espoleta** slaghoedje; **espolón** *m* 1 spoor (*aan hanepoot*); 2 scheg; 3 krib, strekdam (*in rivier*); 4 steunmuur, conterfort
espolvorear bestrooien; verstuiven
esponja spons; ~ *de alambre* pannespons; *estar como una* ~ apetrots zijn; *pasar la* ~ (*fig*) uitwissen, begraven; *ser una* ~ zuipen als een ketter; (*tela*) ~ badstof; *tirar la* ~ opgeven; **esponjado** 1 sponzig; 2 trots; **esponjar** luchtig maken, (*aarde*) losmaken; **esponjarse** 1 sponzig worden, luchtig worden; 2 zich opblazen; trots worden; 3 (*fig*) opbloeien; **esponjera** sponzebakje; **esponjosidad** *v* sponzigheid; **esponjoso** sponzig; luchtig; voos; *goma -a* sponsrubber
esponsales *mmv* huwelijksbelofte; (*vglbaar*) ondertrouw
esponsor *m* sponsor; **esponsorización** *v* sponsoring; **esponsorizar** sponsoren
espontáneamente ongevraagd, uit zichzelf, uit eigen beweging, spontaan; **espontaneidad** *v* spontaniteit; **espontáneo** 1 spontaan; open; 2 ongevraagd
espora (*plantk*) spore, spoor
esporádico sporadisch, zelden voorkomend
esporangio (*plantk*) sporenhouder, sporangium
esportilla (*wijd*) mandje
esposa 1 echtgenote; gemalin; 2 ~*s* handboeien; **esposar** boeien; **esposo** echtgenoot; gemaal; *los* ~*s* het echtpaar
espray *m* spray; spuitbus; ~ *nasal* neusspray
esprint *m* sprint; **esprintar** sprinten, spurten; **esprinter** *m,v* sprint(st)er
espuela 1 spoor (*aan laars*); *calzar* ~ een ridder zijn; *calzar la* ~ tot ridder slaan; 2 prikkel, stimulans; 3 laatste glas; *tomar la* ~ op de valreep een glas drinken; 4 ~ *de caballero* (*plantk*) ridderspoor
espuerta wijde platte mand; *a* ~*s* bij hopen, in overvloed
espulgar 1 vlooien; 2 door'zoeken; **espulgo** (het) vlooien
espuma schuim; ~ *de afeitar* scheerschuim; ~

de caucho schuimrubber; ~ *de plástico* schuimplastic; ~ *de poliestireno* piepschuim; *crecer como la* ~ enorm groeien; **espumadera** schuimspaan; **espumajo** vies schuim; *echar ~s* (*de cólera*) schuimbekken; **espumar** I *tr* afschuimen; II *intr* schuimen, bruisen; **espumarajo** *zie espumajo*; **espumoso** schuimend; mousserend
espurio bastaard-, onwettig, onecht; (*mbt woord*) niet door de Sp Academie erkend
esputar (*slijm*) spuwen, opgeven; **esputo** speeksel, slijm
esquejar stekken; **esqueje** *m* (*plantk*) stek
esquela 1 briefje; 2 ~ (*mortuoria*) overlijdensbericht
esquelético 1 vh skelet; 2 broodmager; **esqueleto** 1 skelet, geraamte (*ook fig*); ~ *de hormigón* betonskelet; 2 scharminkel
esquema *m* schema; ~ *de conexiones* schakelschema; ~ *de engrase,* ~ *de lubrificación* smeerschema; ~ *de turnos* rooster (*van dienst*); **esquemático** schematisch; **esquematismo** schematisch karakter; **esquematización** *v* schematisering; **esquematizar** schematiseren
esquí *m* 1 ski; 2 ~ (*alpino*) skisport; ~ *acuático* waterski; ~ *de fondo,* ~ *nórdico* langlaufen; **esquiador, -ora** skiër, skister; **esquiar** *i* skiën
esquife *m* skiff
esquila belletje, klokje
esquilado (*mbt schaap*) (kaal)geschoren; *salir* ~ er bekaaid afkomen; **esquilador** *m* schapenscheerder; **esquilar** (*schapen*) scheren; **esquileo** (het) schapen scheren
esquilmar (*grond*) uitputten; (*fig*) kaalplukken; *dejarse* ~ zich de kaas van het brood laten eten
esquimal I *bn* Eskimo-; II *m,v* Eskimo
esquina (buitenzijde van) hoek; *las cuatro ~s* stuivertje wisselen (*spel*); *doblar la* ~ de hoek omslaan; *hacer* ~ (*mbt huis*) op de hoek staan; *saque de* ~ corner, hoekschop; **esquinado** 1 een hoek vormend; 2 ~ *con* op slechte voet met; *estar* ~ *con* ruzie hebben met, gebrouilleerd zijn met; 3 (*mbt mens*) stug, moeilijk; **esquinar** 1 een hoek vormen; 2 tweedracht zaaien, tegen elkaar opzetten; **esquinazo** hoek; *dar* ~ *a u.p.* iem vergeefs laten wachten, niet naar een afspraak gaan; *dar el* ~ *a u.p.* iem ontwijken
esquirla (*scherpe*) splinter (*van bot*), scherf; granaatscherf
esquirol *m* onderkruiper, stakingsbreker, werkwillige
esquisto leisteen
esquivar ontwijken; schuwen; **esquivarse** zich drukken, ergens onderuit (proberen te) komen; **esquivez** *v* schuwheid; **esquivo** schuw; stug, ontwijkend, terughoudend
esquizofrenia schizofrenie
esta, ésta *zie 2 este*
estabilidad *v* stabiliteit, stevigheid; *tener* ~ (*mbt auto*) een goede wegligging hebben; **estabilización** *v* stabilisering; **estabilizador, -ora** I *bn* stabiliserend; II *m* stabilisator; **estabilizante** *m* stabilisator; **estabilizar** stabiliseren, stabiel maken; **estable** stabiel; bestendig, duurzaam, vast; standvastig; waardevast
establecer 1 instellen, oprichten, stichten, vestigen; ~ *la comunicación* (*telef*) de verbinding tot stand brengen; ~ *conciertos* regelingen tot stand brengen; ~ *un récord* een record vestigen; 2 bepalen, vaststellen; ~ *una comparación* een vergelijking trekken; **establecerse** zich vestigen; ~ *por cuenta propia* voor zichzelf beginnen; **establecimiento** 1 oprichting; instelling, vestiging; ~ *penitenciario* strafinrichting; 2 café, lokaliteit
establo (vee)stal; **estabulación** *v* verzorging (*van vee*) op stal, verblijf in stal
estaca staak, paal, spijl; (tent)haring; **estacada** palissade, staketsel; *dejar en la* ~ voor iets laten opdraaien, in de kou laten staan; *el coche me dejó en la* ~ mijn auto vertikte het; *quedarse en la* ~ *: a*) in de steek gelaten worden; *b*) verslagen worden; **estacazo** 1 klap met een stok; 2 (*fig*) klap, strop; heftige kritiek
estacha (*scheepv*) kabel, tros
estación *v* 1 station; ~ *balnearia* badplaats; ~ *de bombeo* pompstation, gemaal; ~ *de cabeza* kopstation; ~ *emisora,* ~ *transmisora* zendstation; ~ *experimental* proefstation; ~ *final* eindstation; ~ *orbital* ruimtestation; ~ *receptiva* ontvangstation; ~ *de servicio* benzinestation; 2 ~ (*del año*) jaargetijde; ~ *veraniega* zomerseizoen; 3 (*r-k*) statie; **estacionado** (*mbt hout*) uitgewerkt; **estacional** vh seizoen, seizoens-; **estacionamiento** 1 (het) parkeren; ~ *doble* dubbel parkeren; 2 (het) stationeren (*van raketten*); 3 parkeerplaats; **estacionar** I *tr* 1 parkeren; 2 stationeren; 'legeren; II *intr* (*mbt hout*) uitwerken; **estacionarse** 1 parkeren; 2 in dezelfde toestand voortduren; **estacionario** stationair; onveranderlijk
estadía 1 (*vaak mv; scheepv*) ligdagen (*voor laden en lossen*); 2 verblijf
estadillo staatje, overzicht; ~ *de producción* produktiestaatje
estadio 1 stadion; 2 stadium
estadista *m,v* 1 staatsman, politica; 2 statisticus; **estadística** statistiek; ~ *de espectadores* kijkcijfers; **estadístico, -a** I *bn* statistisch; II *zn* statisticus
estado 1 (*pol*) staat; ~ *de derecho* rechtsstaat; ~ *miembro* lidstaat; *~-nodriza* verzorgingsstaat; ~ *policial* politiestaat; *pensión del* ~ rijkspensioen, staatspensioen; 2 toestand, staat; ~ *de alarma* alarmtoestand; ~ *de alerta* (*mbt troepen*) staat van paraatheid; ~ *de ánimo* geestesgesteldheid, gemoedstoestand; ~ *civil* burgerlijke staat; ~ *de cosas* stand van zaken; ~ *de emergencia* noodtoestand; ~ *de excepción* uitzonderingstoestand; ~ *de guerra* staat van oorlog; ~ *líquido* vloeibare toestand; ~ *semiconsciente* schemertoestand; ~

de sitio staat van beleg; ~ *unitario* eenheidsstaat; *en ~ de ebriedad* in staat van dronkenschap; *en buen ~ de conservación* goed onderhouden; *reducir al ~ primitivo* weer in de oorspronkelijke staat brengen; 3 overzicht, staat; ~ *resumen* verzamelstaat; 4 ~ *mayor* generale staf; ~ *mayor de la Armada* admiraliteit || *estar en ~* (*interesante*) in verwachting zijn; **Estado**: (*los*) *~s Unidos* (*afk EEUU*) de Verenigde Staten; *los EEUU no hacen nada, EEUU no hace nada* de VS doen niets; **estadounidense** I *bn* vd VS; II *m,v* Amerikaan(se)

estafa afzetterij, oplichterij; **estafado** bekocht, opgelicht; **estafador, -ora** afzet(s)ter, oplicht(st)er, zwendelaar(ster), knoei(st)er; **estafar** oplichten, afzetten, flessen

estafermo houten klaas

estafeta 1 (*hist*) bode; 2 hulppostkantoor, postagentschap; 3 diplomatieke koerier

estaff *m* staf (*leiding*)

estagnación *v* stagnatie

estalactita stalactiet; *~s* (*hangende*) druipsteen

estalagmita stalagmiet; *~s* (*staande*) druipsteen

estallar (uit)barsten, ontploffen, springen, losbarsten; knallen; (*mbt oorlog*) uitbreken; *estalla la bomba* de bom barst; **estallido** 1 (het) (uit)barsten, uitbarsting; *el ~ de la guerra* het uitbreken vd oorlog; 2 knal

estambre *m* 1 langvezelige wol; kamgaren; 2 meeldraad

estamento (*maatschappelijke*) geleding

estameña ruwe wollen stof

estampa 1 prent, plaatje; bidprentje; *la viva ~* het evenbeeld; 2 uiterlijk, verschijning, voorkomen; 3 toonbeeld; 4 (*fig*) stempel, sporen || *dar a la ~* in druk geven, laten publiceren; **estampación** *v* (het) bedrukken; opdruk; **estampado** I *bn* bedrukt; ~ *a mano* (*op textiel*) handdruk; II *zn* (het) bedrukken; afdruk; **estampar** 1 bedrukken; (*metaal*) persen; bestempelen; afdrukken; 2 (*fam*) smijten, smakken; (*klap*) toedienen

estampía: *de ~* plotseling, hals over kop

estampida 1 knal; 2 (*Am*) wilde vlucht; *de ~* plotseling; **estampido** knal, gebulder (*van kanon*); *dar un ~: a*) knallen; *b*) (*fig*) in elkaar ploffen

estampilla 1 stempel (*op document*); naamstempel; 2 (*Am*) postzegel; **estampillar** (af-) stempelen

estancamiento stagnatie, stilstand; impasse; **estancar** 1 doen stagneren; 2 tot een monopolie maken, monopoliseren; **estancarse** (*mbt water*) blijven staan; (*fig*) stagneren

1 estancia 1 verblijf; 2 kamer, vertrek; 3 (*Am*) grote boerderij (*gemengd bedrijf*); 4 ligdag (*in ziekenhuis*); 5 kosten per ligdag

2 estancia bep dichtvorm

estanciero (*Am*) eigenaar van boerderij

estanco I *bn* niet doorlatend, dicht, niet lekkend; ~ (*al agua*) waterdicht; ~ *al aire* luchtdicht; ~ *al polvo* stofdicht; II *zn* 1 monopolie (*bv van tabak*); 2 (staats)winkel voor tabak en postzegels

estándar *m* standaard, maatstaf; *contrato ~* standaardcontract; **estandardización** *v*; *zie estandarización*; **estandardizar** *zie estandarizar*; **estandarización** *v* standaardisatie; **estandarizar** standaardiseren; gelijkschakelen

estandarte *m* banier, vaandel, standaard

estanque *m* vijver, poel; ~ *para niños* speelvijver, peuterbad

estanquero, -a tabaksverkoper, -verkoopster, baas van estanco

estante *m* 1 (boeken)plank, schap; 2 rek; 3 statief; **estantería** rek, wandmeubel, boekenkast

estantigua bonestaak

estañado, estañadura (het) vertinnen; **estañar** vertinnen; **estañero** tinnegieter; **estaño** tin

estaquilla (tent)haring

estar I *koppelww* zijn (*in een bep omstandigheid*); eruitzien; ~ *bien* het goed maken; ~ *bien con u.p.* het goed kunnen vinden met iem; *¡está bien!* O.K., dat is goed; ~ *bueno: a*) gezond zijn, in orde zijn; *b*) lekker zijn; ~ *enfermo* ziek zijn; ~ *hermoso* er prachtig uitzien; *¿cómo está Ud.?* hoe gaat het met u?; *te está bien empleado* je hebt het verdiend; II *zelfst ww* 1 zich bevinden, zijn; *¿estamos?* begrepen?; *estamos a 2 de enero* het is vandaag 2 januari; ~ *al caer* ieder moment kunnen gebeuren; ~ *de más* te veel zijn; *¿está la señora?* is mevrouw thuis?; ~ *en todo* op alles letten; *¿a cuántos estamos?* de hoeveelste is het vandaag?; *dejar ~ u.c.* ergens vanaf blijven; *ya está: a*) ziezo; *b*) het is weer zover, daar heb je het weer; 2 (*mbt kleding*) zitten, staan; *te está muy bien* het staat je erg goed; 3 ~ + *gerundio* bezig zijn te; ~ *leyendo* aan het lezen zijn, zitten te lezen; 4 ~ *de: a*) bezig zijn met; ~ *de viaje* op reis zijn; *b*) actief zijn als; *está de portero* hij werkt als portier; *c*) gekleed zijn als; *está de paisano* hij is in burger; 5 ~ *en: a*) gelegen zijn in; *b*) van plan zijn om; *c*) menen, geloven; *d*) (*met bedrag*) te staan komen op, kosten; 6 ~ *para: a*) op het punt staan om; *b*) in de stemming zijn om, voor; *¡para fiestas estoy yo!* ik ben niet bepaald in een feeststemming; 7 ~ *por: a*) moet nog ge... worden; *la carta está por escribir* de brief moet nog geschreven worden; *la cama está por hacer* het bed moet nog worden opgemaakt; *b*) geneigd zijn om; *c*) op het punt staan om; *d*) een voorstander zijn van, zijn voor; 8 ~ *sobre* in de gaten houden; bezig zijn met; 9 ~ *tras de u.c.* achter iets aan zitten; **estar** *m* woonkamer; **estarse** 1 (ver)blijven; 2 zijn; *¡estáte quieto!* zit (nu eens) stil!

estatal vd staat, rijks-; *empresa ~* staatsbedrijf; *subvención ~* staatssubsidie

estática statica; **estático 1** statisch; onbeweeglijk; 2 stomverbaasd
estatificar aan de staat brengen, nationaliseren; **estatismo 1** statisch karakter; 2 sterke invloed vd staat; **estatizar** nationaliseren
estatua (stand)beeld; ~ *ecuestre* ruiter(stand)-beeld; ~ *de sal* zoutpilaar
estatúder *m* (*hist*) stadhouder
estatuilla beeldje; **estatuir** vaststellen
estatura gestalte, grootte, lengte, postuur
estatus *m* status
estatutario statutair; **estatuto** statuut; *según los ~s* volgens de statuten
estay *m* stag
1 este *m* 1 oost(en); *al ~ de* ten oosten van; *costa ~* oostkust; 2 (*viento*) ~ oostenwind
2 este *aanw vnw* 1 (*bijvgl*) deze, dit (*bij spreker, hier dichtbij*); *-a casa* dit huis; 2 *éste, ésta* (*zelfst*) deze, dit; laatstgenoemde; 3 *esto* (*zelfst*) dit; *a todo ~* daarbij, al met al; *en ~* op dat moment, toen; ~... nou..., eh...; *que si ~, que si lo otro* en zus en zo, en dit en dat, enzovoort enzovoort
estearina stearine
Esteban jongensnaam
estela 1 kielzog; (*fig*) spoor; 2 gedenkzuil; **Estela** meisjesnaam
estelar 1 vd sterren; 2 belangrijkste, top-
estenografía steno; **estenografiar í** stenograferen; **estenógrafo, -a** stenograaf, -grafe
estenordeste oostnoordoost
estenotipia (het) stenotypen
esténtor *m* man met krachtige stem; **estentóreo** zeer luid; *voz -a* stentorstem
estepa steppe; **estepario** vd steppe; *región -a* steppengebied
éster *m* ester
estera 1 mat (*van riet, kokos*); 2 ~*s* (*Am*) rupsbanden; **esterar** met matten bedekken
estercoladura bemesting; **estercolar** bemesten; **estercolero** mesthoop; (*fig*) zwijnestal
estéreo stereo; **estereofónico** stereofonisch; *aparatos ~s* stereo-apparatuur
estereometría stereometrie
estereoscopio stereoscoop
estereotipado stereotiep, afgezaagd; *expresión -a* vaste uitdrukking; **estereotipo** stereotiep beeld, cliché
estéril onvruchtbaar; steriel; kinderloos; **esterilidad** *v* onvruchtbaarheid; steriliteit; kinderloosheid; **esterilización** *v* sterilisatie; **esterilizador, -ora I** *bn* steriliserend; leidend tot onvruchtbaarheid; **II** *m* sterilisatieapparaat; **esterilizar** onvruchtbaar maken; steriliseren
esterlina: *libra ~* pond sterling
esternón *m* borstbeen
estero 1 (het) bedekken met matten; 2 oeverland dat bij vloed overstroomt
estertor *m* gerochel, gereutel; **estertóreo** rochelend
esteta *m,v* estheet; **estética** esthetica; **esteticista** *m,v* estheticien(ne), schoonheidsspecialist(e); **estético** esthetisch, mooi; *cirugía -a* plastische chirurgie
estetoscopio stethoscoop
esteva ploegstaart
estevado met o-benen
estiaje *m* zomerpeil (*van water*); (periode van) verlaagde waterstand
estiba (het) stuwen, stuwage; **estibador** *m* stuwadoor; **estibar 1** stouwen; 2 stuwen
estick *m* (hockey)stick
estiércol *m* (stal)mest; ~ *líquido* gier; ~ *de vaca* koemest
estigma *m* 1 stigma, litteken; schandvlek; 2 brandmerk; 3 (*plantk*) stempel; **estigmatizar** 1 brandmerken; 2 stigmatiseren; 3 een stigma geven, een slechte naam bezorgen
estilar gewoon zijn, plegen; **estilarse** in de mode zijn, gebruikelijk zijn
estilete *m* 1 stiletto; 2 graveernaald; 3 (schrijf)stift
estilista *m,v* stilist(e); **estilística** stijlleer, stilistiek; **estilístico** stilistisch, vd stijl; **estilización** *v* stilering; **estilizar** stileren; **estilo 1** stijl; trant, wijze; ~ *fluido* vlotte stijl; ~ *telegrama* telegramstijl; *de mucho ~* stijlvol; *en gran ~* in grootse stijl, grootscheeps; 2 (zwem)slag; ~*s* wisselslag; ~ *libre* vrije slag; 3 soort; *algo por el ~* iets dergelijks, iets van dien aard, zoiets
estilográfica: (*pluma*) ~ vulpen; **estilográfico** vd vulpen; *lápiz ~* vulpotlood
estima 1 aanzien, achting, waardering; *gozar de ~* in tel zijn, gewaardeerd worden; *tener en mucha ~* hoog achten; 2 (*scheepv*) bestek; **estimable** te waarderen; **estimación** *v* 1 aanzien, waardering; *propia ~* zelfrespect; 2 schatting, raming; ~ *aproximada* ruwe schatting; **estimado** geacht, gezien; ~ *amigo:* (*in brief*) waarde vriend, beste vriend; **estimador, -ora** schatter; **estimar 1** waarderen; achten; ~ *mucho* hoog aanslaan; 2 schatten, ramen, begroten; ~ *en* taxeren op, begroten op; 3 van mening zijn, van oordeel zijn, achten; **estimarse** zelfrespect hebben
estimulante I *bn* stimulerend, opwekkend; bezielend; **II** *m* genotmiddel; pepmiddel; *uso de ~s* doping; **estimular** stimuleren, prikkelen, aanmoedigen, animeren; bevorderen; voedsel geven aan; ~ *a* aanzetten tot; **estímulo** stimulans, aansporing, prikkel
estío zomer
estipendiario, -a ontvang(st)er van stipendium; **estipendio** bezoldiging, stipendium
estíptico bloedstelpend, astringent
estipulación *v* bepaling, clausule, beding; **estipular** bepalen, stipuleren, bedingen
estiradillo stijfjes, uitgestreken; **estirado** hooghartig, stijf; *una cara -a* een uitgestreken gezicht; *un tipo ~* een stijve hark; **estirar I** *tr* 1 (uit)rekken, strekken; ~ *la pata* de pijp uitgaan; ~ *las piernas* de benen strekken; 2 zo lang mogelijk doen met (*geld*); **II** *intr* groeien,

lang worden; **estirarse** zich uitrekken; **estirón** *m* 1 ruk, (het) uitrekken; 2 snelle groei, groeistoot; *dar un ~* (*mbt persoon*) ineens sterk groeien
estirpe *v* (familie)stam, afkomst
estival zomers; *jornada ~* (*intensiva*) (*vglbaar*) tropenrooster
esto *zie 2 este*
estocada dolkstoot
estofa (*neg*) soort; *de baja ~* van laag allooi
estofado stoofgerecht; *~ de liebre* hazepeper; **estofar** stoven; smoren
estoicismo stoïcisme; **estoico** stoïcijns; doodkalm
estola stola
estólido (*lit*) stompzinnig, bot
estomacal I *bn* 1 vd maag, maag-; *acidez ~* maagzuur; 2 goed voor de maag; II *m* maagbitter; **estomagante** misselijk makend, walgelijk; **estomagar** misselijk maken; **estómago** maag; *con el ~ vacío* op de nuchtere maag
estonio uit Estland, Estlands
estopa 1 werk, poetskatoen; *~ de acero* staalwol; 2 ruwe vlas- of hennepdelen || *arder como ~* branden als een lier
estopor (*mar*) stopper
estoque *m* stootdegen; soort dolk (*van stierevechter*); **estoquear** de stier met dolk doden
estorbar 1 storen, hinderen, in de weg lopen; 2 belemmeren, bemoeilijken; *~ el paso* de doorgang versperren; *~ el tráfico* het verkeer ophouden; **estorbo** belemmering, hindernis; last, blok aan het been; *sin ~s* ongehinderd
estornino spreeuw
estornudar niezen; **estornudo** (het) niezen
estrabismo loensheid
estrado 1 podium; 2 *~s* rechtszalen, gerecht
estrafalario bizar, excentriek, zonderling
estragar teisteren, grote schade aanrichten in, aan; verwoesten; bederven; **estrago** hevige schade, vernieling; *el ~ del tiempo* de tand des tijds; *causar ~s* vreselijk huishouden, woeden, vernielingen aanrichten
estragón *m* dragon
estrambote *m* toevoeging (*aan sonnet*)
estrambótico bizar, zonderling
estrangulación *v* 1 wurging; 2 (*techn*) (het) smoren; **estrangulador, -ora** I *bn* wurgend; II *m* choke; **estrangular** 1 wurgen; 2 (*ader*) afbinden
estraperlista *m,v* zwarthandelaar(ster); **estraperlo** zwarte handel
estratagema (krijgs)list; **estratega** *m* strateeg, veldheer; **estrategia** strategie; **estratégico** strategisch
estratificación *v* gelaagdheid; **estratificado** gelaagd; **estrato** 1 (*geol, soc*) laag; *~s de la población* lagen vd bevolking; 2 stratus, grijze wolkenlaag; **estratosfera** stratosfeer
estrechamiento vernauwing; (het) krimpen; *~ de los lazos* (*fig*) versterking vd banden; **estrechar** 1 vernauwen, smaller maken; doen krimpen; 2 (*jurk*) innemen; 3 (*banden*) versterken, nauwer aanhalen; 4 (*hand*) drukken; *~ contra el pecho* aan het hart drukken; 5 in het nauw brengen; (*iem*) ergens toe brengen; *~ contra sí* tegen zich aan drukken; **estrecharse** 1 smaller worden, nauwer worden; *~ hacia arriba* toelopen; 2 zich bekrimpen; 3 inschikken; 4 intiemer worden, nader tot elkaar komen; **estrechez** *v* 1 nauwheid, krapte; *~ de miras* bekrompenheid; 2 armoede, geldnood; benarde situatie; *vivir en la ~* het niet breed hebben; **estrecho** I *bn* 1 nauw, smal, krap; bekrompen; *~ de espíritu, de miras -as* bekrompen, kleingeestig; *vivir ~* klein behuisd zijn; *vivir estrechamente* armoedig leven; 2 (*mbt banden, fig*) nauw, hecht; 3 (*mbt moraal*) streng; 4 krenterig; II *zn* engte, zeestraat; **Estrecho**: *el ~* (*de Gibraltar*) de straat van Gibraltar
estregar ie wrijven, schuren
estrella ster; *~ de cine* filmster; *~ de mar* zeester; *~ polar* poolster; *mi buena ~* mijn goede gesternte; *ver las ~s* sterretjes zien; **Estrella** meisjesnaam; **estrellado** met sterren bezaaid || *huevo ~* spiegelei; **estrellamar** *v* zeester; **estrellar** 1 met sterren bezaaien; 2 (stuk)smijten; 3 (*ei*) in de pan breken (*om te bakken*); **estrellarse** (*hard*) vallen; stukslaan, te pletter slaan; *~ contra* stuklopen op
estremecedor, -ora huiveringwekkend, ontstellend; **estremecer** doen trillen, doen beven, doen rillen; doen schudden; doen huiveren; *que hace ~* om koud van te worden; *me estremece la idea* ik huiver bij de gedachte; **estremecerse** wankelen, trillen; rillen, huiveren, griezelen; **estremecido** rillerig, huiverend; **estremecimiento** rilling, siddering, beving, huivering; schok; beroering
estrenar 1 voor het eerst gebruiken; (*een fles*) aanbreken; 2 voor het eerst opvoeren; 3 (*motor*) laten inlopen; **estrenarse** in première gaan; **estreno** 1 première; 2 debuut; 3 eerste gebruik; 4 (*mbt motor*) (het) inlopen
estreñido lijdend aan verstopping; **estreñimiento** (*med*) verstopping; **estreñir i** een stoppende werking hebben
estrépito geraas, rumoer; *caer con ~* (*mbt regen*) kletteren; **estrepitoso** 1 rumoerig, luidruchtig; 2 enorm, geweldig
estreptococo streptococcus
estreptomicina streptomycine
estrés *m* stress; **estresado** gespannen, lijdend aan stress; **estresante** stress veroorzakend
estría striem; groef; **estriado** geribd, gegroefd; **estriar í** strepen, striemen, groeven
estribación *v* (*zijdelingse*) uitloper (*van gebergte*); **estribar** I *intr*: *~ en: a*) steunen op; *b*) voortvloeien uit, gelegen zijn in; II *tr*: *~ en* laten rusten (op); **estribillo** refrein; **estribo** 1 stijgbeugel; *la del ~* een glaasje op de valreep; *perder los ~s* zijn kalmte verliezen; 2 treeplank; 3 landhoofd (*van brug*); steunbeer; 4 (*zijdelingse*) uitloper

estribor *m* stuurboord
estricnina strychnine
estricto strikt, streng; *no ser muy ~* het niet zo nauw nemen
estridencia 1 schelheid (*van kleur*); schelle klank, snerpend geluid; 2 heftigheid; heftige uitlating; uitschieter, ongerijmdheid; **estridente** 1 (*mbt kleur*) schel, schreeuwerig, fel; 2 (*mbt geluid*) schel, schril, snerpend; 3 ongerijmd; heftig
estrofa strofe, couplet
estropajo schuurspons (*van strovezels*); **estropajoso** 1 taai; 2 haveloos; 3 hakkelend; *lengua -a* dikke tong
estropear bederven, verknoeien, stuk maken; **estropearse** stuk gaan
estropicio 1 rommel, bende, troep; 2 drukte; geraas, gerinkel, kabaal; 3 vernieling, verwoesting, (het) kort en klein slaan
estructura structuur, (op)bouw, constructie; *~ de la frase* zinsbouw; *~ fibrosa* vezelstructuur; *~ molecular* molecuulbouw; **estructuración** *v* structurering; **estructural** structureel; **estructuralismo** structuralisme; **estructurar** structureren; opbouwen
estruendo 1 geraas, rumoer; gedreun; 2 drukte, verwarring; 3 pracht en praal; **estruendoso** rumoerig, luidruchtig
estrujar 1 verfrommelen, verkreukelen; 2 uitpersen; (*fig*) uitzuigen; uitwringen; *~ el cerebro* zijn hersens afpijnigen; **estrujón** *m* (het) uitpersen; (het) uitknijpen
estruma krop, struma
estuario trechtermonding; (*vglbaar*) wad; oeverland dat bij vloed onderstroomt
estucado I *bn* bepleisterd; II *zn* pleisterwerk, stucwerk; **estucador** *m* stukadoor; **estucar** bepleisteren
estuche *m* etui, foedraal; koffer (*van schrijfmachine*); *~ de cubertería* bestekcassette; *~ de dibujo* passerdoos; *~ para gafas* brillekoker; *~ para llaves* sleuteletui; *~ manicura* nageletui
estuco 1 pleister(kalk), stuc; 2 pleisterwerk
estudiado bestudeerd, gezocht; **estudiantado** (de) studenten, (de) leerlingen; **estudiante** *m,v* student(e); cursist(e); **estudiantil** vd studenten; studentikoos; *líder ~* studentenleider; *salario ~* studieloon; **estudiantina** studenten(straat)orkest (*in hist kostuum*); **estudiar** 1 studeren; *~ medicina* medicijnen studeren; 2 bestuderen; 3 (*muz*) oefenen, studeren; **estudio** 1 studie, verslag; *~s* opleiding, studie; *~s preliminares* vooropleiding; *acabar los ~s* afstuderen; *hacer ~s de médico* voor dokter leren; *plan de ~s, programa de ~s* leerplan, studieprogramma; *sin ~s* met weinig scholing; *tener ~s* geleerd hebben, een opleiding gevolgd hebben; 2 bestudering; *~ del mercado* marktonderzoek; *~ de opinión* opinieonderzoek; *~ preliminar, ~ previo* vooronderzoek, voorstudie; 3 (*muz*) etude; 4 eenkamerflat, studio; 5 atelier; studio; *~ de pintura* schildersatelier; 6 *~ (de cine)* filmstudio; 7 *~ (de notario)* notariskantoor; 8 (*cuarto de*) *~* studeerkamer; **estudiosidad** *v* leergierigheid; **estudioso, -a** I *bn* leergierig, ijverig; II *zn* onderzoek(st)er, wetenschapper
estufa 1 kachel, haard; *~ de butano* butagaskachel; *~ de gas* gaskachel; *~ de petróleo* petroleumkachel; 2 broeikas, serre
estulticia dwaasheid, onnozelheid; **estulto** dom, onnozel
estupa 1 (*fam*) narcoticabrigade; 2 *m* lid vd narcoticabrigade; **estupefacción** *v* verbijstering; *con ~* tot zijn stomme verbazing; **estupefaciente** I *bn* 1 verbijsterend; 2 bedwelmend; II *m* verdovend middel, drug, narcoticum; **estupefacto** stomverbaasd, ontzet, verbijsterd, verbluft
estupendo geweldig, schitterend; *¡sería ~!* dat zou heerlijk zijn!; *un tío ~* een reuzekerel, een fijne vent
estupidez *v* domheid; stommiteit; onbenulligheid; **estúpido** dom, stom; **estupor** *m* verbijstering, (stomme) verbazing
estupro verkrachting (*van minderjarige*), schoffering
esturión *m* steur
esvástica hakenkruis
ETA *Euzkadi ta Azkatasuna* Baskische revolutionaire beweging
etapa 1 etappe, traject; fase; *~ final* slotfase; *por ~s* in etappes; 2 pleisterplaats; 3 trap (*van raket*)
etarra I *bn* vd ETA; II *m,v* lid vd ETA
etc. *etcétera*; **etcétera** etcetera, enzovoort
éter *m* ether; **etéreo** 1 etherisch; 2 hemels
eternidad *v* eeuwigheid; lange tijd, (*fig*) eeuw; **eternizar** eindeloos rekken; *~se* traineren, zich voortslepen; **eterno** eeuwig; eindeloos
eternita eterniet
ética ethiek, zedenleer; *~ profesional* beroepsethiek; **ético** ethisch
etílico: *alcohol ~* ethylalcohol
etimología etymologie, woordafleiding; **etimológico** etymologisch; **etimologista** *m,v*; *zie etimólogo*; **etimólogo, -a** etymoloog, -loge
etiología etiologie, leer van (ziekte)oorzaken
etiqueta 1 etiquette, beleefdheidsvormen; *traje de ~* gelegenheidskleding, gekleed pak; 2 plichtplegingen, ceremonieel; 3 etiket, label; **etiquetar** etiketteren; betitelen; **etiquetero** vormelijk
étnico etnisch; **etnología** etnologie, volkenkunde; **etnológico** etnologisch; **etnólogo, -a** etnoloog, -loge
etología gedragsleer (*van dieren*)
etrusco Etruskisch
EUA *Estados Unidos de América*
eucalipto eucaliptus(boom)
Eucaristía eucharistie, H. Sacrament des Altaars
eufemismo eufemisme; **eufemístico** eufemistisch

eufonía welluidendheid
euforbia (*plantk*) wolfsmelk
euforia euforie; **eufórico** euforisch, uitgelaten
eugenesia eugenese, eugenetica
eunuco eunuch
eurasiático Euraziatisch
euritmia euritmie
eurocomunismo eurocommunisme; **euromisil** *m* euroraket
Europa Europa; ~ *Meridional* Zuid-Europa; **europeización** *v* (het) vereuropesen; **europeísta** *m,v* aanhang(st)er van verenigd Europa; **europeizar** Europese gewoontes invoeren in; **europeizarse** Europese gewoontes aannemen, vereuropesen; **europeo** Europees
euscalduna (*mbt taal*) Baskisch; **éuscaro, eusquero** Baskisch
eutanasia euthanasie
evacuación *v* 1 (het) leegmaken, (het) afvoeren; ontruiming, evacuatie; lozing; ~ *de aire* ontluchting; 2 ontlasting; stoelgang; **evacuar** ontruimen, leegmaken; evacueren; ~ *el vientre* ontlasting hebben
evadir ontwijken, vermijden; **evadirse** ontsnappen, uitwijken; ~ *de* zich onttrekken aan
evaluación *v* 1 beoordeling, evaluatie; ~ *parcial* (*vglbaar*) tentamen; 2 schatting, waardering; **evaluar ú** 1 beoordelen, evalueren; 2 schatten, waarderen
evanescente langzaam verdwijnend, vervagend
evangélico evangelisch; protestants; **evangelio** evangelie; **evangelista** *m,v* evangelist(e); **evangelización** *v* evangelisatie; prediking vh evangelie; bekering; **evangelizar** evangeliseren, bekeren
evaporación *v* verdamping; **evaporador** *m* verdamper; **evaporar** 1 doen verdampen; 2 doen verdwijnen; **evaporarse** 1 verdampen, vervliegen; 2 verdwijnen; wegglippen
evasión *v* ontsnapping, vlucht; ~ *de capitales* kapitaalvlucht; ~ *fiscal* belastingontduiking; **evasiva** ontwijkend antwoord; uitvlucht; **evasivo** ontwijkend
evento 1 eventualiteit, mogelijk geval; *a todo* ~ hoe dan ook, in elk geval; 2 gebeurtenis, evenement; **eventual** 1 eventueel, mogelijk; 2 (*mbt werk*) tijdelijk; *un puesto* ~ een tijdelijke baan; **eventualidad** *v* 1 eventualiteit; 2 (werk op) tijdelijke basis; tijdelijk karakter
evicción *v* (*jur*) uitwinning
evidencia vanzelfsprekendheid, duidelijkheid; *no hay* ~ het blijkt nergens duidelijk uit, het is niet bewezen; *poner en* ~: *a*) aantonen; *b*) (*iem*) in zijn hemd zetten, een figuur doen slaan; *ponerse en* ~ (*neg*) opvallen, een figuur slaan; **evidenciar** (*duidelijk*) doen blijken, aantonen; **evidente** (over)duidelijk, kennelijk, onmiskenbaar; vanzelfsprekend; **evidentemente** klaarblijkelijk; vanzelfsprekend
evitable te vermijden; **evitación** *v* voorkoming; *en* ~ *de* ter voorkoming van; **evitar** vermijden; mijden, ontwijken; ~ *un encuentro con*: *a*) een ontmoeting vermijden met; *b*) uitwijken voor
evocación *v* (het) oproepen, herinnering; **evocador, -ora** suggestief; **evocar** 1 oproepen (*in de herinnering*), doen denken aan, (*fig*) wakker roepen; 2 terugdenken aan, ophalen; **evocativo** *zie evocador*
evolución *v* 1 evolutie, ontwikkeling; 2 *-ones* (dans)bewegingen; troepenbewegingen; **evolucionar** 1 zich ontwikkelen; van houding of inzicht veranderen; 2 draaien, manoeuvreren; **evolutivo** ontwikkelings-; *fase -a* ontwikkelingsfase
ex voormalig, gewezen; ~ *alumno*, ~*-alumno* oudleerling
exabrupto uitbarsting, uitval, snauw
exacción *v* 1 heffing (*van belasting*); 2 afpersing
exacerbación *v* 1 verbittering; 2 verheviging, verscherping; **exacerbar** 1 verhevigen, verergeren; 2 hevig irriteren, razend maken; **exacerbarse** 1 verscherpen, erger worden; 2 tot het uiterste geprikkeld raken
exactitud *v* nauwkeurigheid, accuratesse; betrouwbaarheid, juistheid; **exacto** precies, nauwkeurig, accuraat; juist; *un parecido* ~ een sprekende gelijkenis
exageración *v* overdrijving; iets extreems, iets dat te ver gaat; **exagerado, -a I** *bn* 1 overdreven, vergezocht; 2 onbillijk; (*mbt prijs*) gepeperd; **II** *zn* iem die overdrijft; **exagerar I** *tr* overdrijven, aandikken; **II** *intr* overdrijven, doordraven, te ver gaan
exaltación *v* 1 verheffing (*bv tot koning*); 2 verheerlijking; 3 verheviging; 4 opwinding, heftigheid; dweperij; **exaltado, -a I** *bn* geëxalteerd; **II** *zn* dweper, dweepster; **exaltamiento** *zie exaltación*; **exaltar** 1 (*iem*) verheffen (*tot een waardigheid*); 2 verheerlijken, hemelhoog prijzen; 3 opwinden; 4 verhevigen; **exaltarse** in vervoering raken, opgewonden raken; heviger worden
examen *m* 1 examen; ~ *de conducción* rijexamen; ~ *escrito* schriftelijk examen; ~ *estatal* staatsexamen; ~ *final* eindexamen; ~ *de ingreso* toelatingsexamen; ~ *oral* mondeling examen; ~ *parcial* tentamen; *aprobar un* ~ slagen voor een examen; 2 onderzoek, bestudering; ondervraging; keuring; ~ *detenido* grondig onderzoek; *un* ~ *más detenido* een nader onderzoek; ~ *genético* erfelijkheidsonderzoek; ~ *radiográfico* röntgenonderzoek; *hacer* ~ *de conciencia* de hand in eigen boezem steken; *para el* ~ (*ook*) ter inzage; *someter a* ~ in studie nemen, aan een onderzoek onderwerpen; **examinador, -ora** examinator, -trice; **examinado, -a** geëxamineerde; **examinar** 1 examineren; toetsen; 2 onderzoeken; nakijken, bestuderen, keuren, monsteren; ~ *el daño* de schade opnemen; ~ *a fondo* grondig bestuderen, onder de loep nemen; **examinar-**

se 1 ~ (*de, en*) examen doen (in); **2** *poder* ~ ter inzage liggen
exangüe 1 uitgeput; **2** bloedeloos; **3** levenloos
exánime 1 levenloos, dood; zonder enig teken van leven; **2** uitgeput, verzwakt
exantema *m* (*med*) rode huiduitslag
exasperación *v* geprikkeldheid, irritatie; **exasperante** zenuwslopend, tergend; **exasperar** hevig irriteren, zenuwslopend zijn voor, tergen
excarcelación *v* ontslag uit gevangenis; **excarcelar** ontslaan (*uit gevangenis*), vrijlaten
ex cátedra ex cathedra; op geleerde toon
excavación *v* uitgraving; opgraving; uitholling; *-ones* graafwerk; ~ *de arena* zandafgraving; **excavadora** dragline, graafmachine; **excavar** uitgraven, opgraven, afgraven; uithollen
excedencia 1 (het) overtollig zijn; **2** (het) op wachtgeld gesteld worden; **3** wachtgeld; **excedente I** *bn* **1** overtollig; **2** op wachtgeld gesteld; **II** *m; ook mv* overschot; *lo* ~ het meerdere, het surplus, het teveel; ~ *demográfico* bevolkingsoverschot; **exceder 1** (*ook* ~ *a*) overtreffen, uitmunten boven; ~ *a lo imaginado* de verwachtingen overtreffen; ~ *los límites* de perken te buiten gaan; **2** ~ *de* te boven gaan; over zijn van; *lo que excede de fls 100 es para ti* wat meer is dan f 100 is voor jou; **excederse** zich te buiten gaan; te ver gaan; ~ *a sí mismo* zichzelf overtreffen; ~ *en velocidad* veel te hard rijden
excelencia voortreffelijkheid; *por* ~ bij uitstek; **Excelencia** Excellentie; **excelente** uitstekend, uitmuntend, voortreffelijk, prima; **Excelentísimo:** ~ *Señor* Excellentie; **excelso** subliem, hoog verheven; (*lit*) hoog
excentricidad *v* excentriciteit; **excéntrico 1** excentriek, zonderling; **2** excentrisch
excepción *v* uitzondering; uitschieter; (*jur*) exceptie; *la* ~ *confirma la regla* uitzonderingen bevestigen de regel; *a* ~ *de, con* ~ *de* uitgezonderd, behalve; *de* ~ uitzonderlijk; *hacer* ~ *de* uitzonderen; *salvo excepciones* uitzonderingen daargelaten; *sin* ~ zonder uitzondering; **excepcional** uitzonderlijk; **excepto** behalve, uitgezonderd, behoudens; **exceptuar ú** uitzonderen, buiten beschouwing laten, uitsluiten
excesivo overmatig, buitensporig, overdadig; *lucro* ~ woekerwinst; **exceso 1** (het) teveel; over'lading; ~ (*de*) overmaat (aan); ~ *de exposición* overbelichting; ~ *de peso* overgewicht; ~ *de población* overbevolking; ~ *de presión* overdruk; *beber con* ~ onmatig drinken, te veel drinken; *pecar por* ~ te ver gaan; *por* ~ *de trabajo* wegens te drukke werkzaamheden; *redondear por* ~ naar boven afronden; **2** exces, baldadigheid, uitspatting; uitwas
excipiente *m* (*farmaceutisch*) oplosmiddel, bindmiddel
excitabilidad *v* prikkelbaarheid; **excitable** prikkelbaar; *persona muy* ~ een opgewonden standje; **excitación** *v* **1** opwinding, agitatie; **2** prikkeling; **excitado** opgewonden; **excitador, -ora** *zie excitante*; **excitante 1** opwindend; **2** prikkelend; **excitar 1** opwekken, prikkelen; **2** opwinden, opzwepen, ophitsen; **excitarse** zich opwinden, opgewonden raken
exclamación *v* **1** uitroep; **2** uitroepteken; **exclamar** uitroepen, schreeuwen
exclaustrar uit het klooster ontslaan
excluido uitgesloten; niet inbegrepen; **excluir 1** uitsluiten; uitschakelen; uitzonderen; niet meerekenen; **2** niet toelaten, buitensluiten; **exclusión** *v* uitsluiting; **exclusiva** alleenrecht; **exclusive** exclusief, met uitsluiting van; **exclusividad** *v*; *zie exclusiva*; **exclusivo** uitsluitend, exclusief
Excmo *Excelentísimo*
excombatiente *m,v* oudstrijd(st)er
excomulgar (*r-k*) in de ban doen, excommuniceren
excomunión *v* (*r-k*) ban
excoriación *v* ontvelling, schrijnende plek; **excoriar** doen schrijnen, schuren, schaven, ontvellen
excrecencia uitwas, vergroeiing; **excreción** *v* uitscheiding, afscheiding; **excremento** (*vaak mv*) ontlasting, uitwerpselen; **excrescencia** zie excrecencia; **excretar** afscheiden, uitscheiden
exculpar verontschuldigen, vrijpleiten
excursión *v* uitstapje, tocht, excursie, trektocht; ~ *escolar* schoolreisje; ~ *a pie* voettocht; *salir de* ~ erop uitgaan; **excursionismo** (het) maken van tochten; **excursionista** *m,v* trekker, trekster; ~*s* (*ook*) dagjesmensen
excusa 1 excuus, verontschuldiging; *presentar* ~*s* zijn excuses aanbieden; **2** voorwendsel, excuus; **excusado I** *bn* **1** overbodig; ~ *es decir* onnodig te zeggen; **2** vrijgesteld; **II** *zn* w.c.; **excusar** excuseren, verontschuldigen; ~*se* zich verontschuldigen
execrable walgelijk, afschuwelijk; **execración** *v* afschuw, verafschuwing; **execrar** verafschuwen; verwensen
exégesis *v* (bijbel)exegese, uitleg; **exégeta** *m,v* exegeet, -gete, uitlegger vd bijbel
exención *v* ontheffing, vrijstelling; **exento 1** ~ (*de*) vrijgesteld (van); vrij (van); ~ *de derechos* vrij van rechten, tolvrij; *mínimo* ~ (*vglbaar*) belastingvrije voet; *no* ~ *de* niet ontbloot van, niet vrij van; **2** (*bouwk*) vrijstaand
exequias *vmv* uitvaart, begrafenis(plechtigheid)
exfoliador, -ora (*Am*) **I** *bn* (*mbt blocnote*) waaruit bladen makkelijk te scheuren zijn; **II** *m* scheurkalender; **exfoliar** doen afbladderen, doen schilferen; **exfoliarse** afschilferen
exhalación *v* **1** uitwaseming; **2** vallende ster; **3** vonk; (bliksem)straal; **exhalar 1** uitwasemen; **2** uiten, voortbrengen || ~ *el espíritu* de geest geven

exhaustivo uitputtend, volledig; diepgaand; *un ~ estudio* een diepgaande studie; *relación -a* volledige opsomming; **exhausto** uitgeput
exhibición *v* 1 uitstalling; overlegging; vertoon; *~ de fuerza* krachtvertoon; *~ de modelos* modeshow; 2 tentoonstelling; 3 vertoning (*van film*); **exhibicionismo** exhibitionisme; **exhibicionista** *m,v* exhibitionist(e); **exhibir** 1 tentoonspreiden, vertonen; 'overleggen; 2 etaleren; 3 tentoonstellen; 4 (*film*) vertonen; **exhibirse** 1 zich laten zien, zich vertonen; 2 ter inzage liggen
exhortación *v* 1 aansporing; 2 vermaning; **exhortar** aansporen; **exhorto** (*jur, vglbaar*) rogatoire commissie
exhumación *v* opgraving (*van lijk*); **exhumar** (*dode*) opgraven; (*fig*) opdiepen
exigencia 1 eis, vereiste; *cumplir* (*con*) *las ~s* aan alle eisen voldoen; 2 veeleisendheid; kieskeurigheid; **exigente** 1 veeleisend; inspannend; 2 kritisch, veeleisend; kieskeurig, lastig; *los fumadores más ~s* de meest verwende rokers; **exigible** opeisbaar; *ser ~* geëist kunnen worden; **exigir** eisen, vereisen, opeisen, vergen; *~ mucho* hoge eisen stellen, veel vergen; *~ u.c. a u.p., de u.p.* iets van iem eisen
exigüidad *v* geringheid; kleinheid; **exiguo** gering, pover, schraal; nietig, klein, miniem
exilado, -a, exiliado, -a balling(e), banneling(e); **exiliar** verbannen; **exilio** verbanning, ballingschap
eximente ontheffend; **eximio** uitmuntend, subliem; **eximir** (*de*) vrijstelling verlenen (voor)
existencia 1 bestaan; 2 (*vaak mv*) voorraad; *en ~* in voorraad, voorhanden; *mientras haya ~s* zolang de voorraad strekt; **existencial** vh bestaan, existentieel; **existencialismo** existentialisme; **existencialista** *m,v* existentialist(e); **existente** bestaand, aanwezig; **existir** bestaan; leven
éxito succes, welslagen; *~ brillante, ~ rotundo* glansrijk succes; *~ clamoroso* daverend succes; *~ de librería* bestseller; *con ~* met succes, met goed gevolg; *tener ~* succes hebben; aanslaan, inslaan, opgang maken; **exitoso** succesvol, voorspoedig
Exmo *Excelentísimo*
éxodo uittocht, exodus
exoneración *v* vrijstelling, verlichting; ontlasting; **exonerar** 1 ontlasten, verlichten, vrijstellen; vrijpleiten; *~ el vientre* ontlasting hebben; 2 ontheffen (*uit ambt*)
exorbitante buitensporig, exorbitant
exorcismo (geesten)bezwering, duiveluitbanning, exorcisme; **exorcizar** (*duivel, geesten*) bezweren, uitbannen; exorciseren; **exorcista** *m,v* duivelbanner, -banster
exordio proloog, inleiding
exótico exotisch, uitheems, vreemd(soortig); **exotismo** exotisch karakter
expandir 1 uitspreiden; 2 verbreiden; **expandirse** zich verbreiden; **expansibilidad** *v* uitzetbaarheid; **expansible** uitzetbaar; **expansión** *v* 1 uitzetting; 2 uitbreiding, expansie; *~ urbanística* stadsuitbreiding; 3 uiting; 4 verstrooiing, vermaak; **expansionarse** 1 zich uitleven; 2 zijn hart luchten, zich uitspreken; **expansionismo** expansionisme; **expansivo** 1 uitzetbaar; *válvula -a* (*fig*) uitlaatklep; 2 mededeelzaam, spraakzaam; open(hartig)
expatriado, -a ontheemde, balling(e); **expatriar** doen uitwijken; **expatriarse** emigreren, in ballingschap gaan
expectación *v* (*hoopvolle*) verwachting; *gran ~* hooggespannen verwachtingen; **expectante** afwachtend; **expectativa** verwachting; vooruitzicht; *estar a la ~* (*de*) de zaak aanzien, zitten te wachten (op), uitkijken (naar)
expectoración *v* 1 (het) spuwen; 2 klodder speeksel; **expectorar** spugen, (*slijm*) opgeven
expedición *v* 1 expeditie; *~ de castigo* strafexpeditie; 2 verzending; 3 afgifte (*van paspoort, cheque*); 4 voortvarendheid, snelheid; **expedicionario, -a** deelnemer, -neemster aan een expeditie; **expedidor, -ora** verzender, afzender; **expedientar** een onderzoek instellen tegen; **expediente** *m* 1 dossier, bescheiden; *~ académico* (*univ*) overzicht van gevolgde vakken en behaalde cijfers; *~ profesional* staat van dienst; 2 (*officieel*) onderzoek; *abrir ~ a u.p.* een onderzoek instellen tegen iem; *instruir ~ a* proces-verbaal opmaken tegen, verbaliseren; 3 (red)middel; 4 vindingrijkheid; 5 (*vaak mv*) formaliteiten, stappen; **expedir** i 1 verzenden; 2 (*paspoort*) afgeven, uitgeven, verstrekken; *expedido por copia* voor afschrift; 3 afhandelen; **expeditivo** voortvarend, doortastend; drastisch; **expedito** 1 onbelemmerd, ongestoord, vrij; 2 snel, voortvarend
expeler 1 uitblazen, uitstoten; 2 verdrijven
expendedor, -ora I *bn* ver'strekkend; *máquina -ora* automaat; II *zn* 1 iem die zaken in opdracht verkoopt (*bv tabak, loten*); 2 *m* automaat; **expendeduría** verkoopadres (*van bv tabak, loten*); **expender** 1 (*in opdracht*) verkopen (*bv tabak*); 2 (*jur; vals geld*) in omloop brengen; **expendio** 1 *zie expendeduría*; 2 afgifte; *~ de calor* warmteafgifte; **expensas** *vmv* kosten; *a ~ de: a*) op kosten van; *b*) ten koste van
experiencia 1 ervaring; kundigheid, bekwaamheid; *~ de la vida* levenservaring; *falta de ~* onervarenheid, onbedrevenheid; *falto de ~* onervaren, onbedreven; *por ~* uit ervaring; 2 experiment, proef; *~ piloto* experiment, modelproef; 3 bevinding, ervaring; belevenis; **experimentación** *v* 1 proef(neming); 2 proefondervindelijke methode; **experimentado** ervaren, doorgewinterd; volleerd; **experimental** experimenteel, proefondervindelijk; *vuelo ~* proefvlucht; **experimentar** I *tr* 1 ervaren, ondergaan, ondervinden, voelen; *~ la necesidad* de behoefte voelen; 2 uitproberen, testen; II

intr proeven nemen, experimenteren; **experimento** proef(neming), experiment, test; **experto, -a** I *bn* ervaren, bekwaam, deskundig, vakkundig; II *zn* expert, deskundige
expiación *v* boete(doening); **expiar** í boeten voor; **expiatorio** zonde-, zoen-; *chivo* ~ zondebok; *víctima -a* zoenoffer
expiración *v* (het) vervallen (*van termijn*), afloop; **expirar** 1 sterven, ontslapen, de laatste adem uitblazen; 2 (*mbt termijn*) aflopen, verlopen, verstrijken
explanación *v* 1 (het) vlak maken; nivellering; 2 verklaring, opheldering; **explanada** 1 vlak terrein; 2 glooiïng; **explanar** 1 effenen, vlak maken; 2 uitleggen, verklaren
explayar uitspreiden; **explayarse** 1 zich uitstrekken; 2 uitweiden; zijn hart luchten
explicable verklaarbaar; **explicación** *v* verklaring, uitleg, opheldering, toelichting; ~ *de textos* tekstverklaring; **explicaderas** *vmv* (*neg*) slechte uitleg; **explicar** uitleggen, verklaren, toelichten, uiteenzetten; vertellen, zeggen; ~ *los motivos de* motiveren; ~*se u.c.* iets begrijpen; *no me lo explico* ik kan het niet begrijpen; **explicarse** zich uitdrukken, zijn gedachten formuleren; *¡explícate!* verklaar je nader!; ~ *mejor* zich nader verklaren; **explicativo** 1 verklarend; *memoria -a* memorie van toelichting; 2 (*mbt bijzin*) uitbreidend; **explícito** expliciet, uitdrukkelijk; onomwonden; **explicotear** half uitleggen; breedvoerig uiteenzetten
exploración *v* verkenning, onderzoek; **explorador, -ora** 1 verkenner, ontdekkingsreizig(st)er; 2 padvind(st)er; **explorar** verkennen; onderzoeken; (*fig*) aftasten; **exploratorio** verkennend
explosión *v* explosie, ontploffing, uitbarsting; knal; *hacer* ~ ontploffen; **explosionar** I *intr* ontploffen; II *tr* tot ontploffing brengen; **explosivo** I *bn* explosief, ontplofbaar; *altamente* ~ brisant; *carga -a* springlading; II *zn* springstof, ontplofbare stof
explotable voor exploitatie geschikt, bruikbaar; **explotación** *v* 1 exploitatie, (*Belg*) uitbating; ~ *agotadora* roofbouw; ~ *petrolífera* oliewinning; *capital de* ~ bedrijfskapitaal; 2 uitbuiting; **explotador, -ora** 1 exploitant(e); 2 uitbuit(st)er; **explotar** I *tr* 1 exploiteren; ontginnen; 2 uitbuiten, afbeulen, uitzuigen; II *intr* ontploffen
expoliación *v* plundering, beroving; **expoliador, -ora** plunderend; **expoliar** plunderen, beroven
exponente I *bn* uiteenzettend; II *zn* 1 iem die een kwestie uiteenzet, indien(st)er van verzoek; 2 *m* (*wisk*) exponent; **exponer** 1 uiteenzetten; (*fig*) ontvouwen, verklaren; te kennen geven; 2 tentoonstellen, exposeren; uitstallen, te kijk zetten; 3 (*fot*) belichten; 4 ~ (*a*) blootstellen (aan), in de waagschaal stellen; te vondeling leggen; **exponerse** (*a*) zich blootstellen (aan), te kijk staan; *no* ~ buiten schot blijven
exportación *v* export, uitvoer; **exportador, -ora** I *bn* exporterend; II *zn* exporteur; **exportar** uitvoeren, exporteren
exposición *v* 1 tentoonstelling, expositie; 2 uiteenzetting, betoog; ~ *de motivos* memorie van toelichting; 3 (*fot*) belichting; *exceso de* ~ overbelichting; 4 ligging (*op de zon*); 5 risico, gevaar; **exposímetro** lichtmeter; **expósito, -a** vondeling(e); **expositor, -ora** exposant(e)
exprés *m* 1 sneltrein; 2 espresso(-koffie); 3 espresso-machine || *olla* ~ snelkookpan
expresado genoemd, bovenstaand; **expresamente** uitdrukkelijk, bepaaldelijk; **expresar** uitdrukken, uiten, formuleren, verwoorden; ~ *su gratitud* zijn dank betuigen; **expresarse** zich uitdrukken; **expresión** *v* 1 uitdrukking, uiting; uitbeelding, weergave; ~ *corporal* lichamelijke expressie; *con* ~ *de los gastos* met opgaaf van kosten; *dar* ~ *a* uiting geven aan, onder woorden brengen; 2 gelaatsuitdrukking; 3 (*wisk*) formule, notatie; **expresionismo** expressionisme; **expresionista** I *bn* expressionistisch; II *m,v* expressionist(e); **expresividad** *v* zeggingskracht, uitdrukkingskracht; **expresivo** 1 expressief; beeldend; sprekend; *las cifras son -as* de cijfers spreken voor zich; 2 hartelijk; **expreso** I *bn* uitdrukkelijk; II *zn* 1 sneltrein; 2 expressestuk
exprimeajos *m* knoflookpers; **exprimelimones** *m* citroenpers; **exprimidor** *m* 1 pers; ~ *de frutas* fruitpers; 2 wringer; **exprimir** 1 (uit)persen, uitdrukken; 2 uitmelken; uitzuigen
ex profeso uit hoofde van zijn beroep, q.q., officieel
expropiación *v* onteigening; **expropiar** onteigenen
expuesto 1 ~ (*a*) blootgesteld (aan), onderhevig (aan); *estar* ~ risico's lopen; *estar* ~ *a* blootstaan aan; 2 riskant
expugnar veroveren
expulsar 1 verdrijven, (*van school*) verwijderen; uitwijzen, uitzetten; 2 (*warmte, lucht*) uitstoten, afvoeren; **expulsión** *v* uitzetting, uitwijzing; *ordenar la* ~ *de u.p.* iem uitwijzen
expurgación *v* zuivering; (het) kuisen (*van tekst*); **expurgar** reinigen; (*tekst*) kuisen
exquisitez *v* verfijning, raffinement; **exquisito** verrukkelijk, kostelijk; zeer verfijnd; subliem
extasiado (*con*) opgetogen (over); **extasiar** in vervoering brengen; **extasiarse** (*con*) in vervoering raken (over), verrukt zijn (over); **éxtasis** *m* extase, vervoering, verrukking
extemporáneo ongelegen, ontijdig
extender ie 1 uitstrekken, (*hand*) uitsteken; 2 (uit)spreiden, uitbreiden, uitstrijken, uitsmeren; 3 uitreiken, uitgeven, (*factuur*) uitschrijven; **extenderse ie** 1 zich uitstrekken; ~ *hasta* reiken tot; ~ *sobre* hangen over; 2 zich uitbreiden; 3 uitweiden; **extendido** wijdverspreid, verbreid; **extensible** uitschuifbaar; **extensión** *v* 1 omvang; lengte, duur; uitgestrektheid; *en toda la* ~ *de la palabra* in de volle zin

des woords; 2 spreiding, verspreiding; uitbreiding, verlenging; *la ~ de la lepra* het 'voorkomen van lepra; *cable de ~* verlengsnoer; 3 uitgifte; 4 (*telef*) aangesloten toestel; *~ 205* toestel 205; **extensivo** extensief; *cultivo ~* extensieve bebouwing; *hacerse ~ a* (*mbt uitnodiging, felicitatie*) zich tevens uitstrekken tot; **extenso** uitgestrekt; omvangrijk, uitgebreid, uitvoerig; **extensor, -ora** I *bn* strekkend; *músculo ~* strekspier; II *m* expander
extenuación *v* uitputting, verzwakking; **extenuado** uitgeput, afgemat; **extenuar ú** uitputten, afmatten, verzwakken
exterior I *bn* 1 buiten-, aan de buitenkant; *lado ~* buitenkant; *ropa ~* bovenkleding; 2 buitenlands; *política ~* buitenlandse politiek; II *m* 1 buitenkant; 2 buitenland; 3 uiterlijk; 4 (*fot*) buitenopname || *~ derecha* (*sp*) rechtsbuiten; **exterioridad** *v* uiterlijkheid; **exteriorización** *v* (het) laten merken, (het) uiten; **exteriorizar** (*naar buiten*) tonen, laten merken, laten blijken, uiten
exterminación *v*; *zie exterminio*; **exterminador, -ora** verdelgend; **exterminar** verdelgen, uitroeien; **exterminio** uitroeiing, verdelging
externado dagschool; **externo** 1 uitwendig; van buitenaf; uiterlijk; *es ~ a nosotros* het gaat buiten ons om; *de uso ~* voor uitwendig gebruik; 2 extern, uitwonend
extinción *v* 1 (het) blussen, (het) doven; 2 verdwijning; *animales en vías de ~* (met uitsterven) bedreigde diersoorten; **extinguidor** *m*; *zie extintor*; **extinguir** 1 blussen; doven; 2 doen eindigen, doen ophouden; *a ~* (*mbt vacature*) wordt niet vervangen; **extinguirse** 1 (*mbt vuur*) uitgaan, doven; 2 (*fig*) uitdoven, verdwijnen, uitsterven; sterven; 3 (*jur*) verjaren; **extinto** (*mbt vulkaan*) uitgedoofd; **extintor** *m* (brand)blusapparaat; *~ de espuma* schuimblusser; *~ de polvo* poederblusser
extirpación *v* 1 uitroeiing; 2 (*med*) verwijdering; **extirpador, -ora** I *bn* vernietigend; II *zn* uitroei(st)er; **extirpar** 1 uitroeien; 2 (*med*) wegnemen
extorsión *v* 1 afpersing; 2 verstoring, hinder, last; nadeel; **extorsionar** 1 afpersen; 2 last bezorgen
extra I *vz*: *~ de* boven, behalve; II *bn, onv* 1 extra; *horas ~* overuren; 2 bijzonder goed, van eerste kwaliteit; III *bw* extra; *cargar ~* extra berekenen; *ganar ~* bijverdienen; IV *m* 1 toegift; 2 extraatje; *muchos ~s* veel extra's; 3 figurant; **extracapacidad** *v* overcapaciteit
extracción *v* 1 (het) trekken; trekking (*van loterij*); *~ de una muela* (het) trekken van een kies; *~ de raíces* worteltrekken; 2 winning; (het) delven; *~ de petróleo* oliewinning; 3 (*med*) verwijdering; 4 afkomst, oorsprong
extracelular (*biol*) buiten de cel
extractar een uittreksel maken van; **extracto** 1 uittreksel; *~ de cuenta* rekeningafschrift; 2 extract; *~ seco* droge stof (*bv van melk*); **extractor, -ora** I *bn* uittrekkend; *campana -ora* afzuigkap; II *zn* 1 iem die uittreksels maakt; 2 *m* raamventilator
extradición *v* uitlevering; **extradir, extraditar** uitleveren
extraer 1 (uit)trekken; rooien; (*med*) verwijderen; halen (uit); *~ la raíz* (*wisk*) worteltrekken; 2 delven, winnen; (*zand*) afgraven; (*turf*) steken; 3 (*bloed*) tappen; 4 (*honing*) slingeren
extraescolar buitenschools
extrajudicial buitenrechtelijk
extralegal onwettig, (*Belg*) extralegaal
extralimitación *v* misbruik, overschrijding van bevoegdheden; **extralimitarse** buiten zijn boekje gaan, over de schreef gaan, zich vergaloppperen
extramuros buiten (de muren van) een stad
extranjería het vreemdeling-zijn; *servicio de ~* vreemdelingendienst; **extranjerismo** voorliefde voor wat uit het buitenland komt; **extranjerizar** gewoonten uit het buitenland introduceren; **extranjero, -a** I *bn* buitenlands; in, uit het buitenland; *idioma -ero* vreemde taal; II *zn* 1 buitenland; 2 buitenlander, -landse; vreemdeling(e); *policía de ~s* vreemdelingenpolitie; **extranjis**: *de ~* in het geheim
extrañado verwonderd, verbaasd; **extrañamiento** verbazing; **extrañar** 1 verbazen; bevreemden, vreemd aandoen; 2 verbannen; 3 vreemd vinden; *¿extrañas la cama?* moet je wennen aan het bed?; *no es de ~ que* het is geen wonder dat; 4 (*Am*) missen; **extrañarse** zich verbazen, zich verwonderen; **extrañeza** iets vreemds, het vreemde; **extraño, -a** I *bn* vreemd, (ver)wonderlijk, raar; *~ a* vreemd aan; *causas -as a su voluntad* oorzaken buiten zijn wil; *hacer ~* vreemd aandoen; II *zn* vreemde
extraoficial inofficieel, officieus
extraordinario I *bn* buitengewoon, verbazend; extra; *horas -as* overuren; *paga -a* gratificatie; II *zn* 1 extra nummer; 2 iets bijzonders
extrapolación *v* extrapolatie; **extrapolar** extrapoleren; veralgemenen
extrarradio: *el ~* de buitenwijken
extraterrestre buitenaards; **extraterritorial** exterritoriaal
extrauterino buiten de baarmoeder
extravagancia buitensporigheid; **extravagante** buitensporig, excentriek, zonderling
extraversión *v* extroverte aard; **extravertido** extrovert
extraviado 1 verdwaald, zoek(geraakt); 2 verwilderd; **extraviar í** 1 wegmaken; 2 doen verdwalen; **extraviarse í** 1 wegraken, zoekraken; 2 verdwalen; 3 op het verkeerde pad raken; **extravío** 1 (het) zoekraken, (het) wegraken; 2 dwaling; losbandigheid
extremadamente *zie extremamente*; **extremado** extreem, buitengewoon; **extremamente** uiterst, uitermate; **extremar** ten top voeren, te ver drijven; *~ los esfuerzos* zijn uiterste best

doen; ~ *su resistencia* zich tot het uiterste verzetten
extremaunción *v* heilig oliesel
extremeño uit Extremadura
extremidad *v* uiteinde; *~es* extremiteiten, armen en benen, handen en voeten; **extremismo** extremisme; **extremista** *m,v* extremist(e);
extremo I *bn* uiterst, extreem; verregaand; *la -a izquierda* (*pol*) uiterst links; ~ *izquierda* (*sp*) linksbuiten; *el ~ Oriente* het verre Oosten; *en ~* uiterst; **II** *zn* **1** uiteinde, punt, uiterste; *los ~s se tocan* de uitersten raken elkaar; *al ~* tot het uiterste; *en último ~* in het uiterste geval; *llegar a ~s* in uitersten vervallen; *llevar al ~* tot het uiterste drijven; *pasar de un ~ a otro* hollen of stilstaan, van het ene uiterste in het andere vervallen; **2** punt, kwestie; *en este ~* op dit punt; *entre otros ~s* onder andere; **extremoso** overdreven, extreem; uitbundig
extrínseco extrinsiek, van buitenaf
extrovertido *zie extravertido*
exuberancia 1 overdaad; *crecer con ~* (*mbt plant*) welig tieren; **2** uitbundigheid; **exuberante 1** weelderig; welig; **2** uitbundig, uitgelaten
exudar zweten, doorlaten; (*mbt muren*) uitslaan (*van vocht*)
exultación *v* gejubel, grote vreugde; **exultante** jubelend; **exultar** jubelen
exvoto ex-voto, geloftegeschenk
eyaculación *v* ejaculatie, (zaad)lozing; **eyacular** ejaculeren, zaad lozen
eyectable: *asiento ~* schietstoel
eyrá *m* (*Am*) soort wilde kat
ezpatadanza bep. Baskische dans

f *efe v* (*letter*) f
1 fa *m* (*muz*) fa
2 fa: *ni ~ ni fu* het doet me niets
fabada (*Asturiaanse*) bonensoep
fábrica 1 fabriek; ~ *de cerveza* bierbrouwerij; **2** groot gebouw, gevaarte; **3** metselwerk; **fabricación** *v* fabricage, vervaardiging; ~ *en masa* massa-fabricage; ~ *de moneda falsa* valsemunterij; *de ~ artesanal* handwerk-, zelfgemaakt; *de ~ casera* eigen fabrikaat; *de ~ holandesa* Nederlands fabrikaat; **fabricante** *m* fabrikant; ~ *de cerveza* bierbrouwer; **fabricar 1** fabriceren, vervaardigen, maken; timmeren; **2** verzinnen; **fabril** industrieel; *barrio ~* fabriekswijk
fábula 1 fabel; *ser de ~* uitstekend zijn; **2** praatje, verzinsel; **fabulario** fabelboek, fabelverzameling; **fabulista** *m,v* fabelschrijver, -schrijfster; **fabuloso** fabelachtig, sprookjesachtig; fantastisch
facción *v* **1** *-ones* gelaatstrekken; **2** (*pol*) factie; bende; **faccioso** oproerkraaier; opstandeling; bendelid
faceta facet
1 facha (*fam*) **1** uiterlijk; *¡qué ~ tienes!* wat zie je eruit!; **2** belachelijke figuur; prutswerk; *está hecho una ~* het, hij ziet er niet uit
2 facha *m,v* (*fam*) fascist(e)
fachada (voor)gevel, façade, pui; *mala ~* onguur uiterlijk; *organización ~* mantelorganisatie; *salvar la ~* zijn gezicht redden
fachenda 1 patserig gedrag, opzichtig vertoon; **2** *m* opschepper, patser; **fachendoso, -a** patser, opschepper, opschepster
facial vh gezicht, gelaats-
fácil gemakkelijk; ~ *de vender* goed verkoopbaar; *de ~ acceso* goed toegankelijk; *de ~ digestión* licht verteerbaar; *ser ~ que* waarschijnlijk zijn dat; *es ~ que venga* het is waarschijnlijk dat ze komt; *le resulta ~* het valt hem licht; **facilidad** *v* gemak, makkelijkheid; ~ *para los idiomas* aanleg voor talen; *~es de pago* betalingsfaciliteiten; *~es portuarias* havenfaciliteiten; *tener gran ~ de palabra* makkelijk spreken, welbespraakt zijn; **facilísimo** heel gemakkelijk, doodeenvoudig; **facilitación** *v* verstrekking; **facilitar 1** verschaffen, verstrekken; ~ *informes* inlichtingen verstrekken; **2** vergemakkelijken
facineroso boosdoener
facistol *m* koorlessenaar
facsímile *m* facsimile

factibilidad *v* haalbaarheid, uitvoerbaarheid; **factible** doenlijk, haalbaar, uitvoerbaar
facticio kunstmatig
fáctico feitelijk
factor *m* factor; *un ~ despreciable* een te verwaarlozen factor; *~ de protección* beschermingsfactor; *~ Rhesus, ~ Rh* resusfactor
factoría 1 factorij; 2 (*soms*) fabriek
factótum *m* factotum, manusje van alles
factual feitelijk
factura 1 factuur, rekening, nota; 2 makelij; 3 (*Am*) zoet broodje; **facturación** *v* 1 facturering, (het) in rekening brengen; 2 omzet, in rekening gebrachte bedragen; 3 (*luchtv*) (het) inchecken; **facturar** 1 factureren, berekenen, in rekening brengen; omzetten; 2 (*luchtv*) inchecken
facultad *v* 1 bevoegdheid, (het) gemachtigd zijn; *las ~es estatutarias* de statutaire bevoegdheden; *tener ~ para* bevoegd zijn om; 2 vermogen, bekwaamheid; *~es discrecionales* verstandelijke vermogens; *~ de hablar* spraakvermogen; *~ de imaginación* voorstellingsvermogen; *~es mentales* geestelijke vermogens; *~ de pensar* denkvermogen; 3 faculteit; *dejar la ~* ophouden met studeren; **facultar** (*para*) de bevoegdheid geven (om); *estar facultado para* bevoegd zijn om; **facultativo** I *bn* 1 facultatief; *materia -a* facultatief vak, keuzevak; 2 geneeskundig; *por prescripción -a* op medisch voorschrift; II *zn* medicus
facundia spraakzaamheid; **facundo** welbespraakt; **Facundo** jongensnaam
faena 1 karwei, werk, beslommeringen; akkefietje; *~s caseras, ~es domésticas* huishoudelijke bezigheden; *¡qué ~!* wat een klus!; *tener ~ para rato* voorlopig wel even werk hebben; 2 activiteit, optreden (*vd stierenvechter*); 3 streek; *hacer una (mala) ~* een hak zetten; **faenar** (*mbt vloot*) vissen (*op zee*); **faenero** I *bn* ijverig; II *zn* dagloner
fagocito fagocyt
fagot *m* fagot; **fagotista** *m,v* fagottist(e)
faisán, -ana fazant
faja 1 baan, strook; *~ central* middenberm; 2 gordel; sjerp; 3 corset; 4 band; adresband; *~ de cigarro* sigarenbandje; **fajar** met een band omwikkelen, inwikkelen; **fajín** *m* sjerp
1 fajina 1 berg korenschoven; 2 bundel brandhout
2 fajina taptoe
3 fajina bezigheid, taak, karwei
fajo bundel; pak (*biljetten*)
falacia bedrog
falange *v* (vinger)kootje; lid (*van vinger*); **Falange** *v* (*hist, pol; Sp*) Falange (*fascistische beweging sinds 1933*); **falangista** *m,v* lid vd Falange
falaz bedriegelijk
falda 1 rok; *~ bajera* onderrok; *~ escocesa* geruite rok; *~ (de) pantalón* broekrok; *~ plisada* plooirok, plissérok; *~ tubular* kokerrok; *pirrarse por las ~s* een vrouwengek zijn; 2 glooiing (*van berg*); 3 schoot; 4 (*vglbaar*) klapstuk (*rundvlees*); **faldero** I *zn* vrouwengek; II *bn* vd rok; *perro ~* schoothondje; **faldón** *m* pand, slip (*van jas*); *los -ones de un frac* de slippen van een rokkostuum
falibilidad *v* feilbaarheid; **falible** feilbaar
fálico fallisch
1 falla 1 foutje, weeffout; 2 breuk (*in terrein*)
2 falla (*in Valencia*) groteske pop (*rondgedragen en verbrand tijdens Fallas*)
Falla: *las ~s* Valenciaanse feesten op Sint Jozef (*18-19 maart*)
1 fallar I *intr* 1 (het) begeven; falen, haperen; ketsen; uitvallen, wegvallen; weigeren; zijn doel missen; *en caso de ~ la presión* als de druk wegvalt; *el freno falló* de rem weigerde; *no falla nunca* het komt altijd uit; *sin ~* beslist; 2 (af)troeven; 3 *~ a u.p.* iem afvallen; *nos falló* hij liet ons in de steek; II *tr* missen; *~ el blanco* zijn doel missen
2 fallar (*jur*) uitspraak doen over
falleba spanjolet
fallecer overlijden, sterven; **fallecido, -a** overledene; **fallecimiento** (het) overlijden; sterfgeval
fallero vd Fallas; bij de Fallas betrokken
fallido mislukt; *salir ~* mislukken, op niets uitdraaien; *salieron -as las esperanzas* de verwachtingen kwamen niet uit
1 fallo (*jur*) uitspraak, vonnis
2 fallo fout; mislukking; hapering, storing; misser; *~ en la comunicación* communicatiestoornis; *el ~ de la electricidad* het uitvallen vd stroom; *un ~ humano* een menselijke fout; *no tener ~* niet mis kunnen gaan; *posibilidad de ~* kans op ongelukken; *tener un ~* zakken als een baksteen
falo mannelijk lid, penis
falsario, -a leugenaar(ster), bedrieg(st)er; **falseador, -ora** vervalser; **falseamiento** vervalsing; **falsear** vervalsen, verdraaien; **falsedad** *v* valsheid, onwaarheid, leugenachtigheid; *~ de documentos* valsheid in geschrifte
falsete *m* falset(stem)
falsificación *v* vervalsing; **falsificador, -ora** vervalser; **falsificar** vervalsen; namaken; **falsilla** gelijnd blad (*om onder blanco blad te leggen*); **falso** I *bn* vals; onecht; onwaar; onjuist; leugenachtig; (*mbt alarm*) loos; *bajé en ~* ik liep voor niets naar beneden; *dar un paso en ~* struikelen; *es ~* het is helemaal niet waar; *jurar en ~* meineed plegen; II *zn* valse zoom
falta 1 gebrek; defect; gemis; *~ de aprecio, ~ de reconocimiento* miskenning; *~ de cuidado* laksheid; *~ de dinero* geldgebrek, geldnood; *~ de educación* onbeleefdheid; *~ de interés* onverschilligheid; *~ de memoria* vergeetachtigheid; *~ de pago* wanbetaling; *~ de sueño* slaapgebrek; *~ de tiempo* tijdgebrek; *a ~ de* bij gebrek aan; *buena ~ te hace* net goed voor je; *echar en ~* missen; *es una ~ de decoro* dat is

geen stijl; *hacer* ~ nodig zijn; *hace tanta* ~ *como los perros en misa, maldita la* ~ *que me hace* ik kan hem missen als kiespijn; *lo que menos* ~ *nos hace…* (*iron*) wat we het minst kunnen gebruiken…; *me hacen* ~ *unos libros* ik heb een paar boeken nodig; *…ni* ~ *que me hace* …en ik heb er ook niet de minste behoefte aan; *si hace* ~ zo nodig; *sin* ~ beslist; *iré sin* ~ ik ga beslist; *tener en* ~ gebrek hebben aan; 2 fout; verzuim; ~ *de asistencia* (school)verzuim; *caer en* ~ een misstap begaan, tekort schieten; *cometer una* ~ een fout begaan; *poner* ~*s* kritiek hebben, vitten; 3 vergrijp; **faltar** 1 ontbreken; ~ *a clase* de les verzuimen; *falta lo mejor* het mooiste komt nog; *falta poco: a*) het is bijna klaar; *b*) we zijn er bijna; *c*) het is bijna genoeg; *faltan dos días para…* het duurt nog twee dagen voordat…; *faltó poco para que…* het scheelde een haar of…; *¿cuánto falta?: a*) hoeveel ontbreekt er?; *b*) hoe ver is het nog?; *c*) hoe lang duurt het nog?; *echar a* ~ missen; *¡lo que nos faltaba!* dat ontbrak er nog maar aan!; *no faltaré* ik zal zorgen dat ik er ben; *¡no faltaba más!: a*) dat ontbrak er nog maar aan!, nu nog mooier!, natuurlijk niet!; *b*) (*na verzoek*) maar natuurlijk!; *no le falta razón* hij heeft wel een beetje gelijk, hij heeft geen ongelijk; *por si faltaba algo* alsof dat nog niet genoeg was; *sólo le falta hablar* het lijkt sprekend; 2 ~ *a* niet nakomen; verzuimen; ~ *a su deber* zijn plicht verzaken; ~ *a su palabra* zijn woord breken; ~ *a su promesa* zijn belofte niet nakomen; ~*le* (*al respeto*) *a u.p.* iem oneerbiedig behandelen; ~ *a la verdad* de waarheid tekort doen; **falto**: ~ *de* zonder; ~ *de tacto* tactloos; *disputas -as de sentido* zinloze discussies; *estar* ~ *de* missen, zitten zonder

faltriquera zak (*in kledingstuk*); *te sangra la* ~ dat kost je een smak geld

falúa bootje, sloep

fama roem, faam, reputatie; *de* ~ beroemd; *ganar* ~ *mundial* wereldberoemd worden; *el de más* ~ de beroemdste; *saltar a la* ~ (ineens) beroemd worden; *su* ~ *declinaba* zijn roem taande; *tener* ~ *de* bekend staan als; *tener buena* ~ een goede naam hebben; *tener mala* ~ slecht bekend staan

famélico hongerig, uitgehongerd

familia gezin; familie; ~ *política* aangetrouwde familie, schoonfamilie; *en* (*régimen de*) ~ in gezinsverband; *tener* ~ (*fam*) kinderen hebben, kinderen krijgen; **familiar** I *bn* 1 vh gezin; vd familie; *lazos* ~*es* familiebanden; *presupuesto* ~ gezinsbudget; 2 vertrouwd; *su cara me es* ~ zijn gezicht komt me bekend voor; *los objetos* ~*es* de vertrouwde dingen; 3 familiair, gemeenzaam; (*mbt taal*) gewoon, alledaags; *el trato* ~ de vertrouwelijke omgang; II *m* familielid; **familiaridad** *v* 1 vertrouwelijkheid; 2 vertrouwdheid; **familiarizado**: ~ *con* vertrouwd met, op de hoogte met; **familiarizar** (*con*) (doen) wennen (aan); **familiarizarse** (*con*) vertrouwd raken (met), zich (*iets*) eigen maken, zich inwerken (in)

famoso beroemd, befaamd

fámulo, **-a** dienaar, gedienstige

fan *m,v* fan

fanal *m* 1 stolp; 2 (scheeps)lantaarn

fanático, **-a** I *bn* fanatiek, verbeten; II *zn* fanaticus, fanaat, ijveraar(ster), dweper, dweepster; ~ *del poder* machtswellusteling; **fanatismo** fanatisme; **fanatizar** I *tr* fanatiek maken, ophitsen; II *intr* dwepen

fandango 1 bep Sp lied en dans; 2 drukte, tumult; **fandanguillo** soort fandango

fanega 1 (*Sp*) inhoudsmaat (*in Castilië 55,5 l; in Aragon 22,5 l*); 2 (*Sp*) vlaktemaat (*ca. 65 are*); **fanegada** *zie fanega 2*

fanfarria 1 opschepperij, poeha; 2 hoempaorkest; **fanfarrón**, **-ona** I *bn* opschepperig; II *zn* opschepper, branieschopper, snoever; **fanfarronada** snoeverij; **fanfarronear** snoeven, bluffen, branie schoppen; zwetsen; **fanfarronería** opschepperij, poeha

fango modder, slik, slijk (*ook fig*); **fangoso** modderig

fantaseador, **-ora** fantast(e); **fantasear** fantaseren; **fantasía** 1 fantasie, verbeelding; 2 ~*s* fantasieën, verzinsels, hersenschimmen; **fantasioso**, **-a** I *bn* patserig; II *zn* iem die het hoog in zijn bol heeft, opschepper; **fantasma** *m* 1 spook, schim, geest; *aparecer como un* ~ plotseling opduiken; *buque* ~ spookschip; *gabinete* ~ schaduwkabinet; 2 schrikbeeld, spookbeeld; droombeeld; **fantasmal** spookachtig; **fantasmón** *m* kwast, blaaskaak, praatjesmaker; **fantástico** fantastisch; **fantochada** malle uitlating, dwaasheid; ~*s* potsierlijk gedrag, poeha; **fantoche** *m* 1 (poppenkast)pop; 2 rare snijboon; (potsierlijke) sukkel; 3 opschepper, protserige figuur

faquir *m* fakir

farallón *m* puntige rots (*in zee*)

farándula 1 komediantenbestaan; artiestenwereld(je); 2 misleidende praatjes; **farandulear** dik doen, pronken; **farandulero**, **-a** 1 (*trekkende*) komediant(e); 2 babbelaar(ster), kletsmajoor

faraón *m* farao; **faraona** (*zigeunertaal*) koningin; **faraónico** 1 vd farao's; 2 enorm; *cifras -as* astronomische bedragen

faraute *m* bemoeial, regelaar, regelneef

fardar 1 pralen, pronken; 2 (fraai) ogen, tonen

fardo baal, pak

fardón, **-ona** (*fam*) opgedirkt; patserig

farfolla iets dat meer lijkt dan het is, onzin

farfulla brabbeltaal, gehaspel; **farfullador**, **-ora** brabbelaar(ster); **farfullar** 1 brabbelen, hakkelen, stamelen; 2 prutsen, knoeien; **farfullero**, **-a** 1 hakkelaar(ster); 2 knoei(st)er

faria soort sigaar

farináceo meelachtig

faringe *v* keelholte; **faringitis** *v* keelontsteking

farisaico farizeïsch, huichelachtig; **fariseo** 1 Farizeeër; 2 huichelaar
farmacéutico, -a I *bn* farmaceutisch; II *zn* apotheker; **farmacia** 1 apotheek; 2 farmacie; **fármaco** medicament; **farmacología** farmacologie; **farmacopea** farmacopee
faro 1 vuurtoren; *buque* ~ lichtschip; 2 (kop)lamp; ~ *halógeno* halogeenlamp; ~*s poderosos* sterke lampen; **farol** *m* 1 lantaarn; straatlantaarn; ~ *de popa* (*scheepv*) heklicht; ~ *de tormentas* stormlamp; 2 ijdeltuit; ijdelheid; *tirarse un* ~ erg opvallen; 3 bluf (*ook in kaartsp*); *marcarse un* ~ blufpoker spelen; 4 bep manoeuvre in stieregevecht; **farola** grote veelarmige lantaarnpaal; **farolear** bluffen, pronken; **faroleo** gepronk, gebluf; **farolero, -a** 1 *m* lantaarnopsteker; 2 iem die graag opvalt, praatjesmaker; **farolillo** lampion; **farolón, -ona** patser, druktemaker, -maakster
farra (*Am*) fuif; *de* ~ aan de zwier, aan de boemel
fárrago rommel; **farragoso** rommelig, warrig
farruca bep Sp dans
farruco 1 net uit Galicië geëmigreerd; 2 uitdagend, stoer; 3 apetrots
farsa klucht, farce; (*fig*) komedie; poppenkast, schijnvertoning; *un juicio* ~ schijnproces; **farsante** *m,v* komediant(e); mooiprater, aansteller, -stelster
fas: *por* ~ *o por nefas* met of zonder excuus, om de een of andere reden
FAS *vmv Fuerzas Armadas* strijdkrachten
fascículo aflevering (*van seriewerk*)
fascinación *v* bekoring, betovering, aantrekkingskracht; **fascinador, -ora** fascinerend, betoverend; **fascinante** fascinerend, heel boeiend; **fascinar** fascineren, betoveren; boeien
fascismo fascisme; **fascista** I *bn* fascistisch; II *m,v* fascist(e)
fase *v* 1 fase; stadium; ~ *inicial* beginstadium; 2 stand (*vd maan*)
faso (*Am, fam*) sigaret
fasoles *mmv* bonen
fastidiar 1 ergeren, hinderen, dwarszitten; 2 vervelen, treiteren; *ganas de* ~ gewoon pesterij; *¡no fastidies!* zanik niet zo!, doe niet zo vervelend!; **fastidio** ergernis; gelazer; *¡qué* ~*!* wat vervelend nou!; **fastidioso** lastig, vervelend; onverkwikkelijk
fasto pracht en praal, luister; **fastuosidad** *v; zie fasto*; **fastuoso** 1 luisterrijk, weelderig; 2 pronkerig
fatal 1 fataal, noodlottig; heilloos; fnuikend; 2 heel slecht, belabberd, beroerd; **fatalidad** *v* (nood)lot; **fatalismo** fatalisme; **fatalista** I *bn* fatalistisch; II *m,v* fatalist(e); **fatalmente** 1 onontkoombaar; helaas; 2 heel slecht, allerbelabberdst; **fatídico** onheilspellend, funest, ongeluks-
fatiga 1 vermoeidheid, afmatting, moeheid (*ook van bv metaal*); 2 astmatische benauwdheid; 3 ~*s* moeizaam zwoegen, problemen; *pasar* ~*s* hunkeren, liefdesverdriet hebben; **fatigar** 1 afmatten, vermoeien; 2 benauwd maken (*bij astma*); **fatigarse** 1 zich vermoeien; 2 gaan hijgen; **fatigoso** 1 vermoeiend, moeizaam; 2 hijgend, benauwd
fatuidad *v* verwaandheid; **fatuo** ijdel, oppervlakkig, hol; verwaand; *¡no eres tú poco* ~*!* je hebt wél verbeelding!
fauces *vmv* keel; muil
fauna fauna; **fauno** faun
1 fausto *zie fasto*
2 fausto gelukkig, gunstig
Fausto jongensnaam
favor *m* gunst; *a* ~ *de* ten gunste van; *en* ~ *de* ten behoeve van; *entrada de* ~ vrijkaartje; *eso aboga en tu* ~ dat pleit voor je; *gozar del* ~ *de* in de gunst staan bij; *hablar en* ~ *de* pleiten voor; *conceder un* ~ *a u.p., hacer un* ~ *a u.p.* iem een gunst bewijzen; *haga el* ~ *de* weest u zo goed om; *por* ~ alsjeblieft, alstublieft; *un punto a su* ~ een pluspunt voor hem; *redundar en* ~ *de* ten goede komen aan; *tener a su* ~ op zijn hand hebben; *votar en* ~ voorstemmen; *20 votos a* ~ 20 stemmen vóór; **favorable** gunstig; welgezind; ~ *para el medio ambiente* milieuvriendelijk; *a términos* ~*s* op gunstige voorwaarden; *cambio* ~ verandering ten goede; *no ver* ~ *u.c.* weinig van iets verwachten, ergens geen heil in zien; *ser* ~ *a la moción* vóór de motie zijn; **favorecedor, -ora** I *bn* 1 begunstigend; 2 flatteus; II *zn* begunstig(st)er; **favorecer** 1 begunstigen; bevoordelen, helpen; ~ *a u.p.* iem voortrekken; 2 flatteren, goed staan; **favorecido** begunstigd; ~ *de* gezegend met; *poco* ~ weinig aantrekkelijk; **favoritismo** vriendjespolitiek; **favorito, -a** I *bn* lievelings-, favoriet; II *zn* favoriet, gunsteling(e)
fax *m* fax; **faxen** transmitir por fax
faz *v* 1 gelaat; 2 goede kant, voorkant
fdo. *firmado* was getekend
fe *v* 1 geloof; ~ *del carbonero* blindelings geloof; ~ *pública* officiële bevoegdheid om de echtheid van document te garanderen; *dar* ~ (*jur*) voor waar verklaren, bekrachtigen; *dar* ~ *a* geloof hechten aan; *hacer* ~ bewijskracht hebben, rechtsgeldig zijn; 2 vertrouwen; *de buena* ~ bonafide; *mala* ~ kwade trouw; *tener* ~ *en* vertrouwen hebben in; 3 certificaat; ~ *de erratas* lijst met errata; ~ *de vida y estado* (*vglbaar*) uittreksel uit het bevolkingsregister
fealdad *v* lelijkheid
febrero februari
febrífugo koortsbestrijdend; **febril** 1 vd koorts; 2 koortsig; (*fig*) koortsachtig
fecal vd ontlasting; *materiales* ~*es* ontlasting
fecha datum; ~ *fija* vaste datum; ~ *de caducidad,* ~ *de vencimiento: a*) vervaldag; *b*) uiterste verkoopdatum; ~ *límite* uiterste datum; ~ *de nacimiento* geboortedatum; ~ *prevista* streefdatum; ~ *de referencia* peildatum; ~ *tope: a*) sluitingsdatum, tijdslimiet, uiterste

datum; *b*) streefdatum; ~ *de venta* verkoopdatum; *a estas ~s* op dit moment; *a tres días ~* (*hdl*) na drie dagen; *cambiar la ~ de* verzetten; *de ~ de* van, d.d., gedateerd; *desde 1800 a la ~* van 1800 tot heden; *en el día de la ~* heden; *hasta la ~* tot nu toe, tot op heden; *poner la ~* dateren; **fechador** *m* datumstempel; **fechar** dateren
fechoría 1 misdraging; 2 iets verkeerds
fécula zetmeel; ~ *de patata* aardappelmeel
fecundación *v* bevruchting; ~ *asistida* kunstmatige bevruchting; ~ *in vitro* reageerbuisbevruchting; **fecundador**, **-ora** bevruchtend; **fecundante** bevruchtend; *una lluvia ~* een groeizame regen; **fecundar** bevruchten; **fecundidad** *v* vruchtbaarheid; **fecundización** *v* (het) vruchtbaar maken; **fecundizar** vruchtbaar maken (*bv met mest*); **fecundo** vruchtbaar
federación *v* 1 federatie; ~ *lanera* wolfederatie; 2 federalisering; **federal** federaal; federatief; *república ~* bondsrepubliek; **federalismo** federalisme; **federalista** I *bn* federalistisch; II *m,v* federalist(e); **federar** federaliseren; **federativo** federatief; aangesloten bij een bond
fehaciente 1 (*mbt document*) onbetwistbaar (echt); rechtsgeldig, met bewijskracht; 2 ontwijfelbaar
feísimo foeilelijk, afzichtelijk
feldespato veldspaat
felicidad *v* geluk; *¡~es!* gefeliciteerd!; **felicitación** *v* felicitatie, gelukwens; **felicitar** (*por*) feliciteren (met), gelukwensen; complimenteren; **felicitarse** van geluk spreken, zich gelukkig prijzen
félidos *mmv* katachtigen
feligrés, **-esa** parochiaan; **feligresía** parochie; (de) parochianen
felino I *bn* van katten; *ojos ~s* katteogen; II *mmv: ~s* katachtigen
felipe *m* (*Sp*) aanhanger van Felipe González; **Felipe** jongensnaam; ~ *el Hermoso* Filips de Schone; ~ *II*, ~ *el Prudente* Filips de Tweede
feliz 1 gelukkig; (heel) blij; *no me hace ~ eso* ik ben daar niet erg gelukkig mee; 2 heuglijk, gelukkig; voorspoedig; *una idea muy poco ~* een onzalige gedachte; **felizmente** gelukkig
felón, **-ona** verrader, verraadster; **felonía** trouweloosheid, verraad
felpa 1 velours, pluche; 2 aframmeling; 3 uitbrander; **felpudo** deurmat
femenil, **femenino** van vrouwen; vrouwelijk; *la final -a* de finale dames; **fémina** vrouw; **femineidad** *v* vrouwelijkheid; **feminismo** feminisme; **feminista** I *bn* feministisch; II *m,v* feminist(e)
femoral vh dijbeen; **fémur** *m* dijbeen
fenecer 1 aflopen; 2 overlijden; **fenecimiento** 1 (het) aflopen; 2 overlijden
fenicio, **-a** I *bn* Fenicisch; II *zn* straatvent(st)er
fénix *m* 1 (*de vogel*) feniks; 2 de beste in zijn soort
fenol *m* fenol
fenomenal fenomenaal; geweldig, enorm; **fenómeno** verschijnsel; ~ *concomitante* nevenverschijnsel; ~ *natural* natuurverschijnsel; ~ *secundario* randverschijnsel || *estar ~* fantastisch zijn
feo, **-a** I *bn* 1 lelijk; *dejar ~ a u.p.* iem in zijn hemd zetten, iem een figuur doen slaan; *hacer el ~ a u.p.* iem voor schut zetten; 2 bedenkelijk; *la cosa se pone -a* het begint er somber uit te zien; *tener cartas -as* slechte kaarten hebben; 3 niet netjes, gemeen; II *zn* 1 lelijkerd; 2 *m* lelijke streek, belediging; 3 *m* lelijkheid; **feote**, **-ota** erg lelijk
feracidad *v* vruchtbaarheid; **feraz** vruchtbaar
féretro doodkist
feria 1 beurs, vakbeurs; ~ (*anual*) jaarmarkt; ~ *del hogar* huishoudbeurs; ~ *del libro* boekenbeurs; ~ *de muestras* jaarbeurs; 2 kermis; 3 (*Am*) (straat)markt; *charlatán de ~* kletsmajoor; **feriado**: *día ~* vrije dag; **ferial** I *bn* 1 vd werkdagen; 2 vd jaarbeurs; II *m* 1 jaarmarkt, kermis; 2 marktterrein; **feriante** *m,v* 1 verkoper, -koopster op beurs, exposant; 2 (*soms*) koper op beurs
ferino: *tos -a* kinkhoest
fermentación *v* gisting; **fermentar** I *intr* gisten, fermenteren; broeien (*ook fig*); II *tr* laten gisten; **fermento** ferment, giststof, enzym
ferocidad *v* woestheid, barbaarsheid; **feroz** 1 woest, barbaars; 2 gruwelijk, verschrikkelijk
férreo ijzeren (*ook fig*); *una -a disciplina* een ijzeren discipline; *vía -a* spoorweg; **ferrería** ijzergieterij; smederij; **ferretería** ijzerwinkel; **ferretero**, **-a** ijzerhandelaar(ster); **ferrífero** ijzerhoudend; **ferrocarril** *m* spoor(weg); (de) spoorwegen; ~ *de cremallera* tandradbaan
ferrolano uit El Ferrol
ferroso ijzerhoudend; **ferroviario** I *bn* vd spoorwegen; *patio ~* (spoorweg)emplacement; *red -a* spoorwegnet; II *zn* spoorwegarbeider; spoorwegbeambte; **ferruginoso** (*vnl mbt water*) ijzerhoudend
ferry *m* veer(dienst); **ferry-boat** *m; zie ferry*
fértil vruchtbaar; **fertilidad** *v* vruchtbaarheid; **fertilización** *v* bemesting; **fertilizante** I *bn* vruchtbaar makend; II *m* (kunst)mest; **fertilizar** vruchtbaar maken, bemesten
férula (*hist, op school*) plak; *estar bajo la ~ de* onder de plak zitten bij
férvido vurig; **ferviente** vurig, fervent; **fervor** *m* 1 gloed, hitte; 2 (*fig*) vuur, grote ijver, overgave; ~ *religioso* godsdienstijver; **fervoroso** vurig, gloedvol
festejar 1 vieren; ~ *una broma* lachen om een grap; 2 (*iem*) onthalen, in het zonnetje zetten, fêteren; het hof maken; **festejo** (*vaak mv*) 1 feestelijkheid; 2 onthaal; 3 hofmakerij; **festero**, **-a** fuifnummer; **festín** *m* festijn, smulpartij; **festival** *m* festival; ~ *de música pop* popfestival; **festividad** *v* feestelijkheid, feest; **festivo** feestelijk; vrolijk, jolig; grappig, geestig; *día ~* feestdag

festón *m* 1 guirlande, bloemslinger; 2 (*bij borduren*) feston(rand); **festonar**, **festonear** festonneren
fetal vd foetus
fetén (*fam*) 1 echt waar; 2 super, prima
fetiche *m* fetisj; *pulsera de* ~ bedelarmband; **fetichismo** fetisjisme
fetidez *v* stank; **fétido** stinkend
feto 1 foetus; 2 misbaksel
feudal feodaal; *señor* ~ leenheer; **feudalismo** feodalisme; **feudatario** vazal, leenman; **feudo** leen; leengoed
fez *m* fez (*hoofddeksel*)
fff: *¡~...!* jakkes!, bah!
fiabilidad *v* betrouwbaarheid; bedrijfszekerheid; **fiable** betrouwbaar; bedrijfszeker; **fiado** op de pof; *comprar al* ~ poffen (*kopen*); *vender al* ~ poffen (*verkopen*); **fiador**, **-ora** 1 borg; *salir* ~ *de* borg staan voor; 2 *m* (veiligheids)pal, haakje
fiambre *m* 1 *~s* vleeswaren; koude gerechten; 2 (*fig*) ouwe koek, mosterd na de maaltijd; 3 (*pop*) lijk; **fiambrera** 1 picknicktrommel, etensdoos; 2 etensdrager (*een pannetje of meerdere op elkaar*)
fianza borgsom, borgtocht; *dar* ~ een borgsom storten; **fiar** í 1 borg staan voor; 2 borgen, op krediet verkopen; 3 ~ *en* vertrouwen op; *de* ~ betrouwbaar; **fiarse** í (*de*) vertrouwen (op); afgaan (op); *fíate si quieres que de ti se fíen* wie goed doet, goed ontmoet
fiasco fiasco, mislukking
fibra 1 vezel; ~ *de coco* kokosvezel; ~ *sintética* kunstvezel; ~ *de vidrio* glasvezel; (*tabla de*) ~ *prensada* vezelplaat; 2 (*fig*) pit, karakter; **fibroso** vezelig; *materia -a* vezelstof
ficción *v* fictie; verzinsel
ficha 1 fiche; penning (*voor automaat*); damschijf; dominosteen; 2 kaart (*in kaartsysteem*); informatieblad; ~ *perforada* ponskaart; 3 (*sp*) contract met een club; **fichaje** *m* (*sp*) (het) contracteren voor een club; **fichar** I *intr* 1 (*iem*) in een kaartsysteem opnemen; 2 (*iem*) in de gaten houden, verdenken; 3 (*sp*) een beroepsspeler aantrekken; 4 klokken, prikken; *reloj para* ~ prikklok; II *intr* ~ (*por*) (*sp*) gaan spelen (voor), een contract sluiten (met); **fichero** 1 kaartsysteem, kaartenbak; bestand; (*comp*) file; ~ *computerizado* computerbestand; 2 archiefmeubel
ficticio fictief, denkbeeldig
fidedigno betrouwbaar, geloofwaardig; **fidelidad** *v* 1 trouw; loyaliteit; ~ *conyugal* huwelijkstrouw; 2 getrouwheid, exactheid; *alta* ~ hifi
fideo 1 vermicelli; *~s de chocolate* chocoladehagelslag; 2 *~s* (*soms*) deegwaren; 3 magere spriet
fiduciario fiduciair; *moneda -a* papiergeld; *sociedad -a* trustmaatschappij
fiebre *v* koorts; ~ *amarilla* gele koorts; ~ *cuartana* vierdendaagse koorts, moeraskoorts; ~ *del heno* hooikoorts; ~ *intermitente* wisselkoorts; ~ *del oro* goudkoorts; *~s palúdicas* malaria; ~ *paratifoidea* paratyfus; ~ *terciana* derdendaagse koorts, moeraskoorts; ~ *tifoidea* tyfus; ~ *traumática* wondkoorts; ~ *tropical* tropenkoorts; *baja la* ~: *a*) de koorts neemt af; *b*) het doet de koorts afnemen; *con* ~ koortsig; *estar con* ~ koorts hebben
fiel I *bn* 1 trouw; *ser* ~ *a* trouw zijn aan; 2 precies lijkend; (waarheids)getrouw; *copia* ~ gelijkluidend afschrift; II *zn* 1 *m,v* gelovige; getrouwe, aanhang(st)er; 2 *m* wijzer (*van weegschaal*); *estar en* (*el*) ~ precies in evenwicht zijn; **fielato** 1 accijnskantoor; 2 ijkkantoor; **fielmente** stipt; natuurgetrouw
fieltrarse vervilten; **fieltro** 1 vilt; ~ *para techados* dakvilt; 2 vilthoed
fiera 1 roofdier, wild dier; 2 helleveeg; razende Roeland; *hecho una* ~ razend; *ponerse hecho una* ~ tekeergaan; **fierabrás** *m* heethoofd; **fiereza** woestheid; **fiero** woest, wild; wreed; gruwelijk, vreselijk
fierro (*Am,fam*) ijzerstaaf, stuk ijzer
fiesta feest; vrije dag; ~ *conmemorativa* jubileum; ~ *de guardar*, ~ *de precepto* (*godsd*) verplichte feestdag; ~ *infantil* kinderfeestje; ~ *de Navidad* kerstfeest; *aguar la* ~ roet in het eten gooien, het plezier vergallen; *arder en ~s* (*mbt stad*) in feeststemming zijn; *celebrar una* ~ feestvieren; *estar de* ~ blij zijn, vrolijk zijn; *hacer ~s a* lief doen tegen, grapjes maken tegen; *no estar para ~s* niet in de stemming zijn; *no todos los días es* ~ het is niet alle dagen kermis; *tengamos la* ~ *en paz* laten we geen ruzie krijgen, laten we het leuk houden; **fiestero**, **-a** feestneus, fuifnummer
fígaro barbier
figón *m* kroeg, knijp; eethuis
figura 1 figuur; gedaante, gestalte; ~ *central* hoofdpersoon; ~ *de cera* wassen beeld; ~ *de dicción*, ~ *retórica* stijlfiguur; 2 symbool; 3 (*kaartsp*) kleur; **figuración** *v* verbeelding, idee; inbeelding; **figurado** figuurlijk; oneigenlijk, overdrachtelijk; **figurar** I *intr* 1 zich bevinden, 'voorkomen; ~ *entre* zich bevinden onder; ~ *en la lista* op de lijst voorkomen; ~ *como primero* bovenaan prijken; 2 ~ *como*, ~ *de* fungeren als; de rol spelen van; 3 een (*grote*) rol spelen; II *tr* voorwenden; **figurarse** 1 zich indenken, zich voorstellen; 2 schijnen; *se me figura que...* het komt mij voor dat...; **figurativo** figuratief; **figurín** *m* 1 knippatroon; 2 patronenboek; modetijdschrift; 3 modepop; **figurón** *m* patser, verwaande kwast
fijación *v* 1 bevestiging; *tira de* ~ bevestigingsstrip; 2 bepaling, (het) vaststellen; *la* ~ *de metas* het bepalen van doelen; 3 (haar)gel; **fijador**, **-ora** I *bn* vastmakend, fixerend; *baño* ~ fixeerbad; II *m* (*fot*) fixeer; **fijamente** strak; *mirar* ~ strak aankijken, staren, turen; **fijapelo** haarlak; **fijar** 1 vastmaken, bevestigen; ~ *en la memoria* vastleggen in het geheugen; ~

la mirada en de blik vestigen op; *se prohibe ~ carteles* verboden aan te plakken; 2 vaststellen, bepalen; ~ *en* stellen op; *~se un objetivo* zich een doel stellen; 3 (*fot*) fixeren; **fijarse** 1 opletten; opmerken; ~ *en* letten op, de blik richten op; *¡fíjate!* moet je eens kijken!, stel je voor!; *fíjese bien* let wel; *me fijé en su conducta* zijn gedrag viel me op; *no ~ en* over het hoofd zien; 2 zich vestigen, zich lokaliseren, zich hechten; 3 (*mbt weer*) stabiel worden; **fijeza** 1 vastheid, stevigheid; strakheid (*van blik*); 2 vasthoudendheid, aandacht; **fijo** 1 vast, stevig; (*mbt kleur*) wasecht; *mirada -a* starre blik; *la mirada -a en* strak kijkend naar, starend naar; 2 bepaald, vast(gesteld); *empleo* ~ vaste baan; *fecha -a* vaste datum; *sueldo* ~ vast salaris || *de* ~ vast (en zeker)

fila 1 rij; ~ *de cifras* (*horizontale*) rij cijfers; *a través de la* ~ (*mbt hout*) kops; *colocarse en la* ~ in de rij gaan staan; *de segunda* ~ tweederangs; *en ~s de a dos* in rijen van twee; *en ~ india* achter elkaar, in ganzepas; *estacionar en doble* ~ dubbelparkeren; *tomar la ~ de la derecha* rechts voorsorteren; 2 (*mil*) gelid; *~s: a*) gelederen; *b*) achterban; *formar ~s* in het gelid gaan staan; *formar en las ~s de* behoren tot (*groepering*); *llamar a* (*las*) *~s* oproepen; *militar en las ~s de* strijden in de gelederen van; *¡rompan ~s!* verspreiden! || *coger ~ a u.p.* een hekel aan iem krijgen; **filamento** dun draadje, haartje; ~ (*incandescente*) gloeidraad

filantropía filantropie; **filantrópico** filantropisch, menslievend; **filántropo, -a** filantroop

filar (*touw*) vieren

filarmónico filharmonisch

filatelia filatelie; **filatelista** *m,v* filatelist(e), postzegelverzamelaar(ster)

filete *m* 1 (schroef)draad, dunne rand, streepje; 2 lapje (*vlees*); ~ *de pescado* visfilet; ~ *de ternera* kalfslapje; **fileteado** schroefdraad; **filetear** 1 (*iets*) versieren met dunne randjes; 2 (*schroef*) van schroefdraad voorzien

filfa fopperij, bakerpraatjes

filiación *v* 1 afstamming (*in rechte lijn*); 2 persoonlijke gegevens, personalia (*in kaartsysteem*); ~ *política* politieke gezindheid; **filial** I *bn* vh kind; II *v* filiaal, dochtermaatschappij

filibustero (*hist*) zeerover

filigrana 1 filigrain; fijn werk, iets verfijnds; 2 watermerk

filípica filippica

Filipinas: *las* (*islas*) ~ de Filippijnen; **filipino, -a** I *bn* Filippijns; II *zn* Filippijn(se)

film *m* film; ~ *transparente* huishoudfolie; **filmación** *v* verfilming, opname; **filmador, -ora** filmer; **filmadora** filmapparaat; **filmar** (ver)filmen, opnemen; **filme** *m* film; **filmoteca** filmotheek

filo scherpe kant, snede, (het) scherp; *sobre el ~ de la navaja* op het scherp van de snede; *sin* ~ stomp

filología filologie; **filólogo, -a** filoloog, -loge, taalgeleerde

filón *m* 1 ader (*van erts*); ~ *de oro* goudader; 2 (*fig*) goudmijntje

filosofal: *piedra* ~ steen der wijzen; **filosofar** filosoferen; **filosofía** filosofie, wijsbegeerte; (*fig*) wijsgerigheid, berusting; **filosófico** filosofisch; **filósofo, -a** filosoof, -sofe, wijsgeer

filoxera druifluis

filtración *v* 1 (het) filtreren, filtratie; 2 lek; (*fig*) (het) uitlekken; **filtraje** *m* (het) filtreren;

filtrante: *papel* ~ filtreerpapier; **filtrar** I *tr* filtreren; II *intr* doorsijpelen; **filtrarse** 1 doordringen, doorsijpelen; 2 (*fig, mbt bericht*) uitlekken; **filtro** 1 filter; (*fig*) zeef; ~ *de aceite* oliefilter; ~ *de aire* luchtfilter; ~ *de café* koffiefilter; ~ *cromático*, ~ *de color* kleurfilter; 2 ~ (*de amor*) liefdesdrank

fin *m* 1 eind, slot, afloop; ~ *de semana* weekend; ~ *de siglo* fin de siècle, eeuwwisseling; *a ~ de cuentas, al ~ y al cabo, al ~ y a la postre* per slot van rekening, uiteindelijk; *a ~es del mes* aan het eind van de maand; *al* ~ tenslotte; *aún no se ve el* ~ het eind is nog niet in zicht; *dar ~ a* afsluiten, voltooien, (*congres*) sluiten; *hasta el ~ de los tiempos* tot in lengte van dagen; *llevar a buen* ~ tot een goed einde brengen; *por* ~ eindelijk; *tocar a su* ~ ten einde lopen; *un sin* ~ (*de*) een eindeloze hoeveelheid; 2 doel; *~es de consumo* verbruiksdoeleinden; *un ~ elevado* een verheven doel; *el ~ justifica los medios* het doel heiligt de middelen; *el ~ perseguido* het beoogde doel; ~ *secundario* bijkomend doel; *a ~ de* teneinde; *a ~ de que* opdat; *a tal* ~ te dien einde; *con este ~, para este* ~ hiertoe, met dit doel; *¿con qué ~?* waartoe?; *para ~es pacíficos* voor vreedzame doeleinden

finado overleden, zaliger

final I *bn* laatste, uiteindelijk, slot-; *etapa* ~ slotfase; *palabras ~es* slotwoord; *pieza* ~ sluitstuk; *poner punto ~ a* een punt zetten achter; II *zn* 1 *m* eind; ~ *de línea* eindpunt (*van bus*); *al* ~ tot besluit, tenslotte; *al ~ de* aan het eind van; *a ~es de mayo* eind mei; *llegar hasta el ~ del asunto* de zaak tot op de bodem uitzoeken; *reservar para el* ~ tot het laatst bewaren; 2 *v* finale; ~ *de la copa* bekerfinale; *cuarto de* ~ kwartfinale; **Final**: *el Juicio* ~ het laatste Oordeel; **finalidad** *v* doel, doelstelling; **finalista** finalist(e); **finalización** *v* beëindiging; **finalizar** I *tr* beëindigen; II *intr* eindigen

financiación *v* financiering; **financiamiento** financiering; **financiar** financieren, bekostigen; **financiero** I *bn* financieel; *recursos ~s* geldmiddelen; II *m* financieel expert; financier; **finanzas** *vmv* 1 financiën; 2 financiële wereld

finar overlijden

finca onroerend goed (*vaak buiten de stad*); ~ *agrícola* landbouwbedrijf; ~ (*rústica*): *a*) (grote) boerderij, hoeve, buiten, zomerverblijf; *b*) landgoed, stuk land; *~s rústicas* landerijen; ~ *urbana: a*) stuk land bestemd voor stedelijke bebouwing; *b*) stadspand

finés, -esa Fins

fineza 1 attentie; 2 fijnheid
fingido 1 gefingeerd, geveinsd; quasi; *nombre ~* valse naam; 2 huichelachtig; **fingimiento** veinzerij; **fingir** veinzen, voorwenden; *~ enojo* boosheid voorwenden; *~ no ver u.c.* doen alsof je iets niet ziet
finiquitar vereffenen, afdoen, kwijten; tekenen voor voldaan; **finiquito** finale kwijting, afrekening
finito eindig
finlandés, -esa Fins; **Finlandia** Finland
fino I *bn* 1 fijn, dun; tenger; *de grano ~* fijnkorrelig; 2 (*mbt water*) zacht; 3 fijn, verfijnd, van goede kwaliteit; *azúcar ~* kristalsuiker; *oro ~* zuiver goud; 4 heel beleefd, keurig; 5 (*mbt reuk, gehoor; punt*) scherp; II *zn* droge sherry; **finolis** overdreven beleefd
finta schijnbeweging
FINUL *v Fuerzas Internacionales de las Naciones Unidas en el Líbano* Unifil
finura fijnheid; verfijndheid; beleefdheid; *hablar con ~* deftig spreken
fiordo fjord
firma 1 firma; 2 handtekening; *~ falsificada* valse handtekening; *bajo su* (*propia*) *~* onder zijn eigen naam; **firmado** (was) getekend
firmamento firmament, uitspansel
firmante *m,v* ondertekenaar(ster); **firmar** 1 (onder)tekenen, signeren; (*contract*) aangaan, sluiten; *~ la paz* vrede sluiten; *~ la recepción* voor ontvangst tekenen; *sin ~* ongetekend; 2 (*weg*) verharden; *arcenes sin ~* zachte berm; **firme** I *bn* 1 vast, stevig, hecht; *~ como una roca* rotsvast, muurvast; *con paso poco ~* met onvaste tred; (*de color*) *~* kleurecht; *estar ~ en sus posiciones, sentirse bien ~* stevig in zijn schoenen staan; *mantenerse ~* standhouden, pal staan, zich schrap zetten; *tendencia ~* (*op beurs*) vaste stemming; *tierra ~* vasteland; 2 vastberaden, standvastig; beslist; kernachtig; onwrikbaar; *seguir ~ en su propósito* bij zijn voornemen blijven || *actitud de ~s* (*mil*) in de houding; *de ~* flink, krachtig; *en ~* vast, definitief; II *m* wegdek; **firmemente** vast; *prometer ~* vast beloven; **firmeza** 1 vastheid, stevigheid; 2 vastberadenheid
fiscal I *bn* 1 fiscaal; 2 vh openbaar ministerie; II *m* officier van justitie, openbare aanklager; *~ del tribunal supremo* procureur-generaal; **fiscalía** 1 (*jur*) parket; openbaar ministerie; kantoor vd officier van justitie; 2 *~* (*de tasas*) prijscontrole; 3 (*vglbaar*) belastinginspectie; **fiscalización** *v* onderzoek, inspectie, controle; **fiscalizar** inspecteren, controleren; **fisco** fiscus, belastingdienst
fisgar (*en*) (*fig*) snuffelen (in), wroeten (in); **fisgón, -ona** I *bn* nieuwsgierig; II *zn* pottekijk(st)er; **fisgonear** spioneren; **fisgoneo** gespioneer
fisible splijtbaar
física natuurkunde; *~ del átomo* atoomfysica; *~ nuclear* kernfysica; **físico, -a** I *bn* 1 fysiek, lichamelijk; *disminuido ~* lichamelijk gehandicapt; 2 natuurkundig; *ley -a* natuurwet; II *zn* 1 natuurkundige; 2 *m* uiterlijk, fysiek; **fisicoculturismo** bodybuilding, lichaamstraining; **fisicoquímica** fysische chemie; **fisiología** fysiologie
fisión *v* splijting; *~ nuclear* kernsplijting; **fisionable** splijtbaar; **fisionar** splijten
fisioterapeuta *m,v* fysiotherapeut(e); **fisioterapéutico** fysiotherapeutisch; **fisioterapia** fysiotherapie
fisonomía gezicht, uiterlijk; **fisonomista**: *ser buen ~* goed gezichten kunnen onthouden
fístula fistel
fisura 1 scheur, spleet; 2 (*fig*) scheuring
fitófago plantenetend; **fitopatológico** planteziektenkundig
flaccidez *v* slapheid; **fláccido** slap; pafferig
flaco I *bn* 1 mager, schraal; 2 (*fig*) zwak; *la carne es -a* het vlees is zwak; II *zn* zwak punt, zwakheid; **flacura** magerte
flagelación *v* geseling; **flagelar** geselen (*ook fig*); teisteren; hekelen; **flagelo** gesel (*ook fig*); plaag
flagrancia (het) flagrant zijn; **flagrante** flagrant, overduidelijk; *coger en ~* op heterdaad betrappen
flamante fonkelnieuw, gloednieuw
flamear I *intr* 1 vlammen; 2 wapperen; (*mbt zeil*) klapperen; II *tr* flamberen
flamenco, -a I *bn* 1 Vlaams; 2 stoer; vlot; 3 vd flamencomuziek, flamenco-; II *zn* 1 Vlaming, Vlaamse; 2 *m* flamingo; 3 *m* flamenco, Sp zigeunermuziek en -dans
flamígero vlammend; *gótico ~* flamboyante gotiek
flámula wimpel
flan *m* soort puddinkje; *~ de arena* zandtaartje
flanco flank
Flandes *m* Vlaanderen; *Guerra de ~* Tachtigjarige oorlog
flanquear flankeren
flaquear zwak worden; verflauwen; *le flaquean las piernas* zijn knieën knikken; *hacer ~* aan het wankelen brengen; *su salud flaquea* hij sukkelt nogal; **flaqueza** 1 magerte; 2 zwakheid
flash *m* flits; *~ electrónico* elektronenflits
flato darmgas; **flatulencia** (*med*) winderigheid; **flatulento** (*med*) winderig
flauta fluit; *~ dulce* blokfluit; *~ de Pan* panfluit; *~ travesera* dwarsfluit; *y sonó la ~ por casualidad* dat was meer geluk dan wijsheid; **flautista** *m,v* fluitist(e)
flebitis *v* aderontsteking
flecha 1 pijl; *como una ~* pijlsnel; 2 wegwijzer, pijl; 3 torenspits; **flechar** verliefd maken; **flecharse** verliefd worden; **flechazo** 1 pijlschot, pijlwond; 2 plotselinge verliefdheid
fleco franje, rafel
fleje *m* bandstaal
flema 1 slijm; 2 flegma, onverstoorbaarheid; **flemático** onverstoorbaar, koelbloedig

flemón *m* (kaak)gezwel
flequillo pony(haar)
fletado: *vuelo* ~ chartervlucht; **fletador** *m* verscheper; **fletamento** bevrachting; (*scheepv*) charter; vrachtcontract; **fletar** bevrachten; charteren; **flete** *m* 1 vracht(tarief); vrachtprijs; 2 vracht, lading; ~ *marítimo* zeevracht || *andar de* ~ wat rondhangen
flexibilidad *v* buigzaamheid; lenigheid; flexibiliteit; **flexible** I *bn* 1 buigzaam; lenig; flexibel; 2 soepel, plooibaar; II *m* 1 slappe hoed; 2 (*elektr*) snoer; **flexión** *v* buiging; ~ *de rodillas* kniebuiging
flipado stoned, geflipt; **fliparse** drugs gebruiken; flippen
flirt *m* flirt; **flirtear** flirten; **flirteo** geflirt; flirt
flojear 1 verminderen, afnemen; 2 zwakker worden, het minder goed (gaan) doen; **flojedad** *v* 1 slapheid, zwakte; 2 lusteloosheid, luiheid; **flojera** slapheid, gebrek aan energie; **flojo** 1 slap; zwak; matig; zacht; *contacto* ~ los contact; *una excusa -a* een slap excuus; *té* ~ slappe thee; *tendencia -a* (*op beurs*) flauwe stemming; *viento* ~ zwakke wind; 2 traag, lusteloos, lui
flor *v* 1 bloem; *~es de escarcha* ijsbloemen; ~ *de lis* Franse lelie; *~es silvestres* veldbloemen; *de ~es* gebloemd; 2 bloesem, bloei; ~ *de azahar* oranjebloesem; *la* ~ *de la edad* de bloei der jaren; ~ *de lila* seringebloesem; ~ *del sauce* wilgekatje; *cortar en* ~, *segar en* ~ in de kiem smoren; *en* ~ in bloei; *estar en* ~ bloeien; 3 puikje; *la* ~ *de la canela* het beste van het beste; *la* ~ *y nata* het puikje; 4 compliment; *echar ~es* complimentjes maken || ~ *de harina* bloem (*meel*); *a* ~ *de* op de oppervlakte van; *lo tenía a* ~ *de labio* het lag hem op de lippen; **flora** flora; **floración** *v* 1 bloei; 2 bloeiperiode; **floral** vd bloemen; *obsequio* ~ bloemenhulde; **floreado** gebloemd; **florear** I *tr* 1 versieren (met bloemen); opsieren; 2 het beste uitkiezen van; II *intr* arpeggio's op de gitaar spelen; **florecer** bloeien; floreren, gedijen; **florecerse** schimmelen; **florecilla** bloemetje; **florecimiento** 1 bloei; 2 bloeiperiode
florentino uit Florence
floreo ingenieus steekspel
florero (bloemen)vaas
floresta 1 lommerrijk oord; 2 verzameling (*mooie dingen*)
florete *m* floret (*schermdegen*)
floricultor, -ora bloemenkweker; **floricultura** bloementeelt
floridano uit Florida
florido 1 in bloei; 2 bloemrijk; 3 select; **florilegio** bloemlezing
florín *m* gulden
florista *m,v* bloemist(e); **floristería** bloemenwinkel; **florón** *m* 1 bloemvormige versiering; 2 verdienste
flota vloot; ~ *aérea* luchtvloot; ~ *mercante* koopvaardijvloot; ~ *pesquera* vissersvloot; ~ *de vehículos* wagenpark; **flotabilidad** *v* drijfvermogen; **flotación** *v* (het) drijven; *línea de* ~ waterlijn; **flotador** *m* 1 drijflichaam; vlotter; 2 zwemgordel; **flotante** 1 drijvend; 2 vlottend, zwevend; *deuda* ~ vlottende schuld; *elector* ~ zwevende kiezer; *población* ~ vlottende bevolking; *riñón* ~ wandelende nier; **flotar** 1 drijven, dobberen; 2 zweven (*ook fig*); wapperen; *flota en el ambiente* het hangt in de lucht; **flote** *m* (het) drijven; *a* ~ drijvend; *mantenerse a* ~ blijven drijven, zich boven water houden; *poner a* ~, *sacar a* ~ lichten, vlot krijgen, op dreef helpen; *salir a* ~: *a*) vlot komen; *b*) komen bovendrijven; **flotilla** flottielje, smaldeel
fluctuación *v* schommeling; **fluctuante** schommelend, wisselend; **fluctuar ú** schommelen; ~ *entre* zweven tussen, aarzelen tussen
fluencia (het) vloeien; **fluente** stromend; **fluidez** *v* 1 vloeibaarheid; 2 vlotheid; spreekvaardigheid; *con* ~ vloeiend; **fluido** I *bn* 1 vloeibaar; 2 soepel, vlot; II *zn* 1 vloeistof, vocht; ~ *de freno* remvloeistof; 2 (*elektr*) stroom; **fluir** vloeien, stromen (*ook fig*); **flujo** 1 stroom; ~ *blanco* (*med*) witte vloed; ~ *de lava* lavastroom; ~ *de palabras* vloed van woorden, waterval; 2 vloed; ~ *y reflujo* eb en vloed
fluminense uit Rio de Janeiro
flúor *m* fluor; **fluorar** fluoriseren
fluorescencia fluorescentie; **fluorescente** fluorescent; *tubo* ~ TL-buis
fluvial vd rivier(en); *barco* ~ binnenschip
FMI *Fondo Monetario Internacional* IMF
f.o.b. f.o.b., vrij aan boord
fobia fobie; **fóbico** fobicus, lijder aan een fobie
foca zeehond, rob
focal brandpunts-; *distancia* ~ brandpuntsafstand; **focalizar** focaliseren; **foco** 1 brandpunt; (*fig*) haard; ~ *del incendio* vuurhaard; ~ *de infección*, ~ *infeccioso* besmettingshaard; ~ *de interés* middelpunt vd belangstelling; 2 schijnwerper, zoeklicht; spot
fofo slap, voos, pafferig
fogata (kamp)vuur, groot vuur; **fogón** *m* 1 haard (*in keuken*), kookplaats; 2 fornuis; 3 stookplaats; **fogonazo** steekvlam; flits; **fogonero** stoker; **fogosidad** *v* vurigheid; **fogoso** vurig; **foguear** harden, wennen (*aan vuur; aan de moeilijke kanten vh werk*); **fogueo**: *cartucho de* ~ losse flodder
foliación *v* 1 (het) blad krijgen; 2 (*plantk*) bladstand; 3 bladnummering; **foliar** bladen nummeren; **folio** blad; folio
folklore *m* folklore; **folklórico** folkloristisch; *baile* ~ volksdans; **follaje** *m* gebladerte, loof
folletín *m* 1 feuilleton; 2 keukenmeidenroman; **folletinesco** melodramatisch; **folleto** folder, brochure, prospectus
follón *m* (*fam*) opschudding, tumult; gedoe, toestand; *armar un* ~ donderjagen; *es mucho* ~ het is een heel gedoe

fomentador, **-ora** I *bn* bevorderend; II *zn* bevorderaar(ster); **fomentar** bevorderen, stimuleren; (*fig*) kweken; ~ *la ambición* (*mbt school*) prestatiegericht zijn; **fomento 1** bevordering, stimulering; ~ *de las ventas* verkoopbevordering; 2 warmwaterkompres
fon *m* foon; **fonación** *v* klankvorming
fonda 1 pension, logement; 2 (*op station*) restauratie, buffet
fondeadero ankerplaats; **fondear** ankeren, voor anker gaan; **fondeo** (het) ankeren
fondillos *mmv* zitvlak (*van broek*), kruis
fondo 1 bodem; ondergrond; ondertoon; dieptepunt; kern; ~ *del litigio* grondgeschil; ~ *del mar* zeebodem; *un* ~ *de verdad* een kern van waarheid; *a* ~ grondig, door en door; *los bajos* ~*s* (*fig*) de onderwereld; *con poco* ~ ondiep; *dar* ~ ankeren; *de doble* ~ met een dubbele bodem (*ook fig*); *de tres en* ~ met zijn drieën achter elkaar; *en el* ~ eigenlijk, in de grond; *ir a* ~ (*fig*) diep ingaan op; *mirado a* ~ op de keper beschouwd; *preparar el* ~ plamuren; *sin* ~: *a*) bodemloos; *b*) ongegrond; *tocar* ~ de bodem voelen, een dieptepunt bereiken; 2 achtergrond; *al* ~ op de achtergrond; *en el* ~ *del jardín* achterin de tuin; 3 fonds; ~ *de ayuda* steunfonds; ~ *de comercio* goodwill; ~ *de inversión* beleggingsfonds; ~ *de pensiones* pensioenfonds; ~*s públicos* overheidsgelden; *cheque sin* ~*s* ongedekte cheque; *estar en* ~*s* goed bij kas zijn; *mal de* ~*s* slecht bij kas; *recaudar* ~*s* geld bijeenbrengen; 4 (*pintura de*) ~ grondverf; 5 ~*s* deel van schip onder de waterlijn; **Fondo**: ~ *Monetario Internacional* (*afk FMI*) Internationaal Monetair Fonds, IMF; **fondón**, **-ona 1** gezet, zwaar; 2 met dik achterwerk
fonema *m* foneem
fonendo, **fonendoscopio** stethoscoop
fonética fonetiek; **fonético** fonetisch
foniatra *m,v* logopedist(e); **foniatría** logopedie
fonio foon; **fono** (*Am*) telefoonhoorn; **fonocaptor** *m* pickup-arm; **fonógrafo** fonograaf, (*hist*) grammofoon; **fonología** fonologie; **fonoteca** fonotheek
fontana fontein; **fontanela** fontanel
fontanería 1 loodgieterswerk; 2 buizennet (*voor water*); **fontanero** loodgieter
footing *m* (het) joggen; *hacer* ~ joggen, trimmen
foque *m* (*scheepv*) fok
forajido landloper, struikrover
foral 1 gerechtelijk; 2 overeenkomstig het plaatselijke recht
foráneo van elders; vreemd; **forastero**, **-a** I *bn* van elders, van buiten; II *zn* iem van elders, vreemde, vreemdeling(e)
forcejear 1 zich verweren; (tegen)spartelen; 2 worstelen; **forcejeo** krachtmeting; worsteling
fórceps *m* verlostang; *parto con* ~ tangverlossing
forense I *bn* vh gerecht; *médico* ~ lijkschouwer; II *m* lijkschouwer
forestal vh bos, bos-; *población* ~ bebossing
forja 1 smederij, smidse; 2 (het) smeden; (*trabajo de*) ~ smeedwerk; **forjador**, **-ora** die smeedt; **forjar** smeden; ~ *proyectos* plannen smeden; *hierro forjado* smeedijzer
forma 1 vorm; ~ *esférica* bolvorm; ~ *de expresión* formulering; ~ *de gobierno* regeringsvorm; ~ *primitiva* oorspronkelijke vorm, oervorm, grondvorm; *bajo* ~ *de*, *en* ~ *de* in de vorm van; *guardar las* ~*s* de schijn ophouden; *pro* ~ pro forma, voor de vorm; *tomar* ~ gestalte krijgen; *va teniendo* ~ het begint vorm te krijgen, het begint erop te lijken; 2 wijze, manier; *de* ~ *que* zodat; *de cualquier* ~, *de todas* ~*s*, *de una* ~ *o de otra* hoe dan ook, in ieder geval; *de esa* ~, *en esa* ~ op die manier; *de otra* ~ anders; *de todas* ~*s* hoe dan ook; *en* ~ *sucinta* in kort bestek; *en debida* ~ op de vereiste wijze, naar behoren; *no hay* ~ het lukt niet, het is onmogelijk; 3 (*sp*) vorm, conditie; *en* (*buena*) ~ in vorm, fit; *en plena* ~ in topvorm; *estar en* ~ in vorm zijn, op dreef zijn; *guardar la* ~ in vorm blijven; **formación** *v* 1 vorming, (het) vormen; 2 vorming, opleiding, scholing; ~ *acelerada* versnelde scholing; ~ *manual* handenarbeid, handvaardigheid; ~ *preparativa* vooropleiding; ~ *profesional* beroepsonderwijs, vakopleiding; ~ *profesional de primer grado* (*vglbaar*) lager beroepsonderwijs, lbo; ~ *superior* hogere opleiding; ~ *universitaria* academische opleiding; 3 wording; *en* ~ in wording; 4 (*geol*) formatie; 5 (*mil*) opstelling; **formado** gevormd; ~ *por* bestaand uit; **formal 1** vd vorm; *requisito* ~ vormvereiste; 2 vormelijk, formeel; officieel; *traje* ~ gekleed pak; 3 keurig, fatsoenlijk, betrouwbaar, serieus; **formalidad** *v* 1 formaliteit; *pura* ~ een wassen neus, alleen voor de vorm; 2 vormelijkheid; 3 fatsoen, betrouwbaarheid
formalina formaline
formalismo formalisme; **formalista** I *bn* formalistisch; II *m,v* formalist(e); **formalizar 1** formaliseren, regelen; ~ *el noviazgo* zich (officieel) verloven; 2 (officieel) opmaken; legaliseren; ~ *la hipoteca* hypotheekakte opmaken; **formalizarse** formeel worden; (*mbt besluit, benoeming*) afkomen
formar I *tr* 1 vormen; formeren; instellen; ~ *causa a u.p.* (*jur*) een vervolging tegen iem instellen; ~ *cola* in de rij staan; ~ *un hogar* een gezin stichten; ~ *parte de* deel uitmaken van; ~ *pus* etteren; 2 scholen, opleiden, vormen; 3 vormen, zijn; ~ *un problema* een probleem vormen; II *intr* (*mil*) aantreden, zich opstellen; **formatar** (*comp*) formatteren; **formativo** vormend
formato formaat; *dar* ~ (*comp*) formatteren
fórmico: *ácido* ~ mierezuur
formidable formidabel, geweldig, ontzaglijk
formón *m* (steek)beitel

fórmula 1 formule; ~ *de conjuro* bezweringsformule; ~*s de cortesía* beleefdheidsvormen; ~ *de hechizo* toverspreuk; *por* ~ beleefdheidshalve; 2 model (*voor akte*); **formulación** *v* formulering; **formular** formuleren, onder woorden brengen; opstellen; uitdenken; ~ *demanda* (*jur*) een eis indienen; ~ *una denuncia* aangifte doen; ~ *un diagnóstico* een diagnose stellen; ~ *políticas* beleidslijnen uitstippelen; ~ *una pregunta* een vraag stellen; **formulario I** *bn* beleefdheids-; **II** *zn* 1 (invul)formulier; 2 modellenboek; **formulismo** *zie formalismo*; **formulista** *zie formalista*

fornicación *v* ontucht; **fornicar** ontucht plegen

fornido fors, robuust, potig, stoer

foro 1 forum; 2 rechtbank; balie; 3 (*theat*) achtergrond; *desaparecer por el* ~ de aftocht blazen; *hacer mutis por el* ~ van het toneel verdwijnen

forofo, -a fanatiekeling(e), fan

forraje *m* (*ook mv*) groenvoer (*gras, hooi*); **forrar** 1 voeren, (*van binnen*) bekleden; 2 over'trekken; bekleden; kaften || *estar forrado* rijk zijn; *tener la cartera bien forrada* een goedgevulde beurs hebben; **forrarse** zijn zak spekken, geld als water verdienen; **forro** 1 voering; ~ *exterior* buitenbekleding, huidbeplating; ~ *del freno* remvoering; 2 bekleding; kaft; (boek)omslag || *no tiene interés ni por el* ~ het interesseert hem geen klap

fortalecer 1 versterken, verstevigen; 2 (*moreel*) sterken; **fortalecimiento** versterking; **fortaleza** 1 kracht, sterkte; geestkracht; 2 fort, vesting, burcht || ~ *volante* grote bommenwerper; **fortificación** *v* versterking; *-ones* vestingwerken; **fortificante** *m* versterkend middel; **fortificar** 1 versterken (*ook mil*); krachtiger maken; 2 sterken, moed geven; **fortín** *m* klein fort

fortuito toevallig

fortuna 1 lot; *probar* ~ zijn lot beproeven; 2 geluk; *por* ~ gelukkig; 3 fortuin

forzado 1 gedwongen, onvrijwillig; *trabajos* ~*s* dwangarbeid; 2 geforceerd, gemaakt; 3 pijnlijk, wrang; **forzar ue** 1 ~ (*a*) dwingen (om, tot), noodzaken (om), pressen (om); 2 forceren, openbreken; 3 verkrachten; 4 overdrijven, erger maken; **forzosamente** beslist; **forzoso** gedwongen; *situación -a* dwangpositie; *venta -a* dwangverkoop

fosa 1 groeve; graf; ~ *común* massagraf; ~ *séptica* septictank; 2 (*anat*) holte; ~ *nasal* neusgat

fosfato fosfaat

fosforecer, fosforescer licht geven, fosforesceren; **fosforescencia** fosforescentie; **fósforo** 1 fosfor; 2 lucifer

fósil I *bn* fossiel; **II** *m* 1 fossiel; 2 heel ouderwets mens; **fosilizarse** 1 fossiliseren; 2 verstarren

foso 1 (*langwerpige*) kuil; (slot)gracht; greppel; 2 ~ (*de la orquesta*) orkestbak; 3 smeerkuil (*in garage*)

foto *v* foto; ~ *a contraluz* tegenlichtopname; ~ *de pasaporte* pasfoto; ~ *con rayos X* röntgenfoto; *sacar una* ~ een foto nemen

fotocélula fotocel; **fotocomposición** *v* fotozetwerk

fotocopia fotokopie; *hacer* ~*s* fotokopiëren; **fotocopiadora** fotokopieerapparaat

fotoeléctrico foto-elektrisch; **fotofobia** lichtschuwheid; **fotogénico** fotogeniek; **fotograbado** fotogravure

fotografía 1 fotografie; 2 foto; ~ *aérea* luchtfoto; ~ *de carnet* pasfoto; ~ *en color* kleurenfoto; *zie ook foto*; **fotografiar í** fotograferen; **fotográfico** fotografisch; **fotógrafo, -a** fotograaf, -grafe; ~ *de prensa* persfotograaf; ~ *retratista* portretfotograaf; **fotolitografía** fotolitografie; **fotometría** fotometrie, meting vd lichtsterkte; **fotómetro** lichtmeter; **fotomontaje** *m* fotomontage

fotón *m* foton, lichtquantum

fotonovela beeldroman met foto's; **fotoquímica** fotochemie; **fotosensible** lichtgevoelig; **fotosíntesis** *v* fotosynthese; **fototeca** fototheek; **fototerapia** fototherapie; **fototipia** fototypie, lichtdruk; **fototipo** negatief

foxterrier *m* foxterriër

foyer *m* foyer

frac *m* rok(kostuum)

fracasado, -a mislukkeling(e); **fracasar** mislukken, op niets uitlopen, stranden, falen; **fracaso** mislukking, fiasco, echec, sof

fracción *v* 1 (het) breken; 2 fractie; gedeelte; 3 (*rekenk*) breuk; ~ *decimal* tiendelige breuk; ~ *periódica* repeterende breuk; *simplificar una* ~ een breuk vereenvoudigen; **fraccionado**: *pago* ~ gespreide betaling; **fraccionamiento** versnippering, verbrokkeling; **fraccionar** 1 versnipperen, verbrokkelen; 2 (*chem*) afbreken; kraken; **fraccionario** fractioneel; van een breuk

fractura 1 breuk; breuklijn; ~ *de la base del cráneo* schedelbasisfractuur; ~ *conminuta* splinterbreuk; 2 (in)braak; **fracturar** 1 (doen) breken; 2 (*slot*) forceren; **fracturarse** (*mbt bot*) breken

fragancia geur, aroma; **fragante** geurig

fraganti: *in* ~ op heterdaad

fragata fregat

frágil breekbaar, broos; **fragilidad** *v* breekbaarheid, broosheid

fragmentación *v* verbrokkeling; **fragmentar** in stukken verdelen; doen verbrokkelen; **fragmentarse** uiteenvallen; **fragmentario** fragmentarisch; brokkelig; **fragmento** stuk, fragment; brokstuk; scherf

fragor *m* geraas, gedreun, rumoer; **fragoroso** met veel geraas

fragosidad *v* 1 ruigheid (*van terrein*); 2 (terrein vol) struikgewas; **fragoso** (*mbt terrein*) ruig, dichtbegroeid, rotsig

fragua smederij, smidse; **fraguado** (*mbt kalk, cement*) verharding; **fraguar I** *tr* (*fig*) smeden; **II** *intr* (*mbt kalk, cement*) hard worden

fraile *m* monnik; *cree el ~ que todos son de su aire* zoals de waard is, vertrouwt hij zijn gasten; *meterse ~* in een klooster gaan; **frailecillo** kievit
frambuesa framboos; **frambueso** frambozestruik
francachela braspartij
francamente ronduit, eerlijk; ~ *dicho* eerlijk gezegd
francés, -esa I *bn* Frans ‖ *a la -esa* op z'n Frans; *despedirse a la -esa* met stille trom vertrekken, verdwijnen zonder iets te zeggen; II *zn* 1 Fransman, Française; 2 *m* (het) Frans; **francesada** 1 iets typisch Frans; 2 (*hist*) inval in Spanje door de Fransen tijdens Napoleon
francfurt: *salchicha de ~* knakworst
Francia Frankrijk
Francisca meisjesnaam; **franciscano** franciscaner (monnik); **Francisco** jongensnaam
francmasón *m* vrijmetselaar; **francmasonería** vrijmetselarij; **francmasónico** vd vrijmetselaars
franco I *bn* 1 eerlijk, open(hartig), rondborstig; vrijmoedig; 2 (*hdl; sp*) vrij; franco; ~ *de porte* portvrij; *depósito ~* entrepot; *golpe ~* vrije schop; *puerto ~* vrijhaven; 3 duidelijk; II *zn* 1 *~s* (*hist*) Franken; 2 frank (*munteenheid in o.a. Frankrijk*)
francófilo francofiel; **francofobia** afkeer van Frankrijk; **francófono, francoparlante** Franstalig
francotirador *m* guerrillero; sluipschutter; eenling
franchute, -uta (*fam*) fransoos
franela flanel
frangollar knoeien, prutsen
franja strook, baan
franqueadora frankeermachine; **franqueamiento** frankering; **franquear** 1 overschrijden; ~ *el paso a u.p.* iem toegang verschaffen; ~ *la puerta* door de deur komen; 2 frankeren; **franquearse** (*con*) zijn hart uitstorten (bij); **franqueo** 1 (het) frankeren; 2 port, porti; **franqueza** openhartigheid, eerlijkheid; vrijmoedigheid; *con ~* ronduit; **franquicia** vrijstelling van (douane)rechten; ~ *postal* vrijdom van port
franquismo franquisme, Franco-regime (*1939-1975*); **franquista** I *bn* van Franco; Franco-gezind; II *m,v* aanhang(st)er van Franco
frasco flacon, flesje
frase *v* 1 (vol)zin; zinsnede; 2 uitdrukking; ~ *hecha* zegswijze, staande uitdrukking; 3 *~s* (holle) frasen; **frasear** zinnen vormen; **fraseología** 1 mooipraterij, mooidoenerij; 2 idiomatische uitdrukkingen, idioom
Frasquita *afk van Francisca*
fraternal broederlijk; kameraadschappelijk; **fraternidad** *v* broederschap; **fraternización** *v* verbroedering; **fraternizar** verbroederen; **fratricida** *m,v* broedermoordenaar, -moordenares; **fratricidio** broedermoord
fraude *m* bedrog, fraude; ~ *fiscal*, ~ *tributario* belastingfraude; *no hay ningún ~* alles gaat (er) eerlijk toe; **fraudulento** bedrieglijk, frauduleus
fray *m* (*voor naam van monnik*) broeder
frazada deken
frecuencia frequentie; *con ~* veelvuldig, vaak; *con cierta ~* niet zelden; **frecuentación** *v* 1 bezoek (*van bv museum*); ~ *del cine* bioscoopbezoek; ~ *del culto* kerkbezoek; 2 omgang; **frecuentado** druk(bezocht); goed beklant; (*mbt weg*) druk (bereden); **frecuentar** 1 (geregeld) bezoeken; 2 omgaan met; **frecuente** frequent, veel voorkomend; *ser ~* vaak voorkomen; **frecuentemente** vaak
fregadero gootsteen; **fregar ie** 1 (af)schrobben, (af)boenen; dweilen; 2 ~ (*los platos*) afwassen; *mesa de ~* aanrecht; 3 (*Am, fam*) hinderen, irriteren; verpesten; **fregón, -ona** (*Am*) vervelend; **fregona** (*neg*) werkster; **fregotear** slecht afwassen; vlug een beetje dweilen
freidora friteuse; **freiduría** frituurkraam; viswinkel (*van gebakken vis*); **freír i** 1 bakken; frituren; *al ~ será el reír* wacht maar!, wie het laatst lacht lacht het best; *se está friendo algo para ti* er zwaait wat voor je; 2 het (*iem*) lastig maken; ergeren
fréjol *m; zie frijol*
frenado (het) remmen; *distancia de ~* remweg; **frenar** (af)remmen; beteugelen; ~ *el paso* de pas inhouden; **frenazo** (het) plotseling remmen
frenesí *m* waanzin, razernij; (*fig*) roes; *con ~* hartstochtelijk; **frenético** uitzinnig, dol, razend; hartstochtelijk; *poner ~* tot razernij brengen; *ponerse ~* uit zijn vel springen, wild worden
frenillo tongriem
freno 1 rem; ~ *de alarma*, ~ *de emergencia* noodrem; ~ *asistido* rembekrachtiging; ~ *de contrapedal* terugtraprem; ~ *de cubo* naafrem; ~ *de disco* schijfrem; ~ *de mano* handrem; ~ *de pedal*, ~ *de pie* voetrem; ~ *de tambor* trommelrem; 2 bit; *habituar al ~* (*een paard*) aan de teugel wennen, inrijden; *poner el ~ a* een halt toeroepen aan, in toom houden; *sin ~* tomeloos, met volle teugen
frente I *zn* 1 *v* voorhoofd; ~ *abombada* gewelfd voorhoofd; ~ *alta*, ~ *despejada* hoog voorhoofd; ~ *angosta* laag voorhoofd; *arrugar la ~* het voorhoofd fronsen; *con la ~ alta* met geheven hoofd; *hacer ~ a* het hoofd bieden aan, onder ogen zien, trotseren; *mirar de ~* recht in de ogen kijken; 2 *m* front; ~ *cálido* warmtefront; ~ *nuboso* wolkenfront; ~ *popular* volksfront; *al ~* voorop; *chocar de ~* frontaal botsen; *¡de ~, ar!* voorwaarts, mars!; *estar al ~ de* aan het hoofd staan van; **II** *vz:* ~ *a: a)* tegenover; *b)* vergeleken met; ~ *a ~* tegenover elkaar, oog in oog
1 fresa aardbei
2 fresa 1 (tandarts)boor; 2 frees

fresado (het) frezen; **fresador** *m* frezer; **fresadora** frees(machine)
fresal *m* aardbeiveld
fresar frezen
fresca 1 koelte, frisse lucht; 2 brutale uitlating; *soltar una* ~ brutaal uit de hoek komen; *zie ook fresco*; **frescachón, -ona** 1 fris en gezond; 2 brutaal; **frescales** *m,v* brutaal mens; **fresco** I *bn* 1 fris, koel; ~ *como una rosa* zo fris als een hoentje; 2 vers; heet van de naald; *pintura -a* nog natte verf; 3 brutaal; vrijmoedig || *dejar* ~ *a u.p.* iem voor aap zetten; *estar* ~ het mis hebben; *y él tan* ~ hij trekt zich er niets van aan, het doet hem niets; II *zn* koelte, frisse lucht; ~ *matinal* ochtendkoelte; *al* ~ in de frisse lucht; *tomar el* ~ een luchtje scheppen; **frescor** *m* koelte, frisheid; **frescote, -ota** (*mbt persoon*) fris, blozend, blakend van gezondheid; **frescura** 1 koelte, frisheid; 2 brutaliteit; brutale uitlating
fresilla: ~ *del bosque* bosaardbei
fresneda, fresnedo essebos; **fresno** es; essehout
fresón *m* grote aardbei
fresquera vliegenkast
fresquito frisjes
freudianismo *zie freudismo*; **freudiano** freudiaans; **freudismo** leer van Freud
frialdad *v* 1 kou; koelheid; 2 (*fig*) kilheid, afgemetenheid, koelheid; **fríamente** koeltjes
fricasé *m* fricassee, soort ragoût
fricativo (*gramm*) fricatief
fricción *v* wrijving
friega (*vaak mv*) massage
frigidez *v* 1 (grote) kou; 2 frigiditeit; **frígido** frigide
frigorífico I *bn* koelend; *cámara -a* koelcel; II *zn* ijskast, koelkast
frijol *m* boon; ~ *soja* sojaboon
frío I *bn* 1 koud, kil; *arrancar en* ~ koud starten; 2 (*fig*) kil, afgemeten; ongevoelig; *en* ~ koelbloedig; *les deja ~s* het laat hen koud; II *zn* 1 kou; kilte; *coger* ~ kou vatten; *hace* (*mucho*) ~ het is (erg) koud; *me entró* ~ ik kreeg het koud; *no le da* ~ *ni calor* het laat hem koud; *no hace nada de* ~ het is helemaal niet koud; *tener* (*mucho*) ~ het (erg) koud hebben; 2 (*fig*) kilheid; **friolera** bagatel, kleinigheid; **friolero** kouwelijk; *soy muy* ~ ik ben een koukleum
frisar: ~ *en* benaderen; *frisa en los 50* hij is bijna 50
Frisia Friesland
friso (*bouwk*) fries
frisón, -ona I *bn* Fries; II *zn* 1 Fries, Friezin; 2 *m* (het) Fries
fritada soort ratatouille; **fritanga** vette gebakken kost; **frito** I *bn* 1 gebakken, gefrituurd; *patatas -as* frites; 2 geërgerd; *estar* ~: *a*) erbij zijn; *b*) (*iets*) zat zijn; *c*) *estar* ~ *por* hunkeren naar; *poner* ~ razend maken; *tener* ~ *a u.p.* iem het leven zuur maken; II *zn* gefrituurd gerecht; **fritura** baksel; ~ *de pescado* gefrituurde vis
frivolidad *v* luchthartigheid, lichtzinnigheid; **frívolo** frivool, lichtzinnig; onbezonnen
fronda gebladerte; **frondoso** bladerrijk, lommerrijk
frontal I *bn* 1 vd voorzijde; frontaal; *vista* ~ vooraanzicht; 2 vh voorhoofd; II *m* 1 voorhoofdsbeen; 2 altaardoek
frontera grens; ~ *nacional* landsgrens; **fronterizo** vd grens, grens-; *incidente* ~ grensincident
frontispicio 1 voorgevel; ~ *escalonado* trapgevel; 2 bovenkant van gevel, fronton; 3 titelblad
frotación *v* wrijving; **frotador, -ora** wrijvend; **frotadura, frotamiento** wrijving, (het) wrijven; **frotar** (*lucifer*) afstrijken; schuren (langs); **frote** *m* wrijving; **frotis** *m* (*med*) uitstrijkje
fructífero 1 vruchtdragend; 2 vruchtbaar; **fructificar** 1 vruchten dragen; 2 (*fig*) vruchten afwerpen
frufrú *m* geruis (*van zijde*)
frugal sober, matig, karig; **frugalidad** *v* soberheid, karigheid
fruición *v* genot, (het) genieten
frunce *m* rimpel, plooi; **fruncido** *zie frunce*; **fruncimiento** (het) rimpelen; **fruncir** rimpelen, fronsen; ~ *el cejo* een zwart gezicht zetten
fruslería prul, snuisterij
frustración *v* verijdeling; frustratie; **frustrado** gefrustreerd; *quedar* ~ teleurgesteld worden; *sentirse* ~ zich tekortgedaan voelen; **frustrar** doen mislukken, verijdelen, frustreren; **frustrarse** 1 mislukken, op niets uitlopen; 2 gefrustreerd raken
fruta 1 fruit; *vivir de* ~ leven van vruchten; 2 fruitsoort, vrucht; *ensalada de ~s* vruchtensla; *zumo de* ~ vruchtesap; **frutal** I *bn*: *árbol* ~ vruchtboom; II *m* vruchtboom; **frutería** fruithandel; **frutero, -a** I *bn* met vruchten; vh fruit; *plato* ~ fruitschaal; II *zn* 1 fruithandelaar(ster); 2 *m* vruchtenschaal, fruittest; **fruticultura** fruitteelt; **fruto** vrucht (*ook fig*); nut; *~s* fruit; *~s cítricos* citrusvruchten; *~s subtropicales* zuidvruchten; *dar ~s* vrucht dragen
fu: *¡~!*: *a*) psssjt! (*het blazen van een kat*); *b*) jakkes! || *ni* ~ *ni fa* het doet me niets
fucsia fuchsia
fuego vuur; *¡~!* brand!; *~s artificiales* vuurwerk; ~ *fatuo* dwaallicht; ~ *de fusilería* geweervuur; ~ *graneado* spervuur, trommelvuur; ~ *sagrado* heilig vuur; *a* ~ *lento* op een zacht vuurtje, op een laag pitje; *alto el* ~ staakt-het-vuren; *atizar el* ~ het vuur aanwakkeren; *echa* ~ *por los ojos* zijn ogen schieten vuur; *hacer* ~ schieten, vuren; *hacer* ~ *real* met scherp schieten; *hay* ~ er is brand; *hervir a* ~ *lento* sudderen; *pedir* ~ een vuurtje vragen; *pegar* ~ *a, prender* ~ *a* in brand steken; *romper*

el ~ het vuur openen; *vomitar* ~ vuur spuwen; **fueguino** uit Vuurland
fuel *m* stookolie, huisbrandolie; **fuel-oil** *m; zie fuel*
fuelle *m* 1 (blaas)balg; ~ (*acordeón*) vouwbalg; 2 plooi
fuente *v* 1 bron; fontein; ~ *de calor* warmtebron; ~ *de energía,* ~ *energética* krachtbron, energiebron; ~ *informativa* informatiebron; ~ *luminosa* lichtbron; ~ *sonora* geluidsbron; ~ *de trabajo* bron van werkgelegenheid; *de* ~ *fidedigna* uit betrouwbare bron; *de buena* ~ uit goede bron; *lengua* ~ brontaal; *mencionando la* ~ met bronvermelding; 2 schaal, schotel
fuer: *a* ~ *de* als, in de hoedanigheid van
fuera I *bw* buiten; *¡~!* eruit!; *andar* ~ op pad zijn; *de* ~ van elders; *lo de* ~ het buitenste; *dejar* ~ buitensluiten; *estar* ~ van huis zijn, de stad uit zijn; *por* ~ van buiten, aan de buitenkant, buitenom; II *vz:* ~ *de* buiten; behalve, naast; ~ *de control* stuurloos; ~ *de juego* buitenspel; ~ *de la ley* vogelvrij, buiten de wet; ~ *de lugar* misplaatst; ~ *de que* afgezien van het feit dat; ~ *de servicio* buiten bedrijf; ~ *de sí* buiten zichzelf (*van woede*); ~ *de sospecha* boven verdenking verheven; ~ *de tono: a*) vals; *b*) uit de toon vallend; ~ *de uso* buiten gebruik; *caer* ~ *de, salir* ~ *de* vallen buiten; **fueraborda** *m* (*ook fuera* (*de*) *bordo m, fuera* (*de*) *borda m*) 1 buitenboordmotor; 2 boot met buitenboordmotor
fuero 1 privilege; plaatselijk recht; *volver por los ~s de* opkomen voor; 2 recht, rechterlijke bevoegdheid; rechtsgebied; 3 *~s* pretenties || *en mi* ~ *interno* in mijn hart
fuerte I *bn* sterk, krachtig; stevig; duurzaam, solide; hevig; (*mbt geluid*) hard; ~ *como un toro* zo sterk als een paard; *café* ~ sterke koffie; *comida* ~ stevig maal; *es un poco* ~ dat is wel heel kras; *estar* ~ *en* goed zijn in; *hacerse* ~ (*fig*) een vuist maken; *tierra* ~ zware grond; II *bw* flink, hevig; hard; luid; *beber* ~ stevig drinken; III *m* 1 (*fig*) sterk punt, fort; *el escribir no es su* ~ in schrijven is hij niet sterk; 2 hoogtepunt; **fuerza** 1 kracht; ~ *de ánimo,* ~ *mental* geestkracht; ~ *de atracción* aantrekkingskracht; ~ *bruta* brute kracht; *la* ~ *de la costumbre* de macht der gewoonte; ~ *disuasiva* afschrikwekkende werking; ~ *de empuje* stuwkracht; ~ *expresiva* zeggingskracht; ~ *física* lichaamskracht; ~ *hidráulica* waterkracht; ~ *de hombre* mankracht; ~ *legal* rechtskracht; ~ *mayor* overmacht, force majeure; ~ *policíaca* politiemacht; ~ *probatoria* bewijskracht; ~ *propulsora* drijfkracht; ~ *pública* openbaar gezag, politie; ~ *de tempestad* stormkracht; ~ *de trabajo* werkkracht; ~ *de tracción* trekkracht; ~ *de voluntad* wilskracht; *a media* ~ op halve kracht; *a toda* ~ op volle kracht; *con todas sus ~s* uit alle macht; *dar ~s* sterken; *por sus propias ~s* op eigen kracht; *recobrar ~s* op krachten komen; *sacar ~s de flaqueza* van de nood een deugd maken, zich vermannen; *unir las ~s* de handen ineenslaan, de krachten bundelen; 2 dwang; geweld; *a la* ~, *por* ~ onder dwang, noodgedwongen; *a la* ~ *ahorcan* er zit niets anders op; *hacer* ~ *a u.p.* iem dwingen; *por la* ~ met geweld; 3 *~s* (*mil*) macht, troepen; *~s aéreas* luchtmacht; *~s armadas* (*afk FAS*) strijdkrachten; *~s de asalto,* *~s de choque* stoottroepen; *~s militares* krijgsmacht, troepenmacht; *~s navales* zeemacht; *~s superiores* (*lett*) overmacht; *~s de tierra* landmacht || *a* ~ *de* (+ *onbep w*) dankzij, door (steeds); *a* ~ *de estudiar ha aprobado* door hard te studeren is hij geslaagd

fuga 1 vlucht; ontsnapping; ~ *de capitales* kapitaalvlucht; ~ *de cerebros* braindrain; *darse a la* ~ op de vlucht slaan; *poner en* ~ op de vlucht jagen; 2 lek; lekkage; ~ *de gas* gaslek; *tener una* ~ lek zijn; 3 (*muz*) fuga; **fugacidad** *v* vluchtigheid; **fugarse** vluchten, weglopen; **fugaz** vluchtig, van korte duur; *estrella* ~ vallende ster; **fugitivo** 1 voortvluchtig; 2 kortstondig; **fuguillas** *m,v* 1 opgewonden standje, meneertje of juffertje ongeduld; 2 (*fig*) draaitol
fui 1 *zie ser*; 2 *zie ir*
ful (*pop*) namaak, nep-
fulano, -a 1 dinges; ~ *de tal* die-en-die, een of andere figuur; 2 *v* lichte vrouw; **Fulano**: ~, *Mengano y Zutano* Jan, Piet en Klaas
fular *m* foulard
fulero 1 gebrekkig, knoeierig; nutteloos; 2 vol praatjes
fulgente schitterend; **fulgor** *m* schittering, glans; **fulgurante** 1 fel schitterend; *la* ~ *espada* het vlammende zwaard; 2 heftig; 3 (*fig*) flitsend, ad rem, snel; **fulgurar** schitteren
fullería vals spel; *hacer ~s* vals spelen; **fullero, -a** iem die vals speelt
fulminación *v* 1 blikseminslag; 2 (het) treffen (*met vloek, kritiek enz*); **fulminado** door de bliksem getroffen; **fulminante** I *bn* 1 acuut, hevig; *éxito* ~ daverend succes; 2 (*mbt blik*) vernietigend; II *m* explosieve lading; klappertje; *pistola de ~s* klapperpistool; **fulminar** I *tr* 1 (*bliksem*) doen neerdalen op, met de bliksem treffen; 2 (*mbt bliksem*) treffen, inslaan in; 3 treffen (*met banvloek; met woedende blik*); 4 (*kritiek*) afvuren op, naar iems hoofd slingeren; II *intr* ~ (*contra*) fulmineren (tegen)
fumadero rooksalon; **fumador, -ora** roker, rookster; ~ *en cadena* kettingroker; ~ *de opio* opiumschuiver; **fumar** roken; **fumarse** 1 oproken; 2 (*fig*) erdoor jagen, verbrassen; 3 spijbelen van (*school*); overslaan, smokkelen; **fumarola** fumarole, spleet in grond waaruit (vulkaan)gas ontsnapt; **fumata** (*fam, drugs*) rooksessie; **fumeta** *m,v* (*fam*) iem die stickies rookt
fumigación *v* zuivering (*van ongedierte*); **fumigador** *m* nevelspuit (*voor ontsmetting*); **fumigar** bespuiten, ontsmetten, zuiveren

funámbulo, **-a** koorddanser(es)
función *v* 1 functie; taak; *-ones* ambtsbezigheden; ~ *de estaff* staffunctie; *desempeñar una* ~ een functie vervullen; *en* ~ *de* in verhouding met, in overeenstemming met; *entrada en -ones* ambtsaanvaarding; *entrar en -ones* in functie treden; *estar en -ones para un año* zitting hebben voor een jaar; *hacer -ones de* fungeren als; 2 voorstelling; ~ *de abono* abonnementsvoorstelling; ~ *de la noche* (*late*) avondvoorstelling; ~ *de la tarde* matinee, middagvoorstelling, (*vroege*) avondvoorstelling || *hay* ~ daar heb je de poppen aan het dansen; **funcional** functioneel; **funcionamiento** (wijze van) functioneren, bedrijf, werking; *de* ~ *seguro* bedrijfszeker; *puesta en* ~ inschakeling; **funcionar** (*de*) functioneren (als); in bedrijf zijn, werken; (*mbt motor*) draaien; *el motor funciona* de motor staat aan; *no* ~: *a*) defect zijn; *b*) niet werken; *no funciona* buiten dienst; **funcionario**, **-a** ambtenaar, ambtenares; functionaris; ~ *de Hacienda* belastingambtenaar; ~ *estaff* staffunctionaris; ~ *municipal* gemeenteambtenaar; ~ *policial* politiefunctionaris; ~ *público* rijksambtenaar; ~ *superior*: *a*) staffunctionaris; *b*) hoge ambtenaar; *alto* ~ hoge ambtenaar; *ser* ~ in overheidsdienst zijn; **funcionariado** ambtenarenkorps
funda 1 (bescherm)hoes, overtrek, tijk; ~ *para ropa* kledinghoes; 2 (kussen)sloop; 3 foedraal
fundación *v* 1 oprichting; 2 (*vglbaar*) stichting; 3 (het) funderen; *placa de* ~ fundatieplaat, grondplaat; **fundado** gegrond; **fundador**, **-ora** oprichter, stichter, grondlegger; **fundamental** fundamenteel; wezenlijk; vitaal; *causa* ~ grondoorzaak; *obra* ~ standaardwerk; **fundamentalismo** fundamentalisme; **fundamentalmente** in de grond, in wezen; **fundamentar**: ~ *en* funderen op, de grondslag leggen voor; **fundamentarse**: ~ *en* zich baseren op; **fundamento** 1 fundament, fundering; grondslag; reden, grond; *~s* grondvesten, beginselen; *carecer de* ~ niet gegrond zijn; 2 ernst; *sin* ~ oppervlakkig; **fundar** 1 oprichten; stichten; 2 ~ (*en*) funderen (op); grondvesten (op); baseren (op); **fundarse**: ~ *en* zich baseren op, steunen op, stoelen op, berusten op
fundición *v* 1 (het) gieten, (het) smelten; 2 gieterij; ~ *de hierro* ijzergieterij; **fundidor** *m* gieter (*persoon*); ~ *de* (*tipos de*) *imprenta* lettergieter; **fundidora** gietapparaat; **fundir** smelten; (*metaal*) gieten; **fundirse** smelten; samensmelten; (*door kortsluiting*) doorslaan
fúnebre 1 vd begrafenis; doods-; *campana* ~ doodsklok; *coche* ~ lijkwagen; *cortejo* ~ rouwstoet; *marcha* ~ treurmars; *oración* ~ grafrede; 2 somber; **funeral** I *bn* vd begrafenis; II *m* (*vaak mv*) begrafenis(plechtigheid), uitvaart; **funerala**: *a la* ~: *a*) (*mil*) in rouw; *b*) (*mbt oog, fam*) blauw (*geslagen*); **funeraria** begrafenisonderneming; **funerario** vd begrafenis
funesto noodlottig, rampzalig, fataal
fungible verbruikbaar; *bienes ~s* verbruiksgoederen
fungicida *m* schimmelwerend middel, fungicide; **fungoso** sponzig
funicular *m* kabelbaan
furcia (*pop*) slet, hoer
furgón *m* bagagewagen, goederenwagon; ~ *carcelario* overvalwagen, boevenwagen; **furgoneta** bestelauto, busje
furia woede, razernij; heftigheid, geweld; *descargar su* ~ *en* zijn woede koelen op; *hecho una* ~ razend; **furibundo** woedend, razend; heftig, vurig; **furioso** razend, hels, woedend; woest; **furor** *m* razernij, woede; heftigheid; (*fig*) vuur; *hacer* ~ furore maken
furriel *m* foerier
furtivamente heimelijk; *introducir* ~ binnensmokkelen; *introducirse* ~ binnensluipen; **furtivismo** stroperij; **furtivo** heimelijk, slinks; steels; *caza furtiva* stroperij; *cazador* ~ stroper
furúnculo steenpuist
fusa (*muz*) 32ste noot
fuselaje *m* romp (*van vliegtuig*)
fusible I *bn* smeltbaar; II *m* stop, zekering; ~ (*de protección, de seguridad*) smeltveiligheid; *se ha quemado un* ~ er is een stop doorgeslagen
fusiforme gestroomlijnd
fusil *m* geweer; ~ *ametrallador* mitrailleur; **fusilamiento** fusillade; **fusilar** 1 fusilleren; 2 (*kunstwerk*) verminken; 3 plagiëren, imiteren; **fusilería** geweervuur; **fusilero** fuselier
fusión *v* 1 smelting, (het) smelten; 2 samensmelting; fusie; ~ *nuclear* kernfusie; **fusionar** doen fuseren; **fusionarse** een fusie aangaan, fuseren
fusta rijzweep
fuste *m* 1 lansschacht; 2 zuilkolom, schacht; 3 (*fig*) gewicht; *hombre de* ~ man van gewicht
fustigación *v* 1 afranseling; 2 hevige kritiek; **fustigar** 1 afranselen; 2 felle kritiek leveren op
fútbol, **futbol** *m* voetbal (*spel*); *jugar al* ~ voetballen; **futbolín** *m* tafelvoetbal (*spel*); **futbolista** *m,v* voetballer; **futbolístico** vh voetbal; **fútbol-sala** *m* zaalvoetbal
futesa kleinigheidje, schijntje; **futil**, **fútil** onbenullig, futiel; **futilidad** *v* onbenulligheid, futiliteit
futurible wat in de toekomst kan gebeuren (*onder bep voorwaarden*); **futurismo** futurisme; **futurista** *m,v* aanhang(st)er vh futurisme; **futuro**, **-a** I *bn* toekomstig, in spe; II *zn* 1 aanstaande, verloofde; 2 *m* toekomst; *en el* ~ in het vervolg, in de toekomst, voortaan; *en un* ~ *lejano* in een verre toekomst; *en un* ~ *próximo* binnen afzienbare tijd; **futurología** futurologie; **futurólogo**, **-a** futuroloog, -loge

Ggg

1 g *ge v* (*letter*) g
2 g *gramo* gram
gabacho 1 uit de Pyreneeën; 2 (*neg*) Frans
gabán *m* jas; ~ *de uniforme* uniformjas
gabardina 1 gabardine (*stof*); 2 regenjas
gabarra lichte, platte schuit
gabela belasting; bijdrage
gabinete *m* 1 (*klein*) vertrek, zijkamer, kabinet; behandelkamer (*van arts*); 2 kabinet, bergmeubel; 3 kabinet, ministerraad; ~ *fantasma* schaduwkabinet; ~ *técnico* zakenkabinet
gacela gazelle
gaceta 1 (*hist*) krant; ~ *oficial* (*vglbaar*) staatscourant; 2 weetal; **gacetilla** 1 kort krantebericht; 2 rubriek met korte berichten; 3 (*fam*) overbreng(st)er van nieuwtjes; kwebbel; **gacetillero** 1 redacteur van gemengde berichten; 2 (*neg*) journalist, stukjesschrijver
gacha (*vaak mv*) pap
gachas: *a* ~ op handen en voeten
gache *m* (*fam*) 1 (*onder zigeuners*) Andalusiër; 2 man, vent; **gachí** *v* (*fam*) meid, meisje, vrouw
gacho gebogen, hangend; *orejas -as* flaporen, hangoren
gachó *m* (*fam*) man, vent
gachupín *m* (*Am*) in Sp-Amerika gevestigde Spanjaard
gaditano uit Cádiz
gaélico Gaelisch
gafar ongeluk brengen
gafas *vmv* bril; ~ *montadas al aire* pince-nez, lorgnet; ~ *oscuras*, ~ *de sol* zonnebril; ~ *de protección* stofbril, lasbril; *calarse las* ~, *ponerse las* ~ zijn bril opzetten; **gafitas** *vmv* brilletje; ~ *de hierro* ijzeren brilletje
gafe *m* iem die ongeluk brengt, onheilsbrenger; *ser* ~ ongeluk brengen
gag *m* komisch moment
gaita 1 herdersfluit; 2 ~ (*gallega*) doedelzak; 3 last, iets vervelends || *templar ~s* mooi weer spelen, consideratie hebben; **gaitero**, **-a** doedelzakspeler, -speelster
gajes *mmv* 1 (*ambtelijk*) salaris; 2 emolumenten, extra's || *los* ~ *del oficio* de risico's vh vak
gajo 1 partje (*van sinaasappel*); 2 trosje
gala 1 gala; *de* ~ in gala; *traje de* ~ galakostuum; 2 sier; trots; paradepaardje; *la* ~ *del pueblo* de trots vh dorp; *hacer* ~ *de* pralen met, pronken met; *tener a* ~ (*ten onrechte*) trots zijn op; 3 *~s* tooi
galáctico vd melkweg; *sistema* ~ melkwegstelsel
galaico Galicisch
galán *m* 1 knap uitziende man; 2 galant; 3 (*theat*) jeune premier; **galano** 1 charmant; 2 knap van uiterlijk; goed gekleed; 3 (*fig*) elegant, geestig, mooi; **galante** galant, hoffelijk; **galanteador**, **-ora** galant; **galantear** het hof maken; **galanteo** (het) flirten; **galantería** galanterie, hoffelijkheid
galantina koud vlees in aspic
galanura charme, elegance
galápago 1 waterschildpad; 2 rijzadel (*voor vrouwen*); 3 korte staaf; 4 vorm voor dakpannen; 5 ploeghout
galardón *m* beloning; **galardonar** belonen
Galaxia Melkweg
galbana (*fam*) luiheid, futloosheid
galeno (*fam*) dokter
galeón *m* galjoen; **galeote** *m* galeiboef; **galera** 1 galjoen; 2 (*drukkunst*) zetplank; 3 huifkar; 4 soort grote garnaal; 5 (*Am*) bolhoed;
galerada (*drukkunst*) eerste drukproef
galería 1 galerij, omloop (*van toren*), trans; veranda; ~ *comercial* winkelgalerij; ~ *de espejos* spiegelzaal; 2 (expositie)galerij, galerie; schilderijenverzameling; 3 gang (*in mijn; van mol*); 4 tribune; (*theat*) schellinkje; (het) grote publiek; *las ~s para el público* de publieke tribune
galerna harde noordwestenwind
Gales *v* Wales; *el príncipe de* ~ de prins van Wales; **galés**, **-esa** I *bn* uit Wales; II *zn* 1 iem uit Wales; 2 (het) Wels
galgo windhond; *¡échale un ~!* krijg die maar eens te pakken!, dat lukt nooit!
gálibo (*techn*) mal; *luces de* ~ contourverlichting
Galicia Galicië
galicismo gallicisme, uit het Frans afkomstig woord
galimatías *m* koeterwaals; wartaal, abracadabra
gallardear zich fier gedragen; **gallardete** *m* vaantje, wimpel; *buque* ~ vlaggeschip, grootste schip (*van rederij*); **gallardía** fierheid; **gallardo** fier, zwierig; dapper; voortreffelijk
gallear opscheppen; haantje-de-voorste zijn
gallegada bep Galicische dans; **gallego**, **-a** I *bn* Galicisch; II *zn* 1 Galiciër, Galicische; 2 (*Am*) Spanjaard, Spaanse; 3 *m* (het) Galicisch
galleta 1 koekje, biscuitje; ~ *de mar* scheepsbeschuit; ~ *salada* zoutje; 2 soort anthraciet; 3 (*fam*) klap, oorvijg
gallina 1 kip, hen; ~ *de cazo* soepkip; ~ *de Guinea* parelhoen; ~ *ponedora* legkip; *acostarse con las ~s* met de kippen op stok gaan; *como* ~ *en corral ajeno* als een kat in een vreemd pakhuis; *jugar a la* ~ *ciega* blindemannetje spelen; *matar la* ~ *de los huevos de oro* de kip met de gouden eieren slachten; *pasos de* ~ trippelpasjes; 2 lafaard, held op sokken; **gallináceo** hoenderachtig; **gallinaza** 1 kippemest; 2 *zie gallinazo*; **gallinazo** kalkoengier (*roofvogel*);

gallinero 1 kippenhok; ren; 2 (*theat*) schellinkje, engelenbak; 3 rumoerige plek; **gallito** haantje (*ook fig*), opschepper; *el* ~ haantje-devoorste; *ponerse* ~ opstandig worden; **gallo** 1 haan; ~ *de pelea*, ~ *de riña* vechthaan; *alzar el* ~ zijn stem brutaal verheffen; *bajar el* ~ (*fig*) inbinden; *en menos que canta un* ~ in een oogwenk; *levantar el* ~ brutaal worden, (*iem*) boos maken; *otro* ~ *te cantaría si...* je zou er nu heel anders voorstaan als...; 2 opschepper, (het) haantje; 3 zonnevis; 4 valse toon, uitschieter (*vd stem*); *soltar un* ~ (*mbt stem*) overslaan

galo 1 vd Galliërs, Gallisch; 2 Frans

galón *m* 1 galon, tres; 2 (*mil*) streep (*als teken van rang*); **galonear** galonneren

gal

galopante galopperend; *inflación* ~ hollende inflatie; *tisis* ~ vliegende tering; **galopar** galopperen; **galope** *m* galop; ~ *tendido* gestrekte galop; **galopín** *m* 1 straatjongen; haveloos ventje; 2 scheepsjongen; koksjongen; 3 schelm

galpón *m* (*Am*) loods; schuur

galvánico galvanisch; **galvanizado** I *bn* gegalvaniseerd; II *zn* (het) galvaniseren; **galvanizar** 1 galvaniseren; verzinken; 2 (*tijdelijk*) tot leven wekken; **galvanómetro** galvanometer; **galvanoplástica** galvanoplastiek

gama 1 toonladder; 2 reeks, scala; gamma; ~ *de colores* kleurengamma

gamada: *cruz* ~ hakenkruis

gamba grote garnaal

gamberrada baldadigheid; straatschenderij; **gamberrismo** (jeugd)vandalisme; **gamberro, -a** vlegel, straatmeid, herrieschopper; *hacer el* ~ zich baldadig gedragen

gambeta (*voetbalsp*) schijnbeweging; **gambetear** dribbelen

gambito (*schaaksp*) gambiet

gamella trog

gameto voortplantingscel, gameet

gamitar (*mbt hert*) bulken; **gamo** damhert

gamonal *m* (*Am*) grootgrondbezitter; plaatselijk machthebber

gamuza 1 gems; 2 zeem(leer); 3 stofdoek

gana (*vaak mv*) lust, zin, (*Belg*) goesting; ~*s* (*de comer*) eetlust, trek; ~*s de reír* lachlust; ~*s de vomitar* misselijkheid; *admitir de buena* ~ grif toegeven; *con* (*muchas*) ~*s* gretig; *de mala* ~ met tegenzin, niet van harte, ongaarne, (*Belg*) tegen zijn goesting; *hace lo que le da la* (*real*) ~ hij doet (precies) waar hij zin in heeft; *le daban* ~*s de reír* hij had zin om te lachen; *me entran* ~*s de* ik heb zin om; *no me da la* ~ ik heb er geen zin in; *no tener* ~*s* geen trek hebben; *la real* ~ de eigen, vrije wil; *quedarse con las* ~*s* (*fig*) er naast zitten, achter het net vissen; *sin* ~*s de nada* hangerig, lusteloos; *tener* ~*s de* zin hebben om; *tener* ~*s a u.p.* iem eens graag te pakken willen nemen, iem niet kunnen uitstaan; *venir en* ~ (*mbt wens*) bij iem opkomen

ganadería veeteelt; veefokkerij; **ganadero, -a** I *bn* vh vee, vd veeteelt; *censo* ~, *plantel* ~ veestapel; *industria -a* veeteelt; II *zn* veehoud(st)er; **ganado** vee; ~ *de carne* slachtvee; ~ *de engorde* mestvee; ~ *lanar* wolvee; ~ *lechero* melkvee; ~ *mayor* grootvee; ~ *menor* kleinvee; ~ *merino* merinoschapen; ~ *registrado* stamboekvee; ~ *vacuno* rundvee

ganador, -ora I *bn* winnend; II *zn* winnaar, winnares; **ganancia** 1 winst; gewin; ~ *bruta* brutowinst; ~*s suplementarias* bijverdienste(n); ~ *usuraria* woekerwinst; *embolsarse las* ~*s* met de winst gaan strijken; 2 verdiensten; *no le arriendo la* ~ ik zou niet graag in uw schoenen staan; **ganancial** vd winst; *bienes* ~*es* tijdens het huwelijk verworven goederen; **ganancioso**: *salir* ~ erop vooruitgaan, er bij winnen; **ganar** winnen; verdienen; bereiken; ~ *un aplauso* applaus oogsten; ~ *a u.p.* winnen van iem; ~ *a u.p. por la mano* iem het gras voor de voeten wegmaaien; ~ *buena reputación* een goede naam verwerven; ~ *en claridad* aan duidelijkheid winnen; ~ *la cumbre* de top bereiken; ~ *extra* bijverdienen; ~ *al mar* inpolderen; ~ *un tanto* scoren; ~ *velocidad* vaart krijgen; *a todo hay quien gana* er is altijd baas boven baas; *bien ganado se lo tiene* hij heeft het wél verdiend; *¡ése sí que gana!* die verdient flink; *estar ganando* aan de winnende hand zijn, voor staan; *has ganado mucho: a*) je hebt veel verdiend; *b*) je bent erg in je voordeel veranderd; *para* ~ *espacio* om ruimte te winnen; *salir ganando* erop vooruitgaan; **ganarse** 1 winnen, verdienen; ~ *la vida* in zijn bestaan voorzien; 2 voor zich winnen

ganchillo haaknaald; *hacer* ~ haken; **ganchito** haakje; **gancho** 1 haak; haal (*met pen*), krabbel; ~ *de izar* hijshaak; ~ *de tiro* trekhaak; 2 haaknaald; 3 (*sp*) hoekslag; 4 (*fam*) aantrekkingskracht; 5 (*fam*) iem die anderen overhaalt (*mee te doen aan iets slechts*)

gandul, -ula I *bn* lui; II *zn* luilak, nietsnut; *hacer el* ~ rondhangen; **gandulear** lanterfanten, rondhangen, slabakken; **gandulería** luiheid, gehang

ganga 1 koopje; bof, buitenkansje; *precio de* ~ spotprijs; 2 makkelijk baantje, luizenbaan

ganglio zenuwknoop; zwelling vd lymfevaten

gangoso (*mbt praten*) door de neus, nasaal

gangrena 1 gangreen, koudvuur; 2 boomkanker; 3 kwaad, (*fig*) kanker; zedenbederf; **gangrenarse** door gangreen worden aangetast; **gangrenoso** gangreneus

gángster *m* gangster; **gangsterismo** gangsterdom

ganguear door de neus praten; **gangueo** (het) door de neus praten

gánguil *m* baggerschuit

gansada dommigheid; ~*s* flauwe onzin; *decir* ~*s*: *a*) praten als een kip zonder kop; *b*) gekke dingen zeggen, grappen maken; **gansear** onzin praten; **ganso, -a** I *zn* 1 gans; *paso de* ~ ganzepas; 2 domoor; domme gans; zotterik;

leukerd; *hacer el ~: a)* grappen maken, gek doen, de pias uithangen; *b)* zich aanstellen, stom doen; 3 grapjas; II *bn* traag, lijzig; dom
gánster *m; zie gángster*
Gante *m* Gent
ganzúa 1 loper (*sleutel*), werktuig om sloten te openen; 2 dief, inbreker; 3 iem die geheimen ontfutselt
gañán *m* (boeren)knecht
gañido gejank, gekerm; **gañir** janken, huilen
gap: *el ~ generacional* de generatiekloof
garabatear krabbelen; (vol)kalken; **garabatista** *m,v* kladschilder; **garabato** krabbel, hanepoot; **garabatoso** krabbelig, slordig
garaje *m* garage, (auto)stalling
garante I *bn* borg, garant; *salir ~ por* garant staan voor; II *m,v* borg; **garantía** garantie; (waar)borg; onderpand; borgsom; *~ bancaria* bankgarantie; *~s constitucionales* grondwettelijke rechten; *~ de fábrica* fabrieksgarantie; (*certificado de*) ~ garantiebewijs; *dar ~* borg stellen; *de toda ~* volledig betrouwbaar; *en ~ de* als waarborg voor; *poner ~s* (*jur*) zekerheid stellen; **garantir** *zie garantizar*; **garantizar** garanderen, zich garant stellen voor; *~ la autenticidad* instaan voor de echtheid; *~ contra* waarborgen tegen
garañón *m* dekezel
garapiñado 1 half gestold; als een sorbet; 2 (*mbt amandelen*) gesuikerd; **garapiñar** half laten stollen (*met klonten*)
garbanzal *m* kikkererwtenveld; **garbanzo** kikkererwt; *el ~ negro de la olla* het zwarte schaap
garbear zwierig doen; **garbo** zwier, gratie, soepelheid; **garboso** zwierig, gracieus, soepel
garceta kleine zilverreiger
garduña steenmarter
garete: *ir al ~* stuurloos rondzwalken
garfio haak; *~ para trepar* klimijzer
gargajo klodder speeksel, fluim
garganta 1 keel, keelgat; *aclararse la ~* zijn keel schrapen; *me duele la ~* ik heb keelpijn; *tener la ~ seca* een droge keel hebben; *tener u.c. atravesada en la ~* iets niet door de keel kunnen krijgen; 2 bergengte, kloof; smalste deel; 3 (*techn*) groef, gleuf; inkeping (*in bv katrol*); *~ de tiro* (*in schoorsteen*) trekgat; 4 wreef; **gargantilla** korte halsketting, kettinkje; **gárgaras** *vmv* (het) gorgelen; *hacer ~* gorgelen; *mandar a hacer ~* (*fig*) laten zitten, de laan uitsturen; **gargarismo** (het) gorgelen; gorgeldrank; **gargarizar** gorgelen; **gárgola** gargouille, waterspuier (*aan gotische kerken*); **garguero** keel; slokdarm
garita hokje; *~* (*de centinela*) (schild)wachtershuisje; **garito** speelhol
garlito 1 soort fuik; 2 (*fig*) val; *caer en el ~* in de val lopen
garnacha bep druif
garra klauw; (*iron, fam*) hand; *caer en las ~s de* in de klauwen vallen van; *echar la ~ a u.p.* iem te pakken krijgen; *tener ~* grote aantrekkingskracht hebben, boeien
garrafa 1 karaf; 2 (*Am*) gasfles; **garrafal** enorm; *error ~* enorme blunder; **garrafón** *m* mandfles
garrapata teek; **garrapatear** krabbelen, kladden; **garrapaticida** *m* (*chem*) middel tegen teken; **garrapato** haal, hanepoot, krabbel
garrocha 1 lans van picador; 2 polsstok
garrotazo slag met de knots; **garrote** *m* 1 knuppel, knots; 2 (het) afbinden, kneveling; 3 worgpaal; **garrotillo** (*fam*) difterie; **garrotín** *m* 19e-eeuwse Sp dans
garrucha katrol
garrulería gebabbel; wijdlopigheid; **gárrulo** babbelziek, wijdlopig
garúa motregen; **garuar ú** motregenen
garza reiger
garzo blauwachtig; *ojos ~s* blauwe ogen
gas *m* gas; *~ butano* butagas; *~ carbónico* koolzuurgas; *~es de combustión* verbrandingsgassen; *~ envasado* flessegas; *~es de escape* uitlaatgassen; *~ fluido, ~ licuado, ~ líquido* vloeibaar gas; *~ hilarante* lachgas; *~ lacrimógeno* traangas; *~es licuados de petróleo* (*afk GLP*) LPG; *~ mostaza* mosterdgas; *~ natural* aardgas; *~ propano* propaangas; *~ quemado* afgewerkt gas; *~ tóxico* gifgas; *a todo ~* in volle vaart, met vol gas; *cocinar con ~* koken op gas
gasa gaas; *~ hidrófila* verbandgaas
gascón, -ona uit Gascogne
gasear vergassen; **gaseiforme** gasvormig; **gaseoducto** *zie gasoducto*; **gaseosa** priklimonade, gazeuse; **gaseoso** gashoudend; **gasificador** *m* vergasser; **gasificante** *m* rijsmiddel; **gasificar** gasvormig maken, vergassen; **gasoducto** pijpleiding voor gas, (aard)gasleiding; **gasógeno** vergasser; gasgenerator
gasoil *m; zie gasóleo*; **gasóleo** gasolie; dieselolie; **gasolina** benzine; *~ refinada* wasbenzine; *~ super*(*carburante*) superbenzine; *echar ~* tanken; **gasolinera** 1 benzinestation, tankstation; 2 motorbootje
gastado 1 versleten, op; 2 afgeleefd, op; **gastador, -ora** verkwistend; **gastar** 1 (*en*) (*geld*) uitgeven (aan), besteden (aan); *~se el dinero* zijn geld erdoor jagen; 2 (ver)slijten, verbruiken; *~ bromas* grappen maken; *~se la pólvora* zijn kruit verschieten; 3 erop na houden; *~ coche* een auto hebben; *gastárselas* (*iron*) er bepaalde gewoontes op na houden, streken hebben; *así me las gasto yo* zo ben ik nu eenmaal; **gastarse** 1 (ver)slijten; *~ por oxidación* doorroesten; 2 erop na houden; 3 gedragen worden, mode zijn
gasterópodos *mmv* knikpotige weekdieren
gasto uitgave; besteding; vertering; *~s* kosten, onkosten; *~s de administración* administratiekosten, (*Belg*) werkingskosten; *~ de combustible* brandstofverbruik; *~s de depósito* bewaarloon; *~s domésticos* huishoudelijke uitgaven; *~s de envío* verzendkosten; *~s de escri-*

turación notariskosten; *~s de estadía* (*scheepv*) liggeld; *~s de explotación* bedrijfskosten, (*Belg*) bedrijfslasten, werkingskosten; *~s fijos* vaste lasten; *~s de franqueo* frankeerkosten; *~s iniciales* aanloopkosten; *~s de inscripción* inschrijfgeld; *~s personales* privé-uitgaven; *~s de producción* produktiekosten; *~s públicos* overheidsuitgaven; *~s de residencia* verblijfkosten; *~s de traslado* verhuiskosten; *~s de viaje y estancia* reis- en verblijfkosten; *compensar (de) los ~s* de kosten vergoeden; *contribuir al ~* bijdragen in de kosten; *hacer el ~* het hoogste woord voeren; *incurrir en ~s* kosten maken; *meterse en ~s* zich kosten op de hals halen; *no ahorrar ~s, no escatimar ~s* geen kosten sparen; *pagar el ~* het gelag betalen; *reducir los ~s* versoberen; *supone ciertos ~s* er zijn enige kosten aan verbonden; **gastoso** verkwistend

gástrico vd maag; *úlcera -a* maagzweer; **gastroenteritis** *v* maag-darmontsteking, (*vglbaar*) buikgriep; **gastroenterólogo** specialist in darm- en maagziekten; **gastronomía** gastronomie; **gastronómico** gastronomisch; **gastrónomo, -a** gastronoom, -nome, fijnproever, -proefster

gata 1 vrouwtjeskat; *~ vieja* ouwe rot; *a ~s* op handen en voeten; *andar a ~s* kruipen; 2 (*fam*) Madrileense; **gatear 1** kruipen; 2 klauteren; **gatera 1** katteluik (*in deur*); 2 kabelgat

gatillo haan (*van vuurwapen*), trekker

gato 1 kat; *~ acorralado peligro insospechado* een kat in het nauw maakt rare sprongen; *el ~ con botas* de gelaarsde kat; *~ montés, ~ salvaje* wilde kat; *~ persa* Pers (*kat*); *~ siamés* siamees; *~ vagabundo* zwerfkat; *~ viejo* ouwe rot; *dar ~ por liebre* een kat in de zak verkopen, knollen voor citroenen verkopen; *hay ~ encerrado* daar zit iets achter, dat is geen zuivere koffie; *jugar al ~ y al ratón* kat en muis spelen; *lavarse a lo ~* zich een beetje opfrissen, een kattewasje doen; *llevar el ~ al agua* de kat de bel aanbinden; 2 krik; *~ (de elevación)* vijzel; 3 (*fam*) Madrileen; **gatuno** vd kat, katachtig; **gatuperio** duister zaakje, gekonkel

gauchada (*Argentinië*) vriendendienst; **gauchear** (*Am*) zich als een gaucho gedragen; rondzwerven; **gauchesco** vd gaucho's; **gauchismo** literair genre (*geïnspireerd op het gaucho-leven*); **gaucho, -a** (*Am*) I *zn* gaucho, Argentijnse cowboy 1 bewoner vd pampa; 2 goede ruiter; II *bn* 1 ruw, lomp, onbeschaafd; 2 sluw, (*neg*) handig; 3 (*Am*) bereid een vriendendienst te verlenen, hulpvaardig, aardig

gaveta bureaula

gavilán *m* sperwer

gavilla 1 (koren)schoof, bundel; 2 bende (*boeven*)

gaviota (zee)meeuw

gay *m* homo, flikker

gayo (*lit*) vrolijk

1 gazapo 1 jong konijn; 2 (*fam*) sluwerd

2 gazapo vergissing (*uit verstrooidheid*); dwaasheid

gazapera 1 konijnehol; 2 bijeenkomst vd onderwereld

gazmoñería kwezelarij; preutsheid; **gazmoño** kwezelachtig; preuts

gaznápiro, -a sufferd, domoor; lomperd

gaznate *m* (*fam*) keel(gat); *remojar el ~* zijn keel smeren

gazpacho bep koude soep

gazuza (*fam*) honger

ge *zie g*

géiser *m* geiser (*op IJsland*)

gel *m* gel; *~ de baño* badschuim

gelatina gelatine; aspic, dril; **gelatinoso** gelatineachtig, gelatineus, geleiachtig

gélido ijskoud

gema 1 edelsteen; 2 (*plantk*) knop

gemelo, -a 1 een van een tweeling; *~s* tweeling; *buque ~* zusterschip; *ciudad -a* zusterstad; *hermana -a* tweelingzuster; 2 *-os* (verre)kijker; toneelkijker; veldkijker; 3 *-os* manchetknopen

gemido gekreun, gesteun

Géminis *m* (*astrol*) Tweeling

gemir i 1 kreunen, jammeren, kermen; 2 janken, (*mbt dier, wind*) huilen

gen *m; zie gene*

genciana gentiaan

gendarme *m* (*in bep landen*) politieagent; (*Belg*) rijkswachter

gene *m* gen; *banco de ~s* genenbank; **genealogía 1** genealogie; 2 stamboom; **genealógico** genealogisch; *árbol ~* stamboom; *libro ~* (*mbt vee*) stamboek; **generación** *v* 1 voortplanting; (het) ontstaan; 2 opwekking; *~ de corriente* stroomopwekking; 3 generatie; 4 nakomelingschap; **generador, -ora** I *bn* die opwekt, die doet ontstaan; *ser ~ de* doen ontstaan; II *m* generator; *~ de voz* (*comp*) spraakgenerator

general I *bn* algemeen; *agencia ~* hoofdagentschap; *carga ~* stukgoed; *en ~, por lo ~* in het algemeen, doorgaans; *en líneas ~es* in grote trekken; *inspector ~* hoofdinspecteur; *médico ~* huisarts; II *m* generaal; **generala 1** vrouw vd generaal; 2 (*mil*) alarm; **generalato** (de) generaals; **generalidad** *v* 1 algemeenheid; 2 meerderheid; 3 regering vh autonome Catalonië; 4 *~es* algemeenheden; algemene beginselen; **generalísimo** opperbevelhebber; titel van Franco; **generalización** *v* generalisatie; veralgemenisering; **generalizar** generaliseren; veralgemenen; **generalmente** in het algemeen

generar voortbrengen, scheppen; *~ electricidad* stroom opwekken; *~ empleo* werkgelegenheid scheppen; **genérico 1** vd soort, algemeen; *nombre ~* soortnaam; 2 (*gramm*) vh geslacht; *desinencia -a* geslachtsuitgang; **género 1** soort, slag; *el ~ humano* de mensheid; *~ de vida* leefwijze; *único en su ~* enig in zijn soort; 2 (*artistiek*) genre; *~ chico* (*theat; vglbaar*)

kleinkunst; *pintor de ~* genreschilder; 3 (*gramm*) geslacht; 4 (*vaak mv*) goederen, waar; *~s a granel* massagoederen; 5 stof, weefsel; *~ de punto* tricot, gebreide goederen; *~s textiles* textiel
generosidad *v* edelmoedigheid; vrijgevigheid, gulheid; **generoso** edelmoedig, mild; vrijgevig, gul
génesis *v* (het) ontstaan; **Génesis** *m* (*het boek*) Genesis; **genética** genetica, erfelijkheidsleer; **genético** genetisch; **genetista** *m,v* geneticus
genial 1 geniaal; *un artista ~* een begenadigd kunstenaar; 2 fantastisch, schitterend; (*fig*) onbetaalbaar, flitsend; *un rasgo ~* een geniale zet; **genialidad** *v* genialiteit; **genio** 1 genie; 2 vernuft; 3 aard, karakter; (het) eigene; *~ y figura hasta la sepultura* de vos verliest wel zijn haren maar niet zijn streken; *corto de ~* schuchter, timide; *de pronto ~* heetgebakerd; *llevar el ~ a u.p.* (*fig*) met iem meegaan (*in zijn grillen*), met iem meepraten; *tener el ~ pronto, tener el ~ vivo, tener mal ~* opvliegend zijn; *tener buen ~* goedmoedig zijn
genital vd voortplanting; (*órganos*) *~es* voortplantingsorganen, genitaliën
genitivo (*gramm*) genitief, tweede naamval
genocidio genocide, volkenmoord; **genotipo** genotype
genovés, -esa uit Genua
gente *v* mensen; volk; *la ~ así* dat soort mensen; *~ de bien* fatsoenlijke mensen; *~ de la calle* gewone mensen; *~ joven* jonge mensen; *la ~ menuda* het kleine grut; *~ de paz* goed volk; *el común de las ~s* de gewone mensen, de gemiddelde burger; *¡cuánta ~!* wat een mensen!, wat een drukte!; *derecho de ~s* volkenrecht; *hay mucha ~ en la calle* het is druk op straat; *ser ~* (*fig*) iemand zijn, niet zomaar iemand zijn; *es, son buena ~* het zijn goede mensen 1 (*fam*) gezin, familie; 2 (*Am, fam*) persoon; *es una ~ simpática* het is een aardig mens; **gentil** I *bn* 1 heidens; 2 (*lit*) zwierig, knap; 3 opmerkelijk; II *m,v* heiden; **gentileza** 1 zwier, charme; 2 hoffelijkheid; 3 vriendelijkheid; **gentilhombre** *m* (*hist*) 1 heer, edelman; 2 dienaar aan het hof; *~ de cámara* kamerheer; **gentilicio** de geografische herkomst aanduidend; **gentío** menigte, massa mensen; *mucho ~* hele volksstammen; **gentuza** gespuis, gajes, schorem, tuig, uitschot
genuflexión *v* (het) neerknielen, knieval
genuino echt, onvervalst
geofísica geofysica
geografía aardrijkskunde; grondgebied; **geográfico** geografisch; **geógrafo, -a** aardrijkskundige
geología geologie; **geológico** geologisch; **geólogo, -a** geoloog, -loge
geómetra *m,v* landmeter; meetkundige; **geometría** meetkunde; *~ del espacio* stereometrie; *~ plana* planimetrie, vlakke meetkunde; **geométrico** 1 meetkundig; 2 heel nauwkeurig
geopolítica geopolitiek
geranio geranium
gereátrico geriatrisch; *residencia gereátrica* bejaardenhuis
gerencia (bedrijfs)leiding, directie; **gerente** *m,v* 1 bedrijfsleider, directeur, manager; (*Belg*) zaakvoerder, zaakvoerster; 2 gerant; zetbaas
geriatra *m,v* geriater; **geriatría** geriatrie
gerifalte *m* 1 giervalk; 2 (*fig*) kopstuk
germanía 1 Bargoens; 2 zigeunertaal; **germánico** Germaans, Duits; **germanismo** germanisme, uit het Duits afkomstig woord; **germanista** *m,v* germanist(e); **germanizar** verduitsen; **germano** Germaans; **germanofilia** pro-Duitse gezindheid; **germanofobia** anti-Duitse gezindheid; **germanooriental** Oostduits
germen *m* 1 kiem; *~ patógeno* ziektekiem; 2 oorsprong, kiem; *~ de desintegración* splijtzwam; *sofocar en el ~* smoren in de kiem; **germicida** I *bn* kiemdodend; II *m* kiemdodend middel; **germinación** *v* (het) kiemen, ontkieming; **germinal** vd kiem; *célula ~* kiemcel; **germinar** (ont)kiemen; uitlopen; ontstaan; **germinativo**: *poder ~* kiemkracht
gerontología gerontologie; **gerontólogo, -a** gerontoloog, -loge
Gertrudis meisjesnaam
gerundense uit Gerona
gerundio (*gramm*) gerundium
gesta (*vaak mv*) heldendaden; *cantar de ~* heldendicht, heldenepos; **gestación** *v* 1 (duur vd) zwangerschap, dracht; 2 wording, wordingsproces, ontstaan; **gestar** 1 zwanger zijn van, dragen; 2 (*fig*) broeden op, koesteren; **gestarse** ontstaan, groeien
gestero 1 steeds het gezicht vertrekkend; 2 (*altijd*) druk gesticulerend; **gesticulación** *v* vertrekking vh gezicht, gesticulatie; **gesticulador, -ora** *zie gestero*; **gesticular** 1 steeds zijn gezicht vertrekken; 2 druk gesticuleren, druk gebaren
gestión *v* 1 (*dagelijkse*) leiding, bestuur; (*dagelijks*) beleid; *~ de empresas* management; *mala ~* wanbeleid, wanbeheer; 2 afhandeling; formaliteit, stap; *-ones* bemoeienissen; *~es de aduana* inklaring, uitklaring, douaneformaliteiten; *hacer -ones* stappen ondernemen; **gestionar** behandelen; afwikkelen; stappen doen voor; trachten te krijgen; *~ un visado* de nodige stappen ondernemen om een visum te krijgen
gesto 1 gelaatsuitdrukking; gebaar; *un ~ de desagrado* een zuinig gezicht; *con un ~ de asco* met een vies gezicht; *con ~ de enfado* met een kwaad gezicht; *fruncir el ~* fronsen, een boos gezicht trekken; *hizo un ~* zijn gezicht vertrok; *torcer el ~* zijn neus optrekken, een zuur gezicht trekken; 2 (*fig*) geste, gebaar
gestor, -ora 1 zaakwaarnemer, -neemster; 2 tussenpersoon; **gestoría** administratiekan-

toor; bemiddelingsbureau (*voor administratieve formaliteiten*)
giba 1 bochel; 2 bult; kromming; 3 last; **gibar** 1 krommen; 2 last bezorgen; **gibón** *m* gibbon (*aap*); **gibosidad** *v* bult, bochel; **giboso** gebocheld
gibraltareño uit Gibraltar
gigante I *bn* reusachtig, enorm; II *m* 1 reus, gigant; 2 kartonnen reus in optocht; 3 (*slalom*) ~ reuzeslalom; **gigantesco** reusachtig, gigantisch, kolossaal; **gigantón**, **-ona** 1 kartonnen reus in optocht; 2 *m* enorme kerel
gijonense, **gijonés**, **-esa** uit Gijón
gilí onnozel, dwaas; **gilipollada** (*fam*) dwaasheid; **gilipollas** *m* onnozele hals, dwaas; **gilipollez** *v; zie gilipollada*
gimnasia gymnastiek; ~ *matinal* ochtendgymnastiek; **gimnasio** gymnastiekzaal; **gimnasta** *m,v* gymnast(e); **gimnástico** gymnastisch; *paso* ~ looppas
gimotear jammeren, snotteren, kreunen; **gimoteo** gejammer
ginebra jenever; **Ginebra** Genève; **ginebrés**, **-esa** uit Genève; **ginebrino** *zie ginebrés*
ginecología gynaecologie; **ginecólogo**, **-a** gynaecoloog, -loge
gingival vh tandvlees; **gingivitis** *v* tandvleesontsteking
gira 1 tocht(je), excursie; picknick; 2 tournee; **girador**, **-ora** trekker (*van wissel*); **giralda** windwijzer; **girar** I *intr* draaien; wentelen; zwenken, afbuigen; ~ *en redondo* ronddraaien; *hacer* ~ *la llave* de sleutel omdraaien; II *tr* 1 gireren; 2 (doen) draaien; 3 ~ *contra* (*een wissel*) trekken op; **girasol** *m* zonnebloem; **giratorio** draaibaar, roterend, draai-; *movimiento* ~ draaiende beweging; *puerta -a* draaideur; **giro** 1 draai; wending; zwaai, zwenking; *diámetro de* ~ draaicirkel; *tomar un* ~ een wending nemen; 2 giro; *~s* giro- en bankbetalingen; ~ *bancario* bankgiro; ~ *postal: a*) postgiro; *b*) postwissel, (*Belg*) postmandaat, postassignatie; 3 ~ (*idiomático*) zegswijze, zinswending; **girón** *m* flard; **giroscopio** gyroscoop
gitanada 1 zigeunerstreek; 2 vleierij, geflikflooi; **gitanear** met mooie praatjes iets gedaan zien te krijgen, flikflooien; **gitanería** 1 geflikflooi; 2 zigeunerstreek; 3 zigeuneruitdrukking; 4 bijeenkomst van zigeuners; **gitano**, **-a** I *bn* 1 zigeuner-; 2 vleierig; II *zn* zigeune-r(in)
glaciación *v* ijstijd; **glacial** ijskoud, ijzig (*ook fig*); *época* ~ ijstijd; **glaciar** I *m* gletsjer; II *bn* gletsjerachtig; *casquete* ~ landijs
gladiador *m* (*hist*) zwaardvechter, gladiator
gladiolo, **gladíolo** gladiool
glande *m* (*anat*) eikel
glándula klier; ~ *lagrimal* traanklier; ~ *salivar* speekselklier; ~ *sebácea* talgklier; ~ *suprarrenal* bijnier; **glandular** vd klieren
glaseado I *bn* geglaceerd; *papel* ~ glanzend papier; II *zn* 1 glazuur; 2 (het) glanzend maken; **glasear** 1 glanzend maken; 2 glazuren
glaucoma *m* (*med*) glaucoom, soort staar
gleba aardkluit; *siervo de la* ~ lijfeigene
glicerina glycerine
glicina (*plantk*) blauwe regen
global globaal; totaal; *2-2* ~ (*sp*) 2-2 gelijk; **globo** 1 bol; globe; ~ *del ojo* oogbol; ~ *terráqueo*, ~ *terrestre: a*) wereldbol; *b*) (*aardr*) globe; *en* ~ globaal (genomen); 2 (lucht)ballon; ~ *dirigible* zeppelin; 3 (tekst)wolkje (*in strips*); **globulina** globuline; **glóbulo** bolletje; ~ *blanco* wit bloedlichaampje; ~ *graso* vetbolletje; ~ *rojo* rood bloedlichaampje; ~ *sanguíneo* bloedlichaampje
gloria 1 roem, glorie; *hacer* ~ *de* zich beroemen op; 2 zaligheid; genot; *da* ~ *verlo* het is een lust voor het oog, het is heerlijk om te zien; *en la* ~ in de zevende hemel; *estar en la* ~ het heerlijk hebben, genieten; *eso le sabe a* ~ dat vindt hij heerlijk (*om te horen*); *saber a* ~ verrukkelijk smaken; *es una* ~ het is zalig; **gloriar** verheerlijken; **gloriarse** (*de*) 1 zich beroemen (op); 2 zich verheugen (over); **glorieta** 1 prieel; 2 rotonde, verkeersplein; **glorificación** *v* verheerlijking; **glorificar** verheerlijken, prijzen; **glorificarse** *zie gloriarse*; **glorioso** roemrijk
glosa 1 tekst, verklaring, commentaar; 2 aantekening; ~ *marginal* kanttekening; **glosar** becommentariëren; **glosario** woordenlijst
glosopeda mond- en klauwzeer
glotis *v* glottis, stemspleet
glotón, **-ona** I *bn* gulzig; II *zn* 1 gulzigaard, schrokop, veelvraat; 2 *m* (*dierk*) veelvraat; **glotonear** gulzig eten; **glotonería** gulzigheid, vraatzucht; *comer con* ~ schransen
GLP *gases licuados de petróleo* LPG
glucemia bloedsuiker; **glucogénesis** *v* suikervorming (*in lichaam*); **glucosa** glucose, druivesuiker
gluten *m* kleefstof, gluten; **glutinante** *m; zie gluten*
glúteo vd bil; *músculo* ~ bilspier; *región -a* stuitje
gneis *m* gneis
gnomo gnoom, aardgeest, kabouter
gnu *m* gnoe
gobernable 1 regeerbaar; 2 bestuurbaar; **gobernación** *v* 1 (het) regeren, regering; 2 (het) besturen; **Gobernación** *v: Ministerio de la* ~ (*soms*) ministerie van Binnenlandse Zaken; **gobernador**, **-ora** gouverneur; landvoogd(es); (*in Sp*) hoogste provinciale autoriteit; ~ *civil* (*Sp*) burgerlijk gouverneur (*van provincie*); ~ *militar* (*Sp*) militair gouverneur (*van provincie*); **gobernalle** *m* (*scheepv*) roer; **gobernanta** (*in grote hotels*) hoofd vd huishouding; **gobernante** I *bn* regerend; *partido* ~ regeringspartij; II *m* machthebber; **gobernar ie** 1 regeren; besturen; ~ *es prever* regeren is vooruitzien; 2 (*schip*) besturen; **gobernarse ie**

1 zijn zaken regelen; *gobernárselas* het handig aanpakken; 2 ~ (*por*) zich richten (naar); **gobierno** 1 regering, bestuur (*van land*), bewind; (het) besturen; ~ *de la casa* (bestieren vh) huishouden; ~ *federal* bondsregering; *el* ~ *legalmente constituido* de wettige regering; ~ *minoritario* minderheidsregering; ~ *regional* (*Belg*) deelregering, gewestexecutieve; *llegar al* ~ aan de regering komen; *salir del* ~ uit de regering treden; *servir de* ~ tot waarschuwing dienen; 2 besturing (*van schip*); roer; ~ *de pedal* voetroer; *caseta de* ~ stuurhut; *sin* ~ stuurloos || *para su* ~ te uwer informatie
gobio (soort) grondel (*vis*)
goce *m* genot; *con* ~ *de sueldo* met behoud van salaris
godo, **-a** I *bn* Gotisch, vd Goten; II *zn* 1 ~*s* (*hist*) Goten; (*in Sp*) Westgoten, Visigoten; 2 rijke adellijke afstammeling vd Goten; 3 (*Am, neg*) Spanjaard, Spaanse
gofrado (*mbt stof*) bedrukt
gofre *m* wafel
gol *m* goal, doel(punt); *hacer un* ~, *marcar un* ~ een doelpunt maken
gola 1 (*fam*) keel; 2 (*hist*) stijve kraag; 3 halsstuk (*van harnas*)
goleada groot aantal doelpunten; **goleador**, **-ora** doelpuntenmaker; **golear** doelpunten maken, scoren
goleta schoener
golf *m* (*sp*) golf
golfa sloerie, slet; hoer; **golfante** *m; zie 1 golfo*; **golfear** straatslijpen, baldadigheden uithalen; **golfería** troep schooiers; **golfillo** bengel, straatjochie, schooiertje
golfista *m,v* golfspeler, -speelster
1 golfo 1 schooier, smeerlap; 2 straatjongen, belhamel
2 golfo golf, baai
golilla bef (*bij toga*)
gollería 1 exquis hapje; 2 iets luxueus; iets overbodigs; **golletazo** 1 degenstoot in de hals vd stier; 2 bruusk einde; *dar* ~ (*halverwege*) als afgedaan beschouwen, ergens een punt achter zetten; **gollete** *m* 1 hals (*van fles*); 2 (*anat*) hals
golondrina 1 zwaluw; *una* ~ *no hace verano* één zwaluw maakt nog geen zomer; 2 vliegende vis
golosina versnapering, lekkernij; ~*s* snoep(goed), lekkers; *comer* ~*s* snoepen; **golosinear** snoepen, smullen; **golosinería** snoeplust; **goloso**, **-a** I *bn* 1 snoeplustig; 2 gretig, begerig; 3 heerlijk, waarvan je blijft eten; II *zn* lekkerbek, smulpaap; zoetekauw
golpazo enorme klap; **golpe** *m* 1 klap, slag; schok; bons, smak; ~ *bajo* stoot onder de gordel, gemene zet; ~ *certero* (*sp*) treffer; ~ *en falso* misslag; ~ *de fortuna* bof, gelukkige wending; ~ *franco* vrije schop; ~ *de gracia* genadeslag; ~ *mortal* doodsteek; *el* ~ *primero da dos veces* de eerste klap is een daalder waard; ~ *de remo* slag met de roeiriem; ~ *sordo* plof; ~ *de suerte* gelukstreffer, buitenkansje; ~ *de viento* windstoot; ~ *de vista* oogopslag, snelle waarneming; *a* ~*s: a*) met slaan; *b*) met onderbrekingen; *al primer* ~ *de vista* op het eerste gezicht; *abrirse de* ~ (*mbt deur*) (ineens) openspringen; *acusar el* ~ zich geraakt tonen; *andar a* ~*s* elkaar voortdurend in de haren zitten; *dar el* ~*: a*) zijn slag slaan; *b*) indruk maken, succes hebben; *dar* ~*s* slaan, kloppen, (*mbt deur*) klapperen; *dar un* ~ *de teléfono* (*fam*) opbellen; *darse un* ~ *en la rodilla* zijn knie stoten; *de* ~ plotseling; *de* ~ *y porrazo* op stel en sprong; *de un* (*solo*) ~ in één klap; *descargar el* ~ toeslaan; *errar el* ~ misgooien, de plank misslaan; *hubo* ~*s* er vielen klappen; *liarse a* ~*s* slaags raken; *matar a* ~*s* doodslaan; *no dar* ~ geen klap uitvoeren; *parar el* ~ (*iets*) vóór zijn, tijdig een tegenzet doen; *fue un* ~ *tremendo* het was een enorme klap (*ook fig*); *tirarse a* ~*s* (*fig*) erop los timmeren; 2 ~ (*de estado*) staatsgreep; 3 ~ (*de mano*) overval, geheime actie; 4 inval, ingeving; *un buen* ~ een goed idee; 5 aanval; ~ *de tos* hoestbui || *a* ~ *de* dankzij, door (steeds); *a* ~ *de leer* door veel lezen; **golpeadura** (het) slaan; **golpear** slaan, kloppen; bonzen; kletteren tegen; (*mbt deur*) klepperen; (*mbt machine*) stampen; ~ *con los pies* schoppen, stampen; ~ *con los puños* stompen; **golpearse** zich stoten; ~ *la cabeza* zijn hoofd stoten; **golpeo** (het) slaan; **golpetazo** enorme klap; **golpetear** kloppen (op); **golpeteo** geklop, getik; **golpismo** (het) plegen van coups; **golpista** I *bn* vd staatsgreep; II *m,v* iem die een staatsgreep pleegt
goma 1 rubber, gummi; gom; ~ *arábiga* Arabische gom; ~ *de borrar* vlakgom, stuf; ~ *esponjosa* sponsrubber; ~ *de espuma*, ~ *espumosa* schuimrubber; ~ *de mascar*, ~ *de masticar* kauwgom; 2 elastiek; elastiekje; 3 (auto)band; 4 (*pop*) condoom, kapotje; **gomero** I *bn* rubber, vd rubber; II *zn* 1 rubberboom; 2 (*Am, plantk*) ficus; 3 proppeschieter; **gomespuma** schuimrubber; **gomilla** elastiekje; **gomina** brillantine; **gomita** elastiekje; **gomoso** I *bn* rubberhoudend, rubberachtig; II *zn* fat
gónada geslachtsklier
góndola gondel; **gondolero** gondelier
gong *m* gong; **gongo** *zie gong*
gongorino in de stijl van Góngora; **gongorismo** literaire stijl van Góngora; *zie ook culteranismo*
goniometría goniometrie; **goniómetro** hoekmeter
gonococo (*med*) gonococcus
gonorrea gonorroe, druiper
gordinflón, **-ona** gezet, mollig; pafferig; *ser* ~ goed in zijn vlees zitten; **gordo** 1 dik, vet; *dedo* ~ *del pie* grote teen; 2 belangrijk; *un error* ~ een grove fout; *pez* ~ hoge Piet; *el* (*premio*) ~ de hoofdprijs (*in loterij*) || *armar la -a* een scène maken; *se arma la -a* daar heb je de poppen

aan het dansen; *lo más* ~ het moeilijkste; *me cae* ~ hij ligt me niet; *no entiendo ni -a* ik begrijp er geen snars van; *sin -a* blut; **gordura** 1 dikte; 2 (lichaams)vet
gorgojo kalander, korentor
gorgorito kirrend geluid; *hacer ~s* kirren
gorguera (*hist*) smalle geplooide kraag
gorigori *m* (*fam*) geweeklaag, lijkzang
gorila *m* 1 gorilla; 2 lijfwacht; 3 (*Am; vglbaar*) fascist, ultrarechts persoon
gorjear sjilpen, tjilpen; (*mbt baby*) kraaien, kirren; **gorjeo** getjilp; gekraai, gekir
gorra pet; ~ *de piel* bontmuts; ~ *de plato* platte (uniform)pet || *de* ~ voor niks; *vivir de* ~ klaplopen; **gorrería** pettenwinkel
gorrinada smerige streek, zwijnerij; **gorrino, -a** zwijn, varken
gorrión *m* mus
gorro koksmuts; ~ *de baño* badmuts
1 gorrón, -ona 1 klaploper, -loopster; 2 losbol, smeerlap; slet
2 gorrón *m* (*techn*) spil
gorronear klaplopen, schooieren; **gorronería** klaploperij
gota 1 druppel; *~s* tik (*sterke drank*); ~ *a* ~ druppelsgewijs; ~ *a* ~ *se llena la bota* de gestadige druppel holt de steen; *una* ~ *de agua* (*fig*) een druppel op een gloeiende plaat; *~s nasales* neusdruppels; *como dos ~s de agua* als twee druppels water, sprekend; *cuatro ~s* een paar druppels (*bv regen*); *no le queda* ~ *de sangre en las venas* hij is zich een ongeluk geschrokken; *no ver ni* ~ geen steek zien; *sudar la* ~ *gorda* vreselijk ploeteren; *la última* ~ *hace rebasar la copa* dat is de druppel die de emmer doet overlopen; 2 jicht; **gotear** druppen, druppelen, druipen, lekken; uitlekken; **goteo** (het) druppelen; (het) beetje bij beetje (*geld*) uitgeven; **gotera** 1 lek (*in dak*); *~s* lekkage; *en mi cuarto hay ~s* het lekt in mijn kamer; 2 ouderdomskwaal
gótico I *bn* gotisch; II *zn* gotiek
gotoso lijdend aan jicht
gouache *m* gouache
goyesco vd schilder Goya
gozar (*ook* ~ *de*) genieten (van); ~ *a todo lo que da* met volle teugen genieten; ~ (*de*) *buena salud* een goede gezondheid genieten, zich in een goede gezondheid verheugen; ~ *de gran estima* in hoog aanzien staan; **gozarse** (*en*) (*neg*) genieten (van), zich verkneukelen (over)
gozne *m* scharnier, hengsel
gozo genot; weldaad; *un auténtico* ~ een waar genot; **gozoso** 1 blij; ~ *de vivir* levenslustig; 2 heuglijk
gozque *m* keffertje
gr 1 *gramo* gram; 2 *grado* graad (*Celsius*)
grabación *v* opname; ~ (*en cinta*) bandopname; ~ *sonora* geluidsopname; **grabado** 1 gravure, afbeelding, plaat, prent; ~ *al aguafuerte* ets; ~ *en linóleo* linoleumsnede; ~ *en madera* houtsnede; 2 (het) graveren; **grabador, -ora** 1 graveur; ~ *al agua fuerte* etser; 2 *m* recorder; ~ *de cinta* bandrecorder; **grabadora** recorder;
grabar 1 graveren; griffen; *grabado en la memoria* in het geheugen gegrift; 2 (*muz*) opnemen; ~ *en vídeo* op video opnemen
gracejo vlotheid; geestigheid; **gracia** 1 gunst, welwillendheid; *pedir una* ~ een wens doen; 2 gratie, charme, bevalligheid; *las tres ~s* de drie gratiën; 3 genade; gratie; *caer en* ~ in de smaak vallen; *encontrarse en* ~ in de gratie zijn; *en estado de* ~ vrij van zonden; *no encontrar* ~ *a los ojos de* geen genade vinden bij; *suplicar la* ~ om genade smeken; 4 iets grappigs; clou; *así pierde la* ~ zo gaat de aardigheid er af; *un atisbo de* ~ een sprankje humor; *una cosa sin* ~ een kale boel; *le hace* ~ hij vindt het leuk; *maldita la* ~ *que tiene* het is bepaald geen pretje; *no carece de* ~ het is niet onaardig; *¡menuda ~!, ¡vaya una ~!* (*iron*) leuk hoor!; *no le veo la* ~ ik zie er het grappige niet van in; *¡qué ~!* wat grappig!; *tener* ~ leuk zijn; *tenía verdadera* ~ hij, het was echt geestig; *ya no tiene* ~ het is niet leuk meer; 5 *~s* dank; *~s a* dankzij, door toedoen van; *~s a Dios* goddank; *~s a que* dank zij het feit dat; *con mis ~s anticipadas* (u) bij voorbaat dankend; *dar las ~s a u.p. por* iem bedanken voor; *hacer* ~ *de* (*de details*) besparen; *muchas ~s* hartelijk dank, dank u, dank je wel; *¡ni las ~s!* geen bedankje kon er af!; *sí ~s* (*na aanbod*) ja graag; *...y ~s* ...en daarmee uit, ...en dat is het dan; *y ~s si...* en we mogen blij zijn als... || *dar en la* ~ *de* in de hebbelijkheid vervallen om; **grácil** gracieus, slank, sierlijk; **gracioso** I *bn* 1 grappig, geestig, leuk; *estaría* ~ het zou grappig zijn; *poco* ~ flauw; 2 bevallig, gracieus; 3 gratis, voor niets; II *zn* (*theat*) nar, komische figuur || *¡qué ~!* (*iron*) wat een grapjas!
grada 1 trede; 2 *~s* tribune; 3 eg; 4 (*scheepv*) helling; **gradación** *v* gradatie; **gradería, graderío** tribune; **grado** 1 graad; gehalte; ~ *de acidez* zuurgraad; ~ *centígrado* graad Celsius; *~s de comparación* trappen van vergelijking; ~ *de humedad* vochtigheidsgraad; ~ *de latitud* breedtegraad; ~ *de longitud* lengtegraad; ~ *de la pena* strafmaat; *alcohol de 40 ~s* alcohol van 40%; *en sumo* ~ in de hoogste graad, ten zeerste; *en tal* ~ zozeer; *por ~s* trapsgewijs; *subir de* ~ verscherpen, heviger worden, (in hevigheid) toenemen; 2 klas, niveau; ~ *universitario* academische graad; *pasar al* ~ *superior* overgaan || *de buen* ~ graag; **graduable** 1 te gradueren, verstelbaar; *alicates de boca* ~ waterpomptang; 2 aan wie een graad kan worden verleend; **graduación** *v* 1 graduering; (alcohol)gehalte; ~ *alcohólica* alcoholgehalte; ~ (*de la escala*) schaalverdeling; *de fuerte* ~ met een hoog gehalte (*aan alcohol*); 2 (*mil*) rang; **graduado, -a** I *zn* academicus, -a, afgestudeerde; ~ *escolar* iem die de basisschool met diploma heeft afgerond (*op het 14e jaar*); II *bn* met gradenverdeling; met millimeterverde-

ling; *arco* ~ gradenboog; *vaso* ~ maatbeker, maatglas; **gradual** gradueel, geleidelijk, trapsgewijs; **gradualmente** geleidelijk, gaandeweg, allengs; **graduar ú** 1 in graden verdelen; graderen, regelen; meten; ~ *el vino* het alcoholgehalte meten van wijn; ~ *la vista* oogmeting verrichten; 2 een graad verlenen aan; ~ *de coronel* de rang van kolonel verlenen; 3 graderen, geleidelijk opbouwen; nuances aanbrengen in; **graduarse ú** afstuderen, een graad behalen

grafía schrijfwijze (*van een klank*); **gráfica** curve; grafiek; **gráfico I** *bn* 1 vh schrift; *acento* ~ geschreven accent; 2 (*fig*) beeldend; *expresar de modo* ~ beeldend uitdrukken; **II** *zn* curve; grafiek; **grafista** *m,v* graficus

grafito grafiet

grafología grafologie; **grafólogo, -a** grafoloog, -loge

gragea pil; dragee

grajo roek

grama handjesgras

gramática grammatica, spraakkunst; ~ *parda: a*) natuurlijke intelligentie, gezond verstand; *b*) boerenslimheid, uitgeslapenheid; **gramatical** grammaticaal; *análisis* ~ zinsontleding

gramináceas *vmv* grasgewassen

gramo (*afk g, gr*) gram; *cien ~s* een ons

gramófono grammofoon; **gramola** koffergrammofoon

grampa beugel, klem

gran *zie grande*

grana 1 (het) in het zaad schieten; 2 scharlaken, donkerrood; 3 scharlakenluis, cochenille || ~ *del paraíso* kardamom; **granada** 1 granaatappel; 2 granaat; ~ *de mano* handgranaat; ~ *sin estallar* blindganger; **granadero** grenadier; **granadilla** passiebloem; **granadillo** (*Am*) bep boom (*met mooi hout*); **granadina** grenadine; **granadino** uit Granada; **granado I** *zn* granaatappelboom; **II** *bn* 1 voortreffelijk; *lo más* ~ het puikje; 2 rijp, volwassen; 3 met mooie korrels; **granar** in het zaad schieten, zaad vormen; **granate I** *m* 1 granaat (*edelsteen*); 2 donkerrode kleur; **II** *bn, onv* donkerrood; **granazón** *v* 1 zaadvorming; (het) in het zaad schieten; 2 ontwikkeling, rijpheid

grande (*voor zn mnl en vrl enkv: gran*) **I** *bn* groot; groots; *una gran comida* een fantastisch maal; *gran duque* groothertog; *gran expectación* hooggespannen verwachtingen; *gran número de* tal van; *a lo* ~ op grote voet; *en ~: a*) in het groot; *b*) fantastisch, geweldig; *en gran estilo* grootscheeps; *estar ~, venir ~: a*) te groot zijn; *b*) (*fig*) te zwaar zijn; *el cargo le viene* ~ hij is niet op zijn taak berekend; *pasarlo en* ~ het heerlijk hebben; **II** *m: un* ~ (*Sp*) iem van adel; ~ *de España* Spaanse grande, iem vd hoogste adel; **grandecito** geen klein kind meer; **grandemente** zeer, ten zeerste; **grandeza** 1 grootheid, belang; 2 adellijke status (*van een grande*)

grandilocuencia hoogdravende taal; **grandilocuente** hoogdravend

grandiosidad *v* grootsheid; **grandioso** groots; **grandísimo** heel groot; *el* ~... die schurk van een...; **grandullón, -ona** lange slungel, lange lijs

graneado: *fuego* ~ trommelvuur

granel: *a ~: a*) losgestort; *vino a* ~ wijn uit het vat; *b*) (*fig*) bij de vleet; *carga a* ~ bulklading; **granelero** bulkcarrier

granero graanschuur, graanpakhuis; (graan)zolder

granítico van graniet, granietachtig

1 granito graniet

2 granito 1 korreltje; 2 puistje

granizada 1 hagelbui; 2 (*fig*) stortvloed; 3 bep koude drank; **granizar** hagelen; **granizo** hagel

granja boerderij, hoeve; ~ *avícola* hoenderpark, kippenfokkerij; ~ *modelo* modelboerderij; **granjearse** (*fig*) veroveren, verwerven; ~ *la amistad de u.p.* iems vriendschap winnen; **granjero, -a** boer, boerin

grano 1 korrel; graankorrel; ~ *de arroz* rijstkorrel; ~ *de café* koffieboon; ~ *de maíz* maïskorrel; ~ *de pimienta* peperkorrel; ~ *de sal* zoutkorrel; *aportar su* ~ *de arena* zijn steentje bijdragen; *de* ~ *fino* fijnkorrelig; *de* ~ *grueso* grofkorrelig; *no es* ~ *de anís* dat is niet mis; 2 graan, koren; *separar el* ~ *de la paja* het kaf van het koren scheiden; 3 pit(je); ~ *de uva* druivepit; 4 nerf (*van hout, leer*); 5 puist; *le salieron ~s* hij kreeg puisten; 6 (*fig*) kern; *¡al ~!* ter zake!; *ir al* ~ ter zake komen; *ir directamente al* ~ met de deur in huis vallen

granuja *m* onverlaat, schobbejak, schelm, boef; schurk; **granujada** schurkenstreek; **granujería** 1 schurkenstreek; 2 schelmenbende

granujiento 1 korrelig; 2 puistig

granujilla *m,v* kleine boef, apekop, ondeugd

granulación *v* verkorreling; **granulado** in korrels; **granular** korrelig, in korrels; *en forma* ~ in korrels

1 granza meekrap

2 granza: *~s* kaf; metaalslakken

grao strand dat als haven dient

grapa klamp, klem; kram; nietje; **grapadora** nietmachine; **grapón** *m* kram

grasa vet; smeer; ~ *de ballena* walvisspek; ~ *consistente* consistentvet; ~ *láctea* melkvet; ~ *de tocino* spekvet; *~s vegetales* plantaardige vetten; **grasera** (*techn*) vetpot; **grasiento** vet, vettig; **graso** vet; **grasoso** vettig, vet-; *adherencia -a* vetaanslag

gratificación *v* gratificatie; **gratificante** hartverwarmend; **gratificar** belonen

gratinar gratineren

gratis gratis, kosteloos

gratitud *v* dankbaarheid, erkentelijkheid; *expresar su* ~ zijn dank betuigen; **grato** aangenaam, verheugend; *me es* ~ *invitarle* ik heb het genoegen u uit te nodigen

gra

gratuidad *v* kosteloosheid; **gratuito** 1 gratis, kosteloos; *ejemplar* ~ presentexemplaar; *entrada -a* toegang vrij; 2 gratuit, willekeurig, vrijblijvend, uit de lucht gegrepen
grava grind, kiezel, steenslag; gravel
gravamen *m* (*financiële*) last, verplichting, belasting; *libre de gravámenes* vrij van lasten, onbelast; *sin* ~ onbezwaard; **gravar** 1 een belasting opleggen, aanslaan; ~ (*con un impuesto*) belasten; *no se grava(n)* vrij van belasting; 2 bezwaren, drukken op; *gravado con hipoteca* met hypotheek bezwaard; **grave** 1 ernstig, bedenkelijk, erg; (*fig*) zwaar; ~ *competencia* zware concurrentie; 2 (*mbt toon*) laag; 3 gedragen, verheven; 4 met klemtoon op de voorlaatste lettergreep || *acento* ~ accent grave; **gravedad** *v* 1 zwaartekracht; *centro de* ~ zwaartepunt; 2 ernst; *herido de* ~ ernstig gewond; **gravemente** ernstig; ~ *enfermo* zwaar ziek
gravidez *v* zwangerschap; **grávido** 1 (*lit*) zwaar, vol; 2 zwanger
gravilla kiezel, split
gravitación *v* gravitatie, zwaartekracht; **gravitar** 1 steunen, drukken; 2 hangen, bedreigen; **gravitatorio** vd zwaartekracht; **gravoso** 1 bezwaarlijk, lastig; 2 duur
graznar (*mbt raaf*) krassen; (*mbt eend*) kwaken, snateren; **graznido** (het) krassen; gekwaak
greca geometrisch versierde rand, meander
Grecia Griekenland; **greco** Grieks; **grecorromano** Grieks-Romeins
greda leem, klei; **gredoso** lemig
gregario 1 in kudden levend; *animal* ~ kuddedier; 2 (*fig*) zonder initiatief, slaafs
gregoriano gregoriaans
greguería 1 kabaal, rumoer; 2 (*vglbaar*) aforisme (*zoals geschreven door Ramón Gómez de la Serna*)
gremial I *bn* 1 vd gilden; 2 vd vakbond; II *m* 1 lid van gilde; 2 lid van vakbond; **gremialismo** neiging om vakbonden te vormen; **gremio** 1 gilde; groep, broederschap; 2 (*Am*) vakbond; (*vglbaar*) bedrijfschap
greña piekhaar, ragebol || *andar a la* ~ bakkeleien, (met elkaar) overhoopliggen; **greñudo** met piekhaar, ongekamd
gres *m* 1 gres, soort aardewerk; 2 soort zandsteen
gresca ruzie; herrie; *andar a la* ~ ruzie krijgen
grey *v* kudde
griego Grieks; *las calendas -as* sint-juttemis
grieta spleet, barst, scheur, kier; kloof (*in huid*); ~ *capilar* haarscheurtje
grifa (*fam*) marihuana
grifería (de) kranen; **grifo** 1 kraan; ~ *mezclador* mengkraan; *corre el* ~ de kraan loopt; 2 griffioen
grifota *m,v* (*fam*) hasjroker
grillera 1 heksenketel; 2 krekelval; **grillete** *m* 1 (*techn*) schalm, kettingring, harp; 2 ~*s* voetboeien
1 grillo krekel
2 grillo: ~*s* (voet)boeien
grima onprettig gevoel; *da* ~ (*verlo*) het is akelig om te zien, daar word je akelig van, je griezelt ervan
grímpola vaantje
gringo, **-a** (*Am*) Noordamerikaan(se), iem uit de VS; buitenlander, buitenlandse
gripal vd griep; **griparse** 1 griep krijgen; 2 (*mbt mechaniek*) blijven steken; **gripe** *v* griep; *estar con* ~, *tener la* ~ griep hebben; **griposo** grieperig, met griep
gris I *bn* grijs; (*mbt weer*) druilerig, grauw; ~ *perla* parelgrijs; ~ *plata* zilvergrijs; ~ *ratón* muisgrijs; II *m* agent, smeris; *los* ~*es* (*Sp, tot 1979*) de Policía Nacional; **grisáceo** grijzig; **grisado** arcering
grisú *m* mijngas
gritador, **-ora** schreeuwerig; **gritar** 1 schreeuwen, roepen; toeroepen; *ponerse a* ~ een keel opzetten; 2 uitjouwen; tekeer gaan tegen; **gritería**, **griterío** geschreeuw; **grito** schreeuw, kreet, gil; ~*s* geschreeuw, gegil; *a* ~*s*, *a* ~ *limpio* luidkeels; *dar un* ~ een gil geven; *dar* ~*s*, *pegar* ~*s* schreeuwen; *dar* ~*s de alegría* juichen; *pedir a* ~*s* schreeuwen om (*ook fig*); *poner el* ~ *en el cielo* tekeer gaan, veel misbaar maken, moord en brand schreeuwen || *el último* ~ de laatste mode
groenlandés, **-esa** Groenlands; **Groenlandia** Groenland
grog *m* grog
grosella aalbes; ~ *negra* zwarte bes; **grosellero** bessestruik
grosería grofheid, lompheid, onbeschoftheid; **grosero** grof, lomp, onbehouwen, onbeschoft, ruw; schunnig; **grosor** *m* dikte
grotesco grotesk
grúa (hijs)kraan; ~ *corredera*, ~ *móvil* loopkraan; ~ *de cucharón*, ~ *draga* grijperkraan; ~ *flotante* drijfkraan, drijvende bok; ~ *giratoria* zwaaikraan; *coche* ~ kraanwagen, takelwagen
gruesa gros; **grueso** I *bn* dik; groot, corpulent; *de grano* ~ grofkorrelig; *en* ~ in het groot (*kopen*); *mar -a* ruwe zee; II *zn* 1 dikte; grootte; 2 merendeel, gros; kern
grulla kraanvogel
grumete *m* scheepsjongen
grumo klont; *formar* ~*s* klonteren; **grumoso** klonterig
gruñido gebrom, gegrom; geknor (*van varken*); **gruñir** 1 brommen, grommen, knorren; 2 morren, brommen; **gruñón**, **-ona** I *bn* brommerig, knorrig, sjagrijnig; II *zn* brombeer, kniesoor, knorrepot
grupa achterhand, kruis; *en la* ~ *del caballo* achterop het paard
grupo 1 groep; ~ *de acción* actiegroep; ~ *auxiliar* (*elektr*) hulpaggregaat; ~ *electrógeno* aggregaat; ~ *impositivo* tariefgroep; ~ *meta*, ~ *objeto* doelgroep; ~ *pop* popgroep; ~ *de pre-*

sión pressiegroep; ~ *de (alto) riesgo* risicogroep; ~ *sanguíneo* bloedgroep; ~ *de soldadura* lasaggregaat; ~ *de trabajo* werkgroep (*bv univ*); *nutridos ~s* dichte drommen; 2 ~ (*de empresas*) concern
gruta grot
gua *m* knikkerspel; (knikker)kuiltje; *jugar al* ~ knikkeren
guaca (*Am, hist*) Indiaans graf; kuil; verborgen schat
guacal *m* (*Am*) 1 kalebasboom; 2 draagkrat
guacamayo soort papegaai, ara
guacamole *m* (*Am, Mexico*) koude avocadosaus
guacamote *m* (*Am, Mexico*) maniok, cassave
guachimán *m* (*Am*) bewaker
guacho, -a (*Am*) 1 wees; 2 kuiken
Guadalupe meisjesnaam; (*soms*) jongensnaam
guadaña zeis; **guadañar** maaien
guagua 1 snuisterij, prutsding; 2 (*Cuba, Canarische eilanden*) bus; 3 (*Zuid-Am*) baby, kind || *de* ~ voor niks
1 guaira (*Am*) bep Indiaanse fluit
2 guaira driehoekig zeil
guaja *m* schelm, boef; *zie ook granuja*
guajira bep Cubaans lied
guajolote *m* (*Mexico*) kalkoen
gualdo (*lit*) geel
gualdrapa sjabrak, dekkleed
guanaco soort lama
guanche *m,v* (*hist*) bewoner of bewoonster vd Canarische eilanden (*vóór de komst vd Spanjaarden*)
guano 1 zeevogelmest, guano; 2 kunstmest (*imitatie van guano*)
guantada, guantazo klap met handschoen; **guante** *m* ~ *de boxeo* bokshandschoen; ~ *de goma* rubberhandschoen; *arrojar el* ~ *a u.p.* iem de handschoen toewerpen, iem uitdagen; *echar el* ~ *a u.c.* iets stelen; *echar el* ~ *a u.p.* iem gevangennemen, iem te pakken krijgen; *estar como un* ~ heel gedwee zijn, allervriendelijkst zijn, een lammetje zijn; *recoger el* ~ de uitdaging aanvaarden; *tratar a u.p. con* ~ *blanco* iem met fluwelen handschoenen aanpakken; **guantelete** *m* harnashandschoen; **guantera** handschoenenkastje (*in auto*); **guantería** handschoenenwinkel
guapetón, -ona heel knap (*om te zien*); **guapo, -a** I *bn* knap (*om te zien*); II *zn* 1 knappe man, knappe vrouw; 2 *m* haantje-de-voorste, vechtjas; 3 (*aanspreekwijze*) joh, kind, meid, lieverd, schat; *oye,* ~ zeg joh
guaracha Antilliaanse dans
guarache *m* (*Mexico*) sandaal
guaraní I *bn* vd Guarani's (*Indianenstam in vnl Paraguay*); II *zn* 1 *m,v* Guarani; 2 *m* (het) Guarani (*taal*); 3 *m* munteenheid van Paraguay
guarapo 1 suikerrietsap; 2 suikerrietbrandewijn
guarda 1 *m,v* bewaker, bewaakster, wachter, wacht; ~ *de caza* jachtopziener, (*Belg*) jachtwachter; ~ *forestal* boswachter; ~ *nocturno* nachtwaker; ~ (*de parque*) parkwachter; 2 *v* bewaking; bescherming
guardabarrera *m,v* bewaker of bewaakster van overweg; **guardabarros** *m* spatbord; ~ *posterior* achterspatbord; **guardabosque** *m* boswachter; **guardacantón** *m* hoekpaal (*ter bescherming van gevel*); **guardacoches** *m* parkeerwachter; **guardacostas** *m* kustwacht; kustwachter; **guardaespaldas** *m* lijfwacht; **guardagujas** *m* wisselwachter; **guardainfante** *m* (frame voor) hoepelrok; **guardameta** *m* doelman, keeper; **guardamuebles** *m* meubelopslagplaats; **guardapelo** medaillon; **guardapolvo** stofjas; **guardapuentes** *m* brugwachter
guardar 1 bewaren; behouden; bewaken; behoeden; ~ *las apariencias* de schijn ophouden; ~ (*la*) *cama* het bed houden; ~ *cola* in de rij staan; ~ *distancia* (*lett*) afstand houden; ~ *las distancias* (*fig*) de afstand bewaren; ~ *la forma* in conditie blijven; ~ *luto* (*por*) rouwen (om); ~ *rencor* wrok koesteren; *fiesta de* ~ (*godsd*) verplichte feestdag; 2 (op)bergen, stoppen, steken; wegleggen; opslaan; *guardó el dinero en el bolsillo* hij stak het geld in zijn zak; 3 ~ *de* vrijwaren voor; **guardarse** 1 bij zich houden, bewaren; voor zich houden; 2 ~ (*de*) zich hoeden voor, zich wachten voor, zich in acht nemen voor; *¡guárdate!* denk erom!; *¡guárdate de…!* pas op dat je niet…!
guardarropa *m* garderobe; vestiaire; **guardarropía** (*theat*) (de) kostuums, kostuummagazijn
guardavía *m* baanwachter
guardería crèche, kinderdagverblijf
guardia 1 wacht; garde; bewaking; *relevo de la* ~ aflossing vd wacht; ~ *cívica* burgerwacht; ~ *civil* (*Sp; vglbaar*) rijkspolitie (*ressorteert onder de militaire autoriteiten*); ~ *de corps* lijfwacht (*vd koning*); ~ *de cuartillo* hondewacht; ~ *de honor* erewacht; *estar de ~: a*) op wacht staan, posten; *b*) dienst hebben; *estar en* ~ op zijn hoede zijn; *farmacia de* ~ dienstdoende apotheek; *poner a u.p. en* ~ *contra* iem waarschuwen voor; 2 *m* (politie)agent; ~ *marina m* adelborst; ~ *de tráfico* verkeersagent; **guardiamarina** *m* adelborst; **guardián, -ana** bewaker, bewaakster; *perro* ~ waakhond
guardilla 1 dakkapel; 2 zolderkamer; vliering
guarecer opnemen, behoeden; beschermen; **guarecerse** een toevlucht zoeken; **guarida** 1 hol, leger; ~ *de zorros* vossehol; 2 toevluchtsoord
guarismo cijfer
guarnecer 1 ~ (*de*) garneren (met), versieren (met); 2 (*edelsteen*) zetten; 3 met troepen bezetten, een garnizoen leggen in; 4 ~ (*de*) uitrusten (met), voorzien (van); **guarnición** *v* 1 garnering; versiering; (koper)beslag; 2 garnizoen; 3 kas, zetting (*van edelsteen*); 4 garni-

tuur (*bij eten*); 5 beschermde greep (*van degen*) || ~ *del freno* remvoering; **guarnicionería** zadelmakerij; **guarnicionero** zadelmaker
guarrada *zie guarrería*; **guarrería** zwijnerij, smeerlapperij; vuilbekkerij; gemene zet; **guarro, -a** 1 varken; 2 viespeuk
guasa 1 gekheid, grap, spot; *estar de* ~ in een gekke (*niet serieuze*) bui zijn; *tomar a* ~ de draak steken met; 2 saaiheid; **guasearse**: ~ *de* gekheid maken over; **guasón, -ona** grapjas
guata watten; **guateado** gewatteerd; **guatear** watteren
Guatemala Guatemala; *salir de* ~ *y entrar en Guatepeor* van de regen in de drup raken; **guatemalteco** Guatemalteeks, Guatemalaans; **guatemaltequismo** typisch Guatemalteeks woord of uitdrukking
guateque *m* instuif; feestje (*bij iem thuis*)
guau: *¡~!* waf!, woef!
guayaba 1 guave (*vrucht*); 2 (*Am, fam*) jong meisje; **guayabal** *m* terrein met guavebomen; **guayabera** tropenhemd (*luchtig jasje*); **guayabo** 1 guaveboom; 2 (*Am, fam*) jong meisje
Guayana Guyana; *la* ~ *francesa* Frans Guyana; *la* ~ *holandesa* (*tot 1975*) Suriname; **guayanés, -esa** uit Guyana
gubernamental 1 vd regering; *aparato* ~ regeringsapparaat; 2 regeringsgezind; **gubernativo** vd regering
gubia guts
guedeja 1 haardos; 2 lok
güero (*Mexico*) blond
guerra oorlog, strijd; ~ *civil* burgeroorlog; ~ *sin cuartel* genadeloze strijd; ~ *de desgaste* slijtageslag; *la* ~ *de Flandes* de Tachtigjarige oorlog; ~ *fría* koude oorlog; ~ *de las galaxias* star wars; ~ *mundial* wereldoorlog; ~ *naval* zeeoorlog; ~ *de nervios* zenuwenoorlog; ~ *nuclear* kernoorlog; ~ *relámpago* blitzkrieg; ~ *de secesión* afscheidingsoorlog; ~ *de sucesión* successieoorlog; ~ *tribal* stammenoorlog; *andar buscando* ~ op het oorlogspad zijn; *dar* ~ lastig zijn, last bezorgen; *declarar la* ~ de oorlog verklaren; *en la* ~ *como en la* ~ we moeten ons maar behelpen, je moet roeien met de riemen die je hebt; *estar en* ~ *con* in oorlog zijn met; *hacer la* ~ *a* oorlog voeren met; *ir a la* ~ te velde trekken; *riesgo de* ~ molest; **guerrear** oorlog voeren; **guerrera** uniformjasje; **guerrero, -a** I *bn* krijgshaftig; II *zn* soldaat, strijd(st)er; **guerrilla** guerrilla; **guerrillero, -a** guerrillastrijd(st)er
gueto ghetto
guía 1 gids (*boek*); leidraad, stelregel; ~ *de direcciones* adresboek; ~ *de ferrocarriles* spoorboekje; ~ *de teléfonos* telefoonboek; 2 *m,v* gids (*persoon*); reisleid(st)er; leidsman, -vrouw; 3 (fiets)stuur; ~ *de carreras* racestuur; 4 geleidebiljet (*voor goederen*); 5 ~*s* punten vd snor; **guíahilos** *m* draadgeleider (*op naaimachine*); **guiar** í 1 leiden; geleiden; ~ *los estudios de u.p.* iem bij de studie begeleiden; 2 sturen; ~ *el coche* de auto besturen; **guiarse** í (*por*) zich richten (naar)
guija, guijarro kiezelsteen; **guijo** grind
guillado getikt, gek; **guilladura** dwaasheid; **guillarse** 1 (*ook guillárselas*) er vandoor gaan; 2 gek worden
guillotina guillotine; **guillotinar** guillotineren
guimbalete *m* pompzwengel
guinche *m* (*Am, techn*) lier, (hijs)kraan
guinda kriek || *poner la* ~ *de la polémica* de knuppel in het hoenderhok gooien; **guindalera** kriekeboomgaard; **guindar** 1 afsnoepen; 2 ophijsen; **guindaste** *m* windas; **guindilla** 1 rode peper; 2 (*fam*) politieagent, smeris; **guindillo**: ~ (*de Indias*) (*plantk*) Spaanse peper; **guindo** kriekeboom
guiñada 1 knipoog; 2 (*scheepv*) (het) plotseling zwenken
guiñapo 1 flard, vod, lor (*ook fig*); 2 haveloze figuur; *dejar hecho un* ~ *a u.p.* niets heel laten van iem; *está hecho un* ~ er is niets van hem over; *poner como un* ~ *a u.p.* iem de huid volschelden, geen spaan heel laten van iem
guiñar 1 knipogen; ~ *a u.p.* tegen iem knipogen; ~ *los ojos* met zijn ogen knipperen; 2 (*mbt schip*) plotseling afwijken van koers, zwenken; **guiño** knipoog
guiñol *m* poppenkast
guión *m* 1 draaiboek, scenario; leidraad, schema; 2 koppelteken; 3 vaandel (*voorop in processie*); **guionista** *m,v* scenarioschrijver, -schrijfster
guipar (*fam*) zien
guipuzcoano uit Guipúzcoa (*Baskenland*)
guirigay *m* 1 brabbeltaal, koeterwaals; 2 geschreeuw (*door elkaar*)
guirlache *m* soort noga
guirnalda guirlande, slinger
guisa wijze, manier; *a* ~ *de* bij wijze van
guisado stoofgerecht; **guisante** *m* (dop)erwt; ~ *flamenco*, ~ *mollar* peul; **guisar** 1 koken; *no sabe* ~ hij kan niet koken; 2 smoren, stoven; 3 bekokstoven; **guisarse** gaar worden; **guiso** stoofgerecht; **guisote** *m* vies eten; **guisotear** zo'n beetje koken, wat kokkerellen
güisqui *m* whisky
guita 1 dun touw; 2 (*fam*) geld, poen
guitarra gitaar; **guitarreada** gitaarsessie; **guitarreo** eentonig getokkel; **guitarrería** gitaarfabriek; **guitarrero** gitaarmaker; **guitarrista** *m,v* gitarist(e)
gula vraatzucht
gules *m* (*in heraldiek*) helderrood
gurí *m* (*Am*) kind, jongen (*vnl niet-blank*)
guripa *m* (*fam*) soldaat
gurisa (*Am*) meisje (*vnl niet-blank*)
gurriato, gurripato 1 mussejong; 2 (*pop*) kind
gurú *m* goeroe
gusanillo wormpje; ~ *de la conciencia* knagend geweten, berouw; *matar el* ~ op de nuch-

tere maag een borrel nemen, een pierenverschrikkertje nemen; **gusano** worm; ~ *de seda* zijderups

gustar I *tr* proeven; II *intr* 1 bevallen, aanstaan; *le gustan las fresas* hij houdt van aardbeien, hij vindt aardbeien lekker; *me gusta leer* ik houd van lezen; *no te gustará* dat is niets voor jou; 2 ~ *de* ervan houden om; *gusto de leer* ik houd van lezen; **gustativo** vd smaak, smaak-; **gustazo** enorm plezier, verwennerij van zichzelf; **gustillo** 1 bijsmaak; 2 leedvermaak; **gusto** 1 smaak, (*Belg*) goesting; *un ~ raro* een vreemde smaak; *a (su) ~: a)* naar smaak; *b)* naar zijn zin; *c)* op zijn gemak; *una broma de mal ~* een smakeloze grap; *coger el ~ a* de smaak te pakken krijgen van; *comer con ~* smullen; *de buen ~* stijlvol; *mal ~* wansmaak; *es de mal ~* het getuigt van slechte smaak, het is stijlloos; *para todos los ~s* voor elk wat wils; *sobre ~s no hay nada escrito* smaken verschillen; *tomar el ~ a u.c.* de smaak van iets te pakken krijgen; 2 genoegen; zin, (*Belg*) goesting; *con el mayor ~, con muchísimo ~* dolgraag; *con (mucho) ~: a)* (heel) graag; *b)* tot zijn genoegen; *c)* met smaak; *veo con mucho ~ que…* ik zie tot mijn genoegen dat…; *crece que da ~* hij groeit dat het een lust is; *da ~ (+ onbep w)* het is een lust om; *da ~ verlo* het is een lust voor het oog; *dar un ~ a u.p.* iem een plezier doen, iem blij maken; *despacharse a su ~* zijn hart luchten; *hallar ~ en* behagen scheppen in; *¡mucho ~!* aangenaam!; *para darle ~* om hem plezier te doen; *por ~* voor de aardigheid, voor zijn plezier; *sentirse a ~* zich op zijn gemak voelen; **gustosamente** graag; **gustoso** 1 smakelijk; 2 met graagte, met genoegen; *lo aceptamos ~s* wij aanvaarden het graag

gutapercha soort rubber; **gutífero** gomhoudend

gutural I *bn* vd keel; II *v* (*gramm*) keelklank

Guyana Guyana; *zie ook Guayana*; **guyanés, -esa** uit Guyana

Hh*h*

h *hache v* (*letter*) h

1 ha *hectárea* hectare

2 ha *zie haber*

haba 1 tuinboon; *en todas partes cuecen ~s* het is overal hetzelfde, er is overal wel wat; *son ~s contadas* dat is zo duidelijk als wat; 2 korstje, bultje, pukkel

Habana: *La ~* Havana (*Cuba*); **habanera** bep Cubaanse dans; **habanero** uit Havana; **habano** I *bn* 1 (*vnl mbt tabak*) uit Havana; 2 lichtbruin; II *zn* (havanna)sigaar

haber I *hulpww* 1 ~ (+ *volt dw*) hebben, zijn; *ha comido* hij heeft gegeten; *ha ido* hij is gegaan; *¡~lo sabido!* had ik dát geweten!; *¡habráse visto!* wel heb je ooit!; 2 ~ *de* (+ *onbep w*) moeten (*wat logisch, gewenst is*); *he de estudiar* ik moet eens aan de studie; *ha de ser a las tres* het moet wel om drie uur zijn; *¿por qué he de ocultarlo?* waarom zou ik het moeten verbergen?; II *zelfst ww* 1 er zijn; *hay* er is, er zijn; *había casas* er waren huizen; *¿habrá crimen (igual)?* is er een grotere misdaad denkbaar?; *¿habrá estúpido?* heb je ooit zo'n sufferd gezien?; *hay gripe* er heerst griep; *había quien resbalara* er waren mensen die uitgleden; *hubo un silencio* er viel een stilte; *había una vez* er was eens; *…como hay pocos* …zoals je zelden vindt; *no hay como la música para…* niets is zo goed als muziek om…; *no hay de qué* geen dank; *no hay más que…* je hoeft maar…; *no hay quien me ayude* niemand helpt me; *no hay tal* dat is onzin, dat is niet waar; *¿qué hay?* hoe staat het leven?; *eres de lo que no hay* je bent me d'r een, je bent geweldig; *…si los hay* …van het ergste soort; 2 ~ *que* (+ *onbep w*) moeten; *hay que* men moet, je moet; *hay que darse prisa* we moeten opschieten; *había que salir* het was nodig te vertrekken, we moesten weg; *hay que trabajar* er moet gewerkt worden; III *m* 1 (*financ*) activa, credit; *tiene en su ~* als pluspunt heeft hij; 2 (*vaak mv*) vermogen, bezittingen; *todo su ~* zijn hele hebben en houden; 3 *~es* beloning, salaris; **haberse**: *habérselas con* te maken krijgen met, het aan de stok hebben met; *allá se las haya* hij moet het zelf maar weten

habichuela sperzieboon

hábil 1 handig, vaardig, behendig, bedreven; 2 geschikt; 3 slim, handig; *una jugada ~* een slimme zet; 4 ~ *para* (*jur*) bekwaam om || *día ~* werkdag; **habilidad** *v* 1 handigheid, vaardigheid; kundigheid; ~ *manual* handvaardigheid; *falta de* ~ onhandigheid; *tener* ~ *en u.c.* slag van iets hebben; 2 slimheid, handigheid; 3 (*jur*) bekwaamheid; **habilidoso** handig, vaardig; **habilitación** *v* 1 (het) geschikt maken; 2 bevoegdheidsverklaring; **habilitado** (*vglbaar*) betaalmeester; **habilitar** (*para*) 1 de bevoegdheid geven (om); (*jur*) bekwaam verklaren (om); 2 geschikt maken (voor), in orde brengen; inrichten (voor)

habitabilidad *v* bewoonbaarheid; **habitable** bewoonbaar; **habitación** *v* 1 kamer, vertrek; ~ *doble* tweepersoonskamer; ~ *individual* eenpersoonskamer; 2 slaapkamer; 3 woonplaats, verblijfplaats; 4 bewoning, (het) wonen; **habitáculo** 1 (*lit*) woning; 2 koetswerk, binnenruimte (*in auto*); **habitante** *m,v* bewoner, bewoonster; inwoner, inwoonster; ~ *primitivo* oorspronkelijke bewoner; **habitar** I *tr* bewonen, wonen in; II *intr* wonen; **hábitat** *m* habitat

hábito 1 pij; gewaad, habijt; *el* ~ *no hace al monje* men moet niet naar het uiterlijk oordelen; *ahorcar los ~s, colgar el ~: a*) uit het klooster gaan; *b*) iets opgeven, de lier aan de wilgen hangen; *tomar el* ~ in een klooster gaan; 2 gewoonte; *contraer el* ~ *de* zich aanwennen; **habituado** gewend; **habitual** gebruikelijk, gewoon; *los ~es* de stamgasten; *bebedor* ~ gewoontedrinker; *cliente* ~ geregelde bezoeker, vaste klant; **habituar ú** (doen) gewennen; ~ *al freno* (*een paard*) inrijden; **habituarse ú** (*a*) wennen (aan)

habla 1 spraak(vermogen); *defecto del* ~ spraakgebrek; *sin* ~ sprakeloos, verstomd; 2 spraak, taal; manier van praten; *el* ~ *popular* de volkstaal; *de* ~ *castellana* Spaanstalig; *en el* ~ *popular* in de volksmond || *estar al* ~ *con* (*telef*) in verbinding staan met; *ponerse al* ~ *con* zich in verbinding stellen met; **hablado**: *ser mal* ~ grof in de mond zijn; **hablador, -ora** I *bn* spraakzaam; praatziek; II *zn* kletskous, babbelaar(ster); **habladuría** (klets)praatje; *~s* geklets, leuterpraat; **hablante** *m,v* spreker, spreekster (*van een taal*); **hablar** I *intr* ~ (*de*) spreken (over), praten (over); ~ *a* toespreken, spreken tot (*ook fig*); ~ *alto* hard spreken; ~ *claro* duidelijke taal spreken; ~ *en favor de* pleiten voor; *habla Juan* (*telef*) u spreekt met Juan; ~ *mal de* kwaadspreken van, over; ~ *por* ~ zomaar wat praten, zwammen; ~ *solo* in zichzelf praten; *dar que* ~ in opspraak zijn; *echar a* ~, *romper a* ~: *a*) (*mbt kind*) gaan praten; *b*) plotseling aan het praten slaan; *¡ni ~!* geen sprake van!; *no para de* ~ zijn mond staat niet stil; *no se hable más de ello* laten we het maar vergeten; *¿quién habla?* (*telef*) met wie spreek ik?; *quien mucho habla mucho yerra* wie veel zegt heeft veel te verantwoorden, wie veel zegt veel miszegt; *se habla de…* er is sprake van…; *sin* ~ *de* om maar niet te spreken van; *sólo le falta* ~, *está hablando* het lijkt sprekend; II *tr* bespreken; **hablarse** met elkaar spreken; *ya no se hablan* ze hebben ruzie, ze kijken elkaar niet meer aan, het is uit tussen hen; **hablilla** (klets)praatje; **hablista** *m,v* goed stilist(e)

habón *m* pukkel, puistje

hacedero doenlijk, uitvoerbaar; **hacedor, -ora** maker; **Hacedor**: *el* (*Sumo*) ~ de Schepper, God

hacendado eigenaar van een hacienda; **hacendista** *m,v* expert inzake openbare financiën; **hacendístico** vd openbare financiën; **hacendoso** ijverig

hacer I *tr* 1 doen, maken; (*contract*) aangaan, sluiten; bedragen; (*bed, haar, inventaris*) opmaken; (*vraag*) stellen; ~ *bien en* (+ *onbep w*), ~ *bien* (+ *gerundio*) er goed aan doen om; ~ *una buena* een streek uithalen; ~ *un cartón* (*bij bingo*) een kaart volkrijgen; ~ *como que* (+ *indic*), ~ *como si* (+ *pretérito de subj*) doen alsof; *hacía como si durmiera* hij deed alsof hij sliep; *hacía como que trabajaba* hij was zogenaamd aan het werk; *haga lo que haga* wat hij ook doet; ~ *por* ~ maar wat doen (om bezig te zijn); ~ *60 kms por hora* 60 km per uur doen; ~ *la prueba* de proef op de som nemen; ~ *reír* laten lachen; ~ *señas* tekens geven, beduiden; ~ *valer* doen gelden; ~ *venir* laten komen; *a medio* ~ half af; *ahora ¿qué hacemos?* wat zullen we nu doen?; *dejar* ~ *a u.p.* iem zijn gang laten gaan; *se deja* ~ hij laat zich alles welgevallen, hij laat met zich sollen; *eso no se hace* dat is geen manier (van doen); *¡qué le vamos a ~!* niets aan te doen!; 2 ~ (+ *tijdsduur*) geleden zijn; *hace dos años fui a París* twee jaar geleden ben ik in Parijs geweest; *hacía muchos años de eso* dat was heel lang geleden; *hace poco* kort geleden; *¿cuánto hace de esto?, ¿cuánto tiempo hace?* hoe lang is dat geleden?; 3 ~ (+ *tijdsduur* + *que*) sinds; *hace un año que espero* ik wacht al een jaar; *hace meses que no he comido carne* ik heb al maanden geen vlees meer gegeten; 4 ~ (+ *weersaanduiding*) zijn; *hace mucho frío* het is erg koud; *va a* ~ *un día bueno* het wordt een mooie dag; 5 eruit zien, staan, aandoen; ~ *bien* goed staan, goed ogen; *eso hace feo* dat staat lelijk; 6 menen; *él me hacía en Bilbao* hij dacht dat ik in Bilbao zat; *te hacía más gorda* ik dacht dat je dikker was; 7 ~ *que* (+ *subj*) zorgen dat, maken dat; *haré que calle* ik zal maken dat hij zijn mond houdt; 8 (*rekenk*) zijn; *dos y dos hacen cuatro* twee plus twee is vier || *~la* iets stouts doen, (*iem*) te pakken nemen, een hak zetten; *no le hace* het doet er niet toe; II *intr* 1 ~ *de* optreden als; dienst doen als; ~ *las veces de* fungeren als; 2 ~ *para*, ~ *por* zijn best doen om || *por lo que hace a* wat betreft; **hacerse** I *zelfst ww* 1 zich voordoen; vallen; ~ *el dormido* zich slapend houden; ~ *el interesante* zich aanstellen; ~ *de nuevas* doen alsof je iets voor het eerst hoort; *se me hace difícil* ik vind het moeilijk; *se me hace largo* het valt me lang; *se me hace* *que* het komt mij voor dat; 2 zich ontwikkelen; 3 ~ *a* wennen aan; ~ *a la idea* aan de gedachte wennen; *estar hecho a* gewend zijn aan; 4 ~ *con* (*soms:* ~ *de*) te pakken krijgen, zich meester maken van, zich voorzien van, verkrijgen; II *koppelww:* ~ (+ *bn*), ~ (+ *zn*) worden; ~ *amigos* bevriend raken; ~ *caro* duur worden; ~ *marinero* zeeman worden, gaan varen; ~ *viejo* oud worden || ~ *encima* zich bevuilen, het in zijn broek doen; ~ *a un lado* opzij gaan; ~ *a la mar* het ruime sop kiezen; ~ *a la vela* onder zeil gaan

1 hacha bijl; *enterrar el* ~ *de la guerra* de strijdbijl begraven

2 hacha fakkel; grote kaars || *ser un* ~ een kraan zijn, een kei zijn

hachazo klap met bijl

hache *v; zie h*

hachear hakken

hachís *m* hasj

hachón *m* heel grote kaars

hacia 1 naar, in de richting van; ~ *arriba* naar boven; ~ *atrás* achterover, achteruit; ~ *dentro* binnenwaarts; 2 jegens, ten aanzien van; 3 omstreeks; tegen; ~ *las tres* omstreeks drie uur

hacienda 1 groot boerenbedrijf; 2 (grond)-bezit, rijkdom, bezittingen; ~ *privativa de cada uno* privévermogen; 3 (*Am*) veestapel; **Hacienda**: ~ (*pública*) openbare financiën, staatskas; *delegación de* ~ (*vglbaar*) ontvangkantoor; *funcionario de* ~ belastingambtenaar; (*Ministerio de*) ~ ministerie van financiën

hacinamiento opeenhoping; **hacinar** ophopen, op elkaar stapelen; **hacinarse** 1 zich opstapelen; 2 samendrommen; (*fig*) bovenop elkaar zitten

hada fee; ~ *madrina* goede fee; *cuento de* ~*s* sprookje

hado lot

hagiografía levensbeschrijving van heilige, hagiografie

haiga *m* (*fam*) slee (van een auto)

Haití *v* Haïti; **haitiano** Haïtiaans

hala: *¡~!* vooruit!

halagador, -ora vleiend, complimenteus; rooskleurig; **halagar** vleien; (*fig*) strelen; **halago** vleierij; (*fig*) streling; **halagüeño** vleiend; rooskleurig, hoopvol

halar (*scheepv*) trekken, (naar zich toe) halen

halcón *m* 1 slechtvalk; 2 (*pol*) havik

hale *zie hala*

hálito 1 (*lit*) adem; ademtocht; zachte wind; 2 adem van dier

hallar vinden; **hallarse** zich bevinden, zijn; **hallazgo** vondst; gevonden voorwerp

halo aureool

halógeno halogeen; *faro* ~ halogeenlamp

haltera (*sp*) halter

hamaca 1 hangmat; 2 ligstoel; 3 (*Am*) schommel; **hamacarse** (*Am*) schommelen

hambre *v* 1 honger (*ook fig*); ~ *de poder* machtshonger; *le entró* ~ hij kreeg honger; *matar de* ~ laten verhongeren; *morirse de* ~ verhongeren; *muerto de* ~*: a*) *bn* uitgehongerd; *b*) *zn* hongerlijder; *pasar* ~, *sufrir* ~ honger lijden; *sueldo de* ~ hongerloontje; *tener* ~ honger hebben; *tengo un* ~ *que no veo* ik rammel, ik val van de graat; 2 hongersnood;

hambriento hongerig

hamburguesa hamburger

hampa onderwereld; *jerga del* ~ Bargoens;

hampón *m* schooier

hámster *m* hamster

handicap *m*, **hándicap** *m* handicap

hanega *zie fanega*

hangar *m* hangar

Hansa: *el* ~, *la* ~ de Hanze; **hanseático**: *la Liga -a* de Hanze

haragán, -ana lui; **haraganear** lanterfanten, luieren; **haraganería** luiheid, gehang

harapiento voddig, in lompen; **harapo** lor, flard; ~*s* lompen, vodden

hardware *m* hardware

harem *m; zie harén*; **harén** *m* harem

harina meel; ~ *de centeno* roggemeel; ~ *de flor* bloem; ~ *de huesos* beendermeel; ~ *leudante* zelfrijzend bakmeel; ~ *de maíz* maïsmeel; ~ *de pescado* vismeel; ~ *de trigo* tarwebloem; *hacerse* ~ aan barrels gaan; *meterse en* ~ dieper op de zaak ingaan; *estar metido en* ~ ergens intensief mee bezig zijn; **harinero, -a** I *bn* vh meel; II *zn* meelhandelaar(ster); **harinoso** vol meel; melig

harmonía harmonie

hartar 1 ~ (*de*) volstoppen (met); over'laden (met); 2 ergeren; **hartarse** 1 schransen, buffelen; 2 ~ *de* genoeg krijgen van; 3 ~ *de* + *onbep w* naar hartelust (*iets*) doen; ~ *de dormir* helemaal uitslapen; **hartazgo** verzadiging; over'lading, teveel; *darse un* ~ eten tot je niet meer kunt; **hartijón** *m* (*fam*) *zie hartazgo*; **harto** I *bn* 1 verzadigd, zat; 2 *estar* ~ *de* genoeg hebben van, (*iets*) moe zijn, (*iets*) beu zijn; 3 (*ongebr*) heel wat, menig; II *bw* zeer, erg; **hartura** (over)verzadiging; grote welstand

hasta I *vz* tot (aan); ~ *ahora* tot nu toe; ~ *los 30 años inclusive* tot en met 30 jaar; ~ *aquí* tot hier, tot zover; ~ *la fecha*, ~ *el momento* tot op heden; ~ *luego* tot straks; *¡~ otra!* tot kijk!; ~ *qué punto* in hoeverre; *no salgo* ~ *las 4* ik vertrek pas om 4 uur; II *bw* zelfs; *¿~ tú?* jij ook al?; III *voegw:* ~ *que* totdat; ~ *que vuelva* tot hij terugkomt

hastial *m* puntgevel; ~ *dentado* trapgevel

hastiar í ergeren, vervelen, doen walgen; **hastiarse í** (*de*) genoeg hebben (van), walgen (van); **hastío** walging, afkeer; verveling; *hasta el* ~ tot vervelens toe

hatajo 1 kleine kudde; 2 (*neg*) stel, groep; **hatillo** 1 bundel(tje); 2 kleine kudde; **hato** 1 bundel (*kleding, huisraad*); *liar el* ~ zijn biezen pakken; 2 kudde; verblijfplaats van her-

der en kudde; 3 (*neg*) stel, massa, troep; *revolver el* ~ tweedracht zaaien
hawaiano Hawaïaans
hay *zie haber*
haya beuk; **Haya**: *La* ~ Den Haag; **hayal** *m* beukenbos; **hayedo** beukenbos; **hayuco** beukenootje
1 haz *m* 1 schoof, bundel; ~ *de leña* takkenbos; ~ *lasérico* laserstraal; ~ *de luz* lichtbundel; ~ *de trigo* korenschoof; 2 *haces* (*hist*) fasces, bijlbundel (*fascistisch symbool*)
2 haz *v* voorkant
hazaña heldendaad, wapenfeit; bravourestukje
hazmerreír *m* risee, mikpunt
1 he: ~ *ahí* ziedaar; ~ *aquí* ziehier; *~me aquí* hier ben ik dan
2 he *zie haber*
hebdomadario wekelijks
hebilla gesp
hebra 1 vezel; draad(je); *quitar las ~s de las judías* bonen afhalen; *tabaco de* ~ shag; 2 (*fig*) draad; *pegar la* ~ een praatje aanknopen; *perder la* ~ de draad kwijt zijn
hebraico Hebreeuws; **hebraísta** *m,v* hebraïst(e); **hebreo** Hebreeuws; joods
hecatombe *v* 1 (*hist*) groot offer; 2 (*fig*) slachting
hechicería hekserij; **hechicero**, **-a** I *zn* tovenaar, tovenares; II *bn* betoverend; **hechizar** betoveren; (*fig*) boeien, fascineren; *hechizado por* in de ban van; **hechizo** 1 tovermiddel; 2 betovering, ban
hecho I *bn* 1 gedaan; *zie ook hacer*; *¡~!* afgesproken!; ~ *y derecho* uit één stuk; *lo* ~, ~ *está* gedane zaken nemen geen keer; *bien* ~ (*mbt biefstuk*) door'bakken; *dar por* ~ *que* ervan uitgaan dat; 2 (*mbt kaas*) belegen; II *zn* feit; ~ *consumado* voldongen feit, fait accompli; ~ *delictivo*, ~ *punible* strafbaar feit; ~ *jurídico* rechtsfeit; *~s y no palabras* geen woorden maar daden; *de* ~ feitelijk; **hechura** makelij, werk, maaksel; vorm; *~s* (het) maken, maakloon
hectárea (*afk ha*) hectare; **hectogramo** (*afk hg*) hectogram; **hectolitro** (*afk hl*) hectoliter; **hectómetro** (*afk hm*) hectometer
heder ie stinken; **hediondez** *v* stank; **hediondo** stinkend
hedonismo hedonisme, (het) genieten van het leven; **hedonista** *m,v* levensgenieter
hedor *m* stank
hegemonía hegemonie, heerschappij
helada vorst(periode); *a prueba de ~s* vorstvrij; **heladera** (*Am*) ijskast; **heladería** ijssalon; **heladero** ijsman; ijsfabrikant; **helado** I *bn* bevroren; ijskoud, ijzig; II *zn* ijs(je); ~ *de vainilla* vanille-ijs; **helar ie** I *tr* (doen) bevriezen; (*fig*) doen bekoelen; II *intr* vriezen; **helarse ie** bevriezen; (*fig*) bekoelen; *se le heló el corazón* zijn hart stond stil; *se le heló la sangre* het bloed stolde hem in de aderen
helecho (*plantk*) varen
helénico Helleens, oud-Grieks; **helenismo** hellenisme; **helenístico** hellenistisch
helera (*Am*) ijskast; **helero** gletsjer, ijsveld
hélice *v* 1 (*scheepv*) schroef; (*luchtv*) propeller; 2 schroeflijn, spiraal; **helicoidal** schroefvormig; **helicóptero** helikopter
helio helium; **heliógrafo** heliograaf; **helioterapia** heliotherapie
heliotropo 1 (*plantk*) heliotroop; 2 paars-roze kleur
helipuerto heliport, helihaven
helvecio, **helvético** Zwitsers
hematíe *m* rood bloedlichaampje; **hematología** hematologie, leer vh bloed; **hematoma** *m* bloeduitstorting
hembra 1 vrouwelijk dier, vrouwtje, wijfje; vrouwelijke plant; *animal* ~ wijfjesdier; 2 iem vh vrouwelijk geslacht, vrouw; 3 vrouwmens; 4 oog (*behorend bij haak*); **hembrilla** oogje (*behorend bij haakje*)
hemeroteca hemerotheek, bibliotheek van kranten
hemiciclo 1 halve cirkel; 2 (*half rond*) amfitheater; (*Sp; vglbaar*) zaal vd Tweede Kamer;
hemiplejía halfzijdige verlamming
hemisferio halfrond; ~ *austral*, ~ *sur* zuidelijk halfrond; ~ *boreal*, ~ *norte* noordelijk halfrond; **hemistiquio** halve versregel
hemofilia bloederziekte, hemofilie; **hemofílico** lijdend aan hemofilie
hemoglobina hemoglobine, rode bloedkleurstof; **hemoptisis** *v* bloedspuwing; **hemorragia** bloeding; ~ *cerebral* hersenbloeding; ~ *estomacal* maagbloeding; ~ *nasal* neusbloeding, bloedneus; **hemorroides** *vmv* aambeien
henchimiento zwelling; **henchir i** (helemaal) vullen; doen zwellen; **henchirse i** (op)zwellen; zich vol eten
hendedura *zie hendidura*; **hender ie** klieven, kloven, splijten; ~ *el aire* de lucht doorklieven, door de lucht zwiepen; **henderse ie** barsten, scheuren; **hendido** gespleten; *de pezuña -a* tweehoevig; **hendidura** spleet, kloof, gleuf, scheur; **hendir ie** *zie hender*
henequén *m* soort agave; soort sisal; hennep
heno hooi; *hacer* ~ hooien
hepático, **-a** I *bn* vd lever; II *zn* lijder aan een leverkwaal; **hepatitis** *v* geelzucht, leverontsteking
heptaedro zevenvlak
heptagonal zevenhoekig; **heptágono** zevenhoek
heptasílabo zevenlettergrepig
heráldica heraldiek; **heráldico** heraldisch; **heraldista** *m,v* heraldicus; **heraldo** boodschapper
herbáceo grasachtig; **herbaje** *m* gras, groenvoer; **herbario** herbarium; **herbicida** *m* verdelgingsmiddel (*voor onkruid*); **herbívoro** herbivoor, plantenetend; **herbolario** 1 herbarium; 2 kruidenhandelaar; 3 kruidenwinkel;

reformwinkel; **herborista** *m,v* kruidenhandelaar(ster); **herboristería** kruidenwinkel; reformwinkel; **herborizar** planten verzamelen, botaniseren; **herboso** met (veel) gras begroeid, grazig
hercio *zie hertz*
hercúleo (als) van Hercules; oersterk
heredable erfelijk; **heredad** *v* stuk grond, grondbezit, landgoed; **heredar** erven; **heredero, -a** erfgenaam, erfgename; *los ~s* de erven; *~ forzoso* wettig erfgenaam; *príncipe ~* kroonprins, troonopvolger; **hereditario** erfelijk; *tara -a* erfelijke belasting
hereje *m,v* ketter; **herejía** ketterij
herencia 1 erfenis, nalatenschap; erfdeel; *dejar en ~* nalaten; 2 erfelijkheid
herético ketters
herida wond, verwonding; *~ de arma* steekwond; *~ de bala* kogelwond; *causar ~s* verwonden, wonden toebrengen; *recibir ~s, sufrir ~s* verwondingen oplopen; **herido, -a** I *bn* gewond; *gravemente ~* zwaar gewond; *levemente ~* licht gewond; *resultar ~* gewond raken; II *zn* gewonde; **herir ie, i** 1 (ver)wonden; *~ el oído* pijn doen aan de oren; *~ la vista* pijn doen aan de ogen; 2 krenken, grieven, kwetsen; **herirse ie, i** zich verwonden; zich snijden
hermafrodita I *bn* tweeslachtig; II *m* hermafrodiet
hermanado bij elkaar horend; *ciudad -a* zusterstad; **hermanamiento** verbroedering; verzustering; combinatie; **hermanar** bijeenvoegen; bundelen; (*fig*) tot elkaar brengen; **hermanarse** zich verbroederen; **hermanastro, -a** stiefbroer, -zuster; **hermandad** *v* 1 broederschap; overeenstemming; 2 kerkelijke broederschap; **Hermandad** *v: Santa ~* (*hist*) plattelandsrechtbank; **hermano, -a** 1 broer, zuster; *~s* gebroeders; *~ gemelo, -a gemela* tweelingbroer, -zuster; *~ político, -a política* zwager, schoonzuster; *~s siameses* siamese tweeling; *~ uterino, -a uterina* halfbroer, -zuster (*met dezelfde moeder*); *ciudad -a* zusterstad; *medio ~, media -a* halfbroer, -zuster; 2 frater, (klooster)zuster
hermético 1 hermetisch; *~ al aire* luchtdicht; 2 moeilijk te begrijpen, moeilijk te doorgronden; **hermetismo** hermetisch karakter
hermosear verfraaien, mooier maken; **hermoso** mooi, fraai; **Hermoso**: *Felipe el ~* Filips de Schone; **hermosura** fraaiheid, schoonheid
hernia (*med*) (lies)breuk; *~ vertebral* hernia (*in de rug*); **herniado** lijdend aan een breuk; lijdend aan hernia; **herniarse** een breuk oplopen; hernia krijgen; **hernista** *m,v* herniaspecialist
héroe *m* held; **heroicidad** *v* heldhaftigheid; **heroico** 1 heroïsch, heldhaftig; *acto ~* heldendaad; 2 zeer krachtig; *remedio ~* paardemiddel; **heroína** 1 heldin; 2 heroïne; **heroinómano, -a** heroïneverslaafde; **heroísmo** heldenmoed, heldhaftigheid
herpe *m,v; zie herpes*; **herpes** *mmv, vmv* gordelroos; herpes
herrador *m* hoefsmid; **herradura** hoefijzer, (hoef)beslag; *arco de ~* hoefijzervormige boog; *camino de ~* ruiterpad; **herraje** *m* (sier)beslag; *~s* (*ook*) hang- en sluitwerk; **herramental** *m* instrumentarium, (de) gereedschappen; **herramienta** 1 stuk gereedschap, werktuig; 2 (*ook mv*) gereedschap; *~s agrícolas* landbouwgereedschap; *~ de jardinería* tuingereedschap; *~ ociosa se oxida* rust roest; **herrar ie** 1 (*paard*) beslaan; 2 brandmerken; **herrería** smederij
herrerillo koolmees, pimpelmees
herrero smid
herrete *m* nestel (*bv aan veter*)
herrumbre *v* roest; *la ~ corroe el hierro* roest vreet in het ijzer; **herrumbroso** roestig; verroest
hertz *m* (*afk Hz*) hertz
hervidero 1 borrelende bron; 2 drukte; gekrioel; plaats waar het wemelt (*van iets*); **hervidor** *m* fluitketel; **hervir ie, i** I *intr* 1 koken; bruisen; *~ de, en* (*fig*) koken van; *~ de cólera* koken van woede; *~ a fuego lento* sudderen; *hacer ~* aan de kook brengen; *romper a ~* beginnen te koken; 2 *~ de* wemelen van, krioelen van; II *tr* koken, aan de kook brengen; **hervor** *m* 1 kookpunt; *rompe el ~* het begint te koken; 2 (*fig*) vurigheid
hetaira hetaere, publieke vrouw
heterodoxia heterodoxie; **heterodoxo** 1 heterodox, niet rechtzinnig; 2 afwijkend vh katholieke dogma
heterogeneidad *v* heterogeen karakter; **heterogéneo** heterogeen
heterosexual heteroseksueel
hético lijdend aan tbc; zeer mager, uitgeteerd
hexaedro zesvlak; **hexagonal** zeshoekig; **hexágono** zeshoek; **hexámetro** hexameter (*bep klassieke versvorm*)
hez *v* 1 drab, bezinksel; 2 (*fig*) schuim; *la ~ de la sociedad* de zelfkant vd samenleving; 3 *heces* ontlasting
hg *hectogramo* hectogram
hiato (*gramm*) hiaat, (het) stoten van twee klinkers
hibernación *v* 1 winterslaap; 2 (*med*) verlaging vd lichaamstemperatuur, onderkoeling; **hibernar** een winterslaap houden; overwinteren
hibridación *v* kruising (*van planten*); **hibridismo** hybridisch karakter; **híbrido** hybridisch, van kruising afkomstig
hice *zie hacer*
hidalgo, -a I *zn* (*hist; Sp*) edelman, -vrouw, hidalgo; II *bn* edel; **hidalguía** adeldom
hidra 1 hydra, giftige zeeslang, zevenkoppige slang; 2 (zoetwater)poliep; 3 steeds terugkerend gevaar, schrikbeeld
hidratación *v* hydrering; **hidratante** vochtinbrengend; **hidratar** hydreren; vocht toevoe-

gen aan; **hidrato** hydraat; **hidráulica** hydraulica; **hidráulico** hydraulisch; *fuerza -a* waterkracht; **hidroavión** *m* watervliegtuig; **hidrocarburo** koolwaterstof; **hidrocéfalo, -a** iem met een waterhoofd; **hidroeléctrico** hydroelektrisch; **hidrófilo** vocht absorberend, hydrofiel; *gasa -a* verbandgaas; **hidrofobia** watervrees; **hidrófobo** bang voor water; **hidrófugo** waterafstotend, vochtbestendig, vochtwerend; **hidrógeno** waterstof; **hidrografía** hydrografie; **hidrólisis** *v* hydrolyse; **hidropedal** *m* waterfiets; **hidropesía** waterzucht; **hidroplano** 1 watervliegtuig; 2 hydroplaan, glijboot; **hidrosfera** hydrosfeer; **hidrostático** hydrostatisch; **hidroterapia** hydrotherapie
hiedra klimop
hiel *v* gal; (*fig*) bitterheid

hielo 1 ijs; ~ *artificial* kunstijs; *~s a la deriva, ~s flotantes* drijfijs, ijsgang; ~ *polar* poolijs; *quedarse de* ~ verstijfd zijn (*van verbazing*); *romper el* ~ het ijs breken; 2 (het) vriezen; *a causa del* ~ door de gladheid; 3 (*fig*) koelheid
hiena hyena
hierático 1 priesterlijk, hiëratisch; 2 stijf, vormelijk
hierba 1 gras; (*groen*) kruid; ~ *de canónigos* veldsla; *~s* (*malas*) onkruid; *~s medicinales* geneeskrachtige kruiden; *como la mala* ~ heel snel; *mala ~: a*) onkruid; *b*) tuig van de richel; *mala ~ nunca muere* onkruid vergaat niet; *sentir crecer la* ~ heel slim zijn; 2 marihuana; **hierbabuena** soort munt (*plant*)
hierra (*Am*) (het) brandmerken (*van vee*); **hierro** 1 ijzer; ~ *angular* hoekijzer; ~ *colado,* ~ *fundido* gietijzer; ~ *dulce* smeedijzer (*zacht ijzer*); ~ *forjado* smeedijzer (*produkt*); *al ~ candente batir de repente* men moet het ijzer smeden als het heet is; *de* ~ van ijzer, ijzersterk, ijzeren (*ook fig*); *esta lógica me parece de* ~ hier is geen speld tussen te krijgen; *machacar en ~ frío* vechten tegen de bierkaai; *quitar ~ a* (*fig*) verzachten, de scherpe kantjes afhalen van; 2 brandmerk; 3 lanspunt; ijzeren wapen, zwaard; *quien a ~ mata, a ~ muere* wie naar het zwaard grijpt, zal door het zwaard vergaan; 4 *~s* boeien
higadillo lever (*van klein dier*); **hígado** 1 lever; 2 *~s* moed, lef || *echar los ~s* (*fam*) zich kapot werken
higiene *v* hygiëne; ~ *bucal* mondverzorging; **higiénico** hygiënisch; *paños ~s* maandverband; *papel* ~ wc-papier; **higienista** *m,v* hygiënist(e); ~ *dental* mondhygiënist(e); **higienizar** hygiënisch maken
higo vijg; ~ *chumbo,* ~ *de nopal* cactusvijg; *de ~s a brevas* van tijd tot tijd; *no se le da un ~, le importa un* ~ het kan hem geen moer schelen
higrómetro hygrometer, vochtigheidsmeter; **higroscópico** hygroscopisch, wateraantrekkend
higuera vijgeboom; *estar en la* ~ verstrooid zijn
hijastro, -a stiefkind, -zoon, -dochter; **hijo, -a** kind, zoon, dochter; afstammeling(e); *~s: a*) zonen; *b*) kinderen; ~ *adoptivo* aangenomen kind; *el ~ mayor del rey es una niña* het oudste kind vd koning is een meisje; ~ *mediano* middelste kind; ~ *político, -a política* schoonzoon, -dochter; *el ~ pródigo* de verloren zoon; ~ *prohijado, -a prohijada* pleegkind; ~ *de puta,* ~ *de tal* klootzak; ~ *único, -a única* enig kind; ~ *varón* zoon, kind vh mannelijk geslacht; *cada uno es ~ de sus obras* je hebt het aan jezelf te danken; *cualquier ~ de vecino* iedereen, ieder normaal mens; *cualquier ~ de vecino que pase* de eerste de beste die langskomt (*kan zien...*); *esperar un* ~ een baby verwachten; *sin ~s* kinderloos; *el sr. Pala* ~ de heer Pala junior; **hijuela** 1 dochterinstelling; 2 kindsdeel, erfdeel; 3 aftakking
hila 1 (het) spinnen; 2 *~s* pluksel (*voor wonden*); 3 rij; **hilacha, hilacho** rafel; **hilada** rij; laag (*stenen*); gang (*van huidplaten*); **hilado** 1 (het) spinnen; 2 garen; ~ *lanero* wollen garen; **hilador, -ora I** *bn* spinnend; *máquina -ora* spinmachine; **II** *m* spinner; **hiladora** 1 spinster; 2 spinmachine; **hilandería** 1 spinnerij; 2 kunst vh spinnen; **hilandero, -a** spinner, spinster; **hilar** 1 spinnen; ~ *delgado* een Pietje precies zijn; *vio hilado* glaswol; 2 (*fig*) beramen
hilarante lachwekkend, oerkomisch; **hilaridad** *v* hilariteit, vrolijkheid
hilatura (het) spinnen; **hilaza** dikke, ongelijke draad; **hilera** rij; toer (*van breiwerk*); **hilo** 1 draad (*ook fig*); ~ *de acero* staaldraad; ~ *para bordar* borduurgaren; ~ *de cobre* koperdraad; ~ *conductor* (*fig*) leidraad; ~ *de corriente* stroomdraad; ~ *de costura* naaigaren; *~s de María* herfstdraden; ~ *metálico* metaaldraad; ~ *de oro* gouddraad; ~ *de perlas* parelsnoer; ~ *de urdimbre* kettingdraad; *colgar de un ~, estar pendiente de un* ~ aan een zijden draadje hangen; *con un ~ de voz* met een dun stemmetje; *mover los ~s* de touwtjes in handen hebben; *no tocar un ~ de la ropa* met geen vinger aanraken; *perder el* ~ de draad kwijtraken, van zijn apropos raken; *por el ~ sacar el ovillo* achter de waarheid komen; *retomar el ~, volver a coger el* ~ de draad weer opvatten; *sin* ~ draadloos; 2 linnen; ~ *crudo* ongebleekt linnen; 3 straaltje || *al ~ de medianoche* precies om 12 uur 's nachts
hilván *m* 1 rijgnaad; 2 rijgsteek; **hilvanado** (het) rijgen; **hilvanar** 1 rijgen; 2 beramen, smeden
himen *m* maagdenvlies; **himeneo** (*lit*) huwelijk
himno kerkzang; ~ *nacional* volkslied
hinca: ~ *de pilotes* (het) heien; **hincapié**: *hacer ~ en* benadrukken, hameren op; **hincar** (*en*) steken (in), zetten (in); ~ *el diente a* zijn tanden zetten in; ~ *el pico* het hoekje omgaan; ~ *pilotes* heien; ~ *la rodilla* op de knieën vallen; **hincarse**: ~ *de rodillas* neerknielen
hincha 1 hekel, afkeer; 2 *m* fan, supporter; **hin-**

chado 1 bol, gezwollen, opgezet; 2 opschepperig, opgeblazen; 3 (*mbt taal*) gezwollen; **hinchamiento** zwelling; **hinchar** 1 doen bollen, doen zwellen; opblazen; ~ *el pecho* een hoge borst opzetten; 2 (*fig*) opblazen, overdrijven; **hincharse** 1 (op)zwellen, opzetten; uitdijen, uitzetten; 2 opzwellen (*van trots*), ijdel worden; 3 ~ (*de*) zich volstoppen (met), zich voleten (met); 4 ~ *de* + *onbep w* naar hartelust (*iets*) doen; 5 rijk worden; **hinchazón** *v* 1 zwelling, verdikking; 2 trots, ijdelheid; 3 gezwollenheid (*van taal*)
hindú I *bn* Hindoes; II *m,v* Hindoe, Hindoevrouw; **hinduismo** hindoeïsme
1 **hinojo** venkel
2 **hinojo**: *de ~s* op de knieën
hinterland *m* achterland
hipar hikken, de hik hebben
hiper *m; zie hipermercado*
hipérbola hyperbool; **hipérbole** *v* overdrijving; **hiperbólico** 1 hyperbolisch; 2 overdreven
hiperestesia ziekelijke overgevoeligheid
hipermercado weidewinkel
hipernervioso hypernerveus
hipersensibilidad *v* overgevoeligheid; **hipersensible** overgevoelig
hipertensión *v* (te) hoge bloeddruk; **hipertenso** met een (te) hoge bloeddruk
hipertrofia hypertrofie, vergroting van een orgaan; **hipertrofiar** (ziekelijk) vergroten
hiperventilación *v* hyperventilatie
hípico vh paard; *deporte* ~ paardesport
hipido 1 (het) hikken; 2 gesnik, gejammer
hipismo paardesport
hipnosis *v* hypnose; **hipnótico** I *bn* hypnotisch; II *zn* slaapmiddel; **hipnotismo** hypnotisme; **hipnotización** *v* hypnotisering; **hipnotizador** *m* hypnotiseur; **hipnotizante** hypnotiserend; **hipnotizar** hypnotiseren
hipo hik; *le dio ~, le entró el* ~ hij kreeg de hik; *quitar el* ~ verbazen, doen schrikken; *tener* ~ de hik hebben
hipocampo zeepaardje
hipocentro haard van een aardbeving, hypocentrum
hipocondría zwaarmoedigheid; **hipocondríaco** zwaarmoedig
hipocresía schijnheiligheid, huichelarij; **hipócrita** I *bn* schijnheilig, huichelachtig; II *m,v* huichelaar(ster)
hipodérmico onderhuids; **hipodermis** *v* onderhuid
hipódromo renbaan
hipófisis *v* hypofyse
hipogastrio onderbuik
hipogrifo bep fabeldier (*half paard, half griffioen*)
hipopótamo nijlpaard
hipoteca hypotheek; *constituir* (*una*) ~ een hypotheek vestigen; **hipotecar** hypothekeren, verpanden; **hipotecario, -a** I *bn* vd hypotheek; *acta -a* hypotheekakte; *cédula -a* pandbrief; II *zn* hypothecaris
hipotensión *v* (te) lage bloeddruk
hipotenusa hypotenusa
hipotético hypothetisch; twijfelachtig
hippy *m,v* hippie
hiriente kwetsend, pijnlijk
hirsuto (*mbt haar*) stug; ruig
hirviendo kokend; **hirviente** kokend (heet)
hisopo 1 (*plantk*) hysop; 2 wijwaterkwast
hispalense uit Sevilla
hispánico 1 Spaans; 2 Spaansamerikaans; **hispanidad** *v* 1 (de) Spaanstalige wereld; 2 (de) Spaanse cultuur; **hispanismo** 1 hispanisme; 2 typisch Spaans woord; 3 liefde voor Spanje; **hispanista** *m,v* hispanist(e); **hispanizar** verspaansen; **hispano** 1 Spaans; Spaanstalig; 2 Spaansamerikaans; **Hispanoamérica** Spaans-Amerika; **hispanoamericano** Spaansamerikaans; **hispanoárabe** Spaans-Arabisch; (*hist*) Spaans-Moors; **hispanofilia** liefde voor Spanje; **hispanófilo, -a** hispanofiel, liefhebber, -hebster van al wat Spaans is; **hispanofobia** haat tegen Spanje, hekel aan Spanje; **hispanófobo** anti-Spaans; **hispanohablante** Spaanstalig; **hispanojudío** Spaans-joods, vd Spaanse joden
histamina histamine
histeria hysterie; **histérico** hysterisch; **histerismo** hysterie
histología weefselleer, histologie
historia 1 geschiedenis; ~ *del arte* kunstgeschiedenis; ~ *clínica* ziektegeschiedenis; ~ *patria* vaderlandse geschiedenis; ~ *sagrada* bijbelse geschiedenis; *estos muros saben mucha* ~ deze muren kunnen veel vertellen; *pasar a la* ~ geschiedenis maken; *haber pasado a la* ~ niet actueel meer zijn; *pica ~, es mucha* ~ dat wordt te gek, dat gaat te ver; 2 verhaal, affaire, geschiedenis; 3 (klets)praatje; *dejarse de ~s* ter zake komen; *¡no me vengas con ~s!* kom nou niet aan met smoesjes!; **historiado** overdadig versierd; **historiador, -ora** geschiedschrijver, -schrijfster, historicus, -a; **historial** *m* antecedentenoverzicht; staat van dienst; ~ *clínico* ziekteverloop; ~ *personal y profesional* curriculum vitae; **historiar** uitvoerig vertellen; **historicidad** *v* historisch karakter; historische juistheid; **histórico** historisch, geschiedkundig; *hoja ~-penal* strafblad; **historieta** 1 verhaaltje, anecdote; 2 strip, beeldverhaal; *~s* strips, stripboeken, stripverhalen; **historiografía** geschiedschrijving
histrión *m* (*lit*) 1 toneelspeler; 2 aansteller
hitita Hittitisch
hito mijlpaal (*ook fig*) || *dar en el* ~ de spijker op de kop slaan; *mirar de ~ en* ~ strak aankijken
hl *hectolitro*; **hm** *hectómetro*
hnos. *hermanos* gebroeders, gebr.
hobby *m* hobby, liefhebberij
hocicar (rond)snuffelen; **hocico** 1 snuit, snoet;

bek; 2 (*fam*) snoet, bek (*van mens*); *caer de ~s* voorover vallen; *poner ~* pruilen; *romper los ~s* op zijn bek slaan; *torcer el ~* een lelijk gezicht trekken; **hocicón, -ona** met dikke lippen; **hocicudo** *zie hocicón*
hockey *m* hockey; *~ sobre hielo, ~ sobre patines* ijshockey
hogaño (*ongebr*) dit jaar; tegenwoordig
hogar *m* 1 vuurplaats, haard; *casa y ~* huis en haard; 2 huiselijke haard, thuis; *~ para ancianos* bejaardentehuis; *~ individual* eenpersoonshuishouden; *~ infantil* kindertehuis; *artículos para el ~* huishoudelijke artikelen; *fundar un ~, formar un ~* een gezin stichten; *sin ~* dakloos; *vida del ~* huiselijk leven; **hogareño** huiselijk; **hogaza** groot brood; **hoguera** brandstapel; groot vuur

hoja 1 (*plantk*) blad; bloemblad; *~ de laurel* laurierblad; *~ de pino* dennenaald; *~ de trébol* klaverblad; *echar ~s* bladeren krijgen; *no se mueve una ~* het is bladstil; 2 vel, blad; formulier; (*uittrekbaar*) tafelblad; lemmet; *~ de afeitar* scheermesje; *~ de aluminio* aluminiumfolie; *~ de cálculo, ~ electrónica* spreadsheet; *~ de declaración* belastingformulier; *~ de estaño* tinfolie; *~ de estudios* overzicht van gevolgde studie; *~ histórico-penal* strafblad; *~ de inscripción* aanmeldingsformulier; *~ de parra* (*fig*) vijgeblad, bedekking (*van schande*); *~ de pedido* bestelbiljet; *~ de ruta* vervoeradres; *~ de servicios* staat van dienst; *~ de sierra* zaagblad; *~ de solicitud* aanvraagformulier; *~ suelta* vlugschrift; *~ de tocino* zij spek; *de ~s sueltas* losbladig; *pasar la ~* de bladzij omslaan; *volvamos la ~* laten we er niet meer over spreken, laten we er een punt achter zetten; **hojalata** blik; **hojalatero** blikslager; **hojaldre** *m* bladerdeeg; **hojarasca** 1 afgevallen bladeren; 2 overdadig gebladerte; 3 holle woorden, nutteloze franje; **hojear** doorbladeren; **hojuela** blaadje
hola: *¡~!* hallo!, dag!
holanda fijn linnen; **Holanda** Nederland, Holland; **holandés, -esa I** *bn* Nederlands, Hollands; **II** *zn* 1 Nederlander, Nederlandse; 2 *m* (het) Nederlands
holding *m* holding
holgado 1 ruim, onbekrompen, royaal; *medios ~s* ruime middelen; 2 slobberig, ruim; *jersey ~* wijde trui, slobbertrui; **holgar ue 1** vrij hebben; uitrusten; niets doen; 2 overbodig zijn; *huelga decir que…* overbodig te zeggen dat…; **holgarse ue** 1 zich amuseren; 2 *~ de* zich verheugen over; **holgazán, -ana I** *bn* lui; **II** *zn* luilak, leegloper; **holgazanear** lanterfanten, luieren, lummelen; **holgazanería** luiheid
holgura speling; *tener ~* (*mbt deur*) kieren; (*mbt kleding*) slobberen, ruim zitten
holladura (het) betreden; **hollar ue 1** betreden; 2 met voeten treden; vernederen
hollín *m* roet
holocausto 1 (*godsd*) brandoffer; 2 offer
hológrafo *zie ológrafo*
hombrada moedige daad; mannelijk optreden; **hombre** *m* mens; man; *~ de acción* man vd daad; *¡~ al agua!* man overboord!; *es ~ al agua* hij is verloren, het is met hem gedaan; *~ de bien, ~ de pro* rechtschapen mens; *~ bueno* bemiddelaar; *el ~ de la calle* Jan met de pet, de gewone man; *~ de ciencia* wetenschapper; *~ de empresa, ~ de negocios* zakenman; *~ de estado* staatsman; *~ estuche* factotum, iem die van alle markten thuis is; *~ faldero* rokkenjager; *~ de fortuna* gelukzoeker; *~ de letras* literator, letterkundige; *~-masa* massamens; *~ de mundo* man vd wereld; *~ negro* zwartrok; *~ de paja* stroman; *~ de palabra* man van zijn woord; *~ prevenido vale por dos* een gewaarschuwd man telt voor twee; *el ~ propone, Dios dispone* de mens wikt, God beschikt; *~ rana* kikvorsman; *el abominable ~ de las nieves* de verschrikkelijke sneeuwman; *no es ~ para* hij is er de man niet naar om; *pobre ~* onbeduidend mannetje, stakker; *¡sé ~!* wees een kerel!; *todo un ~* een echte man, een man uit één stuk
1 hombrear zich als een man gaan gedragen
2 hombrear: *~ con* zich willen meten met
hombrecito mannetje
hombrera 1 schouderstuk (*van harnas, van kleding*); 2 schoudervulling; 3 schouderbandje
hombría mannelijkheid; *~ de bien* fatsoen, integriteit
hombro schouder; *~s caídos* afzakkende schouders; *~s subidos* hoge rug, hoge schouders; *a ~s* op de schouders, op de rug; *al ~* over de schouder; *arrimar el ~* de handen uit de mouwen steken, zijn schouders ergens onder zetten; *echarse al ~ u.c.* iets op zich nemen; *encogerse de ~s* zijn schouders ophalen; *mirar por encima del ~* neerkijken op
hombruno (*mbt vrouw*) mannelijk (uitziend)
homenaje *m* 1 eerbewijs, huldebetoon; *en ~ de* ter ere van; *el postrer ~* de laatste eer; *rendir ~* eer bewijzen; 2 (*hist*) eed van trouw; **homenajear** eer bewijzen
homeópata *m,v* homeopaat; **homeopatía** homeopathie; **homeopático** homeopathisch
homérico Homerisch, (als) van Homerus
homicida *m,v* moordenaar, moordenares; **homicidio** doodslag; *~ culpable* dood door schuld; *robo con ~* roofmoord
homilía preek
homofonía homofonie; **homófono** 1 (*muz*) homofoon; 2 (*gramm*) gelijkluidend
homogeneidad *v* homogeniteit; **homogéneo** homogeen; **homogenizar** homogeniseren, tot een homogeen geheel maken; *~ los sueldos* de lonen gelijktrekken
homologación *v* (officiële) erkenning, bekrachtiging, homologatie; **homologar 1** (officieel) erkennen; (gerechtelijk) bekrachtigen; (*een record*) homologeren, bekrachtigen; 2 toetsen (*aan norm*); erkennen; normaliseren; **homólogo, -a I** *bn* overeenstemmend; **II** *zn* ambtgenoot, -genote, collega

homonimia homonymie; **homónimo, -a** I *bn* 1 met dezelfde naam; 2 homoniem; II *zn* 1 naamgenoot, -genote; 2 *m* homoniem
homosexual homo(seksueel); **homosexualidad** *v* homoseksualiteit
honda slinger (*wapen*)
hondo diep (*vaak fig*); *en lo ~* in de diepte; *en lo ~ de su alma* in het diepst van zijn ziel; **hondonada** slenk, diepe geul, kloof; **hondura** diepte; *meterse en ~s* zich op moeilijk terrein begeven, ingewikkelde zaken aansnijden
Honduras *v* Honduras; **hondureño** Hondurees
honestidad *v* 1 rechtschapenheid, fatsoen; 2 eerbaarheid; **honesto** 1 rechtschapen, integer, eerzaam; 2 eerbaar, net
hongo 1 paddestoel, zwam; *~ atómico* paddestoel(wolk); *~ venenoso* giftige paddestoel; *crecer como ~s* als paddestoelen uit de grond schieten; *más solo que un ~,* (*solo*) *como un ~* erg eenzaam, moederziel alleen; 2 bolhoed
honor *m* eer; *en ~ de* ter ere van; *en ~ a la verdad* om de waarheid niet tekort te doen, in alle eerlijkheid; *hacer ~es a la comida* de maaltijd eer aandoen; *hacer ~ a su nombre* zijn naam eer aandoen; *rendir ~es* eer bewijzen; *tener el ~ de* de eer hebben om; *tener a ~ u.c.* zich iets tot een eer rekenen; **honorabilidad** *v* integriteit, fatsoen; **honorable** eerzaam, eerbiedwaardig; **honorario** I *bn* honorair; onbezoldigd; II *mmv: ~s* honorarium; **honorífico** eervol; **honoris causa**: *doctor ~* eredoctor; **honra** eer, eergevoel; goede naam; *~s fúnebres* begrafenisplechtigheid, uitvaartdienst; *la ~ del pueblo* de trots vh dorp; *tener a ~ u.c.* iets als een eer beschouwen, ergens trots op zijn; **honradez** *v* eerlijkheid, onkreukbaarheid; **honrado** eerlijk, fatsoenlijk, eerzaam; *de lo más ~* goudeerlijk; **honrar** 1 tot eer strekken; 2 eren, vereren; **honrarse** (*con, de, en*) zich vereerd voelen (door), trots zijn (op); **honrilla**: *por* (*la negra*) *~* uit valse schaamte, omwille vd uiterlijke schijn; **honroso** eervol
hontanar *m* terrein waar bronnen ontspringen
hora uur; tijd; *~ de cierre* sluitingstijd; *~ de clase* lesuur; *~s de clase* schooltijden; *~ de consulta* spreekuur; *~s convenidas* (*behandeling*) op afspraak; *~s extra*(*ordinarias*) overuren; *~s hombre* manuren; *~ lectiva* college-uur, lesuur; *~ legal* wettelijke tijd, officiële tijd; *~ local* plaatselijke tijd; *~s de oficina* kantooruren; *~ punta* spitsuur; *~ de salida* vertrektijd; *~ solar* zonnetijd; *~ tras ~, ~s y ~s* urenlang; *~ de verano* zomertijd; *~ de visita* bezoekuur; *~ de vuelo* vlieguur; *a la ~* op tijd; *a la ~ de* als het erop aankomt om; *a la ~ de hacer* als puntje bij paaltje komt; *a altas ~s de la noche* diep in de nacht; *¡a buenas ~s!* (*iron*) wel een beetje laat!; *a estas ~s* om deze tijd; *a todas ~s* voortdurend; *a última ~* op het laatste moment; *conocer la ~* kunnen klokkijken; *dar la ~* (*mbt klok*) slaan; *de ~ en ~* ieder uur, van uur tot uur; *entre ~s* tussentijds; *no ver la ~ de* (*van ongeduld*) niet kunnen wachten tot; *pedir ~* een afspraak maken (*bij dokter*); *poner en ~* gelijkzetten; *por ~* per uur; *¿qué ~ es?* hoe laat is het?; *tener pedida ~ al médico* een afspraak hebben bij de dokter; *¿ya es ~?* is het al tijd?; *ya es ~ de* het wordt (hoog) tijd om
horadar doorboren
horario I *bn* vh uur, vd tijd; *compensación -a* uurvergoeding; *señal -a* tijdsein; II *zn* 1 rooster; *~ de clases* lesrooster; *~ de la jornada* dagindeling; *~* (*de servicio*) dienstregeling; 2 kleine wijzer (*vd klok*)
horca 1 galg; *condenar a la ~* tot de strop veroordelen; 2 hooivork; 3 dubbele streng (*knoflook*) || *pasar por las ~s caudinas* de vuurproef doorstaan, zich vernederen; **horcajadas**: *a ~* schrijlings
horchata (*koude*) (aard)amandelmelk, (*vglbaar*) orgeade; *sangre de ~* vissebloed
horda horde
horizontal horizontaal; **horizonte** *m* horizon, einder; gezichtskring; *~ estrecho* bekrompenheid, beperktheid
horma 1 (schoen)leest; pasvorm; *tener buena ~* een goede pasvorm hebben; 2 (schoen)spanner
hormiga 1 mier; 2 ijverig mens
hormigón *m* beton; *~ armado* gewapend beton; *~ fluido, ~ de verter* stortbeton; *~ ornamental* sierbeton; *~ pretensado* voorgespannen beton; *~ vibrado* trilbeton, schokbeton; **hormigonera** betonmolen
hormiguear 1 kriebelen, tintelen; 2 krioelen, wriemelen; **hormigueo** 1 kriebel(ing), prikkelend gevoel, getintel; 2 gekrioel, gewriemel; **hormiguero** I *bn* mieren-; *oso ~* miereneter; II *zn* mierenhoop; krioelende menigte; **hormiguilla** 1 ijverig mens; 2 jeuk, gekriebel; **hormiguillo** 1 jeuk, kriebel(ing); 2 rij mensen die iets doorgeven; **hormiguita** ijverig mens
hormona hormoon; *~ de crecimiento* groeihormoon; *~s hipofisarias* hormonen vd hypofyse; **hormonado** met hormonen behandeld; **hormonal** hormonaal; **hormonoterapia** hormoonbehandeling
hornacina nis
hornada 1 baksel, ovenvol; 2 lichting (*bv van afgestudeerden*); **hornilla** 1 (hout)fornuisje (*soms ingebouwd*); 2 zie *hornillo*; **hornillo** fornuis, kooktoestel; *~ de kerosén* primus;
horno oven; *~ de cal* kalkoven; *~ encastrable* inbouwoven; *~ de fundición, ~ de fusión* smeltoven; *~ microondas* magnetron; *alto ~* hoogoven; *cocer en el ~* bakken (*in de oven*); *no está el ~ para bollos* dit is niet het geschikte moment; *recién salido del ~* heet van de naald
horóscopo horoscoop
horquilla 1 haarspeld; 2 vork (*van fiets*); 3 (*telef*) haak; 4 gevorkte stok
horrendo gruwelijk, vreselijk
hórreo graanschuur (*vaak op poten*)

horrible vreselijk, verschrikkelijk; **hórrido** *zie horrendo*; **horrífico** verschrikkelijk; **horripilante** bloedstollend, eng, ijselijk; **horripilar** de haren te berge doen rijzen; doen griezelen; **horrísono** oorverdovend; met een gruwelijk geluid

horro: ~ *de* vrij van; gespeend van

horror *m* afschuw, afgrijzen; verschrikking; *me da* ~ het is mij een gruwel, ik gruw ervan; *tener* ~ *a* verafschuwen || *divertirse* ~*es* zich enorm amuseren; *la música le gusta* ~*es* hij is gek op muziek; **horrorizado** ontzet; **horrorizar** doen gruwen; *eso me horroriza* ik gruw daarvan, ik vind dat afschuwelijk; **horrorizarse** (*de*) gruwen (van); **horroroso** afgrijselijk, afschuwelijk, vreselijk, gruwelijk

hortaliza groente; ~*s* tuinbouwprodukten; **hortelano** I *bn* vd moestuin; II *zn* 1 tuinman; 2 ortolaan (*vogel*)

hortensia hortensia

hortera I *zn* 1 *m* (*neg*) winkelbediende; 2 *v* houten schaal; II *bn, onv* (klein)burgerlijk

horticultor, **-ora** kweker, tuinder; **horticultura** tuinbouw; **hortofrutícola**: *producción* ~ fruit- en tuinbouwproduktie

hosco stug, stroef; bokkig

hospedaje *m* onderdak; (prijs van) logies; **hospedar** huisvesten, herbergen; **hospedarse** logeren; **hospedería** logement; logies

hospiciano, **-a** kind uit een tehuis; **hospicio** 1 kindertehuis; 2 (*hist*) hospitium, liefdadigheidsgesticht

hospital *m* ziekenhuis; ~ *de campaña*, ~ *de sangre* veldhospitaal; ~ *mental* psychiatrisch ziekenhuis

hospitalario gastvrij; **hospitalidad** *v* gastvrijheid

hospitalización *v* 1 opname (*in ziekenhuis*); verblijf in ziekenhuis; 2 (*gastos de*) ~ ziekenhuiskosten; **hospitalizar** opnemen (*in ziekenhuis*)

hosquedad *v* stugheid; bokkigheid

hostal *m* (*eenvoudig*) hotel (*vnl buiten de stad*); **hostelería** horeca; hotelbedrijf; **hostelero**, **-a** I *zn* hotelhoud(st)er; II *bn* vh hotel(bedrijf); *escuela -a* hotelschool; *ramo* ~ hotelbranche; **hostería** 1 *zie hostal*; 2 (*soms*) stijlvol restaurant

hostia hostie || *¡~!* verdomme!

hostigamiento bestoking; (het) aansporen; ~ *sexual* ongewenste intimiteiten; **hostigar** bestoken; aansporen; **hostil** vijandig; **hostilidad** *v* vijandigheid; ~*es* vijandelijkheden, oorlogshandelingen; **hostilizar** vijandig bejegenen; bestoken

hotel *m* 1 hotel; 2 vrijstaand huis, herenhuis; **hotelería** *zie hostelería*; **hotelero**, **-a** I *bn* hotel-; II *zn* hotelhoud(st)er, hôtelier; **hotelucho** armelijk hotelletje

hotentote I *bn* Hottentots; II *m,v* Hottentot(se)

hoy vandaag, heden; tegenwoordig; ~ (*en*) *día* vandaag de dag, tegenwoordig; ~ *mismo* vandaag nog; ~ *por* ~ heden ten dage, op dit moment; *el* ~ *presidente* de huidige voorzitter; *de* ~ hedendaags; *de* ~ *en adelante* voortaan; *de* ~ *en ocho días* vandaag over een week; *de* ~ *en quince días* vandaag over twee weken; *hasta* ~ tot op heden

hoya 1 grote kuil; dal; 2 graf(kuil); **hoyo** 1 kuil; (knikker)kuiltje; 2 graf(kuil); **hoyuelo** kuiltje (*in wang, kin*), putje

hoz *v* 1 sikkel; 2 kloof, ravijn

hozar wroeten (*met snuit*)

hua-, **huaca-** *zie ook gua-*, *guaca-*

huancaíno uit Huancayo (*Peru*)

huasipungo (*Am*) grond die dagloners in gebruik krijgen

hube, **hubo** *zie haber*

hucha spaarpot

hue- *zie ook güe-*

hueco I *bn* 1 hol; holklinkend; *un ideal* ~ een uitgehold ideaal; *quedar* ~ (*mbt kleren*) ruim zitten; 2 luchtig, sponzig; 3 trots; *ponerse* ~ naast zijn schoenen lopen; II *zn* 1 holte, opening; leemte, gaping; lege ruimte; spouw; ~ *del ascensor* liftkoker; ~ *de la escalera* trapgat; *hacer* (*un*) ~ plaats maken, opschikken; *llenar un* ~ in een leemte voorzien; *tener un* ~ *para* een gaatje (*even tijd*) hebben voor; 2 (*anat*) kom; 3 vacature; **huecograbado** diepdruk

huele *zie oler*

huelga staking; ~ *de brazos caídos*, ~ *de brazos cruzados* sit-downstaking; ~ *de celo* stiptheidsactie; ~ *de hambre* hongerstaking; ~ *a la japonesa* staking waarbij langer gewerkt wordt dan is toegestaan; ~ *laboral* werkstaking; ~ *salvaje* wilde staking; ~ *simbólica* prikactie; ~ *de trabajo* langzaam-aan-actie; *declarar la* ~ een staking afkondigen; *declararse en* ~ in staking gaan; *desconvocar la* ~ de staking intrekken; *estar en* ~, *hacer* ~ staken; *llamar a la* ~ tot staking oproepen; *revocar la* ~ de staking opheffen; **huelguista** *m,v* staker; **huelguístico** vd staking; *ofensiva -a* stakingsoffensief

huelgo speling, ruimte

huella 1 spoor; afdruk; (*fig*) stempel; kring (*van nat glas*); ~ *dactilar*, ~ *digital* vingerafdruk; ~ *de frenado* remspoor; *las* ~*s del tiempo* de tand des tijds; *seguir las* ~*s de* het spoor volgen van; *sin dejar* ~ spoorloos; 2 bovenkant (*van traptrede*), trede

huelveño uit Huelva

huérfano, **-a** I *zn* wees; II *bn* verweesd; ~ *de* gespeend van

huero leeg, hol; (*mbt ei*) onbevrucht

huerta 1 bevloeide grond; tuinderij; 2 grote moestuin (*met vruchtbomen*); boomgaard; **huertano**, **-a** bewoner of bewoonster vd streek rond Valencia of Murcia; **huerto** moestuin; *llevar al* ~ om de tuin leiden; *llevado al* ~ bekocht

hueso 1 bot, been; *~s* gebeente; *~ sacro* (*anat*) heiligbeen; *~ de santo* staafje gevulde marsepein; *~ temporal* slaapbeen; *calado hasta los ~s* doornat; *color ~* gebroken wit; *dar en ~* op tegenstand stuiten; *dar con sus ~s en* verzeild raken in; *estar en los* (*puros*) *~s* vel over been zijn; *no dejar ~ sano a* geen spaan heel laten van; *romper los ~s* in elkaar slaan; *la sin ~* (*iron*) tong; *darle a la sin ~* veel praten, ratelen; *tener los ~s molidos* bekaf zijn; 2 pit (*van kers, pruim*); 3 (*fig*) kluif; vak waar velen voor zakken; *queda el ~* het moeilijkste komt nog; 4 (*mbt persoon*) taaie, harde; veeleisend mens; vervelende kerel

huésped, -eda 1 gast; logé(e); 2 kamerhuurder, -huurster; kostgang(st)er; *casa de ~es* pension; 3 (*soms*) gastheer, -vrouw; waard(in); *no contar con los ~es* buiten de waard rekenen; 4 (*biol*) gastorganisme, gastheer

hueste *v* leger(schare); volgelingen

huesudo benig, bonkig, schonkig

hueva kuit; **huevera** 1 eierdopje; 2 *zie huevero*; **huevería** eierhandel; **huevero, -a** 1 eierhandelaar(ster); 2 *m* (*soms*) eierdopje; **huevo** ei; *~ batido* geklutst ei; *~ de Colón* ei van Columbus; *~ duro* hardgekookt ei; *~ estrellado, ~ frito* gebakken ei; *~ pasado por agua* zachtgekookt ei; *~ pascual* paasei; *~ al plato* spiegelei (*uit de oven*); *~s rancheros* gebakken eieren met worst en saus; *~s revueltos* roereieren; *no es por el ~ sino por el fuero* het gaat niet om de knikkers maar om het spel; *tener ~s* (*pop*): *a*) dapper zijn; *b*) onverstoorbaar kalm zijn; *c*) onbeschaamd zijn; **huevón** (*Am, fam*) 1 lui, indolent, sloom; 2 dom, stom; 3 laf; 4 dapper

hugonote *m,v* Hugenoot

hui- *zie ook güi-*

huida vlucht; **huidizo** 1 schichtig; 2 voortvluchtig; 3 kortstondig

huipil *m* (*Am*) wijde geborduurde hemdjurk, tuniek

huir I *tr* vluchten voor, (*iem*) ontvluchten; II *intr* 1 *~* (*de*) vluchten (voor); 2 (*mbt tijd*) omvliegen; **huirse** ontvluchten

hule *m* 1 zeil(doek); *sello de ~* rubber stempel; 2 (*fam*) operatietafel || *hay ~*: *a*) de stierenvechter wordt op de horens genomen; *b*) er wordt gevochten

hulla steenkool; *~ blanca* elektriciteit (*uit waterkracht*); **hullero** vd steenkool

humanidad *v* 1 mensheid; 2 menselijkheid; 3 (*fam*) (de) mensen; 4 (*fam*) dik lichaam; 5 *~es* geesteswetenschappen, alfavakken, (*Belg*) humaniora; **humanismo** humanisme; **humanista** *m,v* I *bn* humanistisch; II *zn* humanist(e); **humanístico** vd mensheid; humanistisch; **humanitario** humaan; humanitair; **humanizar** vermenselijken; humaner maken; **humano** 1 menselijk; *un fallo ~* een menselijke fout; *un ser ~* een menselijk wezen, een mens; 2 humaan, menslievend

humareda rookwolk, rooksliert; **humazo** dichte rook; **humeante** dampend; **humear** *intr* 1 roken, walmen; 2 dampen, wasemen; 3 (*mbt gevolgen*) blijven hangen; 4 pochen, opscheppen

humectador *m* (lucht)bevochtiger; **humectar** bevochtigen; **humedad** *v* vochtigheid; vocht; **humedecer** vochtig maken, bevochtigen; **humedecerse** vochtig worden; **humedecimiento** bevochtiging; **húmedo** vochtig; klam

humeral I *bn* vd schouder; II *m* (*r-k*) schoudervelum, humeraal; **húmero** opperarmbeen

humidificador *m* bevochtiger

humildad *v* nederigheid; eenvoud; **humilde** nederig; eenvoudig; **humillación** *v* vernedering; **humilladero** (*r-k*) calvarie, kruis (*bij ingang vh dorp*); **humillador, -ora** *zie humillante*; **humillante** vernederend, beschamend; **humillar** vernederen; (*het hoofd*) buigen; **humillarse** 1 zich vernederen; neerknielen; 2 (*mbt stier*) de kop buigen

humita (*Am*) bep gebak in maïsblad (*zoet of hartig*)

humo 1 rook; *~ espeso* dichte walm; *echar ~* roken; *se ha convertido en ~* er is niets van terechtgekomen; 2 damp; 3 *~s* ingebeeldheid, ijdelheid; *bajar los ~s a u.p.* iem kleinkrijgen, iem een toontje lager doen zingen; *cobrar ~s* praats krijgen; *tener* (*muchos*) *~s* zich veel verbeelden || *a ~ de pajas* onnadenkend, in het wilde weg; *la del ~* het hazepad; *se le sube el ~ a las narices* hij wordt boos

humor *m* 1 humeur; stemming; *~ de madrugada* ochtendhumeur; *buen ~* opgewektheid; *con un ~ de perros* spinnijdig; *estar de mal ~* in een slecht humeur zijn; *no estar de ~ para* niet in de stemming zijn om, voor; *seguir el ~ a u.p.* met iem meepraten, iem wat toegeven; 2 humor; *~ negro* galgehumor; *sentido del ~* gevoel voor humor; 3 (*anat*) vocht; **humoracho** (*fam*) slecht humeur; **humorada** humoristische opmerking, grapje; **humorado**: *bien ~* goedgehumeurd; *mal ~* slechtgehumeurd; **humorismo** humor; **humorista** I *bn* humoristisch; II *m,v* humorist; cabaretier, cabaretière, conferencier, conferencière; **humorístico** humoristisch

humus *m* humus, teelaarde

hundido diep weggezonken; *~ en pensamientos* in gedachten verzonken; *mejillas -as* ingevallen wangen; *ojos ~s* diepliggende ogen; **hundimiento** 1 instorting (*ook van prijzen*); 2 *~* (*del suelo*) bodemverzakking; **hundir** 1 laten zinken; 2 indeuken; een kuil maken in; doen verzakken; 3 slopen; doen instorten; vernietigen; ruïneren, de grond inboren (*ook fig*); 4 *~ en* diep steken in; (onder)dompelen in (*ook fig*); **hundirse** 1 zinken; vergaan; verzinken; 2 doorzakken; inzakken; verzakken; *~ en el asiento* onderuit zakken; 3 instorten; *~ en la ruina* zich in het verderf storten

húngaro Hongaars; **Hungría** Hongarije

huno (*hist*) Hun

huracán *m* orkaan
huraño schichtig, schuw
hurgador, -ora wroetend; **hurgar** 1 wroeten, woelen; porren, poken (*in vuur*); grabbelen; 2 peuteren; (*fig*) wroeten, snuffelen, roeren; ~ *en la cerradura* in het slot peuteren; ~*se los dientes* tussen zijn tanden peuteren; 3 treiteren, (*fig*) voeren; 4 (*fig*) knagen; *me hurgan esas ideas* die gedachten laten me niet los;
hurgón *m* pook
hurón *m* 1 fret; 2 schuw mens; 3 iem die overal zijn neus in steekt; **huronear** 1 fretten, jagen met de fret; 2 (*fig*) snuffelen, zijn neus steken (in); **huronera** 1 frettehol; 2 schuilplaats
hurra: ¡~! hoera!
hurtadillas: *a* ~ stiekem, tersluiks; **hurtar** 1 ontvreemden, stelen; 2 ~ *el cuerpo* opzij gaan, ontwijken; **hurtarse**: ~ *a* zich onttrekken aan; **hurto** 1 ontvreemding, diefstal; 2 gestolen goed || *a* ~ heimelijk
húsar *m* huzaar
husillo (*techn*) wormas
husmear 1 ~ *en* snuffelen in, besnuffelen, wroeten in; 2 (*fig*) ruiken, zien aankomen, (de) lucht krijgen van; **husmo** weeë vleesgeur || *estar al* ~ wachten op een kans
huso 1 spinrokken; 2 klos, spil
huy: ¡~! o!, o jee! (*bij schrik*)

i *v* (*letter*) i; ~ *griega* griekse ij, i grec; *poner los puntos sobre las íes* de puntjes op de i zetten
iba *zie ir*
ibérico *zie íbero*; **íbero, ibero** Iberisch; **iberoamericano** Ibero-Amerikaans
íbice *m* steenbok
ibicenco uit Ibiza
ibis *v* ibis
iceberg *m* ijsberg; *la punta del* ~ het topje vd ijsberg
ICONA *Instituto para la Conservación de la Naturaleza*
icono ikoon; **iconoclasia** beeldenstorm; **iconoclasta** *m,v* beeldenstormer
ictericia geelzucht
ictiología kennis vd vissen, ichtyologie
ida (het) gaan; heenreis; ~*s y venidas* heen en weer geloop, gescharrel; ~ *y vuelta* retour; *viaje de* ~ enkele reis
idea 1 idee, gedachte, denkbeeld; ~ *básica* grondgedachte; ~ *falsa* waandenkbeeld; ~ *fija* idee-fixe; *la* ~ *fue*... het idee was..., de bedoeling was...; ~ *preconcebida* vooroordeel, parti pris, vooringenomenheid; *cambiar* ~*s* van gedachten wisselen; *dar* ~ *de* een indruk geven van; *eso me dio la* ~ dat bracht mij op de gedachte; *de mala* ~ met boze bedoelingen; *formarse una* ~ *de, hacerse una* ~ *de* zich een voorstelling maken van, een indruk krijgen van; *hacerse* (*la*) ~ *de* het voornemen hebben om; *hacerse a la* ~ aan de gedachte wennen; *una ligera* ~ een vaag idee; *orden de* ~*s* gedachtengang; *una remota* ~ een heel vaag idee; *tener* ~ *de* van plan zijn om; 2 besef, begrip, benul, idee; ¡*ni* ~! geen (flauw) idee!; *no tener la menor* ~ *de* totaal geen benul hebben van, geen idee hebben van; 3 opvatting; *de* ~*s progresistas* progressief; **ideal** I *bn* 1 ideaal; 2 ideëel, in gedachten bestaand; II *m* ideaal; **idealismo** idealisme; **idealista** I *bn* idealistisch; II *m,v* idealist(e); **idealización** *v* idealisering; **idealizar** idealiseren; **idear** bedenken, uitdenken, verzinnen; **ideario** begrippenstelsel, gedachtenwereld
ídem idem
idéntico identiek, gelijk; **identidad** *v* identiteit; gelijkheid; *acreditar su* ~ zich legitimeren; **identificable** te identificeren, herkenbaar; **identificación** *v* identificatie; **identificar** identificeren; thuisbrengen; **identificarse** 1 zich legitimeren; 2 ~ (*con*) overeenkomen (met); 3 ~ (*con*) zich vereenzelvigen (met), zich inleven (in)

ideología ideologie, levensbeschouwing; **ideológico** ideologisch
idílico idyllisch; **idilio** idylle
idiocia (*med*) idiotie
idioma *m* 1 taal; ~ *extranjero* vreemde taal; ~ *nacional* landstaal; 2 spraakgebruik, idioom; **idiomático** idiomatisch; *giro* ~ zegswijze; *usos* ~*s* taaleigen
idiosincrasia idiosyncrasie, eigen geaardheid
idiota I *bn* idioot; onnozel; gek; II *m,v* idioot; stomkop, dwaas; **idiotez** *v* 1 idiotie; 2 stommiteit; **idiotismo** 1 onwetendheid; 2 eigenaardige idiomatische uitdrukking
ido 1 vergaan, voorbij; 2 (*fig*) afwezig; (*geestelijk*) in de war
idolatrar 1 (*afgoden*) aanbidden; 2 (*fig*) verafgoden, aanbidden; **idolatría** 1 afgoderij; 2 verafgoding; **ídolo** 1 afgod; afgodsbeeld; 2 idool
idoneidad *v* geschiktheid; **idóneo** geschikt
iglesia kerk; ~ *catedral* kathedraal; ~ *conventual* kloosterkerk; ~ (*ortodoxa*) *griega* Grieks-orthodoxe kerk; ~ *parroquial* parochiekerk; *cumplir con la* ~ in de paastijd ter communie gaan, zijn Pasen houden; *reconciliarse con la* ~ terugkeren in de schoot der kerk
iglú *m* iglo
ignaro onwetend
ígneo van vuur, gloeiend; **ignición** *v* 1 ontsteking (*van auto*); 2 gloeihitte; *en* ~ roodgloeiend, brandend
ignominia schande; **ignominioso** smadelijk, eerloos
ignorado onbekend; **ignorancia** onwetendheid, onkunde; *dejar en la* ~ in het onzekere laten; **ignorante** onwetend; **ignorar** 1 niet weten, niets weten van, onbekend zijn met; 2 negeren, niet reageren op; doodzwijgen; **ignoto** (*lit*) onbekend
igual I *bn* gelijk; dergelijk, vergelijkbaar; gelijkmatig; (*wisk*) gelijkvormig; ~*es ante la ley* gelijk voor de wet; ~ *que* evenals; *al* ~ *que* net als; *aquí pasa* ~ hier gaat het net zo; *llevan zapatos* ~*es* ze hebben dezelfde schoenen aan; *partes* ~*es* gelijke delen; *por* ~ gelijkmatig; *ser* ~ *a* gelijkstaan aan; *es* ~*: a*) hindert niet; *b*) het doet er niet toe; *es Ud.* ~ *que yo* u bent net als ik; *me es* ~ het kan mij niet schelen; *son muy* ~*es* ze zijn tegen elkaar opgewassen; *todo le es* ~*: a*) hij geeft nergens (meer) om; *b*) hij vindt alles goed; *siempre* ~ altijd hetzelfde; *todo sigue* ~ er verandert niets; II *bw* misschien; III *m,v* gelijke; *de* ~ *a* ~ als gelijken onder elkaar; *no tener* ~ zijn weerga niet hebben; *sin* ~ ongeëvenaard, weergaloos; **iguala** 1 regeling voor dienstverlening; (*Sp*) regeling voor een vast jaarlijks bedrag tussen arts en patiënt (*soort privéverzekering*); 2 vast bedrag per jaar voor bep diensten (*bv medische*); **igualación** *v* 1 (het) gelijk maken, gelijkstelling; (het) gelijk worden, egalisatie; 2 regeling, afspraak; *fondo de* ~ egalisatiefonds; **igualador, -ora** gelijkmakend; **igualar** I *tr* 1 gelijkmaken (*ook sp*); gelijkstellen; (*haar*) punten; 2 effenen, egaliseren; 3 (*regeling*) treffen; II *intr* ~ *a, con* gelijk zijn aan, lijken op, evenaren; **igualarse** gelijk zijn; elkaar evenaren; **igualatorio** (*Sp*) organisatie van artsen en patiënten waarin medische zorg wordt gegeven tegen betaling van vast bedrag per jaar (*soort privéverzekering*); **igualdad** *v* 1 gelijkheid; gelijkvormigheid; effenheid; ~ *ante la ley* rechtsgelijkheid, gelijkheid voor de wet; ~ *de oportunidades* gelijkheid van kansen; 2 (*wisk*) evenredigheid; *signo de* ~ gelijkteken; **igualitario** egalitair, gelijkschakelend; **igualmente** evenzo, evenzeer; *¡~!* insgelijks, van hetzelfde!; *como* ~ zoals ook, alsmede
iguana leguaan
ijada (*anat*) zijde; **ijar** *m; zie ijada*
ikastola basisschool in Baskenland met voertaal Baskisch
ikurriña Baskische vlag
ilación *v* verband; **ilativo** verbindend
ilegal onwettig, illegaal, onrechtmatig; *ejercicio* ~ *de la medicina* onbevoegde uitoefening vd geneeskunde; **ilegalidad** *v* onwettigheid; onwettige handeling; **ilegalización** *v* onwettigverklaring
ilegible onleesbaar
ilegítimo onwettig, wederrechtelijk
íleon *m* laatste deel vd dunne darm
ileso ongedeerd
iletrado ongeletterd
iliaco, ilíaco vh heupbeen; *hueso* ~ heupbeen
ilicitano uit Elche (*Spanje*)
ilícito ongeoorloofd, onwettig; **ilicitud** *v* (het) ongeoorloofd zijn
ilimitado onbeperkt, onbegrensd
ilion *m* darmbeen
Ilmo. *zie Ilustrísimo*
ilógico onlogisch
iluminación *v* verlichting, belichting; **iluminado, -a** I *bn* 1 verlicht; 2 die visioenen ziet; II *zn* (*hist*) lid van bep sekte; **iluminador, -ora** I *bn* verlichtend; II *zn* illustrator, -trice; **iluminar** 1 verlichten; beschijnen, belichten; 2 verluchten, illustreren; 3 klaarheid brengen; **iluminarse** 1 (*mbt gezicht*) verhelderen, opklaren; 2 oplichten, verlicht worden
ilusión *v* illusie; verwachting; gezichtsbedrog, waan; *le hace* (*mucha*) ~ hij verheugt zich erop, hij stelt zich er veel van voor, hij vindt het een heerlijk idee; **ilusionado**: *estar* ~ *con: a*) genieten van; *b*) zich veel voorstellen van; **ilusionar** verwachtingen wekken; bij voorbaat doen genieten; *me ilusiona el viaje* ik kijk vol verlangen uit naar de reis; **ilusionarse** 1 zich illusies maken; 2 ~ *con* zich enorm verheugen op; **ilusionista** *m,v* goochelaar; **iluso, -a** 1 fantast(e), dromer, droomster; 2 teleurgesteld mens; **ilusorio** denkbeeldig, illusoir, bedrieglijk

ilustración *v* 1 illustratie; *con profusa* ~ rijk geïllustreerd; 2 verduidelijking (*dmv voorbeelden*); 3 eruditie, ontwikkeling; **Ilustración** *v*: *la* ~ de Verlichting (*18e eeuw*); **ilustrado** 1 verlicht; ontwikkeld, erudiet; 2 geïllustreerd; **ilustrador**, **-ora** illustrator, -trice; **ilustrar** 1 illustreren; 2 verduidelijken; verhelderen; inzicht geven; 3 (*de geest*) verlichten; (*een volk*) ontwikkeling bijbrengen; **ilustrativo** verhelderend; *a título* ~ ter verduidelijking; **ilustre** 1 beroemd; 2 voornaam; **Ilustrísimo**: ~ *señor* titel van bv bisschop, burgemeester, consul

imagen *v* beeld; voorstelling; ~ (*pública*) image, imago; ~ *reflejada* spiegelbeeld; ~ *de santo* heiligenbeeld; *a su* ~ *y semejanza* naar zijn beeld en gelijkenis; *la* (*viva*) ~ *de* het evenbeeld van; *quedarse para vestir imágenes* (*mbt vrouw*) niet trouwen; **imaginable** voorstelbaar, denkbaar; **imaginación** *v* 1 verbeelding, verbeeldingskracht, voorstellingsvermogen; *estar con la* ~ *perdida* er niet bij zijn met zijn gedachten; *hablar a la* ~ tot de verbeelding spreken; *no pasar por la* ~ niet (*bij iem*) opkomen; 2 verzinsel, fantasie; **imaginar** 1 zich (*iets*) voorstellen; 2 bedenken; **imaginarse** zich (*iets*) voorstellen, denken; *imagínate* denk je eens in; **imaginaria** *m,v* 1 wacht; 2 wachtpost; **imaginario** imaginair, denkbeeldig; **imaginativa** 1 verbeeldingskracht; 2 gezond verstand; **imaginativo** vd verbeeldingskracht; **imaginería** 1 (*godsd*) schilderwerk; (*godsd*) beeldhouwwerk; 2 geborduurd schilderij; **imaginero** maker van heiligenbeelden

imán *m* 1 magneet; aantrekkingskracht; 2 (*godsd*) imam; **imanación** *v* (het) magnetisch maken; **imanar**, **imantar** magnetisch maken

imbatible niet te verslaan

imbécil I *bn* 1 imbeciel, zwakzinnig; 2 stom, onnozel; II *m,v* dwaas, stomkop; **imbecilidad** *v* 1 zwakzinnigheid; 2 stommiteit

imberbe I *bn* zonder baard; II *m* melkmuil

imbornal *m* (*scheepv*) spuigat

imborrable onuitwisbaar

imbricado dakpansgewijs geplaatst

imbuido: ~ *de* doortrokken van; **imbuir** (*de*) inprenten, (*fig*) volgieten (met)

imitable navolgbaar; **imitación** *v* imitatie, nabootsing; navolging; namaak; *a* ~ *de* in navolging van, in het kielzog van; *de* ~ namaak-; *desconfíe de las -ones* hoedt u voor namaak; **imitador**, **-ora** naäper, naäapster; imitator; **imitar** imiteren, namaken, nabootsen; **imitativo** nabootsend

impaciencia ongeduld; *arder de* ~ popelen van ongeduld; *morirse de* ~ vergaan van ongeduld; **impacientar** ongeduldig maken; zijn geduld doen verliezen; **impacientarse** ongeduldig worden; zijn geduld verliezen; **impaciente** ongeduldig; *estar* ~ popelen

impacto 1 (bom)inslag, treffer; ~ *directo* voltreffer; 2 effect, invloed

impagado onbetaald

impalpable ongrijpbaar; vederlicht

impar 1 oneven; 2 zonder weerga, uniek

imparable (*mbt bal*) onhoudbaar, niet te stoppen

imparcial onpartijdig, objectief; **imparcialidad** *v* onpartijdigheid

impartir toedelen, toekennen, geven; ~ *su aprobación a* zijn goedkeuring hechten aan; ~ *enseñanza* onderwijs geven, doceren

impase *m*: *hacer el* ~ (*bridgesp*) snijden

impasibilidad *v* ongevoeligheid; **impasible** gevoelloos, onaangedaan, zonder een spier te vertrekken

impavidez *v* onverschrokkenheid; **impávido** onverschrokken, onvervaard, dapper

impecable onberispelijk, smetteloos, vlekkeloos

impedido invalide; *estar* ~ *de una mano* een hand niet kunnen gebruiken; **impedimenta** legertros; **impedimento** beletsel, obstakel; **impedir** i verhinderen, beletten; ~ *u.c. a u.p.* iem van iets weerhouden; ~ *la palabra* het spreken onmogelijk maken; *nada te lo impide* niets let je; **impeditivo** belemmerend; wat verhindert

impelente: *bomba* ~ perspomp; **impeler** duwen; drijven, opwekken, stimuleren

impenetrable ondoordringbaar; onnaspeurbaar; ondoorgrondelijk; ~ *al polvo* stofdicht

impenitente onverbeterlijk, verstokt

impensable ondenkbaar; **impensado** onverwacht

impepinable (*fam*) niet te ontkennen, als een paal boven water; onveranderlijk

imperante heersend; **imperar** heersen; **imperativo** I *bn* gebiedend; dwingend; II *zn* 1 gebod; *por* ~ *legal* wegens dwingende wettelijke bepalingen; *por ~s de la necesidad* gedreven door de noodzaak; *por ~s de salud* om gezondheidsredenen; 2 (*gramm*) gebiedende wijs

imperceptible onmerkbaar, onwaarneembaar; **imperceptiblemente** ongemerkt

imperdible I *bn* niet te verliezen; II *m* veiligheidsspeld

imperdonable onvergeeflijk

imperecedero onvergankelijk; niet aan bederf onderhevig; *canciones imperecederas* evergreens

imperfección *v* 1 onvolmaaktheid; 2 schoonheidsfoutje, mankement; **imperfecto** I *bn* onvolmaakt; onaf; II *zn* (*gramm*) *zie pretérito*

imperial I *bn* keizerlijk; *corona* ~ keizerskroon; II *v* bovenstuk van rijtuig, tram, bus met zitbanken, imperiaal; **imperialismo** imperialisme; **imperialista** imperialistisch

impericia onervarenheid, ondeskundigheid

imperio 1 rijk; imperium; *valer un* ~ goud waard zijn; 2 (het) heersen; heerschappij, gezag; 3 trots, hooghartigheid || *estilo* ~ empirestijl; **imperioso** 1 dwingend; *necesidad -a* dwingende noodzaak; 2 heerszuchtig, bazig

imperito onervaren, ondeskundig
impermeabilidad *v* waterdichtheid; **impermeabilizar** waterdicht maken; **impermeable** I *bn* waterdicht; *ropa ~* regenkleding; II *m* regenjas; *~ de hule* oliejas
impersonal onpersoonlijk
impertérrito onverschrokken, onversaagd
impertinencia brutaliteit, onbeschoftheid; **impertinente** I *bn* brutaal, onhebbelijk, onbeschoft; *se está poniendo ~* hij krijgt teveel praatjes; II *mmv: ~s* face-à-main
imperturbable onverstoorbaar
impétigo huiduitslag, krentenbaard
impetración *v* smeekbede; **impetrar** verzoeken, afsmeken, bidden om
ímpetu *m* 1 heftigheid; kracht; 2 elan, vuur; *~ creador* scheppingsdrang; **impetuosidad** *v* heftigheid; onstuimigheid; **impetuoso** heftig, onstuimig
impiedad *v* 1 goddeloosheid; gebrek aan vroomheid; 2 wreedheid; **impío** 1 goddeloos; niet vroom; 2 oneerbiedig
implacable onverbiddelijk, onvermurwbaar, onverzoenlijk
implantación *v* 1 invoering; vestiging; 2 (*med*) implantatie; 3 (*med*) nesteling, inplanting (*van bevrucht ei*); **implantar** 1 invoeren; 2 (*med*) inplanten; **implante** *m* (*med*) inplant
implementación *v* uitvoering; **implementar** uitvoeren; toepassen; **implementos** *mmv* gereedschap
implicación *v* 1 betrokkenheid; 2 implicatie; *con todas las -ones* met alles wat eraan vastzit; **implicado** (*en*) betrokken (bij); **implicar** 1 impliceren, met zich meebrengen, inhouden, omvatten; *implica mucho trabajo* er zit veel werk aan vast; *implica un riesgo* er is een gevaar aan verbonden; 2 *~* (*en*) betrekken (in);
implícito impliciet
implorar (af)smeken
implosión *v* implosie
impoluto onbezoedeld; smetteloos
imponderable 1 niet (af)weegbaar; *los ~s* de imponderabilia; 2 onuitsprekelijk, onzegbaar
imponente indrukwekkend; overweldigend, grandioos; **imponer** 1 opleggen; *~ su capricho* zijn zin doordrijven; *~ condiciones a* voorwaarden stellen aan; *~ impuestos* belasting opleggen, belasten; *~ una multa* beboeten; *~ silencio* het zwijgen opleggen; 2 (*respect*) afdwingen; 3 (*een naam*) geven; 4 indruk maken op, imponeren; 5 (*geld*) inleggen; **imponerse** 1 de overhand krijgen; zich doen gelden, zijn gezag doen gelden, zijn wil opleggen; *no saber ~ a sus alumnos* geen orde kunnen houden; 2 dringend nodig zijn; 3 *~ de* zich op de hoogte stellen van; **imponible** belastbaar; *base ~* belastbaar inkomen; *valor ~* (*mbt huis; vglbaar*) huurwaarde
impopular impopulair
importación *v* invoer, import; *derechos de ~* invoerrechten; **importador, -ora** importeur

importancia belang; betekenis; *~ vital* levensbelang; *dar ~ a* belang hechten aan; *darse ~* gewichtig doen; *no tiene ~* het heeft niets te betekenen; *sin darle ~* losweg; **importante** belangrijk, gewichtig; **importar** I *tr* (*hdl*) invoeren; II *intr* 1 van belang zijn; *eso no te importa* dat gaat je niet aan; *¿le importa esperar un momento?* wilt u zo goed zijn even te wachten?, vindt u het erg om even te wachten?; *no importa* het doet er niet toe; 2 bedragen; belopen; **importe** *m* bedrag, som; *el ~ debido* het verschuldigde bedrag; *~ de la factura* factuurbedrag; *el ~ del subsidio* de hoogte vd uitkering
importunar hinderen, lastigvallen; zeuren; zich opdringen bij; *¿importuno?* kom ik ongelegen?; **importunidad** *v* hinderlijkheid; opdringerigheid; **importuno** 1 ongelegen; 2 lastig, hinderlijk, vervelend
imposibilidad *v* onmogelijkheid; **imposibilitado, -a** invalide; **imposibilitar** onmogelijk maken; **imposible** 1 onmogelijk; onbestaanbaar; *~ de encontrar* onvindbaar; *de todo punto ~* absoluut onmogelijk; *parecer ~* ongelooflijk zijn; *pedir ~s* het onmogelijke verlangen; 2 onuitstaanbaar, afschuwelijk
imposición *v* 1 (het) opleggen; *~ de manos* handoplegging; 2 *~* (*fiscal*) (belasting)aanslag, (belasting)heffing; *doble ~* dubbele belasting; 3 inleg, storting; **impositivo** vd belasting; *grupo ~* tariefgroep; *régimen ~* belastingstelsel
impostergable geen uitstel duldend
impostor, -ora bedrieg(st)er; iem die zich voor een ander uitgeeft
impotencia 1 onvermogen; onmacht, machteloosheid; 2 impotentie; **impotente** 1 machteloos; 2 impotent
impracticable 1 onuitvoerbaar, onhaalbaar; 2 onbegaanbaar, onberijdbaar
imprecación *v* verwensing; **imprecar** verwensen
imprecisión *v* 1 onduidelijkheid; 2 onnauwkeurigheid; **impreciso** 1 onduidelijk, vaag; 2 onnauwkeurig
impredecible onvoorspelbaar
impregnación *v* impregnering; **impregnar** impregneren, drenken
impremeditación *v* 1 onnadenkendheid, onbezonnenheid; 2 onopzettelijkheid; **impremeditado** 1 onbezonnen; 2 onvoorbedacht
imprenta 1 (het) drukken, drukkunst; *tipo de ~* drukletter; 2 drukkerij
impreparado onvoorbereid
imprescindible onmisbaar, onontbeerlijk, vereist
imprescriptible niet onderhevig aan verjaring
impresentable ontoonbaar
impresión *v* 1 indruk; *cambiar -ones* van gedachten wisselen; 2 afdruk; *~ en yeso* gipsafdruk; 3 (het) drukken; druk; *~ en colores* kleurendruk; 4 (*muz*) (het) opnemen; **impre-**

sionabilidad *v* vatbaarheid voor indrukken, (over)gevoeligheid; **impresionable** vatbaar voor indrukken, (over)gevoelig; **impresionante** indrukwekkend, treffend, adembenemend; **impresionar** 1 imponeren, indruk maken op; 2 (*muziek*) opnemen; (*foto*) maken; **impresionarse** onder de indruk raken; **impresionismo** impressionisme; **impresionista** impressionistisch; **impreso** I *bn* gedrukt; II *zn* gedrukt stuk, formulier; ~*s* drukwerk; ~ *de imposición* stortingsformulier; ~ (*de ordenador*) (computer)uitdraai; **impresor** *m* drukker; **impresora** printer; ~ *láser* laserprinter; ~ *de matriz* matrixprinter

imprevisible onberekenbaar; niet te voorzien; **imprevisión** *v* onvoorzichtigheid, kortzichtigheid; **imprevisor, -ora** kortzichtig, onbedachtzaam; **imprevisto** I *bn* onvoorzien, onverwacht, plotseling; II *mmv:* ~*s* onvoorziene kosten, de post onvoorzien

imprimación *v* grondverf; **imprimar** gronden

imprimir drukken; (*een bep karakter*) geven; ~ *un sello en* een stempel drukken op

improbabilidad *v* onwaarschijnlijkheid; **improbable** onwaarschijnlijk

ímprobo 1 heel moeilijk; *un trabajo* ~ een heksentoer; 2 oneerlijk

improcedencia 1 ongepastheid; 2 (*jur*) onontvankelijkheid; **improcedente** 1 ongepast, niet op zijn plaats; 2 (*jur*) ontoelaatbaar, onontvankelijk

improductivo onproduktief

impromptu *m* impromptu

impronosticable onvoorspelbaar

impronta 1 afdruk; 2 indruk, stempel

impronunciable onuitspreekbaar

improperio scheldwoord

impropiedad *v* onjuist gebruik; **impropio** 1 ongepast, onbetamelijk; 2 ongeschikt, oneigenlijk; verkeerd; ~ (*de*) niet passend (bij); ~ *para el consumo* niet geschikt voor consumptie; *uso* ~ onjuist gebruik

improrrogable niet verlengbaar

improvisación *v* improvisatie; **improvisar** improviseren; **improviso**: *de* ~ ineens, onverwacht; *coger de* ~ (*fig*) overvallen

imprudencia onvoorzichtigheid; **imprudente** onverstandig, onvoorzichtig, roekeloos

impudicia onkuisheid; **impúdico** onkuis, schaamteloos; **impudor** *m* schaamteloosheid

impuesto I *zn* belasting; ~ *de circulación* (*de vehículos por la vía pública*) wegenbelasting; (*Belg*) inschrijvingstaks; ~ *a cuenta* voorheffing; ~ *inmobiliario* onroerend-goedbelasting; ~ *municipal* gemeentebelasting; ~ *sobre el patrimonio* vermogensbelasting; ~ *sobre los rendimientos del trabajo personal* (*vglbaar*) loonbelasting, (*Belg, vglbaar*) bedrijfsvoorheffing; ~ *sobre la renta* inkomstenbelasting; ~ *sobre el suelo* grondbelasting; ~ *sobre el valor añadido* (*afk IVA*) BTW; ~ *sobre los vehículos automotores* motorrijtuigenbelasting, (*Belg*) rijtaks; ~ *sobre el volumen de ventas* omzetbelasting; *libre de* ~*s* onbelast, belastingvrij; II *bn: quedar* ~ *de* kennis nemen van; *zie ook imponer*

impugnable aanvechtbaar; **impugnación** *v* bestrijding; **impugnar** aanvechten, bestrijden, betwisten

impulsar aandrijven, (*door een leiding*) persen; ~ *a* drijven tot, aanzetten tot; **impulsión** *v* aandrijving; *eje de* ~ aandrijfas; **impulsividad** *v* impulsiviteit; **impulsivo** 1 impulsief; 2 aandrijvend; *mecanismo* ~ aandrijfmechanisme; **impulso** 1 (stuwende) kracht; stoot; impuls; ~ *eléctrico* elektrische impuls; ~ *vital* levensdrang; *a* ~(*s*) *de* gedreven door; *dar* ~ *a* (nieuwe) kracht geven aan; *dar el* ~ *a* de stoot geven tot; (*primer*) ~ aanzet; 2 impuls, opwelling, aanvechting; *por propio* ~ uit eigen beweging; 3 (*carrera de*) ~ aanloop; *tomar* ~ een aanloop nemen

impune straffeloos, ongestraft; **impunidad** *v* straffeloosheid

impuntual weinig stipt

impureza onzuiverheid, ongerechtigheid, vuiltje; **impurificación** *v* verontreiniging; **impurificado** ongezuiverd; **impuro** onzuiver

imputabilidad *v* toerekenbaarheid; ~ *atenuada* verminderde toerekenbaarheid; **imputable** (*a*) toe te schrijven (aan); (*mbt daad*) toerekenbaar (aan); **imputación** *v* tenlastelegging, aantijging; **imputar** 1 ten laste leggen, aanrekenen, wijten aan, in de schoenen schuiven; 2 ~ *sobre* verrekenen met

inabarcable onafzienbaar; niet te omvatten

inabordable ontoegankelijk

inacabable eindeloos; **inacabado** onaf

inaccesible ontoegankelijk; ongenaakbaar

inacción *v* (het) nietsdoen

inaceptable 1 onaanvaardbaar; 2 onaannemelijk

inactividad *v* slapte; **inactivo** zonder activiteit, slap; niet werkend, buiten dienst; *este remedio es* ~ *con la gripe* dit middel helpt niet tegen griep; *no estar* ~ (*fig*) niet stilzitten

inadaptación *v* (het) zich niet (kunnen) aanpassen, gebrek aan aanpassingsvermogen; **inadaptado** onaangepast

inadecuado ongeschikt; ondoelmatig

inadmisible onaanvaardbaar; ontoelaatbaar

inadvertencia onoplettendheid, vergissing; (het) niet merken; **inadvertidamente** 1 per ongeluk, bij vergissing; 2 stilletjes, onopgemerkt; **inadvertido** 1 onoplettend, verstrooid; 2 onopgemerkt

inagotable onuitputtelijk

inaguantable onhoudbaar, onverdraaglijk; onuitstaanbaar

in albis: *estar* ~ nergens iets van afweten

inalcanzable onhaalbaar, onbereikbaar; niet in te halen

inalienable onvervreemdbaar

inalterable 1 onveranderlijk; onbewogen; 2 ~ *ante* (*techn*) bestand tegen

inamistoso onvriendelijk
inamovibilidad *v* onafzetbaarheid; **inamovible** 1 (*mbt ambtenaar*) niet afzetbaar; (*mbt ambt*) voor het leven, op een vaste plaats; 2 (muur)vast
inane zinloos, ijdel, zwak; **inanición** *v* uitputting (*door voedselgebrek*)
inanimado levenloos
inapelable onherroepelijk; *es* ~ er is niets tegen in te brengen
inapetencia gebrek aan eetlust
inaplazable niet uit te stellen
inaplicable niet toepasselijk
inapolillable motvrij
inapreciable 1 onschatbaar; 2 uiterst gering, te verwaarlozen
inapropiado ongeschikt
inaptitud *v* ongeschiktheid
inarrugable kreukvrij
inasequible onbereikbaar
inasible ongrijpbaar
inasistencia (het) afwezig zijn; *comunicado de* ~ bericht van verhindering
inastillable onbreekbaar; *cristal* ~ veiligheidsglas
inatacable onaanvechtbaar
inaudible onhoorbaar; **inaudito** ongehoord
inauguración *v* (*officiële*) opening; inwijding; onthulling; **inaugural** openings-; *acto* ~ openingsplechtigheid; **inaugurar** 1 (*officieel*) openen; in gebruik nemen; 2 beginnen met
inca *m* 1 Inca (*vorst*); 2 Inca (*indiaan*); **incaico** vd Inca's
incalculable 1 ontelbaar; 2 onberekenbaar
incalificable onbeschrijflijk, beneden alle kritiek; *es* (*moralmente*) ~ daar zijn geen woorden voor
incandescencia (het) witgloeiend zijn; **incandescente** witgloeiend; *lámpara* ~ gloeilamp
incansable onvermoeibaar, taai; onverdroten
incapacidad *v* 1 onvermogen; ~ *física* invaliditeit; ~ *laboral* arbeidsongeschiktheid; 2 (*jur*) onbekwaamheid; **incapacitado** 1 invalide; arbeidsongeschikt; 2 (*jur*) onbekwaam; **incapacitar** 1 ongeschikt maken; 2 (*jur*) onbekwaam verklaren; **incapaz** 1 ~ (*de*) niet in staat (om, tot), onbekwaam; 2 (*jur*) onbekwaam; *moralmente* ~ ontoerekeningsvatbaar; 3 ~ (*para el trabajo*) arbeidsongeschikt
incautación *v* verbeurdverklaring; **incautarse** (*de*) beslag leggen (op), vorderen, verbeurd verklaren
incauto onvoorzichtig; niet op zijn hoede, argeloos
incendiar in brand steken, brandstichten; **incendiario, -a** I 1 brandstichtend; *bomba -a* brandbom; 2 opruiend; II *zn* brandsticht(st)er; **incendio** 1 brand; ~ *forestal* bosbrand; ~ *intencionado* brandstichting; *alarma de* ~ brandalarm; *provocar un* ~ brandstichten; 2 hartstocht, vuur
incensar bewieroken; **incensario** wierookvat
incentivo prikkel; aanmoedigingspremie
incertidumbre *v* onzekerheid, twijfel; *dejar a u.p. en la* ~ iem in het ongewisse laten; *mantener en la* ~ in spanning houden
incesante onophoudelijk, gedurig
incesto incest, bloedschande; **incestuoso** incestueus
incidencia 1 voorval; *ángulo de* ~ invalshoek; 2 invloed, effect, weerklank; **incidental** incidenteel; **incidente** I *m* incident; voorval; ~*s callejeros* relletjes; ~ *fronterizo* grensincident; II *bn* (*mbt licht*) invallend; **incidir** 1 ~ *en* vervallen in; 2 ~ *en* (*mbt lichtstraal*) vallen op; 3 ~ (*en*) van invloed zijn (op), beïnvloeden; doorwerken (in), een terugslag hebben (op); 4 (*med*) een insnijding maken
incienso wierook
incierto onzeker
incineración *v* crematie, lijkverbranding; ~ *de basuras* vuilverbranding; **incinerar** 1 cremeren; 2 verbranden
incipiente beginnend
incisión *v* insnijding, keep, snee; ~ *cesárea* keizersnede; **incisivo** 1 snijdend; *diente* ~ snijtand; 2 (*fig*) bijtend, venijnig, scherp
inciso 1 tussenzin; 2 uitweiding; 3 lid (*van wet*), alinea
incitación *v* aansporing; **incitante** opwekkend; prikkelend, sexy; **incitar** 1 ~ (*a*) aanvuren, opwekken, aansporen (tot), aanzetten (tot); 2 opjagen; 3 opruien, opstoken
incivil onbeschaafd, lomp, grof
inclemencia ruwheid; hardvochtigheid; **inclemente** hard, ruig, ruw, streng
inclinación *v* 1 neiging, voorliefde; *-ones* gezindheid; *tener* ~ *por* zich aangetrokken voelen tot; 2 buiging; (het) scheefstaan, helling; ~ *de la cabeza* knikje; ~ *de techado* dakhelling; 3 (*techn, astron*) inclinatie; **inclinado** 1 hellend, schuin; *torre -a* scheve toren; 2 ~ *a* geneigd tot; ~ *al perdón* vergevingsgezind; 3 ~ *sobre* gebogen over; **inclinar** I *tr* 1 schuin houden; doen hellen; kantelen; doen buigen; (*balans*) doen doorslaan; (*rugleuning*) verstellen; ~ *la silla* wippen op zijn stoel; 2 (*het hoofd*) buigen; 3 ~ *a* doen neigen tot; II *intr:* ~ *a* neigen tot; **inclinarse** 1 (schuin) aflopen; hellen; ~ *hacia adelante* vooroverbuigen, vooroverhellen; 2 een buiging maken, buigen; 3 ~ *a* neigen tot; ~ *por u.c.* ergens voor zijn; 4 ~ *a* een beetje lijken op, wel wat weghebben van
ínclito (*iron, lit*) vermaard, illuster
incluido 1 ingesloten, bijgaand; 2 inbegrepen; ~ *el servicio* inclusief (bediening); *el IVA va -a* de BTW is inbegrepen; *todo* ~ alles inbegrepen; **incluir** 1 insluiten, bijvoegen; (*in boek*) opnemen; meerekenen; ~ *en el suministro* meeleveren, bijleveren; 2 omvatten, inhouden; **incluirse** inbegrepen zijn; bijgevoegd worden; *yo no me incluyo* ik tel mezelf (even) niet mee; **inclusa** (*hist*) vondelingentehuis; **inclusión** *v* (het) insluiten, opneming; *con* ~

inc

de met inbegrip van, inclusief; **inclusive** inclusief, inbegrepen; *de 1 a 80 ambos inclusive* 1 tot en met 80; *hasta los 30 años* ~ tot en met 30 jaar; **incluso** I *bn* ingesloten, bijgevoegd; II *bw* zelfs
incoación *v* begin; **incoar** (*proces*) beginnen; (*onderzoek*) instellen; ~ *un pleito* een proces aanspannen; **incoativo** (*gramm*) inchoatief, een begin uitdrukkend
incobrable niet invorderbaar, niet inbaar
incoercible onbedwingbaar, onstuitbaar
incógnita 1 onbekend element, vraag; 2 (*wisk*) onbekende; *despejar la* ~ de onbekende oplossen (*ook fig*); **incógnito** I *bn* incognito; *de* ~ incognito; II *zn* incognito; **incognoscible** onkenbaar
incoherencia onsamenhangendheid; **incoherente** onsamenhangend, warrig
incoloro kleurloos, ongekleurd, blank
incólume ongedeerd, ongeschonden
incombustible onbrandbaar
incomestible niet eetbaar; **incomible** niet te eten
incomodar lastigvallen; hinderen; **incomodarse** 1 boos worden; 2 moeite doen; *no se incomode Ud.* doet u geen moeite, blijft u rustig zitten; **incomodidad** *v* 1 ongemak; 2 ongemakkelijkheid; 3 (het) zich niet op zijn gemak voelen; 4 last, pijn; **incómodo** 1 ongemakkelijk; hinderlijk; 2 opgelaten, onbehaaglijk; *sentirse* ~ zich niet op zijn gemak voelen
incomparable 1 onvergelijkbaar; 2 onvergelijkelijk, weergaloos
incompatibilidad *v* onverenigbaarheid; **incompatible** 1 onverenigbaar; strijdig met, in strijd met; 2 (*comp*) incompatibel
incompetencia 1 onbevoegdheid; 2 onbekwaamheid; **incompetente** 1 onbevoegd; 2 ongeschikt, onbekwaam
incompleto onvolledig; onvoltooid; niet voltallig
incomprensible onbegrijpelijk, onverklaarbaar; **incomprensión** *v* onbegrip
incompresible niet samen te persen
incomunicación *v* afzondering; eenzame opsluiting; **incomunicado** 1 zonder verbinding met de buitenwereld; 2 in eenzame opsluiting; **incomunicar** (*fig*) isoleren; de verbinding verbreken tussen; **incomunicarse** (*fig*) zich opsluiten, zich terugtrekken in zichzelf
inconcebible ondenkbaar, onvoorstelbaar, onbegrijpelijk
inconciliable onverzoenbaar
inconcluso onaf, onvoltooid
inconcreto vaag, weinig concreet
inconcuso vaststaand, onomstotelijk
incondicional onvoorwaardelijk; volmondig
inconexión *v* gebrek aan samenhang; **inconexo** onsamenhangend
inconfesable niet te bekennen; schandelijk; **inconfeso** (*mbt verdachte*) die niet bekent
inconfundible niet mis te verstaan, overduidelijk
incongruencia gebrek aan logica; dwaasheid; tegenstrijdigheid; wanverhouding; **incongruente** 1 onlogisch, onzinnig, ongerijmd; 2 ongepast
inconmensurable onmeetbaar, onafzienbaar
inconmovible 1 rotsvast, zeer stevig; 2 onverstoorbaar, niet van zijn stuk te brengen
inconquistable 1 onneembaar; 2 onverbiddelijk, onbuigzaam
inconsciencia bewusteloosheid; **inconsciente** I *bn* 1 bewusteloos; 2 onbewust, onwillekeurig; II *zn* 1 *m,v* onnadenkend mens; 2 *m* onderbewuste
inconsecuencia inconsequentie; **inconsecuente** inconsequent
inconsentible ontoelaatbaar
inconsideración *v* 1 ondoordachtheid, roekeloosheid; 2 gebrek aan tact, gebrek aan respect voor anderen; **inconsiderado** 1 roekeloos, ondoordacht; 2 tactloos, onkies, hard
inconsistencia veranderlijkheid; inconsistentie; **inconsistente** veranderlijk; inconsistent
inconsolable ontroostbaar, troosteloos
inconstancia onstandvastigheid; veranderlijkheid; **inconstante** onstandvastig; wispelturig, veranderlijk, onbestendig, wisselvallig
inconstitucional niet grondwettelijk
incontable ontelbaar
incontenible onbedwingbaar, niet te stuiten; onbedaarlijk
incontestable onbetwistbaar, onloochenbaar, onomstotelijk; *es* ~ er is niets tegen in te brengen; **incontestablemente** ontegenzeggelijk
incontinencia 1 onbeheerstheid, (het) toegeven aan alle grillen; 2 (*med*) incontinentie; **incontinente** 1 onbeheerst, ongeremd; 2 (*med*) incontinent
incontrarrestable niet tegen te houden
incontrastable onweerlegbaar, onmiskenbaar
incontrolable 1 niet onder controle te houden; 2 oncontroleerbaar
incontrovertible onomstotelijk, onbetwistbaar
inconveniencia 1 ondoelmatigheid; ongewenstheid; 2 onbetamelijkheid, misstap; **inconveniente** I *bn* 1 ongewenst, niet opportuun; 2 onbehoorlijk; II *m* bezwaar; *no tener* ~ *en* geen bezwaar hebben tegen; *si no tienes* ~ als je er niets op tegen hebt
inconvertible niet inwisselbaar, niet converteerbaar
incordiar lastig vallen, (*iem*) aan zijn hoofd zeuren, hinderen; **incordio** 1 lastig mens; 2 iets vervelends
incorporación *v* 1 indeling, (het) opnemen, (het) invoegen; 2 indiensttreding, toetreding; **incorporar** 1 ~ (*a, en*) voegen (bij), opnemen (in), onderbrengen (bij); indelen (bij); inlijven

(bij); 2 rechtop zetten, oprichten; **incorporarse** 1 zich oprichten, overeind komen, rechtop gaan zitten; 2 ~ (*en*) deel gaan uitmaken (van), in dienst treden (bij)
incorpóreo onstoffelijk
incorrección *v* 1 onjuistheid; 2 onbeleefdheid; **incorrecto** 1 onjuist; 2 onbeleefd, niet correct; (*mbt woord*) onvertogen; **incorregible** onverbeterlijk
incorrupción *v* 1 (het) niet bedorven zijn, (het) onaangetast zijn; 2 onkreukbaarheid; **incorruptibilidad** *v* onomkoopbaarheid; **incorruptible** 1 onomkoopbaar; 2 niet bederfelijk; **incorrupto** onbedorven, onaangetast
incredulidad *v* ongeloof; **incrédulo** ongelovig; **increíble** ongelooflijk
incrementar vermeerderen; **incremento** toename, vermeerdering; vergroting; ~ *salarial* loonstijging
increpación *v* (het) uitschelden; belediging; **increpar** uitschelden, uitjouwen, afsnauwen; streng berispen
incriminación *v* aanklacht, beschuldiging; **incriminar** 1 (*heftig*) beschuldigen; 2 (*een fout*) overdrijven, opblazen
incruento niet bloedig, zonder bloedvergieten
incrustación *v* 1 afzetting; aanslag; *-ones* ketelsteen; ~ *calcárea* kalkaanslag; 2 (het) inleggen; inlegwerk; **incrustado** inlegwerk; **incrustar** 1 inleggen (*met mozaïek*); 2 (*met een kalkkorst*) bedekken; **incrustarse** zich stevig hechten; zich vastzetten
incubación *v* 1 (het) broeden; broedtijd; 2 (*med*) incubatie; *período de* ~ incubatietijd; **incubadora** 1 broedmachine; 2 couveuse; **incubar** (uit)broeden (*ook fig*)
incuestionable onloochenbaar, buiten kijf, onbetwistbaar
inculcar bijbrengen; op het hart drukken, inprenten
inculpación *v* beschuldiging; **inculpado, -a** beschuldigde; **inculpar** (*de*) beschuldigen (van)
inculto 1 onontwikkeld; 2 niet in cultuur gebracht; **incultura** 1 laag ontwikkelingspeil; 2 (het) niet bebouwd worden
incumbencia verplichting, taak; *no es de mi* ~ dat valt niet onder mijn competentie, dat ligt niet op mijn weg; **incumbir**: ~ *a* toekomen aan, te beurt vallen; de taak zijn van; *no le incumbe culpa alguna* hem treft geen enkele blaam
incumplimiento niet-nakoming; wanprestatie; ~ *del contrato* contractbreuk; ~ *del deber* plichtsverzuim; ~ *de pago* wanbetaling; *en caso de* ~... bij het niet nakomen...; **incumplir** niet nakomen
incunable *m* incunabel, wiegedruk
incurable ongeneeslijk
incuria slordigheid
incurrir (*en*) vervallen (in); op zich laden; zich op de hals halen; oplopen; ~ *en un error* een fout begaan; ~ *en gastos* kosten maken; *incurrió en la pena de 5 años* hij kreeg een straf van 5 jaar; **incursión** *v* inval, raid, strooptocht; **incursionar** een inval doen
indagación *v* onderzoek; *-ones* nasporingen; **indagar** uitzoeken, naspeuren
indebidamente 1 ten onrechte; 2 verkeerd; **indebido** 1 onterecht; onbehoorlijk; onnodig; 2 verkeerd
indecencia onbetamelijkheid; onzedelijkheid; **indecente** onfatsoenlijk; onbetamelijk; onzedelijk
indecible onuitsprekelijk
indecisión *v* besluiteloosheid; **indeciso** 1 besluiteloos, wankelmoedig, weifelend; 2 onbeslist, niet vastgesteld
indecoroso niet netjes, onbehoorlijk, onfatsoenlijk
indefectible steevast, onvermijdelijk, nooit falend; *es* ~ *que*... het kan niet missen of...
indefendible onverdedigbaar, onhoudbaar; **indefensión** *v* weerloosheid
indefinido 1 onbepaald, onbestemd; onbegrensd; *de edad -a* van onbestemde leeftijd; 2 (*gramm*) *zie pretérito*
indeformable vormvast
indeleble onuitwisbaar
indelicadeza tactloosheid; **indelicado** onkies, tactloos
indemne onbeschadigd, ongedeerd; **indemnización** *v* (schade)vergoeding, schadeloosstelling; ~ *por daños inmateriales* smartegeld; **indemnizar** schadeloosstellen; ~ *a u.p.* (*de*) *los daños* iem de schade vergoeden
indemorable geen uitstel duldend
indemostrable niet aantoonbaar
independencia onafhankelijkheid; zelfstandigheid; **independentista**: *guerrilla* ~ onafhankelijkheidsstrijd; **independiente** onafhankelijk; zelfstandig; freelance; (*mbt huis*) vrijstaand; *baño* ~ eigen badkamer, eigen wc; *entrada* ~ vrije opgang, eigen ingang; **independientemente** onafhankelijk; ~ *de* ongeacht; *los que viven* ~ de alleenstaanden; **independizarse** onafhankelijk worden
indescifrable niet te ontcijferen
indescriptible onbeschrijflijk
indeseable ongewenst; *extranjero* ~ ongewenste vreemdeling
indesmallable (*mbt kous*) laddervrij
indestructible onverwoestbaar, ijzersterk
indeterminación *v* 1 onbepaaldheid, vaagheid, onzekerheid; 2 besluiteloosheid; **indeterminado** 1 onbepaald, vaag; 2 besluiteloos
indexación *v* indexering, (*Belg*) indexaanpassing; **indexar** indexeren
India: (*la*) ~ India; *las* ~*s* (*fig*) luilekkerland, goudmijn; *las* ~*s Occidentales* West-Indië; *las* ~*s Orientales* Oost-Indië
indiada menigte Indianen; **indianista** *m,v* kenner vd Indiaanse beschaving; **indiano, -a** I *bn* uit West-Indië; uit Spaans-Amerika; II *zn* iem die rijk uit Spaans-Amerika terugkeert

indicación *v* aanduiding, aanwijzing; opgave; *~ del precio* prijsopgave; **indicado** aangewezen, geschikt; *estar ~* in aanmerking komen, geschikt zijn; *la persona más -a* de aangewezen persoon; **indicador, -ora** I *bn* aanwijzend; *luz -ora* controlelampje; II *m* wijzer; verklikker; graadmeter; pieper; (*op kaartsysteem*) ruiter; *~ del cambio de dirección* richtingaanwijzer; *~ de carretera* wegwijzer; *~ de gasolina* benzinemeter; *~ de incendios* brandmelder; *~ de nivel* peilglas; *~ de presión* drukmeter; *~ de velocidad* snelheidsmeter; **indicar** 1 aanduiden, aangeven, aanwijzen; beduiden, te kennen geven; opgeven; *~ el motivo* de reden opgeven; 2 wijzen op; **indicativo** I *bn* veelzeggend; II 1 (*modo*) *~* aantonende wijs; 2 kengetal, netnummer; **índice** *m* 1 inhoud; inhoudsopgave, index, klapper; 2 teken, (richt)getal; gehalte; *~ de compresión* compressieverhouding; *~ de mortalidad* sterftecijfer; *~ de natalidad* geboortencijfer; *~ de octano* octaangetal; *~ de paro* werkloosheidscijfer; *~ de precios* (*al consumo*) prijsindexcijfer; 3 (*dedo*) *~* wijsvinger; **indiciar** indexeren; **indicio** teken, aanwijzing; aanknopingspunt; *~s vehementes* duidelijke aanwijzingen
índico Indisch
indiferencia onverschilligheid; achteloosheid; afstandelijkheid; **indiferente** onverschillig, ongeïnteresseerd, achteloos; *le es ~* het laat hem koud, het is niet aan hem besteed
indígena I *bn* inheems; II *m,v* inboorling, oorspronkelijke bewoner
indigencia armoede, behoeftigheid
indigenismo (Sp-Am literaire beweging met) aandacht voor al wat Indiaans is; **indigenista** gericht op het Indiaanse eigen karakter
indigente noodlijdend, arm, behoeftig
indigestarse 1 (*mbt eten*) niet goed bekomen; 2 (*fig*) zwaar op de maag liggen; *se me indigesta el tipo ese* ik kan die man niet luchten of zien, ik kan die man niet verdragen; **indigestión** *v* 1 indigestie, slechte spijsvertering; 2 (*fig*) oververzadiging; **indigesto** moeilijk verteerbaar; *estar ~* last hebben van zijn maag; *ser ~* zwaar op de maag liggen
indignación *v* verontwaardiging; **indignado** verontwaardigd; **indignar** boos maken, de verontwaardiging opwekken van; **indignarse** verontwaardigd worden; **indignidad** *v* 1 onwaardigheid; 2 schandelijke handelwijze; **indigno** 1 onwaardig; 2 schandelijk
índigo indigo
indino, -a (*fam*) lelijkerd, stouterd, ondeugd
indio, -a I *bn* 1 Indiaas; 2 Indiaans; II *zn* 1 Indi(a)ër, Indiase; 2 Indiaan(se); *jugar a los ~s* Indiaantje spelen; 3 *m* (de) pineut; *hacer el ~*: *a*) zich laten bedotten, erin vliegen, dom doen; *b*) flauwe grappen uithalen, stom doen, zich aanstellen
indirecta stille wenk, insinuatie; steek onder water; *con ~s* in bedekte termen; *soltar una ~* (*iem*) een veeg uit de pan geven; **indirecto** 1 indirect, zijdelings; 2 (*gramm*) meewerkend, indirect
indiscernible niet te onderscheiden
indisciplina gebrek aan discipline; **indisciplinado** ongedisciplineerd; vrijgevochten, eigenzinnig, baldadig; **indisciplinarse** (*tegen de regels*) in opstand komen
indiscreción *v* 1 onbescheidenheid; 2 loslippigheid; indiscretie; nieuwsgierigheid; **indiscreto** 1 onbescheiden, opdringerig; 2 indiscreet; nieuwsgierig; loslippig
indisculpable onvergeeflijk
indiscutible onbetwistbaar, onomstotelijk, onweerlegbaar; **indiscutiblemente** ontegenzeggelijk; **indiscutido** onbetwist
indisoluble onverbrekelijk
indispensable onmisbaar, onontbeerlijk
indisponer 1 *~* (*a*) ruzie doen krijgen (met), opzetten (tegen); 2 ziek maken; **indisponerse** 1 ruzie krijgen; gebrouilleerd raken; 2 ziek worden; **indispuesto** 1 onwel, niet in orde; 2 *estar ~ con* ruzie hebben met, boos zijn op
indistinguible niet te onderscheiden; **indistintamente** zonder onderscheid; **indistinto** 1 niet verschillend; *ser ~* er niet toe doen, niet uitmaken; 2 onduidelijk, vaag
individua vrouwmens, schepsel; **individual** I *bn* individueel; afzonderlijk; (*Belg*) persoonsgebonden; II *m* placemat; *empresa ~* eenmansbedrijf; *habitación ~* eenpersoonskamer; *partido ~* enkelspel; *voto ~* hoofdelijke stemming; **individualidad** *v* eigen karakter, individualiteit; **individualismo** individualisme; **individualista** I *bn* individualistisch; II *m,v* individualist(e); **individualizar** specificeren, onderscheiden; afzonderlijk behandelen, eruit lichten; **individualmente** een voor een, elk persoonlijk; **individuo** 1 individu; 2 (*neg*) sujet, individu
indivisibilidad *v* ondeelbaarheid; **indivisible** ondeelbaar; **indivisión** *v* 1 (het) ongedeeld zijn; 2 (*jur*) onverdeelde boedel; **indiviso** onverdeeld
indización *v* indexering; **indizar** indexeren
indócil ongezeglijk, onhandelbaar; **indocilidad** *v* eigenzinnigheid, ongezeglijkheid
indocto onwetend, onontwikkeld
indocumentado 1 niet in staat zich te legitimeren, zonder papieren; 2 onbeduidend, obscuur; 3 slecht op de hoogte, ondeskundig
indoeuropeo Indo-europees
índole *v* aard, soort; karakter
indolencia indolentie, laksheid; vadsigheid; **indolente** indolent, laks, apathisch
indoloro pijnloos
indomable ontembaar; **indomado** ongetemd; **indómito** ontembaar
Indonesia Indonesië; **indonésico, indonesio** Indonesisch
indostaní *m* (het) Hindoestani; **indostanés, -esa** I *bn* Hindoestaans; II *zn* Hindoestaan(se)

indubitable *zie indudable*
inducción *v* 1 inductie, veralgemening, veronderstelling; 2 (*elektr*) inductie; 3 aanstichting, uitlokking, (het) aanzetten (tot); **inducir** 1 ~ (*a*) aanzetten (tot), overhalen (tot), ertoe brengen (om); leiden (tot); ~ *a confusión* leiden tot verwarring; *todo induce a creer que* alles wijst erop dat; 2 ~ (*de*) afleiden (uit), gevolgtrekkingen maken; 3 (*natk*) induceren; **inductor**, **-ora** I *bn* ~ (*a*) aanleiding gevend (tot); aanzettend (tot) || *corriente -ora* inductiestroom; II *zn* 1 aansticht(st)er; 2 *m* (*natk*) inductor
indudable ontwijfelbaar, volkomen zeker
indulgencia 1 toegeeflijkheid, lankmoedigheid, clementie; 2 aflaat; **indulgente** toegeeflijk, lankmoedig, vergevingsgezind, genadig
indultar begenadigen; ~ *de* (*een straf*) kwijtschelden; **indulto** kwijtschelding van straf
indumentaria kledij
industria 1 vaardigheid; 2 industrie; ~ *alimenticia* levensmiddelenindustrie; ~ *de armamentos* wapenindustrie; ~ *y comercio* handel en nijverheid, bedrijfsleven; ~ *de la construcción* bouwnijverheid; ~ *ganadera* veeteelt; ~ *láctea* zuivelindustrie; ~ *lanera* wolindustrie; ~ *metalúrgica* metaalindustrie; ~ *minera* mijnbouw; ~ *pesada* zware industrie; ~ *petrolera* olie-industrie; ~ *de régimen continuo* continubedrijf; ~ *tabacalera* tabaksindustrie; *gran* ~ grootindustrie; **industrial** I *bn* industrieel; *artes ~es* kunstnijverheid; II *m* industrieel; *gran* ~ grootindustrieel; **industrialización** *v* industrialisering; **industrializar** industrialiseren; **industriarse**: ~ *para* het klaarspelen om; **industrioso** 1 ijverig, nijver; 2 vindingrijk, handig
INE *Instituto Nacional de Estadística*
inédito onuitgegeven
ineducación *v* onopgevoedheid, ongemanierdheid; **ineducado** onopgevoed, ongemanierd
inefable onuitsprekelijk
inefectivo weinig effectief; **ineficacia** ondoelmatigheid; **ineficaz** inefficiënt, ondoelmatig; *medidas -aces* halve maatregelen; **ineficiencia** (het) niet efficiënt zijn; **ineficiente** niet efficiënt
ineligibilidad *v* onverkiesbaarheid; **ineligible** onverkiesbaar
ineluctable onontkoombaar, onvermijdelijk
ineludible onontkoombaar, absoluut noodzakelijk; *es* ~ je kunt er niet omheen
inenajenable onvervreemdbaar
inenarrable onuitsprekelijk
inepcia 1 dwaasheid; 2 onbeholpenheid
ineptitud *v* ongeschiktheid, onbekwaamheid; nutteloosheid; **inepto** onbekwaam; onbeholpen
inequívoco ondubbelzinnig, niet mis te verstaan, duidelijk; onmiskenbaar
inercia 1 gebrek aan energie, lusteloosheid, sloomheid; 2 inertie, traagheid; **inerte** 1 levenloos; 2 slap, sloom
inescrutable ondoorgrondelijk, onnaspeurbaar
inesperadamente onverwacht, onverhoopt; **inesperado** onverwacht, plotseling
inestabilidad *v* veranderlijkheid; **inestable** 1 veranderlijk; labiel, instabiel; wankel; 2 (*mbt weer*) onbestendig, wisselvallig; buiig
inestético onesthetisch
inestimable onschatbaar
inevitable onvermijdelijk, onafwendbaar; obligaat
inexactitud *v* 1 onnauwkeurigheid; 2 onjuistheid; **inexacto** 1 onnauwkeurig; 2 onjuist, niet waar
inexcusable 1 onvergeeflijk; 2 onontkoombaar, waar men niet onderuit kan
inexhausto onuitputtelijk
inexistencia (het) niet bestaan; **inexistente** niet bestaand
inexorable niet te vermurwen
inexperiencia onervarenheid; **inexperto** 1 onervaren, ongeoefend; 2 ondeskundig, onoordeelkundig
inexplicable onverklaarbaar
inexpresable onuitsprekelijk; **inexpresivo** uitdrukkingsloos; weinig zeggend; wezenloos
inexpugnable onneembaar
inextinguible onblusbaar
inextirpable onuitroeibaar
inextricable onontwarbaar
infalibilidad *v* onfeilbaarheid; **infalible** onfeilbaar; **infaliblemente** steevast
infamación *v* laster, belediging; **infamador**, **-ora** lasteraar(ster); **infamante** onterend; **infamar** onteren, beledigen; **infamatorio** beledigend; **infame** 1 laaghartig, infaam, gemeen, snood; 2 schandelijk; 3 heel slecht, belabberd, beneden alle peil; **infamia** eerloosheid, schande; schanddaad
infancia 1 vroege jeugd; *jardín de* ~ (*vglbaar*) peuterklas, (*soms*) kleuterschool; 2 (de) kinderen, jeugd; **infanta** *zie infante*; **infante**, **-anta** 1 (*lit*) klein kind; 2 kind vd koning, geboren na de kroonprins(es); 3 *m* infanterist; **infantería** infanterie; **infanticidio** kindermoord; **infantil** 1 kinderlijk; 2 kinderachtig, flauw; **infantilidad** *v* kinderlijk karakter; **infantilismo** kinderachtigheid; **infantilizar** kinderachtig maken, infantiliseren
infarto infarct; ~ *de corazón* hartinfarct
infatigable onvermoeibaar; onverdroten
infatuación *v* inbeelding; **infatuar ú** ijdel maken; **infatuarse ú** ijdel worden
infausto rampzalig, noodlottig
infección *v* besmetting, infectie; ~ *por virus*, ~ *vírica* virusinfectie; **infeccioso** besmettelijk; **infectar** besmetten, infecteren; doen ontsteken; **infectarse** (gaan) ontsteken; besmet worden; **infecto** 1 ~ (*de*) besmet (met); 2 smerig, weerzinwekkend

infecundidad *v* onvruchtbaarheid; **infecundo** onvruchtbaar
infelicidad *v* ongeluk; **infeliz** I *bn* ongelukkig; II *m,v* 1 ongelukkige, stakker; 2 brave sul, simpele ziel
inferior I *bn* lager; minder; minderwaardig; *curso ~* benedenloop (*van rivier*); *no ~ al 10%* niet lager dan 10%; *un plazo no ~ a 60 días* een termijn van minstens 60 dagen; *ser ~ a* het afleggen tegen, onderdoen voor; II *m,v* mindere, ondergeschikte; **inferioridad** *v* minderwaardigheid
inferir ie, i 1 ~ (*de*) afleiden (uit), opmaken (uit); 2 aandoen, toebrengen
infernáculo soort hinkelspel
infernal hels, gruwelijk; *hace un calor ~* het is smoorheet
infestado: *estar ~ de* vergeven zijn van, wemelen van; **infestar** (*de*) overspoelen (met); onveilig maken; teisteren
inficionado besmet, onzuiver; **inficionar** besmetten, infecteren; vergiftigen
infidelidad *v* ontrouw; **infiel** 1 ontrouw, trouweloos; 2 afvallig; 3 (*mbt weegschaal*) onbetrouwbaar, onzuiver
infiernillo eenpitskooktoestel; spiritusbrander
infierno hel; *es capaz de llegar hasta el ~ por Ud.* hij gaat voor u door het vuur; *le mandaron al ~* ze zeiden dat hij naar de hel kon lopen
infiltración *v* infiltratie; **infiltrar** doen doordringen; **infiltrarse** (*en*) binnendringen (in), infiltreren (in)
ínfimo 1 zeer laag; miniem; 2 zeer slecht
infinidad *v* eindeloos aantal, massa; **infinitesimal** oneindig klein; **infinitivo** onbepaalde wijs, infinitief; **infinito** I *bn* oneindig; II *zn* (het) oneindige; **infinitud** *v* oneindigheid
inflación *v* 1 (het) opblazen; 2 inflatie; *~ de caballo, ~ galopante* hollende inflatie; **inflacionario** vd inflatie; *tasa -a* inflatietoeslag; **inflacionista** inflatoir; *espiral ~* inflatiespiraal; **inflador** *m* (fiets)pomp
inflamable ontvlambaar, (ont)brandbaar; *altamente ~* licht ontvlambaar; **inflamación** *v* ontsteking; **inflamar** 1 ontsteken; 2 (*fig*) doen ontvlammen; **inflamarse** 1 ontvlammen, oplaaien; 2 (*med*) ontsteken
inflar 1 opblazen, oppompen, doen bollen; 2 overdrijven; **inflarse** 1 trots worden, zwellen; 2 (gaan) bollen, opzwellen
inflexibilidad *v* onbuigzaamheid; **inflexible** onbuigzaam, onbuigbaar; onverzettelijk; *mantenerse ~* niet toegeven; **inflexión** *v* 1 (het) buigen, (het) doorbuigen; *punto de ~* keerpunt; 2 stembuiging
infligir toebrengen, aandoen
inflorescencia bloeiwijze
influencia 1 invloed, inwerking; *~ benefactora* gunstige invloed; *ejercer ~* invloed uitoefenen; *tener ~ con* invloed hebben bij; *tener ~ sobre* invloed hebben op; 2 *~s* invloedrijke personen, connecties; **influenciar** beïnvloeden; **influible** te beïnvloeden, beïnvloedbaar; **influir** (*en*) invloed hebben op, beïnvloeden, doorwerken (in); **influjo** invloed; *a ~ de* onder invloed van; **influyente** invloedrijk, toonaangevend
información *v* 1 (het geven van) inlichtingen; informatie; *fuente de ~* vraagbaak; *ciencias vmv de la ~* communicatiewetenschap; *más -ones* nadere inlichtingen; 2 *para su ~* ter kennisneming; **informado** op de hoogte; *medios (bien) ~s* welingelichte kringen
informal informeel
informante *m,v* zegsman, -vrouw, informant(e); tipgever, -geefster; **informar** (*de*) berichten (over); informeren (over), inlichten (over), op de hoogte stellen (van); tippen; *~ sobre* rapporteren over; **informarse** inlichtingen inwinnen; *~ acerca de, ~ sobre* inlichtingen vragen over, navraag doen naar; *~ con u.p.* zijn licht opsteken bij iem; **informática** informatica; **informático** informatica-; **informativo** I *bn* informatief; *fuente -a* informatiebron, zegslieden; II *zn* bericht; *~s territoriales* binnenlands nieuws; **informatización** *v* automatisering; **informatizar** (*een bedrijf*) automatiseren
informe I *bn* vormeloos, plomp; II *m* 1 inlichting; referentie; *buenos ~* goede referenties; *dar ~s sobre* inlichten over; *facilitar ~s* inlichtingen verstrekken; *folleto de ~s* prospectus; *pedir ~s sobre* informeren naar; 2 rapport, verslag; referaat; ~ (*anual*) jaarverslag; *~ pericial* deskundigenrapport; *presentar un ~ sobre* rapporteren over; *rendir ~* verslag uitbrengen
infortunado ongelukkig; **infortunio** tegenspoed, ongeluk
infracción *v* (*a, de*) inbreuk (op), overtreding (van), vergrijp (tegen); *ser una ~ a* een inbreuk zijn op, indruisen tegen; **infractor, -ora** overtreder; bekeurde
infraestructura infrastructuur
infrahumano mensonterend
infranqueable onneembaar; onoverbrugbaar
infrarrojo infrarood
infrascrito, -a ondergetekende
infravaloración *v* onderschatting, te lage schatting; **infravalorar** onderschatten, te laag schatten
infravivienda krot; onbewoonbare woning
infrecuente weinig frequent, weinig voorkomend
infringir inbreuk maken op, overtreden
infructífero, infructuoso vruchteloos, zonder resultaat
ínfulas *vmv* (opschepperig) air, verbeelding
infundado ongegrond, ongemotiveerd, uit de lucht gegrepen
infundio leugen, kletspraatje, bakerpraatje; **infundir** inboezemen, aanjagen; *~ entusiasmo a u.p. por u.c.* iem warm maken voor iets

infusión *v* aftreksel, kruidenthee
ingeniar slim bedenken || *ingeniárselas para* het klaarspelen om; **ingeniería** ingenieurswetenschappen; (*mil*) genie; ~ *hidráulica* waterbouwkunde; ~ *mecánica* werktuigbouwkunde; ~ *naval* scheepsbouwkunde; **ingeniero** ingenieur; ~ *agrónomo* landbouwkundig ingenieur; ~ *hidráulico* waterbouwkundig ingenieur; ~ *jefe* hoofdingenieur; ~ *mecánico* werktuigbouwkundig ingenieur; ~ *de minas* mijningenieur; ~ *naval* scheepsbouwkundig ingenieur; ~ (*superior*) (*vglbaar*) HTS-er, technicus van universitair niveau; ~ *técnico* (*vglbaar*) MTS-er, technicus van middelbaar niveau
ingenio 1 vernuft; esprit; begaafdheid; *afilar el* ~ de geest scherpen; *recurriendo al* ~ met kunst- en vliegwerk; 2 genie; talent; 3 (*Am*) suikerfabriek (met plantage); ~ *de arroz* rijstpellerij; **ingeniosidad** *v* vindingrijkheid; **ingenioso** vernuftig, spiritueel, spitsvondig, scherpzinnig, geestig, kunstig
ingente gigantisch, enorm
ingenuidad *v* argeloosheid, onbedorvenheid; **ingenuista**: *pintura* ~ naïeve schilderkunst; **ingenuo** argeloos, naïef, onbevangen, trouwhartig
ingerencia inmenging
ingerible voor inwendig gebruik, in te nemen; **ingerir ie, i** innemen, naar binnen werken; **ingestión** *v* (het) innemen
Inglaterra Engeland
ingle *v* lies
inglés, -esa I *bn* Engels; II *zn* 1 Engelsman, Engelse; 2 *m* (het) Engels
inglete *m* (*techn*) verstek
ingobernable onbestuurbaar
ingratitud *v* ondankbaarheid; **ingrato** 1 ondankbaar; 2 naar, onaangenaam
ingravidez *v* gewichtloosheid; **ingrávido** gewichtloos
ingrediente *m* ingrediënt
ingresar I *tr* (*geld*) storten; ~ *dinero en el banco* geld op de bank zetten; II *intr* 1 ~ *en, a* toetreden tot, zich aansluiten bij, toegang krijgen tot; ~ *en un hospital* in een ziekenhuis worden opgenomen; ~ *cadáver* bij aankomst (in het ziekenhuis) blijken te zijn overleden; 2 ~ (*en*) (*mbt geld*) binnenkomen (bij, in); **ingreso** 1 (het) storten, storting; 2 ~ (*en*) toelating (*tot opleiding*); toetreding (*tot partij*), intrede (in), aansluiting (bij); ~ *en la CE* intrede in de EG; (*examen de*) ~ toelatingsexamen; *pedir su* ~ vragen om toegelaten te worden; *prueba de* ~ test, auditie; 3 ~*s* inkomsten, inkomen; ~ *anuales* jaarinkomen; ~*s básicos* basisinkomen; ~*s imponibles* belastbaar inkomen; ~*s públicos* staatsinkomsten; ~*s sustitutivos* vervangende inkomsten, (*Belg*) vervangingsinkomen; *contar con buenos* ~*s* een goed inkomen hebben; 4 ~*s* baten, ontvangsten
inguinal vd lies, in de lies
ingurgitar doorslikken, inslikken
inhábil 1 onhandig; 2 onbevoegd (*voor bep ambt*); 3 (*mbt dag*) vrij; *días inhábiles* officiële vrije dagen, niet-werkdagen; **inhabilidad** *v* 1 onhandigheid; 2 onbevoegdheid; **inhabilitación** *v* (het) onbevoegd verklaren; *condenar a u.p. a* ~ *de 6 años* iem de beroepsuitoefening voor 6 jaar verbieden; **inhabilitar** 1 onbevoegd verklaren; 2 ongeschikt maken
inhabitable onbewoonbaar; **inhabitado** onbewoond
inhalación *v* (het) inhaleren, inademing; **inhalador** *m* inhalator; **inhalar** inademen, opsnuiven, inhaleren; (*drugs*) snuiven
inherente (*a*) inherent (aan), eigen (aan)
inhibición *v* onthouding (*van actie*); remming; **inhibir** 1 (*jur*) (*een rechter*) de behandeling van een zaak ontzeggen; 2 tijdelijk stopzetten, afremmen; **inhibirse** (*de*) zich onthouden (van), zich houden (buiten); **inhibitorio** remmend; een verbod inhoudend
inhospitalario, inhóspito ongastvrij; onherbergzaam, bar
inhumación *v* (het) begraven
inhumanidad *v* onmenselijkheid; **inhumano** onmenselijk, mensonterend
inhumar begraven
iniciación *v* 1 inwijding; 2 begin; aanvaarding (*van reis*); **iniciado, -a** ingewijde; *no* ~ buitenstaander; **iniciador, -ora** initiatiefnemer, -neemster, gangmaker; **inicial** I *bn* vh begin, aanvangs-, aanvankelijk; *curso* ~ begincursus; *gastos* ~*es* aanloopkosten; *letra* ~ beginletter; *sueldo* ~ aanvangssalaris; II *v* voorletter, initiaal; **inicialmente** aanvankelijk; oorspronkelijk; **iniciar** 1 beginnen; (*reis*) aanvaarden; (*onderzoek*) instellen; 2 (*iem*) inwerken; ~ *a u.p. en* iem inwijden in; **iniciarse**: ~ *en* zich inwerken in; **iniciativa** initiatief; *tomar* ~*s jurídicas* juridische stappen nemen; *por propia* ~ op eigen initiatief, uit eigen beweging; *tomar la* ~ *para* de stoot geven tot; **inicio** begin
inicuo onbillijk
inigualable ongeëvenaard, niet te evenaren
inimaginable onvoorstelbaar, ondenkbaar; **inimaginado** ongekend
inimitable onnavolgbaar
ininflamable onbrandbaar, vuurbestendig
ininteligible onverstaanbaar
ininterrumpido onafgebroken
iniquidad *v* onbillijkheid; schande
injerencia inmenging; **injerir ie, i**: ~ (*en*) steken (in), brengen (in); **injerirse ie, i**: ~ *en* zich mengen in
injertar 1 (*plantk*) enten; 2 (*med*) transplanteren; **injerto** 1 (*plantk*) (het) enten; 2 (*med*) transplantatie; 3 geënte plant
injuria belediging, krenking; scheldwoord; **injuriar** beledigen, krenken; (uit)schelden; **injurioso** beledigend, krenkend
injusticia onrecht, onrechtvaardigheid; **injus-**

tificable onverantwoord; onverantwoordelijk; niet te rechtvaardigen; **injustificado** onterecht, onverantwoord; **injusto** onbillijk, onrechtvaardig, onredelijk; *ser ~ con u.p.* onredelijk zijn tegen iem, iem onrecht aandoen
inmaculado onbevlekt, onbezoedeld
inmadurez *v* onrijpheid; **inmaduro** onrijp, onvolwassen
inmanejable onhandelbaar, onhanteerbaar
inmanente immanent, blijvend aanwezig
inmarcesible, inmarchitable onverwelkbaar
inmaterial immaterieel, onstoffelijk; **inmaterialidad** *v* onstoffelijkheid
inmediación *v* 1 onmiddellijke nabijheid; 2 *-ones* omgeving; **inmediatamente** onmiddellijk, meteen, ogenblikkelijk, prompt; **inmediato** onmiddellijk, direct
inmedible onmeetbaar
inmejorable voortreffelijk; onberispelijk
inmemorial onheuglijk, oeroud
inmensidad *v* 1 onmetelijkheid; 2 massa, grote menigte; **inmenso** onmetelijk, ontzaglijk, enorm; *la inmensa mayoría* de overgrote meerderheid
inmerecido onverdiend
inmersión *v* (onder)dompeling; **inmerso** ondergedompeld; verwikkeld (in)
inmigración *v* immigratie; *servicio de ~* vreemdelingendienst; **inmigrado** geïmmigreerd; **inmigrante** *m,v* immigrant(e); (*Belg*) inwijkeling; **inmigrar** immigreren; (*Belg*) inwijken
inminencia dreiging; (het) ophanden zijn; *~ de una guerra* oorlogsdreiging; **inminente** naderend, ophanden; dreigend; *ser ~* in aantocht zijn, op til zijn
inmiscuirse (*en*) zich mengen (in), zich indringen
inmobiliaria bouwbedrijf; **inmobiliario** onroerend; *agencia -a* (*vglbaar*) makelaarskantoor
inmoderado onmatig
inmodesto onbescheiden
inmolación *v* (het) offeren; **inmolar** offeren
inmoral immoreel, onzedelijk; **inmoralidad** *v* zedeloosheid, onzedelijkheid
inmortal onsterfelijk, onvergankelijk; **inmortalidad** *v* onsterfelijkheid; **inmortalizar** onsterfelijk maken, vereeuwigen
inmotivado ongemotiveerd
inmóvil onbeweeglijk, roerloos; *quedar ~* tot stilstand komen; **inmovilismo** (het) vasthouden aan het oude; **inmovilizar** tot stilstand brengen, stopzetten; (*geld*) vastzetten; **inmovilizarse** onbeweeglijk blijven staan, verstarren; tot stilstand komen
inmueble I *bn* onroerend; II *m* pand; *~s* onroerend goed, vastgoed
inmundicia viezigheid, vuilnis, smeerboel; **inmundo** smerig, weerzinwekkend
inmune 1 immuun; 2 onschendbaar; **inmunidad** *v* 1 immuniteit; 2 onschendbaarheid; **inmunización** *v* immunisering; **inmunizar** immuun maken

inmutable 1 onveranderlijk; *principio ~* vast principe; 2 onverstoorbaar; **inmutar** 1 veranderen; 2 verwarren, grote indruk maken; **inmutarse** (zichtbaar) van zijn stuk raken; *sin ~* zonder blikken of blozen, met een stalen gezicht
innato aangeboren
innavegable onbevaarbaar
innecesario onnodig, nodeloos
innegable onloochenbaar, niet te ontkennen, vaststaand
innoble laag(hartig)
innovación *v* vernieuwing; doorbraak; **innovador, -ora** I *bn* vernieuwend; II *zn* vernieuw(st)er; **innovar** vernieuwen
innumerable ontelbaar
inobservancia niet-nakoming
inocencia 1 onschuld; 2 onbedorvenheid; **Inocencia** meisjesnaam; **Inocencio** jongensnaam; **inocentada** grap op 28 december; (*vglbaar*) 1 april-grap; **inocentar** vrijspreken; **inocente** 1 onschuldig; 2 argeloos, kinderlijk, onbedorven; **Inocente**: *día de los Santos ~s* 28 december; (*vglbaar*) 1 april; **inocentón, -ona** naïeveling
inocuidad *v* onschadelijkheid
inoculación *v* 1 overbrenging (*van virus, van ideeën*); 2 inenting; **inocular** 1 inenten; 2 (*virus; ideeën*) overbrengen
inocuo onschadelijk, onschuldig
inodoro I *bn* reukloos; II *zn* 1 closetpot; *~ a la turca* hurk-w.c.; 2 zwanehals, stankafsluiter
inofensivo ongevaarlijk, onschadelijk, onschuldig
inolvidable onvergetelijk
inoperante 1 zonder uitwerking; *ser ~* zijn uitwerking missen; 2 onuitvoerbaar
inopia (grote) armoede || *estar en la ~* nergens wat van snappen
inoportunidad *v* (het) ongelegen komen, misplaatstheid; **inoportuno** 1 ongelegen, misplaatst, ongewenst, onwelkom; 2 opdringerig
inorgánico anorganisch
inoxidable roestvrij
inquebrantable onwrikbaar
inquietante verontrustend, bedenkelijk; **inquietar** 1 verontrusten; 2 het (*iem*) lastig maken; **inquietarse** (*por*) zich bezorgd maken (over); **inquieto** onrustig, rusteloos, ongedurig, druk; **inquietud** *v* 1 onrust, rusteloosheid; 2 ongerustheid, bezorgdheid; 3 *~es* veelzijdige belangstelling; levensvragen; 4 (*Am*) vraag; *¿tiene alguna ~?* hebt u nog vragen?
inquilinato (het) huren, huur; *contrato de ~* huurcontract; **inquilino, -a** huurder, huurster; *~ principal* hoofdhuurder; *despedir a un ~* iem de huur opzeggen
inquina (*a*) afkeer (van), hekel (aan)
inquiridor, -ora onderzoekend; **inquirir ie** onderzoeken, uitzoeken, nagaan; achterhalen; **inquisición** *v* 1 onderzoek, nasporing; 2 (*hist*) inquisitie; **inquisidor, -ora** I *bn* onderzoe-

kend; II *m* inquisiteur; **inquisitivo** onderzoekend; **inquisitorial** vd inquisitie; **inquisitorio** onderzoekend

inri *m* 1 INRI (*Iesus Nazarenus Rex Iudeorum, opschrift op het kruis*); 2 wrede spot, hoon; *poner el ~ a u.p.* iem wreed bespotten

insaciabilidad *v* onverzadigbaarheid; **insaciable** onverzadigbaar; **insaciado** onverzadigd

insalivar mengen met speeksel

insalubre ongezond; **insalubridad** *v* ongezondheid

insania krankzinnigheid; **insano** 1 ongezond; 2 krankzinnig

insatisfacción *v* ontevredenheid; **insatisfactorio** onbevredigend; **insatisfecho** (*de*) ontevreden (over), onvoldaan (over)

insaturado onverzadigd

inscribir 1 graveren, inbeitelen; 2 inschrijven; *~ en un registro* inschrijven in een register; **inscribirse** zich inschrijven, zich opgeven; *~ mediante carta* zich schriftelijk aanmelden; **inscripción** *v* 1 inscriptie; opschrift; 2 inschrijving, aanmelding; *gastos de ~* inschrijfgeld; *hoja de ~* inschrijvingsformulier; **inscrito** (*wisk*) ingeschreven; *zie ook inscribir*

insecticida I *bn* insektendodend; *polvo ~* insektenpoeder; II *m* insekticide; **insectívoro** insektenetend; **insecto** insekt

inseguridad *v* 1 onzekerheid; 2 onveiligheid; **inseguro** 1 onzeker; onvast; precair; onstabiel; 2 onveilig

inseminación *v* bevruchting; *~ artificial* kunstmatige inseminatie

insensatez *v* dwaasheid; **insensato** dwaas, heel onverstandig

insensibilidad *v* ongevoeligheid; **insensibilizar** (*a*) ongevoelig maken (voor); **insensible** 1 *~* (*a*) ongevoelig (voor); gevoelloos; onaangedaan; 2 onmerkbaar, niet waarneembaar; 3 *estar ~* (*med*) niets meer voelen, verdoofd zijn

inseparable onafscheidelijk

insepulto niet begraven

inserción *v* invoeging; opneming (*in krant*); inzet; **insertar** invoegen; inzetten; inlassen; (*in krant*) opnemen, plaatsen; **inserto** ingevoegd, opgenomen

inservible onbruikbaar, ondeugdelijk

insidia 1 bedrog, val; 2 steek onder water; **insidiar** belagen, in de val lokken; **insidioso** gemeen, verraderlijk, vals

insigne vooraanstaand, voortreffelijk, beroemd; **insignia** 1 insigne, onderscheidingsteken; *~s* versierselen; *buque ~* vlaggeschip; 2 vaandel, standaard

insignificancia onbeduidendheid; kleinigheid; **insignificante** onaanzienlijk, onbeduidend, onbelangrijk; onnozel

insinceridad *v* onoprechtheid; **insincero** onoprecht

insinuación *v* toespeling, verdachtmaking, insinuatie; **insinuante** 1 insinuerend; 2 vleiend, verleidelijk; **insinuar ú** laten doorschemeren, suggereren, influisteren, te verstaan geven; **insinuarse ú** 1 *~* (*con u.p.*) de gunst (van iem) winnen, zich (bij iem) indringen; 2 (*op verhulde wijze*) iets laten merken; *no tiene más que ~...* u hoeft maar te kikken...; 3 (*mbt gevoel*) ongemerkt binnendringen, binnensluipen, bekruipen; 4 (*aarzelend, nog maar net*) beginnen

insipidez *v* 1 smakeloosheid, lafheid; 2 flauwiteit; **insípido** 1 smakeloos, laf; onsmakelijk; 2 flauw; zouteloos; saai

insistencia aandrang, klem, nadruk; **insistente** klemmend, nadrukkelijk; **insistir** aanhouden, doorzetten; *~ en, sobre* aandringen op, hameren op; doorgaan op; *~ en que* erop staan dat; *no ~ en u.c.* iets laten rusten

insobornable onomkoopbaar

insociable, insocial (mensen)schuw; asociaal

insolación *v* 1 zonnesteek; 2 blootstelling aan de zon; bezonning

insolencia brutaliteit, onbeschoftheid; aanmatiging, arrogantie; **insolentarse** (*con*) brutaal zijn (tegen), onbeschoft zijn (tegen); **insolente** brutaal, onbeschoft, onhebbelijk; aanmatigend, arrogant

insólito ongebruikelijk, ongewoon

insolubilidad *v* onoplosbaarheid; **insoluble** onoplosbaar (*ook fig*)

insolvencia onvermogen om (een schuld) te betalen, insolventie; **insolvente** insolvent, insolvabel, niet in staat (zijn schulden) te betalen

insomne niet in staat de slaap te vatten, slapeloos; **insomnio** slapeloosheid

insondable onpeilbaar, peilloos, ondoorgrondelijk

insonorizar geluiddicht maken; **insonoro** 1 beschermd tegen lawaai, geluiddicht, geluidvrij; 2 onwelluidend; 3 (*gramm*) stemloos

insoportable on(ver)draaglijk; onuitstaanbaar

insoslayable onontkoombaar

insospechado onverwacht; *una rapidez -a en él* een snelheid die men van hem niet zou verwachten

insostenible onhoudbaar, onverdedigbaar

inspección *v* inspectie, keuring, controle; onderhoudsbeurt; *~ ocular* visuele inspectie; **inspeccionar** inspecteren, keuren, nakijken; **inspector, -ora** inspecteur, -trice, controleur; *~ general* hoofdinspecteur; *~ de Hacienda* belastinginspecteur; *~ de sanidad* keurmeester (*van waren*)

inspiración *v* 1 inspiratie, bezieling; 2 inademing; **inspirado** bezield, gedreven; **inspirador, -ora** bezielend, inspirerend; **inspirar** 1 inspireren, bezielen; *~ confianza* vertrouwen inboezemen; 2 inademenen; **inspirarse** (*en*) zich laten inspireren (door)

instalación *v* installatie; opstelling; aanleg (*van leiding*); *-ones* faciliteiten, installatie(s), apparatuur; *~ de bombeo* gemaal; *~ de gobier-*

no (*scheepv*) stuurinrichting; ~ *de rociadores automáticos* sprinklerinstallatie; **instalador**, **-ora** installateur; **instalar 1** installeren; opstellen, aanleggen, aanbrengen; ~ *el campo* het kamp opslaan; 2 vestigen, onderbrengen; **instalarse** zich installeren; zijn intrek nemen
instancia (*officieel*) verzoekschrift; *a ~s de* op verzoek van || *en primera* ~ in eerste instantie; *en última* ~ in laatste instantie
instantánea momentopname, kiekje; **instantáneo 1** een moment durend, vluchtig; 2 onmiddellijk; *café* ~ instant-koffie, poederkoffie; **instante** *m* ogenblik; *al* ~ meteen, op slag; *a cada* ~ elk moment; *en un* ~ dadelijk; *se hace en un* ~ het is zo klaar; *por ~s* met de minuut, snel
instar (*a, para*) aandringen (op); *instó a que lo hiciera* hij stond erop dat ik het deed
instauración *v* instelling, invoering; **instaurar** instellen, invoeren
instigador, **-ora** aansticht(st)er; **instigación** *v* aansporing, aandrang, instigatie; ophitsing; **instigar 1** ~ (*a*) aanzetten (tot), aanstichten (tot); opruien, opjagen; 2 ~ *contra* opzetten tegen, ophitsen tegen
instilar indruppelen
instintivo instinctief; **instinto** instinct, natuurlijke aandrift; ~ *de conservación* instinct tot zelfbehoud; ~ *empresarial* ondernemingsgeest; ~ *de rebaño* kuddegeest; ~ *sexual* geslachtsdrift
institución *v* instelling, instituut; ~ *benéfica* liefdadigheidsinstelling, (*Belg*) weldadigheidsinstelling; ~ *de heredero* erfstelling; **institucional** institutioneel; **institucionalizado** in een inrichting opgenomen; **institucionalizar** institutionaliseren; **instituir** instellen, vestigen; ~ *una beca* een beurs instellen; ~ *heredero* tot erfgenaam benoemen; **instituto 1** instituut; ~ *de belleza* schoonheidsinstituut; 2 ~ (*de segunda enseñanza*) (*vglbaar*) middelbare school; **Instituto**: ~ *para la Conservación de la Naturaleza* (*afk ICONA; vglbaar*) Vereniging tot behoud van Natuurmonumenten; ~ *Nacional de Estadística* (*afk INE*) Sp nationaal instituut voor de statistiek, (*vglbaar*) CBS; **institutor**, **-ora 1** sticht(st)er; 2 (*Am*) onderwijzer(es); **institutriz** *v* gouvernante
instrucción *v* 1 onderricht, instructie; onderwijs; voorlichting; aanwijzing; voorschrift; *-ones para el lavado* wasvoorschrift; ~ *militar* militaire oefening; *dar -ones* instrueren; 2 kennis; 3 instructie, gerechtelijk vooronderzoek; **instructivo** instructief, leerzaam; onthullend; **instructor**, **-ora** instructeur, -trice, opleid(st)er; ~ *de vuelo* vlieginstructeur; **instruido** geschoold, ontwikkeld, onderlegd; **instruir** (*en*) 1 onderrichten (in), instrueren, scholen; voorlichten (over); wegwijs maken (in); 2 (*jur*) (*het vooronderzoek*) behandelen; ~ *atestado* (*vglbaar*) proces-verbaal opmaken
instrumentación *v* instrumentatie; **instrumental I** *bn* instrumentaal; II *m* instrumentarium; **instrumentalizar**, **instrumentar** orkestreren; (*fig*) optuigen; **instrumentista** *m,v* instrumentbespeler, -bespeelster; **instrumento 1** instrument, werktuig; ~ *de medición* meetinstrument; 2 ~ (*de música*) muziekinstrument; ~ *de cuerda* strijkinstrument; ~ *de percusión* slaginstrument; ~ *de viento* blaasinstrument; *~s de viento de madera* houtblazers; 3 (notariële) akte, rechtsgeldig document; ~ *de prueba* bewijsstuk
insubordinación *v* insubordinatie; **insubordinado**, **-a** opstandeling(e), muiter; **insubordinarse** de gehoorzaamheid opzeggen, in opstand komen, muiten
insubstancial *zie insustancial*
insuficiencia ontoereikendheid; **insuficiente I** *bn* ontoereikend, onvoldoende; gebrekkig; II *v* onvoldoende (*cijfer*)
insufrible on(ver)draaglijk, onhoudbaar; ongenietbaar
ínsula eiland; **insular** van een eiland
insulina insuline
insulsez *v* saaiheid; flauwe smaak; **insulso** saai; smakeloos, laf
insultante beledigend, krenkend; **insultar** beledigen, krenken; uitschelden; **insulto** belediging; scheldwoord; *ser un* ~ totaal niet passen
insumergible onzinkbaar
insumisión *v* opstandigheid; **insumiso 1** opstandig; 2 niet onderworpen
insumo (*econ*) investering in produktiemiddelen
insuperable 1 onovertroffen, niet te overtreffen; 2 onneembaar, onoverkomelijk
insurgente opstandig; **insurrección** *v* opstand; **insurreccionarse** in opstand komen; **insurrecto**, **-a** opstandeling(e)
insustancial flauw, inhoudsloos, nietszeggend
insustituible onvervangbaar
intachable onberispelijk
intacto intact, gaaf, ongeschonden, onaangetast
intangibilidad *v* onaantastbaarheid; **intangible** onaantastbaar
integración *v* integratie, eenwording; *la* ~ *de Europa* de eenwording van Europa; **integral I** *bn* integraal; *arroz* ~ zilvervliesrijst; *pan* ~ volkorenbrood; II *v* (*wisk*) integraal; **integrante** deel uitmakend van; *parte* ~ bestanddeel, onderdeel; **integrar 1** tezamen vormen, uitmaken; *los países que integran Europa* de landen die tezamen Europa vormen, de landen die deel uitmaken van Europa; 2 ~ *en* integreren in; **integrarse** (*a*) deel gaan uitmaken (van)
integridad *v* 1 integriteit, gaafheid; 2 onkreukbaarheid, integriteit; **integrismo** (*Sp, pol*) uiterst rechtse leer (*eind 19e eeuw*); **íntegro 1** volledig, intact, gaaf, ongeschonden, heel; *con salario* ~ met volledig behoud van loon; *edición -a* onverkorte uitgave, integrale editie; 2 integer, onkreukbaar, eerlijk

ins

intelectivo vd intelligentie; *nivel ~* intelligentiepeil; **intelecto** intellect; **intelectual** I *bn* 1 verstandelijk; 2 intellectueel; *trabajo ~* hoofdarbeid; II *m,v* intellectueel; **intelectualidad** *v* (de) intellectuelen, intelligentsia; **inteligencia** 1 intelligentie, verstand, bevattingsvermogen; *aplicar su ~* zijn verstand gebruiken; 2 verstandhouding; *~ con el enemigo* (het) heulen met de vijand; *mirada de ~* blik van verstandhouding; **inteligente** intelligent, knap; *ser ~* een goed verstand hebben; **inteligible** begrijpelijk; verstaanbaar

intemperancia onmatigheid; onverdraagzaamheid

intemperie *v* weersomstandigheden; buitenlucht; *a la ~: a)* onder de blote hemel; *b)* blootgesteld aan weer en wind; *a prueba de la ~* weerbestendig

intempestivo 1 onbesuisd, onbeheerst; 2 ongelegen

intención *v* bedoeling, intentie; plan, voornemen; *con ~* met een bedoeling, expres; *mala ~* boos opzet; *segunda ~* bijbedoeling; *sea o no con ~* bewust of onbewust; *fue con buena ~* het was goed bedoeld; *sin ~* onopzettelijk, per ongeluk; *tener la ~ de* de bedoeling hebben om, van plan zijn om; *tener buenas -ones* het goed bedoelen, het goed menen; **intencionadamente** met opzet, expres; **intencionado** bewust, opzettelijk; *bien ~* goed bedoeld; **intencional** opzettelijk, welbewust

intendencia 1 functie van intendant; 2 (*mil*) intendance; *reservas de ~* dumpgoederen; **intendente** *m* 1 hoofd van dienst (*in bep economische overheidsfuncties*), intendant; 2 (*mil*) intendant

intensidad *v* intensiteit, hevigheid; *~ luminosa* lichtsterkte; *~ sonora* geluidssterkte; *aumentar en ~* sterker worden; **intensificación** *v* versterking; **intensificar** versterken, verhevigen; verhogen; opvoeren; **intensivo** intensief; *cultivo ~* intensieve teelt; *curso ~* stoomcursus; *jornada -a* korte werkdag (*zonder onderbreking*); *jornada* (*estival*) *-a* (*de trabajo*) (*vglbaar*) tropenrooster; *vigilancia -a zie Unidad*; **intenso** intens, hevig; innig; grondig; *dolor ~* felle pijn; *tráfico ~* druk verkeer

intentar 1 pogen, trachten, beproeven; 2 van plan zijn; **intento** poging; *~ de fuga* vluchtpoging; *~ de suicidio* zelfmoordpoging; *de ~* moedwillig; *hacer un ~* een poging wagen; **intentona** poging; poging tot staatsgreep, coup

interacción *v* interactie, wisselwerking

interamericano interamerikaans

interandino mbt de Andeslanden (onderling)

intercalar inlassen, tussenvoegen

intercambiable (onderling) verwisselbaar; **intercambiador** *m*: *~ de calor* warmtewisselaar; **intercambiar** uitwisselen; **intercambio** ruil, uitwisseling; *~ comercial* handelsverkeer; *~ de parejas* partnerruil; *bolsa de ~* ruilbeurs

interceder (*por u.p.*) (iems) voorspraak zijn, een goed woordje doen (voor iem)

interceptación *v* (het) onderscheppen; **interceptar** 1 onderscheppen, aanhouden; te pakken krijgen, inhalen; (*schip*) opbrengen; 2 (*telefoon*) afluisteren, aftappen; 3 onderbreken; versperren

intercesión *v* tussenkomst, voorspraak; **intercesor, -ora** bemiddelaar(ster), voorspraak

intercomunicación *v* 1 contact over en weer; 2 intercom, interne telefoon

intercontinental intercontinentaal

interdependencia onderlinge samenhang, verband; **interdependiente** onderling afhankelijk

interdicción *v* (het) ontzeggen, verbod; *~ civil* (het) ontnemen van burgerrechten (*als straf*)

interdigital: *membrana ~* zwemvlies

interdisciplinario interdisciplinair

interés *m* 1 belang; *-eses contrarios, -eses opuestos* (tegen)strijdige belangen; *-eses creados* gevestigde belangen; *~* (*propio*) eigenbelang; *el ~ público* het algemeen belang; *de ~ secundario* van ondergeschikt belang; 2 belangstelling; *con ~* belangstellend; *despertar el ~, suscitar el ~* de belangstelling wekken; *tener ~ en, por, sentir ~ por* belangstelling hebben voor, zich interesseren voor; 3 (*vaak mv*) interest, rente; *~ compuesto* rente op rente, samengestelde interest; *-eses usurarios* woekerrente; *al ~ del 4%* tegen de rente van 4%; *colocar a ~, dar a ~* (*geld*) op rente zetten; *devengar -eses* rente opleveren; *más los -eses* vermeerderd met de rente; *sin -eses* renteloos; **interesadamente** uit eigenbelang; **interesado, -a** I *bn* 1 *~* (*en*) geïnteresseerd (in), belangstellend; 2 baatzuchtig; II *zn* belanghebbende, betrokkene; gegadigde; reflectant(e); **interesante** interessant, belangwekkend; *hacerse el ~* zich aanstellen; **interesar** 1 interesseren; (*iem*) ergens bij betrekken; 2 treffen, raken; **interesarse** (*en, por*) zich interesseren (voor)

interestatal tussen de staten

interestelar tussen de sterren

interfaz *m* interface

interfecto, -a I *bn* gewelddadig gedood; II *zn* (*fam*) de persoon in kwestie

interferencia 1 (radio)storing; *emisora de ~* stoorzender; 2 bemoeienis; **interferir ie, i** 1 storen; 2 zich ergens in mengen; **interferirse ie, i** ertussen komen; *se ha interferido algo* er is iets tussen gekomen

interfono intercom

ínterin *m* 1 tussentijd; *en el ~* in de tussentijd; 2 (het) waarnemen van een functie; **interinidad** *v* tijdelijk karakter; **interina** huishoudelijke hulp, werkster; **interino** tijdelijk; waarnemend, ad interim

interior I *bn* 1 inwendig; binnenste, innerlijk; *aguas ~es* binnenwateren; *espacio ~* binnenruimte; *lucha ~* innerlijke strijd, tweestrijd; *ropa ~* ondergoed; 2 binnenlands; *la demanda ~* de binnenlandse vraag; II *m* 1 binnenkant; binnenste; 2 binnenland; achterland; 3 inte-

rieur; 4 (*sp*) binnenspeler; ~ *derecha* rechtsbinnen; 5 kamer die niet op straat uitkijkt (*maar op luchtkoker of binnenplaats*); **interioridad** *v* 1 (het) binnenste; 2 innerlijk; privésfeer; *~es* privézaken, interne kwesties; 3 *~es* het fijne vd zaak; **interiorismo** binnenhuisarchitectuur
interjección *v* (*gramm*) tussenwerpsel
interlínea interlinie, ruimte tussen regels
interlocutor, -ora gesprekspartner
intermediario, -a I *bn* tussen-, bemiddelend; *comercio ~* tussenhandel; II *zn* tussenpersoon, bemiddelaar(ster); **intermedio** I *bn* tussenliggend; *mandos ~s* middenkader; *tamaño ~* tussenmaat; II *zn* 1 tussenpoos; 2 intermezzo ‖ *por ~ de* door bemiddeling van
interminable eindeloos
interministerial interministerieel
intermitencia (het) met tussenpozen optreden; (het) aan- en uitgaan; **intermitente** I *bn* met tussenpozen, intermitterend; II *m* knipperlicht, clignoteur
intermolecular intermoleculair
internación *v* 1 internering (*in kamp*); 2 opname (*in kliniek*)
internacional internationaal; **Internacional**: *la ~* de Internationale; **internacionalismo** 1 internationaal karakter; 2 streven naar internationaal optreden; **internacionalizar** internationaliseren
internada (*voetbal*) doorbraak; **internado, -a** I *bn* 1 opgenomen (*in kliniek*); 2 geïnterneerd (*in kamp*); II *zn* 1 verpleegde; geïnterneerde; 2 *m* internaat, kostschool; 3 *m* (de) interne leerlingen; **internamiento** 1 opname (*in kliniek*), plaatsing; 2 internering; **internar** 1 opnemen, plaatsen (*in internaat, inrichting*); 2 interneren; 3 naar het binnenland voeren; **internarse** (*en*) doordringen (in); **internista** *m,v* internist(e); **interno, -a** I *bn* 1 inwendig; 2 intern; II *zn* 1 interne leerling; 2 interne arts
interparlamentario interparlementair
interpelación *v* interpellatie; **interpelante** *m,v* interpellant(e); **interpelar** interpelleren, een verklaring vragen
interpenetración *v* wederzijdse doordringing
interpersonal interpersoonlijk, van mens tot mens
interplanetario interplanetair
interpolación *v* tussenvoeging, inlassing; **interpolar** tussenvoegen, inlassen
Interpol *v* Interpol
interponer 1 tussenvoegen; 2 indienen; ~ *querella* een klacht indienen; ~ *recurso* (*de apelación*) beroep aantekenen; 3 (*zijn invloed*) doen gelden; **interponerse** 1 ertussen komen; een belemmering vormen; 2 tussenbeide komen; **interposición** *v* 1 tussenkomst; 2 indiening; 3 tussenplaatsing
interpretación *v* interpretatie, uitleg; vertolking; opvatting; **interpretar** interpreteren, uitleggen; vertolken; (*mondeling*) vertalen; **interpretativo** verklarend; vertolkend; *las artes -as* de uitvoerende kunsten; **intérprete** *m,v* 1 tolk; *hacer de ~* als tolk optreden; 2 vertolk(st)er; medewerk(st)er (*aan voorstelling, uitvoering*)
interprofesional vd verschillende beroepen; (*Belg*) interprofessioneel
interregional interregionaal, (*Belg*) intergewestelijk
interregno interregnum, tussenregering
interrelación *v* onderling verband
interrogación *v* 1 ondervraging; 2 (*gramm*) vraagzin; ~ *retórica* retorische vraag; 3 vraagteken; **interrogador, -ora** ondervrager, -vraagster; **interrogante** I *bn* vragend; II *m,v* vraag; vraagpunt, (grote) onbekende, (*fig*) vraagteken; **interrogar** ondervragen, uitvragen, verhoren; *interrogado al respecto dijo...* desgevraagd zei hij...; **interrogativo** vragend; **interrogatorio** ondervraging, verhoor; ~ *cruzado* kruisverhoor; *someter a u.p. a un ~* iem een verhoor afnemen
interrumpir 1 onderbreken, storen; afbreken; in de rede vallen; 2 stremmen; stilzetten; (*stroom*) uitschakelen; **interrumpirse** afbreken, zich onderbreken; ophouden; **interrupción** *v* 1 onderbreking, storing; (*sp*) time-out; ~ *del embarazo* zwangerschapsonderbreking; *sin ~* aanhoudend, non-stop; 2 stremming; oponthoud; **interruptor** *m* schakelaar; ~ *de botón* drukknopschakelaar; ~ *de cadenilla, ~ de tiro* trekschakelaar; ~ *general* hoofdschakelaar; ~ (*de la luz*) lichtschakelaar; ~ *de reloj* tijdschakelaar; ~ *selector* keuzeschakelaar; ~ *de volquete* tuimelschakelaar
intersecarse (*wisk*) elkaar snijden; **intersección** *v* snijpunt, snijlijn
intersideral tussen de sterren
intersindical I *bn* vd verschillende vakbonden; II *v* overkoepelende vakbondsorganisatie (*van meerdere bonden*)
intersticio 1 kier, spleet, opening; 2 tussentijd
intertropical tropisch, tussen de keerkringen gelegen
interurbano interlokaal
intervalo 1 (tussenliggende) afstand; tussentijd; ~ (*de tiempo*) tijdsverloop; *a ~s regulares: a*) op gelijke afstanden; *b*) met regelmatige tussenpozen; 2 (*muz*) interval
intervención *v* 1 tussenkomst, inmenging, interventie, bemiddeling; ~ *de cuentas* (*vglbaar*) accountantsonderzoek; ~ *del estado* staatsbemoeienis; *no ~* niet-inmenging; *por ~ de* door tussenkomst van; 2 beslag(legging); 3 ingreep, (het) ingrijpen; ~ *quirúrgica* chirurgische ingreep; *gracias a la rápida ~* dankzij het snelle ingrijpen; **intervencionismo** staatsbemoeienis (*intern of met andere landen*), (het) interveniëren; **intervencionista** *m,v* voorstand(st)er van staatsbemoeienis; **intervenir** I *intr* tussenbeide komen, bemiddelen; optreden, ingrijpen; eraan te pas komen; ~ *en*

zich mengen in, zich bemoeien met, meedoen met; II *tr* 1 in beslag nemen; (*rekening*) blokkeren; 2 ~ *a u.p.* (*med*) een ingreep verrichten bij iem, iem opereren; 3 controleren, (*vglbaar*) aan een accountantsonderzoek onderwerpen; **interventor, -ora** (*financ*) inspecteur, controleur; ~ *de cuentas* (*vglbaar*) accountant
interviú *m* interview; **interviuvar** interviewen
intestado zonder testament
intestinal vd ingewanden; *hemorragia* ~ maagbloeding; **intestino** I *bn* intern; binnenlands; II *zn* darm, ingewanden; ~ *ciego* blindedarm; ~ *delgado* dunne darm; ~ *grueso* dikke darm
inti *m* munteenheid van Peru
intimación *v* dwangbevel; **íntimamente** in zijn hart, in gemoede; **intimar** 1 sommeren; 2 innige vriendschap sluiten
intimidación *v* intimidatie, bangmakerij
intimidad *v* 1 intimiteit, vertrouwelijkheid; privacy, persoonlijke levenssfeer; *de la* ~ *de* uit de directe omgeving van; *derecho a la* ~ recht op privacy; *en la* ~ in besloten kring; 2 gezelligheid; 3 innige vriendschap; 4 diepste wezen, hart, binnenste; 5 ~*es* geslachtsdelen
intimidar intimideren, bang maken
intimismo intimisme; **íntimo** 1 innig, intiem, vertrouwelijk; ~ *parentesco* nauwe verwantschap; *amigo* ~ boezemvriend, goede vriend; *diario* ~ persoonlijk dagboek; 2 innerlijk; 3 privé; in kleine kring
intocable I *bn* onaantastbaar; onaanraakbaar; II *m,v* paria
intolerable ontoelaatbaar; onverdraaglijk; *es* ~ het kan niet door de beugel; **intolerancia** onverdraagzaamheid; **intolerante** onverdraagzaam
intoxicación *v* vergiftiging; (*soms*) dronkenschap; ~ *alimenticia* voedselvergiftiging; ~ *por gas* gasvergiftiging; ~ *de la sangre* bloedvergiftiging; **intoxicar** 1 vergiftigen; 2 onjuiste informatie verspreiden onder
intradós *m* binnenkant van gewelf
intraducible onvertaalbaar
intramuros binnen de (stads)muren
intranquilidad *v* onrust; ongerustheid; **intranquilizar** ongerust maken; *no te intranquilices* wees daar maar gerust op; **intranquilo** ongerust; onrustig, rusteloos; *estar algo* ~ er niet gerust op zijn
intranscendente oppervlakkig, nietszeggend
intransferible niet overdraagbaar
intransigencia onverzoenlijkheid, onverdraagzaamheid; **intransigente** onverzoenlijk, onverdraagzaam, hard
intransitable onbegaanbaar, onberijdbaar;
intransitivo (*gramm*) onovergankelijk
intratable onhandelbaar, onmogelijk; *está* ~ er is geen land met hem te bezeilen
intrauterino in de baarmoeder; *dispositivo* ~ (*afk Diu*) spiraaltje
intravenoso intraveneus, in de ader
intrepidez *v* onverschrokkenheid; **intrépido** onverschrokken, stoutmoedig
intriga intrige; ~*s* kuiperij, knoeierij; **intrigado**: *estar* ~ *por* (*saber*) nieuwsgierig zijn naar; *está* ~ *por saberlo* het intrigeert hem; **intrigante** I *bn* 1 intrigerend, boeiend; 2 geraffineerd; II *m,v* intrigant(e), konkelaar(ster); **intrigar** I *intr* intrigeren; konkelen; II *tr* nieuwsgierig maken, intrigeren
intrincado verward; (*fig*) ondoorzichtig, ingewikkeld; **intrincar** ingewikkeld maken
intríngulis *m* (*fam*) kneep, clou, moeilijkheid
intrínseco intrinsiek, wezenlijk
introducción *v* 1 inleiding; openingswoord; voorbericht; *una larga* ~ (*fig*) een lange aanloop; 2 introductie; **introducido**: *bien* ~ *en* goed ingevoerd in; **introducir** 1 binnenbrengen, binnenleiden; (*spijker*) inslaan, insteken; ~ *de contrabando*, ~ *furtivamente* binnensmokkelen; ~ *economías* bezuinigingen invoeren; ~ *la llave en la cerradura* de sleutel in het slot steken; ~ *mejoras* verbeteringen aanbrengen; ~ *una nueva moda* een nieuwe mode invoeren; 2 inleiden; 3 (*iem*) erbij halen, introduceren; ~ *con* in kennis brengen met, introduceren bij; **introducirse** binnendringen, (*ergens*) in komen; ~ *con* in contact komen met; ~ *clandestinamente* beunhazen; *se ha introducido una falta* er is een fout in geslopen; **introductor, -ora** I *bn* inleidend; II *zn* inleid(st)er
introito 1 inleiding; 2 inleiding vd mis
intromisión *v* inmenging
introspección *v* zelfbeschouwing, introspectie
introvertido introvert
intrusión *v* (het) ongeoorloofd binnendringen, insluiping; ~ *ilícita* beunhazerij; **intrusismo** beunhazerij, ongeoorloofde beroepsuitoefening; **intruso, -a** indring(st)er; insluip(st)er, beunhaas
intuición *v* intuïtie; *tener* ~ *para* gevoel hebben voor; **intuir** aanvoelen, bij ingeving begrijpen; vermoeden; **intuitivo** intuïtief
inundación *v* overstroming; **inundar** (*de*) overstromen (met); (*de markt*) overspoelen (met); *estar inundado* onder water staan, blank staan; **inundarse** onderlopen
inusitado ongebruikelijk
inútil nutteloos, zinloos, (te)vergeefs, doelloos; ~ *decir que* overbodig te zeggen dat, het spreekt vanzelf dat; *carga* ~ (*fig*) ballast; *declarar* ~ afkeuren (*voor mil dienst*); *esfuerzo* ~ verloren moeite; **inutilidad** *v* nutteloosheid, onbruikbaarheid; **inutilizar** onbruikbaar maken, ongeschikt maken; (*tramkaart*) afstempelen
invadir 1 binnenvallen; binnenstromen in; 2 (*mbt gevoel*) bevangen, bekruipen
invalidación *v* nietigverklaring, (het) ongeldig maken; **invalidar** ongeldig verklaren; ontkrachten, ontzenuwen; (*kaart*) afstempelen;
invalidez *v* 1 ongeldigheid; 2 invaliditeit; **inválido, -a** I *bn* 1 invalide; hulpbehoevend; 2 ongeldig; II *zn* invalide

invariable onveranderlijk; *derechos de base ~s* vastrecht; **invariablemente** steevast
invasión *v* inval, invasie; **Invasión** *v: ~ de los Bárbaros* (*hist*) Volksverhuizing; **invasor, -ora** I *bn* binnenvallend; II *zn* binnendringende vijand
invectiva 1 kritische aanval; 2 heftig verwijt, scheldwoord, verwensing
invencible onoverwinnelijk
invención *v* 1 uitvinding; 2 verzinsel
invendible onverkoopbaar
inventar 1 uitvinden; 2 verzinnen, bedenken, fantaseren; **inventarse**: *~ u.c.* iets uit zijn duim zuigen, iets verzinnen
inventariar inventariseren; **inventario** inventaris(lijst), boedelbeschrijving
inventiva vindingrijkheid; **inventivo** vindingrijk; **invento** 1 uitvinding, vinding, vondst; 2 verzinsel; **inventor, -ora** uitvind(st)er
inverecundia (*lit*) schaamteloosheid
invernáculo (planten)kas, serre; **invernada** (het) overwinteren; wintertijd; **invernadero** 1 (planten)kas; broeikas; serre; *efecto ~* broeikaseffect; 2 winterverblijfplaats (*bv voor vee*); **invernaje** *m* overwintering; **invernal** winters, vd winter; **invernar ie** overwinteren; **invernizo** winters
inverosímil onwaarschijnlijk, onaannemelijk, ongeloofwaardig; **inverosimilitud** *v* onwaarschijnlijkheid
inversa: *a la ~* andersom, omgekeerd; **inversamente** in omgekeerde volgorde; **inversión** *v* 1 omkering, (*gramm*) inversie; 2 investering, belegging; **inversionista** I *bn* investerings-; II *m,v* belegger, investeerder; **inverso** omgekeerd, tegengesteld; **inversor, -ora** belegger, investeerder
invertebrado ongewerveld
invertido homofiel; **invertir ie, i** 1 omkeren; ondersteboven keren; *están invertidos los papeles* de rollen zijn omgekeerd; 2 beleggen, investeren; *~ tiempo en* tijd steken in
investidura inhuldiging, installatie, troonsbestijging
investigación onderzoek, nasporing, research; *-ones* speurwerk; *~ detenida* diepgaand onderzoek; *~ nuclear* kernonderzoek; *~ preliminar* vooronderzoek; **investigador, -ora** onderzoek(st)er; **investigar** onderzoeken; onderzoek doen naar; uitzoeken
investir i 1 *~ con* bekleden met (*een waardigheid*); 2 *~ de* inhuldigen als
inveterado ingeworteld; ingekankerd
inviable onuitvoerbaar; niet levensvatbaar
invicto onoverwonnen, onoverwinnelijk
invidencia (*lit*) blindheid; **invidente** (*lit*) blindheid
invierno winter
inviolabilidad *v* onschendbaarheid; **inviolable** onschendbaar; onaantastbaar
invisible onzichtbaar
invitación *v* uitnodiging; **invitado, -a** gast, genodigde; introducé(e); *~ de honor* eregast; *sin ser ~* ongevraagd; **invitar** (*a*) uitnodigen (om); noden (om); introduceren; *~ candidatos* sollicitanten oproepen; *~ a comer* te eten vragen; *~ a salir a u.p.* iem mee uit vragen
invocación *v* aanroeping; **invocar** (*God*) aanroepen; (*hulp*) inroepen; (*argument*) aanvoeren, erbij halen, zich beroepen op
involución *v* (*fig*) regressie, terugval naar eerder stadium; **involucionista** contrarevolutionair; *conspiración ~* antidemocratische samenzwering
involucrar (*en*) verwikkelen (in); (*zaken*) vermengen; *las partes involucradas* de betrokken partijen
involuntariamente onwillekeurig; **involuntario** onopzettelijk, onwillekeurig, onbewust
invulnerabilidad *v* onkwetsbaarheid; **invulnerable** onkwetsbaar
inyección *v* injectie, prik, spuitje; *bomba de ~* brandstofpomp; *motor de ~* injectiemotor; **inyectable** injecteerbaar; **inyectado**: *~ (de sangre)* met bloed doorlopen; **inyectar** inspuiten, injecteren; **inyectarse** 1 (*mbt ogen*) rood worden, met bloed doorlopen raken; 2 (*mbt verslaafde*) spuiten; **inyector** *m* (*techn*) sproeier; injector, spuit
ion *m* ion; **ionización** *v* ionisering; **ionizar** ioniseren; **ionosfera** ionosfeer
IPC *índice del precio* prijsindex
iperita mosterdgas
IQ *m cociente de inteligencia* IQ
iquiteño uit Iquitos (*Peru*)
ir 1 gaan; lopen, rijden, varen; *¡vamos!: a)* laten we gaan!; *b)* kom op!, vooruit!; *~ (a) por* (*fam*) uitgaan op, gaan halen; *~ a por* (*fig*) aansturen op; *~ con u.p.* met iem meegaan; *voy contigo* ik ga met je mee; *~ detrás: a)* achteraan lopen, erachter lopen, volgen; *b)* (*in auto*) achterin zitten; *~ detrás de: a)* (*iem*) achternalopen; *b)* (*ergens*) op uit zijn, (*iets*) najagen; *~ en* gemoeid zijn met; *en ello iría una suma enorme* er zou een enorm bedrag mee gemoeid zijn; *me va en ello la vida* mijn leven is ermee gemoeid; *~ muy lejos* (*fig*) het ver brengen; *~ y venir* komen en gaan, af- en aanvaren, af- en aanlopen, pendelen; *¡ahí va!* daar gaat 'ie!, alsjeblieft!; 2 (*mbt kleren*) zitten, staan, passen; *~ (bien) con* passen bij, kleuren bij, stroken met; *el abrigo te va bien* de jas staat je goed, past je goed; *me va mejor eso* dat ligt meer in mijn lijn; *esa táctica no me va* die taktiek ligt mij niet; 3 verlopen, gaan; *~ mal* mislopen; *¿cómo le va?* (*fam*) hoe gaat het met u?; *que te vaya bien* het ga je goed; *todo ha ido bien* het is allemaal goed gegaan; 4 te werk gaan; *~ con cuidado* voorzichtig zijn; 5 *~ a* (*+ onbep w*) zullen, gaan; *voy a acostarme* ik ga naar bed; 6 *~ con, ~ por* (*fig*) slaan op; *no va por ti* het slaat niet op jou; 7 *~ + gerundio: a)* geleidelijk iets doen of worden; *~ envejeciendo* ouder worden; *b)* een voor een iets

doen; *se fueron despertando* de een na de ander werd wakker || ~ *a lo suyo* alleen aan zichzelf denken; ~ *adelante* er wel komen (*in het leven*), zich goed redden; ~ *para viejo* oud worden; *a eso voy* daar wou ik het juist over hebben; *a Ud. no le va ni le viene* u hebt er niets mee te maken; *en lo que va de año* dit jaar (*tot op heden*); *en lo que va de siglo* in deze eeuw (*tot nu toe*); *no vaya a* (*ser que*)... om te voorkomen dat..., zodat niet...; *¡qué va!* welnee!; *¡qué va a hablar inglés!* hoe kan hij nou Engels spreken!; *sin* ~ *más lejos* om dicht bij huis te blijven, om even een voorbeeld te geven; *¡vaya!* nee maar!, kom kom!, tjongejonge!; *¡vaya pregunta!* wat een vraag!; *¡vaya si irás!* en óf je gaat!; *¡vaya situación!* het is me wat moois!; *¡vaya suerte!* wat een bof!

ira toorn, woede; *descargar su* ~ *contra* zijn woede ontladen op; **iracundia** razernij, woede; **iracundo** vertoornd, woedend

iranés, -esa, iranio vh oude Iran; **iraní** Iraans

iraqués, -esa, iraquí Irakees

irascible opvliegend, prikkelbaar, heetgebakerd

iridio iridium

iridiscente met de kleuren vd regenboog; **iris** *m* 1 regenboog; 2 (*anat*) iris; **irisación** *v* irisering; **irisar** iriseren, de kleuren vd regenboog tonen

Irlanda Ierland; (*la*) ~ *del Norte* Noord-Ierland; **irlandés, -esa** Iers

ironía ironie; **irónico** ironisch; **ironizar** spotten met, ironisch spreken over

irracional 1 irrationeel, dwaas; 2 (*mbt dier*) redeloos; 3 (*wisk*) irrationeel; **irracionalidad** *v* 1 dwaasheid; irrationeel karakter; 2 (*mbt dier*) redeloosheid

irradiación *v* uitstraling; ~ *calorífica* warmte-uitstraling; **irradiado, -a** stralingsslachtoffer; **irradiar** 1 stralen, uitstralen (*ook mbt pijn*); 2 bestralen

irrazonable onredelijk

irreal irreëel, onwerkelijk, onwezenlijk; **irrealidad** *v* onwerkelijkheid; **irrealizable** ondoenlijk, onuitvoerbaar

irrebatible onweerlegbaar

irreconciliable onverenigbaar, onverzoenlijk, niet te rijmen (met)

irreconocible onherkenbaar

irrecuperable voorgoed verloren, niet terug te krijgen; (*mbt vordering*) oninbaar; (*mbt verlies*) onherstelbaar

irreducible, irreductible onherleidbaar

irreemplazable onvervangbaar

irreflexión *v* onbezonnenheid, onnadenkendheid, lichtvaardigheid; **irreflexivo** onnadenkend, ondoordacht, onbezonnen

irreformable niet te hervormen

irrefragable onstuitbaar; (*fig*) onweerlegbaar

irrefrenable onbedwingbaar, onstuitbaar

irrefutable onweerlegbaar; *es* ~ er is geen speld tussen te krijgen

irregular 1 onregelmatig; ongeregeld; afwijkend; *la navegación* ~ de wilde vaart; 2 ongelijk; oneffen, hobbelig; 3 ongeoorloofd, onfatsoenlijk; 4 (*gramm*) onregelmatig; **irregularidad** *v* 1 onregelmatigheid; afwijking; ~ *de formas* grilligheid van vormen; 2 oneffenheid

irrelevante irrelevant

irreligioso niet godsdienstig

irremediable 1 onherstelbaar, niet te verhelpen; 2 onvermijdelijk

irremisible onvergeeflijk

irreparable onherstelbaar

irreprimible onbedwingbaar, niet te onderdrukken

irreprochable onberispelijk; onkreukbaar; (*mbt gedrag*) onbesproken

irresistible 1 onweerstaanbaar; 2 onuitstaanbaar

irresolución *v* besluiteloosheid; **irresoluto** besluiteloos, wankelmoedig

irrespetuoso oneerbiedig; onvertogen

irrespirable verstikkend, benauwd

irresponsabilidad *v* onverantwoordelijkheid;

irresponsable onverantwoordelijk; ontoerekeningsvatbaar; ~ *de* niet verantwoordelijk voor

irrestricto (*Am*) onvoorwaardelijk

irreverencia oneerbiedigheid; **irreverente** oneerbiedig

irreversible niet omkeerbaar

irrevocable onherroepelijk

irrigación *v* irrigatie, bevloeiing; **irrigador** *m* irrigator; **irrigar** irrigeren

irrisión *v* risee; iets belachelijks; **irrisorio** lachwekkend, belachelijk; *precio* ~ spotprijs

irritabilidad *v* opvliegendheid; **irritable** opvliegend, prikkelbaar, kribbig; **irritación** *v* 1 ergernis, wrevel, irritatie; 2 (*med*) uitslag; **irritado** geïrriteerd, geprikkeld, korzelig, wrevelig; **irritador, -ora** irritant, prikkelend; **irritante** irritant, prikkelend; *costumbre* ~ hebbelijkheid; **irritar** irriteren (*ook med*), ergeren; prikkelen; **irritarse** zich ergeren, boos worden

irrogar berokkenen, aandoen

irrompible onbreekbaar

irrumpir binnenstormen; binnenvallen; *irrumpió en el cuarto* hij stoof de kamer in; **irrupción** *v* (het) binnenstormen; invasie; overval

irse 1 weggaan, vertrekken; gaan (*met bep doel*); *¡vete!* ga weg!; ~ *abajo* instorten, mislukken; ~ *a dormir* naar bed gaan; ~ *tras* achternalopen; *vete a ver si*... ga eens kijken of...; *tener que* ~ weg moeten; 2 verdwijnen

isabelino (uit de tijd) van koningin Isabel (*Elizabeth, of - vnl - Isabel II van Spanje*)

isidro, -a (*in Madrid*) boertje van buiten, pummel; **Isidro** jongensnaam

isla 1 eiland; ~ *de coral* koraaleiland; ~ *de peatones* voetgangersgebied; 2 verkeersheuvel; **Isla:** ~*s Anglonormandas* Kanaaleilanden; *las* ~*s Baleares* de Balearen; ~*s de Barlovento* Bovenwindse eilanden; *~s de Cabo Verde* Kaapverdische eilanden; *~s Canarias* Canarische eilanden; *~s de Sotavento* Benedenwindse eilanden

islam *m* islam; **islámico** vd islam; **islamita** islamitisch

Islandia IJsland; **islandés, -esa** IJslands

isleño, -a I *bn* van een eiland, eiland-; II *zn* eilandbewoner, -bewoonster; **isleta** verkeersheuvel, vluchtheuvel; **islote** *m* klein eiland (*vaak vulkanisch*)

ismaelita *m* afstammeling van Ismaël; Arabier

isobara isobaar

isócrono isochroon

isómeros *mmv* isomeren

isomorfo isomorf

isósceles gelijkbenig

isoterma isotherm; **isotérmico** isothermisch

isótopo isotoop; ~ *radiactivo* radioactief isotoop

isquialgia ischias; **isquiático** vh heupbeen; vh zitbeen; **isquion** *m* zitbeen

israelí uit Israël, Israëlisch; *el estado ~* de staat Israël; **israelita** vh oude Israël, Hebreeuws, Israëlitisch

istmeño, -a bewoner of bewoonster van een landengte; **istmo** landengte

italianismo Italiaans woord of uitdrukking; **italiano, -a** I *bn* Italiaans; II *zn* 1 Italiaan(se); 2 *m* (het) Italiaans; **italianizar** veritaliaansen; **itálico** uit het oude Italië, Italisch || *letra -a* cursieve letter

ítem I *m, mv ítem* punt, item, onderdeel, paragraaf; II *bw* evenzo

iteración *v* herhaling; **iterativo** herhalend, iteratief

itinerante reizend; **itinerario** route; reisplan

IVA *impuesto sobre el valor añadido* BTW

izada (het) hijsen; **izar** (op)hijsen; *~ las velas* de zeilen hijsen

izquierda 1 linkerhand; 2 linkerkant; *a la ~: a*) links; *b*) naar links; *circular por la ~* links houden; 3 (*pol*) links; *las ~s están desunidas* links is verdeeld; *de ~(s)* links; *zie ook izquierdo*; **izquierdista** (*pol*) links georiënteerd; **izquierdo** links (*ook pol*), linker-; *ala -a* linkervleugel; *levantarse del lado ~* met zijn verkeerde been uit bed stappen; *la mano -a* de linkerhand; *a mano -a* links

j *jota v* (*letter*) j

ja: *¡~, ~!* ha, ha!

jabalí *m* wild zwijn

1 jabalina wijfje van wild zwijn

2 jabalina speer

jabato 1 jong van wild zwijn; 2 (*fig*) dappere jongen

jábega 1 kleine vissersboot; 2 groot werpnet (*dat vanaf het land wordt ingehaald*)

jabí *m* Amerikaanse boom (*met zeer hard hout*); **jabillo** boom in tropisch Amerika (*hout gebruikt voor kano's*)

jabirú *m* soort Amerikaanse ooievaar

jabón *m* zeep; *~ de afeitar* scheerzeep; *~ blando* groene zeep;*~ de tocador* toiletzeep; *agua de ~* zeepsop; *dar ~: a*) inzepen; *b*) vleien, strooplikken; *dar un ~ a u.p.* iem afstraffen, iem flink op zijn kop geven; **jabonada** (het) inzepen; **jabonado** 1 (het) inzepen; 2 wasgoed in het sop; **jabonadura** (het) inzepen; **jabonar** 1 inzepen; 2 (*fam*) een stevige uitbrander geven; **jaboncillo** 1 stukje zeep; 2 kleermakerskrijt; **jabonera** 1 zeepverkoopster; 2 zeepbakje; 3 zeepfabriek; **jabonería** 1 zeepfabriek; 2 zeepwinkel; **jabonero** I *bn* zeep-; II *zn* 1 zeepfabrikant; 2 zeepverkoper; **jabonoso** zeepachtig, zeephoudend; *agua -a* zeepsop

jaborandi *m* Braziliaanse boom (*van de bladen wordt aftreksel gedronken*)

jaca klein paard, hit

jácara 1 schelmenballade; 2 bep volksdans; 3 vrolijke optocht in de nacht

jacarandá *m* jacaranda(boom)

jacarandoso vrolijk, zwierig, ongedwongen

jacarero vrolijk mens, feestnummer

jácena draagbalk

jacinto hyacint

jaco klein lelijk paard

jacobeo van de apostel Santiago (Jacobus)

jacobino Jacobijn

jactancia bluf, grootspraak, opschepperij; **jactancioso** opschepperig, brallerig; **jactarse** pochen, snoeven; *~ de* opscheppen over, prat gaan op

jaculatoria schietgebedje

jachalí *m* Amerikaanse boom (*soort zuurzakboom*)

jade *m* jade

jadeante amechtig, hijgend; **jadear** naar adem snakken, hijgen; **jadeo** gehijg

jaenés, -esa uit Jaén

jaez *m* 1 *mmv: jaeces* paardetuig; 2 soort, type, slag

jagua Amerikaanse tropische boom
jaguar *m* jaguar
jai alai *m* Baskisch balspel, pelota
jaiba (*Am*) krab
jalapa Amerikaanse plant (*waarvan wortel als purgeermiddel wordt gebruikt*); **jalapeño** uit Jalapa (*Mexico*)
jalar 1 (*fam*) trekken; 2 vreten, eten; **jalarse** (*Am*) zich bedrinken
jalea gelei; aspic
jalear (*dansers*) aanmoedigen met kreten en klappen; aanvuren; **jaleo** 1 feest(gedruis), gejoel; *estar de* ~ aan de boemel zijn; 2 drukte, keet, bende; *armar* ~ de boel op stelten zetten; 3 gedoe, rompslomp, soesa
jalón *m* 1 bakenstok (*van landmeter*), jalon; 2 (*fig*) mijlpaal; **jalonar** uitzetten, afbakenen; bepalen, uitstippelen
jamaicano, jamaiquino Jamaicaans
jamancia (*fam*) eten, voedsel; **jamar** (*fam*) eten, bikken, buffelen, schransen
jamás 1 nimmer, nooit; (*en*) ~ *de los -ases* nooit ofte nimmer; *no lo vi* ~ ik heb het nooit gezien; 2 ooit; *¿has visto jamás...?* heb je ooit gezien...?; *por siempre* ~ voor eeuwig
jamba deurpost, kozijn
jamelgo mager paard, knol
jamón *m* ham; ~ *delantero* schouderham; ~ *serrano* rauwe ham; ~ *de York* gekookte ham;
jamona dikke vrouw, schommel
jansenismo jansenisme; **jansenista** *m,v* jansenist(e)
Japón: (*el*) ~ Japan; **japonés, -esa** I *bn* Japans; II 1 *m,v* Japanner, Japanse; 2 *m* (het) Japans
jaque *m* schaak; ~ *mate* schaakmat; *tener en* ~ *a u.p.* iem in grote spanning houden
jaqueca migraine, schele hoofdpijn
jaqués, -esa uit Jaca
jara wilde rozemarijn; **jaral** *m* terrein begroeid met rozemarijnstruiken;dicht en ruig begroeide plek
jarabe *m* 1 suikerstroop; 2 (*med*) siroop; 3 (limonade)siroop; 4 zeer zoete drank
jaramago soort zandkool
jarana jool, pret, fuif; *andar de* ~ aan de rol zijn; *armar* ~ keet schoppen
jarapa 1 plaid, deken; 2 (*in auto*) stoelhoes
jarcia 1 (*scheepv; vaak mv*) tuig, want; 2 vistuig
jardín *m* 1 tuin; ~ *botánico* plantentuin, hortus; *el* ~ *de Edén* de Hof van Eden; ~ *de infancia* peuterklasje, kleuterschool; (*Belg*) peutertuin; ~ *roquero* rotstuin; ~ *zoológico* dierentuin; 2 plantsoen; **jardinear** tuinieren; **jardinera** 1 tuinierster; 2 plantentafel; 3 mandewagen; **jardinería** (het) tuinieren; *centro de* ~ tuincentrum; **jardinero** 1 tuinman; 2 (*pantalón*) ~ tuinbroek
jareta zoompje (*waar band of elastiek doorheen wordt gehaald*)
jarra 1 kruik (*vaak met twee oren*), pul; ~ *para tabaco* tabakspot; 2 bierpul || *en* ~*s* met de handen in de zij
jarrete *m* 1 knieholte; 2 (*bij dier*) spronggewricht; **jarretera** kouseband
jarro kan (*met één oor*), kruikje; *a* ~*s* met bakken uit de hemel; *un* ~ *de agua fría* (*fig*) een koude douche; **jarrón** *m* vaas (*meestal zonder oren*)
jaspe *m* jaspis; **jaspeado** gemarmerd; **jaspear** marmeren, schilderen als marmer
Jauja luilekkerland
jaula kooi, hok; ~ *de oro* (*fig*) gouden kooi
jauría meute (*honden*); troep
javanés, -esa Javaans
jazmín *m* jasmijn
jazz *m* jazz
je: *¡*~, ~*!* hi, hi! (*lachen*)
jeep *m* jeep
jefa cheffin; *zie ook jefe*; **jefatura** 1 hoofdbureau; 2 ambt van chef; leiderschap; **jefe** *m, soms v* 1 chef, hoofd, baas; ~ *de cocina* chefkok; ~ *contable* hoofdboekhouder; ~ *de departamento* afdelingschef; ~ *del ejército* legeraanvoerder; ~ *del estado* staatshoofd; ~ *mecánico* hoofdwerktuigkundige; ~ *de obras* (*vglbaar*) uitvoerder; ~ *de personal* personeelschef; ~ *de sección* afdelingschef; ~ *técnico* (technisch) bedrijfsleider; ~ *del tren* hoofdconducteur; ~ (*de tribu*) opperhoofd; ~ *de ventas* verkoopleider, salesmanager; 2 aanvoerder, leider; hoofdman; ~ *de equipo* ploegleider; ~ *del gobierno* premier, regeringsleider; ~ *de la oposición* oppositieleider; ~ *del partido* partijleider
jején *m* (*Am*) kleine stekende mug
jengibre *m* gember
jeque *m* sjeik
jerarca *m* hoogwaardigheidsbekleder; **jerarquía** hiërarchie, rangorde; **jerárquico** hiërarchisch; **jerarquizar** indelen in rangorde
jeremiada jeremiade; ~*s* gejeremieer
jerez *m* sherry; **jerezano** uit Jerez
jerga 1 jargon; ~ *del hampa* Bargoens; ~ *libresca* (*iron*) boekentaal; ~ *marinera* zeemanstaal; 2 koeterwaals, gebrabbel; 3 grof linnen; **jergón** *m* strozak, stromatras
jeribeque *m* grimas
jerigonza brabbeltaal
jeringa 1 (injectie)spuit; 2 (*fam*) pesterij, gezanik; **jeringar** hinderen, 'negeren, treiteren; **jeringuilla** injectiespuit; ~ *desechable* wegwerpspuit
jeroglífico I *bn* hiëroglifisch; II *zn* 1 hiëroglief; 2 rebus
jerónimo vd orde van Sint Hiëronymus
jerosolimitano van Jeruzalem
jersey *m* trui, jumper; ~ *holgado* wijde trui; ~ *de punto* gebreide trui; *punto* ~ tricotsteek
Jesucristo Christus, Jezus; **jesuita** *m* jezuïet; **jesuítico** jezuïtisch; **Jesús** 1 Jezus; *el niño* ~ het kindje Jezus; 2 jongensnaam; 3 *¡*~*!* (*bij niezen*) gezondheid! || *en un decir* ~ in een oogwenk; **Jesusa** meisjesnaam
jet 1 *m* jet, straalvliegtuig; 2 *v* jetset

jeta 1 snuit (*van dier*); 2 tronie, smoel; 3 pruilend gezicht
ji: *¡~, ~, ~!* hi, hi! (*lachen*)
jibia inktvis
jícara kopje (*vnl voor chocola*)
jiennense uit Jaén
jilguero (*dierk*) putter
jijona *zie turrón*
jineta 1 paardrijdster; 2 *a la ~* in jockeyzit (*met opgetrokken knieën*); **jinete** *m* 1 ruiter; 2 raspaard
jipi *m,v* 1 hippie; 2 *zie jipijapa 2*; **jipijapa** 1 fijngevlochten stro; 2 *m* strohoed, panamahoed
jipío kreet of klacht in flamencozang
jira picknick; *salir de ~* gaan picknicken; *zie ook gira*
jirafa giraffe
jirón *m* 1 flard; *hecho -ones* aan flarden; 2 klein stukje
jitomate *m* (*Mexico*) tomaat
jiu-jitsu *m* jiu-jitsu
JJ.OO *Juegos Olímpicos* Olympische Spelen
jo: *¡~!* jee!, goh!
job *m* zeer geduldig mens
jockey *m* jockey
jocosidad *v* 1 vrolijkheid, joligheid; 2 grap, iets grappigs; **jocoso** grappig, jolig, olijk; **jocundo** (*lit*) vrolijk
joder (*pop*) 1 neuken, naaien; 2 pesten; 3 verpesten || *¡~!* godverdomme!; **joderse** verrekken; **jodido** (*pop*) verdomd, ellendig, rot-; *estar ~* de pineut zijn
jofaina waskom
jolgorio pret; gejoel, feestrumoer
jolín: *¡~!, ¡-ines!* jeetje!, verdikkeme!
jollín *m* (*fam*) 1 rumoer, gejoel; 2 ruzie
jondo: *cante ~* (*ernstige*) flamencozang
jónico Ionisch
Jordania Jordanië; **jordano** Jordaans
jornada 1 dagreis; 2 werkdag; arbeidstijd; *~ de 8 horas* 8-urige werkdag; *~ de 40 horas* 40-urige werkweek; *~ laboral, ~ de trabajo: a*) werkdag; *b*) arbeidstijd, werktijd; *empleo para media ~* halve baan; *reducción de ~* arbeidstijdverkorting; **jornal** *m* dagloon; **jornalero, -a** dagloner, -loonster
joroba 1 bochel; 2 (*fam*) last; **jorobado** gebocheld; **jorobar** (*fam*) hinderen, lastig vallen, pesten, treiteren; **jorobarse** (*fam*) veel te verduren hebben
joropo dans (*in Columbia en Venezuela*)
José jongensnaam; **Josefa** meisjesnaam
jota 1 *zie j*; 2 pietsje; *ni ~* geen klap, geen snars; *no saber ni ~ de* geen sjoege hebben van; 3 volksdans (*vnl in Aragon, Navarra, Valencia*); 4 (*kaartsp*) boer
joule *m* joule
joven I *bn* jong; *desde muy ~* van jongs af aan; II *m,v* jonge man, jonge vrouw; *jóvenes* jongeren, jongelui; **jovencito, -a** jong mannetje; broekie, melkmuil; jong ding, meisje; **jovenzuelo, -a** *zie jovencito*
jovial joviaal, gemoedelijk, vrolijk; **jovialidad** *v* jovialiteit, vrolijkheid
joya juweel (*ook fig*); **joyería** juwelierswinkel; **joyero** 1 juwelier; 2 juwelenkistje
Juan: *~ Lanas* slapjanus, pantoffelheld, sukkel; **Juana**: *~ la Loca* Johanna de Waanzinnige
juanete *m* 1 (voet)knobbel, knokkel; 2 'uitstekend jukbeen
juanpérez: *los ~* de gewone mensen
jubilación *v* 1 pensionering; (*Belg*) opruststelling; *~ anticipada* vervroegde pensionering; *pedir la ~* pensioen aanvragen; *rebajar la* (*edad de*) *~* de pensioengerechtigde leeftijd verlagen; 2 (ouderdoms)pensioen; **jubilado, -a** I *bn* gepensioneerd, rustend, emeritus; (*Belg*) oprustgesteld; II *zn* gepensioneerde; **jubilar** I *ww* pensioneren; II *bn* jubileum-; *año ~* jubileumjaar; **jubilarse** met pensioen gaan; **jubileo** (*godsd*) jubeljaar; **júbilo** grote vreugde, vreugdebetoon; *gritos de ~* jubelkreten; *lleno de ~* glunderend; **jubiloso** jubelend
jubón *m* (*hist*) jak tot het middel, wambuis
judaico joods; **judaísmo** jodendom; **judaizar** 1 zich tot het jodendom bekeren; 2 als jood leven
judas *m* verrader
judeoespañol joods-Spaans (*mbt de in 1492 uitgedreven joden die zich in het Nabije Oosten hebben gevestigd*); **judería** 1 jodenbuurt; 2 (*hist*) door joden betaalde belasting
1 judía joodse, jodin
2 judía boon; *~s blancas* witte bonen; *~s pintas* kievitsbonen, bruine bonen; *~s verdes* sperziebonen
judicatura 1 rechtersambt; 2 rechterlijke macht; justitie; **judicial** 1 gerechtelijk; 2 rechterlijk
judío I *bn* joods; II *zn* jood; *el ~ errante* de wandelende jood
judo judo; **judoka** *m,v* judoka
juego 1 spel; *~ de azar* gokspel, kansspel; *~ de baraja, ~ de cartas* kaartspel; *~ del chaquete* triktrak; *~ de la cuerda* touwtrekken; *~ de damas* damspel; *~ electrónico* computerspelletje; *~ de equipo* (*sp*) samenspel; *~s malabares* (het) jongleren; *~ de manos* gegoochel; *~ limpio* eerlijk spel, fair play; *~ de naipes* kaartspel; *~s Olímpicos* Olympische Spelen; *~ de palabras* woordspeling; *~ de las sillas* stoelendans; *~ de sociedad* gezelschapsspel; *~ de suerte* gokspel, kansspel; *~ del volante* badminton; *conocer el ~, descubrir el ~* doorhebben; *entrar en ~* (*fig*) een rol spelen, meespelen; *esconder el ~* zich niet in de kaart laten kijken; *estar en ~* in het geding zijn; *hacer doble ~* dubbel spel spelen; *hacer el ~ a u.p.* iem in de kaart spelen; *poner en ~* in de waagschaal stellen, op het spel zetten; *ser un ~* heel makkelijk zijn; *ser un ~ de niños* kinderlijk eenvoudig zijn; *tomar a ~* niet serieus nemen; 2 stel, set; *~ de comedor* eethoek (*meubilair*); *~*

(*de*) *té 6 servicios* 6-persoons theeservies; *a ~* bijpassend; *hacer ~* bij elkaar horen; **Juego**: *~s Olímpicos* Olympische spelen
juerga luidruchtig feest; *estar de ~* aan de zwier zijn; *ir de ~* aan de boemel gaan; **juerguista** *m,v* fuifnummer, feestneus, flierefluiter
jueves *m* donderdag; *~ santo* witte donderdag; *no ser cosa del otro ~* niets bijzonders zijn, niet om over naar huis te schrijven zijn
juez *m,v* rechter; *~ de campo* (*sp*) scheidsrechter; *~ correccional* (*vglbaar*) politierechter; *~ de lo criminal* strafrechter; *~ de distrito* (*vglbaar*) kantonrechter; *~ de instrucción* (*Sp*) rechter van instructie, (*vglbaar*) rechter-commissaris, (*Belg*) onderzoeksrechter; *~ de línea* (*sp*) grensrechter; *~ del mazo* speciale rechter die bevoegd is snelle beslissingen te nemen, (*soms vglbaar*) kort geding-rechter; *~ de menores* kinderrechter, (*Belg*) jeugdrechter; *~ de paz* vrederechter; *recurrir al ~* naar de rechter gaan, iets voor de rechter brengen
jugada 1 (*in spel*) zet; *~ de bolsa* beursspeculatie; 2 streek, poets; *mala ~* rotstreek; *hacer una mala ~ a u.p.* iem een poets bakken, iem een hak zetten; **jugador**, **-ora** speler, speelster; *~ de manos* goochelaar; *~ de vanguardia* (*sp*) spits, voorhoedespeler; **jugando** spelend; spelenderwijs; **jugar ue I** *tr* 1 verspelen; inzetten; *~ el todo por el todo* alles op alles zetten; 2 spelen; *~ un partido* een partij spelen; **II** *intr* spelen; *~ al billar* biljarten; *~ a los dados* dobbelen; *~ a las damas* dammen; *~ con fuego* met vuur spelen; *~ fuera* (*sp*) uitspelen; *~ fuerte* hoog spel spelen; *~ limpio* eerlijk spel spelen; *~ a la lotería* in de loterij spelen; *~ a los naipes* kaarten; *~ a la pelota* ballen; *~ a las prendas* pand verbeuren; **jugarse ue** 1 inzetten, riskeren, op het spel zetten; *~ la vida* zijn leven op het spel zetten; *jugárselo todo* alles op het spel zetten || *jugársela a u.p.* iem te pakken nemen
juglar *m* (*hist*) minstreel, troubadour; **juglaresco** vd troubadours
jugo sap; vocht; *~ de fruta* vruchtensap; *sacar ~ a u.c.* ergens voordeel van hebben, er uit halen wat er in zit; **jugosidad** *v* sappigheid; **jugoso** sappig
juguete *m* 1 (stuk) speelgoed; 2 (*fig*) speelbal; **juguetear** stoeien, dartelen, sollen; **juguetería** speelgoedwinkel; **juguetón**, **-ona** dartel, speels
juicio 1 verstand; *beber el ~* zijn verstand doen verliezen, het hoofd op hol brengen; *buen ~* gezond verstand; *estar en su ~* bij zijn verstand zijn; *estar fuera de ~* gek zijn; *perder el ~* zijn verstand verliezen; 2 oordeel, mening; *~ arbitral* uitspraak van arbiters; *~ definitivo* eindoordeel; *~ final* laatste oordeel; *~ de valor* waardeoordeel; *el día del ~* (*por la tarde*) met sint-juttemis; *emitir un ~ sobre* een oordeel uitspreken over; *formarse un ~ sobre* zich een oordeel vormen over; 3 proces; *~ civil* civiele procedure; *~ criminal* strafproces; *~ de divorcio* echtscheidingsprocedure; *~ farsa* schijnproces; *~ sumario* (*vglbaar*) kort geding, versnelde procedure; *comparecer en ~* voor het gerecht verschijnen; *llevar a ~ a u.p.* een proces tegen iem beginnen; *promover un ~* een proces aanspannen; *someter a ~* berechten; **juicioso** verstandig, bezonnen, wijs
1 julio juli
2 julio joule
jumento, **-a** ezel(in)
juncal I *m* rietveld; **II** *bn* als een rietstengel; gracieus, slank; **junco** riet, bies; *junco orillero* oeverriet
jungla jungle, rimboe
junio juni
júnior *m* junior
junquillo soort gele narcis
junta 1 vergadering, bijeenkomst; 2 raad, groep, vergadering, college; *~ directiva* bestuur (*van bv club*), college van bestuur; *~ (militar)* (militaire) junta; *~ municipal de distrito* (*vglbaar*) wijkraad; 3 naad, voeg; pakking; (*techn*) *~ soldada* lasnaad || *~ de bueyes* span ossen; **juntar** 1 samenbrengen, bijeenkrijgen; samenvoegen, verenigen; *~ cabezas* de koppen bij elkaar steken; 2 vergaren; 3 (*techn*) voegen; **juntarse** bijeenkomen, samenkomen; zich verenigen; *~ a* zich voegen bij; *~ con: a*) omgaan met, zich afgeven met; *b*) (bij elkaar) hebben; *se juntó con tres entradas* hij bleek drie kaartjes te hebben; **juntillas**: *a pies ~* rotsvast; **junto I** *bn* 1 dichtopeen, tegen elkaar aan, ineen; 2 samen; *actuar ~s* samen optreden; **II** *vz: ~ a* bij, vlakbij, dichtbij; **juntura** (*techn, anat*) naad; *~ soldada* lasnaad
jura (ambts)eed; *~ de la bandera* eed op de vlag; *~ del cargo* beëdiging; **jurado**, **-a I** *bn* 1 beëdigd; 2 gezworen (*vijand*); **II** *zn* 1 jurylid; 2 *m* jury; **juramentar** de eed afnemen; **juramentarse** de eed afleggen, elkaar trouw zweren; **juramento** beëdiging, eed; *~ de cargo, ~ profesional* ambtseed; *bajo ~* onder ede; *prestar ~* een eed afleggen; *tomar ~* een eed afnemen; **jurar I** *tr* zweren; *~ en falso* meineed plegen; *~ por* zweren bij; *jurárselas a u.p.* wraak zweren tegen iem; **II** *intr* vloeken
jurásiva vd Jura
jurdano uit las Hurdes
jurel *m* horsmakreel
jurídico juridisch; *acto ~* rechtshandeling; **jurisconsulto**, **-a** jurist(e); **jurisdicción** *v* 1 jurisdictie, rechtsmacht; 2 ambtsgebied, rechtsgebied; 3 rechtspleging; **jurisdiccional** territoriaal; *aguas ~es* territoriale wateren; **jurisperito** jurist, rechtsgeleerde; **jurisprudencia** 1 rechtsgeleerdheid; 2 wetgeving; 3 jurisprudentie; **jurista** *m,v* jurist(e), rechtskundige
justa (*lit*) toernooi, wedstrijd
justamente juist, precies
justicia billijkheid, gerechtigheid; *~ clasista* klassejustitie; *administrar ~, hacer ~* recht-

spreken; *proceder en ~ contra* in rechte vervolgen; *ser de ~* rechtvaardig zijn; **justicialismo** leer vd sociale rechtvaardigheid van Perón (*Argentinië*); **justiciero** streng maar rechtvaardig; **justificable** te rechtvaardigen; **justificación** *v* 1 rechtvaardiging, verantwoording; *en ~ de* ter rechtvaardiging van; 2 (het) gelijkmaken vdregellengte; **justificadamente** terecht; **justificado** gewettigd, billijk; verantwoord; **justificante** *m* bewijsstuk; **justificar** 1 rechtvaardigen, wettigen; 2 de regellengte gelijktrekken; **justificarse** zich rechtvaardigen
justillo lijfje, jakje
justipreciar (*en*) taxeren (op), waarderen (op); **justiprecio** schatting, taxatie
justo I *bn* 1 billijk, eerlijk, fair, rechtvaardig; 2 precies, juist, afgepast; *la cantidad -a* precies de juiste hoeveelheid; *la comida está muy -a* er is maar net genoeg eten; *más de lo ~* meer dan nodig is; 3 krap, strak; II *bw* 1 precies; 2 krap, bijna armoedig
juvenil jeugdig, jeugd-; **juventud** *v* 1 jeugd; 2 jongeren, jeugd
juzgado 1 gerechtsgebouw; 2 gerecht (*meestal gevormd door één rechter*); *~ de distrito* (*vglbaar*) kantongerecht; *~ de primera instancia* (*e instrucción*) (*vglbaar*) arrondissementsrechtbank; **juzgar** 1 beoordelen, oordelen over; *~ mal* verkeerd beoordelen; *~ por* beoordelen naar; 2 achten, menen; *~ a u.p. capaz de* iem in staat achten om; *~ de* oordelen over; *a ~ por* te oordelen naar

k *ka v* (*letter*) k; **ka** *zie k*
káiser *m* Duitse keizer
kaki *m; zie caqui*
kantiano Kantiaans, vd filosoof Kant
kapok *m* kapok
karate *m* karate
karting *m* karting
katiusca kaplaars
kayac *m*, **kayak** *m* kajak
kéfir *m* kefir (*soort yoghurt*)
kepis *m* kepie
kermesse *v* bazaar, fancy-fair, kermis
kerosén *m* kerosine; *hornillo de ~* primus; **kerosene** *m; zie kerosén*
ketchup *m* ketchup
kg *kilogramo*
kibutz *m* kibboets
kilim *m* kelim
kilo 1 *zie kilogramo*; 2 (*fam*) een miljoen peseta's
kilogramo (*afk kg*) kilo, kilogram
kilojulio (*afk kJ*) kilojoule
kilometraje *m* 1 afstand in kilometers; 2 aantal gereden kilometers; **kilométrico** 1 kilometer-, in kilometers; 2 (*fam*) enorm, eindeloos, ellenlang; 3 (*billete*) ~ treinkaartje voor een bepaald aantal km; **kilómetro** (*afk km*) kilometer; *~ cuadrado* vierkante kilometer; *lleva pocos ~s* (*mbt auto*) er is nog weinig mee gereden
kilovatio (*afk kW*) kilowatt; *~-hora* (*afk kWh*) kilowatt-uur
kilovoltio (*afk kV*) kilovolt
kimono kimono
kindergarten *m* kleuterschool, peuterklas
kiosco *zie quiosco*
kirsch *m* kirsch, kersenbrandewijn
kit *m: ~ de bricolaje* doe-het-zelf set
kiwi *m* 1 kiwi (*vrucht*); 2 Nieuwzeelandse loopvogel, soort struisvogel
kJ *kilojulio*
km *kilómetro*
knock-out *m* knock-out
know-how *m* know-how
k.o. *zie knock-out*
koljoz *m* kolchoz; **koljoziano** van een kolchoz
kopek *m* kopeke
krausismo leer van Krause (*begin 19e eeuw*), krausisme; **krausista** *m,v* aanhang(st)er vh krausisme
kumis *m* koemis, gefermenteerde paardemelk
kummel *m* kummel(likeur)

kV *kilovoltio*
kW *kilovatio*

Ll*l*

1 l *ele v* (*letter*) l
2 l *litro* liter
1 la *m* (*muz*) a, la
2 la I *lidw, vrl enkv* de, het; II *pers vnw, 3e pers vrl enkv lijd vw* haar; ~ *veo* ik zie haar
laberíntico als een doolhof; verward, ingewikkeld; **laberinto** doolhof, labyrint; warnet; *un ~ de calles* een wirwar van straten
labia welbespraaktheid; ~ *no le falta* hij is niet op zijn mondje gevallen; *tener mucha ~* goed van de tongriem gesneden zijn; **labiadas** *vmv* lipbloemigen; **labial** I *bn* 1 vd lippen; 2 labiaal, met de lippen gevormd; II *v* labiaal, lipklank
lábil labiel, onstabiel
labio 1 lip; ~ *inferior* onderlip; ~ *leporino* hazelip; ~ *superior* bovenlip; *en ~s de* in de mond van; *llevar a los ~s* naar de lippen brengen; *morderse los ~s* zich op de lippen bijten, zich verbijten; *no despegó los ~s* er kwam geen woord over zijn lippen; *no morderse los ~s* geen blad voor de mond nemen; 2 rand, lip; **labiodental** labiodentaal
labor *v* 1 werk; *~es agrícolas* landarbeid; *~es domésticas* huishoudelijk werk; ~ *de ganchillo* haakwerk; *~es propias de su sexo* (*mbt vrouw*) (het) huishouden; ~ *de punto* breiwerk; *hacer ~es* handwerken; *sus ~es* (*afk s.l.; als beroep, in akten*) huisvrouw; 2 (grond)bewerking; een keer ploegen; **laborable** (*mbt terrein*) geschikt voor bewerking; *día ~* weekdag, werkdag; *madera ~* timmerhout; **laboral** arbeids-, werk-; *clima ~* werkklimaat; *jornada ~* werkdag; *población ~* werkende bevolking; *relación ~* dienstverband; *traslado ~ diario* woon-werkverkeer; **laborar** I *tr* (*grond*) bewerken; II *intr* (*ijverig, hard*) werken; ~ *por un futuro mejor* werken voor een betere toekomst; **laboratorio** laboratorium; ~ *de física: a*) natuurkundepracticum (*lokaal*); *b*) natuurkundig laboratorium; ~ *de idiomas* talenpracticum, (*Belg*) taallab; **laborear** 1 (*grond*) bewerken; 2 (*mijn*) exploiteren; **laboreo** 1 (grond)bewerking; 2 (mijn)exploitatie; 3 gezwoeg; **laboriosidad** *v* ijver; **laborioso** 1 ijverig; 2 bewerkelijk; 3 moeizaam; *un parto ~* een zware bevalling; **laborista** *m,v* lid vd Labour-partij
labrado (het) bewerken; ~ *de madera* houtbewerking; **labrador, -ora** boer(in); *modestos -ores* kleine boeren; **labrantín** *m* keuterboertje; **labrantío** bouwland; **labranza** 1 werk op

het land; bewerking (van de grond); 2 (*casa de*) ~ boerderij; **labrar** 1 bewerken; *sin* ~ onbewerkt; *piedra sin* ~ ruwe steen; 2 werken op (*andermans land*); 3 werken aan, bewerkstelligen; **labriego**, **-a** kleine boer(in)
labrusca wilde wingerd
laca 1 lak; haarlak; lakverf, vernis; ~ *para pulir* slijplak; ~ *de uñas* nagellak; 2 lakdoosje; lakwerk
lacayo lakei
laceración *v* verminking, (het) verscheuren; **lacerante** verscheurend; (*mbt pijn*) doordringend; **lacerar** 1 verscheuren, verwonden; 2 kwetsen, krenken
lacería vlechtwerk; **lacero** 1 lassowerper; 2 stroper; 3 gemeentelijke vanger van zwerfhonden
1 lacha verse ansjovis
2 lacha: *poca* ~ onbeschaamdheid, lef
lacio sluik; slap; lusteloos
lacón *m* schouderstuk (*van varken*)
lacónico laconiek
lacra 1 litteken; 2 kwaal, gebrek
lacrado (het) dichtlakken; **lacrar** (*brief, kurk*) lakken; van lakzegel voorzien; **lacre** *m* zegellak
lacrimal vd tranen; **lacrimógeno**: *gas* ~ traangas; **lacrimoso** 1 klagerig, jammerend; 2 tranend; 3 sentimenteel
lactación *v* (het) zogen; lactatie, melkafscheiding; **lactancia** (het) zogen; periode van borstvoeding; lactatie(periode); **lactante** I *m,v* zuigeling; II *bn* 1 (*mbt kind*) aan de borst; 2 (*mbt moeder*) borstvoeding gevend, zogend; **lactar** I *tr* zogen; II *intr* gezoogd worden, zich voeden met melk; **lácteo** vd melk; *industria -a* zuivelindustrie; *productos ~s* melkprodukten, zuivel; **láctico** melk-; *ácido* ~ melkzuur; **lactosa** lactose, melksuiker
lacustre vd meren; *región* ~ merengebied; *vivienda* ~ paalwoning
ladeado scheef, schuin; **ladear** I *tr* 1 schuin houden, kantelen; 2 links laten liggen; II *intr* 1 van het pad afwijken; 2 langs de helling lopen; **ladearse** 1 overhellen; 2 opzij gaan; **ladera** helling
ladilla platluis, platje
ladino I *bn* 1 geslepen, sluw, uitgeslapen; 2 Ladinisch, Rhetoromaans; 3 (*hist, mbt Moren*) Spaanssprekend; 4 (*hist*) in de Romaanse schrijftaal; 5 (*Am*) blank; halfbloed; niet-Indiaans; 6 (*Am*) goed Spaans sprekend; II *zn* 1 (*Am*) blanke; 2 (*hist*) uit Spanje verdreven jood
lado 1 kant, zijde; *el* ~ *de arriba, el* ~ *superior* de bovenkant; ~ *derecho* rechterzijde; ~ *flaco* zwakke kant; ~ *interior* binnenkant; ~ *sur* zuidkant; *a ambos ~s, a uno y otro* ~ aan beide kanten; *a todos ~s: a*) aan alle kanten; *b*) naar alle kanten; *al* ~ ernaast, vlak in de buurt; *al* ~ *de* naast; *al otro* ~ *de* aan de andere kant van; *aquí al* ~ hiernaast, vlakbij; *cada cosa por su* ~ alles verspreid en in de war; *cada uno por su* ~ ieder zijns weegs; *colocar de* ~ dwars zetten; *dar de* ~ *u.c.* iets van zich afzetten; *dar de* ~ *a u.p.* iem laten vallen, iem links laten liggen; *de* ~ dwars, zijdelings, schuin; *de un* ~ *a otro: a*) heen en weer; *b*) dwars overheen, dwars doorheen; *de un ~..., de otro* (~) enerzijds...anderzijds; *de un* ~ *para otro* (*mbt lopen*) druk heen en weer, van links naar rechts; *de este* ~ aan deze kant; *de todos ~s, por todos ~s* aan alle kanten; *dejar a un* ~ terzijde laten; *dejar de* ~ voorbijgaan aan; *echarse a un ~, hacerse a un ~: a*) opzij gaan, uitwijken; *b*) het laten afweten; *estar del* ~ *de u.p.* aan iems zijde staan; *hacia un* ~ zijwaarts; *hacia todos ~s* naar alle kanten; *iba a su* ~ ik zat naast hem (*bv in auto*); *levantarse del* ~ *izquierdo* met zijn verkeerde been uit bed stappen; *poner de* ~ terzijde leggen; *por un ~..., por otro* (~) enerzijds ...anderzijds; *por el* ~ *materno, por el* ~ *de la madre* van moederskant; *por este ~: a*) hierlangs; *b*) aan deze kant; *por mi* ~ wat mij betreft; *por ningún* ~ nergens; *por todos ~s* overal; *¿quién está a mi ~?* wie zit er naast mij?; *uno al* ~ *de otro* naast elkaar; *ver u.c. por el* ~ *negro* iets somber inzien; 2 (*wisk*) ribbe, kantlijn, zijde (*bv van driehoek*)
ladrador, **-ora** blaffend; *perro ~, poco mordedor* blaffende honden bijten niet; **ladrar** blaffen; **ladrido** geblaf
ladrillera steenfabriek; **ladrillo** 1 baksteen; ~ *hecho polvo* steengruis; ~ *moldeado a mano* handvormsteen; ~ *refractario* vuurvaste baksteen; 2 (*color*) ~ roodbruin, steenrood
ladrón, **-ona** 1 dief, dievegge; *¡al ~!* houd de dief!; *cree el* ~ *que todos son de su condición* zoals de waard is vertrouwt hij zijn gasten; 2 *m* driewegstekker; 3 *m* clandestiene aansluiting; aftapkabel; **ladronzuelo** 1 kruimeldief; 2 ondeugd, stouterd
lagar *m* perslokaal (*voor wijn, olijfolie*)
lagarta 1 vrouwtjeshagedis; 2 sluw vrouwmens, leperd; **lagartear** slinks te werk gaan, huichelen, scharrelen; **lagartija** kleine (muur)hagedis; **lagarto** 1 hagedis; ~ *de Indias* kaaiman; 2 leperd, sluwe kerel; **lagartón**, **-ona** sluw mens
lago meer; ~ *de cráter* kratermeer
lágrima 1 traan; *~s de cocodrilo* krokodilletranen; *anegarse en ~s* baden in tranen; *llorar a* ~ *viva* tranen met tuiten huilen; *llorar ~s de sangre* bittere tranen wenen; *se le asomaron las ~s a los ojos, le pisaron las lágrimas, le saltaron las lágrimas* de tranen schoten hem in de ogen; 2 (*fig*) drupje, bodempje (*bv likeur*); 3 (*soms mv; plantk*) afgescheiden vocht; **lagrimal** I *bn* vd tranen; *conducto* ~ traanbuis; II *m* ooghoek (*bij de neus*); **lagrimear** 1 (*mbt oog*) tranen; 2 grienen, huilen; **lagrimeo** 1 (het) tranen; 2 gejammer, tranenvloed; **lagrimón** *m* dikke traan; **lagrimoso** 1 (*mbt oog*) tranend; 2 huilerig; 3 sentimenteel

laguna 1 lagune; 2 lacune, leemte; **lagunero** 1 vd lagune; 2 uit La Laguna (*Canarische eilanden*)
laicismo leer die invloed vd geestelijkheid op de staat uitsluit; **laicizar** laïciseren, aan het beheer van geestelijken onttrekken; **laico, -a** I *bn* niet kerkelijk; (*mbt onderwijs*) neutraal; II *zn* leek
laísmo (*gramm*) foutief gebruik van la, las als meew vw (*ipv le, les*)
laja platte gladde steen; ~ *de pizarra* leisteen
lamebotas *m* hielenlikker; **lameculos** *m* (*pop*) strooplikker; **lamedura** (het) likken
lamentable betreurenswaardig, bedroevend, erbarmelijk; **lamentación** *v* jammerklacht, klaagzang; *muro de las -ones* klaagmuur; **lamentar** betreuren, bewenen; *lo lamento* het spijt me; **lamentarse** jammeren, weeklagen; **lamento** jammerklacht; **lamentoso** klaaglijk
lameplatos *m,v* 1 (*neg*) arme sloeber; 2 lekkerbek
lamer 1 likken, aflikken; ~ *las heridas* zijn wonden likken; 2 spoelen langs, strijken langs; **lametada, lametazo** lik; **lametear** 1 steeds likken, lebberen aan; 2 flikflooien; **lameteo** geflikflooi; **lametón** *m* flinke lik; **lamido** I *bn* (*neg*) al te gepolijst, gelikt, geaffecteerd; II *zn* (het) likken
lámina 1 (metaal)plaat; folie; lamel; ~ *acanalada* golfplaat; ~ *de cemento* cementboard; 2 gravure, prent, plaatje; *con ~s* geïllustreerd; 3 uiterlijk; **laminación** *v* (het) pletten, (het) walsen; **laminado** *zie laminación*; **laminadora** wals(machine); **laminar** I *ww* pletten, walsen; II *bn* plaatvormig, plat; (*mbt structuur*) in dunne lagen
lampacear het dek zwabberen
lámpara 1 lamp; ~ *de aceite* olielamp; ~ *de cuarzo* kwartslamp; ~ *incandescente* gloeilamp; ~ *indicadora* controlelampje, verklikker; ~ *de petróleo* petroleumlamp; ~ *de pie* staande lamp; ~ *de pila* staaflantaarn; ~ *portátil* looplamp; ~ *de señal* seinlamp; ~ *tubular* buislamp; 2 lamp, peertje; **lamparilla** klein olielampje, drijvertje; **lamparón** *m* vetvlek
lampazo 1 dekzwabber; 2 (*plantk*) klit
lampiño baardeloos, glad
lamprea lamprei
lana 1 wol; vacht; ~ *de camello* kameelhaar; ~ *de oveja* schapewol; ~ *peinada* kamgaren; ~ *pura* zuiver wol; ~ *de vidrio* glaswol; ~ *virgen* scheerwol; *ir por ~ y volver trasquilado* (*fig*) zijn neus stoten, van een koude kermis thuiskomen; *tinto en ~* door de wol geverfd; 2 (*Am*) geld; **lanar**: *ganado ~* wolvee
lance *m* 1 (het) werpen (*bv van visnet*); 2 situatie; voorval; hachelijk moment; passage; ~ *de fortuna* toeval; ~ *de honor* uitdaging, duel || *de ~* tweedehands; *librería de ~* antiquariaat; **lancear** met de lans verwonden; **lancero** lansier; **lanceta** lancet
lancha boot; ~ *de desembarco* landingsvaartuig; ~ *motora* motorboot; ~ *neumática* opblaasboot; *paseo en ~* rondvaart; **lanchón** *m* schuit
lancinante (*mbt pijn*) stekend
landó *m* landauer, koets
lanero, -a I *bn* vd wol, wol-; *federación -a* wolfederatie; II *zn* 1 wolhandelaar(ster); 2 *m* wolmagazijn
langosta 1 sprinkhaan; 2 (zee)kreeft; 3 plaag; **langostino** soort reuzegarnaal; **langostón** *m* reuzesprinkhaan
languidecer (weg)kwijnen; verkommeren; *la conversación languidece* het gesprek wil niet vlotten; **languidez** *v* loomheid, traagheid; krachteloosheid; **lánguido** 1 slap, kwijnend; loom, traag; 2 smachtend
lanilla 1 pluisje; 2 dunne wol (*weefsel*)
lanolina lanoline
lanoso 1 met dikke vacht; 2 wollig; **lanudo** dicht behaard, met dikke vacht
lanza 1 lans, speer, spies; ~ *en ristre* met gevelde lans, (*fig*) klaar voor de strijd; *a punta de ~* met harde hand; *romper una ~ a favor de, romper ~s por* een lans breken voor; 2 boom (*aan rijtuig*); **lanzabombas** *m* bommenwerper; **lanzada** lanssteek; **lanzadera** schietspoel; (naaimachine)spoel; ~ *espacial* ruimteveer; *servicio de ~* pendeldienst; **lanzado** vastberaden; **lanzallamas** *m* vlammenwerper; **lanzamiento** 1 (het) werpen, gooi; ~ *de disco* discuswerpen; ~ *de la jabalina* speerwerpen; ~ *de peso* kogelstoten; 2 lancering; **lanzar** gooien, werpen; lanceren; (*projectiel*) afschieten; (*rook*) uitblazen; (*zucht*) slaken; (*kreet*) uitstoten; ~ (*al aire*) opgooien; ~ *al mercado* op de markt brengen, uitbrengen; **lanzarse** 1 (*fig*) stormen, stuiven; ~ *a* zich storten op, zich wagen aan, overgaan tot; ~ *al agua* in het water springen; ~ *a la aventura* zich in het avontuur storten; ~ *a correr* het op een lopen zetten; ~ *afuera* naar buiten stuiven; 2 ~ *sobre* zich storten op, afschieten op, aanvallen; 3 ~ *contra* aanvallen, de volle laag geven
laña kram
lapa 1 soort zuigslak, puntkokkel; 2 (*plantk; fig*) klit; *pegarse a u.p. como una ~* aan iem klitten; 3 schimmellaagje
lapacho (*Am*) bep boom (*met sterk hout*)
lapicera *zie lapicero*; **lapicero** potlood; vulpotlood
lápida gedenksteen; grafsteen, zerk; **lapidar** stenigen; **lapidario, -a** I *bn* 1 vd edelstenen; 2 vd grafstenen; 3 lapidair, kort en krachtig; II *zn* 1 bewerk(st)er van edelstenen; 2 handelaar(ster) in edelstenen
lapislázuli *m* lapis lazuli, lazuursteen
lápiz *m* 1 potlood; ~ *estilográfico*, ~ *de mina* vulpotlood; ~ *labial* lippenstift; *a ~* met potlood; 2 grafietstaafje
lapo 1 klap; 2 slok; 3 klodder spuug
lapón, -ona Laps; **Laponia** Lapland

lapso 1 tijdsbestek, tijdsverloop; ~ (*intermedio*) tussenpoos; 2 vergissing
lapsus *m*: ~ *linguae* verspreking, vergissing
laquear lakken, in de lak zetten
lar *m* haard; ~*es* huiselijke haard
larga: *a la* ~ op den duur; *dar* ~*s a* traineren, op de lange baan schuiven, aan het lijntje houden; **largamente** 1 uitgebreid, lang en breed; 2 ruimschoots, royaal; **largar** 1 laten schieten; 2 (*neg*) geven, toestoppen; 3 (*fam*) geven, toedienen, toevoegen; (*neg*) onthalen op (*een preek*); **largarse** ervandoor gaan, ophoepelen; *¡lárgate!* maak dat je wegkomt!; **largo** I *bn* 1 lang; ~ *y tendido* lang en breed, uitvoerig; *a lo* ~ in de lengte; *a lo* ~ *de*: *a*) langs; *b*) doorheen; *a lo* ~ *de los siglos* door de eeuwen heen; *a todo lo* ~ over de volle lengte; *dos años* ~*s* ruim twee jaar; *hacerse* ~ (*mbt tijd*) lang vallen, kruipen; *pasar de* ~ *u.c.* (*fig*) over iets heen stappen; *se cayó cuan* ~ *era* hij viel languit; *va para* ~ dat wordt een langdurige geschiedenis; *venir de* ~: *a*) van ver komen; *b*) een lange voorgeschiedenis hebben; 2 ~ *en* goed voorzien van, royaal met || *¡~ de aquí!* maak dat je wegkomt!; II *zn* lengte; *tiene 2 cms de* ~ het is 2 cm lang; **largometraje** *m* avondvullende (speel)film; **larguero** 1 lengtebalk; 2 doellat; 3 peluw, lang kussen; **largueza** vrijgevigheid; *con* ~ royaal; **larguirucho** slungelig, uit zijn krachten gegroeid; **largura** lengte
lárice *m* lariks
laringe *v* strottehoofd; **laríngeo** vh strottehoofd; **laringitis** *v* keelontsteking; **laringólogo, -a** keelarts
larvado (*mbt ziekte*) sluimerend
las I *lidw, vrl mv* de; ~ *alas* de vleugels; II *pers vnw, 3e pers vrl mv lijd vw* haar, hen, ze; ~ *vi* ik heb ze gezien
lascivia wellust; **lascivo** wellustig, wulps
láser *m* laser; *rayo* ~ laserstraal; **lasérico** laser-; *haz -a* laserstraal
lasitud *v* vermoeidheid, matheid; **laso** slap, sluik, glad
lástima 1 medelijden; ~ *de sí mismo* zelfmedelijden, zelfbeklag; *da* ~ het is droevig om te zien, het is zonde; *sentir* ~ *de, tener* ~ *de* medelijden hebben met, begaan zijn met; 2 iets bedroevends; ~ *que no vengas* jammer dat je niet komt; *es* (*una*) ~ het is jammer; *es una gran* ~ het is erg jammer; *hecho una* ~ in bedroevende staat, miserabel; *¡qué* ~*!* wat jammer!; **lastimar** pijn doen, bezeren; **lastimarse** zich pijn doen, zich bezeren; *¿te lastimaste?* heb je je bezeerd?; **lastimero** meelijwekkend; klaaglijk; **lastimoso** beklagenswaardig, erbarmelijk, zielig
lastra dunne platte steen
lastrar ballasten; **lastre** *m* 1 ballast; *en* ~ in ballast; 2 evenwicht, rijpheid; 3 last, ballast, belemmering
lata 1 blik; blikje; ~ *de conservas* conservenblikje; ~ *de horno* bakblik; 2 iets vervelends; gezeur; *dar la* ~ vervelend zijn, zeuren; *¡esa* ~*!* dat gedoe!, dat gezeur!; *¡esa* ~ *de luces!* die stomme lampen!; *¡qué* ~*!* wat vervelend!
latania waaierpalm
latazo iets heel vervelends
latente latent; *hay un odio* ~ de haat smeult
lateral zij-; zijwaarts; *nave* ~ zijbeuk; *vista* ~ zijaanzicht
látex *m* latex
latido (het) kloppen; getik; ~ *del corazón* hartslag
latifundio grootgrondbezit; **latifundismo** grootgrondbezit; **latifundista** *m,v* grootgrondbezit(s)ter
latigazo zweepslag; (*fig*) onverwachte uitbrander || *echarse un* ~ een glas achterover slaan; **látigo** zweep; **latiguillo** kunstgreep, effectbejag
latín *m* Latijn; ~ *clásico* klassiek Latijn; ~ *de cocina* potjeslatijn; ~ *vulgar* vulgair Latijn; *bajo* ~ middeleeuws Latijn; *saber* (*mucho*) ~ heel slim zijn; **latinajo** 1 pedant praatje; 2 potjeslatijn; **latinidad** *v* 1 Latijnse cultuur; 2 Latijnse volkeren; **latiniparla** met Latijn doorspekte taal; potjeslatijn; **latinismo** latinisme, Latijns woord of uitdrukking; **latinista** *m,v* latinist(e); **latinizar** latiniseren; **latino** Latijns
Latinoamérica Latijns-Amerika; **latinoamericano** Latijnsamerikaans
latir (*mbt hart*) kloppen, slaan; (*mbt machine*) stampen
latitud *v* breedte (*ook aardr*); ~ *norte* noorderbreedte; *de todas las* ~*es* uit alle windstreken
lato ruim; *en sentido* ~ in de ruime zin
latón *m* messing
latoso vervelend, stom
latrocinio (*lit*) beroving, diefstal
laúd *m* luit
laudable prijzenswaard
láudano laudanum
laudatorio lovend
laudo uitspraak (*van arbiters*)
laureado bekroond
laurel *m* 1 laurier; 2 ~*es* lauweren, roem; *dormirse sobre sus* ~*es* op zijn lauweren rusten
lava lava; **lavabilidad** *v* (af)wasbaarheid; *de buena* ~ goed wasbaar; **lavable** (af)wasbaar; **lavabo** 1 wastafel; 2 badkamer; 3 toilet, wc; **lavacoches** *m* autowasser; **lavacristales** *m* glazenwasser; **lavada** (het) wassen, was; **lavadero** wasplaats; **lavado** (het) wassen; was; ~ *de cerebro* hersenspoeling; ~ *de coches* (het) autowassen; ~ *de color* bonte was; **lavadora** wasmachine; ~ *automática* wasautomaat; **lavafrutas** *m* kom met water om fruit te wassen; **lavamanos** *m* wasbakje, waskom
lavanda lavendel
lavandera wasvrouw; **lavandería** wasserij; ~ *automática* wasserette; **lavaparabrisas** *m* ruitesproeier; **lavaplatos** *m* bordenwasser;

máquina ~ afwasmachine; **lavar** wassen; afspoelen; (*ramen*) lappen; (*tanden*) poetsen; (*fig, geld*) witwassen; ~ *y marcar* wassen en watergolven; ~ *la ropa* de was doen; **lavarse** zich wassen; **lavativa** lavement; **lavatorio 1** voetwassing (*op witte donderdag*); **2** handwassing (*vd priester bij de mis*); **lavavajillas** *m* afwasmachine; **lavavidrios** *m* glazenwasser; **lavazas** *vmv* (*vuil*) sop; **lavotear** poedelen, plenzen, slecht wassen

laxante I *bn* laxerend; **II** *m* laxeermiddel; **laxar** laxeren

laxo 1 slap; **2** (*mbt moraal*) vrij, los

laya aard, slag, soort

lazada 1 strik (*als van schoenveter*); **2** lus van een strik

lazareto lazaret

lazarillo blindengeleider; *perro* ~ (blinden)-geleidehond

lazo 1 strik; lus; **2** (val)strik; *caer en el* ~ in de val lopen; *tender un* ~ een strik zetten; **3** (*fig*) band, binding; verbinding; *~s de familia* familiebanden; ~ *matrimonial* huwelijksband; **4** lasso

Lda. *licenciada*; **Ldo.** *licenciado*

le *pers vnw 3e persoon enkv* **1** *meew vw* (aan) hem; (aan) haar; (aan) u; eraan; *¿qué ~ vamos a hacer?* wat kunnen we eraan doen?; **2** (*soms, bv in Castilië*) *lijd vw, mnl persoon* hem; u; ~ *invito: a*) ik nodig u uit; *b*) ik nodig hem uit

leal loyaal, trouw, rechtschapen; *según mi* ~ *saber y entender* naar mijn beste weten en kunnen; **lealtad** *v* trouw, loyaliteit

leasing *m* leasing

lebrato jonge haas

lebrel *m* soort windhond

lección *v* les; (*fig*) lesje; ~ *de conducción* autorijles; *dar una ~ a u.p.* iem de les lezen; *le ha servido de* ~ hij heeft er lering uit getrokken; *tomar la* ~ overhoren

lechada witsel, witkalk; **lechal** *m* zuiglam; **leche** *v* **1** melk; ~ *en botella* flessemelk; ~ *bronceadora,* ~ *solar* zonnebrandmelk; ~ *de coco* kokosmelk; ~ *completa,* ~ *entera,* ~ *toda crema* volle melk; ~ *condensada* gecondenseerde melk; ~ *corporal* bodymilk; ~ *cortada* zure melk; ~ *desnatada* magere melk; ~ *frita* bep nagerecht van pap bereid; ~ *de madre,* ~ *materna* borstvoeding, moedermelk; ~ *en polvo* poedermelk; *batir la* ~ karnen; *cordero de* ~ speenvarken, zuiglam; *lo ha mamado con la* ~ het is hem met de paplepel ingegeven; *tener la* ~ *en los labios* nog niet droog achter de oren zijn; **2** (*pop*) sperma || *¡~!* verdomme!; *un mala* ~ een rotvent; *estar de mala* ~ de pest in hebben; **lechecillas** *vmv* zwezerik; **lechería** melkzaak; **lechero, -a I** *bn* melk-; *vaca -a* melkkoe; **II** *zn* melkman, -meisje; **lechigada** nest jongen

lecho 1 legerstede, sponde, bed; ~ *filtrante* filterbed; ~ *de muerte* sterfbed; ~ *nupcial* bruidsbed; **2** bedding

lechón *m* speenvarken; **lechoncillo** speenvarkentje

lechoso melkachtig

lechuga 1 (krop) sla; ~ *iceberg* ijsbergsla; **2** (*pop*) biljet van 1000 peseta

lechuguino modepop, fat

lechuza uil

lectivo vd les; *año* ~ cursusjaar; *hora -a* lesuur, college-uur; **lector, -ora 1** lezer(es); *cartas de los ~es* brieven van lezers, ingezonden stukken; *público* ~ lezerspubliek; **2** (*univ, vglbaar*) gastdocent; **lectura** (het) lezen; lectuur; ~ *de cabecera* bedlectuur; ~ *en voz alta* (het) voorlezen; *tomar* ~ *de* opnemen (*vd meterstand*);

leer lezen; aflezen; ~ *en los labios* liplezen; ~ *en voz alta* hardop lezen, voorlezen

lega non die het huishoudelijke werk doet

legación *v* gezantschap, legatie; **legado 1** legaat; **2** gezant

legajo bundel (*papieren*), dossier(map)

legal legaal, wettelijk, wettig, rechtsgeldig; *efecto* ~, *fuerza* ~ rechtskracht; **legalidad** *v* wettigheid, legaliteit; **legalización** *v* legalisatie; **legalizar** legaliseren, authentiek verklaren

légano modder, slijk

legaña (*vaak mv*) slaap (*korstjes op de ogen*); **legañoso** met slaapkorstjes

legar legateren, vermaken; **legatario, -a** legataris

legendario legendarisch

legible leesbaar

legión *v* **1** legioen; ~ *extranjera* vreemdelingenlegioen; **2** legio; *en* ~ bij hopen, en masse;

legionario I *bn* vh legioen; **II** *zn* legionair; *enfermedad del* ~ veteranenziekte; **legionella** veteranenziekte

legislación *v* wetgeving; **legislador, -ora I** *bn* wetgevend; **II** *m* wetgever; **legislar** wetten maken; **legislativo** wetgevend; (*elecciones*) *-as* kamerverkiezingen; *poder* ~ wetgevende macht; **legislatura 1** legislatuur; **2** zittingsperiode, (*Belg*) legislatuur; **legista** *m,v* rechtsgeleerde

legítima *zn* (*vglbaar*) legitieme (portie), wettelijk erfdeel; **legitimación** *v* legitimatie; **legitimar 1** wettigen, authentiek verklaren; **2** rechtvaardigen, wettigen; **legitimidad** *v* legitimiteit; **legítimo 1** legitiem, wettelijk, wettig; gewettigd; *dueño* ~ rechtmatige eigenaar; **2** echt, onvervalst

lego I *bn* **1** wereldlijk, leke-; **2** onwetend; **II** *zn* **1** lekebroeder; **2** leek

legua mijl (*ruim 5,5 km*); *a la* ~ van verre; *muchas ~s a la redonda* in de wijde omtrek

leguleyo prutsadvocaat

legumbre *v* **1** peulvrucht; **2** (*soms*) groente

leído belezen

leísmo (*gramm*) gebruik van le, les voor mnl persoon lijd vw (*ipv lo, los*)

lejanía verte; **lejano** ver, verafgelegen; *un* ~ *presentimiento* een flauw vermoeden

lejía bleekwater, loog
lejos ver; ~ *de eso* integendeel; ~ *de ser fácil* verre van gemakkelijk; *a lo* ~ in de verte; *de* ~: *a*) uit de verte; *b*) verreweg; *llegar* ~ het ver brengen; *más* ~ verder; *ni de* ~ in de verste verte niet; *ni de* ~ *sabes*... je weet niet half...; *no le viene de* ~ dat heeft hij van geen vreemde
lelo suf, onnozel
lema *m* motto, devies, (lijf)spreuk
lempira munteenheid van Honduras
lémur *m* halfaap; ~*es* spoken
lencería 1 linnengoed, witgoed; 2 linnenwinkel; 3 lingerie
lendakari *m* president van Baskenland
lengua 1 tong; ~ *de buey* ossetong; ~ *de estropajo*, ~ *estropajosa*, ~ *de trapo*: *a*) dikke tong; *b*) brabbeltaaltje; *c*) brabbelaar(ster); ~ *de tierra* landtong; ~ *de víbora*, ~ *viperina* kwaadspreker, -spreekster; *andar en* ~*s* over de tong gaan; *buscar la* ~ *a u.p.* iem uit zijn tent lokken; *con la* ~ *fuera* met zijn tong op zijn schoenen; *hacerse* ~*s de* hemelhoog prijzen; *irse de la* ~ zijn mond voorbijpraten; *largo de* ~: *a*) onvoorzichtig in zijn uitlatingen; *b*) brutaal; *ligero de* ~, *suelto de* ~: *a*) loslippig; *b*) graag roddelend; *malas* ~*s* boze tongen; *media* ~ brabbeltaal; *morderse la* ~ zich verbijten, zich inhouden; *no morderse la* ~ ronduit zeggen waar het op staat; *una persona suelta de* ~ een flapuit; *sacar la* ~ zijn tong uitsteken; *no me tire de la* ~ breek me de bek niet open; *se le traba la* ~ hij kan niet uit zijn woorden komen, hij stottert; *tener la* ~ *afilada* een scherpe tong hebben; *tener la* ~ *larga* (*fig*) een grote mond hebben; *tirar de la* ~ *a u.p.* iem uithoren, uitvragen; 2 taal; ~ *administrativa* (*Belg*) bestuurstaal; ~ *escrita* schrijftaal; ~ *fuente*, ~ *original* brontaal; ~ *hablada* spreektaal; ~ *materna* moedertaal; ~ *meta*, ~ *receptora*, ~ *terminal* doeltaal; ~ *vernácula* landstaal; **lenguado** zeetong; **lenguaje** *m* taal(gebruik), spraak(gebruik); ~ *claro* klare taal; ~ *coloquial* omgangstaal; ~ *florido* bloemrijke taal; ~ *de gestos* gebarentaal; ~ *metafórico* beeldspraak; ~ *obsceno* schuttingtaal; ~ *de programación* programmeertaal; ~ *vigoroso* gespierde taal; **lenguaraz** brutaal, schaamteloos; indiscreet; **lengüeta** 1 (schoen)lip; 2 (*anat*) strotklepje; 3 enkel rietblad (*bij bep blaasinstrumenten, bv klarinet*); **lengüetada**, **lengüetazo** lik; **lengüilargo** *zie lenguaraz*
lenidad *v* zachtzinnigheid; **lenificación** *v* verzachting; **lenificar** verzachten
leninismo leninisme
lenitivo I *bn* verzachtend; II *zn* verzachtend middel; verlichting
lenocinio koppelarij
lente *v, soms m* 1 lens; ~ *de aumento* vergrootglas, loep; ~*s de contacto* contactlenzen; 2 brilleglas; monocle; 3 *mmv* bril; ~*s de pinza* lorgnet
lenteja lins; ~ *de agua* kroos; **lentejar** *m* linzenveld; **lentejuela** lovertje
lenticular lensvormig; **lentilla** contactlens
lentisco bep heester
lentitud *v* traagheid; **lento** langzaam, traag; ~ *y seguro* langzaam maar zeker
leña 1 (brand)hout; *echar* ~ *al fuego* olie op het vuur gooien; *llevar* ~ *al monte* water naar de zee dragen; *recoger* ~ sprokkelen; 2 pak slaag; **leñador** *m* houthakker
leñe: *¡~!* verdomme!
leño 1 houtblok; 2 (*fig*) ezel, stomkop || *dormir como un* ~ slapen als een blok; **leñoso** houtig, houtachtig
Leo *zie León*; **león**, **-ona** 1 leeuw(in); ~ *marino* zeeleeuw; *parte del* ~ leeuwedeel; 2 (*Am*) poema; **León** *m* (*astrol*) Leeuw; *los Leones* de Lions; **leonera** 1 leeuwekooi; 2 troep, rommelig vertrek
leonés, **-esa** uit Leon (*Spanje*)
leonino: *contrato* ~ contract waarbij één partij alle voordeel krijgt
leontina horlogeketting
leopardo luipaard
Leopoldo jongensnaam
leotardo 1 tricot (*kostuum*); 2 (*vaak mv*) maillot; panty
lepóridos *mmv* haasachtigen
lepra lepra; **leproso** melaats, lijdend aan lepra
lerdo traag van begrip
leridano uit Lérida
les *pers vnw 3e pers mv* 1 *meew vw* (aan) hen, hun; (aan) haar (*mv*); (aan) u (*mv*); 2 (*soms, bv in Castilië*) *lijd vw, mnl persoon* hen, ze; u (*mv*)
lesbia, **lesbiana** lesbienne; **lesbiano** lesbisch
lesión *v* letsel; blessure; ~ *de bala* schotwond; ~ *ocular* oogletsel; *sufrir -ones* letsel oplopen; **lesionado** geblesseerd; **lesionar** 1 verwonden; 2 (*rechten*) aantasten, schaden; **lesivo** schadelijk, nadelig; **leso** geschonden; *-a majestad* majesteitsschennis
lesna (schoenmakers)priem
letal dodelijk; *sueño* ~ doodsslaap
letanía litanie; lange reeks
letárgico lethargisch, slaapzuchtig; lusteloos; **letargo** lethargie; bedwelming
letón, **-ona** Lets; **Letonia** Letland
letra 1 letter; ~ *bastardilla*, ~ *itálica* cursief; ~ *capital* hoofdletter; ~ *cursiva*: *a*) cursief; *b*) lopend schrift; ~ *de imprenta*, ~ *de molde* drukletter; ~ *de mosca* kriebelpootje; ~ *negrita* vette letter; *a la* ~, *al pie de la* ~ letterlijk, naar de letter; *con todas sus* ~*s* voluit; *cuatro* ~*s*, *dos* ~*s* krabbel, kort briefje, kattebelletje; *primeras* ~*s* beginonderwijs; *no tomar muy a la* ~ met een korreltje zout nemen; 2 (hand)schrift; ~ *desfigurada* verdraaid handschrift; 3 tekst (*van lied*); 4 (*hdl*) ~ (*de cambio*) wissel; 5 ~*s* letteren, letterkunde; alfa(richting), talenkant; **letrado**, **-a** I *bn* (*iron*) geletterd, geleerd || *asistencia -a* rechtsbijstand; II *zn* advocaat, advocate, rechtskundige; **letrero** bord, bordje, naamplaatje; uithangbord; opschrift; straatnaambord; ~ *luminoso* lichtreclame

letrina latrine
leucemia leukemie; **leucocito** leukocyt, wit bloedlichaampje; **leucorrea** (*med*) witte vloed
leudante zelfrijzend
leva 1 (*scheepv*) vertrek uit haven, afvaart; 2 (*mil*) lichting; **levadizo:** *puente* ~ ophaalbrug; **levadura** zuurdesem; gist; ~ *en polvo* poedergist; **levantado** opgestaan; *¿Pepe ya está ~?* is Pepe al op?; *votar por ~s y sentados* stemmen bij zitten en opstaan; **levantamiento** 1 (het) opheffen; opheffing; ~ *de pesos* (het) gewichtheffen; 2 opstand; ~ *popular* volksoproer || ~ *de planos* kartering; **levantar** 1 verheffen, optillen, oplichten; omhooghouden; oprichten; (*dam, stof*) opwerpen; ~ *el cuello* zijn kraag opzetten; ~ *con el gato* (*auto*) opkrikken; ~ *la mirada,* ~ *los ojos* opkijken; ~ *la persiana* het rolgordijn optrekken; ~ *una polvareda* veel stof doen opwaaien; ~ *la voz* zijn stem verheffen; 2 (*kamp*) opbreken; 3 (*fig*) opheffen; (*lijk*) vrijgeven; ~ *la prohibición* het verbod opheffen; ~ *la sesión* de zitting opheffen; 4 opstellen, maken; ~ *el acta* de notulen maken; ~ *un mapa de* in kaart brengen; 5 (*wild*) opjagen; 6 (*protest*) uitlokken; ~ *sospechas* achterdocht wekken; **levantarse** 1 opstaan; zich verheffen; ~ *de un salto* opspringen, uit bed springen; 2 (*mbt wind*) opsteken; 3 ~ *con* ervandoor gaan met (*de kas*)
levante *m* 1 oosten; 2 oostenwind; **Levante:** *el ~: a*) de Levant (*Spanje's oostkust*); *b*) de Levant (*oosten vd Middellandse Zee*); **levantino** vd Levant; *la región -a* de Levant
levantisco opstandig, roerig
levar (*anker*) lichten, hieuwen, ophalen
leve 1 licht, luchtig; 2 (*mbt wond*) niet ernstig, licht; **levedad** *v* lichtheid
levita pandjesjas
léxico I *zn* 1 lexicon, woordenboek; 2 woordenschat; II *bn* lexicaal, vd woorden; **lexicografía** lexicografie; **lexicográfico** lexicografisch; **lexicógrafo, -a** lexicograaf, -grafe; **lexicología** lexicologie; **lexicólogo, -a** lexicoloog, -loge
ley *v* 1 wet; ~ *electoral* kieswet; ~ *del embudo* (het) meten met twee maten; ~ *de enjuiciamiento civil* wetboek van burgerlijke rechtsvordering; ~ *física* natuurwet; ~ *marco* kaderwet, (*Belg*) eenheidswet; *la ~ del mínimo esfuerzo* de wet vd minste weerstand; ~ *de patentes* octrooiwet; ~ *sálica* Salische wet; ~ *seca* anti-alcoholwet, "drooglegging"; *adoptar una* ~ een wet aannemen; *con todas las de la* ~ volwaardig, zoals het hoort; *de buena* ~ fatsoenlijk; *fuera de la ~: a*) onwettig; *b*) vogelvrij; *iguales ante la* ~ gelijk voor de wet; *ser de* ~ behoren; 2 standaard (*van edel metaal*); *la ~ del oro* de gouden standaard; 3 genegenheid; *tener ~ a u.p.* op iem gesteld zijn; 4 *~es* rechten(studie)
leyenda 1 legende; sage; ~ *negra* (*hist*) zwarte legende (*negatieve visie op Spanje vanuit het buitenland*); 2 bijschrift, onderschrift, opschrift
lezna *zie lesna*
liana liane
liar *i* 1 (in)wikkelen, inpakken, samenbundelen; ~ *un cigarillo* een sigaret rollen; 2 (*neg*) (*iem*) ergens in betrekken, ergens inluizen; **liarse** *i* 1 (*neg*) een verhouding beginnen; 2 ~ (*a puñetazos*) slaags raken
libanés, -esa, libaniego, -a Libanees; **Líbano:** *el* ~ Libanon
libar 1 (*mbt bij*) opzuigen (*van honing*); 2 nippen aan, proeven; 3 plengen, offeren
libelo spotschrift, smaadschrift
libélula libelle, waterjuffer
liberación *v* bevrijding; (*chem*) vrijkoming; **liberador, -ora** bevrijd(st)er; **liberal** 1 liberaal; 2 vrijgevig, royaal, gul; 3 vrij(zinnig) || *profesiones ~es* vrije beroepen; **liberalidad** *v* vrijgevigheid, gulheid; **liberalismo** liberalisme; ruimdenkendheid; **liberalización** *v* liberalisering; **liberalizar** liberaliseren, vrijer maken; (*handel*) vrijgeven; **liberar** bevrijden, verlossen; ~ *de* ontlasten van, vrijstellen van; ~ *el brazo* zijn arm vrijmaken; *acciones liberadas* volgestorte aandelen; **liberatorio** bevrijdend, ontheffend; **libérrimo** zeer vrij; **libertad** *v* vrijheid; ~ *de acción* (*fig*) speelruimte; ~ *de cultos* godsdienstvrijheid; ~ *de expresión* vrijheid van meningsuiting; ~ *de imprenta* vrijheid van drukpers; ~ *de prensa* persvrijheid; *estar en* ~ vrij rondlopen; *poner en* ~ in vrijheid stellen, vrijlaten; *tener ~ de acción* vrij spel hebben; **Libertador:** *el* ~ de Bevrijder, Simon Bolivar; **libertar** in vrijheid stellen, bevrijden; ~ *de* vrijstellen van; **libertarse** zich bevrijden, zich loswerken; **libertario, -a** anarchist(e), vrijdenker; **libertinaje** *m* bandeloosheid; **libertino, -a** I *bn* liederlijk, losbandig, bandeloos; II *zn* losbol; **liberto, -a** (*hist*) vrijgelatene
Libia Libië
libidinoso wellustig; **libido** libido, geslachtsdrift
libio Libisch
libra 1 (*hist, Sp*) pond (*bijna 500 gram*); 2 munteenheid van Engeland, pond sterling; **Libra** (*astrol*) Weegschaal
librado: *salir bien* ~ er goed afkomen; *salir mal* ~ er slecht afkomen; **librador, -ora** (*hdl*) degene die een wissel afgeeft, trekker; **libramiento** 1 (het) bevrijden, (het) ontheffen; kwijting; 2 wisselbrief, betaalopdracht; **libranza** *zie libramiento 2*; **librar** I *tr* 1 ~ (*de*) redden (*uit gevaar*); 2 ~ (*de*) ontheffen (*van verplichting*), afhelpen (van); 3 (*wissel*) afgeven; ~ *contra* trekken op; 4 (*officieel bericht*) uitgeven, afgeven; ~ *oficio* een ambtsbericht doen uitgaan || ~ *batalla* strijd leveren; II *intr* 1 zijn vrije dag hebben; 2 bevallen, een kind baren; **librarse** (*de*) zich bevrijden van,

zich ontdoen van; vermijden; ~ (*hábilmente*) *de* zich ergens uitdraaien, ergens onderuit weten te komen; **libre** 1 vrij, ongebonden; ongehinderd; ~ *de* vrij van; ~ *de cargas* vrij van lasten; *aire* ~ buitenlucht; *andar* ~ vrij rondlopen; *dejar* ~ (*plaats*) openlaten; *entrada* ~ vrij toegang; *ir por* ~ niet aan een partij gebonden zijn, geen lid van een partij zijn; *más* ~ *que un pájaro* zo vrij als een vogel in de lucht; *200 metros* ~*s* 200 m vrije slag; *navegación* ~ wilde vaart; *quedar* ~ (*mbt plaats*) vrijkomen; 2 (*chem*) ongebonden

librea livrei

librecambio vrijhandel; **librecambismo** vrijhandelsstelsel

librepensador, **-ora** vrijdenk(st)er

librería 1 boekhandel; ~ *de lance,* ~ *de viejo* antiquariaat; 2 boekenkast; **librero**, **-a** boekhandelaar; **libresco** uit boeken afkomstig; *conocimientos* ~*s* boekenwijsheid; *jerga -a* (*iron*) boekentaal; **libreta** aantekenboekje; ~ *de ahorros* spaarbankboekje; ~ *militar* militair zakboekje; **libreto** libretto, tekst; **librillo** boekje; ~ *de notas* notitieboekje; **libro** 1 boek; ~ *de bolsillo* pocket(boek); ~ *de caballería* ridderroman; ~ *de caja* kasboek; ~ *de cocina* kookboek; ~ *de consulta* naslagwerk; ~ *diario* (*boekh*) journaal; ~ *escolar* (*vglbaar*) rapportboekje; ~ *de familia* trouwboekje; ~ *genealógico* stamboek; ~ *de lectura* leesboek; ~ *mayor* (*boekh*) grootboek; ~ *de reclamaciones* klachtenboek; ~ *de texto* leerboek, schoolboek; ~ *voluminoso* dik boek, boekwerk; *ahorcar los* ~*s* de studie eraan geven; *hablar como un* ~ het allemaal prachtig weten te zeggen; *llevar los* ~*s* (*boekh*) de boeken bijhouden; 2 (*dierk*) boekmaag (*van herkauwer*)

licencia 1 licentie; concessie; *bajo* ~ in licentie; 2 vergunning; verlof; tapvergunning; ~ *absoluta* groot verlof; ~ *de armas* wapenvergunning; ~ *de caza* jachtakte, (*Belg*) jachtvergunning; ~ *de edificación,* ~ *de obras* bouwvergunning; ~ *por parto* zwangerschapsverlof, (*Belg*) bevallingsverlof; ~ *de pesca* visakte, (*Belg*) visverlof; *dar* ~ *para* verlof geven om; *estar con* ~ met verlof zijn; 3 losbandigheid; 4 (*vglbaar*) graad van doctorandus, doctoraal || ~ *poética* dichterlijke vrijheid; **licenciada** (*afk Lda.; vglbaar*) doctorandus (*vrouw*); **licenciado** 1 (*afk Ldo.; vglbaar*) doctorandus (*man*); ~ *en derecho* meester in de rechten; 2 soldaat met groot verlof; **licenciamiento** 1 (het) afstuderen (*aan universiteit*); 2 ontslag (*uit mil dienst*); **licenciar** 1 ontslaan (*vnl van militairen*); 2 vergunning geven; **licenciarse** (*univ, vglbaar*) afstuderen, het doctoraal behalen; **licenciatura** (*vglbaar*) doctoraalexamen

licencioso losbandig, liederlijk

liceo (*in bep landen*) middelbare school

licitación *v* 1 aanbesteding; ~ *pública* openbare inschrijving; *someter a* ~ aanbesteden; 2 (*op veiling*) bod; **licitador**, **-ora** bieder, inschrijver; **licitante** *m,v; zie licitador*; **licitar** 1 bieden, een bod doen; 2 inschrijven (*bij aanbesteding*)

lícito geoorloofd; wettig; **licitud** *v* wettigheid

licor *m* 1 likeur; ~*es* gedistilleerd; ~ *de huevos* advocaat; 2 (*chem*) vocht; **licorera** 1 likeurfles; 2 likeurstel

licuación *v* (het) vloeibaar maken, (het) vloeibaar worden; **licuado** vloeibaar; *gas* ~ vloeibaar gas; **licuadora** (*huish*) blender; ~ *automática* blender, sapcentrifuge; **licuar** ú vloeibaar maken; **licuefacción** *v* (*mbt gas*) vloeibaarwording

lid *v* strijd, gevecht; debat; *en buena* ~ in een eerlijke strijd; *en estas* ~*es* (*fig*) op dit terrein

líder *m* leider; ~ *estudiantil* studentenleider; ~ *sindical* vakbondsleider; *una empresa* ~ een vooraanstaande onderneming; **liderato**, **liderazgo** leiderschap

lidia 1 stieregevecht; 2 strijd; **lidiador** *m* stierenvechter; **lidiar** I *tr* (*stier*) bevechten; II *intr* strijden

liebre *v* haas; *coger una* ~ (*fam*) vallen; *donde menos se piensa salta la* ~ je weet nooit hoe een koe een haas vangt; *levantar la* ~ de bal aan het rollen brengen, de knuppel in het hoenderhok gooien

lied *m* lied (*in concert*)

liendre *v* luizeëi, neet

lienzo 1 doek, lap; ~ *crudo,* ~ *moreno* grove ongebleekte katoen; ~ *curado* grove gebleekte katoen; 2 (schilders)doek; schilderij; 3 (wand)paneel

liga 1 bond; bondgenootschap; (*sp*) (ere)divisie, competitie; ~ *hanseática* Hanze; *hacer buena* ~ het goed (met elkaar) kunnen vinden; 2 jarretel; 3 vogellijm; maretak; 4 elasticiteit (*bv van deeg*); 5 mengsel; le'gering; 6 bindmiddel; **ligado** I *zn* 1 (het) aan elkaar schrijven (*van letters*); 2 (*muz*) legato, verbinding (*van klanken*); II *bn* (*mbt mayonaise*) glad, niet geschift; **ligadura** 1 (het) verbinden (*bv van tonen*); 2 (het) afbinden (*van ader*); klemverband; 3 band; 4 belemmering; belemmering vd voortplanting (*door betovering*); **ligar** I *tr* vastbinden; ~ (*a*) verbinden (met); binden; II *intr* vriendschap sluiten; (*amoureus*) contact leggen, scharrelen, versieren; **ligarse** 1 zich (*moreel*) verbinden; 2 een verbond aangaan, zich verenigen; 3 (*amoureus*) contact leggen, versieren; **ligazón** *v* 1 band; 2 bindmiddel

ligereza 1 snelheid; 2 lichtheid; 3 lichtvaardigheid, onnadenkendheid; luchthartigheid; **ligero** 1 licht (*van gewicht*); luchtig; verdund; ~ *como una pluma* vederlicht; *a la -a* vluchtig, met de Franse slag; *comida -a* licht maal; *hecho a la -a* slordig gedaan; *peso* ~ (*sp*) lichtgewicht; *sueño* ~ lichte slaap; 2 vlug, snel; 3 lichtvaardig; luchthartig; ~ *de cascos* leeghoofdig; ~ *de lengua* los van tong; *de* ~ onnadenkend; *tomar las cosas a la -a* het niet zo

nauw nemen, de dingen luchtig opvatten; 4 (*mbt vrouw*) lichtzinnig
lignito bruinkool
ligón, -ona iem die gemakkelijk contact legt (*met de andere sekse*), versierder; **ligue** *m* 1 amoureuze verhouding; 2 vriendje, vriendinnetje
liguero I *bn* (*sp*) vd competitie, vd (ere)divisie; *partida -a* competitiewedstrijd; II *zn* jarretelgordel; **liguilla** (*sp*) competitiegroep
ligustro liguster
lija 1 kathaai; 2 (*papel de*) ~ schuurpapier; **lijadora** schuurmachine; **lijar** schuren
lila I *zn* 1 sering; 2 *m* lila; II *bn, onv* 1 lila; 2 niet goed wijs
liliputiense *m,v* lilliputter
1 lima 1 vijl; ~ *basta* grove vijl; ~ *cuadrada* blokvijl; ~ *dulce,* ~ *fina* zoetvijl; ~ *de uñas* nagelvijl; 2 (*fig*) (het) bijvijlen
2 lima limoen
limado (het) vijlen; **limador, -ora** iem die vijlt; **limadura** 1 (het) vijlen; 2 ~*s* vijlsel; **limar** 1 (af)vijlen; 2 (*fig*) bijvijlen, perfectioneren; ~ *las asperezas* de scherpe kantjes eraf halen
limaza naaktslak
limbo (*r-k*) limbus, voorgeborchte; *estar en el* ~ niet met beide benen op de grond staan
limeño uit Lima (*Peru*)
limero limoenboom
limitable te beperken; **limitación** *v* beperking; begrenzing; ~ *de la natalidad* geboortenbeperking; **limitado** 1 beperkt (*ook fig*); 2 met beperkte aansprakelijkheid; *zie ook sociedad*; **limitador, -ora** beperkend; **limitar** I *tr* beperken, limiteren; aan banden leggen; begrenzen; II *intr* ~ *con* grenzen aan; **limitarse** (*a*) zich beperken (tot), zich bepalen tot; **limitativo** limitatief, beperkend; **límite** *m* grens, limiet; ~*s* begrenzing; ~ *del bienestar* welstandsgrens; ~ *de edad* leeftijdsgrens; ~ *inferior* ondergrens; ~ *salarial* loongrens; ~ *de tiempo* tijdslimiet; *casos* ~ grensgevallen; *exceder los* ~*s* de perken te buiten gaan; *fecha* ~ uiterste datum; *sin* ~*s* onbeperkt; **limítrofe** (*con, de*) aangrenzend (aan)
limo slijk, modder
limón I *m* 1 citroen; ~ *natural* (citroen)kwast; 2 citroenboom; II *bn, onv* citroenkleurig; **limonada** citroenlimonade; **limonar** *m* citroengaard; **limonero** I *zn* citroenboom; II *bn* vd citroen
limosna aalmoes; *pedir* ~ bedelen; **limosnero** liefdadig
limpia 1 grote schoonmaak (*ook fig*); 2 *m* (*fam*) schoenpoetser; **limpiabarros** *m* schoenschraper; **limpiabotas** *m* schoenpoetser; **limpiacristales** *m* glazenwasser; **limpiadientes** *m* tandestoker; **limpiador, -ora** I *bn* reinigend, schoonmakend; II *zn* schoonmaker, -maakster; **limpialavaluneta** ruitesproeier en -wisser; **limpiaparabrisas** *m* ruitewisser; **limpiar** 1 schoonmaken; afvegen; (*ramen*) lappen; ~ *de* zuiveren van; ~ *a chorro* schoonspuiten; ~ *con chorro de arena* zandstralen; ~ *a fondo* een goede beurt geven; ~ *de polvo,* ~ *el polvo de* (af)stoffen; ~ *en seco* stomen, chemisch reinigen; ~ *con un trapo* schoonvegen; 2 (*in spel*) afhandig maken; *me limpiaron fls 10* ik ben f 10 lichter; **limpiarse** 1 zich zuiveren (*bv van schuld*); 2 koortsvrij worden; **limpiatodo** allesreiniger; **limpidez** *v* (*lit*) reinheid; **límpido** (*lit*) rein, zuiver; **limpiecito** kraakhelder; **limpieza** 1 netheid, (het) schoon zijn; 2 reiniging; (het) schoonhouden; beurt, schoonmaak; ~ *municipal* stadsreiniging; *señora de la* ~ schoonmaakster; 3 vaardigheid (*bv in goochelen*); 4 kuisheid; 5 eerlijkheid; **limpio** I *bn* 1 schoon; net, proper; rein, zuiver; schoongemaakt, gepeld; ~ *como la plata* brandschoon; ~ *de culpa* vrij van schuld; *conciencia -a* zuiver geweten; *en* ~*: a*) schoon, zonder afval; *b*) in het net; *mantener* ~ schoonhouden; *pared -a* blanke muur, niet volgehangen muur; 2 (*mbt hemel*) helder, strak; (*mbt contouren*) duidelijk; 3 eerlijk, fatsoenlijk; 4 (*mbt hond*) zindelijk || *a...*~ louter door...; *a grito* ~ al schreeuwend; *estar* ~ (*onder studenten*) van een bep onderwerp niets afweten; *sacar en* ~ concluderen, begrijpen; II *bw* eerlijk; *jugar* ~ eerlijk spelen, recht door zee gaan
linaje *m* 1 afkomst, geslacht, familie; 2 soort, aard
linaza lijnzaad
lince *m* (*dierk*) los, lynx; *ojos de* ~ heel scherpe ogen; *ser un* ~ heel slim zijn
linchar lynchen
lindante (*con*) grenzend (aan); **lindar** (*con*) grenzen (aan); **linde** *m,v* grens, zoom (*bv van bos*); **lindero** grens; *en los* ~*s de* op de grens van (*ook fig*)
lindeza 1 schoonheid; 2 belediging; **lindo** (*vnl Am*) mooi || *de lo* ~ danig, heel erg
línea 1 lijn (*ook fig*); streep; regel; linie; ~ *aerodinámica* stroomlijn; ~ *de agua,* ~ *de flotación* waterlijn; ~ *ascendente* stijgende lijn, opgaande lijn; ~ *de banda* (*sp*) zijlijn; ~ *de batalla: a*) gevechtsopstelling; *b*) front; ~ *colateral* zijtak (*van familie*); ~ *de combate* front; ~ *de conducta* gedragslijn, richtsnoer; ~ *de contacto* bovenleiding; ~ *de crédito,* ~ *crediticia* credit line, kredietfaciliteiten; ~ *curva* kromme lijn; ~ *delantera* (*sp*) voorhoede; ~ *descendente* neergaande lijn; ~ *directriz* richtlijn; ~ *divisoria* scheidslijn; ~ *erótica* sexlijn; ~ *estratégica* strategie; ~ *de gol* (*sp*) doellijn; ~ *de intersección* snijlijn; ~ *de llegada* eindstreep; ~ *masculina* mannelijke lijn; ~ *de negocios* branche; ~ *de puntos* stippellijn; ~ *quebrada,* ~ *rayada,* ~ *de rayas,* ~ *de trazos* streepjeslijn, gebroken lijn; ~ *recta* rechte lijn; ~ *de salida* startstreep; ~ *de tiro* vuurlinie; *abrir* ~*s* (*sp*) doorbreken, aanvallen; *en* ~ *de* over een lijn van; *en* ~*s generales* in grote trekken; *en* ~ *recta: a*) regel-

recht; *b*) hemelsbreed; *en la misma* ~ op één lijn; *en primera* ~ op de voorgrond; *en su* ~ in zijn soort; *en, por toda la* ~ over de hele linie; *entre ~s* tussen de regels; *por ~ paterna* van vaderszijde; *tres ~s más abajo* drie regels verder; 2 (*mbt verkeer*) lijn; ~ *aérea: a*) luchtlijn; *b*) bovengrondse leiding; ~ *fija* vaste lijn; ~ *marítima* scheepvaartlijn; ~ *telefónica* telefoonlijn; *vuelo de* ~ lijnvlucht; 3 figuur, (slanke) lijn; modelijn; *guardar la* ~ aan de lijn doen; **lineal** lineair; *metro* ~ strekkende meter

linfa lymfe; **linfático** 1 vd lymfe; *ganglios ~s* lymfeklieren; 2 apathisch; **linfócito** lymfocyt

lingote *m* staaf, baar; ~ *de uranio* uraniumstaaf

lingual vd tong; **lingüista** *m,v* linguïst(e), taalkundige; **lingüística** linguïstiek, taalkunde; ~ *comparada* vergelijkende taalwetenschap; **lingüístico** taalkundig

linimento (masseer)zalf, liniment

lino 1 vlas; 2 linnen; ~ *crudo* ongebleekt linnen

linóleo linoleum

linterna lantaarn; ~ *de bolsillo* zaklantaarn; ~ *de cuadra* stallantaarn; ~ *de señales* seinlamp, flikkerlicht

lío 1 bundel; 2 verwikkeling, affaire, moeilijkheid, lastig parket, soesa; *estar metido en un* ~ in de knoei zitten; *meterse en un* ~ zich in de nesten werken; *¡en qué ~ me he metido!* wat ben ik begonnen!; *¡vaya un ~!* dat is me ook een toestand!; 3 troep, drukte

lionés, -esa uit Lyon

lioso, -a I *bn* 1 verward, ingewikkeld; 2 onrust stokend; II *zn* (onrust)stoker, -stookster

liquen *m, mv líquenes* korstmos

liquidable 1 wat vloeibaar gemaakt kan worden; 2 te liquideren; *base* ~ (*financ*) belastbare grondslag; **liquidación** *v* 1 (het) vloeibaar maken, (het) vloeibaar worden; 2 afwikkeling, afdoening; vereffening; aflossing (*van schuld*); ~ *de cuentas* afrekening; ~ *provisional* voorlopige aanslag; 3 liquidatie, opheffing; uitverkoop, balansopruiming; ~ *por cese* opheffingsuitverkoop; **liquidar** 1 vloeibaar maken; 2 afwikkelen, vereffenen, afdoen; afbetalen; ~ *una deuda* een schuld voldoen; 3 liquideren; uitverkopen; 4 ~ *a u.p.* iem liquideren; **liquidez** *v* 1 vloeibare staat; 2 (*hdl*) liquiditeit; **líquido** I *bn* 1 vloeibaar; nat; *gas* ~ vloeibaar gas; 2 netto; *importe* ~ netto bedrag; 3 (*mbt middelen*) liquide; II *zn* 1 vocht, vloeistof; ~ *del freno* remvloeistof; 2 ~ *imponible* belastbare waarde

lira 1 lier; 2 lire (*munteenheid van Italië*); 3 (*Sp*) bep versvorm; **lírica** lyriek; **lírico** lyrisch

lirio iris; ~ *de agua* waterlelie; ~ *blanco* witte lelie; ~ *de los valles* lelietje-van-dalen

lirón *m* zevenslaper; *dormir como un* ~ slapen als een roos

lirondo *zie mondo*

lis *v* lelie; (*flor de*) ~ Franse lelie

lisamente: *lisa*(*mente*) *y llanamente* ronduit, zonder omhaal

Lisboa Lissabon; **lisboeta, lisbonense** uit Lissabon

lisiado invalide; **lisiar** verminken

liso glad, effen, egaal; (*mbt haar*) steil; ~ *y llano* zonder omhaal

lisol *m* lysol

lisonja vleierij; **lisonjeador, -ora** vlei(st)er; **lisonjear** vleien, (*fig*) strelen; **lisonjero** vleiend; rooskleurig; *perspectivas -as* rooskleurige vooruitzichten

lista 1 lijst; intekenlijst; ranglijst; ~ *de asistencia* presentielijst; ~ *de bodas* verlanglijst (*bij huwelijk*), (*Belg*) huwelijkslijst; ~ *de calificaciones,* ~ *de notas* cijferlijst, rapport; ~ *de candidatos* voordracht; ~ *de compras* boodschappenlijst; ~ *electoral* verkiezingslijst; ~ *de espera* wachtlijst; *la ~ negra* de zwarte lijst; ~ *de platos* spijskaart; ~ *de precios* prijslijst; ~ *de socios* ledenlijst; ~ *de vinos* wijnkaart; *estar en la ~ para* op de nominatie staan om; *pasar* ~ de namen afroepen, de presentielijst laten rondgaan, de absentie opnemen; 2 ~ *de correos* poste-restante; 3 streep (*in stof*); *a ~s* gestreept; **listado** I *bn* gestreept; II *zn* (*comp*) listing; **listero** hij die de lijst (*van werknemers*) bijhoudt

listeza slimheid, intelligentie; flair

listín *m* korte lijst; ~ *de teléfonos: a*) telefoonklapper; *b*) lijstje met telefoonnummers

listo 1 intelligent, slim, pienter; knap; ~ *como el hambre* snel van begrip; *pasarse de* ~ zijn doel voorbijschieten, te slim willen zijn; *ser* ~ slim zijn; *ser ~ de manos* (*fig*) lange vingers hebben; 2 klaar, gereed; ~ *para entrega* leverbaar; ~ *para el montaje* pasklaar; ~ *para el uso* gebruiksklaar; *¡~s! ¡ya!* klaar, af!; *estar* ~ klaar zijn || *¡estás ~!* nou ben je zuur!; *¡estoy ~!* ik ben er mooi bij!

listón *m* lat

lisura 1 gladheid, effenheid; 2 (*fig*) openheid

litera 1 draagstoel; 2 couchette; kooi; *~s* stapelbed

literal letterlijk, woordelijk; **literario** literair, letterkundig; **literato, -a** letterkundige; **literatura** literatuur, letterkunde; ~ *universal* wereldliteratuur; *hacer* ~ het mooi weten te zeggen

litigante procederend; *las partes ~s* de procespartijen; **litigar** procederen; **litigio** geschil; *en* ~ omstreden; *fondo del* ~ grondgeschil; **litigioso** betwist; omstreden; *punto* ~ geschilpunt

litografía litho(grafie), steendruk

litoral I *bn* vd kust; II *m* kust(streek)

litosfera aardkorst

litro (*afk l*) liter; **litrona** literfles (bier)

Lituania Litouwen; **lituano** Litouws

liturgia liturgie; **litúrgico** liturgisch

liviandad *v* lichtzinnigheid; **liviano** 1 licht (*van gewicht*); 2 lichtzinnig, ontrouw

lividecer doodsbleek worden; **lividez** *v* lijkkleur; **lívido** 1 doodsbleek, lijkbleek; 2 paars
living *m* huiskamer, zitkamer
liza 1 strijdperk; 2 strijd; *los candidatos en* ~ de strijdende kandidaten; *entrar en* ~ zich in de strijd mengen
ll *elle v* (*Sp letter*) ll
llaga wond, zweer; *renovar la* ~ (*fig*) oude wonden openrijten; **llagar** verwonden, doen zweren; **llagarse** gaan zweren, wonden krijgen
1 llama vlam; ~ *piloto* waakvlam; *en* ~*s* brandend; *estar en* ~*s* in brand staan; *salir de las* ~*s y caer en las brasas* van de regen in de drup komen
2 llama lama
llamada 1 (het) roepen, roep; oproep; klop (*op de deur*); 2 (*mil*) appèl; 3 ~ (*telefónica*) (het) opbellen; telefoongesprek; 4 verwijzing, noot; **llamado** genaamd; (*así*) ~: *a*) zogeheten; *b*) zogenaamd; *muchos son los* ~*s y pocos los elegidos* velen zijn geroepen, maar weinigen uitverkoren; *zie ook llamar*; **llamador, -ora** 1 iem die roept; 2 *m* deurklopper, bel; **llamamiento** oproep; ~ *a* beroep op; **llamar** 1 roepen; (*diplomaat*) terugroepen; ~ *la atención* de aandacht trekken, opvallen; ~ *la atención hacia* attent maken op; ~ *a filas* (*mil*) oproepen; ~ *a la huelga* tot staking oproepen; ~ *al médico* de dokter laten komen; *lo que se llama*... wat je noemt...; *sentirse llamado a* zich geroepen voelen om; 2 aankloppen, bellen; *llaman a la puerta* er wordt gebeld, er wordt geklopt; *entrar sin* ~ binnen zonder kloppen; 3 ~ (*por teléfono*) (op)bellen; 4 noemen; **llamarse** heten
llamarada 1 steekvlam; 2 (het) plotseling blozen; 3 bevlieging, vlaag
llamativo opvallend; opzichtig
llameante vlammend; **llamear** vlammen, oplaaien
llana soort troffel; **llanamente** eenvoudig, natuurlijk; **llanero, -a** 1 bewoner of bewoonster vd vlakte; 2 bewoner of bewoonster vd savanne (*in Venezuela*); **llaneza** eenvoud, natuurlijkheid; **llano I** *bn* 1 plat, vlak; *ángulo* ~ gestrekte hoek; *punto* ~ platsteek; 2 eenvoudig; *a la -a* eenvoudig; *estado* ~ (*hist*) derde stand; 3 (*gramm*) met accent op de voorlaatste lettergreep || (*de*) ~ duidelijk; **II** *zn* vlakte
1 llanta 1 velg; 2 band; ~ *desinflada* slappe band
2 llanta soort kool
llantén *m* grote weegbree
llantera, llantina huilbui; **llanto** gehuil, tranen; *acceso de* ~ huilbui; *contener el* ~ zijn tranen bedwingen; *tener el* ~ *fácil* gauw huilen
llanura (laag)vlakte; prairie
llar *m* 1 haardplaats (*in keuken*); 2 ~*es* ketting waaraan de pannen hangen
llave *v* 1 sleutel (*ook techn, muz*); ~ *de caja*, ~ *de cubo* dopsleutel; ~ *de contacto* contactsleuteltje; ~ *de dos bocas* moersleutel; ~ *fija*, ~ *de boca* steeksleutel; ~ *de distribución* verdeelsleutel; ~ *inglesa* Engelse sleutel; ~ *maestra* loper; ~ *tubular* pijpsleutel; *bajo* ~ achter slot; *bajo siete* ~*s* achter slot en grendel; *cerrar con* ~, *echar la* ~ op slot doen; *cerrado con* ~ op slot; 2 kraan; (*elektr*) schakelaar, knop; ~ *del gas* gaskraan; ~ *de paso* afsluitkraan (*in waterleiding*), hoofdkraan; ~ *selectora* keuzeschakelaar; 3 klep (*van blaasinstrument*); 4 haan (*van geweer*); 5 accolade; rechte haak; 6 (*sp*) houdgreep; **llavero** 1 sleutelbewaarder; 2 sleuteletui, sleutelhanger; **llavín** *m* kleine sleutel
llegada (aan)komst; *a la* ~ bij aankomst; **llegar** 1 ~ (*a*) aankomen (in, te); komen; reiken (tot); voldoende zijn (voor); ~ *a un acuerdo* tot overeenstemming komen; ~ *a casa* thuiskomen; ~ *al conocimiento* ter kennis komen; ~ *lejos* het ver brengen; ~ *al poder* aan het bewind komen; *al* ~ bij aankomst; *estar al* ~ ieder ogenblik kunnen arriveren; *estamos llegando* we zijn er haast; *hacer* ~ zorgen dat je ergens mee uitkomt; *¡hasta ahí podíamos* ~*!* dat is toch het toppunt!; *no* ~ *a* lang niet zo goed zijn als; *si llega el caso* als puntje bij paaltje komt; *si llego a verle*... als ik hem gezien had...; *el vestido le llega hasta los pies* haar jurk hangt tot op de grond; *ya llegará: a*) hij komt nog wel; *b*) hij komt er wel (*ook fig*); 2 ~ *a* het brengen tot; ~ *a más* hogerop komen; 3 ~ *a* + *onbep w: a*) zelfs...; *llegó a insultarle* hij beledigde hem zelfs; *b*) uiteindelijk...; *llegó a gustarle* op den duur ging het haar smaken; ~ *a ser* worden, het brengen tot; 4 *no* ~ *a* + *onbep w* niet helemaal...; *no llegué a explicárselo* ik heb het hem niet goed kunnen uitleggen; **llegarse** gaan; ~ *por* (*bij iem*) langsgaan, langskomen
llenado (het) vullen; **llenar** 1 ~ (*de, con*) vullen (met); vervullen (met); opvullen; invullen; overladen (met); ~ *el boleto* de bon invullen; ~ *las condiciones* de voorwaarden vervullen; ~ *la medida* de maat doen overlopen; *me llena de miedo* het vervult mij met vrees; 2 bevredigen, vol'doen; ~ *una necesidad* in een behoefte voorzien; **llenarse** (*de*) zich vullen (met), vollopen (met), volraken (met); zich vol eten; **llenazo** (*fam*) volle bak, volle zaal; **llene** *m* (het) vullen; **lleno I** *bn:* ~ (*de*) vol (met); vervuld (van); gevuld (*niet slank*); ~ *hasta el borde*, ~ *hasta los topes* boordevol; *de* ~ volledig, volop; **II** *zn* 1 volle zaal; *un* ~ *imponente* (*theat*) een enorme toeloop; 2 volle maan
llevable 1 (*mbt kleren*) draagbaar; 2 draaglijk; **llevadero** draaglijk; **llevar** 1 dragen; brengen; leiden, voeren; meenemen; vervoeren; (weg)brengen; ~ *adelante* (*iets*) doorzetten, doordrijven; ~ *aparejado*, ~ *consigo* (*fig*) met zich meebrengen; ~ *a bordo* aan boord hebben; ~ *a buen fin* tot een goed einde brengen; ~ *a cabo* volbrengen, uitvoeren, tot stand bren-

gen; ~ *a cuestas* op de rug dragen; ~ *al huerto* om de tuin leiden; ~ *al mercado* op de markt brengen; ~ *a la práctica* doorvoeren; ~ *a u.p. en coche* iem een lift geven; *dejarse* ~ meegaand zijn; *dejarse* ~ *por* zich laten leiden door; *me llevaría muy lejos* dat zou mij te ver voeren; *no* ~ *armas* ongewapend zijn; 2 (*kleren*) dragen, aanhebben; 3 voeren, bijhouden; (*leven*) leiden; (*de kas*) houden; *llevado por* gedreven door; *llevado por los celos* door jaloezie gedreven; ~ *la casa* het huishouden doen; ~ *el compás* de maat slaan; ~ *la correspondencia* de correspondentie voeren; ~ *las cuentas,* ~ *los libros* boekhouden; ~ *la derecha* rechts houden; ~ *la palabra* het woord voeren; ~ *el paso* in de pas lopen; ~ *el timón* (*schip*) sturen; ~ *una vida alegre* een vrolijk leven leiden; 4 (*rekenk*) aftrekken, inhouden; (*bij staartoptelling*) onthouden; 5 vóór zijn; ~ *la delantera* voorliggen; *me lleva dos años* hij is twee jaar ouder dan ik; 6 ~ *a* leiden tot, drijven tot, ertoe brengen om; (*mbt straat*) uitkomen op, leiden naar; *esto me lleva a pensar...* dit doet mij denken...; 7 ~ + *gerundio* al aan het... zijn; (*met hoeveelheid, tijd*) er al op hebben zitten; *llevo escribiendo desde las dos* ik zit al vanaf twee uur te schrijven; *llevan dos meses de casados* ze zijn sinds twee maanden getrouwd; *lleva un mes en casa* hij zit al een maand thuis; *lleva pocos kilómetros* (*mbt auto*) er is nog weinig mee gereden; *¿cuánto tiempo llevas de relaciones?* hoe lang heb je al verkering?; 8 ~ + *volt dw* al ge... hebben; *llevo escritas seis cartas* ik heb al zes brieven geschreven || ~ *a mal* kwalijk nemen; ~ *la peor parte,* ~ *las de perder* aan het kortste eind trekken, het onderspit delven; *llevas razón* je hebt gelijk; **llevarse** 1 meenemen; 2 verkrijgen, in de wacht slepen; ~ *el mérito* met de eer gaan strijken; 3 hebben, krijgen; ~ *un susto* schrikken; 4 overweg kunnen; ~ *bien* goed (met elkaar) kunnen opschieten

llorar I *intr* huilen; *llorando* in tranen; *romper a* ~ in huilen uitbarsten; II *tr* bewenen, huilen om, betreuren; **llorera** vreselijke huilbui; **llorica** *m,v; als bn onv: zie llorón*; **lloriquear** jengelen, dreinen, snotteren; **lloriqueo** gepruil, gejammer; **lloro** gehuil; **llorón**, **-ona** I *bn* huilerig; snotterig; II *zn* huilebalk, schreeuwlelijk; **lloroso** huilerig; betraand

llovedizo (*mbt dak*) lekkend; **llover ue** regenen; *llueven las malas notas* het regent onvoldoendes; *llueve sobre mojado* een ongeluk komt nooit alleen; (*como*) *llovido del cielo* als een geschenk uit de hemel; *como quien oye* ~ alsof het hem niet aangaat, zonder zich ergens iets van aan te trekken; **lloverse ue** doorregenen, lekken; **llovido**, **-a** verstekeling(e); **llovizna** motregen; **lloviznar** motregenen

lluvia regen (*ook fig*); ~ *ácida* zure regen; ~ *torrencial* stortregen; *amenaza* ~ er dreigt regen; *se pronostica* ~ er is regen voorspeld; **lluvioso** regenachtig; buiig

lo I *lidw, onz enkv* het; ~ *útil* het nuttige; II *pers vnw, mnl enkv lijd vw* hem, het

loa lof; **loable** prijzenswaard, loffelijk

lobato wolvejong; **lobo**, **-a** wolf, wolvin; ~ *cerval* lynx; ~ *de mar* zeebonk, ouwe zeerob; ~ *marino* rob, zeehond; *un* ~ *con piel de oveja* een wolf in schaapskleren || *desollar el* ~ zijn roes uitslapen

lóbrego naargeestig, duister; **lobreguez** *v* (het) duister

lóbulo lob, kwab; ~ *de la oreja* oorlel

locación *v* (*Am*) huur

local I *m* 1 lokaal, ruimte; lokaliteit; winkelpand; 2 *los ~es* (*sp*) de thuisclub; II *bn* plaatselijk; *hora* ~ plaatselijke tijd; **localidad** *v* 1 plaats, stad; 2 (zit)plaats; toegangskaart; *reserva de ~es* plaatsbespreking; *venta de ~es* kaartverkoop; **localismo** 1 provinciaal karakter; bekrompenheid; 2 plaatselijke uitdrukking; **localización** *v* 1 lokalisatie, begrenzing; 2 opsporing; **localizador** *m* pieper, zoeker; **localizar** 1 lokaliseren, begrenzen; 2 opsporen, lokaliseren

locatario, **-a** huurder, huurster

locatis *m,v* gek, dwaas

loción *v* lotion; ~ *capilar* haarlotion; ~ *corporal* bodylotion

lock-out *m* lock-out

loco gek; krankzinnig; dol, dwaas; ~ *de alegría* dol van blijdschap; ~ *de atar,* ~ *de remate* stapelgek; ~ *criminal* gevaarlijke gek; *un* ~ *hace ciento* slechte voorbeelden werken aanstekelijk; *a lo* ~ in het wilde weg; *cada* ~ *con su tema* iedereen heeft zijn stokpaardje; *estar* ~ *por* gek zijn op; *¿estás ~?* ben je gek geworden?; *hacer el* ~ zich uitleven; *hacerse el* ~ doen of je gek bent, zich van de domme houden; *medio* ~ getikt; *verse* ~ *para* zich uitsloven om; *volver* ~ gek maken; *volverse* ~ gek worden

locomoción *v* voortbeweging; *medio de* ~ vervoermiddel; **locomotor**, **-ora** *bn* voortbewegend; **locomotora** locomotief; ~ *de vapor* stoomlocomotief; **locomotriz** *vrl bn* voortbewegend

locuacidad *v* spraakzaamheid; **locuaz** spraakzaam; babbelziek; **locución** *v* uitdrukking, zegswijze

locura krankzinnigheid, waanzin; gekte; dwaasheid; gekkenwerk; *con* ~ waanzinnig; *gastar una* ~ krankzinnig veel uitgeven; *no es ninguna* ~ dat is zo gek nog niet

locutor, **-ora** omroep(st)er; **locutorio** 1 spreekkamer (*in gevangenis, klooster*); 2 telefooncel

lodazal *m* modderpoel

loden *m* loden (*stof*)

lodo modder; **lodoso** modderig

loess *m* löss

logaritmo logaritme

logia 1 (vrijmetselaars)loge; 2 loggia
lógica logica; **lógico** logisch
logística logistiek
logo, logotipo logo
logrado geslaagd; **lograr** bereiken, slagen in; ~ *abrir* openkrijgen; ~ *la primera plana* de voorpagina halen; ~ *resultado* resultaat behalen; ~ *sofocar el incendio* de brand meester worden; ~ *soltar* loskrijgen; **lograrse** lukken; **logrero, -a** woekeraar(ster); **logro** 1 (het) bereiken, vervulling, verwezenlijking; 2 verworvenheid, prestatie, succes; 3 winst; woekerwinst
loísmo (*gramm*) foutief gebruik van lo, los voor mnl persoon meew vw (*ipv le, les*)
Lola, Lolita *afk van Dolores*
loma (*langwerpige*) heuvel
lombarda rode kool; **lombardo** Lombardisch
lombriz *v* pier, worm; ~ *intestinal* darmworm; ~ *solitaria* lintworm; ~ *de tierra* aardworm
lomera rug (*van boek*); *con ~ de piel* met leren rug; **lomo** 1 lende, rug (*van dier*); lendestuk; *a* ~ te paard; *encorvar el* ~ een hoge rug opzetten; 2 rug (*van boek*); 3 aardrug (*tussen voren*); 4 botte kant (*van mes*); 5 *~s* (*fam*) ribben, rug
lona canvas, zeildoek; dekzeil
loncha plak
lonchería (*Am*) lunchroom
londinense uit Londen; **Londres** *m* Londen
longanimidad *v* grootmoedigheid; evenwichtigheid; **longánimo** grootmoedig; evenwichtig
longaniza bep worst
longevidad *v* lange levensduur; **longevo** zeer oud, hoogbejaard
longitud *v* lengte (*ook aardr*); ~ *este* oosterlengte; ~ *de onda* golflengte; **longitudinal** in de lengte, lengte-; *eje* ~ lengteas; **longitudinalmente** in de lengte, overlangs
1 lonja plak
2 lonja (koopmans)beurs
lontananza verte; (*op schilderij*) diepte
loor *m* lof; *en ~ de* ter ere van
loquear gekke dingen zeggen, rare dingen doen; vrolijk spektakel maken
lord *m, mv lores* lord
Loren *afk van Lorenzo*; **Lorenzo** jongensnaam
Lores *mmv: Cámara de los* ~ Hogerhuis
loriga harnas, pantser
loro papegaai
los *pers vnw, 3e pers mnl mv lijd vw* hen, ze; *no ~ veo* ik zie ze niet
losa 1 ~ (*sepulcral*) (graf)steen, zerk; 2 vloertegel; ~ *vinílica* vinyltegel
losange *m* ruitfiguur
loseta kleine vloertegel
lote *m* 1 aandeel, deel; 2 kavel, perceel; *dividir en ~s* verkavelen; 3 partij goederen; 4 pakket aanbiedingen
lotería 1 loterij; ~ *nacional* (*vglbaar*) staatsloterij; *jugar a la* ~ in de loterij spelen; *le ha tocado la ~, le ha caído la* ~ hij heeft gewonnen in de loterij; 2 ~ (*de cartones*) lotto, kienspel; **lotero, -a** houd(st)er van loterijkantoor
1 loto lotus
2 loto *v* loterij, lotto
Lovaina Leuven (*België*)
loza aardewerk, serviesgoed
lozanía 1 kracht, frisheid; jeugd; 2 trots; **lozano** 1 fris, krachtig; jeugdig; 2 trots
lubina zeewolf (*vis*)
lubricación *v* smering; ~ *mezclada* mengsmering; *esquema de* ~ smeerschema; **lubricante** I *bn* smerend; *aceite* ~ smeerolie; II *m* smeermiddel; **lubricar** (door)smeren, oliën; **lubrificación** *v; zie lubricación*; **lubrificante** *zie lubricante*; **lubrificar** *zie lubricar*
lucecita lichtje
lucense uit Lugo (*Sp*)
lucero 1 (*grote, stralende*) ster; ~ *del alba* morgenster; *decir al ~ del alba* ronduit zeggen; 2 *~s* (*lit*) ogen
lucha strijd, gevecht; bestrijding; worsteling; ~ *contra el cáncer* kankerbestrijding; ~ *de clases* klassenstrijd; ~ *de competidores* concurrentiestrijd; ~ *electoral* verkiezingsstrijd; ~ *interior* tweestrijd; ~ *libertadora* vrijheidsstrijd; ~ *libre* vrij worstelen; ~ *sin perdón* harde strijd; ~ *por la vida* strijd om het bestaan; *abandonar la* ~ de strijd opgeven; **luchador, -ora** 1 vechter, volhardend mens; 2 worstelaar; **luchar** strijden, vechten; worstelen; ~ (*con, contra*) vechten (tegen); *dispuesto a* ~ strijdvaardig
lucidez *v* helderheid, helder inzicht; **lúcido** helder, met inzicht; *intervalo ~, momento* ~ helder ogenblik; *mente -a* heldere geest
luciérnaga glimworm
lucimiento (het) glanzen; succes; *papel de* ~ glansrol
lucio snoek; **lucioperca** snoekbaars
lucir I *intr* 1 licht geven, stralen; 2 succes hebben, schitteren; mooi staan, ogen; zich onderscheiden; II *tr* 1 verlichten; 2 pronken met, prijken met; dragen; 3 witten, sausen; **lucirse** 1 uitblinken, een goed figuur slaan; 2 pronken; 3 (*iron*) een figuur slaan; *¡nos hemos lucido!* we staan voor gek!
lucrarse (*con*) beter worden (van), zich verrijken (met); **lucrativo** lucratief, winstgevend; **lucro** winst, gewin; ~ *excesivo* woekerwinst; *ánimo de* ~ winstbejag; *obtener* ~ winst maken
luctuoso treurig; *un día* ~ een dag van rouw
lucubración *v* overpeinzing; **lucubrar** peinzen
ludibrio (*boosaardige*) spot, hoon
lúdico ludiek
luego I *bw* 1 dadelijk, zo; *dejar para* ~ (*iets*) laten rusten, er even mee wachten; *hasta* ~ tot straks, tot ziens; 2 daarna, toen; 3 dus || *desde* ~ natuurlijk, uiteraard; II *voegw* 1 ~ *de* + *onbep w* na (te hebben)...; ~ *de cenar* na het avondeten; 2 ~ *que* zodra

luengo (*lit*) lang
lugar *m* 1 plaats, plek; ~ *común* gemeenplaats, cliché; ~ *de perdición* oord van verderf; *dar* ~ *a* aanleiding zijn voor; *no dejar* ~ *a duda* geen twijfel overlaten; *eso le deja en buen* ~ daaruit blijkt dat hij een keurig mens is, daarmee maakt hij een goede indruk; *dejar en mal* ~ te kijk zetten; *en* ~ *de* in plaats van; *en primer* ~ in de eerste plaats; *estar fuera de* ~ (*fig*) niet op zijn plaats zijn; *no hay* ~ *a: a*) er is geen reden om; *b*) er is geen kans om; *ponte en mi* ~ denk je eens in mijn plaats; *tener* ~ plaats hebben, plaatsvinden; 2 (*openbare*) gelegenheid; ~ *de postín* deftige gelegenheid; **lugareño**, **-a** plattelandsbewoner
lugarteniente *m* luitenant
lugre *m* logger
lúgubre somber, luguber
lujo luxe, weelde; *con todo* ~ *de detalles* in geuren en kleuren; **lujoso** luxueus, weelderig; **lujuria** wellust, geilheid; **lujurioso** wellustig, geil
lulú *m* soort keeshond
lumbago spit
lumbar vd lendenen
lumbre *v* 1 vuur; vuurtje (*voor sigaret*); 2 (*lit*) licht; **lumbrera** 1 dakvenster; patrijspoort; 2 (*fig*) hoogvlieger, licht; *no es ninguna* ~ hij is geen licht
luminosidad *v* helderheid, glans; **luminoso** 1 glanzend, lichtgevend; *caja -a* lichtbak; 2 lumineus; *idea -a* lumineus idee; **luminotecnia** (*elektr*) verlichtingstechniek
lumpen *m* lompenproletariaat
luna 1 maan; ~ *creciente* wassende maan; ~ *llena* volle maan; ~ *menguante* afnemende maan; ~ *nueva* nieuwe maan; *a la* (*luz de la*) ~ in de maneschijn; *cara de* ~ vollemaansgezicht; *ladrar a la* ~ vergeefs tekeergaan; *media* ~: *a*) halve maan; *b*) croissant; *pedir la* ~ het onmogelijke verlangen; *quedarse a la* ~ *de Valencia* achter het net vissen; *vivir en la* ~ niet met beide benen op de grond staan; 2 spiegelruit; ~ *del escaparate* etalageruit; ~ *securit* veiligheidsglas || ~ *de miel* wittebroodsweken; **lunar I** *bn* vd maan; *módulo* ~ maanlander; **II** *m* 1 moedervlek; 2 nop, stip (*op stof*); *a ~es* met noppen; 3 foutje; **lunático**, **-a** waanzinnige, maanziek mens
lunes *m* maandag; *cada* ~ *y cada martes* voortdurend, ieder moment
luneta (auto)ruit; ~ *térmica* achterruitverwarming
lunfardo Argentijns argot
lúnula maantje (*wit onderaan nagel*)
lupa loep
lupanar *m* bordeel
lúpulo hop
Lurdes meisjesnaam
lusitano Portugees
lustrar (op)poetsen, doen glimmen; **lustre** *m* 1 glans; *sacar* ~ oppoetsen; 2 glorie, glans; *darse* ~ opscheppen; 3 poets; ~ *para plata* zilverpoets
lustro lustrum, vijfjarig bestaan
lustroso glimmend
luterano luthers
luto rouw; *estar de* ~ in de rouw zijn; *guardar* ~ (*por*) in de rouw zijn (voor), rouwen (om)
luxación *v* ontwrichting
luxemburgués, **-esa** uit Luxemburg
luz *v* 1 licht; schijnsel; ~ *artificial* kunstlicht; ~ *de Bengala* Bengaals vuur; ~ *natural* daglicht; ~ *oblicua* strijklicht; ~ *de tope* toplicht; ~ *de vela* kaarslicht; *a la* ~ *de* in het licht van; *a toda* ~, *a todas luces* in elk geval, duidelijk, hoe dan ook; *apagar la* ~ het licht uitdoen; *arrojar* ~ *sobre*, *echar* ~ *sobre* licht werpen op; *con* ~ bij daglicht; *dar* ~ *a* baren, het levenslicht doen zien; *dar la* ~, *encender la* ~ het licht aandoen; *dar la* ~ *verde* het groene licht geven (*ook fig*); *entre dos luces* in de schemering; *estar a media* ~ zitten schemeren; *sacar a* (*la*) ~: *a*) onthullen; *b*) publiceren; *salir a* (*la*) ~: *a*) (*mbt boek*) verschijnen; *b*) bekend worden; *ver la* ~ geboren worden; 2 lamp (*van auto*); ~ *antiniebla* (*trasera*) mistlamp; ~ *de carretera*, ~ *larga* groot licht; ~ *ciudad* stadslicht; ~ *de cruce* dimlicht; ~ *de freno*, ~ *de frenado*, ~ *de parada* remlicht; ~ *giratoria* zwaailicht; ~ *indicadora*, ~ *piloto* controlelampje; ~ *intermitente* knipperlicht; ~ *de marcha atrás* achteruitrijlicht; ~ *de navegación* navigatielicht; ~ *de niebla* mistlamp; ~ *de población* stadslicht, (*Belg*) standlicht; *luces de posición: a*) contourverlichting (*op vrachtauto*); *b*) stadslicht; ~ *publicitaria* lichtreclame; ~ *de tráfico* verkeerslicht; 3 *luces* (*naturales*) intelligentie; *de pocas luces* niet erg slim; 4 (*techn*) dag(maat) || *a todas luces* kennelijk, (over)duidelijk

Mmm

1 m *eme v* (*letter*) m
2 m *m metro* meter
maca beurse plek
macabro macaber
macaco (kleine) aap
macadán *m* macadam (*plaveisel*)
macana (*Am*) 1 knuppel, knots; 2 soort bijl (*als wapen gebruikt*); 3 leugen; onzin; 4 (*onhandig*) ding; *¡qué ~!* wat een sof!; **macanada** (*Am*) grote onzin; **macanudo** (*Am*) geweldig, prachtig
macareno uit de wijk Macarena (*in Sevilla*)
macarra I *m* pooier; II *bn* kleinburgerlijk
macarrones *mmv* macaroni; **macarrónico** verbasterd; *inglés ~* steenkolenengels; *latín ~* potjeslatijn
macedonia fruitsla
maceración *v* (het) weken; **macerar** 1 weken, in de week zetten; zacht maken, kneden, kloppen; 2 kastijden
macero stafdrager
maceta 1 bloempot; 2 moker; korte steenhouwershamer; **macetero** bloembak
machacador, -ora stampend; **machacadura** (het) fijnstampen; **machacar** 1 (fijn)stampen; *~ en hierro frío* vergeefse moeite doen; 2 (*fig*) ergens op hameren, zeuren, doorzagen; 3 stampen (*studeren*); **machacón, -ona** I *bn* hinderlijk zeurend; tot vervelens toe; II *zn* zeur, oud wijf, zanikpot; **machaconería** gezanik, gedonder
machada 1 dwaasheid, stomme streek; 2 typisch mannelijke handelwijze
machamartillo: *a ~* rotsvast
machaqueo 1 (het) fijnstampen; 2 gezanik; (het) hameren op iets
machetazo klap met de machete; **machete** *m* machete, kapmes
machiego *zie abeja*
machihembrado (*techn*) samengevoegd
machismo machismo, stoer mannelijk gedrag; **machista** I *bn* macho-; (*neg*) stoer, mannelijk; *sociedad ~* mannenmaatschappij; II *m* macho, hanig type; **macho** I *bn* 1 vh mannelijk geslacht, mannelijk; 2 (*mbt zaken, wijn*) krachtig; 3 (*fam*) flink, stoer; II *zn* 1 (*dierk*) mannetje; *~ cabrío* bok; *la liebre ~* de mannetjeshaas; 2 muildier; *apearse del ~* tot inkeer komen, ergens van afzien; 3 haak (*die in oog past*); 4 smidshamer; 5 gemetselde steunbeer, pijler; 6 aambeeld; **machón** *m* gemetselde steunbeer, pijler; **machota** 1 dappere vrouw; 2 manwijf; **machote** *m* (*jongenstaal*) flinke kerel
machucar kneuzen, verbrijzelen, vervormen
machucho 1 (*neg*) al wat ouder, op rijpe leeftijd; 2 kalm, bedaard
macilento bleek en mager, uitgemergeld
macillo hamertje (*in piano*)
macizo I *bn* 1 massief; 2 massaal; 3 van gewicht; II *zn* 1 (berg)massief; 2 bloembed, perk
macolla pol (*planten*)
macrobiótico macrobiotisch; **macrocéfalo** met een groot hoofd; **macroeconomía** macro-economie; **macroestructura** macrostructuur
macuco (*Am*) 1 slim, sluw; 2 groot van stuk
mácula smet
macuto rugzak
madeja knot (*wol*)
1 madera 1 hout; *~ aglomerada* spaanplaat; *~ contrachapeada, ~ terciada* triplex; *~ contrachapeada múltiple, ~ multilaminar* multiplex; *~ flotante* drijfhout; *~ laborable* timmerhout; *~ de testa* kopshout; *tener ~ de...* ...in zich hebben; *tiene ~ de poeta* in hem schuilt een dichter; *tocar ~* afkloppen (*tegen ongeluk*); 2 luik
2 madera madera (*wijn*)
maderaje *m* houtwerk; **maderamen** *m; zie maderaje*; **maderero** I *bn* hout-, vh hout; *comercio ~* houthandel; II *zn* houthandelaar; **madero** 1 lang stuk hout; 2 houtblok; 3 stomkop
madona madonna
madrastra stiefmoeder; **madraza** zeer toegewijde moeder; **madre** *v* 1 moeder; *~ alquilada, ~ de alquiler* draagmoeder; *~ del cordero* oorzaak van alle ellende; *¡~ mía!* lieve hemel!; *~ patria* moederland; *~ política* schoonmoeder; *~ superiora* kloosteroverste; *la futura ~* de aanstaande moeder; *lengua ~* moedertaal; 2 bedding (*van rivier*); *salir de ~* buiten de oevers treden; 3 bezinksel (*in wijn, azijn*); 4 hoofdriool; 5 (*in kinderspel*) buut, vrije plek
madreperla 1 pareloester; 2 paarlemoer
madreselva kamperfoelie
madrigal *m* madrigaal
madriguera hol, leger; toevluchtsoord, schuilplaats
madrileño Madrileens, uit Madrid
madrina 1 peetmoeder; 2 beschermvrouwe; **madrinazgo** peetmoederschap
madroñal *m* met aardbeibomen beplant terrein; **madroño** aardbeiboom (*sierheester*)
madrugada vroege morgen, morgenstond; nacht na 12 uur; *muy de ~* in alle vroegte; **madrugador, -ora** matineus, vroeg op; **madrugar** 1 vroeg opstaan; *a quien madruga Dios le ayuda* de morgenstond heeft goud in de mond; *no por mucho ~ amanece más temprano* hardlopers zijn doodlopers; 2 (*anderen*) voor zijn, er vlug bij zijn; **madrugón** *m* (het) vroeg opstaan; *darse un ~* voor dag en dauw opstaan

maduración *v* rijping; **madurado** (*mbt wijn*) belegen; **madurar I** *tr* 1 doen rijpen; 2 langdurig overwegen; II *intr* rijpen, tot rijping komen (*ook fig*); **madurez** *v* 1 rijpheid; 2 volwassenheid; 3 bezonkenheid; **maduro** 1 rijp; *de edad -a* van middelbare leeftijd; 2 bezonken, verstandig

maestra 1 onderwijzeres; ~ *de escuela* schooljuffrouw; ~ *de párvulos* kleuterleidster; 2 meesteres; **maestranza** (artillerie)werkplaats; marinewerkplaats; **maestrazgo** 1 gebied vd grootmeester van een militaire orde; 2 functie vd grootmeester van een militaire orde; **maestre** *m* grootmeester van een militaire orde; **maestría** meesterschap; *con* ~ meesterlijk; **maestro I** *zn* 1 onderwijzer; ~ *de escuela,* ~ *nacional* schoolmeester; 2 meester, leermeester; ~ *de ceremonias* ceremoniemeester; ~ *de obras* (*vglbaar*) uitvoerder; *gran* ~ grootmeester; 3 maestro; 4 (*Am, aanspreekvorm*) joh, man; II *bn* meesterlijk; *un golpe* ~ een meesterlijke zet; *obra -a* meesterwerk

mafia maffia; **mafioso** mafioso, maffioso

magdalena 1 klein cakeje; 2 berouwvolle vrouw

magia magie, toverij; tovermacht; (*arte de*) ~ toverkunst; *como por arte de* ~ als bij toverslag; *hacer* ~ toveren; **mágico** 1 magisch, tover-; *fórmula -a* toverspreuk; *varita -a* toverstaf; 2 wonderbaarlijk

magín *m* (*fam*) brein, fantasie

magisterio 1 beroep van docent; *hacer prácticas de* ~ hospiteren; 2 onderwijzersopleiding, (*Belg*) normaalonderwijs; *estudiar* ~ de onderwijzersopleiding volgen; 3 onderwijzend personeel; **magistrado** magistraat (*hoge ambtenaar of rechter*); **magistral** 1 van een meester; meesterlijk, magistraal; *clase* ~ hoorcollege; 2 pedant, zelfvoldaan; **magistratura** 1 ambt van magistraat; 2 magistratuur (*de rechters*) || ~ *del trabajo* (*vglbaar*) Raad van Arbeid

magma *m* magma

magnanimidad *v* grootmoedigheid; **magnánimo** grootmoedig

magnate *m* magnaat

magnesia, **magnesio** 1 bitteraarde; 2 magnesiumoxyde

magnético magnetisch; *cinta -a* magneetband; **magnetismo** magnetische kracht; **magnetización** *v* magnetisatie; **magnetizador**, **-ora** magnetiseur, magnetiseuse; **magnetizar** magnetiseren; fascineren

magnetofónico vd bandrecorder; *cinta -a* geluidsband; **magnetófono** bandrecorder

magnetoscopio video(apparaat)

magnetrono magnetron-oven

magnicida *m,v* iem die een hooggeplaatst persoon vermoordt; **magnicidio** moord op een hooggeplaatst persoon

magnificencia 1 pracht, luister; 2 vrijgevigheid; mildheid; **magnífico** prachtig, schitterend

magnitud *v* 1 grootte, omvang; reikwijdte; belang· 2 (*wisk*) grootheid; **magno** (*lit*) groot, groots; **Magno**: *Alejandro el* ~ Alexander de Grote

magnolia magnolia

mago tovenaar; *los reyes* ~*s* de drie koningen

magra plak ham

magrear handtastelijk zijn; betasten; **magreo** handtastelijkheid

magro I *bn* mager; II *zn* mager vlees

maguey *m* agave

magulladura, **magullamiento** kneuzing; gekneusde plek; **magullar** kneuzen

maharajá *m* maharadja

Mahoma *m* Mohammed; **mahometano** mohammedaans; **mahometismo** mohammedaanse godsdienst, islam

mahonés, **-esa** uit Mahón (*Menorca*); (*salsa*) *-esa* mayonaise

maicena maïzena

maitines *mmv* metten

maíz *m* maïs; **maizal** *m* maïsveld

1 maja stamper (*in vijzel*)

2 maja mooi of mooi gekleed meisje; *zie ook majo*

majada schaapskooi

majadería dwaasheid, stommiteit; ~*s* onzin, apekool; **majadero**, **-era** stomkop, uilskuiken

majar 1 (fijn)stampen, vermalen; 2 (*fam*) hinderen

majara, **majareta** gek, getikt; *está* ~ hij ziet ze vliegen

majestad *v* majesteit; **majestuosidad** *v* majesteit; **majestuoso** majestueus, (*Belg*) majestatisch; statig

majeza 1 aardig uiterlijk; 2 iets sympathieks; 3 stoer gedrag; **majo I** *bn* 1 jong en aardig om te zien; mooi aangekleed; 2 sympathiek, aardig, flink; II *zn* 1 jonge kerel; 2 opschepper, ruziezoeker

mal I *bn* (*afgekorte vorm van malo*) slecht; ~ *humor* slecht humeur; *zie malo*; II *m* 1 kwaad; euvel; onheil; tekortkoming; *un* ~ *necesario* een noodzakelijk kwaad; *devolver* ~ *por bien* goed met kwaad vergelden; *hablar* ~ (*de*) kwaadspreken (van); *no hay* ~ *que por bien no venga* achter de wolken schijnt de zon; *tomar a* ~ kwalijk nemen, euvel duiden; 2 kwaal, ziekte; III *bw* slecht, verkeerd; ~ *que bien* zo goed en zo kwaad als het gaat; ~ *educado* onbeleefd; ~ *hecho* slordig; *¡* ~ *hecho!* dat heb je niet goed gedaan, daar heb je niet goed aan gedaan; ~ *pensado* kwaaddenkend; *andar* ~ *de dinero* krap zitten; *caer* ~ slecht vallen, in het verkeerde keelgat schieten; *calcular* ~ zich verrekenen; *de* ~ *gusto* smakeloos, stijlloos; *el enfermo está muy* ~ de zieke is er slecht aan toe; *estar* ~ *de la cabeza* niet goed wijs zijn; *ir* ~ verkeerd gaan, in de war lopen; *ir de* ~ *en peor* van kwaad tot erger gaan; *juzgar* ~ verkeerd beoordelen, zich verkijken op; *¡menos* ~*!* gelukkig maar!; *no está* ~ dat is niet gek;

oler ~ stinken; *saber* ~: *a*) vies smaken; *b*) naar zijn, vervelend zijn; *me sabe muy* ~ ik vind het erg vervelend; *salir* ~ slecht aflopen, tegenlopen; *le salió* ~ *la cuenta* hij had zich verrekend
malabares: *hacer juegos* ~ jongleren; **malabarismo** (het) jongleren; **malabarista** *m,v* jongleur
malacate *m* (*techn*) lier
malacitano *zie malagueño*
malaconsejado onbezonnen; **malacostumbrado** aan luxe gewend, te zeer verwend, gemakzuchtig
málaga *m* malaga (*wijn*)
malagana onbehaaglijk gevoel; flauwte
malagueña (flamenco)melodie uit Málaga; **malagueño** uit Málaga
malamente 1 er slecht aan toe; 2 nauwelijks
malapata *m,v* 1 pechvogel; 2 iem die altijd het verkeerde zegt
malaquita malachiet
malaria malaria
malasangre *m,v* nijdas, gemenerd, kreng; **malasombra** *m,v* lastpost; iem die altijd het verkeerde zegt; **malaúva** *m,v* (*fam*) gemenerd, loeder, rotvent, rotwijf
malavenido 1 in onmin; 2 ontevreden
malaventura misfortuin, ongeluk; **malaventurado** ongelukkig
malayo Maleis
malbaratar 1 verpatsen, verkwanselen; 2 verspillen
malcarado I *bn* 1 lelijk om te zien, weerzinwekkend; 2 met een gezicht als een oorwurm; II *zn* bullebak
malcasado die een slecht huwelijk heeft; **malcasarse** beneden zijn stand trouwen, een slecht huwelijk doen
malcomer te weinig eten, slecht eten
malcontento ontevreden
malcriado onbeleefd, onbeschoft; **malcriar** i slecht opvoeden, teveel verwennen; **malcriarse** i 1 (*mbt plant*) scheef groeien; 2 (*mbt persoon*) slecht opgevoed worden
maldad *v* slechtheid, gemeenheid, verdorvenheid
maldecir I *tr* vervloeken, verwensen; II *intr* ~ *de* 1 kwaadspreken van, kritiek hebben op; 2 klagen over; **maldiciente** *m,v* 1 iem die kwaadspreekt; 2 iem die vloekt; **maldición** *v* vervloeking, verwensing; vloek; *¡ ~!* verdomme!
maldispuesto 1 niet in orde; 2 ~ (*a*) weinig bereid (tot), met weinig lust (om)
maldito vervloekt, verdraaid, godvergeten; *-a sea!* verdomme!; *-a la falta que me hace* dat heb ik allerminst nodig, dat kan ik missen als kiespijn; *-a la gracia que tiene* dat is heus geen pretje; *no sabe -a la cosa* hij weet geen barst
maleable 1 (*mbt metaal*) pletbaar; 2 kneedbaar, makkelijk te vormen; 3 (*mbt persoon*) kneedbaar, gedwee, volgzaam; beïnvloedbaar; **maleado** 1 doorkneed; 2 bedorven; **maleante** I *m,v* boef, vagebond; II *bn* verderfelijk; slecht; **malear** 1 bederven, verzieken; 2 op het slechte pad brengen
malecón *m* pier, havenhoofd
maledicencia kwaadsprekerij
maleducado onbeleefd
maleficio hekserij; **maléfico**, **-a** I *bn* onheil brengend, boos; II *zn* tovenaar, boze heks
malemplear verspillen
malentendido misverstand; wanbegrip
malestar *m* onbehagen, onlust; misselijkheid; *causar* ~ gevoelens van onbehagen opwekken
maleta 1 koffer; *hacer la* ~ zijn koffers pakken; 2 (*in auto*) koffer(ruimte); 3 *m,v* stommerd (*in zijn beroep*), rund; **maletero** 1 kofferverkoper; 2 kruier; 3 (*in auto*) kofferruimte
maletilla *m* leerlingstierenvechter
maletín *m* reistas, koffertje
malevolencia kwaadwilligheid; **malévolo** boosaardig, hatelijk; kwaadwillig
maleza 1 (doornig) kreupelhout; 2 veel onkruid; *quitar la* ~ wieden
malgache van Madagascar
malgastador, **-ora** verkwistend; **malgastar** verkwisten, verbrassen; vergooien; verknoeien
malhablado, **-a** vuilbek; **malhadado** ongelukkig
malhaya: *¡ ~ los que...!* wee degenen die...!
malhechor, **-ora** boosdoener
malherir ie, i ernstig verwonden
malhumor *m* slecht humeur, chagrijn; **malhumorado** slechtgehumeurd, chagrijnig, gemelijk, stuurs
malicia 1 kwaadaardigheid, kwaaddenkendheid; boos opzet; 2 plagerigheid; 3 ondeugendheid, slimheid; 4 *~s* (*fam*) vermoeden; **maliciarse** vermoeden, verdenkingen koesteren; **malicioso** 1 kwaadaardig; met een bedoeling; 2 plagerig; 3 ondeugend; **malignidad** *v* kwaadaardigheid; **maligno** kwaadaardig; *el* ~ de boze, de duivel; *tumor* ~ kwaadaardig gezwel
malintencionado kwaadwillig
malísimo heel slecht, bedroevend, beroerd
malla 1 maas (*in net*); net, netwerk; 2 steek (*in breiwerk*); malie (*van maliënkolder*); 3 tricot
Mallorca Majorca; **mallorquín**, **-ina** Majorcaans
malmandado ongehoorzaam; **malmaridada** met een slechte man getrouwd
malmeter 1 verkwisten; 2 op het slechte pad brengen; 3 (*ergens*) de klad in brengen, doen mislukken; 4 tot ruzie aanzetten, stoken tussen
malmirado impopulair; **malnacido**, **-a** rotzak, rotwijf
malnutrición *v* ondervoeding
malo 1 slecht, verkeerd; naar, boos; *¡~!* niet best!; *la -a* een slechte tijd; *lo ~ es que...* het vervelende is dat...; *un mal paso* een misstap;

un mal sueño een boze droom; *a -as* vijandig; *con ~s ojos* met lede ogen; *estar de -as: a*) een slechte dag hebben, een pechdag hebben; *b*) in een slecht humeur zijn; *c*) ruzie hebben; *más vale ~ conocido que bueno por conocer* je weet wat je hebt, maar niet wat je krijgt; *nada ~* niet gek; *por las -as* kwaadschiks; *nada de ~* niets kwaads; 2 ziek; 3 (*mbt kind*) stout
malogrado 1 te jong gestorven; 2 mislukt; **malograr** doen mislukken; **malograrse** 1 mislukken, stranden, op niets uitdraaien; 2 te jong sterven; **malogro** mislukking
maloliente stinkend; **malparado** er slecht aan toe, gehavend; **malparido, -a** ellendeling(e), rotzak, loeder
malparto miskraam
malpensado kwaaddenkend, achterdochtig
malquerencia antipathie, hekel, afkeer
malquistar (*con*) tweedracht zaaien (onder)
malsano ongezond; **malsonante** 1 onaangenaam klinkend; 2 grof, ongepast; *palabra ~* grof woord
malta mout
maltratar mishandelen; toetakelen; **maltrecho** gehavend, toegetakeld
malucho ziekjes, zwak, katterig, in de lappenmand
malva I *zn* 1 malve; *criar ~s* dood zijn; 2 *m* (*kleur*) mauve; II *bn, onv* mauve, lichtpaars
malvado, -a I *bn* slecht, gemeen, verdorven; II *zn* onverlaat, snoodaard
malvender onder de prijs verkopen; verkwanselen
malversación *v* knoeierij, verduistering; **malversar** verduisteren
Malvinas: *las* (*islas*) ~ de Falkland-eilanden;
malvinero vd Falkland-eilanden
malvivir armelijk leven
mama 1 (vrouwen)borst; 2 (*fam*) mama; **mamá** *v* moeder, mama; **mamada** 1 (het) drinken (*aan de borst*), voeding; 2 gedronken hoeveelheid, voeding; **mamado** (*fam*) dronken, bezopen, zat; **mamar** zuigen; *dar de ~* de borst geven, voeden; **mamarse** zich bezatten; **mamario** vd borst, borst-
mamarrachada 1 iets belachelijks, aanstellerij; 2 mormel; flop, prutswerk; **mamarracho** 1 sukkel; 2 rare snoeshaan, pias; 3 lelijke vrouw; 4 prutswerk, flop; mormel; *~s* geknoei
mamella lel (*aan de hals van geit*)
mameluco 1 mammeluk; 2 snoeshaan, sukkel; 3 (*Am*) overall; slobpakje
mamífero: (*animal*) ~ zoogdier
mamón, -ona 1 nog aan de borst; 2 teveel zuigend; 3 *diente ~* melktand; 4 *m* klootzak
mamotreto (*neg*) 1 lijvig boek, foliant; 2 gevaarte, monster
mampara (tussen)wand, kamerscherm; *~ antiatracos, ~ de seguridad* veiligheidsruit (*in taxi*); **mamparo** (*scheepv*) (tussen)schot
mamporro oplawaai, klap, opduvel
mampostería metselwerk van klei en natuursteen

mal

mamut *m* mammoet
maná *m* manna
manada 1 kudde; 2 troep, stel; *a ~s* in drommen; *en ~* met een hele troep
manager 1 (*sp*) manager; 2 (*soms*) (bedrijfs)manager
managüense uit Managua
manantial *m* bron; **manar** ontspringen, vloeien
manatí *m* zeekoe; **manato** *zie manatí*
manaza grote hand; *~s* kolenschoppen van handen; **manazas** *m,v enkv* onhandig mens, lomperd
manceba concubine; **mancebía** bordeel; **mancebo** knaap, jonge man; ~ (*de botica*) (*hist*) apothekersassistent
mancera ploegstaart
mancha 1 vlek; *~ de grasa* vetvlek; *~ de humedad* vochtplek; *~ solar* zonnevlek; 2 smet, blaam
Mancha: (*el canal de*) *la ~* het Kanaal; *La ~* streek in Spanje
manchar 1 vlekken; *~ de* bevlekken met; 2 bezoedelen, ontluisteren
manchego uit La Mancha; (*queso*) ~ kaas uit La Mancha
manchón *m* grote vieze vlek
mancillar bezoedelen
manco eenarmig; die (het gebruik van) een hand of arm mist; *no ser ~* handig genoeg zijn
mancomún: *de ~* gezamenlijk, in overleg; **mancomunadamente** gezamenlijk; **mancomunar** verenigen; **mancomunidad** *v* 1 samenwerking (*tussen gemeenten*), samenwerkingsverband; 2 gemenebest; **Mancomunidad** *v: la ~ Británica* het Britse Gemenebest
manda legaat; **mandadero** bode, boodschapper; **mandado** boodschap; **mandamás** *m,v* (*fam*) baas, hoge piet, autoriteit; **mandamiento** 1 gerechtelijk bevel; 2 gebod; *los diez ~s* de tien geboden
mandanga 1 onverstoorbaarheid, flegma; 2 *~s* praatjes; 3 (*fam*) cocaïne; **mandanguero, -a** (*fam*) cocaïnegebruik(st)er
mandante *m,v* lastgever, -geefster, opdrachtgever, -geefster
mandar 1 opdragen, bevelen, gebieden; gezag voeren over; *~ en* de baas spelen over; *~ veces* strafregels opgeven; *aquí mando yo* hier ben ik de baas; 2 *~ + onbep w* laten; *~ construir* laten bouwen; *~ decir* laten zeggen; *~ venir* laten komen; 3 sturen, zenden
mandarín *m* mandarijn, hoogwaardigheidsbekleder; **mandarina** mandarijntje; **mandarino** mandarijneboom
mandatario, -a lasthebber, -hebster, zaakgelastigde; **mandato** opdracht, order, bevel; lastgeving, mandaat; *~ escrito* schriftelijke opdracht; *~ verbal* mondelinge opdracht
mandíbula 1 kaak; *~ inferior* onderkaak; *~ superior* bovenkaak; *a ~ batiente* (*mbt lachen*) luid; 2 bek (*van tang*)

mandil *m* schort, voorschoot
mandioca cassave, tapioca, maniok
mando 1 gezag, leiding, bevel(voering); ~ *supremo* opperbevel; *alto* ~ (*del ejército*) legerleiding; *bajo el* ~ *de* onder aanvoering van; *estar al* ~ *de, tener el* ~ *de* het bevel voeren over; *hacerse con el* ~ de macht in handen krijgen; *tomar el* ~ de leiding op zich nemen; 2 baas, leider, voorman; ~*s intermedios* middenkader; *alto* ~ hoge functionaris; 3 bediening, besturing (*van auto*); ~ *a distancia* afstandsbediening; ~ *doble* dubbele besturing (*in lesauto*); ~ *de mano* handbediening; 4 ~*s, aparatos de* ~ regelapparatuur; knoppen, hendels
mandoble *m* 1 klap met zwaard (*met beide handen vastgehouden*); 2 groot zwaard
mandolina mandoline
mandón, **-ona** bazig, autoritair
mandrágora alruin(wortel)
mandria *m* onnozele hals; lafaard
mandril *m* mandril (*aap*)
manduca (*fam*) voedsel, eten; **manducar** (*fam*) eten, bikken, naar binnen werken; **manducatoria** (*fam*) voedsel, eten
manecilla 1 slot (*aan bv oude bijbel*), beugelsluiting; 2 wijzer (*van klok*); 3 handje, wijzer (*voor richting*)
manejable handzaam, hanteerbaar; wendbaar; **manejar** 1 hanteren, bedienen, omgaan met; 2 (*iem*) regeren, de wet voorschrijven; 3 (*Am; een auto*) besturen; autorijden; **manejarse** zich redden; (*iets*) ritselen; *manejárselas* het (handig) aanleggen; **manejo** 1 bediening, behandeling; *el* ~ *de la casa* het huishouden; *de fácil* ~ goed hanteerbaar, gemakkelijk te bedienen; 2 ~*s* (*turbios*) manipulatie, gekonkel, knoeierij, intriges; 3 bekwaamheid; soepelheid, handigheid
manera manier, wijze; ~ *de actuar* handelwijze; ~ *de andar* manier van lopen; ~ *de pensar* denktrant; ~ *de ser* aard; *a* ~ *de* bij wijze van; *a la* ~ *de* op de wijze van, net als; *con malas* ~*s* onbeleefd; *de* ~ *que* zodat; *de la* ~ *que sea* hoe dan ook; *de cualquier* ~*: a*) hoe dan ook; *b*) ongeïnteresseerd, slordig; *de mala* ~*: a*) botweg, ruw; *b*) slecht (*aflopen*); *de ninguna* ~ allerminst, geenszins; *de otra* ~ anders; *de tal* ~ *que* zodanig dat; *de todas* ~*s* hoe dan ook, in ieder geval; *en gran* ~ in hoge mate; *no hagas eso de ninguna* ~ doe dat vooral niet; *no hay* ~ het gaat niet, het lukt niet, het is onmogelijk
manes *mmv* schimmen vd doden
1 manga soort mango
2 manga 1 mouw; ~ *de agua* draaikolk; ~ *de aire,* ~*-veleta* windzak; ~ *raglán* raglanmouw; ~ *de viento* werveling; *en* ~*s de camisa* in hemdsmouwen; *hacer* ~*s y capirotes* zijn zin doen, eigenzinnig optreden; *ir* ~ *por hombro* ongeregeld verlopen; *sacarse de la* ~ te voorschijn toveren; *tener* ~ *ancha* het niet zo nauw nemen; *tener las cosas* ~ *por hombro* alles laten sloffen; 2 spuit; ~ *pastelera* roomspuit; *regar con* ~ bespuiten; 3 (*scheepv*) breedte; 4 schepnet
mangante *m* gannef, dief; **mangar** 1 'bedelen; 2 gappen, jatten, inpikken, achterover drukken
mangle *m* mangrove, wortelboom
mango 1 handvat, greep, heft, steel; 2 mango (*vrucht*); 3 mangoboom; **mangoneador**, **-ora** regelzuchtig, bazig; **mangonear** de touwtjes in handen nemen, de baas spelen, alles organiseren (*voor anderen*); **mangoneo** georganiseer
manguera (tuin)slang, brandslang; **manguero** spuitgast; **manguito** 1 (*techn*) bus, mof, huls, sok; 2 washandje
mani *v* (*fam*) demonstratie, betoging
maní *m* pinda
manía manie, rage; stokpaardje; ~ *persecutoria* achtervolgingswaan; ~ *religiosa* godsdienstwaanzin; *tener* ~ *a* gebeten zijn op; **maniaco**, **maníaco** I *bn* manisch, lijdend aan een manie; ~*-depresivo* manisch-depressief; II *zn* maniak, fanaat, freak
maniatar de handen binden van
maniático, **-a** I *bn* maniakaal; II *zn* maniak; fanaat; ~ *del poder* machtswellusteling; **manicomio** gekkenhuis
manicuro, **-a** manicure; *estuche -a* nageletui
manida (*lit*) verblijfplaats; hol
manido 1 afgezaagd; 2 (*mbt vis, vlees*) op de rand van bederf
manierismo maniërisme
manifestación *v* 1 betoging, demonstratie, manifestatie; 2 verklaring; ~ *del conductor* eigen verklaring (*bij aanvraag rijbewijs*); 3 uiting; *-ones tóxicas* vergiftigingsverschijnselen; **manifestante** *m,v* betoger, demonstrant(e); **manifestar ie** 1 verklaren, kenbaar maken, te kennen geven; 2 tonen; **manifestarse ie** 1 aan de dag treden, blijken; 2 zich tonen; ~ *partidario de* zich een voorstander tonen van; 3 zich uitspreken; ~ *en solidaridad* zich solidair verklaren; 4 betogen, demonstreren; **manifiesto** I *bn* zeer duidelijk, manifest, zichtbaar, kennelijk; *poner de* ~ doen blijken; II *zn* manifest
manija handgreep
manila *m* rotan
manilargo 1 goedgeefs, royaal; 2 (*Am*) met lange vingers, diefachtig
manileño uit Manila
manillar *m* fietsstuur
maniobra 1 manoeuvre; (het) besturen (*van een schip*); ~ *de diversión* afleidingsmanoeuvre; ~ *sensacional* stunt; *hacer* ~*s* rangeren; 2 ~*s* (*scheepv*) touwwerk; **maniobrar** manoeuvreren; rangeren
manipulación *v* 1 behandeling (*van goederen*), afhandeling, verwerking; 2 manipulatie; **manipulado** verwerking; *servicio de* ~*s, taller de* ~*s* postbehandelingsbedrijf, verwerkings-

bedrijf; **manipular 1** ~(*en*) knoeien (in), manipuleren (met), prutsen (aan); **2** (*goederen*) behandelen (*voor verzending*)
maniqueísmo manicheïsme, wereldbeschouwing in zwart-wit; **maniqueísta** aanhang(st)er vh manicheïsme; **maniqueo** manicheïstisch; ongenuanceerd
maniquí 1 *m* houten pop, ledepop; etalagepop; (*fig*) marionet; **2** *m,v* mannequin
manirroto spilziek; *ser* ~ een gat in zijn hand hebben
manitas *m,v* handige knutselaar
manivela hendel, kruk, zwengel
manjar *m* gerecht; (heerlijke) spijs
1 mano *v* hand; ~ *firme* vaste hand; ~ *sobre* ~ zonder iets te doen, met de armen over elkaar; ~ *de mimbre* matteklopper; ~ *de obra: a*) arbeidskrachten, mankracht; *b*) loonkosten; *¡~s a la obra!* aan de slag!; *una ~ de pintura* een laag verf; *¡las ~s quietas!* handen thuis!; *a* ~ met de hand; *a ~ armada* gewapenderhand; *a ~ derecha* rechts, rechtsaf; *a ~s llenas* met gulle hand; *abrir la ~: a*) soepeler worden; *b*) veel geld uitgeven; *alargar la* ~ de hand reiken; *asentar la ~: a*) slaan; *b*) het vuur na aan de schenen leggen; *bajo* ~ heimelijk; *caer en ~s de* in handen vallen van; *cambiar de ~s* van eigenaar veranderen, in andere handen overgaan; *cargar la* ~ het te bont maken, overdrijven; *cogidos de la* ~ hand in hand; *con una ~ atrás y otra delante* zonder er wijzer van te zijn geworden; *con ~ dura* hardhandig; *con ~ de hierro* met ijzeren vuist; *con las ~s en la masa* op heterdaad; *con las ~s vacías* onverrichter zake; *dar una ~ por* er alles voor over hebben om; *dar de ~s* voorover vallen; *dar la primera* ~ gronden (*met verf*); *dar la última ~ a* de laatste hand leggen aan; *darse la ~: a*) elkaar een hand geven; *b*) veel op elkaar lijken; *c*) (*fig*) dicht bij elkaar staan; *de ~s a boca* plotseling; *de segunda* ~ tweedehands; *de su* (*propia*) ~ eigenhandig; *dejado de la ~ de Dios* van God verlaten; *echar una* ~ een handje helpen; *echar ~ a, echar ~ de: a*) de hand leggen op, grijpen; *b*) zijn toevlucht nemen tot; *ganar a u.p. por la* ~ iem het gras voor de voeten wegmaaien; *ir de ~ en* ~ rondgaan; *ir por su* ~ aan de juiste kant van de weg rijden, (*in rechts rijdend verkeer*) rechts houden; *irse a las ~s* slaags raken; *se me fue la* ~ mijn hand schoot uit; *juntar las ~s* de handen vouwen; *lavarse las ~s* zijn handen wassen in onschuld; *llegar a las ~s* slaags raken; *llevar entre ~s* onder handen hebben; *mala* ~ onhandigheid; *meter ~ a* een onderzoek instellen tegen; *morderse las ~s* spijt hebben als haren op zijn hoofd; *morir a ~ airada* een gewelddadige dood sterven; *no está en mi* ~ het ligt niet in mijn macht; *no tener tantas ~s* niet alles tegelijk kunnen, handen tekort komen; *pedir la ~ de* ten huwelijk vragen; *poner la ~ en el fuego por* zijn hand in het vuur steken voor, instaan voor; *poner la ~ encima* te pakken krijgen; *poner en ~s: a*) ter hand stellen; *b*) toevertrouwen; *ponerse de ~s* (*mbt dier*) op zijn achterpoten gaan staan; *ponerse en ~s de* zijn lot toevertrouwen aan; *sentar la ~: a*) slaan; *b*) teveel laten betalen; *si a ~ viene* als het zo uitkomt; *tender la* ~ de hand toesteken; *tener ~ izquierda* (*neg*) handig zijn, listig zijn; *tener ~s largas: a*) gauw slaan; *b*) lange vingers hebben; *tener ~s de trapo* twee linkerhanden hebben; *tener a* ~ klaarhouden, bij de hand hebben, paraat hebben; *tener mucha ~ con* een potje kunnen breken bij; *traer(se) entre ~s u.c.* met iets bezig zijn, iets bekokstoven; *untar la* ~ omkopen; *venir a las ~s: a*) in handen vallen, ten deel vallen, in de schoot geworpen worden; *b*) slaags raken; *venirse a las ~s* slaags raken; *venir a parar en ~ de* terechtkomen bij; *votar a ~ alzada* stemmen bij handopsteken
2 mano (*fam*) vriend
manojo bos(je), bundeltje; ~ *de llaves* sleutelbos; *un ~ de nervios* een zenuwpees
manolo, -a (*hist*) jongen of meisje uit de Madrileense volksbuurten; **Manolo** *afk van Manuel*
manómetro manometer, drukmeter
manopla 1 want; ovenwant; **2** washandje
manoseado afgesleten, beduimeld; **manosear 1** beduimelen, betasten, friemelen aan; **2** (*een onderwerp*) uitentreuren behandelen; **manoseo** handtastelijkheden
manotada *zie manotazo*; **manotazo** klap met de vlakke hand
manotear druk gebaren met de handen; **manoteo** (het) druk gebaren met de handen
mansalva: *a* ~ zonder gevaar; (*mbt schieten*) van dichtbij; *explotar a* ~ afbeulen
mansarda 1 zolder, dakkamer; **2** dakkapel
mansedumbre *v* **1** makheid; **2** zachtmoedigheid, zachtaardigheid
mansión *v* verblijf; woning, mooi groot huis
manso I *bn* **1** mak, zachtaardig, zachtzinnig; **2** rustig, kalm; **II** *zn* belhamel; (*alg*) dier met bel dat de kudde leidt
manta deken; ~ *de viaje: a*) reisdeken, plaid; *b*) dooddoener; *liarse la ~ a la cabeza* een besluit nemen zonder zich ergens iets van aan te trekken, doen of je neus bloedt; *tirar de la* ~ kwalijke zaken ontdekken; **mantear** (*vglbaar*) jonassen
manteca 1 reuzel, vet; ~ *de cacao* cacaoboter; **2** (*Am*) boter; **mantecado 1** roomijs; **2** soort gebakje; **mantecoso** vet
mantel *m* tafellaken; **mantelería** tafellinnen; **mantelito** kleedje; ~ *individual* placemat
mantenedor, -ora: ~ *de* (*la*) *familia* kostwinner, -winster; **mantener 1** handhaven; houden; erop nahouden; ~ *abierto* open houden; ~ *las apariencias* de schijn ophouden; ~ *al calor* warm houden; ~ *la conversación* het gesprek gaande houden; ~ *al día* bijhouden; ~ *su postura* op zijn standpunt blijven staan; ~ *re-*

laciones con relaties onderhouden met; ~ *secreto* geheim houden; 2 onderhouden; 3 volhouden; ~ *una opinión* aan een mening vasthouden; ~ *que* volhouden dat; **mantenerse** 1 zich handhaven; blijven bestaan; ~ *en contacto con* contact houden met; ~ *firme* zich schrap zetten, stand houden; ~ *a flote* blijven drijven; ~ *oculto* zich verborgen houden; ~ *quieto* zich stil houden; ~ *a salvo* buiten schot blijven; ~ *serio* zich ernstig houden; ~ *en sus trece* bij hoog en bij laag volhouden, voet bij stuk houden; 2 zichzelf onderhouden, in zijn onderhoud voorzien; **mantenimiento** 1 (levens)onderhoud; 2 voeding; 3 handhaving, instandhouding

mantequera 1 boterverkoopster; vrouw die boter maakt; 2 botervloot; 3 karnton; **mantequería** 1 boterfabriek; 2 boter- en kaaswinkel; **mantequero** I *bn* vd boter, boter-; II *zn* boterverkoper; iem die boter maakt; **mantequilla** (room)boter; ~ *rancia* sterke boter

mantilla 1 mantilla, kanten sjaal; 2 flanellen (boven)luier; *de ~s* nog in de luiers, heel klein; *estar en ~s* nog aan het begin staan, naïef zijn, van niets weten

mantillo humus; teelaarde, potgrond

mantis religiosa *v* bidsprinkhaan

manto 1 (*hist*) lange wijde vrouwencape; 2 (*hist*) grote zwarte mantilla; **mantón** *m* omslagdoek; ~ *de Manila* geborduurde zijden sjaal

manual I *bn* met de hand, hand-; *formación* ~ handenarbeid (*schoolvak*); *obrero* ~ handarbeider; II *m* handboek; *una verdad de* ~ een waarheid als een koe

manubrio hendel, kruk, zwengel

manuela (*hist*) huurrijtuig

manuelino: *estilo* ~ Portugese 15e-eeuwse bouwstijl

manufactura 1 fabriek; 2 fabrikaat; 3 vervaardiging, fabricage; **manufacturación** *v* vervaardiging, fabricage; **manufacturar** fabriceren, vervaardigen; **manufacturero** fabrieks-, industrie-

manumisión *v* vrijlating van een slaaf

manuscrito I *bn* handgeschreven; II *zn* manuscript; kopij

manutención *v* 1 (levens)onderhoud, kost; *proveer a su* ~ in zijn onderhoud voorzien; 2 behoud, instandhouding, handhaving

manzana 1 appel; ~ *de la discordia* twistappel; *la ~ podrida amarga a su compañía* één rotte appel in de mand maakt al het gave fruit te schand; ~ *verde* appelgroen; *sano como una* ~ zo gezond als een vis; 2 blok (*huizen*); **manzanar** *m* appelboomgaard; **manzanilla** 1 kamille; 2 kamillethee; 3 soort lichte sherry; **manzanillo** soort olijfboom; **manzano** appelboom

maña handigheid, slag, kneep; *~s: a*) kuren, kunsten; *b*) slinkse streken; *darse ~ para* handig zijn in, er slag van hebben om; *malas ~s* lelijke streken

mañana I *bw* morgen; ~ *por la* ~ morgenochtend; ~ *será otro día* morgen komt er weer een dag; *hablara yo para* ~ dat had je wel eens eerder kunnen zeggen; *pasado* ~ overmorgen; II *zn* 1 ochtend, morgen; *muy de* ~ in alle vroegte; *por la* ~ 's morgens; 2 *m* toekomst; **mañanero** 1 matineus; 2 vd ochtend; **mañanita** 1 bedjasje; 2 (*in Mexico*) aubade (*bv op verjaardag*)

maño, -a (*fam*) Aragonees, Aragonese

mañoso handig

mapa *m* (land)kaart; ~ *de carreteras* wegenkaart; ~ *meteorológico* weerkaart; ~ *mudo* blinde kaart; **mapamundi** *m* wereldkaart

mapuche uit Araucanië (*Indiaans gebied, in Chili*)

maqueta 1 maquette; 2 bouwplaat; 3 dummy (*van boek*)

maqueto, -a scheldnaam voor Spaanse immigrant(e) in Baskisch gebied

maquiavélico machiavellistisch; **maquiavelismo** 1 machiavellisme; 2 sluwheid

maquila (hoeveelheid meel of olie als) maalloon

maquillador, -ora grimeur; visagist(e); **maquillaje** *m* opmaak; schmink, grime; **maquillar** opmaken, schminken, grimeren

máquina 1 machine, apparaat, toestel; (*comp*) hardware; ~ *de afeitar* scheerapparaat; ~ *cortadora* snijmachine; ~ *de coser* naaimachine; ~ *elevadora* hefwerktuig; ~ *de escribir* schrijfmachine; ~ *expendedora* automaat (*voor eet-, rookwaren*); ~ (*fotográfica*) fototoestel; ~ *herramienta* gereedschapswerktuig; ~ *lavadora* wasmachine; ~ *perforadora* ponsmachine; ~ *traductora* vertaalmachine; ~ *de vapor* stoommachine; *a* ~ machinaal; *a toda* ~ (*scheepv*) (met) volle kracht; *escribir a* ~ typen, tikken; 2 locomotief; 3 (*fig*) apparaat; ~ *gubernamental* bestuursapparaat; **maquinación** *v* intriges, machinatie; **maquinador, -ora** intrigant(e); **maquinal** werktuiglijk, automatisch; **maquinar** 1 beramen; 2 machinaal bewerken; **maquinaria** 1 mechanisme, machinerie; 2 machines; ~ *agrícola* landbouwmachines; **maquinilla** (klein) apparaat; ~ *de afeitar* scheerapparaat; **maquinista** *m,v* machinist; kraandrijver

maquis *m* maquis

mar *m* (*in lit, fig, zeemanstaal ook v*) zee; ~ *agitada* ruwe zee; ~ *Báltico* Oostzee; ~ *en calma* rustige zee; *un ~ de confusiones* totale verwarring; ~ *de fondo: a*) grondzee; *b*) verborgen onrust; ~ *de fuego* vuurzee; ~ *gruesa* zware zee; *un ~ de lágrimas* een vloed van tranen; ~ *del Norte* Noordzee; ~ *terso* gladde zee; *a ~es* in overvloed, hevig; *en alta* ~ in open zee, op volle zee; *entre ~ y tierra* tussen wal en schip; *ganar al* ~ inpolderen; *hacerse a la* ~ uitvaren, zee kiezen; *se pica el* ~ de zee wordt onrustig, er komen schuimkoppen || *la* ~ (*de*) (*fig*) een massa; *la ~ de cosas* een massa dingen; *es la ~ de difícil* het is razend lastig

marabú *m* maraboe
maraca sambabal
maracucho uit Maracaibo (*Venezuela*)
maragato, **-a** iem uit de buurt van Astorga (*Spanje*)
maraña 1 warboel, wirwar; 2 dot (*haar*); 3 struikgewas
marasmo 1 inzinking; verval; 2 warboel
maratón *m* marathon; **maratoniano** vd marathon; *sesión -a* marathonzitting
maravedí *m* (*hist*) Spaanse munt
maravilla 1 wonder; *de ~, a las mil ~s* geweldig, heerlijk, prachtig, prima, wonderwel; *hacer ~s* wonderen doen; *ir de ~* het samen uitstekend kunnen vinden; 2 goudsbloem; **maravillar** 1 verrassen, verbazen; 2 bewondering opwekken; **maravillarse** (*de*) 1 zich verbazen (over); 2 bewonderen; **maravilloso** prachtig, heerlijk; wonderbaarlijk; sprookjesachtig
marbete *m* etiket (*op pakket*)
marca 1 merk; merkteken; *~ de agua* watermerk; *~s de dedos* vingerafdrukken; *~ de fábrica* fabrieksmerk; *~s en el firme* wegmarkering; *~ registrada* gedeponeerd handelsmerk; 2 (*sp*) topprestatie, record; *una buena ~* een goede tijd; 3 bon (*bij distributie*) || *de ~ mayor* geweldig, van jewelste; **marcación** *v* markering; **marcado** I *bn* scherp, uitgesproken; II *zn* 1 (het) watergolven; 2 (het) merken; **marcador** *m* scorebord; **marcaje** *m* (het) scoren; **marcapasos** *m* pacemaker; **marcar** 1 merken; markeren; aankruisen, aanstrepen; 2 noteren; 3 (*muz; gewicht*) aanwijzen, aangeven; *~ el compás* de maat slaan; *~ época* baanbrekend zijn; *~ el paso* pas op de plaats maken; 4 (*een telefoonnummer*) draaien; *señal para ~* kiestoon; 5 watergolven; 6 *~ (un tanto)* een punt maken, scoren; *~ un gol* een doelpunt maken; 7 (*de tegenstander*) dekken, tegenspel geven; **marcarse** (*fam*) een punt maken, scoren
marcha 1 (het) lopen, loop; verloop; (het) rijden; vaart; *la ~ de las cosas* de gang van zaken; *~ de prueba* proefrit; *~ regular* (het) regelmatig lopen (*van motor*); *la ~ de los sucesos* de loop vd gebeurtenissen; *~ en vacío* vrijloop; *a toda ~* zeer snel; *en ~* gaande; *en condiciones de ~* rijklaar; *en plena ~* in volle vaart; *hacer ~ atrás* achteruit rijden; *poner en ~* in werking stellen, (*motor*) aanzetten; *reducir la ~* vaart minderen, inhouden; *sentido de ~* rijrichting; *sobre la ~ : a*) meteen; *b*) al doende; *el tren en ~* de rijdende trein; 2 (het) verstrijken (*vd tijd*); 3 mars; *~ fúnebre* treurmars; *~ nupcial* bruidsmars; 4 (*in auto*) versnelling; *la ~ atrás* de achteruit; *~ avante* vooruit
marchamar (*bij douane*) van een loodje voorzien; **marchamo** zegelloodje (*van douane*)
marchante *m,v* 1 (kunst)handelaar; 2 (*Am*) vaste klant; 3 (*Am*) achterbaks persoon
marchar 1 lopen; marcheren; *~ contra* oprukken tegen; 2 draaien; (*mbt motor*) *~ en vacío* stationair draaien; 3 (*bij drugs*) trippen; 4 verlopen, lopen; *¿cómo ha marchado la cosa?* hoe is het gegaan?; **marcharse** weggaan; *~ de casa* van huis weglopen
marchitar doen verwelken; **marchitarse** verwelken, verdorren, verleppen; **marchito** verwelkt, verdord, verlept
marchoso (*fam*) levendig, zwierig, vrolijk
marcial 1 krijgs-, oorlogs-; 2 krijgshaftig; *artes ~es* (*Japanse*) vechtsporten; **marcialidad** *v* krijgshaftigheid
marciano vd planeet Mars
marco 1 lijst, kader, omlijsting; *~ para diapositivas* diaraampje; *~ de la puerta* deuropening; *~ de referencia* referentiekader; *~ de sierra* zaagbeugel; *~ tubular* buisframe; 2 kozijn; *~ de ventana* raamkozijn; 3 standaard, wettig exemplaar; 4 mark (*muntsoort*)
marea tij; *~ alta* hoogwater, hoog tij; *~ baja* laagwater, eb; *~ creciente, ~ entrante* vloed, opkomend tij; *~ menguante, ~ saliente* vallend tij; *~ muerta* doodtij; *~ viva* springtij; *sube la ~* de vloed komt op; **mareado** 1 dizzy, draaierig, duizelig; wee (*van honger*); luchtziek, wagenziek, zeeziek; 2 aangeschoten; **mareante** bedwelmend; **marear** 1 (*iem*) dol maken, duizelig maken; 2 misselijk maken; **marearse** duizelig worden; misselijk worden, zeeziek worden; **marejada** 1 zeegang; vloedgolf; 2 (tekenen van) onrust
maremagno grote troep (*personen of dingen*), menigte; **maremoto** zeebeving
marengo donkergrijs
mareo misselijkheid, duizeligheid; wagenziekte, zeeziekte, luchtziekte
marfil *m* ivoor; **marfileño** ivoorachtig
marga mergel
margarina margarine
margarita margriet; *~ de los prados* madeliefje; *echar ~s a los puercos* parels voor de zwijnen gooien
margen *m,v* 1 (*vnl v*) kant; oever; 2 (*vnl m*) marge, ruimte; speelruimte; *~ de actuación* speelruimte; *~ de beneficio, ~ de utilidad* winstmarge; *al ~ de* afgezien van, los van; *al ~ de la ley* buiten de wet; *dejar al ~: a*) voorbijgaan aan (*iets*); *b*) (*iem*) erbuiten laten, buitensluiten; 3 (*vnl m*) kanttekening; **marginación** *v* achterstelling, discriminatie; **marginado**, **-a** achtergestelde; outcast; **marginador**, **-ora** I *bn* leidend tot achterstelling, discriminatoir; II *m* kantlijnstop; **marginal** 1 in de marge; *nota ~* bijschrift, kanttekening; 2 marginaal; **marginar** 1 een kantlijn openlaten op; 2 (*iem*) erbuiten plaatsen, op een zijspoor plaatsen; achterstellen, discrimineren; (*iets*) terzijde stellen; 3 kanttekeningen plaatsen bij
maría (*pop*) marihuana
mariachi *m* Mexicaanse (straat)muzikant
mariano vd maagd Maria; **Mariano** jongensnaam
marica 1 ekster; 2 *m* (*fam*) homo, nicht

Maricastaña: *en los tiempos de* ~ in een grijs verleden
maricón *m* (*pop*) homo, flikker; **mariconada** (*fam*) 1 nichtenstreek; 2 gemene streek; 3 dwaasheid, onzin; **mariconera** (*fam*) handtasje voor mannen; **mariconería** 1 stel nichten; 2 *zie mariconada*
maridaje *m* 1 huwelijksleven, huwelijksband; 2 (*fig*) band, (het) samengaan, verband; **maridín** *m* (*fam*) mannetje; **marido** echtgenoot, man
marihuana marihuana
marimacho (*fam*) manwijf, kenau
marimandón, -ona (*fam*) bazig persoon
marimba 1 marimba; 2 soort negertrom
marimorena slaande ruzie, tumult; *se armó la* ~ er ontstond een groot tumult
marina 1 kust; 2 zeegezicht; 3 vloot; marine; ~ *de guerra* oorlogsvloot; ~ *mercante* koopvaardij; 4 zeemanskunst, scheepvaart; **marinar** 1 marineren; 2 opnieuw bemannen; **marinera** 1 matrozenbloes; 2 (*Am*) bep dans; **marinería** 1 zeemansleven, zeemansberoep; 2 *la* ~ (de) matrozen, bemanning; **marinero** I *bn* 1 vd zee, vd zeelieden, zeemans-; *gente -a* zeelui; *vida -a* zeemansleven; 2 (*mbt schip*) goed varend; II *zn* matroos, zeeman; *hacerse* ~ naar zee gaan, gaan varen; **marino** I *bn* zee-; *león* ~ zeeleeuw; *pez* ~ zoutwatervis, zeevis; II *zn* zeeman
marioneta marionet
mariposa 1 vlinder; ~ *nocturna* nachtvlinder; *braza* ~ vlinderslag; 2 vleugelmoer; 3 (olielamp met) drijfpitje, drijvertje; **mariposeador, -ora** veranderlijk, grillig; **mariposear** 1 steeds veranderen, (rond)fladderen (*van het een naar het ander*); 2 heendraaien om (*iem*); **mariposeo** gefladder; veranderlijkheid; **mariposón** *m* (*fam*) 1 vrouwenjager; 2 verwijfd type
mariquita 1 lieveheersbeestje; 2 (*fam*) mietje
marisabidilla (*mbt vrouw*) wijsneus, blauwkous
mariscal *m* maarschalk; ~ *de campo* veldmaarschalk
marisco schelpdier, schaaldier; ~*s* schelp- en schaaldieren
marisma moeras (*aan zee of rivier*); wad, drassig terrein; **marismeño** vh moeras, moeras-
marisquería café waar schelp- en schaaldieren worden geserveerd; **marisquero** 1 visser van schelp- en schaaldieren; 2 verkoper van schelp- en schaaldieren
marista *m* marist (*pater*)
marital 1 vd echtgenoot; 2 vh huwelijk; *hacer vida* ~ leven als man en vrouw
marítimo 1 zee-; *paseo* ~ boulevard; *siniestro* ~ scheepsramp; 2 (*mbt verpakking*) zeewaardig
maritornes *v* onhandige, ruwe dienstbode
marketing *m* marketing
marmita metalen pan met deksel; **marmitón** *m* koksmaatje
mármol *m* marmer; *de* ~: *a*) marmeren; *b*) koud, ongevoelig; *duro como el* ~ keihard; **marmolería** 1 marmerwerk; 2 marmeratelier; **marmolista** *m,v* marmerbewerk(st)er; **marmóreo** van marmer; als marmer
marmota 1 marmot; 2 slaapkop; 3 (*fam*) dienstmeisje, hitje
maroma dik touw, koord; **maromero, -a** (*Am*) I *bn* veranderlijk, opportunistisch; II *zn* 1 acrobaat, acrobate; 2 (*pol*) opportunist(e)
maromo (*pop*) figuur, man, kerel, vent
marqués, -esa markies, markiezin; **marquesado** markiezaat; **marquesina** 1 afdak; markies; 2 (glazen) kap, overkapping
marquetería ingelegd hout, houtmozaïek
marquista *m* 1 (*in Jerez*) eigenaar van een door hemzelf verhandeld wijnmerk, zonder eigen kelders; 2 lijstenmaker
marra plek waar iets ontbreekt, open plek, gat
marrajo I *bn* achterbaks, sluw, geslepen; II *zn* jonashaai (*agressieve haai*)
marrana 1 varken, zeug; 2 slons, viespeuk; **marranada** 1 slordig werk, smeerboel; 2 rotstreek; **marranería** *zie marranada*; **marrano** 1 varken; 2 viezerik, smeerlap; 3 (*hist*) maraan, tot christen bekeerde jood die in het geheim joodse riten volgde
marrar I *tr* missen; ~ *el tiro* misschieten; II *intr* mislukken, falen; (*mbt planten*) het niet doen
marras: *de* ~ vroeger; *el problema de* ~ het eeuwige probleem, het bewuste probleem
marrasquino marasquin
marro overlopertje (*kinderspel*)
marrón *m* (*als bn onv*) 1 (*color*) ~ bruin; *dos trajes* ~ twee bruine pakken; 2 kastanje; 3 (*sp*) speler die officieel amateur is, maar betaald krijgt als professional
marroquí I *bn* Marokkaans; II 1 *m,v* Marokkaan(se); 2 *m* marokijnleer; **marroquinería** 1 lederwaren; 2 lederwarenwinkel; **Marruecos** *m* Marokko
marrullería 1 listig gevlei; smoesje; 2 leepheid; **marrullero, -a** 1 handige vleier; 2 leperd, slimmerd
marsellés, -esa uit Marseille; **marsellesa** Marseillaise (*Franse volkslied*)
marsopa, marsopla bruinvis
marsupial *m,v* buideldier
marta 1 marter; ~ *cebellina* sabelbont; 2 marterhaar
Marte *m* Mars; **martes** *m* dinsdag; ~ *de Carnaval* vastenavond; ~ *y trece* ongeluksdag, (*vglbaar*) vrijdag de dertiende
martillar hameren; **martillazo** klap met hamer, hamerslag; **martillear** hameren, beuken; **martilleo** gehamer, gebeuk; **martillero** afslager (*bij veiling*); **martillo** hamer; ~ *remachador* klinkhamer; ~ *de uña* klauwhamer; *a macha* ~ rotsvast, grondig, fanatiek
martín *m*: ~ *pescador* ijsvogel; **Martín** jongensnaam; *San* ~ Sint Maarten
1 martinete *m* zilverreiger

2 martinete *m* 1 houten stamper; valhamer; heiblok; 2 bep flamencolied zonder muziek
martingala list, handigheidje, foefje
mártir *m,v* martelaar, martelares; **martirio** marteldood; marteling; **Martirio** meisjesnaam; **martirizador, -ora** martelend; **martirizar** martelen
marxismo marxisme; **marxista** I *bn* marxistisch; II *m,v* marxist(e)
marzo maart
mas (*lit*) maar, doch
más 1 meer; meest; langer; *lo ~* hoogstens; *los ~* de meeste(n); *~ bien* veeleer, eerder, beter gezegd, liever (gezegd); *~ bonito* mooier; *~ y ~* steeds meer; *~ y ~ rápido* steeds sneller; *~ o menos* min of meer; *~ que nada* bovenal, vooral; *~ de uno* meer dan een, menig; *las ~ (de las) veces* meestal; *~ de veinte* meer dan twintig; *a ~ no poder* uit alle macht; *a ~ tardar* op zijn laatst; *a cual ~* om strijd, om het hardst; *a lo ~* op zijn hoogst, hoogstens; *¿algo ~?* verder nog iets?; *aún ~, es ~* sterker nog; *cada vez ~* steeds meer; *como el que ~* als de beste; *cuando ~* hoogstens; *cuanto ~ mejor* hoe meer hoe beter; *de ~* te veel; *diez pesetas de ~* tien peseta te veel; *de lo ~* heel erg; *el que ~ y el que menos* iedereen; *es de lo ~ aburrido* het is stomvervelend; *es ~ bien flaco* hij is aan de magere kant; *ni ~ ni menos* precies; *no hace ~ que dormir* hij slaapt aldoor; *no hay ~ de cinco* er zijn er hoogstens vijf; *no hay ~ que cinco* er zijn er maar vijf; *no piensa ~ que en ella* hij denkt alleen aan haar; *no puedo ~* ik kan niet meer; *por ~ que* hoe...ook; *por ~ que gritara* hoe hij ook riep; *¡qué arroz ~ rico!* wat een heerlijke rijst!; *sabe a ~* het smaakt naar meer; *él sabe ~: a)* hij weet meer; *b)* hij weet het meest; *si no es ~ que eso* als het anders niet is, als dat alles is; *sin ~ (ni ~)* zonder meer; *copiar sin ~* klakkeloos overnemen; *tener sus ~ y sus menos* zijn voor en tegen hebben; *una vez ~* nog eens; 2 (*rekenk*) plus, en, vermeerderd met; *dos ~ tres* twee plus drie
masa 1 massa; *~ de la herencia* boedel (*in erfenis*); *~ de la quiebra* boedel (*in faillissement*); *~ salarial* bruto salaris; *en ~* massaal, en masse; *la gente acude en ~* het loopt storm; 2 deeg, beslag; *una ~ pastosa* een brij; *llevar en la ~ de la sangre* in het bloed hebben
masacrar afslachten, uitmoorden; **masacre** *v* (*fig*) slachting
masada *zie masía*
masaje *m* massage; *dar ~s* masseren; **masajear** masseren; **masajista** *m,v* masseur, masseuse
mascado voorgekauwd; **mascar** 1 kauwen; *~ tabaco* pruimen; 2 binnensmonds uitspreken; 3 voorkauwen
máscara 1 masker; *~ antigás* gasmasker; *~ facial* gezichtsmasker; *~ de oxígeno* zuurstofmasker; *baile de ~s* gemaskerd bal; *quitarse la ~* zich in zijn ware gedaante tonen; 2 *m,v* gemaskerde; **mascarada** 1 maskerade; 2 farce, vertoning; **mascarilla** 1 dodenmasker; 2 masker over de ogen; 3 (*med*) masker over neus en mond; 4 (kosmetisch) masker; crèmebehandeling (*van het haar*); **mascarón** *m* gebeeldhouwde versiering in de vorm van een gezicht; *~ de proa* boegbeeld
mascota mascotte
masculinidad *v* mannelijkheid; **masculino** mannelijk; *la final -a* de finale heren
mascullar prevelen
masía boerderij met land
masificación *v* massificering; massale toeloop
masilla stopverf; kit
masivo 1 massaal; 2 (*med, mbt dosis*) zwaar, groot
masón *m* vrijmetselaar; **masonería** vrijmetselarij; **masónico** vd vrijmetselarij
masonita masonite
masoquismo masochisme; **masoquista** I *bn* masochistisch; II *m,v* masochist(e)
mastelero (mast)steng, verlengstuk vd mast
masticación *v* (het) kauwen; **masticar** 1 kauwen; 2 steeds weer overdenken, malen over, herkauwen; 3 (*met stopverf*) stoppen; *~ y aparejar* stoppen en plamuren
mástil *m* 1 mast; *~ de antena* antennemast; *~ de señales* seinmast; 2 hals (*van een snaarinstrument*)
mastín *m* soort grote waakhond
mástique *m* plamuur
mastodonte *m* 1 mastodont; 2 (*fig*) iets enorms
mastoides tepelvormig
mastuerzo lomperik
masturbación *v* masturbatie, zelfbevrediging; **masturbar** masturberen
mata struik, heester; *~ de pelo* haardos
matachín *m* vechtjas
matachispas *m* vonkenvanger
matadero slachthuis, abattoir; **matador, -ora** I *bn* 1 dodend, dodelijk; 2 (*fig*) dodelijk; wanhopig; belachelijk; II *m* stierenvechter
matadura (*bij dier*) rauwe plek (*bv door schurend zadel*); *dar en la ~* de vinger op de wond leggen
mátalas: *~ callando m* stiekemerd
matalón *m* (*mbt paard*) mager (*en verwond door het zadel*)
matalotaje *m* proviand aan boord
matamoros *m; zie matón*
matamoscas *m* 1 vliegenmepper; 2 vliegenbestrijdingsmiddel
matante (*fig*) dodelijk, onverdraaglijk; belachelijk; **matanza** 1 bloedbad, slachting; 2 slacht; **mataquintos** *m* stinkstok; **matar** 1 doden; slachten; *~ apretando* dooddrukken; *~ a golpes* doodslaan; *~ de hambre* laten verhongeren; *~ dos pájaros de un tiro* twee vliegen in één klap slaan; *~ de un tiro* doodschieten; *estar a ~* als water en vuur zijn; *que me maten si...* ik mag doodvallen als...; 2 (*tijd*) verdrijven; *~ la espera* het wachten korten; 3 (*post-*

zegels) afstempelen; **4** (*damsp*) slaan; ~ *una pieza* een slag maken; **5** zeer vermoeien || *~las callando* achterbaks zijn, ze achter de ellebogen hebben; **matarse** zich zeer vermoeien; ~ *a trabajar*, ~ *trabajando* zich doodwerken; **matarife** *m* slachter (*in abattoir*); **matarratas** *m* **1** rattengif; **2** slechte sterke brandewijn, bocht; **matasanos** *m* slechte dokter, kwakzalver; **matasellos** *m* poststempel

match *m* match, wedstrijd

1 mate *m* (*Am*) **1** soort thee, mate; **2** kalebas waaruit mate wordt gedronken

2 mate (*in schaaksp*) mat; *jaque* ~ schaakmat

3 mate *bn* mat, dof

matear (*Am*) mate drinken

matemáticas *vmv, soms v enkv* wiskunde; **matemático**, **-a** I *bn* mathematisch, wiskundig; II *zn* wiskundige

materia **1** materie, stof; ~ *fibrosa* vezelstof; ~ *gris* grijze cellen, hersenen; ~ *plástica* plastic; ~ *prima, primera* ~ grondstof; **2** onderwerp; *en* ~ *de* aangaande, op het gebied van; *entrar en* ~ ter zake komen; **3** (*in onderwijs*) vak; ~ *optativa* keuzevak; ~ *principal* hoofdvak; ~ *secundaria* bijvak; **material** I *bn* **1** materieel, stoffelijk; zakelijk; **2** feitelijk; II *m* materiaal; ~ *básico* basismateriaal; ~ *de derribo* sloopmateriaal; ~ *didáctico*, ~ *escolar*, *~es de enseñanza* leermiddelen, lesmateriaal; ~ *móvil* rijdend materieel; ~ *sintético* kunststof; **materialidad** *v* **1** stoffelijkheid; **2** uiterlijke schijn; **materialismo** materialisme; **materialista** I *bn* materialistisch; II *m,v* materialist; **materialización** *v* materialisering, verwezenlijking; **materializar** materialiseren, concreet maken, vorm geven; **materializarse** vorm krijgen; **materialmente** totaal, letterlijk; ~ *imposible* totaal onmogelijk

maternal moederlijk; **maternidad** *v* **1** moederschap; **2** (*clínica de*) ~ kraamkliniek; **materno** vd moeder, moeder-; *~-infantil* voor moeder en kind; *lengua -a* moedertaal

matinal vd ochtend, ochtendlijk, ochtend-

matiz *m* nuance, schakering, tint; **matización** *v* nuancering; **matizar** **1** (*kleuren*) combineren; **2** nuanceren, (nader) toelichten; **3** ~ *de*... (*fig*) een...tintje geven

matojo lelijke struik

matón *m* vechtjas, krachtpatser, ijzervreter; **matonería** snoeverij

matorral *m* bosje; *~es* struikgewas, kreupelhout

matraca ratel; *dar* (*la*) ~ zeuren, aanhouden; **matraquear** **1** ratelen; **2** zeuren, aanhouden; **matraqueo** **1** geratel; **2** gezanik

matrería **1** achterdocht; **2** sluwheid

matriarcado matriarchaat; **matricida** *m,v* iem die zijn moeder heeft gedood; **matricidio** moedermoord

matrícula **1** inschrijving; lijst van ingeschrevenen; *puerto de* ~ thuishaven; **2** lesgeld, schoolgeld; **3** nummer(bord), kenteken(plaat), (*Belg*) inschrijvingsplaat || *con* ~ *de honor* met lof; **matriculación** *v* inschrijving; **matricular** inschrijven; laten inschrijven, opgeven; **matricularse** zich inschrijven, zich aanmelden, zich opgeven

matrimonial echtelijk, huwelijks-; *cama* ~ tweepersoonsbed; **matrimonialista** (*mbt advocaat*) gespecialiseerd in huwelijksrecht; **matrimonio** **1** huwelijk; ~ *canónico* kerkelijk huwelijk; ~ *civil* burgerlijk huwelijk; ~ *de conveniencia* verstandshuwelijk; *contraer* ~ huwen, trouwen; *fuera de* ~ buitenechtelijk; *pedir en* ~ ten huwelijk vragen; **2** echtpaar; *cama de* ~ tweepersoonsbed

matritense *zie madrileño*

matriz I *v* **1** baarmoeder; *descenso de la* ~ verzakking; **2** matrijs, gietvorm; **3** (*notarieel*) minuut, originele akte; **4** boekje met souches || *impresora de* ~ matrixprinter; II *bn* **1** moeder-; *casa* ~ hoofdkantoor; *sociedad* ~ moedermaatschappij; **2** oorspronkelijk; **matrona** **1** moederfiguur, vrouw op leeftijd; **2** gezette vrouw, schommel; **3** vroedvrouw; **4** visiteuse (*bij douane*); **matronaza** (*fam*) dikke schommel

matusalén *m* oude man

matute *m* **1** smokkelwaar; *entrar de* ~: *a*) naar binnen gesmokkeld worden; *b*) naar binnen smokkelen; **2** smokkelarij; *hacer* ~ smokkelen; **matutear** smokkelen; **matutero**, **-a** smokkelaar(ster)

matutino ochtendlijk, ochtend-; (*diario*) ~ ochtendblad

maula wrak, onding, prul, lor

maullar **ú** miauwen, mauwen; **maullido** (het) miauwen

máuser *m* mauser

mausoleo mausoleum, praalgraf

maxilar vd kaak, kaak-; *hueso* ~ kaakbeen

máxima **1** stelregel; **2** maximumtemperatuur; **máxime** voornamelijk; ~ *que* temeer daar; **máximo** I *bn* **1** hoogst, maximaal, maximum-; *plazo* ~ uiterste termijn; *velocidad -a* maximumsnelheid; II *zn* maximum; *como* ~ uiterlijk, hoogstens

1 maya I *m* Maya (*Indiaan uit oude Mexico*); II *bn* vd Maya's

2 maya madeliefje

mayal *m* dorsvlegel

mayestático majesteitelijk; *plural* ~ pluralis majestatis

mayo mei

mayólica majolica

mayonesa mayonaise

mayor I *bn* **1** groter; *el* ~ de grootste; *al por* ~ in het groot (*verkopen*); *tercera* ~ grote terts; **2** ouder; *el* ~ de oudste; ~ *de edad* meerderjarig; ~ *de 18 años* boven de 18; **3** op leeftijd, bejaard; *muy* ~ erg oud; II *m* **1** majoor; **2** *~es*: *a*) ouderen; *b*) volwassenen; *c*) voorouders; **3** chef; **4** (*wisk*) groter dan-teken; **mayoral** *m* **1** opzichter; **2** baas vd herders; **mayorazgo**, **-a** **1**

oudste kind; 2 *m* type erfrecht waarbij de oudste zoon bep zaken geheel erft (*bv land*)
mayordomo 1 butler; 2 hofmeester
mayoría 1 meerderheid; ~ *aplastante* verpletterende meerderheid; ~ *silenciosa* zwijgende meerderheid; ~ *de votos* meerderheid van stemmen; *en su* ~ merendeels; 2 ~ (*de edad*) meerderjarigheid; **mayorista** I *m* grossier; II *bn* in het groot; **mayoritariamente** merendeels; **mayoritario** vd meerderheid; **mayormente** in het bijzonder, vooral, hoofdzakelijk
mayúscula hoofdletter; **mayúsculo** I 1 heel groot, enorm; 2 (*letra*) *-a* hoofdletter; II *zn* kapitaal, hoofdletter
maza 1 knots; 2 moker; stamper; 3 paukestok
mazacote *m* iets wat hard en stijf geworden is (*bv rijstgerecht, matras*)
mazapán *m* marsepein
mazazo hamerslag, mokerslag
mazmorra (ondergrondse) kerker
mazo 1 zware houten hamer; 2 bundel, bosje, pak, (*kaartsp*) stapel; 3 stamper (*in vijzel*); 4 zeurpiet, lastpak
mazorca 1 maïskolf; 2 (*Am, in Chili; hist*) groep die dictatoriale regering vormt; 3 (*Am, in Argentinië; hist*) geheime politie
mazurca mazurka
mazut *m* stookolie
me *pers vnw* me, mij
meada (*pop*) 1 (het) pissen; 2 plas, urine; urinevlek; **meadero** (*pop*) urinoir; **meados** *mmv* (*pop*) pis
meandro meander
meapilas *m* (*pop*) heel vroom iemand, kwezel
mear (*pop*) pissen, wateren; **mearse** het in zijn broek doen
Meca: *la* ~ Mekka
mecachis: *¡~!* verdorie!
mecánica 1 mechanica; werktuigbouwkunde; 2 mechaniek, werking; **mecánicamente** 1 mechanisch; 2 automatisch, plichtmatig; **mecánico, -a** I *bn* 1 mechanisch, machinaal; 2 plichtmatig; automatisch; *acto* ~ automatisme; II *zn* monteur, technicus; ~ *de automóviles* automonteur, (*Belg*) garagist; ~ *de a bordo* boordwerktuigkundige; ~ *dentista* tandtechnicus; ~ *naval* scheepswerktuigkundige; **mecanismo** mechanisme; ~ *de dirección* stuurmechanisme; ~ *del reloj* uurwerk; **mecanización** *v* mechanisatie; **mecanizar** mechaniseren; **mecanografía** (het) typen; **mecanografiar í** typen; **mecanográfico** schrijfmachine-; **mecanógrafo, -a** typist(e)
mecedor, -ora I *bn* wiegend; II 1 *m* schommel; 2 *v* schommelstoel
mecenas *m* mecenas; **mecenazgo** mecenaat
mecer schommelen, wiegen; **mecerse** schommelen
mecha 1 pit, lont; *la* ~ *en un barril de pólvora* de lont in het kruitvat; 2 lok (*haar*); *~s* coupe soleil; 3 stukje lardeerspek; 4 pluksel; 5 (*pop*) pik, lul ‖ *a toda* ~ als de bliksem; *aguantar* ~ dapper volhouden, gelaten verdragen; **mechera** winkeldievegge; **mechero** 1 aansteker; 2 brander (*van fornuis*); ~ *económico* spaarbrander; 3 winkeldief; 4 (*pop*) pik, lul; **mechón** *m* 1 (haar)lok; 2 pluk (*wol*)
medalla medaille, penning; ~ *de honor* erepenning; *el reverso de la* ~ de keerzijde vd medaille; **medallón** *m* medaillon
1 media kous; *hacer* ~ breien
2 media 1 gemiddelde; 2 (*sp*) middenlinie; 3 (het) halve uur
mediacaña 1 holle richel, holle lijst; 2 halfronde sierlijst; 3 soort (*holle*) guts; 4 soort (*bolle*) vijl
mediación *v* bemiddeling
mediado half gevuld; *a ~s de* halverwege; *a ~s de mayo* half mei, midden mei
mediador, -ora I *bn* bemiddelend; II *zn* bemiddelaar(ster)
medialuna 1 croissant; 2 (*hist*) halve maan (*symbool vd Turken*)
mediana 1 zwaartelijn; 2 grote biljartkeu
medianera 1 gemeenschappelijke tussenmuur; 2 gemeenschappelijke afscheiding (*hek*); **medianero, -a** I *bn* in het midden gelegen, tussen-; II *zn* 1 bemiddelaar(ster), voorspraak; 2 *m* eigenaar van aangrenzend huis of terrein, buur; **medianía** 1 midelmaat; 2 middelmatig mens; **mediano** 1 gemiddeld, middelmatig, midden-; *la pequeña y -a empresa* het midden- en kleinbedrijf; *talla -a* middelmaat; *de tamaño* ~ middelgroot; 2 middelste
medianoche *v* 1 middernacht, 12 uur 's nachts; *a* ~ om middernacht; 2 soort luxe broodje
mediante door middel van; ~ *el pago de* tegen betaling van; *Dios* ~ met Gods hulp; **mediar** 1 (er)tussen liggen; *mediaron quince días* er verliepen twee weken; *entre los dos media un abismo* er ligt een wereld van verschil tussen die twee; 2 het midden bereiken; 3 bemiddelen; ~ *en favor de* een goed woordje doen voor; 4 zich voordoen, in het spel zijn, sprake zijn van; *sin* ~ *un porqué* zonder enige reden
medias: *a* ~ half, voor de helft; *ir a* ~ sam-sam doen, ieder de helft betalen; *una verdad a* ~ een halve waarheid
mediatinta tussentint
mediatriz *v* middelloodlijn
medible meetbaar
médica (vrouwelijke) arts, dokter; *zie ook médico*; **medicación** *v* medicatie; **medicamentar** geneesmiddelen voorschrijven, behandelen (*met geneesmiddelen*); **medicamento** medicijn, geneesmiddel; **medicar** geneesmiddelen toedienen; **medicastro** kwakzalver, slechte dokter; **medicina** 1 geneeskunde; ~ *alternativa*, ~ *no convencional* alternatieve geneeskunde; ~ *interna* interne geneeskunde; ~ *natural* natuurgeneeskunde; *estudiar* ~ medicijnen studeren; 2 geneesmiddel, medicijn; *tomar ~s* medicijnen nemen; **medicinal** medicinaal, geneeskrachtig; *calidad* ~ geneeskracht; **medicinar** *zie medicar*

medición *v* meting; ~ *acústica* geluidsmeting
médico, -a I *bn* geneeskundig; II *m,v* (*v ook médica*) dokter, arts; ~ *de a bordo* scheepsarts; ~ *brujo* medicijnman; ~ *de empresa* bedrijfsarts; ~ *especialista* specialist; ~ *forense* politiearts, gerechtsarts, (*Belg*) wetsdokter; lijkschouwer, patholoog-anatoom; ~ *rehabilitador* revalidatiearts; ~ *rural* plattelandsdokter
medida 1 maat, afmeting; ~ *de cadera* heupwijdte; ~ *de capacidad* inhoudsmaat; ~ *de control* controlemaat; ~ *estándar*, ~ *standard* standaardmaat; ~ *externa* buitenmaat; ~ *interna* binnenmaat; ~ *de pecho* borstwijdte, bovenwijdte; *a* ~ *de* naar gelang van; *a* ~ *de los deseos* naar wens; *a* ~ *que* naarmate; *a la* ~ op maat; *a su* ~ precies geschikt, precies pas; *colmar la* ~ de emmer doen overlopen; *comprobar las* ~*s* nameten; *en la* ~ *en que* in zoverre dat; *en cierta* ~ enigermate; *en gran* ~ in hoge mate; *en tal* ~ zozeer; *sin* ~ mateloos; *tomar* (*la*) ~ *a u.p.* iem de maat nemen; 2 maatregel; ~*s de ahorro*, ~*s de economía* bezuinigingsmaatregelen; ~ *coercitiva* dwangmaatregel; ~ *disciplinaria* strafmaatregel; ~*s encaminadas a* maatregelen gericht op; ~ *de precaución* voorzorgsmaatregel; ~*s preparatorias* voorbereidende maatregelen; ~ *de seguridad* veiligheidsmaatregel; ~ *transitoria* tijdelijke maatregel, overgangsmaatregel; *tomar* ~*s* maatregelen nemen; 3 ~ (*de cristal*) maatbeker; 4 maatstaf, standaard; 5 gematigdheid, tact; **medidor, -ora** I *bn* metend; II *zn* 1 iem die meet; 2 *m* meetapparaat; ~ *de distancia* afstandsmeter; ~ *de tensión* spanningsmeter
medieval middeleeuws; **medievalista** *m,v* mediaevist(e), kenner vd middeleeuwen; **medievo** middeleeuws
medio I *bn* 1 half; ~ *año* een half jaar; ~ *decir* laten doorschemeren; ~ *desnudo* halfnaakt; ~ *galope* korte galop; ~ *hermano* halfbroer; *-a luz* halfdonker; ~ *tonto* niet goed bij zijn hoofd; *a -a asta* halfstok; *a* ~ *camino* halverwege; *a -a mañana* in de loop vd ochtend; *ni* ~ (*fam*) helemaal niet; 2 gemiddeld; *por término* ~ gemiddeld, in doorsnee; *renta -a* gemiddeld inkomen, modaal inkomen; 3 middelbaar, midden-; *clase -a* middenklasse; *cultura -a, nivel cultural* ~ middelbaar niveau; *enseñanza -a* middelbaar onderwijs; 4 *a* ~ + *onbep w* half ge-; *a* ~ *abrir* halfgeopend; *a* ~ *hacer: a*) half af; *b*) half gaar; *a* ~ *llenar* halfvol; *a* ~ *vestir* half gekleed; || *de* ~ *a* ~ schromelijk (*vergissen*), volledig; II *zn* 1 midden; *andar por* ~ in het spel zijn; *el justo* ~ het juiste midden; *en* (*el*) ~ in het midden, middenin; *en* ~ *de* temidden van, tussen; *en* ~ *de todo* al met al, ondanks alles; *el de en* ~ de middelste; *quitar de en* ~ verwijderen; *quitarse de en* ~ het veld ruimen, zich verwijderen; 2 middel; maatregel; ~ *auxiliar* hulpmiddel; ~ *coercitivo* machtsmiddel; ~*s de existencia*, ~*s de vida* bestaansmiddelen; ~ *de pago* betaalmiddel; ~*s de producción* produktiemiddelen; ~ *de prueba* bewijsmiddel; ~*s de pulir* poetsmiddelen; ~*s de transporte* vervoermiddelen; *con todos los* ~*s a bordo* met kunst- en vliegwerk; *no perdonar* ~ niets ongedaan laten; *poner los* ~*s para* zich inzetten om, stappen nemen voor; *por* ~ *de* door middel van; *por sus propios* ~*s* op eigen kracht; 3 helft; 4 milieu, omgeving; ~ *ambiente* milieu, leefomgeving, leefmilieu; *el* ~ *social* het sociale milieu; 5 milieu, kring; ~*s gubernamentales* regeringskringen; ~*s informados* welingelichte kringen; 6 (*dedo*) ~ middelvinger; 7 (*sp*) ~ (*centro*) spil, midhalf; 8 ~*s* middelen, geld; *corto de* ~*s, escaso de* ~*s* onbemiddeld; 9 ~*s* (*de comunicación*), ~*s* (*de información*) media; ~*s de comunicación de masas* massamedia; *teoría de los* ~*s* (*publicitarios*) medialeer
medir i 1 meten, afmeten, opmeten; ~ *con el mismo rasero* over één kam scheren; ~ *el tiempo* (*sp*) klokken; 2 (*fig*) afwegen; ~ *sus palabras* zijn woorden wegen; **medirse i** (*con*) 1 zich meten (met); 2 zich inhouden, inbinden
meditabundo nadenkend, peinzend; **meditación** *v* overdenking, gepeins, meditatie; *tema de* ~ stof tot nadenken; **meditado**: *bien* ~ weloverwogen, goed doordacht; **meditador, -ora** I *bn* nadenkend; II *zn* peinzer, denker; **meditar** nadenken, peinzen, mediteren, mijmeren (over); **meditativo** meditatief, bespiegelend
mediterráneo: *países* ~*s*: *a*) landen aan de Middellandse Zee; *b*) landen die niet aan zee grenzen; **Mediterráneo**: *mar* ~ Middellandse Zee
médium *m* medium
medrar 1 groeien, gedijen; 2 er (*financieel*) op vooruitgaan, er wel bij varen; **medroso** 1 angstig; *estar* ~ bang zijn; 2 bangelijk; *ser* ~ bangelijk (van aard) zijn; **medro** 1 groei; 2 voordeel; ~ *personal* eigen voordeel
médula 1 merg; ~ *espinal* ruggemerg; ~ *ósea* beenmerg; 2 (*fig*) hart, kern; *hasta la* ~ in hart en nieren; **medular** 1 vh (rugge)merg; 2 (*fig*) vd kern; *problema* ~ kernprobleem
medusa kwal
mefistofélico mefistofelisch, duivels
mefítico ongezond bij inademing, stinkend
megaciudad *v* miljoenenstad
megafonía luidsprekerinstallatie; **megáfono** megafoon
megalítico megalitisch, uit het stenen tijdperk; **megalito** megaliet, reuzensteen
megalomanía hoogmoedswaanzin, grootheidswaanzin
megatón *m* megaton
megavatio megawatt; **megavoltio** megavolt
meigo, -a tovenaar, heks
meiosis *v* meiose, reductiedeling
mejicanismo Mexicaans woord of uitdrukking; **mejicano** Mexicaans; **Méjico** Mexico

mejilla wang
mejillón *m* grote mossel
mejor I *bn* beter; *lo ~* het beste; *el ~ de todos* de allerbeste; **II** *bw* beter; best; *~ dicho* beter gezegd; *~ que ~* nog veel beter, helemaal mooi; *~ (que) no* liever niet; *¡(tanto) ~!* des te beter!, blij toe!; *a lo ~* misschien; *como ~ pueda* zo goed als ik kan; *Juan lo hace ~: a)* Juan doet het beter; *b)* Juan doet het het best; **mejora 1** verbetering; vooruitgang; *~ del sueldo* loonsverhoging; 2 hoger bod; 3 (*jur*) erfdeel boven de legitieme portie; **mejorable** te verbeteren; **mejoramiento** verbetering
mejorana marjolein
mejorar I *tr* 1 verbeteren, beter maken; 2 overtreffen; 3 (*bod*) verhogen; 4 (*jur*) een erfgenaam meer dan de legitieme portie nalaten; **II** *intr* beter worden; *~ (de posición)* promotie maken; *¡que mejore(s)!* beterschap!; **mejorarse** beter worden, opknappen; **mejorcito** (*fam*) een beetje beter; *lo ~* het puikje; **mejoría** verbetering; beterschap
mejunje *m* vieze drank, brouwsel
melado honingkleurig
melancolía melancholie, weemoed, zwaarmoedigheid; **melancólico** melancholiek, weemoedig, zwaarmoedig, droefgeestig
melanina melanine
melar (*mbt bijen*) honing maken; **melaza** melasse
melena 1 haardos, veel lang haar; 2 manen (*van leeuw*); **melenudo** met lang haar, langharig
melero, -a honingverkoper, -verkoopster; **melificar** (*mbt bijen*) honing maken; **melifluidad** *v* zoetsappigheid; **melifluo** honingzoet
melillense uit Melilla (*Sp Marokko*)
melindre *m* (*vaak mv*) preutse aanstellerij; **melindroso** aanstellerig, preuts
mella 1 'kartel, scherf (*uit rand*); deuk; 2 gat, opening; 3 schade, nadeel; *hacer ~: a)* schade berokkenen; *b)* grote indruk maken; **mellado** 1 (*mbt aardewerk*) met gescherfde rand; 2 die een tand mist; **melladura 1** scherf (*uit rand*), 'kartel; 2 gat, opening
mellizo, -a I *bn* tweeling-; *hermanas -as* tweelingzusjes, tweeling; **II** *zn: ~s* tweeling
melocotón *m* 1 perzik; 2 perzikboom; **melocotonero** perzikboom
melodía melodie, wijs; **melódico** melodisch; **melodioso** melodieus
melodrama *m* melodrama; **melodramático** melodramatisch
melomanía overdreven liefde voor muziek; **melómano, -a** overdreven muziekliefhebber
melón *m* 1 meloen; *~ dulce* suikermeloen; 2 meloenplant; **melonada** flauwiteit; **melonar** *m* meloenenveld
melosidad *v* zoetheid; zoetsappigheid; **meloso** 1 honingzoet; 2 zoetsappig, poeslief
memada *zie memez*
membrana vlies; *~ celular* celmembraan; *~ interdigital* (*dierk*) zwemvlies; *~ mucosa* slijmvlies; **membranoso** met vliezen, vliesachtig
membrete *m* briefhoofd
membrillo 1 kweepeer; *dulce de ~, carne de ~* stevige kweepeergelei (*nagerecht*); 2 kweeboom
membrudo fors, robuust
memez *v* dwaasheid, domheid, idioterie; **memo** suf, dom, stom, sukkelig; *esa -a* die domme gans
memorable vermeldenswaard; **memorando, memorándum** *m* 1 aantekenboekje; 2 memo, memorandum; **memoria 1** geheugen; *su ~ flaquea* zijn geheugen wordt zwakker; *~ operativa* (*comp*) werkgeheugen; *~ de tísico, ~ de elefante* stalen geheugen; *de ~* uit het hoofd; *me falla la ~* mijn geheugen laat me in de steek; *falta de ~* vergeetachtigheid; *grabado en la ~* in het geheugen gegrift; *refrescar la ~* het geheugen opfrissen; *tener poca ~* een slecht geheugen hebben; 2 nagedachtenis; *de feliz ~* (*vaak iron*) zaliger nagedachtenis; 3 herinnering; *conservar clara ~ de u.c.* zich iets duidelijk herinneren; 4 verslag, overzicht; *~ (anual)* jaarverslag; *~ explicativa* memorie van toelichting; 5 uiteenzetting, verslag; *redactar una ~* een verslag schrijven; 6 *~s* memoires; **memorial** *m* verzoekschrift met toelichting; **memorialista** *m,v* schrijver van memoires; **memorión** *m* (*fam*) 1 enorm geheugen; 2 (*neg*) iem die alles onthoudt; **memorismo** (overdreven) geheugentraining, (het) uit het hoofd leren; **memorioso** met een goed geheugen; **memorista** *m,v* iem die gemakkelijk uit zijn hoofd leert; **memorístico** gericht op uit het hoofd leren; geheugen-; **memorización** *v* (het) memoriseren; **memorizar** memoriseren, van buiten leren
menaje *m* huisraad
Menchu *afk van Carmen*
mención *v* melding, vermelding; *~ honorífica* eervolle vermelding; *digno de ~* noemenswaard, vermeldenswaard; *hacer ~ de* vermelden; **mencionado** genoemd; *arriba ~* voornoemd; **mencionar** noemen, melden, vermelden; *~ de paso* aanroeren, aanstippen
menda: *un ~, mi ~* (*fam*) ik, ondergetekende
mendacidad *v* leugenachtigheid; **mendaz** leugenachtig
mendicante: *monje ~* bedelmonnik; **mendicidad** *v* bedelarij; **mendigar** bedelen; **mendigo, -a** bedelaar, bedelares
mendrugo 1 homp oud brood; *un ~ de pan* een kleine aalmoes; 2 pummel
meneallo: *peor es ~* men moet geen slapende honden wakker maken, daar kun je maar beter niet over praten
menear 1 schudden, zwaaien, roeren, in beweging brengen; *~ la cabeza* het hoofd schudden; *~ la cola* kwispelstaarten; 2 (*een zaak*) leiden, aanpakken; **menearse** (*fam*) 1 zich

haasten; 2 zich inzetten, ergens iets aan doen, zich moeite geven; *de no te menees* geweldig, enorm, van jewelste; **meneo** 1 (het) bewegen; drukte; 2 (het) heupwiegen; 3 duw; 4 uitbrander; pak rammel

menester *m* 1 behoefte, noodzaak; boodschap, karweitje; *ser ~ (lit)* nodig zijn; 2 *~es* lichamelijke behoeften; 3 *~es* bezigheden; **menesteroso** behoeftig

menestra mengsel van gestoofde groenten (en soms vlees)

mengano dinges; *fulano, ~ y zutano* die en die, Jan, Piet en Klaas

mengua 1 vermindering; *ir en ~ de* ten koste gaan van; 2 (het) ontbreken, gebrek, nadeel; schaarste; *sin ~* compleet, intact; 3 slapheid, lusteloosheid; 4 schande; *ser en ~ de* een schande zijn voor; **menguado** I *bn* gering 1 laf; 2 dom; 3 kleinzielig; II *zn* (*bij breien*) mindering; **menguante** I *v* 1 eb, afnemend tij; 2 laatste kwartier (*vd maan*); 3 verlaging vd waterstand; II *bn: cuarto ~* laatste kwartier (*vd maan*); *luna ~* afnemende maan; **menguar** I *intr* verminderen, slinken, afnemen, minder worden; II *tr* 1 verminderen; 2 (*bij breien*) minderen

menhir *m* menhir (*prehistorische gedenksteen*)

menina (*hist*) gezelschapsmeisje voor prinsessen

meningitis *v* meningitis, hersenvliesontsteking

menisco 1 meniscus, lens; 2 meniscus, kraakbeenschijf; *~ de futbolista* voetbalknie

menonita doopsgezind, mennonitisch

menopausia menopauze, overgang

menor 1 kleiner; *el ~* de kleinste; *al por ~* in detail (*verkopen*); *artes ~es* kleinkunst; *ganado ~* kleinvee; *no tener la ~ idea* niet het flauwste idee hebben; 2 jonger; *el ~* de jongste; *personas ~es de 20 años* personen onder de 20 jaar; 3 *~* (*de edad*) minderjarig; *la ~ edad* de minderjarigheid; *juez de ~es* jeugdrechter; *tolerada para ~es* (*mbt film*) toegang alle leeftijden; *trabajo de ~es* kinderarbeid; 4 (*modo*) *~* mineur; *do ~* c mineur; *en ~* in mineur; *tercera ~* kleine terts

menorquín, -ina van Menorca

menos 1 minder; minst; *~ aún, aún ~* nog minder, dan helemáál niet; *~ de* (+ *telw*) minder dan; *¡~ mal!* gelukkig maar!; *~ que* minder dan (*iem, iets anders*); *~ que nadie* het minst van allemaal; *lo ~ que se puede hacer* het minste wat je kunt doen; *a lo ~, por lo ~, al ~, cuando ~* op zijn minst, althans; *de ~* te weinig; *un florín de ~* een gulden te weinig; *del mal el ~* het minste van twee kwaden; *es lo de ~* dat is het ergste niet, dat is nog tot daar aan toe; *hacer (de) ~ a u.p.* iem minachten; *nada ~ que* maar liefst; *ni mucho ~* allerminst, allesbehalve, helemaal niet; *no es para ~* dat is niet gering, dat moet men niet onderschatten; *no estar de ~* niet overbodig zijn; *no poder ~ de* niet kunnen nalaten om; *no quiero ser ~* ik wil niet achterblijven; *poco ~ que* vrijwel; *por ~ de nada* om het minste of geringste; *por decir lo ~* om het zacht uit te drukken; *son los ~* het is een minderheid; *venir a ~: a*) aan lager wal raken, in de versukkeling raken, achteruitgaan; *b*) (*mbt buurt*) verkrotten, achteruitgaan; *y ~ su padre* laat staan zijn vader, en zeker zijn vader niet; 2 min; *tres ~ uno son dos* drie min een is twee; 3 uitgezonderd, behalve; *todo ~ eso* dat nooit, alles liever dan dat; *todos ~ uno* allemaal op één na; 4 (*in tijdsaanduiding*) voor; *las dos ~ cuarto* kwart voor vier; 5 *a ~ que* tenzij, als niet

menoscabar nadelig zijn voor, beschadigen, afbreuk doen aan, aantasten; **menoscabo** schade, verslechtering; *en ~ de* ten koste van, ten nadele van; *sin ~ de* zonder...te kort te doen, ...niet te na gesproken

menospreciable verachtelijk; **menospreciador, -ora** minachtend; **menospreciar** minachten, verachten, neerkijken op, geringschatten; **menosprecio** minachting, verachting

mensaje *m* 1 boodschap; *~ publicitario* reclameboodschap; 2 (*comp*) message, melding, bericht; **mensajería** bodedienst; **mensajero, -a** I *zn* bode, boodschapper, koerier; voorbode; II *bn: paloma -a* postduif

menstruación *v* menstruatie; **menstrual** vd menstruatie; *dolores ~es* menstruatiepijnen; **menstruar** menstrueren; **menstruo** *zie menstruación*

mensual maandelijks; *cien florines ~es* honderd gulden per maand; *revista ~* maandblad; **mensualidad** *v* 1 maandgeld, maandsalaris; 2 maandelijkse termijn

ménsula console, steun

mensurabilidad *v* meetbaarheid; **mensurable** meetbaar; **mensurar** meten

menta (*plantk*) munt

mentado 1 bekend, beroemd; 2 vermeld, genoemd

mental geestelijk; *cálculo ~* hoofdrekenen; *enfermo ~* geesteszie k; *paz ~* gemoedsrust; **mentalidad** *v* mentaliteit, geestesgesteldheid; **mentalización** *v* mentaliteitsbeïnvloeding; **mentalizar** (*iem van iets*) bewust maken; beïnvloeden

mentar vermelden, noemen; *~ la madre* uitschelden

mente *v* geest, verstand, innerlijk; *una ~ despejada* een helder hoofd; *apartar de su ~* van zich afzetten; *conservar la ~ despejada* het hoofd koel houden; *despejar la ~* de zinnen verzetten

mentecatez *v* domheid, onnozelheid; **mentecato, -a** I *bn* dom, suf, onnozel, klungelig; II *zn* domkop; *¡será ~!* heb je ooit zo'n gek gezien?

mentidero plaats waar men samenkomt om nieuws of roddels uit te wisselen; praatcafé; **mentir ie, i** liegen; *miente más que habla* hij liegt erop los; *no me dejará* ~ hij kan mijn woorden bevestigen, hij kan getuigen (dat het waar is); **mentira** 1 leugen; onwaarheid; 2 wit plekje op nagel; *aunque parezca* ~ hoe ongelooflijk het ook klinkt; *coger a u.p. en* ~ iem op een leugen betrappen; *parece* ~ het is ongelooflijk, hoe is het mogelijk; **mentirijillas, mentirillas**: *de* ~ niet menens, voor de grap; *jugar de* ~ niet om geld spelen; **mentiroso, -a** I *bn* leugenachtig, bedrieglijk; II *zn* leugenaar(ster), jokkebrok; **mentís** *m* loochening, logenstraffing, ontkenning

mentol *m* menthol; **mentolado** menthol-, met mentholsmaak

mentón *m* (*lit*) kin

mentor *m* leidsman, mentor; **mentora** leidsvrouw, mentrix

menú *m* menu, spijskaart; (*comp*) ~ *de opciones* menu met opties; ~ *principal* hoofdmenu

menudear veel voorkomen; **menudencia** kleinigheid; prulletje; **menudeo** 1 (het) veel voorkomen, frequentie; 2 detailverkoop; *al* ~ en détail, in het klein; **menudillos** *mmv* eetbaar afval van gevogelte; **menudito** heel klein, fijntjes; *andar* ~ trippelen; **menudo** I *bn* klein, iel, fijn; (*mbt handschrift*) klein, kriebelig; *¡~...!* wat een...!; *¡~ susto!* wat een schrik!; *-a la que nos ha venido* we zijn weer mooi de klos; *a* ~ vaak; *carbón* ~ kolengruis; *gente -a* grut, (het) kleine volkje; *lo más a* ~ het vaakst, het meest; *moneda -a* kleingeld; II *zn:* ~*s* 1 slachtafval van vee; 2 eetbaar afval van gevogelte

meñique *m:* (*dedo*) ~ pink

meollo 1 hersenmassa; 2 merg; 3 binnenste, kern; zachte binnenste van brood; 4 intelligentie; 5 inhoud, verstandige kern

meón, -ona (*fam*) die veel plast

mequetrefe *m,v* onnozele hals, domme gans, stomkop, zot

meramente zuiver en alleen

mercachifle *m* scharrelaar, sjacheraar; **mercader** *m* (*lit*) koopman; **mercadería** koopwaar; **mercaderil** (*neg*) van een koopman, koopmans-; **mercadillo** rommelmarkt, vlooienmarkt; **mercado** markt; afzetgebied; ~ *común europeo* Europese gemeenschappelijke markt; ~ *de divisas* valutamarkt; ~ *inmobilario* onroerend-goedmarkt; ~ *mundial* wereldmarkt; ~ *negro* zwarte markt; ~ *ocupacional,* ~ *de trabajo* arbeidsmarkt; ~ *de valores* effectenmarkt; ~ *de viejo* rommelmarkt; *apestar el* ~ de markt verpesten; *lanzar al* ~ op de markt brengen; *salir al* ~ in de handel komen; *segundo* ~ parallelmarkt; **mercadotecnia** marketing; **mercancía** goederen, handelswaar, koopwaar; ~ *liberalizada* vrijgestelde goederen; ~*s peligrosas* gevaarlijke stoffen; ~*s en pequeña velocidad* vrachtgoed (*per trein*); ~*s de tránsito* transitogoederen; **mercante** koopvaardij-; *buque* ~ koopvaardijschip; *flota* ~ koopvaardijvloot; *marina* ~ koopvaardij; **mercantil** handels-, vd handel; *derecho* ~ handelsrecht; *espíritu* ~ koopmansgeest; *flota* ~ handelsvloot; **mercantilismo** mercantilisme; **mercar** (*fam*) kopen

Merche *afk van Mercedes*

merced *v* 1 genade, gunst; *vuestra* ~ (*hist*) Uwe Genade; 2 willekeur; *a* ~ *de* overgeleverd aan; *estar a la* ~ *de* speelbal zijn van || ~ *a* dankzij

mercedario vd orde van La Merced

Mercedes meisjesnaam

mercenario I *bn* tegen beloning, betaald; II *zn* huursoldaat

mercería 1 fournituren; 2 fourniturenwinkel

mercerizar merceriseren

mercurio kwik

merdellón, -ona 1 streber; parvenu; fat; 2 (*mbt huish hulp*) viespeuk, sloddervos

merecedor, -ora die (*iets*) verdient; *hacerse* ~ *de* verdienen; *ser* ~ *de gratitud* dankbaarheid verdienen; **merecer** verdienen, waard zijn; ~ *la aprobación de* de goedkeuring wegdragen van; *merece la pena* het is de moeite waard; *estar en edad de* ~ (*mbt vrouw*) de huwbare leeftijd hebben; *mi trabajo no le merece atención* hij schenkt geen enkele aandacht aan mijn werk; *nos merece confianza* hij is ons vertrouwen waard, we zijn hem vertrouwen schuldig; *nos lo merece* we zijn het hem verplicht; **merecerse** verdienen; *se lo merece: a*) hij verdient het; *b*) hij heeft het ernaar gemaakt; **merecido** verdiende loon; *darle su* ~ *a u.p.* iem de wind van voren geven; *recibir su* ~ zijn verdiende loon krijgen; *te lo tienes* ~ het is je verdiende loon; **merecimiento** (het) verdienen

merendar ie 1 de merienda gebruiken; (*vglbaar*) thee drinken; 2 bij de merienda nuttigen; **merendarse ie** (*fig*) (*gemakkelijk*) bereiken; **merendero** uitspanning; (strand)paviljoen; (*vglbaar*) theehuis; **merendola** 1 feestelijke merienda; 2 picknick

merengue *m* (schuim)taart, schuimpje

meretriz *v* prostituée

meridano uit Mérida (*Mexico*); **meridense** uit Mérida (*Venezuela*); **merideño** uit Mérida (*Spanje*)

meridiana 1 divan; 2 siësta; **meridiano** I *bn* 1 vd meridiaan; 2 zeer helder; II *zn* meridiaan; **meridional** vh zuiden, zuidelijk

merienda 1 licht maal in de namiddag na de siësta (*vaak koffie en koekje*); ~ *de negros* ordeloze troep (*bij het eten*); 2 ~ (*en el campo*) picknick

merino *bn* merino-, vh merinoschaap, van merinowol

mérito verdienste; *de* ~ verdienstelijk; *arrojarse* ~*s para* menen recht te hebben op; *hacer* ~*s* zich verdienstelijk maken; *llevarse el* ~ met de eer gaan strijken; **meritorio, -a** I *bn* verdienstelijk; II *zn* volontair

merla merel

merlán *m* wijting

merluza heek || *coger una* ~ (*fam*) zich bezatten

merma vermindering; ~ *por dispersión* lekverlies; **mermar** I *intr* minder worden, slinken; II *tr* minder maken, aantasten
mermelada jam
1 mero *bn* puur, zuiver; *el ~ hecho* het loutere feit
2 mero *zn* soort baars
merodeador, **-ora** zwervend; **merodear** rondzwerven (*en soms: stelen*); **merodeo** (het) zwerven (*en stelen*)
meruéndano bosaardbei
mes *m* 1 maand; *cada seis ~es* ieder half jaar; 2 maandsalaris; 3 menstruatie
mesa 1 tafel; ~ *abatible* klaptafel (*neerklapbaar*); ~ *auxiliar* bijzettafeltje; ~ *de billar* biljart; ~ *camilla: zie camilla;* ~ *de comedor* eettafel; ~ *de dibujo* tekentafel; ~ *de disección* snijtafel; ~ *de escribir* schrijftafel; ~ *escritorio* bureau; ~ *de fregar* aanrecht; ~ *de juego* speeltafel; ~ *giratoria* draaitafel, draaischijf; ~ *de operaciones* operatietafel; ~ *de planchar* strijkplank; ~ *plegable* klaptafel (*opklapbaar*); ~ *redonda* ronde tafel; ~ (*de*) *velador* bijzettafeltje; *¡a la ~!* aan tafel!; *poner la ~* tafel dekken; *quitar la ~* de tafel afnemen; 2 presidium; ~ (*de debate*) panel, forum; 3 maaltijd; *la buena ~* lekker eten; **mesada** 1 maandbetaling; 2 (*fam*) aanrecht
mesalina aristocratische loszinnige vrouw
mesana 1 bezaansmast; 2 bezaan (*zeil*)
mesar: *~se los cabellos* zich de haren uit het hoofd trekken
mescal *m; zie mezcal*
meseta 1 meseta, tafelland, hoogvlakte, plateau; 2 overloop (*op trap*)
mesiánico Messiaans; **Mesías** *m* Messias
mesilla tafeltje; ~ *auxiliar* bijzettafeltje; ~ *de noche* nachtkastje; **mesita** tafeltje; ~ *de ruedas* dienwagen, serveerboy
mesnada: *~s* troepen, aanhang
mesocéfalo mesocefaal
mesón *m* herberg; **mesonero**, **-a** waard(in), herbergier(ster)
mesopotámico mesopotamisch
mesozoico Mesozoïcum
mesta 1 (*hist*) vereniging van eigenaren van (trekkend) vee; 2 *~s* samenvloeiing van twee rivieren
mestizaje *m* 1 kruising van twee rassen; 2 (de) mestiezen; **mestizo**, **-a** halfbloed, mesties (*vaak kind van blanke en Indiaan*(*se*))
mesura gematigdheid; **mesurado** gematigd, behoedzaam, afgemeten
meta 1 eindstreep, finish, (*Belg*) eindmeet; ~ (*final*) einddoel; 2 (*bij voetbal*) doel; 3 doel; *alcanzar la ~* zijn doel bereiken; *grupo ~* doelgroep; *ser ~ obligada* verplichte kost zijn; *sin ~ fija* zonder bepaald doel; *tener como ~* zich ten doel stellen
metabolismo metabolisme, stofwisseling
metacarpo middelhand
metadona methadon
metafase *v* metafase
metafísica 1 metafysica; 2 (*neg*) diepzinnige speculaties; **metafísico** metafysisch; al te diepzinnig, abstract
metáfora metafoor, beeldspraak; **metafórico** metaforisch, overdrachtelijk, oneigenlijk
metal *m* metaal; ~ *blanco* witmetaal, alpaca; ~ *ferroso* ferrometaal; ~ *no ferroso,* ~ *no férrico* non-ferrometaal; ~ *de fundición,* ~ *de fusión* gietmetaal; ~ *innoble* onedel metaal; ~ *laminado* plaatmetaal; ~ *ligero* licht metaal; ~ *noble* edel metaal; *el vil ~* het slijk der aarde, geld 1 metalen klank; metalen timbre; 2 (*in orkest*) koperen blaasinstrumenten, koper; **metalado** gemengd, onzuiver; **metálico** I *bn* metalen; *hilo ~* metaaldraad; II *zn* klinkende munt, contanten, geld; *premio en ~* prijs in geld; **metalífero** metaalhoudend; **metalista** *m* metaalbewerker; **metalistería** metaalwerk; **metalización** *v* metallisatie; **metalizado** geobsedeerd door geld; **metalizar** metalliseren, met een metaallaagje bespuiten; **metalizarse** 1 tot metaal worden; 2 alleen aan geld denken; **metaloide** *m* metalloïde; **metalurgia** metallurgie; **metalúrgico** I *bn* vd metallurgie; *industria -a* metaalindustrie; II *zn* 1 metaalbewerker; 2 metallurg, ertskundige, metaalkundige; **metalurgista** *m; zie metalúrgico II*
metamorfosear metamorfoseren; **metamorfosis** *v* metamorfose, gedaanteverandering
metano methaan
metástasis *v* (*med*) uitzaaiing
metatarso middelvoet
metate *m* (*Am*) platte steen waarop wordt gemalen (*bv maïs, cacao*)
metátesis *v* klankverwisseling, metathese
metedor *m* 1 onderluier; 2 smokkelaar; **metedura** (het) stoppen, leggen; ~ *de pata* blunder, flater, stommiteit; **meteduría** (het) smokkelen
meteórico meteorisch, meteoor-; **meteorismo** gasvorming in de darmen; **meteorito** meteoriet, meteoorsteen; **meteorizarse** (*mbt aarde*) de invloed vd luchtverschijnselen ondergaan; **meteoro** weerkundig verschijnsel, luchtverschijnsel; meteoor; **meteorología** meteorologie, weerkunde; **meteorológico** meteorologisch, weerkundig; **meteorólogo**, **-a** weerkundige
metepatas *m* onhandige figuur
meter (*en*) stoppen (in), steken (in); bergen; binnensmokkelen; (*op een school*) doen; (*in spel*) inzetten; (*klap*) geven; *~se u.c. en la cabeza: a*) zich iets in zijn hoofd zetten; *b*) iets in zijn hoofd stampen; ~ *un clavo* een spijker inslaan; *~se una copa* een borrel achteroverslaan; ~ *un gol* een doelpunt maken; ~ *miedo* angst aanjagen; ~ *u.c. por los ojos a u.p.* iem iets opdringen; ~ *la pata* een bok schieten; *a todo ~* in volle vaart; *andar metido con* (*neg*) omgaan met; *con el estómago metido* met in-

getrokken buik; **meterse** I *zelfst ww* 1 ~ *en* zich begeven in, binnengaan, binnendringen in; *se le metió algo en el ojo* hij kreeg iets in zijn oog; ~ *en una calle* een straat ingaan; ~ *en la cama* naar bed gaan; ~ *en un lío* zich in de nesten werken; ~ *de lleno en* (*fig*) ergens helemaal in duiken; ~ *en sí mismo* zich in zichzelf terugtrekken; ~ *por medio* zich ergens in mengen, er tussen komen; *¿dónde se habrá metido?* waar zou hij uithangen?; 2 ~ *en, con* zich bemoeien met, omgaan met, zijn neus steken in; ~ *con u.p.* het iem lastig maken, iem aan zijn hoofd zeuren, iem aanvallen, kritiek op iem hebben; *¡no te metas conmigo!* begin nu niet tegen mij!, blijf uit mijn buurt!; ~ *en lo que no le importa* zich bemoeien met dingen waar men niets mee te maken heeft; ~ *en todo* zich overal mee bemoeien; *no ~ en u.c.* ergens buiten blijven; *no ~ en nada* zich nergens mee bemoeien; 3 ~ *a* (*vaak neg*) beginnen te; *se metió a arreglar el enchufe* hij zou wel even de stekker repareren; 4 buiten de lijn kleuren; II *koppelww:* ~ + *zn* worden; ~ *monja* non worden

meticón *m* bemoeial

meticulosidad *v* nauwgezetheid; **meticuloso** 1 nauwgezet, accuraat, scrupuleus; 2 pietluttig, pietepeuterig

metido I *bn* 1 ~ *con u.p.* bevriend met iem; 2 ~ *en u.c.* druk bezig met iets, ergens nauw bij betrokken, gewikkeld in (*een gesprek*); 3 ~ *en* rijk aan; ~ *en años* op leeftijd; ~ *en carnes* gezet || ~ *para dentro* in zichzelf gekeerd, gesloten; *estar ~ por* verkikkerd zijn op; *zie ook meter*; II *zn* 1 aanval, duw; berisping; 2 aanslag op iems beurs; 3 (*fig*) aanval; *un buen ~ a la comida* een flinke aanval op het eten

metijón, -ona bemoeial

metílico methyl-; **metilo** methyl

metódico methodisch, systematisch; **metodizar** methode brengen in, ordenen; **método** methode; ~ *didáctico,* ~ *educativo* onderwijsmethode; ~ *Ogino* periodieke onthouding; ~ *terapéutico naturista* natuurgeneeswijze; ~ *de trabajo* werkwijze; **metodología** methodologie

metomentodo *m,v* bemoeial

metonimia metonymie (*stijlfiguur*)

metraje *m* lengte van film(band)

metralla schroot (*als lading voor geschut*); **metrallazo** schot met schroot; **metralleta** repeteerpistool

métrica metriek (*van poëzie*); **métrico** metriek; *arte -a* metrische kunst, verskunst; *cinta -a* meetlint, centimeter; *sistema -o* metrieke stelsel; *tonelada -a* metrieke ton, 1000 kg; **metrificar** in versvorm zetten

metritis *v* baarmoederontsteking

1 metro 1 meter; ~ *corrido,* ~ *lineal* strekkende meter; ~ *cuadrado* vierkante meter; ~ *cúbico* kubieke meter; *200 ~s libres* 200 m vrije slag; 2 meetlint; ~ (*plegable*), ~ *de tramos* duimstok; 3 versmaat

2 metro metro, ondergrondse

metrónomo metronoom

metrópoli *v* 1 metropool, wereldstad; 2 moederland (*tegenover de koloniën*); **metropolitano** I *bn* 1 vd metropool; vh moederland; 2 aartsbisschoppelijk; II *zn* 1 metro, ondergrondse; 2 aartsbisschop

mexica *bn* Azteeks; **mexicano** Mexicaans; **México** Mexico

mezcal *m* 1 soort agave; 2 agavebrandewijn, mezcal; **mezcalina** mescaline (*hallucinerend middel*)

mezcla 1 vermenging; *sin* ~ onvermengd, onverdeeld; 2 mengsel, melange; allegaartje; ~ *detonante,* ~ *explosiva* explosief mengsel; 3 toevoeging; 4 metselspecie, mortel; 5 gemengd weefsel (*bv van wol en katoen*); **mezclable** mengbaar; **mezclador, -ora** I *bn* mengend, meng-; *grifo* ~ mengkraan; II *zn* 1 *m,v* iem die mengt, meng(st)er; 2 *m,v* mengtrommel; mengmachine; (keuken)mixer (*meestal v*); ~ *de cemento* betonmolen; 3 *m* grote oven voor vloeibaar ijzer, haard; **mezcladora** *zie mezclador II*; **mezclar** 1 mengen, vermengen; bijmengen; (*een verfkleur*) aanmaken; (*alles*) door elkaar drinken; (*dingen*) door elkaar halen; 2 (*fig*) mengen; ~ *en un asunto* (*iem*) in een zaak mengen; *mezclado en* betrokken bij; **mezclarse** 1 ~ (*en*) zich mengen (in) (*zaak, gesprek*); 2 zich mengen, zich indringen (*in gezelschap*); ~ *con* zich inlaten met (*mensen*), omgaan met; **mezclilla** dun stofje (*van gemengd materiaal*); **mezcolanza** allegaartje, samenraapsel, ratjetoe; (*fig*) lappendeken

mezquindad *v* krenterigheid; kleingeestigheid, benepenheid; **mezquino** benepen, kleingeestig, kleinzielig, min; krenterig

mezquita moskee

mezzosoprano mezzosopraan

mg *miligramo* milligram

1 mi *bez vnw* mijn; *mis hijos* mijn kinderen

2 mi *m* (*muz*) mi, e

mí *pers vnw* (*gebruikt na vz*) mij; *¡a ~ qué!* wat kan mij dat schelen!, wat gaat mij dat aan!; *¿es para ~?* is dat voor mij?; *me lo dijo a* ~ hij zei het tegen míj

miaja kruimeltje, pietsje, greintje

miasma *m* stinkende walm, uitdamping, miasme

miau *m* gemiauw; *¡~!* miauw!

mica mica; **micáceo** van mica; schilferig als mica

micción *v* (het) urineren

micelio mycelium, zwamvlok

micer *m* (*hist, in Aragon*) mijn heer

michelín: *-ines* vetrollen

micifuz *m* (*fam*) poes

mico, -a 1 aap; langstaartaapje; 2 lelijk mens; 3 ijdeltuit; 4 (*van kind gezegd*) kleine aap; 5 *m* vrouwenjager, ouwe bok || *dar el* ~ volkomen verrassen, beetnemen

micología mycologie, kennis vd paddestoelen

micra micron, een duizendste millimeter
microanálisis *m* microanalyse
microbiano vd microben; **microbio** microbe;
microbiología microbiologie
microbús *m* kleine autobus, busje; **microcéfalo** 1 kleinhoofdig; 2 weinig intelligent; **microcircuito** microcircuit; **microcirugía** microchirurgie; **microclima** *m* microklimaat; **microcosmos** *m* microkosmos; **microeconomía** micro-economie; **microelectrónica** micro-elektronica; **microestructura** microstructuur; **microficha** microfiche; **microfilm** *m* microfilm; **microfilme** *m; zie microfilm*
micrófono microfoon
microfotografía microfotografie
microlentilla contactlens
micrometría micrometrie; **micrómetro** micrometer
micromódulo micromoduul
micrón *m* micron, een duizendste millimeter
microómnibus *m; zie microbús*; **microonda** microgolf; *horno ~s* magnetronoven; **microordenador** *m* microcomputer; **microorganismo** micro-organisme; **microplaqueta** chip; **microprocesador** *m* microprocessor
microscópico microscopisch; heel klein; **microscopio** microscoop
microsegundo microseconde, een miljoenste seconde; **microsonda** microsonde; **microsurco** elpee, langspeelplaat; **microtaxi** *m* kleine taxi
micrótomo microtoom (*snijapparaat bij microscopisch onderzoek*)
mieditis *v* (*fam*) angst; **miedo** angst; *~ al agua* watervrees; *~ al escenario* plankenkoorts; *~ mortal* doodsangst; *dar ~* angst aanjagen; *da ~ verlo* het is angstig om te zien; *de ~* verschrikkelijk, ontzettend, geweldig, fantastisch; *infundir ~* angst aanjagen; *meter ~* bang maken; *morirse de ~* doodsbang zijn; *película de ~* griezelfilm; *¡qué ~!* wat een schrik!, wat eng!; *tener ~* (*a, de*) bang zijn (voor); *tener un ~ mortal de* als de dood zijn voor; **miedoso** angstig
miel *v* honing; *~ sobre hojuelas* nog beter dan eerst, helemaal fantastisch; *al que ande entre la ~ algo se le pega* wie met pek omgaat, wordt ermee besmet; *dejar con la ~ en los labios* iem lekker maken; *hacerse de ~* poeslief doen; *no es la ~ para la boca del asno* dat zijn parels voor de zwijnen
miembro 1 (*anat*) lid; *~s* ledematen; 2 *~* (*viril*) mannelijk lid, penis; 3 lid (*van club, van vergelijking*); *~ del Congreso* Tweede-Kamerlid; *~ de la familia* gezinslid; *~ de honor* erelid; *~ del jurado* jurylid; *~ de pleno derecho* volwaardig lid; *estados ~s* lidstaten; *hacerse ~* lid worden
miente *v: ni por ~s* geen sprake van; *parar ~s en* denken aan, stilstaan bij; *traer a las ~s* in herinnering brengen; *venir a las ~s* (*mbt idee*) opkomen
mientras I *bw ~* (*tanto*) ondertussen, intussen, inmiddels; II *voegw* 1 terwijl, zolang (als); *~ dure* voor zolang het duurt; *~ más, mejor* hoe meer hoe beter; *~ viva* zolang ik leef; 2 *~ que* terwijl (daarentegen)
miércoles *m* woensdag; *~ de ceniza* Aswoensdag
mierda (*pop*) 1 drek, stront, poep; *de ~* rot-; *salario de ~* hongerloon; *esa ~ de libro* dat rotboek; *¡vete a la ~!* sodemieter op!; 2 viezigheid, troep; rotding; 3 marihuana; 4 *m,v* klootzak, rotzak, kreng; **mierdica** *m,v* bange schijterd
mies *v* 1 rijp graan; 2 *~es* ingezaaide velden
miga 1 zachte deel vh brood (*zonder korst*); 2 *~s* kruimels, kruim; gebakken stukjes brood; 3 (kernachtige) inhoud; kern, substantie; *la cosa tiene ~* de zaak is niet zo eenvoudig || *hacer buenas ~s* het samen goed kunnen vinden; *no hacen buenas ~s* het botert niet tussen hen; *hacerse ~s* kapot gaan; *hecho ~s* bekaf; **migaja** kruimel; **migar** 1 verkruimelen; 2 soppen, dopen (*in saus, melk*)
migración *v* migratie; *~ (de los pájaros)* vogeltrek; **migrador, -ora** trekkend; *ave -ora* trekvogel; **migratorio** vd migratie, trekkend; *ave -a, pájaro ~* trekvogel
miguelete *m* 1 (*hist, in Catalonië*) berginfanterist; 2 (*in Guipuzcoa*) lid vd plaatselijke militie
mijo gierst
mil I *telw* 1 duizend; *el año ~* het jaar duizend; *las ~ y una noches* 1001 nacht; *cien ~* honderdduizend; *diez ~* tienduizend; 2 heel veel; *a las ~* om ik weet niet hoe laat, heel laat; *de ~ demonios* verduiveld; II *m* duizendtal; *~es de soldados* duizenden soldaten; *a ~es* bij duizenden, in groten getale
milagro wonder; *de ~* als door een wonder, bijna; *hacer ~s* wonderen doen, toveren; *vivir de ~* maar net het hoofd boven water kunnen houden; *vivimos de ~: a*) we leven van de ene dag op de andere; *b*) het is een wonder dat we nog leven; **milagroso** wonderbaarlijk
Milán Milaan; *col de ~* boerenkool; **milanés, -esa** uit Milaan
milano, -a rode wouw
mildiu *m* meeldauw
milenario I *bn* duizendjarig; heel oud; II *zn* 1 millennium, periode van 1000 jaar; 2 duizendste verjaardag; **milenio** millennium, periode van 1000 jaar; **milésimo** duizendste
milhojas *m* bladerdeeg
mili *v* (*fam*) militaire dienst; *salir de la ~* afzwaaien; **milicia** 1 krijgswezen; 2 militie; 3 strijdende groep, strijders; **miliciano, -a** 1 lid van militie; 2 (*tijdens Sp burgeroorlog*) vrijwillig(st)er aan republikeinse zijde; **milico** (*Am; fam; neg*) soldaat, militair
miligramo milligram; **mililitro** milliliter
milimetrado: *papel ~* millimeterpapier; **milímetro** millimeter; **milirrem** *mv milirrems* millirem

militancia strijdbaarheid; actief lidmaatschap (*van politieke partij*); **militante** strijdend; strijdbaar, militant; **militar** I *ww* strijden; dienen (*in leger*); ~ *en el partido socialista* actief lid zijn vd socialistische partij; II *bn* militair; *servicio* ~ militaire dienst; III *m* militair; **militarada** militaire coup, staatsgreep; **militarista** I *bn* militaristisch; II *m,v* militarist(e); **militarización** *v* militarisering; **militarizar** militariseren; militaire discipline invoeren in
milla 1 Engelse mijl (*1609 m*); 2 ~ (*marina*) zeemijl, luchtvaartmijl (*1852 m*); *hacer 12 ~s por hora* 12 mijl per uur varen
millar *m* duizendtal; *a ~es* bij duizenden, in groten getale
millón *m* miljoen; *un ~ de gracias* duizendmaal dank; *mil -ones* een miljard; **millonada** enorm bedrag; **millonario, -a** miljonair; *alcanzó una cifra -a* het liep in de miljoenen; **millonésimo** miljoenste
milonga bep Argentijnse dans en lied
milpa (*Am*) maïsakker
milpiés *m* duizendpoot
mimado verwend; **mimar** verwennen, vertroetelen
mimbre *m* wilgeteen; *sillón de* ~ (*vglbaar*) rotanstoel; **mimbrearse** zich soepel bewegen; **mimbrera** teenwilg, katwilg
mimeografiar i stencilen
mimesis *v* nabootsing; **mimetismo** 1 mimicry, schutkleur; 2 aanpassingsvermogen
mímica mimiek; **mímico** mimisch, met gebaren, nabootsend; **mimo** 1 mime; 2 mimespeler; 3 *~s* geknuffel, verwennerij
mimosa mimosa; ~ *púdica,* ~ *vergonzosa* kruidje-roer-me-niet; **mimoso** 1 aanhalig, vleiend; 2 liefkozend
mina 1 mijn (*ook mil*); ~ *de carbón* kolenmijn; ~ *de oro* goudmijn (*ook fig*); ~ *de plata* zilvermijn; ~ *submarina* zeemijn; ~ *terrestre* landmijn; 2 stift (*in vulpotlood*); **minador, -ora** I *bn* 1 ondermijnend; 2 die mijnen legt; II *m* 1 mijnenlegger; 2 (*mil*) mineur; **minar** 1 mijnen graven in; 2 (*mil*) mijnen plaatsen in; 3 ondergraven, ondermijnen, slopen; ~ *la salud* slopend zijn voor de gezondheid
minarete *m* minaret
mineral I *bn* mineraal; *aceite* ~ minerale olie; *agua* ~ mineraalwater; II *m* mineraal, erts; ~ (*de extracción*) delfstof; ~ *de hierro* ijzererts; **mineralogía** mineralogie; **mineralógico** mineralogisch; **minería** mijnbouw; **minero** I *bn* vd mijnen, mijn-; II *zn* 1 mijnwerker; 2 mijnexploitant
mingitorio urinoir
miniatura miniatuur; **miniaturista** *m,v* miniaturist(e)
minifalda minirok
minifundio 1 (te) klein stuk landbouwgrond; 2 versnippering vh grondbezit
mínima 1 (*muz*) halve noot; 2 heel klein stukje; 3 minimumtemperatuur; **minimizar** (tot het uiterste) verkleinen; bagatelliseren; **mínimo** I *bn* miniem; minimaal; allerlaagst, allerkleinst; *-a dedicación* minimum werktijd; *la ley del ~ esfuerzo* de weg vd minste weerstand; *no molesta (en) lo más* ~ het is helemaal niet lastig; II *zn* minimum; ~ *común múltiplo* kleinste gemene veelvoud; ~ *exento* (*vglbaar*) belastingvrije voet; ~ *vital* bestaansminimum; *como* ~ op zijn minst
minino, -a (*fam*) poes
minio menie
ministerial ministerieel; *crisis* ~ kabinetscrisis; **ministerio** 1 ministerie; ~ *de la Gobernación* ministerie van binnenlandse zaken; ~ *de Hacienda* ministerie van financiën; ~ *de Obras Públicas* ministerie van openbare werken; 2 ministerschap; 3 ~ *fiscal,* ~ *público* openbaar ministerie; 4 taak; **ministra** 1 vrouwelijke minister; *primera* ~ premier; 2 vrouw van minister; *zie ook ministro*; **ministrable** ministeriabel; **ministro** *m, soms v* minister; ~ *sin cartera* minister zonder portefeuille; ~ *del Señor,* ~ *de Dios* priester, dienaar Gods; *consejo de ~s* kabinet; *primer* ~ premier
minoración *v* vermindering; **minoría** 1 minderheid; *~s étnicas* etnische minderheden; 2 ~ (*de edad*) minderjarigheid; **minorista** I *m,v* detaillist(e), kleinhandelaar; II *bn* in detail; *precio* ~ kleinhandelsprijs; **minoritario** vd minderheid; *gobierno* ~ minderheidsregering
minucia kleinigheid; **minuciosidad** *v* pietepeuterigheid, (pijnlijke) nauwgezetheid; **minucioso** pietepeuterig, (pijnlijk) nauwgezet; minutieus; *trabajo* ~ een heel precies werkje
minué *m* menuet
minuendo (*rekenk*) aftrektal
minúscula kleine letter (*geen hoofdletter*); **minúsculo** piepklein, nietig; *letra -a: a*) heel klein lettertje; *b*) kleine letter (*geen hoofdletter*); *partido* ~ splinterpartij
minusválido, -a I *bn* gehandicapt, mindervalide; II *zn* gehandicapte; **minusvalorado** ondergewaardeerd
minuta 1 menu; 2 minuut (*van akte*); 3 declaratie (*van advocaat*); **minutero** grote wijzer, minutenwijzer; **minuto** minuut
mío *bez vnw* van mij; mijn (*met nadruk*); *la casa es -a* het huis is van mij; *el libro* ~ míjn boek
miocardio hartspier
mioma *m* myoom, vleesboom
miope 1 bijziend, kippig; 2 kortzichtig; **miopía** 1 bijziendheid; 2 kortzichtigheid
mira 1 vizier; 2 uitkijkpunt; *estar a la ~: a*) op de uitkijk staan; *b*) de zaak aankijken; 3 bedoeling; *con ~s a* met het oog op, met de bedoeling om; *con la ~ puesta en...* met als doel..., met...steeds voor ogen; *de ~s amplias* ruimdenkend; *estrecho de* ~ kleingeestig; *poner la ~ en* streven naar; **mirada** blik; ~ *de conocedor* kennersblik; ~ *fija* starre blik; ~ *fogosa* vurige blik; ~ *fulminante* vernietigende

blik; ~ *furtiva* steelse blik; ~ *de inteligencia* blik van verstandhouding; ~ *oblicua* zijdelingse blik; ~ *previsora* vooruitziende blik; *clavar la ~ en, fijar la ~ en* de blik vestigen op; (*con*) *la ~ baja* met neergeslagen ogen; *dirigir la ~ a* de blik richten op; *echar una ~ a* een blik werpen op; *pasear la ~ por* zijn blik laten dwalen over; *seguir con la ~* (*iem*) nakijken; **mirado** 1 behoedzaam, tactvol; ~ *en* voorzichtig met; 2 bekeken, beschouwd; ~ *a fondo* op de keper beschouwd; *bien ~: a*) goed aangeschreven; *b*) alles welbeschouwd; **mirador** 1 uitkijkpunt; 2 erker; beglaasd balkon

miraguano soort palm

miramiento 1 behoedzaamheid, tact; 2 *~s* egards, eerbied; *tratar con muchos ~s* met fluwelen handschoenen aanpakken; **mirar** I *tr* (*soms: ~ a*) 1 kijken naar, bekijken; naslaan, nakijken; ~ *absorto* aanstaren; ~ (*hacia*) *atrás* omkijken; ~ *bien* een goede dunk hebben van; *mirándolo bien* alles welbeschouwd; *si bien se mira* als je het goed bekijkt, alles welbeschouwd; ~ *bizco* loensen; ~ *por encima* vluchtig bekijken; ~ *fijamente* staren (naar), strak (aan)kijken; ~ *es libre* kijken staat vrij; ~ *mal* met lede ogen aanzien; ~ *sus palabras* op zijn woorden passen; ~ *cada peseta* ieder dubbeltje omdraaien; *¡mira quien habla!* dat moet jij nodig zeggen!; ~ *el reloj* op zijn horloge kijken; ~ *y remirar* steeds weer bekijken, niet uitgekeken raken; ~ *de reojo* zijdelings aankijken; ~ *si* kijken of; *mira a ver si…* ga eens even kijken of…; *mira por donde* wie had dat gedacht; *por lo que mira a…* wat betreft…; 2 bekijken, overwegen; II *intr* 1 kijken, opletten; 2 ~ *por* zorgen voor; **mirarse** 1 zich bekijken; 2 elkaar bekijken; 3 ~ (*muy bien*) *antes de…* zich wel bedenken alvorens…

miríada myriade; onmetelijk aantal

miriápodos *mmv* duizendpoten

mirífico (*lit*) wonderbaarlijk, wonderschoon

mirilla (*techn*) kijkglas; *espectáculo de ~* peepshow

miriñaque *m* frame als steun voor hoepelrok

mirlo merel; ~ *blanco* witte raaf

mirón, -ona 1 (nieuwsgierige) kijk(st)er; *-ones* kijklustigen, omstanders, snuffelaars (*in winkel*); 2 voyeur, gluurder, gluurster

mirra mirre

mirto mirt, mirte

misa mis; ~ *del alba* vroegmis; ~ *de cuerpo presente* (*r-k*) rouwdienst; ~ *del gallo* nachtmis op 24 dec. om 24.00 u.; ~ *mayor,* ~ *solemne* hoogmis; ~ *de réquiem* requiemmis; *celebrar ~, decir ~* de mis opdragen; *ir a ~* naar de mis gaan, naar de kerk gaan; *oír ~* de mis bijwonen; *no saber de la ~ la media* nergens wat van afweten; **misal** *m* missaal

misantropía mensenhaat; **misantrópico, -a** misantropisch; **misántropo, -a** mensenhater, -haatster

miscelánea mengeling; **miscible** (ver)mengbaar

miserable I *bn* 1 miserabel; sjofel, armetierig, ellendig; 2 gierig, krenterig; II *m,v* ellendeling(e), lammeling; **miserere** *m* 1 miserere; 2 (*cólico*) ~ darmbeknelling; **miseria** 1 grote armoede, ellende; *estar en la ~* berooid zijn, in de misère zitten; *nivel de la ~* armoedegrens; 2 kleinigheid, krats; *ganar una ~* een schijntje verdienen; 3 gierigheid

misericordia barmhartigheid, genade, goedertierenheid; **misericordioso** barmhartig, genadig

mísero 1 armelijk; schamel, pover, armetierig; *sueldo ~* hongerloon; 2 gierig

misil *m* raket; ~ *de alcance medio* middellangeafstandsraket; ~ *crucero* kruisraket

misión *v* 1 taak, opdracht; ~ *comercial* handelsmissie; 2 (*godsd*) missie, zending; **misionero, -a** I *bn* 1 vd missie, missie-; 2 uit Misiones (*Argentinië*); II *zn* missionaris, zendeling(e); **misiva** missieve, brief, boodschap

mismísimo (*fam*) hoogsteigen; *el ~ rey* de koning in hoogsteigen persoon; **mismo** I *bn* 1 zelf; 2 (de)zelfde; *lo ~ que* alsmede, net als; *lo ~ que yo* hetzelfde als ik, net als ik; *lo ~…que* zowel…als; *los ~s padres: a*) dezelfde ouders; *b*) de ouders zelf; *los padres ~s* de ouders zelf; *al ~ tiempo* tegelijk; *así ~* (*ook asimismo*) eveneens; *da lo ~, es lo ~* het doet er niet toe; *ella -a* zijzelf; *hasta el ~ puente* helemaal tot de brug; *por lo ~ que* juist omdat; *por eso ~* daarom juist; *es el ~ de siempre* hij is weer geheel de oude; *ser sí ~* zichzelf zijn; *es todo lo ~* het is één pot nat; *viene a ser lo ~* dat komt op hetzelfde neer; II *bw* zelfs; *ahora ~* nu meteen; *aquí ~* hier op deze plaats, op deze zelfde plaats; *hoy ~* vandaag nog

misógino vrouwenhater

níspero 1 mispel; 2 mispelboom

miss *v* 1 Engelse gouvernante; 2 miss, schoonheidskoningin

misterio 1 mysterie; raadsel, geheim; 2 geheimzinnigheid; *con mucho ~* heel geheimzinnig; 3 (*hist*) passiespel; **misterioso** mysterieus, geheimzinnig, raadselachtig, duister; **mística** mystiek; **misticismo** mysticisme; **místico, -a** I *bn* mystiek; heel vroom; II *zn* mysticus, mystica; **mistificación** *v* mystificatie, misleiding; **mistificador, -ora** misleidend, geheimzinnig; **mistificar** vervalsen, onjuist voorstellen

mistral *m* mistral (*wind*)

mita (*Am, Peru; hist*) 1 verplichte arbeid door Indianen; 2 door Indianen betaalde belasting

mitad *v* I *zn* helft; *la ~ por defecto* de kleinste helft (*bv bij oneven aantal*); *a ~ de precio* voor de halve prijs; *mi cara ~* mijn betere helft; *en ~ de* halverwege, middenin; *por la ~* middendoor; *partir por la ~* halveren, door midden delen; *reducir a la ~* halveren, tot de helft verminderen; II *bw* half; ~ *blanco,* ~ *negro* half wit, half zwart; ~ *y* ~*: a*) half om half; *b*) half ja, half nee

mitificar tot een mythe maken
mitigación *v* verzachting, leniging; **mitigar** verzachten, lenigen, temperen, verlichten
mitin *m* meeting; ~ *electoral* verkiezingsbijeenkomst; *dar el* ~ aan de weg timmeren
mito mythe; **mitología** mythologie; **mitológico** mythologisch; **mitómano, -a** ziekelijke leugenaar(ster)
mitón *m* mitaine, handschoen zonder vingers
mitosis *v* mitose, celdeling
mitra mijter; **mitrado** I *bn* gemijterd; II *zn* bisschop, aartsbisschop; **mitral** mijtervormig
mixomatosis *v* myxomatose
mixteca Mixteeks, vd Mixteken
mixto I *bn* gemengd; *seguro* ~ gemengde verzekering; II *zn* 1 lucifer; 2 (*tren*) ~ trein voor personen- en goederenvervoer; **mixtura** mengsel
ml *mililitro*; **mm** *milímetro*
miz: *¡~, ~!* poes, poes!
m.n. *motonave v* motorschip
mnemotecnia geheugentraining, methode om dingen te onthouden; **mnemotécnico** gericht op het onthouden van; *ayuda -a* ezelsbrug, geheugensteuntje
moaré *m* moirézijde
mobiliario I *bn* (*mbt goederen*) roerend; *efectos ~s* inboedel; II *zn* meubilair; **moblaje** *m* meubilair, meubels
moca *m* goede koffiesoort, mokka
mocasín *m* moccasin
mocedad *v* jeugd, jongelingsjaren; **mocerío** jeugd, jonge mannen; **mocetón, -ona** flinke jonge man of vrouw
mochica (*hist, Peru*) vd Mochica-cultuur
mochila 1 knapzak, ransel; 2 rugzak; 3 (rug)-schooltas
mocho niet spits, stomp
mochuelo 1 soort uil; 2 vervelend karwei; *cargar a u.p. el* ~ iem de zwarte piet toespelen, iem het vuile werk laten opknappen
moción *v* motie; ~ *de censura* motie van wantrouwen; *estar a favor de la* ~ vóór de motie zijn; *presentar una* ~ een motie indienen
mocito jochie, ventje
moco 1 snot; *llorar a* ~ *tendido* vreselijk huilen (en snotteren); *no es* ~ *de pavo* dat is geen kattepis; *sorberse los ~s* zijn neus ophalen, snotteren; 2 druipende was (*langs kaars*); 3 zwart uiteinde vd kaars, pit; **mocoso, -a** I *bn* slijmerig, snotterig; II *zn* snotneus, snotaap
moda mode; ~ *masculina* herenmode; *a la última* ~ volgens de laatste mode; *es la* ~ het is mode; *estar muy de* ~ erg in de mode zijn; *pasado de* ~ uit de mode, verouderd; *ponerse de* ~ in de mode komen; *tienda de ~s* modezaak
modal I *bn* modaal; II *mmv: ~es* manieren, omgangsvormen; *de buenos ~es* welgemanierd; *sin ~es* ongemanierd; **modalidad** *v* 1 soort, type; ~ *de avión* vliegtuigtype; 2 manier, wijze; ~ *financiera* financieringswijze
modelado 1 (het) boetseren; 2 model, vorm; **modelador, -ora** I *bn* vormend; II *zn* iem die boetseert; **modelaje** (het) modelleren; **modelar** 1 boetseren, vormen, kleien; 2 aanpassen, vormen; modelleren; **modelarse** zich vormen; **modélico** voorbeeldig; **modelo** 1 model; toonbeeld; ~ *standard* standaardmodel; *vivienda* ~ modelwoning; 2 model, bouwpakket; ~ *en escala* schaalmodel; *armar un* ~ een model bouwen; *construcción de ~s* modelbouw; 3 formulier; 4 naai-, breipatroon; 5 *m,v* fotomodel, mannequin; *una* ~ *famosa* een beroemd (vrouwelijk) fotomodel; *desfile de ~s* modeshow
moderación *v* gematigdheid; matiging; ~ *salarial* loonmatiging; *con* ~ met mate; **moderado** gematigd, matig; billijk, schappelijk; **moderador, -ora** I *bn* matigend; II *zn* gespreksleid(st)er; **moderar** 1 matigen, temperen; 2 (*discussie*) voorzitten; **moderarse** zich matigen, inbinden
modernidad *v* modern karakter; **modernismo** modernisme (*Sp en Sp-Am literair genre eind 19e eeuw*); **modernista** vh modernisme; **modernización** *v* modernisering; **modernizar** moderniseren; **moderno** modern, eigentijds
modestia 1 bescheidenheid; 2 ingetogenheid; **modesto** 1 bescheiden; 2 ingetogen
modicidad *v* gematigdheid (*van prijzen*); billijkheid; **módico** matig, schappelijk
modificación *v* verandering; ~ *de los estatutos* statutenwijziging; *sujeto a -ones* wijzigingen voorbehouden; **modificar** veranderen, wijzigen; *sin* ~ ongewijzigd
modismo zegswijze
modista *m,v* coupeur (*van dameskleding*), coupeuse, naaister, modiste; **modistería** (*Am*) modezaak; **modistilla** leerlingcoupeuse; **modisto** coupeur (*van dameskleding*), (*soms*) couturier; *zie ook modista*
modo 1 wijze, manier; ~ *de empleo* gebruiksaanwijzing; ~ *de hablar* manier van spreken, spraak; ~ *de obrar* handelwijze, werkwijze; ~ *de pago* wijze van betaling; ~ *de pensar* denkwijze; ~ *de preparación* bereidingswijze; ~ *de ser* aard; ~ *de ver* zienswijze, mening; ~ *de vida* leefwijze; *a* ~ *de* bij wijze van; *un a* ~ *de gorro* een soort muts; *a mi* ~ op mijn manier; *de* ~ *que* zodat, dus; *de cualquier ~, de todos ~s* hoe dan ook; *de este* ~ op deze wijze; *de igual* ~ eveneens, zo ook; *de otro* ~ anders; *de tal* ~ *que* zodanig dat; *en* ~ *alguno, de ningún* ~ geenszins, in geen geval; *en cierto* ~ in zekere zin; *no hay* ~ *de* het is onmogelijk om; 2 (*gramm*) wijs; 3 *~s* manieren; *con buenos ~s* goedgemanierd, fatsoenlijk; *de malos* ~ onhebbelijk; 4 ~ *adverbial* bijwoordelijke uitdrukking
modorra 1 diepe slaap; verdoving; 2 katterigheid
modosidad *v* netheid; **modoso** 1 keurig, welgemanierd, beschaafd; 2 ingetogen
modulación *v* modulatie; stembuiging; **modular** moduleren, van de ene toon in de andere

overgaan; **módulo** 1 module, maat, eenheid; 2 ~ *lunar* maanlander
mofa spot, hoon, schimpscheuten; *hacer ~ de* schimpen op, honen; **mofarse** (*de*) spotten (met), schimpen (op), bespotten
mofeta 1 stinkdier; 2 mijngas; 3 windje, scheet
moflete *m* bolle wang; **mofletudo** met bolle wangen
mogollón: *de ~* voor niks, zomaar
mogón, -ona (*mbt rund*) met één hoorn; met afgeknotte hoorn
mohair *m* mohair
moharra ijzeren punt van lans
mohín *m* grimas, (het) vertrekken vd mond; **mohíno** 1 boos, gemelijk; *estar ~* pruilen; 2 bedroefd
moho 1 schimmel, uitslag (*op muur*); 2 roest; **mohoso** 1 beschimmeld, schimmelig; 2 roestig; 3 (*mbt geur, atmosfeer*) duf, muf, vunzig
moisés *m* rieten wiegje (*in mandvorm*); reiswieg; **Moisés** Mozes
mojado nat, vochtig; *~ hasta los huesos* doornat; *llueve sobre ~* een ongeluk komt nooit alleen; **mojadura** 1 bevochtiging; 2 natheid
mojama gedroogde en gezouten tonijnrepen
mojar 1 bevochtigen, nat maken; *~ ligeramente* deppen; *~ los pies* pootje baden; 2 drinken op; *hay que ~lo* daar moet op gedronken worden; 3 indopen; **mojarse** 1 nat worden; 2 *~ encima* in zijn broek plassen, in bed plassen; 3 (*fig*) *~ (en un asunto)* zijn handen vuilmaken
mojicón *m* 1 vuistslag (*in gezicht*); 2 soort cakeje
mojiganga 1 gemaskerd feest; luidruchtig festijn; 2 (*hist*) boertig spel, klucht; 3 grap
mojigatería preutsheid; schijnheiligheid; **mojigato** preuts; hypocriet
mojón *m* 1 grenspaal; mijlpaal; 2 teken dat de weg wijst (*bv stapel stenen*); 3 drol
molar I *bn* vd kiezen; *diente ~* kies; II *m* kies
molde *m* vorm; afdruk (*in gips*); *~ (de colada)* gietvorm; *~ para la playa* zandvormpje; *en letras de ~* in drukletters; *estar (como) de ~, sentar que ni de ~: a*) (*mbt kleren*) zitten als gegoten; *b*) precies van pas komen; **moldeable** gemakkelijk te vormen, kneedbaar; **moldeado** (het) vormen, (het) kneden; (het) gieten; **moldear** vormen, kneden; gieten; **moldura** richel
1 mole *v* gevaarte, bakbeest, kolos
2 mole *m* (*Mexico*) pikante bruine saus
molécula molecule; **molecular** moleculair; *estructura ~* molecuulbouw
moledura 1 (het) malen; 2 maalsel; 3 gezeur; vermoeidheid; **moler ue** 1 malen; 2 vermoeien, afmatten; *~ a palos* afranselen
molestar 1 hinderen, hinderlijk zijn; kwellen, lastig vallen, molesteren; *¿te molesta?* heb je er last van?, vind je het hinderlijk?; *¿le molesta que fume?* hebt u er bezwaar tegen als ik rook?; 2 boos maken, kwetsen, ergeren; 3 (enigszins) pijn doen; **molestarse** 1 *~ (por)* zich storen (aan), boos worden; 2 *~ (en)* de moeite nemen (om); *no se moleste* doet u geen moeite; **molestia** hinder, last, overlast, ongemak; *~ por el ruido* geluidshinder; *~s entre vecinos* burenoverlast; *tomarse la ~ de* de moeite nemen om; **molesto** 1 hinderlijk, lastig; *ruidos ~s* geluidshinder; 2 ongemakkelijk; *estar ~, sentirse ~* zich niet op zijn gemak voelen; 3 *~ con* boos op
moletear kartelen
molicie *v* 1 zachtheid; 2 te grote luxe, verwekelijking
molido I *bn* doodop, afgedraaid, kapot; II *zn* (het) malen; **molienda** 1 (het) malen; 2 hoeveelheid die in één keer wordt gemalen; 3 maalseizoen; **molinero, -a** I *bn* vd molen; II *zn* molenaar, molenaarsvrouw; **molinete** *m* 1 molentje (*bv van papier*); 2 dansfiguur; 3 bep pas in stieregevecht; 4 *~ (para el ancla)* ankerlier, ankerspil; **molinillo** molentje; *~ de café* koffiemolen; *~ de pimienta* pepermolen; **molino** molen; *~ aceitero* oliemolen; *~ de agua* watermolen; *~ eólico* (*techn naam*) windmolen; *~ de viento: a*) windmolen; *b*) *~s de viento* denkbeeldige vijanden
molla 1 zachtste deel; mooiste, magerste deel (*van bv vlees*); 2 *~s* (*fam*) vetkwabben; **mollar** zacht; *guisante ~* peul; **molleja** 1 spiermaag (*van vogels*); 2 zwezerik; **mollera** (*fam*) verstand; *cerrado de ~, duro de ~* hardleers
moltura 1 (het) malen; 2 maalsel; **molturación** *v* maling, verpulvering; **molturar** (*graan*) malen; (*steenkool*) verpulveren
Molucas: *las ~s* de Molukken; **moluqueño** Moluks
molusco schelpdier, weekdier
momentáneo 1 kortstondig; 2 voorlopig; **momento** moment, ogenblik; *un ~* een ogenblik, even; *~ crucial* zeer belangrijk moment, keerpunt; *~ culminante, ~ cumbre* hoogtepunt; *un ~ de debilidad* een zwak ogenblik; *~s después* een ogenblik later; *~ de inercia* (*natk*) traagheidsmoment; *~ lúcido* helder ogenblik; *a cada ~* telkens; *a todo ~* ieder ogenblik, te allen tijde; *al ~* direkt; *de ~: a*) voorlopig, vooralsnog; *b*) van voorbijgaande aard; *de un ~ a otro, en cualquier ~* ieder moment (*kan het gebeuren*); *en el ~* op slag; *en un ~* in een oogwenk; *en el ~ menos pensado* op het meest onverwachte moment; *en el ~ oportuno* op het juiste ogenblik, goed getimed; *en estos ~s* thans; *en el mismo ~* tegelijk; *en su ~* te zijner tijd, mettertijd; *hace un ~* zoëven; *por el ~* momenteel, vooralsnog, voorlopig; *por ~s* van de ene minuut op de andere
momia mummie; broodmager mens; **momificación** *v* mummificering; **momificar** mummificeren; **momificarse** een mummie worden; heel mager worden
momo grimas, gek gezicht
mona 1 apin; *aunque la ~ se vista de seda, ~ se queda* al draagt een aap een gouden ring, het

is en blijft een lelijk ding; 2 dronkenschap; *dormir la ~* zijn roes uitslapen; *coger una ~, estar como una ~* dronken worden; *pillar una ~* zich een stuk in de kraag drinken, zich bezatten; || *corrido como una ~, hecho una ~* zeer beschaamd
monacal vd monniken
monada 1 iets snoezigs; dot, snoes; 2 malle streek, apestreek; iets infantiels; 3 geflikflooi, aanhaligheid; 4 iets grappigs (*dat een kind doet*)
monaguillo koorknaap, misdienaar
monarca *m,v* vorst(in), koning(in); **monarquía** monarchie; **monárquico** 1 monarchaal; 2 monarchistisch, koningsgezind; **monarquismo** monarchisme; **monarquista** I *bn* monarchistisch; II *m,v* monarchist(e)
monasterio klooster; **monástico** vh klooster; *regla -a* kloosterregel; *vida -a* kloosterleven
Moncho *afk van Ramón*
monda 1 (het) schillen; 2 *~s* schillen || *es la ~* (*fam*) het is om te gillen; **mondadientes** *m* tandestoker; **mondadora** schilmachine; **mondadura** 1 (het) schillen; 2 *~s* schillen; **mondar** 1 schillen; 2 (*fig*) kaal plukken || *~ a palos* afranselen; **mondarse**: *~ de risa* (*fam*) zich bescheuren (van het lachen); **mondo** 1 kaal, zuiver, zonder iets erop of eraan; *~ y lirondo* zuiver, puur, zonder enig extra; 2 zonder geld, blut
mondongo 1 darmen, ingewanden (*van dier*); 2 (*fam*) darmen (*van mens*)
moneda 1 munt; *~ corriente* gangbare munt; *~ falsa* valse munt; *~ fuerte* harde munt; *~ menuda, ~ suelta* kleingeld; *pagar con la misma ~* met dezelfde munt betalen; *papel ~* papiergeld; *ser ~ corriente* gangbaar zijn; 2 munteenheid; **monedero** 1 portemonnee, beurs; 2 *~ falso* valsemunter
monegasco uit Monaco
monería *zie monada*
monetario monetair, geldelijk; *unidad -a* munteenheid; **monetizar** (*geld*) in circulatie brengen, aanmunten
mongol, -ola I *bn* Mongools; II *m,v* Mongool-s(e); **mongólico, -a** I *bn* 1 *zie mongol*; 2 lijdend aan mongolisme; II *zn* 1 *zie mongol*; 2 mongooltje; **mongoloide** mongoloïde
monigote *m* 1 lappenpop, rare pop; 2 poppetje; *pintar ~s* poppetjes tekenen; 3 (*fig*) marionet; sul; 4 slecht schilderij; 5 (*aanspreekvorm voor kind*) kleine aap; **monicaco** (*fig*) kleine aap
monín, -ina (*fam*) grappig, leuk
monitor, -ora 1 groepsleid(st)er (*bv in kamp*), jeugdleid(st)er, spelleid(st)er; begeleid(st)er; (*Belg*) monitor, monitrice; *~ de estudios* (studie)mentor, mentrix; 2 *m* (*tv; med*) monitor, beeldscherm
monja non; **monje** *m* monnik; *~ mendicante* bedelmonnik; **monjil** I *bn* vd non, nonne-, als een non; II *m* nonnekleed

1 mono I *bn* 1 (*fam*) aardig, leuk; 2 (*Am*) blond; II *zn* 1 aap; *~ aullador* brulaap; *~ capuchino* capucijneraap; *~ de imitación* naäper; *~ sabio* gedresseerde aap; 2 druk gebarend persoon; 3 lelijkerd; 4 leeghoofd, ijdeltuit; 5 overall; 6 (*drugs*) afkicksyndroom || *estar de ~s* boos op elkaar zijn; *¿tengo ~s en la cara?* (*fam*) heb ik wat van je aan?, is er wat aan me te zien?
2 mono mono (*niet stereo*)
monocarril I *bn* over één rail rijdend; II *m* monorail
monoceronte *m* eenhoorn; **monocorde** 1 eensnarig; 2 eentonig; **monocromo** monochroom, in één kleur
monóculo monocle
monocultivo monocultuur
monogamia monogamie; **monógamo** monogaam
monografía monografie; **monograma** *m* monogram
monolítico uit één blok (steen); **monolito** monoliet, momument uit één blok steen
monologar een monoloog houden; voor zich heen praten; **monólogo** monoloog
monomanía monomanie; overdreven gerichtheid op één ding; **monomaniaco** monomaan
monomio (*wisk*) eenterm
monomotor eenmotorig; **monopatín** *m* skateboard; **monopétalo** met één bloemblad
monopolio monopolie; *~ del estado* staatsmonopolie; *tener el ~ del saber* de wijsheid in pacht hebben; **monopolización** *v* monopolisering; **monopolizar** monopoliseren
monosílabo eenlettergrepig woord; **monosilábico** bestaand uit één lettergreep
monoteísmo monotheïsme, geloof in één God
monotonía eentonigheid, monotonie; **monótono** eentonig, monotoon
monóxido monoxyde; *~ de carbono* koolmonoxyde, kolendamp
monseñor *m* monseigneur
monserga vervelend verhaal, geklets; (*fig*) preek
monstruo monster, gedrocht || *un plan ~* een fantastisch plan; **monstruosidad** *v* monsterachtigheid; **monstruoso** monstrueus, wanstaltig, monsterlijk
monta 1 (het) paardrijden; 2 waarde, belang; *de poca ~* weinig belangrijk; 3 som, optelling, totaal; 4 plaats waar merries gedekt worden; dektijd; **montacargas** *m* goederenlift; **montado** 1 te paard; 2 opgezet, ingericht; 3 (*mbt room*) stijf geklopt; **montador, -ora** 1 monteur; 2 cutter (*van films*), persoon belast met de filmmontage; **montaje** *m* 1 montage, assemblage; *listo para el ~* pasklaar; 2 filmmontage; 3 handig verzinsel; 4 opstelling; **montante** *m* verticale balk, staander, stijl
montaña berg; gebergte; *~ rusa* achtbaan; *alta ~* hooggebergte; *hacer* (*de un tormo*) *una ~* van een mug een olifant maken; **montañero,**

-a alpinist(e), klimmer, klimster; **montañés, -esa** 1 bergbewoner, -bewoonster; 2 iem uit de buurt van Santander; **montañismo** bergsport; **montañoso** bergachtig

montar I *intr* 1 ~ (*a caballo*) paardrijden; *ayudar a* ~ in het zadel helpen; 2 ~ *en* zich voortbewegen in, op; instappen in; ~ *en bicicleta* op de fiets stappen, fietsen; 3 van belang zijn; ~ *poco* niet erg belangrijk zijn; *tanto monta* het komt op hetzelfde neer; 4 ~ *a* belopen, bedragen || ~ *en cólera* in woede ontsteken; II *tr* 1 monteren, aanbrengen, plaatsen, installeren, in elkaar zetten, assembleren; opzetten, op poten zetten; (*dia's*) inramen; (*een diamant*) vatten; ~ *una película* een film monteren; ~ *una pieza* een toneelstuk (op het toneel) brengen; ~ *una tienda* een tent opzetten; 2 (*een paard*) berijden; 3 (*eiwit*) kloppen; ~ *a punto de nieve* stijfkloppen; 4 (*merrie*) dekken || *montárselo* (*bien*) (*fam*) iets handig regelen, ritselen, versieren

montaraz 1 (*mbt dier*) in het wild levend, wild; 2 (*mbt persoon*) ongebonden, woest; ontoegankelijk, stug

montazgo belasting voor de doorgang van vee over een berg

monte *m* 1 ruig begroeid terrein; ~ *alto* (terrein met) bomen, (*soms*) bos; ~ *bajo* (terrein met) kreupelhout; *batir el* ~ op jacht gaan; *no todo el* ~ *es orégano* het is niet alles rozegeur en maneschijn, het gaat niet allemaal vanzelf; *tirar al* ~ zijn instinct volgen; 2 berg, grote heuvel; *el* ~ *de los Olivos* de Olijfberg; *los* ~*s Pirineos* de Pyreneeën; 3 obstakel, moeilijkheid; 4 (*in kaartsp, domino*) stok; 5 bep kaartspel || ~ *de piedad* bank van lening, lommerd; *echarse al* ~ de zaak aanpakken; **montepío** 1 steunfonds (*voor weduwen, wezen, invaliden enz*); 2 bank van lening

montera 1 hoofddeksel van stierenvechter; 2 glazen dak (*bv boven patio*); **montería** jacht op groot wild; **monterilla**: *alcalde de* ~ plattelandsburgemeester; **montero** iem die het wild opspoort en opdrijft; ~ *mayor* jagermeester

montés, -esa in het wild levend, wild; *gato* ~ wilde kat

montevideano uit Montevideo (*Uruguay*)

montículo kleine berg, verhoging

montilla *m* wijn uit Montilla

monto som, totaalbedrag; **montón** *m* stapel, hoop; *un* ~ *de cosas* een massa dingen, van alles, een heleboel; *a -ones* bij hopen, in overvloed; *del* ~ heel doodgewoon, doorsnee-; *en* ~ door elkaar

montuoso bergachtig, heuvelachtig

montura 1 rijdier; 2 zadel; 3 montuur; ~ *de las gafas* brilmontuur; 4 montage

monumental 1 monumentaal; 2 geweldig; **monumento** 1 monument, gedenkteken; ~*s* bezienswaardigheden; ~ *funerario* grafmonument; 2 altaar dat op Witte Donderdag in r-k kerk wordt opgericht

monzón *m* moesson

moña 1 haarversiering; haarstrik (*van stierenvechters, als sier en bescherming*); 2 lintenversiering aan gitaar; 3 (*fam*) pop; **moño** 1 (haar)knot, wrong; *agarrarse del* ~ elkaar in de haren vliegen; 2 kuif (*van vogels*); 3 haarstrik || *ponerse* ~ (*pop*) opscheppen, uit de hoogte doen; *se le ha puesto u.c. en el* ~ hij heeft zich iets in zijn hoofd gezet; **Moños:** *más conocido que la* ~ bekend als de bonte hond

MOP *Ministerio de Obras Públicas; MOPU Ministerio de Obras Públicas y Urbanismo*

moquear snotteren; **moqueo** gesnotter; **moquero** (*fam*) zakdoek

moqueta moquette, vaste vloerbedekking

moquillo (*dierk*) snot(ziekte); **moquita** snot, druipneus; **moquitear** snotteren

mor: *por* ~ *de* wegens, vanwege, omwille van

1 mora moerbei

2 mora vertraging; *constitución en* ~ ingebrekestelling

morada woning; verblijf

morado paars; *estar* ~ (*fam*) veel drinken || *pasarlas -as* het zwaar hebben

morador, -ora bewoner, bewoonster

moradura blauwe plek

1 moral I *bn* 1 moreel, zedelijk; *coacción* ~ morele dwang, gewetensdwang; 2 geestelijk; II *v* 1 moraal; zedelijk gedrag; *una* ~ *de dos caras* een tweeslachtige moraal; *delito contra la* ~ zedendelict; *faltar a la* ~ immoreel handelen; 2 (het) moreel; *levantar la* ~ de moed erin brengen, het moreel opvijzelen

2 moral *m* moerbeiboom

moraleja moraal (*van verhaal*); **moralidad** *v* zedelijkheid; **moralista** I *bn* moralistisch, zeden-; *sermón* ~ zedenpreek; II *m,v* moralist(e); **moralizador, -ora** I *bn* moraliserend; II *zn* zedenpreker, -preekster; **moralizar** I *intr* moraliseren; II *tr* in zedelijk opzicht verbeteren; **moralmente** in zedelijk opzicht; ~ *capaz* toerekeningsvatbaar

morapio (*fam*) rode wijn

morar wonen, verblijven

moratón *m* blauwe plek

moratoria uitstel (van betaling); moratorium

morbidez *v* weekheid, zachtheid; **mórbido** 1 zacht, week; 2 ziekteverwekkend, ongezond; **morbilidad** *v* ziektecijfer; **morbo** ziekte; **morbosidad** *v* ziekelijkheid; **morboso** ziekelijk

morcilla 1 bloedworst; 2 vetrol; dikke arm; dik been; 3 toevoeging (*door toneelspeler*), verzinsel || *¡que le den* ~*!* hij kan barsten!

mordacidad *v* 1 bijtende kracht; 2 (*fig*) scherpte; **mordaz** 1 bijtend, invretend; 2 bijtend, scherp, vinnig, bits; **mordaza** 1 knevel, prop in de mond; 2 bek (*van tang*); 3 (*techn*) klem; **mordedor, -ora** 1 bijterig, bijtend; 2 bits, fel; **mordedura** beet, knauw; ~ *de serpiente* slangebeet; **morder ue** bijten, knauwen; ~ *el anzuelo*: *a*) (*mbt vis*) bijten; *b*) (*fig*) happen; ~

el polvo in het stof bijten; *está que muerde* hij is razend; **morderse ue**: ~ *los puños* vreselijke spijt hebben, zich verbijten; *no* ~ *los labios, no* ~ *la lengua* geen blad voor de mond nemen; **mordida** 1 (*hengelsp*) beet, (het) happen; 2 (*Am*) omkoperij; steekpenningen; **mordiente** I *bn* bijtend, corrosief; II *m* bijtend vocht; (*bij etsen e.d.*) sterkwater; **mordiscar** knabbelen; **mordisco** beet; hapje; **mordisquear** knabbelen

morena (*geol*) morene

moreno donker (*van huid, met zwart haar en donkere ogen*); bruin; *azúcar* ~ bruine suiker; *pan* ~ bruin brood; *ponerse* ~ bruin worden (*door de zon*)

morera witte moerbeiboom

morería 1 (*hist*) morenwijk; 2 (de) Moren

moretón *m* blauwe plek

morfa 1 bep schadelijke paddestoel; 2 (*pop*) morfine

morfema *m* (*gramm*) morfeem

morfina morfine; **morfinismo** morfinisme; **morfinomanía** morfineverslaving; **morfinómano, -a** morfinist(e)

morfología morfologie, vormleer; **morfológico** morfologisch

morganático (*mbt huwelijk van vorst met niet-adellijke vrouw*) morganatisch

morgue *v* morgue, lijkenhuis

moribundo stervend, zieltogend

morigeración *v* matiging; **morigerar** (*excessen*) matigen

moriles *m* droge witte wijn uit Moriles

morilla morielje (*paddestoel*)

morir ue, u (*de*) sterven (aan), omkomen, overlijden; ~ *abrasado* verbranden; ~ *ahogado* verdrinken; ~ *ahorcado* aan de galg sterven; ~ *de frío* sterven van kou; ~ *helado* doodvriezen; ~*(se) de sed* versmachten; ~*(se) de vergüenza* zich doodschamen; **morirse ue, u** 1 ~ (*de*) sterven (aan); (*fig*) sterven (van) ~ *de miedo* sterven van angst; ~ *de risa* zich doodlachen; 2 ~ *por* gek zijn op, dwepen met, vurig verlangen naar

morisco, -a (*hist*) tot het christendom bekeerde moslim

morisma (de) Moren, groep Moren

mormón, -ona mormoon

moro, -a I *bn* 1 Moors, uit Noord-Afrika; 2 mohammedaans; II *zn* 1 Moor(se); ~*s en la costa* kapers op de kust; *no hay* ~*s en la costa* de kust is veilig; *cuéntaselo al* ~ *Muza* maak dat je grootje wijs; 2 mohammedaan(se)

morosidad *v* 1 traagheid; 2 achterstand (*in betalen*); **moroso** traag, nalatig; (*pagador*) ~ wanbetaler

morral *m* 1 knapzak, ransel; 2 voederzak; 3 (*fam*) pummel, sukkel

morralla 1 restant; kleine visjes door elkaar; 2 rommel, troep; 3 uitschot, uitvaagsel

morrena *zie morena*

morrillo bult op de nek van rund; (*fam*) dikke nek

morriña heimwee, nostalgie

morrito: *poner* ~ pruilen; **morro** 1 snuit, snoet; ~*(s) de cerdo* varkenssnuit (*gerecht*); *beber a* ~ uit de fles drinken; 2 smoel; dikke lippen; *estar de* ~*s* (*fam*) boos zijn; *poner* ~ een boos gezicht zetten; 3 ronde berg; kaap; eind van pier; neus (*van vliegtuig*)

morrocotudo geweldig, imposant, fantastisch

morrón: *pimiento* ~ vlezige rode paprika (*vaak gedroogd*)

morronudo met dikke lippen

morsa walrus

morse *m*: (*alfabeto*) ~ morse-alfabet

mortadela bep dikke gekookte worst

mortaja 1 doodskleed, lijkwade; 2 (*techn*) keep

mortal I *bn* 1 sterfelijk; 2 dodelijk; levensgevaarlijk; doods; *enemigo* ~ aartsvijand; *golpe* ~ (*fig*) nekslag; *miedo* ~ doodsangst; *pecado* ~ doodzonde; *restos* ~*es* stoffelijk overschot; *silencio* ~ dodelijke stilte || *quedarse* ~ volledig ondersteboven zijn; II *m,v* sterveling(e); **mortalidad** *v* sterfte; sterftecijfer; ~ *infantil* kindersterfte; **mortalmente** dodelijk; **mortandad** *v* (grote) sterfte, groot aantal slachtoffers; **mortecino** zwak, (bijna) uitgeblust

mortero 1 vijzel; mortier; 2 mortel, specie

mortífero dodelijk

mortificación *v* (het) kwellen, kwelling; vernedering; **mortificador, -ora, mortificante** kwellend, pijnlijk; **mortificar** pijnigen, kwellen; beschamen, vernederen

mortinato doodgeboren

mortuorio vd dood; *esquela -a* rouwkaart; rouwannonce, overlijdensbericht

morucho (*fam*) donker (*van uiterlijk*)

morueco ram

Mosa: *el* ~ de Maas

1 mosaico van Mozes

2 mosaico mozaïek, inlegwerk

mosca vlieg; ~ *muerta* schijnheilig persoontje; *cazar* ~*s* vliegen vangen; *estar con la* ~ *en la oreja* achterdocht koesteren; *no se oye ni* (*el vuelo de*) *una* ~ je kunt een speld horen vallen; *por si las* ~*s* (*fam*) voor alle zekerheid, je kunt nooit weten; *¿qué* ~ *le ha picado?* wat bezielt hem? || *aflojar la* ~, *soltar la* ~ dokken, over de brug komen; *estar* ~ argwanend zijn

moscada: *nuez* ~ muskaatnoot, nootmuskaat

moscarda grote vlieg, aasvlieg; **moscardón** *m* 1 horzel, paardevlieg; 2 bromvlieg; 3 lastpost; opdringerig mens; **moscarrón** *m; zie moscardón*

moscatel: *uva* ~ *v* muskaatdruif; (*vino*) ~ *m* muskaatwijn, muscatel

moscón *m* 1 *zie moscardón*; 2 esdoorn; **mosconear** 1 zoemen; 2 zeuren, drammen, plagen; **mosconeo** 1 gezoem; 2 gezeur, geplaag

moscovita Moscovisch; Russisch; **Moscú** *m* Moskou

mosén *m* (*in Aragon en Catalonië*) vader (*aanspreektitel van geestelijke*)

mosquearse geprikkeld worden, zich nijdig maken; **mosquerío** massa vliegen
mosquete *m* (*hist*) musket, soort geweer; **mosquetero** musketier; **mosquetón** *m* 1 soort karabijn; 2 musketon(haak)
mosquita: ~ *muerta* stiekemerd, schijnheilig persoon; **mosquitera**, **mosquitero** muskietengaas, klamboe, hor; **mosquito** (langpoot)-mug
mostacera, **mostacero** mosterdpot
mostacho snor; **mostachón** *m* bep gebakje
mostacilla fijne jachthagel
mostaza mosterd; *amarillo* ~ mosterdgeel
mosto ongegist druivesap, most
mostrador *m* toonbank; buffet, tapkast; **mostrar ue** tonen, laten zien; betonen, blijk geven van; ~ *ser* zich doen kennen als; **mostrarse ue** zich (be)tonen, zich voordoen; zich vertonen; ~ *amable con u.p.* aardig zijn voor iem
mostrenco 1 zonder eigenaar; 2 onwetend, boers; 3 dik en zwaar
mota 1 nop, spikkel; 2 vuiltje, stofje, pluisje; 3 klein foutje; 4 heuveltje || ~ *de polvo* poederdons
mote *m* bijnaam; *poner* ~*s* bijnamen geven
moteado gespikkeld
motejar (*de*) betichten (van)
motel *m* motel
motete *m* motet
motín *m* oproer, muiterij; ~ *carcelario* gevangenisoproer
motivación *v* motivatie, motivering; **motivador**, **-ora** (*de*) aanleiding gevend (tot); **motivar** 1 aanleiding geven tot; 2 motiveren, aanzetten tot handelen; 3 motiveren, met redenen omkleden; **motivo** 1 reden, grond; ~ *de alegría* reden tot vreugde; *con* ~ *de* naar aanleiding van, wegens; *exposición de* ~*s* memorie van toelichting; *por* ~*s de salud* om gezondheidsredenen; *por este* ~ om deze reden, hierom; *por ningún* ~ onder geen voorwaarde; *ser* ~ *de, para* aanleiding zijn tot; *sin* ~ zomaar; *sin* ~ *alguno* zonder enige reden; *tener sus* ~*s* ergens zijn redenen voor hebben; 2 motief, thema
moto *v* motorfiets; scooter
motobomba motorspuit; **motocarro** driewielig motorvoertuig
motocicleta motorfiets; **motociclismo** motorsport; **motociclista** *m,v* motorrijd(st)er; **motociclo** bromfiets, motorfiets; **motocross** *m* motorcross
moto-generador *m* aggregaat
motón *m* (*scheepv*) katrol
motonáutica motorbootsport; **motonave** *v* motorschip; **motoniveladora** bulldozer; **motopesquero** vissersboot (*met motor*); **motopropulsión** *v* motorische aandrijving
motor, **-ora** I *bn* aandrijvend, (voort)bewegend; *eje -or* aandrijfas; II *zn* 1 *m* motor; ~ *de arranque* startmotor; ~ *de aviación* vliegtuigmotor; ~ *de chorro*, ~ *de reacción* straalmotor; ~ *de combustión* verbrandingsmotor; ~ *de cuatro cilindros* viercilindermotor; ~ *de explosión* explosiemotor; ~ *fuera* (*de*) *borda* buitenboordmotor; *el* ~ *funciona* de motor draait; ~ *de dos tiempos* tweetaktmotor; 2 *v*: *-ora* *motorboot*(*je*); 3 *m,v* (*fig*) drijvende kracht; **motorismo** motorsport; autosport; **motorista** *m,v* motorrijd(st)er; **motorización** *v* motorisering; **motorizado** gemotoriseerd; *yate* ~ motorjacht; **motorizar** motoriseren
motorreactor *m* straalmotor; **motosierra** motorzaag, kettingzaag
motovelero zeilboot met hulpmotor
motricidad *v* motoriek; **motriz** bewegend, aandrijvend; *fuerza* ~ drijfkracht
motu propio uit eigen beweging
movedizo beweeglijk, weinig stevig; veranderlijk; *arena -a* drijfzand; **mover ue** 1 bewegen, in beweging brengen; verroeren; (*mbt schaakstuk*) verplaatsen, verzetten; voortbewegen, voortstuwen; ~ *a* drijven tot, aanzetten tot; ~ *a risa* de lachlust opwekken; ~ *la cabeza: a*) knikken; *b*) (*het hoofd*) schudden; ~ *la curiosidad* de nieuwsgierigheid prikkelen; 2 beroeren, ontroeren, treffen; **moverse ue** zich bewegen, zich verroeren; zich roeren, actief zijn; **movible** beweeglijk; *fiesta* ~ wisselende feestdag; **movida** 1 (*bij schaken*) zet; 2 beweging, stroming; 3 (het) wereldje, (culturele) scene; **movido** 1 (*mbt kind*) beweeglijk, wild; 2 (veel)bewogen; roerig; bezield; *un* ~ *debate* een heftig debat || *de la -a* alternatief, progressief; **móvil** I *bn* beweeglijk; *fiesta* ~ wisselende feestdag; *material* ~ rijdend materieel; *sello* ~ plakzegel; II *m* 1 plakzegel; 2 drijfveer, beweegreden; **movilidad** *v* beweeglijkheid; **movilización** *v* mobilisatie; **movilizar** mobiliseren; **movilizarse** in actie komen;
movimiento 1 beweging; ~ *ecologista* ecologische beweging, groene partij; ~ *obrero* arbeidersbeweging; ~ *ondulatorio* golfbeweging; ~ *oscilatorio*, ~ *pendular* slingerbeweging; ~ *popular* volksbeweging; ~ *separatista* afscheidingsbeweging; ~ *sindical* vakbeweging; ~ *sísmico* aardschok; *ponerse en* ~ zich in beweging zetten; 2 mutatie (*in personeel*); 3 drukte, gewoel; 4 levendigheid; 5 opstand; 6 (*muz*) tempo; 7 deel (*van muziekstuk*)
moviola montagetafel (*voor films*)
moza 1 jong meisje; niet getrouwde jonge vrouw; *buena* ~ mooi meisje; *real* ~ hele mooie meid; 2 dienstbode
mozalbete *m* melkmuil
mozárabe I *bn* mozarabisch; II *m,v* christen tijdens Moorse overheersing
mozo I *bn* jong; ongehuwd; II *zn* 1 jonge man; *buen* ~ knappe jongen (*om te zien*); *real* ~ lange knappe jongeman; 2 knecht; kelner; ~ *de almacén* magazijnbediende; ~ *de cuadra* stalknecht; ~ (*de estación*) kruier; ~ *de estoques* assistent van stierenvechter; ~ *de labranza* boereknecht

mt *mil toneladas* 1000 x 1000 kg
mu: *¡~!* boe!
muaré moiré(zijde)
muchacha 1 meisje; 2 dienstmeisje; **muchacho** jongen; *~s* (*ook*) kinderen, jongelui; **muchachote** *m* flinke jongen
muchedumbre *v* menigte, mensenmassa, schare, drom
muchísimo heel veel; heel erg; **mucho** I *bn* veel; *~s pocos hacen un ~* vele kleintjes maken één grote; *~ tiempo* lange tijd, lang; *como ~* op zijn hoogst, hooguit; *con ~* verreweg; *con ~ gusto* graag; *falta ~* het is nog lang niet zover; *ni ~ menos* allesbehalve, allerminst; *preferir con ~* veel liever willen; *tener en ~* (hoog)achten; II *bw* veel, hard, erg; *¡~!* goed zo!, prachtig!; *~ mejor* veel beter; *muy ~* (*fam*) dubbel en dwars; *por ~ que…* hoe…ook; *por ~ que corriera* hoe hij ook rende; *¿qué ~ que…?* is het dan verwonderlijk dat…?; *si no es ~ pedir* als het niet teveel gevraagd is
mucilaginoso slijmerig, slijmachtig, gomachtig; **mucosa** slijmvlies; **mucosidad** *v* slijm; **mucoso** slijmerig; *secreción -a* slijmafscheiding
muda 1 verandering; 2 rui; (*mbt slang*) (het) vervellen; 3 verschoning; 4 stemwisseling; *estar de ~* de baard in de keel hebben; **mudanza** 1 verandering; 2 verhuizing; **mudar** 1 *~* (*de*) veranderen (van); *~* (*de casa*) verhuizen; *~ de parecer* van mening veranderen; *~* (*de pelo*) verharen; *~* (*de ropa*) zich verkleden; *~ de voz* de baard in de keel hebben; 2 (*een bed*) verschonen; **mudarse** 1 verhuizen; 2 verharen; (*mbt slang*) vervellen; 3 *~* (*de ropa*) zich verschonen
mudéjar I *bn* mudejar; II *m,v* mohammedaan(se) in door christenen heroverd gebied
mudez *v* stomheid; **mudo** 1 stom, sprakeloos, verstomd; *~ de asombro* met stomheid geslagen; *el cine ~* de stomme film; *dejar ~* verstomd doen staan; 2 (*mbt landkaart*) zonder opschriften, blind
mueblaje *m* meubilair; **mueble** I *bn* (*mbt goederen*) roerend; II *m* meubel; *~s* meubilair, inboedel, huisraad; *salvar los ~s* redden wat er te redden valt; **mueblista** *m,v* meubelmaker, -maakster; meubelhandelaar
mueca grijns, grimas; lelijk gezicht; *hacer una ~* grijnzen
muecín *m* muezzin
muela 1 kies; *~ cordal, ~ del juicio* verstandskies; *está que echa las ~s* hij is razend; 2 molensteen, slijpsteen
1 **muelle** *m* 1 kade; (laad)perron; 2 (*metalen*) veer; *~ en espiral* spiraalveer; *~ de tensión* trekveer
2 **muelle** *bn* week, zacht; (*mbt leven*) weelderig, gemakkelijk
muellero bootwerker
muérdago maretak, mistletoe
muermo (*drugs; pop*) slechte trip
muerte *v* dood; *~ aparente* schijndood; *~ natural* natuurlijke dood; *~ prematura* voortijdige dood; *~ violenta* gewelddadige dood; *a ~* op leven en dood, verwoed; *aburrirse de ~* zich doodvervelen; *condenar a ~* ter dood veroordelen; *dar* (*la*) *~* ter dood brengen, doden; *de ~* dodelijk, vreselijk; *de mala ~* armoedig, armzalig, louche; *un pueblo de mala ~* een gat; *desafiar la ~* de dood tarten; *desdeñando la ~* met doodsverachting; *enfermo de ~* doodziek; *hay un silencio de ~* het is doodstil; *peligro de ~* levensgevaar; *se produce la ~* de dood treedt in; **muerto**, **-a** I *bn* dood; *~ en apariencia* schijndood; *~ de cansancio* doodmoe; *~ de envidia* verteerd door jaloezie; *~ de hambre* uitgehongerd; *~ de miedo* doodsbang; *~ de sueño* slaapdronken; *~ y bien muerto* dood en begraven, morsdood; *caerse ~* doodvallen; *cal -a* gebluste kalk; *callarse como un ~* zwijgen als het graf; *estar ~ por* dol zijn op; *más ~ que vivo* meer dood dan levend; *no tener donde caerse ~* geen hemd aan zijn lijf hebben; *zie ook morir*; II *zn* 1 dode; *~ de hambre* hongerlijd(st)er; *el ~ al hoyo y el vivo al bollo* de een zijn dood is de ander zijn brood; *cargar con el ~* de schuld op zich nemen; *echarle el ~ a u.p.* iem de zwarte piet toespelen, iem de schuld in de schoenen schuiven; *hacer el ~* (*bij zwemmen*) zich drijvend houden; *hacerse el ~* zich muisstil houden, zich dood houden; 2 (*bridge*) dummy
muesca keep, inkeping, kerf
muesli *m* muesli
muestra 1 blijk; voorbeeld; *~ de adhesión* adhesiebetuiging; *una ~ de enfado* een teken van boosheid; *dar ~(s) de* blijk geven van; 2 monster, staal (*van stof*); staaltje; *ejemplar de ~* proefexemplaar; 3 uithangbord; **muestrario** monsterboek, staalkaart; **muestreo** steekproef
mugido geloei; **mugir** loeien; brullen (*van pijn*)
mugre *v* viezigheid, vette aanslag; **mugriento** smerig, smoezelig, morsig
muguete *m* lelietje-van-dalen
mujer *v* 1 vrouw; *¡~!* mens toch!, kind!; *esa ~* dat mens; *una ~ bandera* een moordgriet; (*muy*) *~ de su casa* goede huisvrouw; *~ pastor* vrouwelijke dominee; *~ policía* vrouwelijke politieagent; *~ pública, ~ de la vida, ~ de vida ligera* publieke vrouw, vrouw van lichte zeden; *oye, ~* hoor eens, meid; 2 echtgenote, vrouw; *tomar ~* trouwen; **mujeriega**: *a la ~, a ~s* in amazonezit; **mujeriego** dol op vrouwen; *ser ~* een rokkenjager zijn; **mujeril** vd vrouw; **mujerío** vrouwvolk; **mujeruca** wijf; **mujerzuela** slet
mujic *m* Russische boer
mula *zie mulo*; **mulada** 1 muildierkudde; 2 stommiteit; **muladar** *m* mestvaalt
muladí *m,v* (*hist*) tot de islam bekeerde christen
mulato, **-a** mulat, kind van blanke en neger(in)

muleta 1 kruk (*om op te steunen*); 2 steun; 3 stok waarover de rode lap hangt (*bij stieregevecht*); **muletear** (*mbt stierenvechter*) de stok met rode lap hanteren; **muletilla** 1 stok om op te leunen (*als een soort kruk*); 2 stopwoord; **muleto** jong muildier; **muletón** *m* molton

mullido zacht; **mullir** 1 opschudden (*bv dekbed*); 2 (*grond*) losmaken, losscheppen

mulo, -a 1 muildier; 2 stomkop, idioot; 3 koppig mens

multa (geld)boete; *imponer una* ~ een boete opleggen, beboeten, bekeuren; **multar** beboeten

multicolor veelkleurig

multicopiar stencilen; **multicopista** stencilmachine

multidisciplinario multidisciplinair; **multiforme** veelvormig; **multilateral** multilateraal; **multimillonario, -a** multimiljonair; **multinacional** *v* multinational; **multipartidismo** meerpartijenstelsel

múltiple meervoudig; veelsoortig; *base ~ para enchufes* stekkerdoos, verdeelstekker

múltiplex *m* (*telec*) multiplexsysteem

multiplicación *v* vermenigvuldiging; **multiplicador, -ora** I *bn* vermenigvuldigend; II *m* vermenigvuldiger; **multiplicando** vermenigvuldigtal; **multiplicar** vermenigvuldigen; *signo de* ~ (*rekenk*) maalteken; **multiplicarse** 1 zich het vuur uit de sloffen lopen, overal tegelijk zijn; 2 zich vermenigvuldigen; **multiplicidad** *v* veelheid; **múltiplo** veelvoud; *mínimo común* ~ kleinste gemene veelvoud

multirracial multiraciaal

multirriesgo: *póliza* ~ pakketpolis, (*Belg*) blokpolis

multisecular eeuwenoud

multitud *v* menigte, schare, drom; **multitudinario** vd massa

mundanal (*lit*) werelds, aards; **mundano** 1 werelds, aards; 2 mondain, werelds; **mundial** I *bn* vd hele wereld; *ganar fama* ~ wereldberoemd worden; *guerra* ~ wereldoorlog; II *m* wereldkampioenschap; **mundialmente** over de hele wereld; **mundo** wereld; ~ *animal* dierenrijk; *el ~ entero* de hele wereld; ~ *de los espíritus* schimmenrijk; ~ *exterior* buitenwereld; ~ *infantil* kinderwereld; ~ *de los negocios* zakenwereld; *el ~ al revés* de omgekeerde wereld; ~ *de las vivencias* belevingswereld; *el ancho* ~ de wijde wereld; *el bajo* ~ (*fig*) de onderwereld; *correr* ~ veel reizen; *desde que el ~ es* ~ altijd al; *echar al* ~ ter wereld brengen; *este ~ es un pañuelo* wat is de wereld klein; *el gran* ~ de society; *se le hace un* ~ het is voor hem een enorme opgaaf; *llevar al otro* ~ naar de andere wereld helpen; *medio* ~ heel veel mensen; *nada del otro* ~ niets bijzonders; *no ser de este* ~ te goed zijn voor deze wereld; *el nuevo* ~ de nieuwe wereld, Amerika; *ponerse el ~ por montera* zich van niets of niemand iets aantrekken; *por nada del* ~ voor geen goud; *tener* ~ wereldwijs zijn; *tener mucho* ~ veel meegemaakt hebben, veel mensenkennis hebben; *todo el ~*: *a*) iedereen; *b*) de hele wereld; *valer un* ~ goud waard zijn; *venir al* ~ ter wereld komen; *ver* ~ veel reizen; **mundología** mensenkennis, ervaring, flair

munición *v* 1 voorraad, benodigdheden; ~ *de boca* mondvoorraad; 2 munitie; **municionar** voorzien van munitie of krijgsvoorraad

municipal gemeentelijk; stedelijk, plaatselijk; *término* ~ gemeentelijk grondgebied, gemeente; **municipalidad** *v* gemeente(bestuur); **municipio** gemeente

munificencia vrijgevigheid; **munificente, munífico** zeer vrijgevig

muñeca 1 (meisjes)pop; modepop; ~ *de trapo* lappenpop; 2 pols; polsgewricht; 3 prop lappen (*om te poetsen, te wrijven*); 4 ijdel poppetje, ijdeltuit; **muñeco** 1 (jongens)pop; modepop; poppekastpop; vogelverschrikker; ~ *de nieve* sneeuwpop; ~ *de resorte* opwindpoppetje; 2 (*fig*) marionet; 3 fat; **muñequera** polsband

muñidor *m* iem die manipuleert, intrigant

muñón *m* 1 stomp (*van geamputeerd lichaamsdeel*); 2 (*techn*) pen, pin, taats

mural I *bn* vd wand, op de wand; *pintura* ~ wandschildering; II *m* wandschildering; **muralla** (stads)muur; *la ~ de China, la Gran Muralla* de Chinese muur; **murar** ommuren

murciano uit Murcia

murciélago vleermuis

murga 1 straatorkest; 2 iets vervelends, gedonder; *dar* (*la*) ~ last bezorgen; **murguista** *m* 1 straatmuzikant; slecht musicus; 2 vervelende zeur

múrice *m* purperslak

murmullar ruisen, fluisteren; **murmullo** geprevel, gefluister, geruis, geritsel; **murmuración** *v* geroddel; **murmurador, -ora** roddelaar(ster), kwaadspreker; **murmurar** 1 ruisen; suizen; kabbelen, klateren; murmelen; 2 mompelen; prevelen; 3 roddelen, kwaadspreken

muro muur; ~ *de contención* strekdam; ~ *doble* spouwmuur; ~ *de las lamentaciones* klaagmuur; *de ~ a* ~ kamerbreed

murria (*fam*) heimwee, zwaarmoedigheid; **murrio** zwaarmoedig

mus *m* bep kaartspel

musa muze

musak *m* muzak, muzikaal behang

musaraña spitsmuis; *mirar a las ~s, pensar en las ~s* aan iets anders denken, zitten te suffen

muscular vd spieren, spier-; *dolores ~es* spierpijn; **musculatura** spierstelsel; spierontwikkeling; **músculo** spier; ~ *abdominal* buikspier; ~ *dorsal* rugspier; ~ *tenso* gespannen spier; **musculoso** gespierd

muselina mousseline

museo museum; ~ *de cera* wassenbeeldenmu-

seum; ~ *marítimo, ~ naval* scheepvaartmuseum; ~ *nacional* (*vglbaar*) rijksmuseum
musgo mos; **musgoso** bemost; mosachtig
música 1 muziek; ~ *de baile* dansmuziek; ~ *de cámara* kamermuziek; ~ *celestial* ijdele woorden, nietszeggende taal, woorden waar niemand naar luistert; ~ *clásica* klassieke muziek; ~ *de fondo* achtergrondmuziek; ~ *jazz* jazzmuziek; ~ *negra* negermuziek; ~ *pop* popmuziek; ~ *religiosa, ~ sagrada* religieuze muziek, kerkmuziek; *hacer* ~ musiceren; 2 ~*s* gezeur || *ir con la ~ a otra parte* de plaat poetsen, er vandoor gaan; *mandar con la ~ a otra parte* wegsturen; **musical** I *bn* muzikaal; *velada ~* muziekavond; II *m* musical; **musicalidad** *v* muzikaliteit; **músico, -a** I *bn* vd muziek; II *zn* musicus, musicienne, muzikant(e); ~ *callejero* straatmuzikant; **musicología** musicologie; **musicómano, -a** iem die gek is op muziek; **musiquilla** deuntje
musitar fluisteren, mompelen
muslo 1 dij(been), bovenbeen; 2 bout
mustio 1 verlept, verwelkt; 2 triest, somber
musulmán, -ana moslim
mutabilidad *v* veranderlijkheid; **mutación** *v* verandering, mutatie
mutilación *v* verminking; **mutilado** verminkt, invalide; **mutilar** verminken
mutis *m: hacer ~: a*) afgaan (*van toneel*); *b*) er het zwijgen toe doen; **mutismo** (het) zwijgen
mutua (onderlinge) verzekeringsmaatschappij; **mutual** I *bn* wederzijds, onderling; II *v; zie mutua*; **mutualidad** *v* 1 wederkerigheid; 2 *zie mutua*; **mutuo** wederkerig, wederzijds, onderling; *de ~ consenso* met wederzijds goedvinden
muy erg, zeer, heel; ~ *señor mío:* (*briefaanhef*) geachte heer,...; *es ~ de mi madre* dat is echt iets voor mijn moeder; *es ~ pronto para...* het is nog te vroeg om...; *por ~ caro que sea* hoe duur het ook is

n *ene v* (*letter*) n
N. *Norte* noord
nabo raap, knol
nácar *m* paarlemoer; **nacarado, nacarino** paarlemoerachtig
nacer geboren worden; ontluiken; (*mbt rivier*) ontspringen; ~ *de* ontstaan uit, voortkomen uit; *nace la pregunta* de vraag komt op; *haber nacido cansado* liever lui dan moe zijn; *haber nacido para* in de wieg gelegd zijn voor; *haber nacido de pie* een gelukskind zijn; *haber nacido tarde* niet bepaald slim zijn; *volver a ~* ontsnapt zijn aan een groot gevaar
Nacho *afk van Ignacio*
nacido, -a I *bn* geboren; aangeboren; *bien ~: a*) van goede huize; *b*) wellevend; *c*) rechtgeaard; *un español bien ~* een rechtgeaarde Spanjaard; *recién ~* pasgeboren; II *zn* mens; *mal ~* lelijkerd, loeder; **naciente** in wording; *sol ~* opgaande zon; **nacimiento 1** geboorte; oorsprong, ontstaan; *dar ~ a* voortbrengen; *de ~* van geboorte; *ciego de ~* blind geboren; 2 kerststal
nación *v* natie, land, volk; **Nación**: *las -ones Unidas* (*afk ONU*) de Verenigde Naties; **nacional** nationaal, landelijk; inheems; *mercado ~* binnenlandse markt; *museo ~* (*vglbaar*) rijksmuseum; *parque ~* nationaal park, natuurpark; *policía ~* (*vglbaar*) rijkspolitie; *vuelo ~* binnenlandse vlucht; **nacionalidad** *v* nationaliteit; **nacionalismo** nationalisme; **nacionalista** I *bn* nationalistisch; II *m,v* nationalist(e); **nacionalización** *v* nationalisatie; naasting; **nacionalizar 1** nationaliseren; naasten; 2 naturaliseren; **nacionalizarse** zich laten naturaliseren; **nacionalsocialismo** nationaal-socialisme; **nacionalsocialista** I *bn* nationaal-socialistisch; II *m,v* nationaal-socialist(e); **naciunidense** vd Verenigde Naties
nada I *zn* (het) niets; II *bw* geenszins, allesbehalve; ~ *difícil* helemaal niet moeilijk; ~ *mal* bepaald niet slecht, niet onaardig; III *onbep vnw* niets; ~ *cambia* er verandert niets; ~ *de eso* absoluut niet; ~ *de ~* absoluut niets, geen klap; ~ *menos que* maar liefst; ~ *del otro mundo* niet veel bijzonders; ~ *sino quejas* niets dan klachten; *como si ~* doodleuk, alsof er niets aan de hand is; *de ~* geen dank; *de eso ~* geen sprake van; *más que ~* bovenal; *no es ~* het is niet erg; *no pasa ~* er is niets (aan de hand); *no queda ~* alles is op; *no tiene ~ de malo* daar steekt geen kwaad in; *no tiene ~ que*

ver dat heeft er niets mee te maken; *para ~* in het geheel niet; *por ~* om niets, nergens om, zomaar || *~ más entrar dijo...* hij was nauwelijks binnen of hij zei...; *~ más levantarme...* zodra ik op was...
nadador, -ora zwemmer, zwemster; **nadar 1** zwemmen; *~ (a) braza* borstslag zwemmen; *~ a (estilo) crol, ~ el crawl* crawlen; *~ de espaldas* rugzwemmen; *~ entre dos aguas* de kool en de geit sparen; *~ y guardar la ropa* schipperen, heel behoedzaam handelen; 2 *~ en (fig)* baden in
nadería kleinigheid, wissewasje
nadie I *m* onbenul; onbeduidend mens; *un don ~* een man van niks; *no ser ~* niets betekenen, niet meetellen; II *onbep vnw* niemand; *~ más* verder niemand; *~ sino él* niemand anders dan hij; *no estar para ~* voor niemand te spreken zijn; *no vio a ~* hij zag niemand; *sabe más que ~* hij weet meer dan wie ook
nado: *a ~* zwemmend
nafta 1 nafta; 2 *(Am)* benzine; **naftalina** naftaline; *bolas de ~* motteballen
nahua I *bn* vd Nahua's *(Mexicaans Indianenvolk)*; II 1 *m,v* Nahua-Indiaan(se); 2 *m* taal van de Nahua's; **náhuatl** *m* taal vd Nahua's
nailon *m* nylon
naipe *m* (speel)kaart; *castillo de ~s* kaartenhuis; *jugar a los ~s* kaarten
naja naga, naja, brilslang
najarse *(fam)* weggaan, 'm smeren
nalga bil; *~s* billen, zitvlak
nana 1 wiegelied; 2 oma
Nano *afk van Fernando*
nao *v (lit)* schip
napalm *m* napalm
napoleónico napoleontisch
Nápoles Napels; **napolitano** uit Napels
naranja 1 sinaasappel; *~ nável* navelsinaasappel; *~ sanguina* bloedsinaasappel; *media ~ (iron)* wederhelft; 2 *m (als bn onv)* oranje; *de color ~* oranje || *¡~s (de la China)!* kom nou!; **naranjada** sinaasappellimonade; **naranjal** *m* sinaasappelboomgaard; **naranjo** sinaasappelboom
narcisismo narcisme; **narciso** narcis
narco *zie narcotraficante*; **narcosis** *v* narcose, verdoving, bedwelming; **narcótico** narcoticum; **narcotismo** slaperigheid door narcotica; **narcotización** *v* verdoving, bedwelming; **narcotizador, -ora** narcotiseur; **narcotizante** bedwelmend; **narcotizar** bedwelmen; onder narcose brengen; **narcotraficante** *m* drugshandelaar; **narcotráfico** drugshandel
nardo 1 *(plantk)* nardus *(plant met geurige witte bloemtrossen)*; 2 koffie met ijs en absint
narigón, -ona I *bn* met een grote neus; II *zn* 1 iem met een grote neus; 2 *m* grote neus; **narigudo** met een grote neus; **nariguera** neusring *(sieraad)*; **nariz** *v (soms mv)* neus; *~ aguileña* haviksneus; *~ chata, ~ roma* platte, stompe neus; *~ respingona* wipneus; *buena ~* goede neus, fijne neus; *dar en las -ices: a) (deur)* voor iems neus dichtslaan; *b) (fig)* de ogen uitsteken; *c) (bruusk)* afwijzen; *darse de -ices con u.p.* tegen iem oplopen; *darse de -ices contra u.c. (lett)* tegen iets oplopen; *darse de -ices en* stuiten op *(probleem)*; *en las -ices de* voor de neus van; *en sus -ices* waar hij bij is, in zijn gezicht *(uitlachen)*; *estar hasta las -ices* het zat zijn; *me da en la ~ que* ik vermoed dat, ik heb zo'n voorgevoel dat; *meter la ~ en* zijn neus steken in; *meterse de -ices en* zich ergens volledig in storten; *no ver más allá de sus -ices* niet verder kijken dan zijn neus lang is; *por -ices* zomaar, zonder reden; *restregar por las -ices* onder de neus wrijven; *romperse las -ices* (voorover) vallen; *todos se le ponen en las -ices* iedereen verzet zich tegen hem || *¡-ices!* je tante!; *de -ices* geweldig; **narizón** *m; zie narigón*; **narizota** grote neus; **narizotas** *m,v* iem met grote neus
narración *v* vertelling, verhaal; *~ enmarcada* raamvertelling; **narrador, -ora** I *bn* vertellend; II *zn* verteller, vertelster; **narrar** vertellen, verhalen; **narrativa** vertelkunst; **narrativo** verhalend; **narratorio** verhalend
narria *(fam)* dikke vrouw, schommel
nasa soort fuik
nasal 1 vd neus, door de neus, nasaal; *por vía ~* door de neus; *spray ~* neusspray; 2 *(gramm)* neus-; *sonido ~* neusklank; **nasalizar** nasaleren, door de neus uitspreken
nata 1 room; *~ agria* zure room; *~ (batida)* slagroom; *~ liquida, ~ sin montar* vloeibare room; 2 *(flor y) ~ (fig)* puikje
natación *v* (het) zwemmen; zwemsport
natal vd geboorte; *país ~* geboorteland; **natalicio** I *bn* vd geboortedag; II *zn* geboortedag; verjaardag; **natalidad** *v: (índice de) ~* geboortecijfer
natatorio vh zwemmen, zwem-
natillas *vmv* vla
natividad *v* geboorte *(van Jezus, Maria, Johannes de Doper)*; **Natividad** *v* 1 Kerstmis; 2 meisjesnaam; **nativo, -a** I *bn* 1 geboorte-, inheems; *país ~* geboorteland; 2 *(mbt metaal)* zuiver; II *zn* inboorling(e); inheemse; **nato** 1 geboren; *un criminal ~* een geboren misdadiger; *enemigo ~* aartsvijand; 2 qualitate qua; *el director es presidente nato* de directeur is q.q. voorzitter
natura *(lit)* natuur; **natural** I *bn* 1 natuurlijk; *al ~* in het echt, natuurgetrouw; *año ~* kalenderjaar; *del ~* naar het leven *(getekend)*, naar de natuur; *es ~* het spreekt vanzelf; *frutos al ~* vruchten op sap; *gas ~* aardgas; *tamaño ~* ware grootte; 2 *(mbt kind)* buitenechtelijk, natuurlijk; *~ de* geboortig uit; 3 ongedwongen, natuurlijk; II *m* aanleg, aard; **naturaleza** 1 natuur; *~ muerta* stilleven; 2 aard, geaardheid, natuur; *la ~ humana* de menselijke aard; *~ del suelo* bodemgesteldheid; **naturalidad** *v* natuurlijkheid; ongedwongenheid; **natura-**

lismo naturalisme; **naturalista** naturalistisch; **naturalización** *v* naturalisatie; **naturalizar** naturaliseren; **naturalizarse** zich laten naturaliseren; **naturalmente** 1 natuurlijk, uiteraard, van nature, uit de aard der zaak; 2 op natuurlijke wijze; **naturismo** 1 natuurleefwijze; 2 naturisme, nudisme; **naturista** I *bn* naturistisch; *médico* ~ natuurarts; *playa* ~ naaktstrand; *tienda* ~ reformwinkel; II *m,v* naturist(e); nudist(e)

naufragar 1 schipbreuk lijden, vergaan; 2 mislukken, op de klippen lopen; **naufragio** 1 schipbreuk; 2 mislukking; **náufrago, -a** schipbreukeling(e)

náusea (*vaak mv*) 1 misselijkheid; *dar ~s* misselijk maken; *sentir ~s* misselijk zijn; 2 walging; **nauseabundo** 1 wee, misselijk makend; 2 walgelijk; **nauseoso** misselijk; *estado* ~ misselijkheid

náutica zeevaartkunde; **náutico** vd zeevaartkunde, zeevaart-; *club* ~ jachtclub; *término* ~ scheepsterm

navaja 1 zakmes; ~ *de afeitar* scheermes; 2 tafelmesheft (*bep schelpdier*); **navajada, navajazo** messteek

naval van schepen, scheeps-, zee-; *base* ~ vlootbasis; *escuela* ~ marineopleiding; *fuerzas ~es* zeemacht; *revista* ~ vlootschouw

navarro uit Navarra, Navarrees

nave *v* 1 schip; ~ *espacial* ruimteschip; *quemar las ~s* zijn schepen achter zich verbranden; 2 (*in kerk*) beuk; ~ *de crucero* dwarsbeuk; ~ *lateral* zijbeuk; 3 (fabrieks)hal; ~ *de montaje* montagehal; ~ *de taller* fabriekshal; **navegabilidad** *v* 1 bevaarbaarheid; 2 zeewaardigheid; luchtwaardigheid; *en condiciones de* ~ vaarklaar; **navegable** 1 bevaarbaar; 2 zeewaardig; **navegación** *v* 1 (scheep)vaart; ~ *de altura* grote vaart; ~ *de cabotaje* kleine vaart; ~ *costera* kustvaart; ~ *espacial* ruimtevaart; ~ *fluvial* binnenvaart; ~ *irregular* wilde vaart; ~ *a vela* (het) zeilen, zeilsport; 2 (het) varen; bevaring; navigatie; *de difícil* ~ moeilijk bevaarbaar; **navegante** I *bn* zeevarend; II *m* zeevaarder; **navegar** varen; ~ *río abajo* de rivier afzakken

nável *zie naranja*

navicert *m* navicert, vaarbewijs (*van koopvaardijschip in oorlogstijd*)

Navidad *v* Kerstmis; *~es* kersttijd; *¡Feliz ~!* Vrolijk kerstfeest!; **navideño** van Kerstmis, kerst-; *época -a* kersttijd

naviera: (*empresa*) ~ rederij; **naviero** I *bn* scheepvaart-; II *zn* reder; **navío** (zee)schip; ~ *de tres palos* driemaster

náyade *v* waternimf, najade

nazareno, -a I *bn* uit Nazareth; II *zn* 1 Nazarener; 2 boeteling(e) in processie

nazi I *bn* nazi-; II *m,v* nazi; **nazismo** nazisme

N.B. *nota bene* let wel, n.b.

neblina nevel; waas; *hay* ~ het is heiig; **neblinoso** nevelig, heiig

nebulizador *m* spuitbus; **nebulosa** nevelvlek; **nebulosidad** *v* 1 neveligheid; 2 (*fig*) duisterheid; **nebuloso** 1 nevelig, mistig; 2 (*fig*) duister

necedad *v* domheid, dwaasheid, onnozelheid

necesario nodig, noodzakelijk; *de ser ~, en caso* ~ zo nodig; **neceser** *m* toilettas; **necesidad** *v* 1 noodzaak; ~ (*de*) behoefte (aan); *la ~ aprieta* het wordt nijpend; *~es básicas, cosas de primera* ~ eerste levensbehoeften; *la ~ es madre de las invenciones* nood maakt vindingrijk; ~ *vital* levensbehoefte; *atender a la* ~ in de behoefte voorzien; *en caso de* ~ desnoods; *hacer de la ~ virtud* van de nood een deugd maken; *sentir ~ de* behoefte hebben aan; *sin* ~ nodeloos; 2 *~es* behoefte, ontlasting; *hacer sus ~es* zijn behoefte doen; **necesitado** behoeftig; noodlijdend; ~ *de ayuda* hulpbehoevend; *estar* ~ gebrek lijden; **necesitar** nodig hebben; behoefte hebben aan; ~ *urgentemente* dringend nodig hebben; **necesitarse** nodig zijn, vereist zijn

necio dom, dwaas, onnozel, zot

necrología necrologie

necrópolis *v* dodenstad, begraafplaats

necropsia autopsie

néctar *m* nectar; (*fig*) godendrank

neerlandés, -esa Nederlands

nefando gruwelijk

nefasto rampzalig; *día* ~ ongeluksdag

nefritis *v* nierontsteking

negable niet te ontkennen; **negación** *v* ontkenning; **negado** ongeschikt, niet begaafd; **negar ie** 1 ontkennen; betwisten; (ver)loochenen; ~ *con la cabeza* nee schudden; 2 weigeren, ontzeggen; **negarse ie**: ~ (*a*) weigeren (om); **negativa** 1 ontkenning; 2 weigering; **negativamente** negatief; ontkennend; **negativo** I *bn* negatief; afwijzend; ontkennend; *en caso* ~ zo nee; II *zn* (*fot*) negatief

negligencia nalatigheid, verzuim, slordigheid, onachtzaamheid; verwaarlozing; **negligente** nalatig, nonchalant, onachtzaam

negociable verhandelbaar; **negociación** *v* (*vaak mv*) onderhandeling; **negociado** afdeling (*van kantoor*); **negociador, -ora** I *bn* onderhandelend; II *zn* onderhandelaar(ster); **negociante** *m,v* handelaar(ster); ~ *en vinos* wijnhandelaar; **negociar** I *intr* 1 handeldrijven; ~ *en, con* handelen in; 2 onderhandelen; II *tr* 1 verhandelen; 2 onderhandelen over; **negocio** 1 (handels)zaak; winkel; *hombre de ~s* zakenman; *montar un ~, poner un* ~ een zaak opzetten, een zaak beginnen; 2 boel; *todo el* ~ de hele boel; 3 kwestie, zaak(je); *un ~ sucio* een vuil zaakje; *un buen* ~ een voordelig zaakje

negra 1 negerin; 2 (*muz*) kwartnoot ‖ *la* ~ pech, ongeluk; **negrear** zwart worden; ~ *de gente* zwart zien van de mensen; **negrero** slavenhandelaar; slavendrijver (*ook fig*); **negrilla** vette letter; **negrita** *zie negrilla*; **negrito, -a** I *bn* (*mbt letter*) vet; II *zn* neger(inne)tje; **negritud** *v* negerdom, (de) negers; **negro, -a** I *bn* 1 zwart; ~ (*como el*) *azabache* gitzwart; ~ *como el carbón* pikzwart; 2 donker, somber; 3 (donker)bruin, zonverbrand || *estar* ~ de smoor in hebben; *pasarlas -as* heel krap zitten; *poner* ~ lastig vallen, nerveus maken, het leven zuur maken; *verse* ~ *para* zich afpijnigen om, de grootste moeite hebben om; II *zn* 1 neger(in); *trabajar como un* ~ zich afbeulen, werken als een paard; *trabajo de ~s* geploeter; 2 ghostwriter; 3 *m* zwarte kleur, zwart; **negroide** negerachtig, negroïde; **negrura** zwartheid; **negruzco** zwartig, groezelig

nema gomrand (*aan envelop*)

nemoroso (*lit*) vh woud

nemotecnia *zie mnemotecnia*

nena (*fam*) meisje, kleine; **nene** *m* (*fam*) kind, kleine

nenúfar *m* waterlelie

neocelandés, -esa Nieuwzeelands

neoclasicismo neoclassicisme; **neoclásico** neoklassiek; **neofascismo** neofascisme

neófito, -a neofiet; nieuweling(e)

neogótico neogotisch

neogranadino (*hist*) uit Nueva Granada (*nu Columbia*)

neolítico neolitisch

neologismo neologisme, nieuwvorming; nieuw woord

neón *m* neon; *tubo de* ~ neonbuis

neonatal neonataal

neoplatonismo neoplatonisme

neorrealismo neorealisme

neoyorquino uit New York

neozelandés, -esa Nieuwzeelands

nepalés, -esa Nepalees

nepotismo nepotisme, vriendjespolitiek

nereida zeenimf, nereïde

nerón *m* wreedaard, tiran; **neroniano** zeer wreed

nervadura 1 (de) nerven, houtnerf; 2 (de) ribben van een gewelf

nervio 1 zenuw; *~s de acero* stalen zenuwen; ~ *sensitivo* gevoelszenuw; *alterar los ~s* zenuwachtig maken; *con los ~s deshechos* op van de zenuwen; *sus ~s no rigen* hij heeft het op zijn zenuwen; *tenía los ~s de punta* zijn zenuwen waren gespannen; 2 pees; 3 nerf; 4 pit, kracht; 5 (*scheepv*) rib, spant; **nerviosidad** *v* zenuwachtigheid, nervositeit; **nerviosismo** *zie nerviosidad*; **nervioso** 1 vd zenuwen; *sistema* ~ zenuwstelsel; 2 zenuwachtig, nerveus; *poner* ~ zenuwachtig maken; *ponerse* ~ zenuwachtig worden; **nervosidad** *v* 1 zenuwachtigheid; 2 kracht van argumenten; **nervudo** 1 krachtig; gespierd; 2 pezig

nesga geer (*in rok*)

netamente duidelijk; **neto** 1 duidelijk (omlijnd); zuiver; 2 netto

neumático I *bn* 1 pneumatisch; 2 opblaasbaar; *lancha -a* opblaasboot; II *zn* (auto)band, fietsband; ~ *delantero* voorband; ~ *pinchado* lekke band; ~ *radial* radiaalband; ~ *de reserva* reserveband; ~ *trasero* achterband

neumonía longontsteking

neuralgia zenuwpijn; **neurálgico** neuralgisch; *punto* ~: *a*) gevoelig punt; *b*) brandende kwestie; **neurastenia** zenuwzwakte, neurasthenie; **neuritis** *v* zenuwontsteking; **neurocirujano** neurochirurg; **neurología** neurologie; **neurólogo, -a** neuroloog, -loge; **neurona** neuron, zenuwcel; **neurópata** *m,v* zenuwpatiënt(e); **neuropatía** zenuwziekte; **neuropsicología** neuropsychologie; **neuropsiquiatría** neuropsychiatrie; **neuropsiquiátrico**: *hospital* ~ zenuwinrichting

neuróptero netvleugelig

neurosis *v* neurose; ~ *compulsiva*, ~ *obsesiva* dwangneurose; **neurótico, -a** I *bn* neurotisch; II *zn* zenuwpatiënt(e)

neutral neutraal; **neutralidad** *v* neutraliteit, onzijdigheid; **neutralización** *v* neutralisering; ~ *de minas* mijnopruiming; **neutralizante** neutraliserend; **neutralizar** 1 neutraliseren; 2 onschadelijk maken; **neutralizarse** 1 te niet gaan; 2 elkaar opheffen; **neutro** 1 (*gramm*) onzijdig; 2 neutraal; 3 (*dierk*) geslachtloos; **neutrón** *m* neutron

nevada sneeuwbui, sneeuwval; **nevado** 1 besneeuwd; 2 (*lit*) met wit haar; **nevar ie** sneeuwen; **nevasca** sneeuwjacht; **nevatilla** witte kwikstaart

nevera koelkast; koelbox; *bolsa* ~ koeltas; **nevero** (plek met) eeuwige sneeuw; **nevisca** korte sneeuwbui; **nevoso** met sneeuw

nexo verbinding, band, (*fig*) schakel

ni 1 noch; ~...~ noch...noch; 2 ~ (*siquiera*) niet eens; *¡~ hablar!* geen sprake van!; *¡~ idea!* geen idee!; ~ *me vio* hij zag me niet eens; 3 ~ *que* (+ *subj*) alsof; *¡~ que estuviera enfermo!* alsof ik ziek ben!, ik ben toch niet ziek!

nicaragüense, nicaragüeño, -a I *bn* Nicaraguaans; II *zn* Nicaraguaan(se)

nicho nis

nicotina nicotine

nidada broedsel, nest (*met eieren of jonge vogels*); **nidal** *m* 1 legplaats (*van kip*); 2 vertrouwde plek; 3 (*fig*) basis, reden; **nidificación** *v* (het) nestelen; **nido** 1 nest; ~ *de cuervo* (*scheepv*) kraaienest; ~ *de pájaros* vogelnest; ~ *de ratones* muizenest; *caído de un* ~ (al te) goedgelovig, naïef; *mesas de* ~ set bijzettafeltjes; 2 (*fig*) haard, broeiplaats

niebla mist, nevel; ~ *densa* dichte mist; ~ *marina* zeedamp; *disipar la* ~ de mist verdrijven; *hace* ~ het mist

nietecito, -a kleinzoontje, -dochtertje; **nieto, -a** kleinzoon, -dochter, kleinkind

nieve *v* 1 sneeuw; *a punto de* ~ (*mbt eiwit*) stijfgeklopt; 2 (*pop*) cocaïne; **Nieves** meisjesnaam

nigeriano Nigeriaans

nigromancia zwarte kunst, magie

nihilismo nihilisme; **nihilista** *m,v* nihilist(e)
niki *m; zie niqui*
Nilo: *el* ~ de Nijl; *vega del* ~ Nijldal
nilón *m* nylon
nimbo nimbus, aureool
nimiedad *v* 1 kleinigheid; *~es* beuzelarijen; 2 pietepeuterigheid; **nimio** 1 nietig, onbeduidend; 2 pietepeuterig, minutieus
ninfa 1 nimf, elfje; ~ *acuática* waternimf; 2 nimf (*van insekt*)
ninfomanía nymfomanie
ningún *zie ninguno*; **ninguno**, **-a** *onbep vnw* 1 (*bijvgl; voor zn mnl enkv: ningún*) geen (enkele); *ningún problema* geen enkel probleem; *en ninguna parte* nergens; *sin ningún problema* zonder enige moeite; *ya no es ningún niño* hij is geen kind meer; *no hagas eso de ninguna manera* doe dat vooral niet; 2 (*zelfst*) geen, niemand (*uit bep groep*); ~ *de ellos* geen van hen; **ningunear** 1 negeren; 2 kleineren
niña 1 meisje; *zie ook niño; la* ~ *bonita* nummer 15 (*bij lottospel*); *de* ~ meisjesachtig; 2 ~ (*del ojo*) pupil, oogappel; *querer como a la* ~ *de sus ojos* intens houden van; **niñada** iets kinderachtigs; **niñera** kindermeisje; **niñería** 1 kinderachtigheid; 2 kleinigheid; **niñez** *v* 1 kinderjaren; 2 *-eces* kinderachtig gedoe; **niño**, **-a** kind, jongen, meisje; ~ *abandonado* vondeling(e), dakloos kind, zwervertje, verwaarloosd kind; ~ *de la bola* gelukskind; *~s deficientes* gehandicapte kinderen, kinderen met stoornissen; ~ *mimado* troetelkind, verwend kind; ~ *de pecho* zuigeling, borstkind; ~ *probeta* reageerbuisbaby; ~ *problema* zorgenkind; ~ *prodigio* wonderkind; *aún es muy* ~ hij is nog wel erg jong, hij is nog erg kinderlijk; *cosa de ~s* iets heel eenvoudigs; *de* ~*, de -a* toen hij, zij klein was; *desde* ~ van jongs af aan; *¡no seas ~!* doe niet zo kinderachtig!; *los ~s y los locos dicen las verdades* kinderen en gekken spreken de waarheid; **Niño**: *el* ~ *Jesús* het kindje Jezus
niple *m* nippel; ~ *de engrase* smeernippel; ~ *de reducción* verloopstuk
nipón, **-ona** (*lit*) Japans
níquel *m* nikkel; **niquelar** vernikkelen
niqui *m* soort T-shirt
nirvana *m* nirvana
níspero 1 mispel; 2 mispelboom
nitidez *v* helderheid, scherpte; ~ *de la imagen* beeldscherpte (*van tv*); **nítido** helder, scherp (omlijnd); *muy* ~ haarscherp
nitrato nitraat; **nitro** salpeter; **nitrobenceno** nitrobenzeen; **nitrocelulosa** nitrocellulose; **nitrógeno** stikstof; **nitroglicerina** nitroglycerine; **nitroso** vd stikstof
nivel *m* niveau, peil, hoogte, stand; ~ *del aceite* oliepeil; ~ *de agua,* ~ *de aire,* ~ *de albañil,* ~ *de burbuja* waterpas; ~ *de audiencia* kijkdichtheid; ~ *de calle,* ~ *de suelo* maaiveld; ~ *direccional* directieniveau; ~ *de gastos* uitgavenpeil; ~ *intelectivo* intelligentiepeil; ~ *del mar* zeeniveau; ~ *de la miseria* armoedegrens; ~ *del ruido,* ~ *sonoro* geluidsniveau; ~ *de vida* levensstandaard; *a ~: a*) op dezelfde hoogte; *b*) op peil; *al* ~ *del suelo* gelijkvloers; *a bajo* ~ op een laag peil; **nivelación** *v* nivellering; *la* ~ *del presupuesto* het sluitend maken van de begroting; **nivelado** (*mbt begroting*) sluitend; **nivelador**, **-ora** nivellerend; **niveladora** nivelleermachine; **nivelar** nivelleren, vlak maken; op hetzelfde peil brengen; (*begroting*) sluitend maken, bijstellen
níveo wit (*als sneeuw*)
no I *bw* 1 nee; *¡que ~!* (*krachtig*) nee!!, wel nee!; 2 niet; *¿~?* hè?, nietwaar?; ~ *bien* zodra, nauwelijks…of; ~ *ya* niet alleen; ~ *tengo ganas* ik heb geen zin; *¡a que ~!* dat kan niet waar zijn!; *¿a que* ~ *se atreve?* wedden dat hij niet durft?; *hace frío ¿~?* het is koud hè?; 3 *na que soms onvertaald: es más bien gris que* ~ *negro* het is eerder grijs dan zwart; II *zn* nee
no. *número* nummer
nobiliario adelijk; **noble** adelijk, van adel; edel, hoogstaand, verheven; **nobleza** adel, adeldom, adelstand
noche *v* nacht; avond; ~ *en blanco,* ~ *en claro,* ~ *en vela* slapeloze nacht; ~ *de bodas* huwelijksnacht; ~ *de Navidad* kerstnacht; *a la* ~ tegen de avond; *a media* ~ om middernacht; *buenas ~s: a*) goedenavond; *b*) goedenacht; *cae la* ~*, se hace de* ~ het wordt donker, de avond valt; *de* ~ als het donker is, 's nachts; *de la* ~ *a la mañana* vd ene dag op de andere; *esta ~: a*) vanavond; *b*) vannacht; *hace* ~ *cerrada* het is pikdonker; *hacer* ~ *en* overnachten in; *¡hasta la ~!* tot vanavond!; *pasar la* ~ *en claro* geen oog dicht doen; *por la ~: a*) 's nachts; *b*) 's avonds; **Nochebuena** kerstnacht (*24 december*); **Nochevieja** oudejaarsavond
noción *v* begrip, denkbeeld, idee; benul, besef; *-ones vagas* vage begrippen; *no tener la menor* ~ *de* geen benul hebben van, geen notie hebben van
nocividad *v* schadelijkheid; **nocivo** schadelijk, nadelig
noctámbulo, **-a** nachtbraker, (*fig*) nachtvlinder; **nocturnidad** *v* (het) 's nachts gebeuren; **nocturno** I *bn* nachtelijk; avond-, nacht-; *animal* ~ nachtdier; *escuela -a* avondschool; II *zn* nocturne
nodal *m* (*astron*) vd knopen || *punto* ~ knooppunt; **nodo** 1 (*astron*) knoop; 2 knobbel
nodriza voedster; *avión* ~ moedervliegtuig
nódulo knobbeltje
Noé *m* Noach
nogada soort notensaus; **nogal** *m* 1 noteboom; 2 notehout; **nogalina** soort beits; **noguera** noteboom; **nogueral** *m* noteboomgaard
nómada I *bn* zwervend, nomadisch; *pueblo* ~ nomadenvolk; II *m,v* nomade; **nomadismo** nomadenbestaan
nomás (*ook: no más*) (*Am*) slechts, pas; precies; zelfs; juist; *ayer* ~ gisteren nog; *siéntate* ~ ga maar zitten

nombradía faam; *un poeta de* ~ een dichter van naam; **nombrado** befaamd, beroemd; **nombramiento** benoeming, aanstelling; **nombrar** 1 noemen; vermelden; 2 benoemen tot, aanstellen als; ~ *presidente* tot voorzitter benoemen; **nombre** *m* 1 naam; voornaam; benaming; ~ *cariñoso* troetelnaam; ~ *comercial* handelsnaam; ~ *común* soortnaam; ~ *de familia* achternaam; ~ *fingido*, ~ *supuesto* valse naam; ~ *genérico* soortnaam; ~ *de pila* doopnaam, voornaam; ~ *propio* eigennaam; *a* ~ *de* op naam van; *de* ~: *a*) genaamd, zogeheten; *b*) befaamd; *del mismo* ~ gelijknamig; *en* ~ *de* namens; *eso no tiene* ~ daar zijn geen woorden voor; *llamar las cosas por su* ~ het kind bij de naam noemen; *llevar un* ~ een naam dragen; *por mal* ~ bijgenaamd; *sin* ~ naamloos; *tener por* ~ luisteren naar de naam van; 2 (zelfstandig) naamwoord; 3 faam, goede naam

nomenclatura 1 namenlijst; 2 terminologielijst

nomeolvides *m* vergeet-mij-nietje

nómina 1 (naam)lijst; 2 loonlijst; *estar en la* ~ *(de)* in (loon)dienst zijn (bij); 3 salaris, loon; **nominación** *v* nominatie; ~ *al óscar* oscarnominatie; **nominal** 1 vd naam; op naam; *relación* ~ lijst met namen; *votación* ~ hoofdelijke stemming; 2 nominaal; in naam || *predicado* ~ naamwoordelijk (deel vh) gezegde; **nominar** noemen; ~ *para* doodverven als; **nominativo** 1 (*mbt cheque*) op naam; 2 (*gramm*) nominatief, eerste naamval

non *m* 1 oneven getal; *pares y* ~*es* even en oneven; 2 ~*es* (*fam*) nee; *decir que* ~*es* nee zeggen; **nonada** klein beetje; kleinigheid

nonagenario negentigjarig; **nonagésimo** I *rangtelw* negentigste; II *zn* negentigste deel

nonato 1 ongeboren; 2 dmv medische ingreep geboren

noningentésimo negenhonderdste

nono negende

non plus ultra *m* toppunt

nopal *m* nopalcactus

noquear knock-out slaan, onschadelijk maken

noratlántico Noordatlantisch

noray *m* bolder, aanlegpaal

nordeste *m* 1 noordoost(en); 2 noordoostenwind; **nórdico** noordelijk; **noreste** *m; zie nordeste*

noria scheprad, waterrad; tredmolen; ~ (*gigante*) reuzenrad

norma norm, maatstaf; *dictar* ~*s* richtlijnen voorschrijven; **normal** normaal, gewoon || (*escuela*) ~ (*hist; vglbaar*) kweekschool, onderwijzersopleiding; **normalidad** *v* normale toestand; **normalización** *v* 1 normalisering; 2 standaardisatie; **normalizar** 1 normaliseren; ordenen, regelen; 2 standaardiseren; **normalmente** gewoonlijk, normaliter

normando, -a I *bn* 1 Normandisch; 2 (*hist*) vd Noormannen; II *zn* 1 Normandiër, Normandische; 2 ~*s* (*hist*) Noormannen

normativa (geheel van) regels, (de) normen, richtlijn(en); **normativo** maatgevend, normatief

noroeste *m* 1 noordwest(en); 2 noordwestenwind

norte *m* 1 noord(en); *al* ~: *a*) in het noorden; *b*) naar het noorden; *al* ~ *de* ten noorden van; *del* ~ uit het noorden; 2 (*viento*) ~ noordenwind; 3 noordpool; 4 doel; (*fig*) gids

Norteamérica Noord-Amerika; **norteamericano** Noordamerikaans

norteño (*mbt persoon*) uit het Noorden

Noruega Noorwegen; **noruego** Noors

nos *pers vnw* ons; **nosotros, -as** *pers vnw* 1 wij; 2 (*na vz*) ons; *nos dijo a* ~... tegen ons zei hij...

nostalgia heimwee; nostalgie; **nostálgico** nostalgisch

nota 1 aantekening, notitie; noot; kort briefje; ~ *diplomática* diplomatieke nota; *una* ~ *de humor* een tikkeltje humor; ~ *marginal* kanttekening; ~ *al pie* voetnoot; ~ *preliminar* kort voorwoord, inleiding; ~ *de protesta* protestnota; *tomar* ~ *de* kennis nemen van; *tomar* ~*s* aantekeningen maken; *tomar buena* ~ *de* goede nota nemen van; 2 (*muz*) noot; ~ *discordante* wanklank, dissonant; ~ *musical* muzieknoot; ~ *tónica* grondtoon; 3 nota; ~ *de abono* creditnota; ~ *de débito* debetnota; 4 (*op school*) cijfer, beoordeling; ~ *insuficiente* onvoldoende; ~ *suficiente* voldoende || ~ *bene* (*afk N.B.*) let wel, n.b.; *de* ~ bekend; *digno de* ~ opmerkelijk; *exagerar la* ~ het te bont maken

notabilidad *v* 1 opmerkelijkheid, betekenis; 2 beroemdheid; **notable** I *bn* 1 opmerkelijk, vooraanstaand; 2 aanzienlijk, groot; II *m* (*als schoolcijfer, vglbaar*) negen, zeer goed

notación *v* schrijfwijze (*bv van getallen*), wijze van noteren, tekenschrift, notatie; ~ *musical* notenschrift; **notar** (op)merken, waarnemen; *la noté triste* ik vond haar verdrietig, ik zag dat ze verdriet had; *hacerse* ~ opvallen (*vaak neg*), de aandacht op zich vestigen; *no nota el sabor* hij proeft er niets van; **notarse** te merken zijn, te zien zijn, te horen zijn; *se le nota* het is hem aan te zien; *se le nota en el acento* het is aan zijn accent te horen

notaría 1 notariskantoor; 2 notarisambt; **notariado** notariaat; **notarial** notarieel; **notario, -a** notaris

noticia bericht, mededeling, tijding; ~ *bomba* (*fam*) sensationeel nieuws; ~*s* nieuws; ~*s comentadas* nieuwscommentaar; ~*s deportivas* sportberichten; *atrasado de* ~*s* achter, niet op de hoogte van het laatste nieuws; *corrió la* ~ *de que* het werd bekend dat; *poner en* ~ *de* ter kennis brengen van; *tengo* ~*(s) de que* ik heb gehoord dat; **noticiar** meedelen; ~ *u.c. a u.p.* iem over iets inlichten; **noticiario** (film)journaal

notificación *v* 1 aankondiging, bekendmaking, kennisgeving; 2 (*jur*) aanzegging, aan-

schrijving, betekening; ~ *de agente judicial* deurwaardersexploot; **notificar** 1 aankondigen, berichten, verwittigen; 2 (*jur*) betekenen, aanzeggen
notoriedad *v* bekendheid; **notorio** bekend, notoir; kennelijk; berucht; overduidelijk; *hacerse* ~ aan de dag treden
novatada 1 ontgroeningsgrap; *período de* ~ groentijd; 2 probleem als gevolg van onervarenheid; *pagar la* ~ boeten voor onervarenheid; **novato, -a** nieuweling(e), groentje, (*Belg*) schacht; melkmuil
novecientos, -as negenhonderd
novedad *v* 1 nieuwheid; *la* ~ *de todo ello* het nieuwe van dat alles; 2 iets nieuws; nieuwtje; *llegar sin* ~ behouden aankomen; *sin* ~ geen verandering, niets bijzonders, nog hetzelfde; *las últimas ~es* de nieuwste snufjes; **novedoso** nieuw, modern, modieus
novel beginnend, nieuw (*in het vak*)
novela roman; ~ *corta* novelle; ~ *por entregas* feuilleton, vervolgverhaal; ~ *picaresca* schelmenroman; ~ *policíaca* detective; ~ *radiofónica* (serie)hoorspel; ~ *regional* streekroman; ~ *rosa* keukenmeidenroman; ~ *de tesis* tendensroman; **novelado** in romanvorm; **novelar** I *tr* in romanvorm bewerken; II *intr* een roman schrijven; **novelero** 1 babbelziek; gek op nieuwtjes; 2 dol op verhalen en romans; 3 grillig; **novelesco** vd roman; romantisch; **novelista** *m,v* romanschrijver, -schrijfster; **novelón** *m* pil (van een roman)
novena (*r-k*) novene, godsdienstige oefening tijdens 9 dagen; **noveno** I *rangtelw* negende; II *zn* negende deel; **noventa** negentig; **noventavo** negentigste deel
noviazgo verloving
noviciado 1 novitiaat; groentijd; 2 (de) novieten; 3 leertijd, beginperiode; **novicio, -a** 1 novice; 2 leerling(e); beginneling(e); groentje, (*Belg*) schacht; 3 al te bescheiden persoon
noviembre *m* november
novillada stieregevecht met jonge stieren; **novillero, -a** 1 stierenvechter (*met jonge stieren*); 2 spijbelaar(ster); **novillo, -a** jong rund (*2 of 3 jaar*), jonge stier || *hacer ~s* spijbelen
novilunio nieuwe maan
novio, -a 1 verloofde, aanstaande; vriend(in-net)je; *son ~s* het is aan tussen hen; *quedarse compuesta y sin* ~ alles voor niets hebben gedaan; 2 bruidegom, bruid; *los ~s* het bruidspaar
novísimo allernieuwste, allerlaatste
nubarrón *m* zware donderwolk
nube *v* 1 wolk; *~s y claros* wisselend bewolkt; ~ *de polvo* stofwolk; ~ *de tormenta* donderwolk; ~ *de verano: a*) korte bui; *b*) kleine tegenslag; *c*) kortstondige boosheid; *caído de las ~s* heel plotseling, uit de lucht gevallen; *descargar la ~: a*) gaan regenen; *b*) (*mbt woede*) zich ontladen; *estar por las ~s* onbetaalbaar zijn; *poner por las ~s* hemelhoog prijzen; *vivir en las ~s* niet met zijn benen op de grond staan; 2 massa, (*fig*) zwerm
núbil huwbaar
nublado I *bn* bewolkt, betrokken; II *zn* bewolking; donkere wolken (*ook fig*); *descarga el ~: a*) het gaat regenen; *b*) het komt tot een (woede)uitbarsting; *se levanta el* ~ het klaart op; *pasa el* ~ de bui drijft over (*ook fig*); *ha pasado el* ~ de boze bui is over; **nublar** 1 doen schuilgaan (*achter wolken*), betrekken; 2 verduisteren, vertroebelen; **nublarse** 1 bewolkt worden, betrekken; 2 (*fig*) schemerig worden; *se le nublaba la vista* het werd schemerig voor zijn ogen; **nubosidad** *v* bewolking; ~ *variable* wisselend bewolkt; **nuboso** bewolkt
nuca nek; *golpe en la* ~ nekslag
nuclear nucleair, kern-; *arma* ~ kernwapen; **núcleo** kern; ~ *atómico,* ~ *del átomo* atoomkern; ~ *celular* celkern; ~ *de población* bevolkingskern; **nucleón** *m* kerndeeltje, nucleon
nudillo (vinger)knokkel
nudismo nudisme; **nudista** *m,v* nudist(e)
nudo 1 knoop; knobbel; knoest, kwast (*in hout*); ~ *corredizo* (*aantrekbare*) lus; *un* ~ *en la garganta* een brok in de keel; *de* ~ (*mbt tapijt*) geknoopt; *hacerse el* ~ *de la corbata* zijn das strikken; 2 knooppunt (*van wegen*); ~ *ferroviario* spoorwegknooppunt; 3 (*scheepv*) knoop, zeemijl (*1852 m*); **nudosidad** *v* (*med*) verdikking, bultje; **nudoso** knobbelig, knoestig
nuera schoondochter
nuestro *bez vnw* ons, onze; van ons; *la casa es -a* het huis is van ons
nueva nieuwtje, bericht; *coger de ~s* (*fig*) overvallen, verrassen; *hacerse de ~s* doen of je nog van niets weet; **Nueva**: ~ *York* New York; ~ *Zelandia* Nieuw-Zeeland; **nuevamente** opnieuw
nueve negen
nuevo nieuw; (*mbt wijn*) jong; *algo* ~ iets nieuws; *de* ~ opnieuw; *me siento como* ~ ik voel me een ander mens; *nada* ~ niets nieuws; *nada* ~ *bajo el sol* niets nieuws onder de zon; *nombrar de* ~ herbenoemen; *quedar como* ~ weer als nieuw zijn
nuez *v* 1 noot; okkernoot; ~ *del Brasil* paranoot; ~ *moscada* nootmuskaat; 2 ~ (*de Adán*), ~ *del cuello* adamsappel
nulidad *v* 1 nietigheid, ongeldigheid; 2 lor, nul, prutser; **nulo** 1 nietig, vervallen, ongeldig; 2 geen enkel, nihil; 3 onbekwaam; *ser* ~ *para* niets kunnen van
numen *m* inspiratie
numerable telbaar
numeración *v* 1 telling; 2 nummering, cijferstelsel; ~ *arábiga: a*) Arabische cijfers; *b*) tientallig stelsel; ~ *decimal* tientallig stelsel; ~ *romana* Romeinse cijfers; *con* ~ *continua* doorlopend genummerd; **numerador** *m* 1 teller (*van breuk*); 2 telapparaat; **numeral** I *bn* vh nummer; vh tellen; II *m* telwoord; **nume-**

rar nummeren; **numerario** I *zn* geld, klinkende munt; II *bn* (*mbt docent*) tot de vaste staf behorend, vast; *no* ~ op contract, met tijdelijke aanstelling; **numérico** numeriek, vd getallen; *cálculo* ~ (het) cijferen; *en forma -a* in cijfers, in getallen; *valor* ~ getalwaarde; **numerito**: *hacer el* ~ een nummertje weggeven; **número** 1 nummer, cijfer; getal; aantal; lijn (*van tram, bus*); ~ *atrasado* oud nummer (*van tijdschrift*); ~ *cardinal* hoofdtelwoord; ~ *impar* oneven getal; ~ *de identificación personal* pin-code, (*Belg*) codenummer; ~*-muestra* proefnummer; ~ *de orden* volgnummer; ~ *ordinal* rangtelwoord; ~ *par* even getal; ~ *primo* priemgetal; ~ *quebrado* gebroken getal; ~ *racional* rationeel getal; ~ *de revoluciones* toerental; ~ *de serie* serienummer; ~ *de socios* ledental; ~ *de teléfono* telefoonnummer; *en* ~ *de* ten getale van; *en gran* ~ in groten getale; 2 maat (*bv van schoenen*); *?qué* ~ *calza?* wat is uw (schoen)maat?; **numeroso** talrijk; ~*s* tal van; *familia -a* groot gezin (*met veel kinderen*); **numerus clausus** *m* numerus clausus
numismática numismatiek
nunca nooit; ooit; ~ *jamás* nooit of te nimmer; ~ *más* nooit meer; ~ *se sabe, no se sabe* ~ je kunt nooit weten; *mejor que* ~ beter dan ooit
nunciatura nuntiatuur; **nuncio** 1 (*lit*) boodschapper; 2 (pauselijke) nuntius; 3 (*lit*) voorbode, teken
nupcial vh huwelijk; *ceremonia* ~ huwelijksplechtigheid; *lecho* ~ bruidsbed; **nupcias** *vmv* huwelijk; *casado en segundas* ~*s* voor de tweede maal getrouwd
nurse *v* kindermeisje
nutria otter
nutricio voedend, voedings-; **nutrición** *v* voeding; **nutrido** 1 gevoed; *mal* ~ slecht gevoed; 2 talrijk, dicht; ~ *de* rijk aan; *en* ~*s grupos* in dichte drommen; **nutrir** voeden; **nutritivo** 1 voedend, voedzaam; 2 vd voeding; *sustancias -as* voedingsstoffen; *trastorno* ~ voedingsstoornis
nylon *m* nylon

1 o *v* (*letter*) o
2 o *voegw* (*wordt u voor o of ho*) of; *él o ella* hij of zij; *uno u otro* een of ander
O. *Oeste* west
oasis *m* oase
obcecación *v* verblinding; **obcecado** verblind, beneveld; **obcecamiento** *zie obcecación*; **obcecar** verblinden
obedecer gehoorzamen; ~ *a* een gevolg zijn van, voortvloeien uit; ~ *al timón* luisteren naar het roer; **obediencia** gehoorzaamheid; *reducir a la* ~ aan zijn gezag onderwerpen; **obediente** gehoorzaam, gezeglijk
obelisco obelisk
obertura ouverture
obesidad *v* zwaarlijvigheid; **obeso** zwaarlijvig
óbice *m* obstakel, beletsel; *no ser* ~ *para que* niet verhinderen dat, niet wegnemen dat
obispado 1 bisschopsambt; 2 bisdom; **obispal** bisschoppelijk; **obispo** bisschop
óbito (*lit*) (het) overlijden, (het) verscheiden; **obituario** (*parochiaal*) overlijdensregister
objeción *v* tegenwerping; bedenking, bezwaar; *tener -ones a* iets aan te merken hebben op; **objetante** *m,v* iem die bezwaar maakt; ~ *de conciencia* gewetensbezwaarde; **objetar** tegenwerpen; ~ *contra* bezwaar maken tegen; ~ *u.c. contra* iets inbrengen tegen
objetivación *v* objectivering; **objetivar** objectiveren; **objetividad** *v* objectiviteit; onpartijdigheid; zakelijkheid; **objetivo** I *bn* objectief, onpartijdig; nuchter, zakelijk; II *zn* 1 doel, doelstelling; streven; mikpunt; *con este* ~ met dit doel voor ogen; 2 (*fot*) lens, objectief; ~ *de distancia focal variable* zoomlens; ~ *gran angular* groothoeklens; **objeto** 1 doel, oogmerk; bedoeling; streven; *al* ~ *de, con* ~ *de* teneinde; *tener por* ~ tot doel hebben; 2 voorwerp; object; ~ *de arte* kunstvoorwerp; ~*s de escritorio* schrijfbehoeften; ~ *de interés* bezienswaardigheid; ~ *vote no identificado* (*afk ovni*) UFO, vliegende schotel; *hacer* ~ *de burla* tot voorwerp van spot maken; *ser* ~ *de control* aan controle onderworpen worden; **objetor** *m*: ~ *de conciencia* gewetensbezwaarde
oblación *v* (*r-k*) offerande; **oblea** 1 ouwel; 2 oublie, dunne wafel; iets heel duns
oblicuángulo scheefhoekig; **oblicuidad** *v* scheefheid; **oblicuo** 1 scheef, schuin; zijdelings; *luz -a* strijklicht; *ojo* ~ spleetoog; 2 (*gramm*) verbogen; *caso* ~ verbogen naamvalsvorm

obligación *v* 1 plicht, verplichting; (*jur*) verbintenis; ~ *registral* registratieplicht; *-ones sociales* sociale verplichtingen; ~ *de votar* stemplicht; *cumplir* (*con*) *sus -ones* zijn verplichtingen nakomen; *dejar incumplidas sus -ones* niet aan zijn verplichtingen voldoen; *tenerle* ~ *a u.p.* iem zeer verplicht zijn; 2 obligatie; **obligacionista** *m,v* obligatiehoud(st)er; **obligar** (*a*) dwingen (om); verplichten (om); binden (om); noodzaken (om), nopen (om); *verse obligado a* zich genoodzaakt zien om; **obligarse** (*a*) zich verbinden (om), zich verplichten (om); ~ *por contrato* zich contractueel verbinden; **obligatoriedad** *v* bindend karakter; **obligatorio** verplicht, bindend; *hacer* ~ verplicht stellen; *parada -a* vaste halte; *voto* ~ stemplicht
obliteración *v* 1 (het) onbruikbaar maken; (het) afstempelen; (het) onleesbaar maken; 2 (*med*) afsluiting (*van een vat in het lichaam*); **obliterar** 1 onbruikbaar maken; afstempelen; onleesbaar maken; 2 (*med*) afsluiten (*van een vat in het lichaam*)
oblongo langwerpig
obnubilar verblinding, beneveling
oboe *m* hobo; **oboísta** *m,v* hoboïst(e)
óbolo kleine bijdrage
obra 1 werk; oeuvre; *¡~s!* werk in uitvoering; ~ *de arte* kunstwerk; ~ *de benedictino* gedulDwerk, monnikenwerk; ~ *benéfica* liefdadigheidsinstelling; ~ *de caridad* liefdewerk; ~ *de consulta* naslagwerk; *~s de defensa* verdedigingswerken; ~ *dramática,* ~ *teatral* toneelstuk; ~ *educacional* vormingswerk; ~ *fundamental* standaardwerk; ~ *maestra* meesterwerk; ~ *muerta* deel van schip boven de waterlijn; *las ~s del Pilar* een eindeloos werk; ~ *a precio fijo* aanbesteed werk; *~s públicas* openbare werken; ~ *de romanos* heksenwerk; ~ *tallada* snijwerk; ~ *viva* deel van schip onder de waterlijn; *de* ~ metterdaad; *estar en ~s* opgebroken zijn, verbouwd worden; *poner por* ~ ten uitvoer leggen; *por* ~ (*y gracia*) *de* door (toedoen van), dankzij; 2 metselwerk; **obrador** *m* werkplaats, atelier; **obraje** *m* 1 bewerking, fabricage; werkplaats; 2 (*hist*) van Indianen geëiste arbeidsprestatie; **obrante** (*en*) aanwezig (in); *los datos ~s en este juzgado* de gegevens die bij deze rechtbank berusten; **obrar** 1 werken; handelen; optreden; *modo de* ~ handelwijze; 2 ~ *en* berusten bij; 3 (*pop*) poepen; **obrerismo** 1 beweging tot verbetering vd omstandigheden vd arbeiders; 2 (de) arbeiders; **obrero**, **-a** (hand)arbeid(st)er; ~ *agrícola* landarbeider; ~ (*del ramo*) *de la construcción* bouwvakker
obscenidad *v* obsceniteit; *~es* schuttingwoorden; **obsceno** obsceen, schunnig, smerig; *lenguaje* ~ schuttingtaal
obscuro *zie oscuro*
obsecuencia gehoorzaamheid
obseder obsederen
obsequiador, **-ora** voor'komend; **obsequiar** (*con*) onthalen (op), begiftigen (met), vergasten (op); **obsequio** 1 geschenk; hulde; ~ *floral* bloemenhulde; 2 voorkomendheid || *en* ~ *a la verdad* om de waarheid niet tekort te doen; **obsequiosidad** *v* gedienstigheid, voorkomendheid; **obsequioso** gedienstig, voorkomend
observación *v* 1 waarneming, observatie; 2 opmerking; uitlating; *-ones y reparos* op- en aanmerkingen; 3 nakoming, naleving; ~ *estricta* strikte nakoming; **observador**, **-ora** I *bn* 1 oplettend, goed waarnemend; *espíritu* ~ opmerkingsgave; 2 ~ (*de*) die (*de regels*) in acht neemt; II *zn* waarnemer, -neemster; *un agudo* ~*, un* ~ *penetrante* een scherp waarnemer; **observancia** naleving, inachtneming; **observar** 1 waarnemen, observeren, gadeslaan; *hacer* ~ opmerkzaam maken op, wijzen op; 2 opmerken, signaleren; 3 naleven, nakomen, in acht nemen, betrachten; ~ *las formalidades* de vormen in acht nemen; **observatorio** observatorium; ~ (*astronómico*) sterrenwacht
obsesión *v* obsessie; **obsesionado** geobsedeerd, bezeten; **obsesionante** obsederend; **obsesionar** obsederen, achtervolgen; *los costes le obsesionan* hij staart zich blind op de kosten; **obsesivo** obsederend; *neurosis -a* dwangneurose; **obseso** bezeten
obsidiana obsidiaan
obsoleto verouderd
obstaculizar belemmeren; tegenwerken; stremmen; **obstáculo** obstakel, struikelblok, sta-in-de-weg, hindernis, hinderpaal, beletsel; ~ *a la circulación* wegversperring; *erizado de ~s* bezaaid met hindernissen; *no es* ~ *para que* dat neemt niet weg dat; *poner ~s a* hinderen; *salvar un* ~ een hindernis nemen
obstante: *no* ~*: a*) *bw* niettemin, toch, desalniettemin; *no* ~ *vino* hij kwam toch; *b*) *vz* ondanks, niettegenstaande; *no* ~ *su enfermedad* ondanks zijn ziekte; *no* ~ *que* hoewel; *no* ~ *que llovía...* hoewel het regende...; **obstar** 1 verhinderen; *no obsta para que...* dit verhindert niet dat...; 2 zich verzetten
obstetricia verloskunde
obstinación *v* eigenzinnigheid, halsstarrigheid, hardnekkigheid; **obstinado** koppig, recalcitrant, halsstarrig, hardnekkig; **obstinarse** (*en*) stijf en strak volhouden, met alle geweld willen, per se willen; *se obstina en ir* hij wil absoluut gaan
obstrucción *v* 1 belemmering, versperring, verstopping; *hacer* ~ *a* obstructie voeren tegen; 2 (*med*) verstopping; **obstruccionismo** obstructionisme, het (steeds) voeren van obstructie; **obstruccionista** obstructief; **obstruir** belemmeren, barricaderen; verstoppen; bemoeilijken; **obstruirse** (*mbt leiding*) verstopt raken
obtención *v* verwerving, verkrijging; **obtener** (ver)krijgen; ~ *beneficios* winst boeken; ~ *di-*

nero aan geld komen; ~ *un diploma* een diploma behalen; ~ *votos* stemmen krijgen; *¿puede Ud. ~me…?* kunt u mij helpen aan…?; **obtentor** verkrijger; (*landb*) kweker (*van nieuw ras*)
obturación *v* (af)sluiting; verstopping; vulling (*van kies*); **obturador, -ora** (*vrl ook obturatriz*) I *bn* verstoppend; II *m* (*fot*) sluiter; **obturar** (af)sluiten; verstoppen; vullen, dichtstoppen; **obturarse** verstopt raken; **obturatriz** *zie obturador*
obtusángulo stomphoekig; **obtuso 1** bot (*ook fig*); 2 (*wisk, mbt hoek*) stomp
obús *m* granaat; ~ *de mano* handgranaat; *fuego de obuses* granaatvuur
obviamente blijkbaar, klaarblijkelijk; **obviar** weten te omzeilen; **obvio** (heel) duidelijk; kennelijk; *ser* ~ duidelijk zijn, er dik bovenop liggen
oca 1 gans; 2 (*juego de la*) ~ ganzenbord
ocarina ocarina
ocasión *v* **1** gelegenheid; kans; aanleiding, reden; *la ~ hace el ladrón* de gelegenheid maakt de dief; *una ~ perdida* een verzuimde gelegenheid; *la ~ se ha perdido* de kans is nu verkeken; *a la ~ la pintan calva* een kans moet je altijd grijpen, je moet het ijzer smeden als het heet is; *a la más mínima* ~ bij de geringste aanleiding; *aprovechar la* ~ de kans benutten; *coger la ~ por los pelos* de kans grijpen; *con ~ de* naar aanleiding van; *cuando se presente la ~, si se presenta la* ~ als de gelegenheid zich voordoet; *dar ~ de* de kans geven om, aanleiding geven om; *en -ones* soms, af en toe; *en cierta* ~ op een keer; *en contadas -ones* zelden; *en muchas -ones* vaak; *se me ha escapado la* ~ ik heb de kans gemist; *tener ~ de* de kans hebben om; 2 occasion, gelegenheidsaanbieding; *de* ~ tweedehands; **ocasional** toevallig, los; *trabajo* ~ los werk; **ocasionalmente** te hooi en te gras, nu en dan; **ocasionar** teweegbrengen, veroorzaken, doen ontstaan; (*wond, schade*) toebrengen
ocaso (zons)ondergang; (*fig*) ondergang
occidental westelijk; westers; **occidentalización** *v* verwesterlijking; **occidente** *m* westen
occipital vh achterhoofd; **occipucio** achterhoofd
occitano Occitaans
OCDE *Organización para la Cooperación y el Desarrollo Económico* OESO
Oceanía Oceanië; **oceánico** vd oceaan; **océano 1** oceaan; ~ *Antártico* Zuidelijke IJszee; ~ *'Artico* Noordelijke IJszee; ~ *Atlántico* Atlantische Oceaan; ~ *'Indico* Indische Oceaan; ~ *Pacífico* Grote Oceaan, Stille Zuidzee; 2 (*fig*) enorme afstand, wereld van verschil; **oceanografía** oceanografie
ocelote *m* ocelot
ochavo oude koperen munt; (*fig*) geld; *el que nace para ~ no llegará nunca a cuarto* wie voor een dubbeltje geboren wordt, wordt nooit een kwartje; **ochavón, -ona** mesties, kind van blanke en cuarterón; **ochenta** tachtig; **ochentón, -ona** tachtigjarige; **ocho** acht; ~ *días: a*) acht dagen; *b*) een week; **ochocientos, -as** achthonderd
ocio (het) niets doen; vrije tijd; *ocupación del* ~ vrijetijdsbesteding; *ratos de* ~ vrije ogenblikken; **ociosidad** *v* ledigheid; *la ~ es madre de todos los vicios* ledigheid is des duivels oorkussen; **ocioso 1** werkloos; ledig; zonder bedrijvigheid; *no había estado* ~ hij had niet stilgezeten; *el puerto está* ~ de haven ligt stil; 2 overbodig, nutteloos; *palabras -as* overbodige woorden
ocluir (*med*) afsluiten; **ocluirse** verstopt raken; **oclusión** *v* afsluiting; (*med*) verstopping; ~ *intestinal* darmafsluiting; **oclusiva** (*gramm*) occlusief, plofklank, explosief; **oclusivo** afsluitend
ocote *m* (*Mexico*) **1** soort denneboom; 2 vurehout
ocre *m* oker
octaedro octaëder, achtvlak
octágono achthoek
octanaje *m* octaangehalte; **octano** octaan; *índice de* ~ octaangetal
octava 1 octaaf; 2 achtdaags religieus feest, octave; **octavilla** pamflet, strooibiljet, vlugschrift; **octavo** I *rangtelw* achtste; II *zn* achtste deel
octingentésimo achthonderdste
octogenario, -a tachtigjarige; **octogésimo** I *rangtelw* tachtigste; II *zn* tachtigste deel
octógono achthoek
octosílabo achtlettergrepig
octubre *m* oktober
OCU *Organización de Consumidores y Usuarios*
ocular I *bn* vh oog; *lesión* ~ oogletsel; *testigo* ~ ooggetuige; II *m* oculair, oogglas; **oculista** *m,v* oogarts
ocultación *v* (het) verbergen; **ocultador, -ora** die verbergt; **ocultar** verbergen; achterhouden; verhullen, verzwijgen, verheimelijken; niet aangeven; ~ *a* verborgen houden voor; *procura ~lo* hij wil het niet weten; **ocultarse** zich schuilhouden; onderduiken; ~ *de* zich verbergen voor; **ocultismo** occultisme; **oculto 1** verborgen; geheim; *defectos ~s* verborgen gebreken; *mantener* ~ geheim houden; *mantenerse* ~ zich schuilhouden; *socio* ~ stille vennoot; 2 occult
ocupación *v* **1** bezetting; bewoning; *campaña de -ones* kraakactie; 2 bezigheid; beroep; ~ *del ocio* vrijetijdsbesteding; **ocupacional** vh werk; *perspectivas ~es* uitzicht op werk; *terapia* ~ arbeidstherapie; **ocupado 1** bezet; *lleva las dos manos -as* hij heeft zijn beide handen vol; 2 bezig; *estar muy ~ (en)* het erg druk hebben (met); **ocupador, -ora** bezet(s)ter; **ocupante** *m,v* **1** bezet(s)ter; 2 bewoner, bewoonster; *los ~s de la casa* de bewoners vh huis; ~ *ilegal* kraker; 3 inzittende; **ocupar 1**

bezetten; bewonen; in beslag nemen; (*positie*) bekleden, vervullen; ~ *espacio* ruimte beslaan; ~ *el primer plano* op de voorgrond staan; ~ *su puesto* zijn plaats innemen; *la policía les ocupó 100 ejemplares* de politie nam bij hen 100 exemplaren in beslag; 2 bezighouden; van werk voorzien; **ocuparse**: (*de, en, con*), ~ (+ *gerundio*) zich bezighouden (met); ~ *de la casa* het huishouden doen; *se ocupa escribiendo* hij houdt zich bezig met schrijven; ~ *de los niños* zich met de kinderen bezighouden; ~ *en pintar* zich bezighouden met schilderen

ocurrencia 1 ingeving; (*grappige*) inval; 2 gebeurtenis; **ocurrente** geestig; **ocurrir** gebeuren, 'voorkomen, over'komen; *¿qué ocurre?* wat gebeurt er?; *¿qué te ocurre?* wat is er met jou?; **ocurrirse**: ~ (*u.c. a u.p.*) opkomen (bij iem), te binnen schieten; *¿cómo se te ocurre?* hoe kom je erbij?; *¡no se te ocurra...!* haal het niet in je hoofd om...!; *ya no se me ocurre nada* ik kan niets meer bedenken

oda ode

odiar haten, een afkeer hebben van, verfoeien; **odio** haat; ~ *de familia* vete; ~ *racial* rassehaat; *hay un* ~ *latente* de haat smeult; **odioso** afschuwelijk, onuitstaanbaar

odisea zwerftocht

odontología tandheelkunde; **odontólogo**, **-a** tandarts

odre *m* 1 leren wijnzak (*dichtgenaaide huid*); 2 zuiplap

OEA *Organización de Estados Americanos* OAS

oeste *m* 1 west(en); *al* ~ *de* ten westen van; 2 (*viento*) ~ westenwind; **Oeste** *m*: *película del* ~ cowboyfilm, western

ofender beledigen, kwetsen; **ofenderse** (*de*) zich gekwetst voelen (door), zich ergeren (aan); *se ofende en seguida* hij is gauw op zijn tenen getrapt; **ofendido** gepikeerd, verongelijkt, gebelgd, in zijn wiek geschoten; **ofensa** belediging, krenking; **ofensiva** offensief; ~ *huelguística* stakingsoffensief; *tomar la* ~ het offensief beginnen; **ofensivo** 1 beledigend; 2 aanvallend, aanvals-; **ofensor**, **-ora** iem die beledigt

oferente I *bn* aanbiedend; II *m,v* aanbied(st)er; **oferta** 1 (*hdl*) aanbod; offerte; ~ *de colocaciones* arbeidsaanbod; ~ *sin compromiso* vrijblijvende offerte; *la* ~ *y la demanda* vraag en aanbod; ~ *especial* speciale aanbieding; ~ *en firme* vaste offerte; ~ *hostil*, ~ *pública de adquisición hostil* (*afk OPA*) vijandige overval (*op vennootschap*); ~ *de paz* vredesaanbod; *una* ~ *tentadora* een verleidelijk aanbod; 2 inschrijving (*bij aanbesteding*); **ofertar** ten verkoop aanbieden; **ofertorio** (*r-k*) offerande

office *m* dienkeuken, pantry; (*soms*) bijkeuken

offset *m* offset(druk)

offside *m* buitenspel

oficial I *bn* officieel; ambtelijk; *coche* ~ dienstauto; *visita* ~ staatsbezoek; II *m* 1 officier; ~ *de la armada*, ~ *de Marina* marine-officier; ~ *de enlace* verbindingsofficier; ~ *de guardia* officier vd wacht; ~ *del juzgado* (*vglbaar*) deurwaarder; 2 (*scheepv*): *primer* ~ eerste stuurman; *segundo* ~ tweede stuurman; 3 (*in gilde*) gezel; geschoolde knecht; 4 kantooremployé; **oficiala** 1 geschoolde arbeidster (*bv op naaiatelier*); 2 kantooremployée; **oficialía** rang van officier; **oficialidad** *v* 1 officieel karakter; 2 (de) officieren; **oficializar** officieel maken; **oficialmente** officieel; van overheidswege; **oficiante** *m* dienstdoend priester, officiant; **oficiar** 1 de mis lezen; 2 ~ *de* optreden als

oficina kantoor; bureau; ~ *de cambio* wisselkantoor; ~ *de colocación*, ~ *de empleo* arbeidsbureau, (*Belg*) tewerkstellingsdienst; ~ *consultativa* adviesbureau; ~ *de correos* postkantoor; ~ *principal* hoofdkantoor, (*Belg*) hoofdhuis; ~ *de recaudación* (*de impuestos*) ontvangkantoor (*van belasting*); ~ *de turismo* (*vglbaar*) VVV(-kantoor); **oficinesco** (*neg*) kantoor-, bureaucratisch; **oficinista** *m,v* kantooremployé(e)

oficio 1 vak; beroep; ~ (*manual*) ambacht; *santo* ~ inquisitie; 2 taak, functie; *buenos* ~*s* goede diensten; *cada uno a su* ~ schoenmaker blijf bij je leest; *de* ~ (*mbt advocaat*) toegevoegd; *de* ~, *por razón de* ~ ambtshalve, q.q.; *sin* ~ *ni beneficio* zonder baan en zonder geld; 3 ambtsbericht; *librar* ~ een ambtsbericht doen uitgaan; 4 (*godsd*) dienst; ~ *de difuntos* zielemis; ~ *de la tarde* avonddienst; 5 *zie office*; **oficiosidad** *v* onofficieel karakter; **oficioso** onofficeel, officieus; informeel

ofidios *mmv* slangachtigen

ofrecer (aan)bieden; ~ *peligro* gevaar opleveren; ~ *resistencia* weerstand bieden; ~ *sitio a* plaats bieden aan; ~ *en venta* te koop aanbieden; ~ *ventajas* voordelen bieden; *¿qué se le ofrece?* wat is er van uw dienst?, wat mag het zijn?; **ofrecerse** 1 (*a, para*) zich aanbieden (om, voor); ~ *de* zich aanbieden als; 2 (*mbt idee*) opkomen; **ofrecimiento** aanbieding, aanbod

ofrenda offergave; **ofrendar** (*offergaven*) aanbieden; aanbieden, geven, opofferen

oftalmia oogontsteking; **oftalmología** oogheelkunde; **oftalmólogo**, **-a** oogarts

ofuscación *v* verblinding; **ofuscado** verblind, beneveld; **ofuscamiento** *zie ofuscación*; **ofuscar** verblinden; (*de geest*) verduisteren

Ogino: (*método*) ~ periodieke onthouding

ogro 1 wildeman, menseneter; 2 bullebas; engerd

ohm *m; zie ohmio*; **ohmio** ohm

oídas: *de* ~ van horen zeggen; **oído** gehoor; oor, gehoororgaan; *aguzar el* ~ zijn oren spitsen; *de* ~ op het gehoor (*spelen*); *decir al* ~ influisteren; *dolor de* ~ oorpijn; *me duele el* ~ ik heb oorpijn; *duro de* ~ hardhorend; *entra por un* ~ *y sale por el otro* het gaat het ene oor in en het andere uit; *hacer* ~*s de mercader* Oostindisch doof zijn; *hacer ~s sordos a* zich doof houden voor; *llegar al ~* ter ore komen; *pegarse al ~* (*mbt melodie*) blijven hangen; *prestar ~ a* luisteren naar, gehoor geven aan; *ser todo ~s* een en al oor zijn; *le silban los ~s, le zumban los ~s* zijn oren tuiten; *sordo de un ~* aan één oor doof; *tener buen ~* een goed gehoor hebben (*ook muz*); **oidor** *m* (*hist*) rechter; **oiga** *zie oír*; **oír** 1 horen (*ook jur*); *¡oiga!* hallo! (*bij opbellen*); *¡oye...!* zeg,...; *~ misa* de mis bijwonen; *como oyes* je hoort het (dus); *como lo oyes* echt waar; *como quien oye llover* zonder zich er iets van aan te trekken

ojal *m* 1 knoopsgat; 2 (*techn*) ringetje, oogje, oog; *~ de fijación* bevestigingsoog

ojalá: *¡~...!* hopelijk...!, laten we het hopen!; *¡~ venga!* als hij nu maar komt!

ojeada vluchtige blik; *de una ~* in één oogopslag; *echar ~s* lonken

1 ojear (*wild*) opjagen

2 ojear goed kijken

ojén *m* zoete anijsbrandewijn

ojeo (het) opjagen vh wild

ojera 1 (*vaak mv*) kring, wal (*onder ogen*); 2 oogbadje; **ojeriza** hekel; *tener ~ a u.p.* de pik op iem hebben; *le tienen ~* hij zit in het verdomhoekje; **ojeroso** met kringen onder de ogen; **ojete** *m* 1 afgewerkt gaatje (*bv voor veter*); 2 (*pop*) anus, gat; **ojillo** oogje; *~s de cerdo* varkensoogjes; **ojinegro** met zwarte ogen; **ojito** oogje; *~ derecho* (*fig*) oogappel; *hacer ~s* lonken; **ojituerto** scheel

ojiva 1 (*bouwk*) spitsboog; 2 kernkop; **ojival** ogival; *arco ~* spitsboog

ojo 1 oog (*ook van naald*); *¡~!* kijk uit!, pas op!; *¡~ con...!* pas op voor...!; *el ~ del amo engorda el caballo* het oog vd meester maakt het paard vet; *~ de buey* patrijspoort; *~ de la cerradura* sleutelgat; *~s entornados* halfgesloten ogen; *~ de gallo* eksteroog; *~ de gato* katoog; *~ de grasa* vetoogje; *~s hinchados* opgezwollen ogen, dikke ogen; *~s inflamados* rode ogen, ontstoken ogen; *~ oblicuo, ~ rasgado* spleetoog (*als Chinees*); *~s que no ven, corazón que no siente: a*) wat niet weet, wat niet deert; *b*) uit het oog, uit het hart; *~ por ~* (*diente por diente*) oog om oog (tand om tand); *~s saltones* bolle ogen, uitpuilende ogen; *a ~* op het oog, geschat; *a cierra ~s, a ~s cerrados* (*fig*) blindelings, voetstoots, klakkeloos; *a ~s vistas* zienderogen; *abrir el ~* op zijn hoede zijn; *abrir los ~s a u.p.* iem de ogen openen; *abrir los ~s de par en par* zijn ogen wijd open zetten; *abrir bien los ~s* zijn ogen goed de kost geven; *andar con ~* op zijn tellen passen, voorzichtig zijn; *clavar los ~s en* de blik vestigen op; *comer con los ~s: a*) woedend aankijken; *b*) begerig aankijken; *c*) verrukt kijken naar; *con malos ~s* met lede ogen; *con sus propios ~s* met (zijn) eigen ogen; *cuesta un ~ de la cara* het is peperduur, het is een rib uit je lijf; *dormir con los ~s abiertos* steeds op zijn hoede zijn; *echar el ~ a, poner los ~s en* de blik richten op, het oog laten vallen op; *empeñado hasta los ~s* tot over zijn oren in de schulden; *en un abrir* (*y cerrar*) *de ~s* in een oogwenk; *en mis ~s: a*) in mijn ogen, naar mijn mening; *b*) voor mijn ogen; *entornar los ~s* zijn ogen half dicht knijpen; *entrar por el ~ derecho* meteen in de smaak vallen; *entrar por el ~ izquierdo* meteen antipathie oproepen; *estar ~ alerta, estar ~ avizor* op zijn hoede zijn; *guiñar el ~* knipogen; *se le iban los ojos tras* hij verlangde vurig naar; *más ven cuatro ~s que dos* twee zien meer dan een; *meter u.c. por los ~s a u.p.* iem iets opdringen; *meterse por el ~ de una aguja* heel slim zijn; *no pegar ~* geen oog dichtdoen; *no quitar el ~ de encima de, no quitar el ~ a* zijn ogen niet kunnen afhouden van; *no tener ~s más que para* alleen oog hebben voor; *pasar los ~s por* vluchtig bekijken; *poner los ~s en blanco* (*delante de*) overdreven bewondering tonen (voor), verrukt zijn (van); *poner unos ~s como platos* hele grote ogen opzetten; *saltar a los ~s* in het oog springen, overduidelijk zijn; *ser el ~ derecho de* de lieveling zijn van; *también los ~s se quieren regalar* het oog wil ook wat; *tener a u.p. entre ~s* een hekel aan iem hebben; *torcer los ~s* scheel kijken; *ver con buenos ~s* met genoegen zien, (*iem*) graag mogen; *ver con malos ~s, no ver con buenos ~s* met lede ogen aanzien; 2 gat, opening, oog (*bv in kaas*); **ojoso** (*mbt kaas*) met veel gaten

ojota (*Am*) sandaal

o.k. *okey* o.k., oké

okapi *m* okapi

ola golf; *~ de calor* hittegolf; *~ verde* groene golf; *¡hagan ~s!* zegt het voort!

olé: *¡~!* olé! (*kreet ter aanmoediging*)

oleáceas *vmv* olijfachtigen

oleada (*grote*) golf; massa, (*fig*) stroom; *~ de calor* (*med*) opvlieger; *~ demográfica* geboortengolf; *dolor a ~s* pijn in scheuten

oleaginoso olieachtig

oleaje *m* golfslag, deining

oleicultura 1 olijventeelt; 2 oliefabricage; **oleífero** oliehoudend; **óleo** 1 (*r-k*) olie; (*santos*) *~s* laatste oliesel; 2 olieverfschilderij; *pintar al ~* schilderen met olieverf; **oleoducto** olieleiding, pijpleiding

oler ue I *tr* 1 (be)snuffelen; 2 een neus hebben voor; II *intr* ruiken, geuren; *~ a* ruiken naar; *~ bien* lekker ruiken; *huele que apesta* het stinkt een uur in de wind; *huele a cerrado* het ruikt muf; **olerse ue** (*fig*) zien aankomen, lucht van iets krijgen

olfateador: *perro ~* speurhond; **olfatear** 1 (be)snuffelen; 2 vermoeden, (*fig*) ruiken; **olfativo** vd reuk; **olfato** reuk(zin); scherpe neus; intuïtie; *tener ~ para* een neus hebben voor; **olfatorio** vd reuk

oligarquía oligarchie

oligofrenia achterlijkheid; zwakzinnigheid

olimpiada olympiade; **olímpico** 1 Olympisch; *juegos ~s* Olympische spelen; 2 (*fig*) olympisch, hooghartig; **Olimpo**: *el* ~ de Olympus
oliscar, **olisquear** snuffelen (*ook fig*); uitvorsen
oliva olijf; **oliváceo** olijfkleurig; **olivar** *m* olijfboomgaard; **olivarero** vd olijventeelt; **olivo** olijfboom; *tomar el* ~ ervandoor gaan
olla 1 pan; ~ *exprés*, ~ *de presión* snelkookpan; ~ *de grillos* heksenketel; 2 stoofgerecht; ~ *podrida* bep extra smakelijk stoofgerecht;
ollero, **-a** pottenbakker, -bakster
olmeca (*hist, Mexico*) vd Olmeken, Olmeeks
olmo olm, iep
ológrafo eigenhandig geschreven, holografisch
olor *m* 1 geur, lucht; *~es de cocina* etenslucht; ~ *a quemado* brandlucht; *despedir un* ~ een geur verspreiden; *despedir mal* ~ stinken; 2 iets verdachts; *me da el* ~ *de que* ik krijg zo'n vermoeden dat; **oloroso** I *bn* geurig; II *zn* bep geurige donkere sherry
olvidadizo vergeetachtig; **olvidar** vergeten; *no hay que* ~ men moet niet vergeten; *nunca lo olvidaré* ik zal het nooit vergeten; **olvidarse** 1 ~ *de* (*helemaal*) vergeten; *se ha olvidado de decírmelo* hij heeft vergeten het me te zeggen; 2 *onpers: olvidársele u.c. a u.p.* iets (geheel) vergeten; *se me ha olvidado avisarte* ik heb totaal vergeten je te waarschuwen; 3 in het vergeetboek raken; **olvido** vergetelheid; (het) vergeten; ~ *de sí mismo* onbaatzuchtigheid; *caer en* ~ in het vergeetboek raken; *echar en* ~ vergeten; *pasar al* ~ in vergetelheid raken
ombligo navel; *se cree el* ~ *del mundo* hij denkt dat alles om hem draait; *se le encoge el* ~ (*fig*) hij krijgt het er benauwd van
ombú *m* (*Am*) bep boom
ominoso 1 onheilspellend; 2 afschuwelijk
omisión *v* (het) nalaten; verzuim; omissie; lacune; **omiso**: *hacer caso* ~ *de* zich niet storen aan, doof zijn voor; *hacer caso* ~ *de la luz de tráfico* door het verkeerslicht heenrijden; **omitir** weglaten; achterwege laten; nalaten
ómnibus *m* omnibus; *tren* ~ boemeltrein
omnímodo alomvattend
omnipotencia almacht; **omnipotente** almachtig
omnipresencia alomtegenwoordigheid; **omnipresente** alomtegenwoordig
omnisciencia alwetendheid; **omnisciente** alwetend
omnívoro omnivoor, alleseter
omoplato, **omóplato** schouderblad
OMS *Organización Mundial de la Salud*
onanismo zelfbevrediging
once I *telw* elf; II *m* (*soms*) elftal; **onceavo** elfde deel; **onceno** elfde
oncología leer der gezwellen, oncologie
onda golf; ~ *acústica*, ~ *sonora* geluidsgolf; ~ *corta* korte golf; ~ *larga* lange golf; ~ *luminosa* lichtgolf; ~ *media*, ~ *normal* middengolf; ~ *ultracorta* ultrakorte golf; **ondeante** golvend, wapperend; **ondear** golven, wapperen
ondina waternimf
ondulación *v* golving, golfbeweging; (*mbt haar*) golven; **ondulado** gegolfd; *chapa -a* golfplaat; *cartón* ~ golfkarton; **ondulante** golvend; **ondular** I *intr* golven; II *tr* (*haar*) golven; **ondulatorio** golvend; *movimiento* ~ golfbeweging
oneroso bezwarend, drukkend; *a título* ~ onder bezwarende titel
ónice *v* onyx
onírico vd droom; *recuerdos ~s* herinneringen uit de droom
onomástica naamkunde; **onomástico** vd eigennaam; *día* ~ naamdag
onomatopeya onomatopee
ONU *Organización de las Naciones Unidas* VN
onubense uit Huelva
1 onza soort jaguar
2 onza 1 (*hist*) ca. 30 gram; *meter* ~ *y sacar arroba* een spiering uitgooien om een kabeljauw te vangen; 2 (*hist*) bep gouden munt
onzavo elfde deel
opacidad *v* ondoorzichtigheid; **opaco** ondoorzichtig; mat
opal *m* fijn katoenen weefsel
opalino opaalkleurig; *cristal* ~ matglas; **ópalo** opaal
opción *v* (het) kiezen; vrije keuze; keus, alternatief, (*Belg*) wisseloplossing; optie; ~ *cero* nuloptie; *no hay* ~ er is geen keus; (*pregunta con*) *-ones* meerkeuzevraag; **opcional** facultatief
ópera opera
operación *v* 1 operatie; ~ *cardíaca* hartoperatie; ~ *cesárea* keizersnede; *-ones de rescate*, *-ones de salvamento* reddingsactie, bergingswerk; ~ *retorno* de massale terugkeer (*van zomervakantie*); 2 transactie; *-ones bancarias* bankzaken; ~ *de bolsa* beurstransactie; ~ *comercial*, ~ *mercantil* handelstransactie; 3 bediening (*van apparaat*); 4 (*rekenk*) bewerking;
operador, **-ora** 1 chirurg; 2 cameraman, operateur; 3 ~ *turístico* touroperator; **operante** werkzaam, effectief; **operar** I *intr* 1 opereren; 2 te werk gaan; handelen; transacties tot stand brengen; II *tr* 1 opereren; 2 bewerkstelligen, teweegbrengen; 3 (*machine*) bedienen; **operarse** 1 een operatie ondergaan, zich laten opereren; 2 plaatsvinden; **operario**, **-a** (hand)arbeid(st)er; **operativo** *zie operante*
opereta operette
opimo overvloedig
opinable waarover men van mening kan verschillen, omstreden; **opinar** menen, vinden, van mening zijn; zijn mening geven; ~ *en favor de u.c.* vóór iets zijn; **opinión** *v* mening, oordeel, opinie, opvatting; *la* ~ *ajena* de mening van een ander; *-ones encontradas* tegenovergestelde opvattingen; *la* ~ *establecida* de gevestigde mening; *las -ones están divididas* de

oli

meningen zijn verdeeld; *la ~ pública* de publieke opinie; *en mi ~* mijns inziens; *hacer ~ en favor de* stemming maken voor; *mi ~ personal* mijn persoonlijke mening; *mi modesta ~* mijn bescheiden mening; *ser de la ~* van oordeel zijn; *sin ~* geen mening (*bij enquête*); *sostener una ~* een mening volhouden; *tener -ones distintas* van mening verschillen; *tener buena ~ de* een hoge dunk hebben van
opio opium
opíparo schitterend, (*fig*) rijk
oponente *m,v* opponent(e), tegenstand(st)er; **oponer**: *~ a* stellen tegenover, tegenoverstellen; inbrengen tegen; **oponerse** 1 ~ (*a*) zich verzetten (tegen); zich kanten (tegen), zich keren (tegen), bezwaar maken (tegen); 2 ~ *a* in strijd zijn met
oporto port (*wijn*)
oportunamente 1 op het juiste moment, als geroepen; 2 te zijner tijd; **oportunidad** *v* kans, (gunstige) gelegenheid; *~es de ascenso* promotiekansen; *~es de desarrollo* ontplooiingskansen; *~es de empleo* werkgelegenheid; *perder una ~* een kans missen, een kans voorbij laten gaan; *ver la ~ de* de kans schoon zien om; **oportunismo** opportunisme; **oportunista** I *bn* opportunistisch; II *m,v* opportunist(e); **oportuno** passend, juist; geschikt, opportuun; tijdig; *ahora no me parece ~* het lijkt me nu niet geschikt; *lo cree ~* het lijkt hem op zijn plaats; *en el momento ~* te gelegener tijd; *un momento ~* een geschikt moment; *ser ~* op zijn plaats zijn
oposición *v* 1 tegenstand; tegenwerking, verzet, weerstand, tegenkanting; oppositie; 2 tegenstelling, contrast; 3 *-ones* (*Sp*) vergelijkend examen (*voor openbare functie*); **opositar** deelnemen aan een vergelijkend examen; **opositor**, **-ora** I *bn* van de oppositie; II *zn* deelnemer, -neemster aan een vergelijkend examen
opresión *v* verdrukking; onderdrukking; beklemming; **opresivo** knellend, drukkend; **opresor**, **-ora** verdrukker, onderdrukker; **oprimido** beklemd, bedrukt; *los ~s* de vertrapten; **oprimir** 1 (aan)drukken; bedrukken; 2 knellen; beklemmen; 3 onderdrukken; verdrukken
oprobio schande, smaad; **oprobioso** smadelijk
optar 1 kiezen; *~ por* kiezen voor, opteren voor, verkiezen; *puesto a ~* voor de keus geplaatst; 2 *poder ~ a* kunnen dingen naar; **optativo** I *bn* ter keuze; *materia -a* keuzevak; II *zn* (*gramm*) optativus
óptica 1 optiek (*ook fig*); 2 opticien (*winkel*); **óptico** I *bn* optisch; *ilusión -a* gezichtsbedrog; II *m* opticien
optimación *v* optimalisering; **optimalizar** *zie optimar*; **optimar** optimaliseren, optimaal resultaat bereiken; **optimizar** *zie optimar*
optimismo optimisme; *con ~* met vertrouwen; **optimista** I *bn* optimistisch; II *m,v* optimist(e)
óptimo optimaal, uit'stekend
opuesto 1 tegenover elkaar gelegen; *ángulos ~s* tegenoverliggende hoeken; 2 (tegen)strijdig; *~ a* in strijd met, strijdig met; *diametralmente ~s* lijnrecht tegenover elkaar; *intereses ~s* tegengestelde belangen
opugnar bestrijden, weerleggen
opulencia welvaart, grote rijkdom, grote welstand; **opulento** weelderig; *sociedad -a* welvaartsstaat
opus *m* 1 (*muz*) opus; 2 Opus Dei
opúsculo werkje, klein boekje
oquedad *v* leegte (*ook fig*), holte
ora: *~...~* hetzij...hetzij, nu eens...dan weer
oración *v* 1 gebed; *la ~ dominical* het onzevader; *~ fúnebre* lijkrede; 2 (*gramm*) zin; *~ principal* hoofdzin; *~ subordinada* bijzin; **oracional** vd zin
oráculo orakel; vraagbaak
orador, **-ora** redenaar; **oral** I *bn* mondeling, oraal; II *m* mondeling examen
orangután *m* orang-oetang
orar bidden; smeken
oratoria retoriek, redenaarskunst; **oratorio** I *zn* 1 (huis)kapel; 2 oratorium; II *bn* vd redenaar
orbe *m* wereld
órbita 1 (*astron*) baan; *~ lunar* baan vd maan; 2 omgeving, kring; 3 oogkas; *fuera de las ~s* (*mbt ogen*) uitpuilend; **orbital** vd baan; *velocidad ~* omloopsnelheid; **orbitar** draaien om
orca orka, zwaardwalvis
órdago: *de ~* (*fam*) denderend, geweldig; *susto de ~* enorme schrik
orden 1 *m* (*soms v*) orde; rangorde; volgorde; ordening; *~ de batalla* slagorde; *~ de busca y captura*, *~ de detención* arrestatiebevel; *~ del día* agenda (*van vergadering*); *~ de ideas* gedachtengang; *~ jurídico* rechtsorde; *~ público* openbare orde; *~ (de sucesión)* volgorde; *a la ~ del día* aan de orde vd dag; *la atmósfera es de ~* de sfeer is rustig; *del ~ de* in de orde van; *del mismo ~* van dezelfde orde; *de primer ~* eersterangs; *en ~* in orde; *en ~ a* ten aanzien van, voor, om; *estar a la ~* aan de orde zijn; *estar fuera del ~* buiten de orde zijn; *llamar al ~* tot de orde roepen; *mantener el ~* de orde handhaven; *para el debido ~* voor de goede orde; *pasar al ~ del día* overgaan tot de orde vd dag; *poner en ~* op orde brengen; *poner ~ en casa* orde op zaken stellen; *por ~ alfabético* in alfabetische volgorde; *por ~ de recibo* in volgorde van ontvangst; *sin ~* ongeordend; *sin ~ ni concierto* allemaal door elkaar, lukraak; 2 *v* order, opdracht, bevel, gebod; verordening; bestelling; (*mil*) dienstorder; *~ de detención* bevel tot aanhouding; *~ de pago* betalingsopdracht; *a la ~*: *a*) (*mbt wissel*) aan order; *b*): *¡a la ~!* tot uw orders!; *a las órdenes de u.p.* onder iem (*werken*); *dar ~ de* bevelen; *de ~ de* in opdracht van; *hasta nueva ~* tot nader order; 3 *v* (klooster)orde; **ordenación** *v* 1

ordening; ~ *territorial* ruimtelijke ordening; ~ *urbana* stedelijke ordening; 2 opdracht (*tot betaling*); **ordenada** y-as; **ordenado 1** ordelijk; netjes; methodisch; ~ *desarrollo* ordelijk verloop; 2 tot priester gewijd; **ordenador, -ora** I *bn* ordenend; II *m* computer; ~ *casero,* ~ *de hogar,* ~ *familiar* home-computer; ~ *de juego* spelcomputer; **ordenamiento** ordening; regeling; bevel; *conocimiento del* ~ *constitucional* staatsinrichting (*schoolvak*); **ordenanza 1** verordening; ~ *fiscal* belastingverordening; ~*s laborales* arbeidsvoorschriften; ~ *local* plaatselijke verordening; ~ *municipal* gemeenteverordening; 2 *m* ordonnans, bode; **ordenar 1** ordenen, rangschikken; sorteren; opruimen; 2 gebieden, gelasten, opdragen; verordenen; 3 tot priester wijden; **ordenarse** tot priester gewijd worden

ordeñadora melkmachine; **ordeñar** melken; **ordeño** (het) melken; *ganado de* ~ melkvee

órdiga: *¡anda la* ~*!* toe maar! (*verbazing*); *toda la* ~ de hele santekraam

ordinal *m* rangtelwoord

ordinariez *v* grofheid; ordinairheid; gebrek aan verfijning; **ordinario 1** gewoon, alledaags; huis-, tuin- en keuken-; *de* ~ gewoonlijk; 2 ordinair

orear luchten

orégano wilde marjolein; *no todo el monte es* ~ het is niet alles rozegeur en maneschijn, het gaat niet allemaal vanzelf

oreja 1 oor; ~*s gachas* flaporen, hangoren; *aguzar las* ~*s* (*mbt dier*) zijn oren spitsen; *calentarle a u.p. las* ~*s* iem om de oren slaan; *con las* ~*s gachas* beschaamd, met hangende pootjes; *mojar la* ~ *a u.p.* iem uitdagen; *reír de* ~ *a* ~ breed grijnzen; *ver las* ~*s al lobo* een dreigend gevaar onderkennen; *ya asomó la* ~*, ya descubrió la* ~ daar komt de aap uit de mouw; 2 oor (*aan kopje e.d.*); **orejera 1** oorklep; 2 oordopje; **orejón** *m* **1** stuk gedroogde perzik; 2 adellijk persoon bij de Inca's; 3 (het) trekken aan het oor; 4 *-ones* bep Indiaanse stammen; **orejudo** met grote oren

oreo 1 (het) luchten; 2 koelte, zachte wind

orfanato weeshuis; **orfandad** *v* 1 (het) wees zijn, ouderloosheid; hulpeloosheid; 2 (*pensión de*) ~ wezenpensioen

orfebre *m,v* edelsmid, goudsmid; **orfebrería** edelsmeedkunst

orfeón *m* (zang)koor

organdí *m* organdie

orgánico 1 organisch; *compuesto* ~ organische verbinding; *química -a* organische chemie; 2 organiek; *leyes -as* organieke wetten

organigrama *m* organogram, schematische voorstelling

organillero orgelman; **organillo** (draai)orgeltje

organismo 1 organisme; 2 instelling; orgaan; ~ *directivo,* ~ *director* bestuursorgaan; ~ *gestor* beleidsorgaan

organista *m,v* organist(e)

organización *v* **1** organisatie, indeling, inrichting; opzet, planning; 2 organisatie; ~ *ecologista* milieu-organisatie; ~ *patronal* werkgeversorganisatie; **Organización** *v:* ~ *de Consumidores y Usuarios* (*afk OCU*) (*vglbaar*) consumentenbond; ~ *para la Cooperación y el Desarrollo Económico* (*afk OCDE*) Organisatie voor Economische Samenwerking en Ontwikkeling; ~ *de Estados Americanos* (*afk OEA*) Organisatie van Amerikaanse Staten; ~ *Mundial de la Salud* (*afk OMS*) Wereldgezondheidsorganisatie; ~ *de las Naciones Unidas* (*afk ONU*) Verenigde Naties; ~ *del Tratado del Atlántico Norte* (*afk OTAN*) Noordatlantische verdragsorganisatie; **organizador, -ora** organisator, -trice; **organizar** organiseren, opzetten, op touw zetten; inrichten; **organizarse 1** orde op zaken stellen; 2 ontstaan; gevormd worden, tot stand komen; **organizativo** organisatorisch

órgano 1 orgaan (*ook fig*); ~ *auditivo* gehoororgaan; ~*s digestivos* spijsverteringsorganen; ~ *ejecutivo* uitvoeringsorgaan; ~*s genitales,* ~*s sexuales* geslachtsorganen; ~ *del habla* spraakorgaan; ~*s respiratorios* ademhalingsorganen; ~ *visual* gezichtsorgaan; 2 orgel

orgasmo orgasme

orgía orgie, zwelgpartij; uitspatting; **orgiástico** orgastisch

orgullo 1 trots, fierheid; *no cabe en sí de* ~ hij is apetrots; *tengo mi* ~ dat is mijn eer te na; 2 (*neg*) trots, arrogantie; **orgulloso 1** trots; *estar* ~ *de, ser* ~ *de* trots zijn op; 2 arrogant

orientable richtbaar; *rueda* ~ zwenkwiel; **orientación** *v* oriëntatie; richting; peiling; voorlichting; ligging (*op de zon*); ~ *profesional* beroepskeuzevoorlichting, (*Belg*) beroepsoriëntering; *para su* ~ te uwer oriëntering; *precio de* ~ adviesprijs; *sentido de la* ~ richtinggevoel, oriënteringsvermogen; **orientador, -ora** oriënterend

oriental oostelijk; oosters; *bloque* ~ oostblok; **orientalismo** interesse voor de oosterse wereld; **orientalista** *m,v* oriëntalist(e)

orientar 1 oriënteren; wegwijs maken; inwerken; ~ *en,* ~ *acerca de* voorlichten over; 2 een richting geven; **orientarse** zich oriënteren

oriente *m* 1 oosten; 2 oostenwind; 3 parelglans; **Oriente** *m:* (*el*) ~ *Medio* het Midden-Oosten; (*el*) ~ *Próximo, el Cercano* ~ het Nabije Oosten; *Extremo* ~*, el Lejano* ~ het Verre Oosten

orificio gat, opening; ~ *de respiración* ventilatie-opening

oriflama standaard, vlag

origen *m* oorsprong, ontstaan, bron; afkomst, herkomst; *dar* ~ *a* veroorzaken, doen ontstaan; *de* ~ van oorsprong, oorspronkelijk; *desdecir de su* ~*, desmentir su* ~ zijn afkomst verloochenen; *ser de* ~ *español* van Spaanse afkomst zijn; *sofocar en su* ~ in de kiem smoren; *traer ~ de* voortkomen uit, afstammen van; **original** I *bn* origineel; oorspronkelijk; *pecado ~* erfzonde; II *m* origineel; **originalidad** *v* originaliteit, oorspronkelijkheid; **originar** voortbrengen, doen ontstaan, aanleiding zijn voor, veroorzaken, verwekken; **originarse** (*de*) voortkomen (uit); **originario** oorspronkelijk; *~ de* afkomstig uit

orilla 1 oever, wal, kant; *a ~s del mar* aan zee; *a ~s del río* aan de rivier; 2 kant, rand (*van tafel*); *a la ~ de* op de rand van; **orillar** 1 omzomen; 2 omzeilen, weten te vermijden; **orillo** zelfkant

1 orín *m* roest

2 orín: *-ines mmv* urine, pis

orina urine; **orinal** *m* po, urinaal, pispot; *~ de cama* ondersteek; **orinar** plassen, urineren; **orinarse** in zijn broek plassen; *~ en la cama* in bed plassen

oriundez *v* oorsprong; **oriundo** (*de*) afkomstig (uit)

orla 1 (sier)rand; 2 foto van leerlingen en leraren vd eindexamenklas; **orlar** (*con, de*) afzetten (met), omzomen (met)

ornamentación *v* versiering; **ornamental** ornamenteel, ter versiering; **ornamentar** ornamenteren, opsieren; **ornamento** 1 ornament; 2 *~s* liturgisch gewaad; **ornar** (ver)sieren; **ornato** versiering

ornitología ornithologie; **ornitólogo**, **-a** vogelkenner

oro 1 goud; *~ batido, ~ en hojas* bladgoud; *~ de ley, ~ puro* zuiver goud; *~ negro* olie; *como ~ en paño* met de grootste zorg (*behandelen*); *edad de ~* gouden eeuw; *hacerse de ~* geld als water verdienen; *no es ~ todo lo que reluce* het is niet alles goud wat er blinkt; *pedir el ~ y el moro* het onmogelijke verlangen; *prometer el ~ y el moro* gouden bergen beloven; *ser como un ~* heel proper zijn; 2 (*fig*) geld, rijkdom; 3 (*ook mv*) ruiten (*in Sp kaartsp*)

orografía orografie, beschrijving van gebergten; **orográfico** orografisch

orondo zelfvoldaan, opgeblazen, trots

oropel *m* klatergoud

oropéndola wielewaal

oroya (*Am*) mand om rivier over te steken

orozuz *m* zoethout

orquesta 1 orkest; *~ de cuerda* strijkorkest; *~ sinfónica* symfonieorkest; *~ de viento* blaasorkest; 2 orkestbak; **orquestación** *v* orkestratie; **orquestal** vh orkest, orkestraal; **orquestar** orkestreren; **orquestina** strijkje

orquídea orchidee

orquitis *v* teelbalontsteking

ortiga brandnetel

orto (het) opkomen (*van hemellichaam, zon*)

ortocromático (*fot*) orthochroom, kleurgevoelig

ortodoncia 1 orthodontie; 2 beugel; **ortodontista** *m,v* orthodontist(e)

ortodoxia orthodoxie; **ortodoxo** orthodox, rechtzinnig

ortofonía spraakleer

ortogonal in een rechte hoek

ortografía (juiste) spelling, schrijfwijze; *error de ~* spelfout; **ortográfico** vd spelling; *signo ~* leesteken

ortopedia orthopedie; **ortopédico**, **-a** I *bn* orthopedisch; *pierna -a* kunstbeen; II *zn* orthopedist(e); **ortopedista** *m,v* orthopedist(e)

ortópteros *mmv* rechtvleugeligen

oruga 1 rups; 2 rupsband

orujo bezinksel, droesem; druivenmoer; olijfdroesem

1 orza aarden vaas (*zonder oren, voor inmaak*)

2 orza (*scheepv*) (kiel)zwaard

orzar loeven

orzuelo (*med*) strontje (*op oog*)

os *pers vnw 2e pers mv, meew en lijd vw* jullie; *~ digo…* ik zeg jullie…

osa berin; **Osa**: *~ Mayor* Grote Beer; *~ Menor* Kleine Beer

osadía durf, vermetelheid, overmoed; *tener la ~ de* het wagen om; **osado** gewaagd, boud; *las más -as previsiones* de stoutste verwachtingen

osamento gebeente, skelet

osar durven, wagen; *no osó decir nada* hij durfde niets te zeggen

osario knekelhuis

oscense uit Huesca

oscilación *v* schommeling; slingering; trilling; flikkering (*van licht*); uitslag (*van wijzer*); *~ del precio* prijsschommeling; **oscilante** schommelend, zwaaiend; **oscilar** schommelen; zwaaien; slingeren; *~ entre* zweven tussen, aarzelen tussen; **oscilatorio** schommelend; *movimiento ~* slingerbeweging; **oscilógrafo** oscilograaf

ósculo (*lit*) kus

oscurantismo obscurantisme

oscurecer I *intr* donker worden; II *tr* 1 donker(der) maken; 2 (*fig*) in de schaduw stellen, minder mooi doen lijken, overschaduwen; 3 (*geest*) verduisteren, vertroebelen; **oscurecerse** bewolkt raken; **oscurecimiento** verduistering; (het) donker worden; (het) donker maken; **oscuridad** *v* 1 duisternis, donker; 2 (*fig*) duisterheid, duister; onbekendheid; sombere situatie; **oscuro** 1 donker, duister (*ook fig*); somber; *a -as* in het donker; *cámara -a* donkere kamer; *está muy ~, hace ~ como boca de lobo* het is aardedonker; 2 obscuur, verdacht; somber; onbekend

óseo vd beenderen; *tejido ~* beenweefsel; **osificación** *v* beenvorming, verbening

osmosis, **ósmosis** *v* osmose; vermenging

oso 1 beer; *~ blanco* ijsbeer; *~ de felpa* teddybeer; *~ hormiguero* miereneter; *~ pardo* bruine beer; *~ polar* ijsbeer; *hacer el ~: a*) gek doen; *b*) een vrouw het hof maken; 2 lelijke man; onbehouwen kerel; mensenschuwe figuur

osteítis *v* beenderontsteking

ostensible in het oog lopend, duidelijk, ken-

nelijk; *hacer* ~ openlijk tonen; **ostensivo** tonend; *palabras -as de disgusto* woorden waaruit ongenoegen blijkt; **ostentación** *v* vertoon, opschepperij; *hacer* ~ *de* pronken met; **ostentador, -ora** pronkerig; **ostentar 1** (*met trots*) tonen; pralen met; ~ *una bandera* een vlag voeren; ~ *una cartera* een ministerspost bekleden; ~ *un récord* een record op zijn naam hebben; 2 erop nahouden, aan de dag leggen; **ostentoso 1** ostentatief, pronkerig; patserig; 2 duidelijk
osteología osteologie, leer der beenderen
ostia oester; **ostión** *m* grote oester; **ostra** oester; ~ *perlífera* pareloester; *aburrirse como una* ~ zich stierlijk vervelen
ostracismo 1 schervengerecht; 2 verbanning, (het) weren van iem uit het openbare leven
ostrero I *bn* vd oesters; **II** *zn* oesterbank; **ostrícola** vd oesterteelt; **ostricultor, -ora** oesterkweker; **ostricultura** oesterteelt; **ostro** purperslak; **ostrón** *m* grote oester
ostrogodo Oostgotisch
OTAN *Organización del Tratado del Atlántico Norte* NAVO
otear 1 ontwaren, in het oog krijgen; 2 (*met de blik*) door'zoeken, onderzoeken
otero alleenstaande heuvel
otitis *v* oorontsteking; **otólogo** oorarts
otomán *m* ottoman, zijden stof; **otomana** sofa, divan; **otomano** Ottomaans; Turks
otoñada herfsttijd; **otoñal** vd herfst, herfstachtig; **otoño** herfst, najaar
otorgamiento toekenning, toewijzing, verlening; **otorgante** *m,v* comparant(e); **otorgar** toekennen, verlenen; gunstig beschikken over; (*akte*) passeren, verlijden; ~ *poder* volmacht verlenen
otorrinolaringólogo keel-, neus- en oorarts
otro I *bn* (een) ander; nog een; *-a copa* nog een glaasje; ~ *día* een andere keer; *el* ~ *día* onlangs; ~ *igual* net zo een; *de -a manera, de* ~ *modo* anders; ~ *tanto* hetzelfde; *-a vez* weer, opnieuw; *en -a parte* elders; *entre -as cosas* onder andere; *eso ya es -a cosa* dat verandert de zaak; *¡hasta -a!* tot kijk!; *no ser* ~ *que* niemand minder zijn dan; *por* ~ *lado, por -a parte* anderzijds; *me siento* ~ ik voel me een ander mens; *ser muy* ~ *que* heel anders zijn dan; *sin -a demora* zonder verdere vertraging; **II** *zn* een ander; ~ *que* (*no fuera*) *tú se enfadaría* ieder ander (dan jij) zou boos worden; *¡que lo haga* ~*!* laat een ander dat maar doen!
otrora oudtijds
otrosí eveneens, bovendien
ova groene alg
ovación *v* ovatie; **ovacionar** een ovatie brengen, toejuichen
oval, ovalado ovaal; **óvalo** *zn* ovaal
ovario 1 eierstok; 2 (*plantk*) vruchtbeginsel
oveja schaap; ~ *descarriada* (*fig*) verloren schaap; *la* ~ *negra* het zwarte schaap; *cada* ~ *con su pareja* soort zoekt soort; *contar* ~*s* schaapjes tellen
overdosis *v* overdosis (*drugs*)
overo (*mbt paard*) wit met rossig gevlekt; vaal
ovetense uit Oviedo
óvidos *mmv* schaapachtigen
oviducto eileider
ovillar op een kluwen winden; **ovillarse** zich oprollen; **ovillo** bol, kluwen; *hacerse un* ~: *a*) zich heel klein maken; *b*) in de war raken
ovino: *ganado* ~ wolvee, schapen
ovíparo eierleggend
ovni *m objeto volante no identificado* UFO, vliegende schotel
ovulación *v* ovulatie; **óvulo** eicel
oxiacetileno: *cortador de* ~ snijbrander
oxidable oxydeerbaar; *no* ~ roestvrij; **oxidación** *v* (het) roesten, oxydatie; **oxidante** *m* oxydant; **oxidar** *tr* oxyderen; **oxidarse** roesten, verroesten; **óxido** roest, oxyde; zuurstofverbinding; ~ *de carbono* kolendamp; **oxigenado 1** met zuurstof verbonden; 2 geblondeerd; **oxigenar 1** met zuurstof verbinden; 2 blonderen; **oxigenarse 1** zich met zuurstof verbinden; 2 een luchtje scheppen; **oxígeno** zuurstof; *combinarse con el* ~ (*chem*) verbranden
oxoniense uit Oxford
oxte: *sin decir* ~ *ni moxte* zonder boe of ba te zeggen
oye *zie oír*; **oyente** *m,v* **1** (*univ*) toehoorder, -hoorster; 2 ~*s* luisteraars, toehoorders
ozono ozon

p *pe v* (*letter*) p
pa *zie pe*
pabellón *m* 1 paviljoen; tentoonstellingshal; tuinhuisje; 2 nationale vlag; 3 kegelvormige tent; tentoonstellingsstand || ~ *de la oreja* oorschelp
pabilo pit (*van kaars*)
pábulo (*fig*) voedsel; *dar ~ a* aanwakkeren, aanleiding geven tot
paca 1 pak, baal (*wol, katoen*); 2 (*Am*) knaagdier (*waarvan het vlees gegeten wordt*)
Paca *afk van Francisca*
pacán *m* pecannoot
pacato rustig
pacayo (*Am*) soort palm met eetbaar hart
pacense uit Badajoz
pacer grazen
paces *zie paz*
pachá *m* pasja; *vivir como un* ~ een luxe leven leiden
pachón, **-ona** I *m* taks, tekkel, dashond; II *bn* (*Am*) harig
pachorra 1 traagheid, onverstoorbaarheid; *con su santa* ~ met zijn eeuwige kalmte; 2 (*fam*) drugs; **pachorrudo** heel traag
pachucho 1 overrijp; 2 slap, een beetje ziek
paciencia geduld, lijdzaamheid; ~ *de benedictino*, ~ *de santo* engelengeduld; ~ *y barajar* (*wijze raad*) rustig afwachten!; *trabajar la* ~ treiteren, (*iem*) aan zijn kop zeuren; **paciente** I *bn* geduldig, lijdzaam, lankmoedig; II *m,v* patiënt(e), zieke; ~ *ambulatorio* ambulante patiënt, lopende patiënt
pacificar vrede stichten onder; verzoenen; **pacificarse** bedaren, tot rust komen; **pacífico** vreedzaam, vredig; **Pacífico**: *el* (*Océano*) ~ de Stille Oceaan, de Stille Zuidzee; **pacifismo** pacifisme; **pacifista** I *bn* pacifistisch; *el movimiento* ~ de vredesbeweging; II *m,v* pacifist(e)
Paco *afk van Francisco*
pacotilla rotzooi, bocht; *de* ~ van inferieure kwaliteit, nep-; *hacer su* ~ goede zaken doen, erop vooruitgaan
pactar (*een verdrag*) sluiten, overeenkomen; **pacto** pact, overeenkomst; ~ *de no agresión* niet-aanvalsverdrag; *hacer un* ~ een overeenkomst sluiten
padecer 1 lijden aan; ~ *dolores* pijn lijden; ~ *un error* zich vergissen; 2 ~ *de* een kwaal hebben aan; *padece del corazón* hij heeft een hartkwaal; **padecimiento** (het) lijden
padrastro stiefvader; **padrazo** toegeeflijke vader
padre *m* 1 vader; ~ *de familia* huisvader; *el señor Rico* ~ de heer Rico senior; ~*s* (*ook*) ouders; ~*s adoptivos* pleegouders; ~*s políticos* schoonouders; 2 pater || *de ~ y muy señor mío* van heb ik jou daar; *un éxito* ~ een enorm succes; *un susto* ~ een geweldige schrik; **Padre** *m* 1 Vader, (*aanspreekvorm voor*) God; 2 *el Santo* ~ de heilige vader, de paus; **padrear** *intr* (het wijfje) dekken; **padrenuestro** onzevader
padrinazgo peetschap, (het) peet zijn; **padrino** 1 peet(vader), peetoom; ~*s* peetouders; *hacer de* ~ (*fig*) in het zadel helpen, pousseren, ergens in werken; 2 (*bij duel*) secondant; 3 (*bij promotie*) paranimf; 4 ~*s* beschermers
padrón *m* 1 lijst van ingezetenen (van gemeente); ~ *electoral* kiezerslijst; 2 (*techn*) patroon, voorbeeld; 3 zuil met inscriptie; 4 schande; ~ *de ignominia* schandvlek
paella 1 rijstgerecht; 2 paellapan
paf: ¡~! plof!, pats!
paga (betaling van) loon, gage, soldij; ~ *extraordinaria* gratificatie, toeslag; *cobrar la* ~ zijn loon ontvangen; *día de* ~ betaaldag; *hoja de* ~ loonlijst; **pagable**, **pagadero** betaalbaar;
pagado: ~ *de sí mismo* verwaand, zelfingenomen; *zie ook pagar*; **pagador**, **-ora** I *bn* betalend; II *zn* iem die betaalt; *mal* ~ wanbetaler;
pagaduría betaalkantoor
pagano, **-a** I *zn* 1 heiden, heidin; 2 *m* pineut, zondebok; II *bn* heidens
pagar 1 betalen, uitbetalen, voldoen, afrekenen; lonen, vergelden; ~ *con cambio* gepast betalen; ~ *por* betalen voor; 2 (*fig*) boeten; ~ *caro por u.c.* zwaar voor iets boeten; *lo pagarás* daar zul je voor boeten; **pagarse**: ~ *de* trots zijn op; **pagaré** *m* promesse, schuldbekentenis
página blad, bladzijde, pagina; ~*s amarillas* (*telef*) beroepengids, (*vglbaar*) gouden gids;
paginar bladzijden nummeren
1 pago 1 betaling, voldoening, aflossing, storting; ~ *adelantado* vooruitbetaling; ~ *adicional* bijbetaling; ~ *anticipado* voorschot; ~ *aplazado* betaling in termijnen; ~ *al contado* contante betaling; ~ *a cuenta* termijnbetaling; ~ *ininterrumpido* doorbetaling; ~ *parcial* deelbetaling; *en ~ de* als betaling voor; 2 loon (*vaak fig*); *mal* ~ ondankbaarheid
2 pago 1 terrein (*beplant met druiven, olijven*); 2 (*Am*) streek, dorp
pagoda pagode
paila wijde pan
paipai *m* waaier van palmblad
país *m* land; ~ *anfitrión* gastland; ~ *en* (*vías de*) *desarrollo* ontwikkelingsland; ~ *deudor* schuldenland; ~*es mediterráneos* landen rond de Middellandse zee; ~ *natal* geboorteland; ~*es tropicales* tropische landen; ~ *vecino* buurland; *del* ~ inheems; *en el ~ de los ciegos, el tuerto es rey* in het land der blinden is eenoog koning; *recorrer el* ~ door het land trekken;
Países Bajos: (*los*) ~ Nederland

paisaje *m* landschap; ~ *lunar* maanlandschap; **paisajista** I *m,v* schilder(es) van landschappen; II *bn* landschaps-
paisanaje *m* 1 groep burgers, groep streekgenoten; 2 (het) afkomstig zijn uit dezelfde streek; **paisano, -a** I *bn* afkomstig uit dezelfde streek; II *zn* 1 streekgenoot, -genote; 2 (*Am*) boer, boerin; 3 *m* niet militair, burger; *de* ~ in burger; *traje de* ~ burgerkleding
paja stro; rietje (*om te drinken*); ~ *cortada* haksel; *de* ~ van stro, strooien, rieten; *no dormirse en las ~s* (*fig*) niet stilzitten; *hacerse una* ~ zich aftrekken; *por un quítame allá esas ~s* om een kleinigheid; *ver la ~ en el ojo ajeno y no ver la tranca en el propio* de splinter zien in het oog van een ander, maar niet de balk in het eigen; **pajar** *m* hooiberg
pajarera volière, (grote) vogelkooi; **pajarería** 1 vogelhandel; 2 vlucht vogels; **pajarero** *bn* 1 vogel-, van vogels; 2 heel vrolijk, vol grappen; 3 opzichtig, bont; **pajarita** 1 ~ (*de papel*) gevouwen vogeltje (*van papier*), gevouwen figuur; 2 (hals)strikje; *cuello de* ~ puntboord; **pajarito** vogeltje; *quedarse como un* ~ een zachte dood sterven, heengaan; **pájaro** 1 vogel; ~ *cantor* zangvogel; ~ *carpintero* specht; ~ *emigrante* trekvogel; ~ *de mal agüero* onheilsbode; ~ *mosca* kolibri; *el* ~ *voló* de vogel is gevlogen; *más vale* ~ *en mano que ciento volando* beter één vogel in de hand dan tien in de lucht; *matar dos ~s de un tiro* twee vliegen in één klap slaan; *tener la cabeza llena de ~s* luchthartig zijn; 2 (slimme) vogel, figuur; ~ *de cuenta* iem om voor op te passen, niet de eerste de beste; ~ *gordo* hoge Piet; **pajarraco** 1 grote lelijke vogel; 2 achterbaks mens, sluwerd
paje *m* page
pajita rietje (*om te drinken*); **pajizo** 1 van stro; 2 strogeel
pajolero verrekt, vervloekt, rot-
pala 1 schep, schop, spade; ~ *mecánica* dragline; 2 (stof)blik; *escobón y* ~ stoffer en blik; 3 taartschep, pannekoekemes; 4 slaghout, bat; ~ *matamoscas* vliegenmepper; 5 peddel; 6 lip (*van schoen*) || *a punta de* ~ in overvloed
palabra woord; *¡~!* op mijn woord!; ~ *de agradecimiento* dankwoord; ~ *compuesta* samenstelling; *~s cruzadas* kruiswoordpuzzel; *~(s) final(es)* slotwoord; *~s gruesas,* ~ *mayores* scheldwoorden, beledigingen; ~ *de honor* erewoord; *¡~ que no!* heus niet!; *¡~ que sí!* echt waar!; ~ *por* ~ woord voor woord, letterlijk, van a tot z; *la* ~ *redentora, la* ~ *de salvación* het verlossende woord; ~ *de relleno* stoplap; *~s vacías* holle frasen; *anuncio por ~s* advertentie; *arrancar a u.p. las ~s* iem de woorden uit de mond trekken; *beber las ~s de u.p.* aan iems lippen hangen; *buenas ~s* mooie woorden, mooie praatjes; *coger la* ~ *a u.p.* iem aan zijn woord houden; *comerse las ~s* zijn woorden inslikken; *cuatro ~s* een krabbeltje; *cumplir con su* ~ zijn woord houden; *de* ~ mondeling; *de pocas ~s* weinig spraakzaam; *dejar con la* ~ *en la boca* niet laten uitpraten; *en cuatro ~s* heel kort; *en otras ~s* met andere woorden; *faltar a su* ~ zijn woord niet houden; *medias ~s* vage woorden, insinuaties; *medir las ~s* bedachtzaam spreken; *¡ni ~!* daar wist ik niets van!; *¡ni una* ~ *más!* geen woord meer!; *no tener* ~ zijn woord niet houden; *no tiene* ~ je kunt niet op hem aan; *no tener más que ~s* opscheppen; *no tener más que una* ~ betrouwbaar zijn; *pedir la* ~ het woord vragen; *persona de* ~ iem die zijn woord houdt; *quitar a u.p. la* ~ *de la boca* iem de woorden uit de mond halen; *tener la* ~ het woord hebben; *tener unas ~s con u.p.* woorden hebben met iem; *tomar la* ~ het woord nemen; *la última* ~ het nieuwste van het nieuwste
palabreo veel (*vergeefs*) gepraat; **palabrería** woordenstroom, gezwam; **palabrero** 1 die veel praat; 2 die veel belooft, maar zijn belofte niet nakomt; **palabrota** lelijk woord, schuttingwoord, vloek
palacete *m* 1 paleisje; 2 deftig huis; **palaciego** I *bn* paleis-, van een paleis; II *zn* hofdienaar, hoveling; **palacio** paleis; ~ *de justicia* gerechtsgebouw; ~ *de la Paz* Vredespaleis; *las cosas de* ~ *van despacio* de ambtelijke molens malen langzaam
palada 1 schep(vol); 2 slag (*met slaghout*); *dar ~s* peddelen
paladar *m* 1 gehemelte; *tener buen* ~ een fijnproever zijn, goede smaak hebben; 2 smaak; *vino de buen* ~ goed smakende wijn; **paladear** langzaam proeven
paladín *m* fel verdediger, voorvechter
paladino openbaar, openlijk
palafito paalwoning (*in meer, moeras*)
palafrenero palfrenier
palanca 1 hefboom, zwengel; 2 hendel; ~ *de cambios* versnellingshendel; ~ *de mando* stuurknuppel, bedieningshendel; ~ *de velocidades* versnellingshendel; 3 koevoet
palangana teil, waskom
palangre *m* vislijn met meerdere haken
palanquera palissade
palanqueta breekijzer, koevoet; **palanquetazo** kraak (*inbraak*); **palanquetista** *m* inbreker
palatal vh gehemelte, palataal; **palatalizar** palataliseren
1 palatino vh gehemelte
2 palatino paleis-, vh paleis
palco (*theat*) loge; ~ *lateral* zijloge; ~ *de platea* benedenloge
palear (over)scheppen
palenque *m* 1 palissade; 2 omheind terrein
palentino uit Palencia
paleografía paleografie; **paleolítico** I *zn* stenen tijdperk; II *bn* uit het stenen tijdperk
palestino, -a I *bn* Palestijns; II *zn* Palestijn(se)
palestra strijdperk

1 paleta 1 palet; 2 troffel; 3 plamuurmes; 4 schoep
2 paleta boerse vrouw, onbehouwen mens
paletada schep(vol); **paletear** peddelen
paletilla schouderblad; ~ *de cordero* lamsschouder
paleto I *bn* boers, grof, onbehouwen; II *zn* boerenkinkel, pummel
paletón *m* baard (*van sleutel*)
paliar verzachten; **paliativo** I *bn* verzachtend; II *zn* 1 verzachtend middel; 2 smoesje, excuus; *sin ~s* zonder er doekjes om te winden
pálidamente (*mbt glimlachen*) flauwtjes; **palidecer** bleek worden, verbleken, verschieten; **palidez** *v* bleekheid; **pálido** 1 bleek; ~ *como la muerte* doodsbleek; *ponerse* ~ bleek worden; 2 flauw, flets; **paliducho** bleekjes, pips
palier *m* (*techn*) lager
palillo 1 houtje; 2 trommelstok; 3 tandestoker; 4 spatel; 5 *~s* (eet)stokjes; 6 *~s* castagnetten, kleppers
palíndromo palindroom
palinodia: *cantar la* ~ zich gewonnen geven, een fout erkennen
palio baldakijn
palique: *estar de* ~ aan de praat zijn; **paliquear** babbelen, een praatje maken
palisandro palissander
palito (*Am*) borrel, glaasje
palitroque *m* 1 (*neg*) stokje; 2 (*fam, bij stieregevecht*) banderilla (*versierd stokje met scherpe punt*)
paliza 1 pak slaag, aframmeling; 2 (*fig*) straf, kwelling; *dar la* ~ (*fam*) (*iem*) aan zijn hoofd zeuren, vervelen; 3 nederlaag
palizada 1 palissade, staketsel; 2 omheinde plek
palma 1 palm(boom); *ceder la* ~ *a* het verliezen van; *llevarse la* ~ de kroon spannen, het winnen; 2 ~ *de la mano* handpalm; *andar en ~s* geprezen worden; *como la* ~ *de la mano: a*) heel glad, heel vlak; *b*) heel makkelijk; *conocer como la* ~ *de la mano* op zijn duimpje kennen; *llevar en ~s* op handen dragen; 3 *~s* handgeklap; *batir las ~s* in de handen klappen, applaudisseren; **palmada** klap met de (vlakke) hand; *dar ~s* in de handen klappen; **palmadita** schouderklopje; **palmar** I *bn* 1 vd handpalm; 2 duidelijk; II *ww* (*pop*) de pijp uitgaan; (*la*) *ha palmado* die is er geweest
palmarés *m* 1 curriculum vitae; 2 lijst van winnaars
palmario overduidelijk
palmatoria kandelaar
palmeado 1 palm(blad)vormig; 2 (*dierk*) met zwemvliezen; **palmear** applaudisseren voor
palmera (dadel)palm; **palmero** uit la Palma (*Canarische eilanden*)
palmesano uit Palma de Mallorca
palmeta (*hist, op school*) plak
palmillas: *llevar en* ~ op handen dragen, vereren
palmípedo met zwemvliezen
palmitas *zie palmillas*
palmito 1 dwergpalm; 2 palmhart; 3 (lief) snoetje || *como un* ~ snoezig
palmo (*lengtemaat*) palm (*10 cm*); ~ *a* ~: *a*) heel langzaam; *b*) (*mbt kennen*) volledig, op zijn duimpje; *con un* ~ *de lengua fuera* met zijn tong op zijn schoenen; *dejar con un* ~ *de narices* voor de gek houden; *no ceder un* ~ geen duimbreed wijken; *no hay un* ~ dat ligt vlak bij elkaar; *quedarse con un* ~ *de narices* op zijn neus kijken, raar staan te kijken
palmotear I *intr* klappen, applaudisseren; II *tr* (*op de rug*) kloppen; **palmoteo** geklap, applaus
palo 1 stok, paal; stick; ~ *de escoba* bezemsteel; *pierna de* ~ houten been; 2 stokslag, slag; *andar a ~s* (altijd) ruzie hebben; *dar ~s de ciego: a*) in het wilde weg slaan; *b*) iets doen zonder na te denken; *matar a ~s* doodslaan; *moler a ~s* afranselen; 3 mast, tentstok; *cada* ~ *aguante su vela* ieder huisje heeft zijn kruisje; 4 kleur (*in kaartspel*) || *de tal* ~ *tal astilla* de appel valt niet ver vd boom; *tener a* ~ *seco* niets extra's gunnen, op rantsoen zetten; **palo dulce**, **paloduz** *m* zoethout
paloma 1 duif; ~ *mensajera* postduif; ~ *de la paz* vredesduif; ~ *torcaz* houtduif; ~ *y gavilán* duif en havik; 2 zachtaardig mens; 3 (*fam*) drank van water met anijslikeur; **Paloma** meisjesnaam; **palomar** *m* duiventil; **palomilla** 1 (*schadelijke*) nachtvlinder; 2 vleugelmoer; **palomina** duivepoep; **palomino** 1 jonge duif; 2 melkmuil, naïef kereltje; **palomita** 1 *~s* popcorn; 2 *zie paloma 3*; **palomo** doffer; **Palomo** jongensnaam
palote *m* 1 stuk hout, stok; 2 haal, oefenstreepje (*bij het schrijven*)
palpable tastbaar, voelbaar; **palpar** betasten, voelen
palpitación *v* (het) kloppen, hartklopping; **palpitante** 1 kloppend; 2 actueel, brandend; **palpitar** 1 kloppen; ~ *con fuerza* bonzen; 2 lillen; **pálpito** (*Am*) voorgevoel
palta (*Am*) avocado
palúdico, **-a** I *bn* moeras-, malaria-; *fiebre -a* moeraskoorts, malaria; II *zn* iem die aan malaria lijdt; **paludismo** malaria
palurdo pummel, vlegel
palustre moeras-
pamela breedgerande vrouwenhoed
pamema onbenulligheid, praatje
pampa (*Am*) pampa, grasvlakte
pámpano wijnrank
pamplina onzin, kletspraatje; *~s* (*ook*) drukte; **pamplinero**, **-a** I *bn* dom, vol kletspraatjes; II *zn* druktemaker, -maakster, kletskous
pamplonés, **-esa** uit Pamplona
pan *m* brood; *el* ~ *de cada día: a*) het dagelijks brood; *b*) iets doodgewoons; ~ *fresco* vers brood; ~ *integral* volkorenbrood; ~ *de molde* brood (*hoog model*); ~ *moreno* bruin brood; ~

de oro bladgoud; ~ *pringao* een ingewikkeld gedoe; ~ *rallado* paneermeel; ~ *tostado* geroosterd brood, toost; *a* ~ *y agua* op water en brood; *como* ~ *bendito: a*) als iets heel kostbaars, bij kleine beetjes; *b*) als warme broodjes (*verkocht worden*); *con su* ~ *se lo coma* hij moet het zelf maar weten; *es* ~ *comido* dat is gesneden koek; *eso no nos da el* ~ dat zet geen zoden aan de dijk; *llamar al* ~ ~ *y al vino vino* de dingen bij hun naam noemen; *más bueno que el* ~ doodgoed; *negar el* ~ *y la sal* (*iem*) iedere verdienste ontzeggen; *un pedazo de* ~: *a*) een stuk brood; *b*) een goedzak; *venderse como* ~ *caliente* als warme broodjes over de toonbank gaan; **Pan**: *flauta de* ~ panfluit
pana ribfluweel, corduroy
panacea panacee
panaché *m* mengsel (*vnl van groenten*)
panadera bakkersvrouw, broodverkoopster; **panadería** broodbakkerij, bakker (*winkel*); **panadero** bakker, broodverkoper
panadizo fijt
panal *m* honingraat
panamá *m* panamahoed; **panameño** Panamees
panamericanismo panamerikanisme; **panamericano** panamerikaans
pancarta bord met leus, spandoek
panceta doorregen spek
pancho (*fam*) gezapig, bedaard
pancista *m,v* meeprater, -praatster, opportunist(e)
pancita buikje
páncreas *m* alvleesklier
1 panda *m* panda
2 panda stel, troep
pandear, pandearse (*mbt plank, balk*) doorbuigen, kromtrekken
pandemia pandemie
pandemónium *m* hels kabaal, heksenketel
pandeo (het) doorbuigen, (het) kromtrekken
pandereta tamboerijn; *la España de* ~ het folkloristische Spanje (*van castagnetten, gitaren en stieregevechten*)
panderete *m* muurtje van op hun kant geplaatste bakstenen
pandero tamboerijn
pandilla stel, span, kliek
pando I *bn* 1 doorgebogen; 2 traag bewegend; 3 bedaard; II *zn* bijna vlak terrein tussen bergen
pandorga (*fam*) schommel, vadsige vrouw
panecillo broodje
panegírico I *bn* zeer lovend; II *zn* lofzang
panel *m* paneel; ~ *de control* bedieningspaneel, schakelpaneel; ~ *de mandos* dashboard; **panelable** (*mbt keukenapparatuur*) in te bouwen, inpasbaar (*dmv paneel*)
panera broodmandje
panfilismo extreme goedigheid; **pánfilo** simpel, traag, sullig
panfleto pamflet
paniaguado, -a gunsteling(e)
pánico I *zn* paniek; *sembrar el* ~ paniek zaaien; II *bn* panisch
panículo onderhuids celweefsel
paniego 1 veel brood etend; 2 veel graan producerend; **panificación** *v* (het) broodbakken; **panificadora** broodbakkerij (*fabriek*)
panizo 1 soort gierst; 2 (*soms*) maïs
panocho, panoja maïskolf
panoli I *m,v* stomkop, sukkel, sufferd; II *bn* stom, suf
panoplia 1 wapenverzameling; (*fig*) arsenaal; 2 wapenrek
panorama *m* panorama, uitzicht; overzicht; **panorámico** panoramisch
panqueque *m* (*vglbaar*) pannekoek
pantalla 1 scherm, (film)doek; ~ *de humo* rookgordijn; *llevar a la* ~ verfilmen; *la pequeña* ~ de televisie, de buis; 2 kap, lampekap
pantalón *m, vaak mv* broek; ~ *corto* korte broek, short; ~ (*de*) *deporte* trainingsbroek; ~ *jardinero* tuinbroek; *-ones de montar* rijbroek; ~ *a la rodilla* kniebroek; *-ones vaqueros* spijkerbroek
pantano 1 moeras, ven; 2 waterreservoir, stuwmeer; **pantanoso** drassig, moerassig
panteísmo pantheïsme; **panteísta** pantheïstisch
panteón *m* pantheon, grafkelder; ~ *de familia* familiegraf
pantera panter
pantomima pantomime
pantorrilla kuit
pantufla, pantuflo muil, slof
panty *m* panty
Panurgo: *las ovejas de* ~ (*una salta y todas siguen*) als er één schaap over de dam is, volgen er meer
panza 1 (dikke) buik; ~ *arriba* op zijn rug; 2 buik (*van fles, vliegtuig*); 3 (*dierk*) pens; **panzada** 1 volle maag, (het) zich vol eten; 2 massa; *darse una* ~ *de reír* zich kapot lachen; 3 (*fam*) maagstomp; **panzudo** met een buikje, buikig
pañal *m* luier; ~ *braguilla* broekluier; *cambiar de* ~*es* verluieren, verschonen; *de* ~*es* niet zindelijk; *en* ~*es*: *a*) niet zindelijk; *b*) nog in de kinderschoenen; *c*) slecht op de hoogte; *mirarse los* ~*es* navelstaren
pañería 1 stoffenzaak (*voor herenkostuums*); 2 kostuumstoffen; **paño** 1 doek, lap (stof); ~ *de cocina* theedoek; *pasar un* ~ *por* afvegen; 2 laken; *del mismo* ~ van hetzelfde laken een pak; *el buen* ~ *en el arca se vende* goede wijn behoeft geen krans; 3 kompres; ~*s calientes*: *a*) warme kompressen; *b*) lapmiddelen; ~ *higiénico* maandverband; *andarse con* ~*s calientes* zoete broodjes bakken, alles goedpraten; 4 paneel (*van wand*) || ~ *de lágrimas* troost, toeverlaat; *conocer el* ~ weten waar Abraham de mosterd haalt, het klappen van de zweep kennen; *en* ~*s menores* in zijn ondergoed

pañol *m* berghok (*in schip*)
pañoleta omslagdoek; **pañolón** *m* grote omslagdoek; **pañuelo** 1 zakdoek; *el mundo es un ~* wat is de wereld klein; 2 hoofddoek, halsdoek, vierkante sjaal
1 papa *m* 1 paus; 2 (*fam*) pappa
2 papa (*Am*) aardappel
3 papa pap; *~s* brij, pap
papá *m* pappa; *mis ~s* mijn ouders; *~ Noel* de kerstman
papada 1 onderkin; 2 (*dierk*) krop
papado pausdom, pausschap
papagayo papegaai
papal pauselijk
papamoscas *m* 1 (*dierk*) vliegenvanger; 2 sukkel, naïeveling; **papanatas** *m; zie papamoscas 2*
paparrucha 1 leugen, kletspraatje; 2 prutswerk
papaveráceo vd papaverfamilie
papaya papaja
papel *m* 1 papier; *~es* paperassen, bescheiden; *~ aceitado* vetvrij papier; *~ alquitranado* asfaltpapier; *~ (de) aluminio* aluminiumfolie; *~ (de) borrador* kladpapier; *~ carbón* carbon; *~ de cartas* briefpapier; *~ cebolla* doorslagpapier, overtrekpapier; *~ de cocina* keukenrol; *~ continuo* kettingpapier; *~ cuadriculado* ruitjespapier; *~ de dibujo* tekenpapier; *~ elástico* crèpepapier; *~ encerado* vetvrij papier; *~ de esmeril* schuurpapier; *~ de estaño* (aluminium)folie; *~ de estraza* bruin pakpapier; *~ filtrante* filtreerpapier; *~ de forrar* kaftpapier; *~ de fumar* sigarettenpapier; *~ glaseado* glanzend papier; *~ higiénico* wc-papier; *~ de lija* schuurpapier; *~ mecanográfico* schrijfmachinepapier; *~ milimetrado* millimeterpapier; *~ mojado* waardeloos stuk papier; *~ moneda* bankpapier; *~ pintado* behang; *~ de plata* zilverpapier; *~ rayado* lijntjespapier; *~ reciclado* kringlooppapier; *~ secante* vloeipapier (*voor inkt, sigaretten*); *~ de seda* zijdepapier, vloeipapier; *~ sellado, ~ timbrado* gezegeld papier; *consignar al ~* zwart op wit zetten, boekstaven; 2 (*fam*) *~es* kranten; *salir en los ~es* in de krant komen; 3 rol; *~ de actor invitado* gastrol; *~ de lucimiento* glansrol; *~ picado* confetti; *~ principal* hoofdrol; *desempeñar un ~, hacer un ~* een rol spelen; *hacer buen ~* een goede beurt maken, een goed figuur slaan; **papela** dosis LSD, paper trip; **papelera** 1 papierfabriek; 2 prullemand; **papelería** 1 kantoorboekhandel; 2 paperassen, papierwinkel; **papelero** 1 papier-; 2 opschepperig; **papeleta** 1 papiertje; *~ de impuestos* aanslagbiljet; *~ de voto* stembriefje, (*Belg*) kiesbrief; 2 (*fam*) probleem; **papelillos** *mmv* confetti; **papelina** *zie papela*; **papelón**, **-ona** opschepper, opschepster || *hacer un ~* een figuur slaan; **papelorio** (*neg, fig*) papierwinkel; **papelucho** vodje (papier)
papera (*med*) krop; *~s* (*med*) bof
papi *m* pappie
papila papil; *~ gustativa* smaakpapil; **papilar** vd papillen
papilla pap, brij, moes; *hacer ~* murw slaan; *hecho ~* kapot, geen mens meer
papión *m* baviaan
papiro 1 papyrus; 2 (*fam ook pápiro*) bankbiljet
papirotazo knip met vinger tegen iems hoofd (*als plagerij of standje*)
papirote dwaas, mal
papisa pausin; **papista** pausgezind, rooms, paaps; *más ~ que el papa* roomser dan de paus
papo (*dierk*) 1 krop; 2 (*anat*) onderkin; *tener en el ~* op zijn hart hebben
papú *m,v; mv papúes* Papoea
paquebote *m* oceaanschip
paquete *m* 1 pak, pakje; *~ accionarial, ~ de acciones* aandelenpakket; *~ de construcciones* bouwpakket; *~ navideño* kerstpakket; *~ postal* postpakket, (*Belg*) postcollo; 2 (*fig*) pakket; *~ de asignaturas* vakkenpakket; *~ de reivindicaciones* eisenpakket; 3 oceaanschip; 4 (*fam*) opgedoft heertje
paquidermo dikhuidig
Paquita *afk van Francisca*
par I *bn* 1 gelijk; *sin ~* uniek, ongeëvenaard, onovertroffen; 2 (*mbt getal*) even; *~es o nones* even of oneven; II *m* 1 tweetal, paar; *a ~es* twee aan twee; 2 *un ~* een paar, enkele; 3 (*in Engeland*) peer, lid vd adel || *a la ~: a*) tegelijk; *b*) (*hdl*) à pari; *de ~ en ~* wijdopen
para *vz* 1 voor; bestemd voor, met het oog op; *¿~ qué?* waarvoor?, waartoe?; *dijo ~ sí* hij zei bij zichzelf; *esto es ~ ti* dit is voor jou; *no estar ~ bromas* niet in de stemming zijn voor grapjes; *tengo ~ mí que* ik ben ervan overtuigd dat, ik houd het erop dat; 2 voor, in aanmerking genomen; *~ ser tan viejo, es muy vivo* voor iem die zo oud is, is hij erg levendig; *alto ~ su edad* lang voor zijn leeftijd; 3 naar, met bestemming; *~ abajo* omlaag; *de 50 años ~ arriba* van 50 jaar en ouder; *no es ~ menos* dat is geen kleinigheid; *salió ~ París* hij vertrok naar Parijs; 4 (*tijd*) tegen, (uiterlijk) met; *~ las Pascuas* tegen Pasen; *falta poco ~ el verano* het is al bijna zomer; *falta una semana ~ Navidad* over een week is het Kerstmis; *ir ~ (los) 40* tegen de 40 lopen; 5 (*tijd*) voor de duur van; *~ un mes* voor een maand; 6 *~ con: a*) jegens, tegen(over), ten aanzien van; *b*) vergeleken met, ten opzichte van; *~ con los mayores es cortés* tegen volwassenen is hij beleefd; *~ con su hermana es alta* vergeleken bij haar zusje is zij lang; 7 *~* (*+ onbep w*) om te; *estar ~* op het punt staan om; *estamos ~ salir* we staan op het punt te vertrekken; *no es ~ reírse* dat is niet om te lachen; 8 *~ que* opdat, zodat; *~ que lo sepas* het is maar dat je het weet
parabién *m* felicitatie; *dar el ~* feliciteren
parábola 1 gelijkenis, parabel; 2 parabool
parabrisas *m* voorruit (*van auto*)

paracaídas *m* parachute; **paracaidista** *m,v* parachutist(e)
parachispas *m* vonkenvanger
parachoques *m* bumper, buffer, stootblok
parada 1 (het) stoppen; ~ *cardíaca* hartstilstand; ~ *de emergencia* noodstop; ~ *en firme* (*paardensp*) (het) plotseling inhouden; ~ *en seco* (het) plotseling stoppen; 2 halte, standplaats (*van taxi*); ~ *discrecional* halte op verzoek; ~ *fija* vaste halte; 3 pauze; 4 parade
paradero verblijfplaats; *dar con el* ~ *de* opsporen; (*de*) ~ *desconocido* verblijfplaats onbekend
paradigma *m* voorbeeld, model; (*gramm*) rijtje
paradisiaco, paradisíaco paradijselijk
parado, -a I *bn* 1 stilstaand; gestopt, buiten bedrijf; *quedarse* ~ blijven steken; 2 werkloos; 3 stomverbaasd, confuus; 4 (*Am*) staand, rechtop || *dejar mal* ~ te grazen nemen; *salir bien* ~ er goed afkomen; *salir mal* ~ er slecht afkomen; II *m,v* werkloze
paradoja paradox; **paradójico** paradoxaal
parador *m* (*Sp*) luxe staatshotel
paraestatal semi-overheids, (*Belg*) parastataal
parafernalia benodigdheden, gerei
parafina paraffine
parafrasear parafraseren; **paráfrasis** *v* parafrase
paragolpes *m* buffer, stootblok
paragotas *m* lekbak
parágrafo *zie párrafo*
paraguas *m* paraplu; ~ *extendible* opvouwbare paraplu
paraguaya 1 vrouw uit Paraguay; 2 soort perzik; **paraguayo** I *bn* Paraguayaans; II *zn* Paraguayaan
paragüero 1 paraplubak; 2 paraplumaker
paraíso 1 paradijs; ~ *terrenal* aards paradijs; 2 (*theat*) schellinkje
paraje *m* plek, streek; (*vaak neg*) oord
paralaje *m* parallax
paralela 1 evenwijdige lijn; 2 ~*s* (*gymn*) brug; **paralelepípedo** parallellepipedum; **paralelismo** parallellisme, (het) parallel lopen, overeenkomst; **paralelo** I *bn* parallel, evenwijdig; *organización paralela* mantelorganisatie; II *zn* vergelijking, parallel; **paralelogramo** parallellogram
parálisis *v* verlamming; ~ *agitante*, ~ *temblorosa* ziekte van Parkinson; ~ *cardíaca* hartverlamming; ~ *infantil* kinderverlamming; **paralítico** lam, verlamd; **paralización** *v* (*fig*) verlamming, stagnatie, stillegging; **paralizado** verlamd; *estar* ~: *a*) verlamd zijn; *b*) (*fig*) platliggen, stilliggen; **paralizador, -ora** verlammend; **paralizante** verlammend; **paralizar** 1 verlammen; 2 (*fig*) stilleggen, platleggen; **paralizarse** verlamd raken, stagneren; *se le paralizó el corazón* haar hart stond stil
paramédico paramedisch
paramento 1 versiering; ~*s sacerdotales* priestergewaad; 2 kant van een muur
paramera gebied met kale vlakten
parámetro parameter
paramilitar paramilitair
páramo kale (gure) vlakte, woestenij; (*fig*) eenzaam gebied
parangón *m* vergelijking; *sin* ~ zonder weerga;
parangonar vergelijken
paraninfo aula
paranoia paranoia; **paranoico, -a** I *bn* paranoïde; II *zn* paranoicus, -a, lijd(st)er aan paranoia; **paranoide** *zie paranoico I*
parapetarse (*tras*) zich verschuilen (achter); **parapeto** 1 borstwering; 2 muurtje, balustrade, leuning
paraplejía paraplegie
parar I *intr* 1 ophouden, stoppen; (*mbt motor*) afslaan; *ir a* ~ *en*, *venir a* ~ *en*: *a*) terechtkomen in, belanden in; *b*) uitdraaien op, aflopen; *¿en qué irá a* ~*?* hoe zou dat aflopen?; *no* ~ steeds doorwerken; *no* ~ *de llorar* steeds huilen; *no* ~ *ni para mear* (*fam*) zich geen ogenblik rust gunnen; *sin* ~ onophoudelijk, aan een stuk door; 2 verblijven, logeren; *¿dónde parará?* waar zou hij zitten?; *no* ~ *en casa* uithuizig zijn || *¡dónde va a* ~*!* dat is niet te vergelijken; II *tr* 1 doen stoppen, tot stilstand brengen; (*motor*) afzetten, uitschakelen; ~ *los pies a u.p.* iem afremmen; 2 (*een klap*) afweren, pareren, opvangen; **pararse** 1 ophouden, tot stilstand komen, stoppen; ~ *a pensar* even rustig nadenken; *no* ~ *en barras* zich door niets laten weerhouden; 2 gaan staan
pararrayos *m* bliksemafleider
parasitario parasitair; **parásito, -a** I *bn* parasiet-; *animal* ~ parasiet; *ruido* ~ storing (*op radio*); II *zn* klaploper, -loopster, parasiet
parasol *m* parasol
paratifoidea paratyfus
paravientos *m* windscherm
parcela stuk grond, kavel, perceel; **parcelación** *v* verkaveling; **parcelamiento** *zie parcelación*; **parcelar** verkavelen; **parcelario**: *concentración -a* (*vglbaar*) ruil- en herverkaveling; **parcelista** *m* (*Am*) bezetter van grond
parche *m* 1 pleister; reparatieplakker; 2 trommelvel; 3 lapmiddel; **parcheo** (het) toepassen van lapmiddelen
parchís *m* mens-erger-je-niet
parcial I *bn* 1 gedeeltelijk, niet volledig; *examen* ~ deelexamen, tentamen; *trabajo a tiempo* ~ deeltijdarbeid; 2 partijdig; II *zn* aanhang(st)er, voorstand(st)er; **parcialidad** *v* partijdigheid
parco 1 karig, zuinig; ~ *de palabras* van weinig woorden; 2 sober
pardear *m* (het) schemerig worden; **pardo** bruingrijs, grauw; **pardusco** grijzig bruin
parear (in paren) samenvoegen, tweetallen vormen
parecer I *ww* 1 lijken, schijnen; *al* ~ schijnbaar,

ogenschijnlijk, zo te zien; *me parece que…* ik vind dat…; *me parecen bonitos* ik vind ze mooi; *¿qué te parece?* wat vind je ervan?; 2 goeddunken; *si te parece* als het je een goed idee lijkt; II *m* 1 mening; *a mi ~* mijns inziens; 2 uiterlijk; **parecerse** 1 op elkaar lijken; 2 *~ a* lijken op; **parecido** I *bn* 1 *~ (a)* gelijkend (op), dergelijk, soortgelijk; *algo ~* iets dergelijks; 2 *bien ~* knap (*van uiterlijk*); *no mal ~* niet onaardig om te zien; II *zn* gelijkenis, overeenkomst; *tener ~ con* lijken op
pared *v* muur, wand; *~ celular* celwand; *~ divisoria* scheidsmuur; *~ lateral* zijmuur; *~ maestra* dragende muur; *~ medianera* tussenwand; *~ vascular* vaatwand; *~ a ~* kamerbreed; *~ por medio* aan elkaar grenzend; *las ~es oyen* de muren hebben oren; *pegado a la ~* confuus, beschaamd; *subirse por las ~es* woedend zijn; **paredón** *m* 1 zware muur; 2 fusilladeplaats
pareja 1 paar, tweetal, koppel, span, stel; twee politieagenten; *en ~s, por ~s* twee aan twee; *formar ~ con* passen bij, horen bij; *hacer buena ~* goed bij elkaar passen; *partida por ~s* (*sp*) double; 2 partner, maat; vriend(in); 3 pendant || *correr ~s con* gelijk opgaan met, gelijk zijn aan; **parejo** gelijk, zonder verschillen; (*mbt oppervlak*) glad; *~ a* gelijk aan
parentela gezamenlijke verwanten, familie; **parentesco** verwantschap
paréntesis *m* 1 tussenzin, zin tussen haakjes; 2 (*geschreven*) haakje; *~ cuadrado* vierkante haak; 3 tussenpoos, onderbreking
pareo 1 (het) vormen van paren, (het) koppelen; 2 pareo, grote omslagdoek
paria *m,v* 1 paria; 2 verschoppeling(e)
parida vrouw die juist gebaard heeft
paridad *v* gelijkheid; (*financ*) pariteit
pariente, -enta familielid, bloedverwant(e); *el ~ (fam)* echtgenoot, man; *la -a (fam)* echtgenote, moeder de vrouw; *~ lejano* ver familielid; *~s políticos* schoonfamilie; *~s próximos* naaste familie
parihuelas *vmv* brancard
paripé: *hacer el ~* zich aanstellen, gewichtig doen; overdreven lief doen
parir baren; jongen
parisiense, parisino uit Parijs, als in Parijs
parisílabo met een gelijk aantal lettergrepen
paritario paritair; gelijkgerechtigd
parking *m* parkeergarage, parkeerterrein, parking
parkinsonismo ziekte van Parkinson
parlamentar onderhandelen; **parlamentario, -a** I *bn* parlementair, kamer-; II *zn* kamerlid; **parlamentarismo** parlementair stelsel; **parlamento** 1 parlement, volksvertegenwoordiging; 2 (*hist*) toespraak; 3 (het) onderhandelen
parlanchín, -ina I *bn* praatziek, praatgraag; II *zn* kletskous, kwebbel; **parlar** praten; **parlotear** kletsen, kwebbelen; tetteren; **parloteo** gekwebbel, gezwam
parmesano Parmezaans
parnasiano Parnassisch; **parnaso** 1 (de) dichters; 2 gedichtenverzameling
parné *m* poen, ping-ping
paro 1 het stilleggen vh werk door werkgever; *~ en la construcción* bouwstop; *~ por helada* vorstverlet; 2 werkonderbreking (*door werknemer*); 3 werkloosheid; *~ estacional* seizoenswerkloosheid; *~ forzoso, ~ obrero* werkloosheid; *~ joven, ~ juvenil* jeugdwerkloosheid; *~ laboral* staking; *en ~* werkloos || *~ cardíaco* hartstilstand
parodia (*de*) parodie (op), persiflage (op); **parodiar** parodiëren, spottend imiteren; **paródico** parodistisch
parón *m* stagnatie, stilstand
paroxismo hoogtepunt
parpadeante knipperend (*met de ogen*); **parpadear** 1 knipperen (*met de ogen*); 2 (*mbt licht*) flikkeren; **parpadeo** 1 (het) knipperen; 2 (het) flikkeren; **párpado** ooglid; *sombra de ~s* oogschaduw
parque *m* 1 park; *~ de bomberos* brandweerkazerne; *~ de ciervos* hertenkamp; *~ natural* natuurpark; *~ zoológico* dierentuin; 2 (baby)-box
parqué *m* parket(vloer)
parqueadero (*Am*) parkeerplaats; **parquear** (*Am*) parkeren
parquedad *v* karigheid
parquet *m; zie parqué*
parquímetro parkeermeter
parra wingerd, wijnstok (*klimmend tegen rek*); *~ virgen* wilde wingerd; *hoja de ~* vijgeblad; *subirse a la ~* boos worden, op de kast zitten
parrafada vurig betoog; lang gesprek, boom; *echar una ~*: *a*) een vurig betoog houden; *b*) een boom opzetten; **párrafo** 1 paragraaf; 2 alinea || *echar un ~* een praatje maken
parral *m* 1 wingerdbegroeiing aan latwerk; 2 wijd vertakte wijnstok
Parrala: *ser más conocido que la ~* bekend staan als de bonte hond
parranda rumoerig feest; *andar de ~* pierewaaien, aan de zwier zijn
parricida *m,v* moordenaar of moordenares van ouders, kinderen of ega; **parricidio** moord op vader, moeder, kind of ega
parrilla 1 grill, (braad)rooster; *a la ~* op de grill, gegrilleerd; 2 grillroom; **parrillada** grillade (*vlees of vis*)
párroco parochiepriester, pastoor; **parroquia** parochie; **parroquial** parochie-, parochiaal; **parroquiano, -a** 1 lid van parochie, parochiaan; 2 klant; stamgast
parsimonia afgemetenheid; **parsimonioso** afgemeten, zuinig
1 parte *v* 1 deel, gedeelte; *~ de abajo* onderkant; *~ de atrás* achterkant; *~ de canto* zangpartij; *~ componente* bestanddeel; *~ de delante, ~ delantera* voorzijde; *~s genitales* schaamdelen; *~ inferior* ondereind, onder-

kant; ~ *inferior del cuerpo* onderlijf; ~ *del león* leeuwedeel; ~ *del mundo* werelddeel; ~ *de la oración* woordsoort; ~*s* (*sexuales*) geslachtsdelen; ~ *superior* bovendeel; *una cuarta* ~ een kwart; *en* ~ deels; *en gran* ~ grotendeels; *formar* ~ *de* deel uitmaken van, behoren tot; *ir por* ~*s* niet te hard van stapel lopen; *llevar la mejor* ~ aan het langste eind trekken; *llevar la peor* ~ aan het kortste eind trekken; *la mayor* ~ het merendeel; *por otra* ~ anderzijds, bovendien; *por una* ~ enerzijds; *primera* ~ (*sp*) eerste helft; *tener* ~ *en* deel hebben aan; *tomar* ~ *en* meedoen aan, deelnemen in; 2 (*jur*) partij; ~ *contraria* tegenpartij; ~*es litigantes* strijdende partijen; *llamarse a la* ~ partij kiezen; 3 kant, zijde; gebied; richting; *a ninguna* ~ nergens heen; *a todas* ~*s* alom; *así no se llega a ninguna* ~ zo bereik je niets; *de un año a esta* ~ sinds een jaar; *de* ~ *de* namens; *¿de* ~ *de quién?* (*telef*) wie kan ik zeggen?; *de* ~ *a* ~ helemaal; *de todas* ~*s* van heinde en ver; *echar a mala* ~ ongunstig uitleggen; *echar por otra* ~ een andere richting nemen; *en alguna* ~ ergens; *en cualquier* ~ overal; *en ninguna* ~ nergens; *en otra* ~ elders; *en todas* ~*s* overal; *en todas* ~*s cuecen habas* overal is wel wat, het is overal hetzelfde; *estar de* ~ *de* aan de kant staan van; *no llevar a ninguna* ~ nergens toe dienen; *poner de su* ~ zijn best doen; *ponerse de* ~ *de u.p.* zich aan iems zijde scharen; *por* ~ *de la autoridad* van hogerhand; *por mi* ~*, encantado* wat mij betreft, uitstekend; *por todas* ~*s* overal; *por todas* ~*s se va a Roma* alle wegen leiden naar Rome

2 parte *m* communiqué; ~ *de boda* huwelijksaankondiging; ~ *facultativo,* ~ *médico* medisch bulletin, medisch communiqué; ~ *meteorológico* weerbericht; *dar* ~ aangifte doen; *dar* ~ *de* kennis geven van

parteluz *m* middenzuiltje in raam

partenogénesis *v* voortplanting zonder bevruchting, parthenogenese

partera vroedvrouw, verloskundige; **partero** verloskundige

parterre *m* 1 bloembed; 2 parkje

partición *v* deling; ~ *de la herencia* boedelscheiding

participación *v* 1 deelneming; aandeel; participatie; ~ *en los beneficios* winstdeling, aandeel in de winst; ~ *electoral* opkomst bij de verkiezingen; ~ *mayoritaria* meerderheidsbelang; 2 mededeling; ~ *de boda* trouwkaart; 3 betrokkenheid; **participante** I *bn* deelnemend, deelhebbend; II *m,v* deelnemer, -neemster, participant(e); **participar** I *tr* meedelen; II *intr* 1 ~ *en* deelnemen in; ~ *en el juego* meespelen; *hacer* ~ *en* betrekken in; 2 ~ *de* deelhebben aan, delen in; ~ *de la opinión de u.p.* iems mening delen; **partícipe** *m,v* deelgenoot, -genote; *sentirse* ~ *de* zich betrokken voelen bij

participio deelwoord; ~ *pasado,* ~ *pasivo* voltooid deelwoord; ~ *presente* tegenwoordig deelwoord

partícula deeltje; ~ *de polvo* stofdeeltje

particular I *bn* 1 eigen, particulier, afzonderlijk; *casa* ~ woonhuis; *clase* ~ bijles, privéles; *secretario* ~ privésecretaris; 2 bijzonder, eigenaardig; *un caso* ~ een bijzonder geval; *en* ~ in het bijzonder; *no tiene nada de* ~ dat is niets bijzonders; II *zn* 1 *m,v* particulier(e); 2 *m* onderwerp, punt; *sobre el* ~ hieromtrent; **particularidad** *v* bijzonderheid, eigenaardigheid; **particularizar** 1 in details uiteenzetten; specificeren; 2 een eigen karakter geven, onderscheiden; **particularizarse** opvallen; zich onderscheiden; **particularmente** in het bijzonder, met name

partida 1 vertrek, (het) weggaan; 2 akte; ~ *de defunción* overlijdensakte; ~ *de matrimonio* trouwakte; ~ *de nacimiento* geboorteakte; 3 (*boekh*) post, boeking; inschrijving (*in register*); *contabilidad por* ~ *doble* dubbel boekhouden; 4 partij (*goederen*); 5 (*sp*) partij(tje), spelletje; ~ *de ajedrez* partijtje schaken; ~ *de campo* uitstapje naar buiten; ~ *por parejas* double; 6 groep, gezelschap; stel, bende; 7 deel van plattelandsgemeente || *una mala* ~ een lelijke zet; **partidario**, **-a** aanhang(st)er, voorstand(st)er, medestand(st)er, volgeling(e); ~*s* aanhang; *ser* ~ *de u.c.* voorstander zijn van iets, iets voorstaan; *un vivo* ~ *de* een warm voorstander van; **partidismo** 1 partijdigheid; 2 partijgebondenheid; **partido** 1 (*politieke*) partij; ~ *gobernante* regeringspartij; *tomar* ~ partij kiezen; *tomar su* ~ zijn standpunt bepalen; 2 voordeel; *sacar* ~ *de* voordeel trekken uit, munt slaan uit; *tener* ~ (*con*) succes hebben (bij); 3 (*sp*) partij, wedstrijd; ~ *amistoso* vriendschappelijke wedstrijd; ~ *casero,* ~ *en casa* thuiswedstrijd; ~ *de dos contra dos* dubbelspel; ~ *de entrenamiento* oefenwedstrijd; ~ *fuera* uitwedstrijd; 4 besluit; *tomar* ~ een besluit nemen; 5 partij, huwelijkspartner; 6 district; ~ *judicial* rechtsgebied, (*vglbaar*) kanton || *darse a* ~ zich gewonnen geven

partidor, **-ora** 1 iem die (ver)deelt; 2 *m* machine om iets te breken; 3 *m* (*wisk*) deler; **partir** I *tr* 1 splijten, kloven; (ver)delen; ~ *con los dientes* doorbijten; ~ *en dos* in tweeën splijten; ~ *por la mitad* halveren; *me parte el alma* het snijdt mij door de ziel; 2 breken, inslaan; ~ *un diente* een tand uitslaan; 3 (*wisk*) delen; II *intr* 1 vertrekken, weggaan; *a* ~ *de* vanaf, met ingang van; 2 ~ *de* uitgaan van, zich baseren op; **partirse** splijten, breken || ~ *de risa* zich een ongeluk lachen

partisano, **-a** partizaan, partizane

partitura partituur

parto bevalling, verlossing; **parturienta** kraamvrouw

parva 1 graanhoop op de dorsvloer; 2 hoop, massa

parvedad *v* onbeduidendheid; **parvo** gering, onbeduidend, pover, karig

parvulario kleuterschool; **párvulo**, **-a** kleuter, peuter

pasa 1 rozijn; 2 ~ *de Corinto* krent
pasable middelmatig; *es* ~ het kan ermee door
pasacalle *m* vrolijke mars
pasada 1 (het) langskomen, (het) voorbijgaan; (*como*) *de* ~ en passant; 2 doorsteek, passage, bergengte; 3 ~*s* rijgsteken ter versterking, (het) doorstoppen || *una mala* ~ een gemene streek; *su fantasía le juega malas* ~*s* zijn fantasie speelt hem parten; **pasadera** loopplank (*over sloot*), vlonder, stapsteen in beek; **pasadero** *bn* 1 waar men langs kan; 2 (middel)matig; 3 draaglijk; **pasadizo** (smalle) doorgang
pasado I *bn* 1 verleden, afgelopen, vorig; *lo* ~ *al saco* zand erover; *el año* ~ verleden jaar; *el mes* ~ vorige maand; 2 te gaar; bedorven; 3 ~ *de moda* verouderd, ouderwets; 4 ~ *por agua* (*mbt ei*) zachtgekookt || ~ *mañana* overmorgen; II *zn* (het) verleden; *en un* ~ *remoto* in het grijze verleden
pasador *m* 1 grendel, schuif; ~ *de resbalón* schuifgrendel; 2 spie, pin (*in scharnier*); ~ *de aletas,* ~ *doble* splitpen; 3 haarspeld; bevestigingsspeld (*voor decoraties*); 4 zeef, vergiet; 5 boordknoopje
pasaje *m* 1 (het) voorbijgaan, doortocht, doorloop; 2 overtocht, passage; 3 (betaling van) doorgangsrecht; 4 doorgang, passage; steegje tussen of onder huizen door; 5 (de) passagiers van schip of vliegtuig; 6 passage (*in boek*); **pasajero, -a** I *bn* 1 tijdelijk, vergankelijk, voorbijgaand; 2 (*mbt straat*) druk; 3 (*mbt trekvogels*) op doortocht; II *zn* passagier(e); *coche de* ~*s* personenrijtuig; *lista de* ~*s* passagierslijst
pasamanería passementen (*versiering van goud- of zilverdraad*); **pasamano** 1 touw dat als leuning dienst doet; 2 (trap)leuning; 3 galon
pasamontañas *m* bivakmuts
pasante *m,v* 1 assistent(e); (*vglbaar*) junior advocaat; ~ *de notario* (*vglbaar*) kandidaat-notaris; 2 volontair; **pasantía** assistentschap
pasapasa gegoochel
pasaporte *m* paspoort; *ha caducado el* ~ de pas is verlopen; *expedir un* ~ een pas afgeven; *renovar un* ~ een pas verlengen
pasapuré *m* zeef (*om puree te maken*)
pasar I *tr* 1 overbrengen; overboeken; ~ *de contrabando* smokkelen; ~ *a limpio* in het net schrijven; ~ *de matute* binnensmokkelen; 2 doorheengaan, overschrijden; (*een gebied*) doortrekken; (*bergen*) overtrekken; ~ *un examen* door een examen komen; ~ *por alto u.c.* ergens luchtig overheen stappen, aan iets voorbijgaan, iets over zijn kant laten gaan, iets overslaan; ~ *por encima de u.c.* iets negeren, aan iets voorbijgaan; 3 passeren, inhalen; *¿puedo* ~*?* mag ik even passeren?; 4 langsgaan; ~ *lista* de absentie opnemen; ~ *la mano por* met zijn hand strijken over; ~ *un paño por la mesa* de tafel afvegen; 5 aangeven, doorgeven; ~ *el balón* de bal doorspelen, de bal toespelen; ~ *notas por gastos* kosten declareren; 6 doormaken; (*dag, tijd*) doorbrengen; ~*lo bien* het leuk hebben; ~*se el día leyendo* de hele dag zitten lezen; ~ *estrechez* het arm hebben; ~*lo en grande* het fantastisch hebben; ~ *hambre* honger lijden; ~ *el invierno* overwinteren; ~*lo mal* het moeilijk hebben; ~ *la noche* de nacht doorbrengen; ~ *el rato* de tijd verdrijven; 7 (*bladzij*) omslaan; 8 doorheen laten gaan; ~ *por agua hirviendo* blancheren; II *intr* 1 voorbijgaan, langskomen; (*mbt tijd*) verstrijken; ~ *a buscar* komen halen; ~ *por casa de u.p.* aanwippen bij iem, langskomen bij iem; ~ *de castaño oscuro* de perken te buiten gaan; ~ *por debajo* (*ergens*) onderdoorlopen; ~ *de largo* (vlug) voorbijgaan, niet bij iem langsgaan; ~ *de moda* uit de mode raken; ~ *de la raya* over de schreef gaan; ~ *volando* voorbij vliegen; *al* ~ in het voorbijgaan; *no pasa un día sin que...* er gaat geen dag voorbij of...; *no* ~ *de* niet verder komen dan, niet te boven gaan, niet verder gaan dan; *de hoy no paso* vandaag doe ik het beslist; *no* ~ *por u.c.* iets niet slikken; *los años no pasan por él* hij veroudert niet; 2 (*op school*) overgaan; ~ *de año,* ~ *de curso* overgaan; 3 erdoor komen; (*mbt koffie*) doorlopen; *¡pase!* binnen!; *¡pase Ud.!* komt u verder!; ~ *adelante* verder gaan; ~ *a mejor vida* sterven; ~ *por* doormaken; *dejar* ~ door laten, laten lopen; *hacer* ~ binnen laten; *ir pasando* het redden; *no se puede* ~ er is geen doorkomen aan, je kunt er niet langs; *puede* ~ het kan ermee door; 4 gebeuren, overkomen; *pase lo que pase* wat er ook gebeurt; *lo que pasa es que...* de zaak is dat...; *como si no hubiera pasado nada* alsof er niets gebeurd was; *¿qué te pasa?* wat is er met jou?; 5 (*in spel*) passen; 6 ~ *por* doorgaan voor; *hacerse* ~ *por* zich uitgeven voor; **pasarse** 1 overgaan, voorbijgaan; ~ *u.c.* iets overslaan; ~ *un semáforo* door een stoplicht rijden; *no se le pasa nada* niets ontgaat hem; *¿ya se te pasa?* gaat het al beter?; 2 (*fig*) te ver gaan; 3 ~ *a* overlopen naar; ~ *al enemigo* overlopen naar de vijand; 4 ~ *de* verder gaan dan; ~ *de listo* te slim willen zijn; ~ *de la raya* te ver gaan; 5 ~ *sin,* ~ *de* het doen zonder, niet nodig hebben || ~ *por casa de u.p.* even bij iem langsgaan
pasarela 1 (*weinig solide*) bruggetje; 2 commandobrug
pasatiempo tijdverdrijf
pascua, Pascua 1 ~ (*de resurrección*), ~ *florida* paasfeest; 2 ~ (*de Navidad*) Kerstmis; 3 ~*s* feestdagen van Kerstmis tot Driekoningen; *¡Felices* ~*s!* prettige feestdagen!; *dar las* ~*s* prettige feestdagen wensen; 4 ~ *de Pentecostés* Pinksteren || *de* ~*s a Ramos* heel zelden; *estar como unas* ~*s* erg in zijn sas zijn; *hacer la* ~ *a u.p.* iem dwars zitten; *...y santas* ~*s* en daarmee uit; **pascual** van Pasen, Paas-; *cordero* ~ paaslam; **Pascual** jongensnaam
pase *m* 1 pas(je), vrijbrief; ~ *de giro* giropas; 2 (*in spel*) (het) passen; 3 (het) lokken en laten

voorbijkomen van de stier; **paseante** *m,v* 1 wandelaar(ster); 2 iem die weinig te doen heeft; ~ *en corte* nietsnut, luiwammes; **pasear** I *intr* wandelen, wat rondrijden, toeren; II *tr* laten wandelen, uitlaten; ~ *un niño* wandelen met een kind; ~ *al perro* de hond uitlaten; **pasearse** wandelen; rondrijden; ~ *en velero* zeilen; **paseo** 1 wandeling; tochtje; ~ *en avión* rondvlucht; ~ *espacial* ruimtewandeling; ~ *en lancha* rondvaart; *dar un* ~ een wandeling maken; *mandar a* ~ afschepen; *mandarlo todo a* ~ er de brui aan geven; *que se vaya a* ~ hij kan opvliegen, hij kan me nog meer vertellen; *salir de* ~ (gaan) toeren; 2 (wandel)laan, boulevard; **pasillo** 1 gang; gangboord; 2 gangpad; ~ *central* middenpad; *charlas de* ~ gesprekken in de wandelgangen

pasión *v* 1 hartstocht; ~ *por* hartstocht voor; *con* ~ hartstochtelijk; *bajas -ones* lage hartstochten; *malas -ones* kwade hartstochten; 2 (het) lijden (*van Christus*); 3 vooroordeel; *sin* ~ objectief; **Pasión** *v:* ~ *según San Mateo* Matthaeuspassie; **pasional** uit hartstocht; **pasionaria** passiebloem; **pasioncilla** kwade hartstocht; jaloezie, wrok, afkeer

pasitrote *m* drafje

pasividad *v* passiviteit, lijdelijkheid; **pasivo** I *bn* 1 passief, lijdelijk, lijdend; *voz -a* lijdende vorm; 2 niet-werkend; (*mbt inkomsten*) uit vroegere arbeid; II *zn* passief, debet

pasmado verbluft, verbouwereerd, verwezen; **pasmarote** *m* houten klaas, sufferd; **pasmo** verbijstering; **pasmoso** verbluffend

1 paso 1 pas, stap; tred, wijze van lopen, gang; ~ *a* ~ stap voor stap, voetje voor voetje; *un* ~ *adelante* een stap voorwaarts; ~ *atlético* snelwandelen; *un* ~ *atrás* een stap terug; ~ *de baile* danspas; ~ *en falso* misstap; ~*s de gallina* trippelpasjes; ~ *gimnástico* looppas; *a* ~ *cansino* moeizaam; *a* ~*s contados* met afgemeten tred; *a* ~*s cortos* met kleine stappen; *a* ~*s de gigante* met reuzenschreden; *a* ~ *ligero* in snelle pas, met rasse schreden; *a* ~ *de tortuga* met een slakkegang; *a buen* ~ in snelle pas, met rasse schreden; *a cada* ~ telkens, ieder ogenblik; *a dos* ~*s* vlakbij; *a ese* ~ op die manier; *al* ~ stapvoets; *al* ~ *que* terwijl (toch); *aligerar el* ~, *apretar el* ~ zijn pas versnellen; *con* ~*s pesados* met zware tred; *cortar el* ~ de pas afsnijden, (*een auto*) snijden; *dar* ~*s* stappen nemen; *dar un* ~ *en falso* struikelen; *dar el primer* ~ de spits afbijten; *de* ~ en passant, terloops; *dirigir sus* ~*s hacia* zijn schreden richten naar; *ir a buen* ~ stevig doorlopen; *marcar el* ~*: a*) in de maat lopen; *b*) pas op de plaats maken; *por sus* ~*s contados* rustig, zoals het hoort; *seguir los* ~*s de u.p.* iem op de voet volgen; *volver sobre sus* ~*s* op zijn schreden terugkeren; 2 doorgang, doortocht, doorvaart, toegang; *el* ~ *de un curso a otro* (*op school*) overgang; ~ *de cebra* zebrapad; ~ *de fuga* vluchtweg; ~ *a nivel* overweg; ~ *de peatones* voetgangersoversteekplaats; ~ *subterráneo* onderdoorgang; *abrir* ~ opzij gaan; *¡abran* ~*!* opzij!, uit de weg!; *abrirse* ~ vooruitkomen; *abrirse* ~ *a* zich toegang verschaffen tot; *andar en malos* ~*s* op het verkeerde pad zijn; *ceder el* ~ *a u.p.* iem laten voorgaan, iem voorrang geven; *¡ceda el* ~*!* (*opschrift*) u nadert een voorrangsweg; *dar* ~ *a* plaats maken voor, doorlaten, de kans geven; *dar* ~ *libre a* de vrije loop laten; *estar de* ~ op doorreis zijn; *estorbar el* ~ de doorgang versperren; *franquear el* ~ *a u.p.* iem toegang verschaffen; *prohibido el* ~ verboden toegang; *puerto de* ~ aanleghaven; *quitar del* ~ uit de weg leggen; *salir al* ~*: a*) tegemoet gaan; *b*) tegengaan, voor zijn; 3 (het) voorbijgaan; *el* ~ *del tiempo* het verstrijken vd tijd; 4 beeldengroep vh lijden van Christus, meegedragen in processie; 5 (*hist*) kort toneelstuk || *salir del* (*mal*) ~ zich eruit redden

2 paso (*mbt vrucht*) gedroogd

Paso: ~ *de Calais* nauw van Calais

pasodoble *m* pasodoble (*Sp dans*)

pasota *m,v* passief type; **pasotismo** onverschillige houding, passiviteit

pasquín *m* spotschrift; (*politiek*) pamflet

pasta 1 deeg, beslag; ~ *de hojaldre,* ~ *laminada* bladerdeeg; 2 gebak(je); 3 pasta, moes; ~ *de dientes,* ~ *dentífrica* tandpasta; ~ *de tomate* tomatenpuree; 4 poen; *tener* ~ goed in de slappe was zitten; 5 (*boekbinden*) karton bedekt met stof of leer; 6 ~*s* (*alimenticias*) deegwaren (*macaroni e.d.*); 7 ~ (*básica*), ~ *de coca* (*drugs*) coca-pasta || *de buena* ~ goedmoedig

pastar weiden, grazen

pastel *m* 1 taart, gebak; 2 pastei; 3 (*fam*) gekonkel, list; *se descubre el* ~ daar komt de aap uit de mouw; **pastelear** 1 anderen naar de mond praten; 2 konkelen; **pasteleo** 1 gescharrel, gekonkel; 2 vleierij; **pastelería** banketbakkerij; **pastelero, -a** I *bn* taart-, banket-; *manga -a* roomspuit; II *zn* 1 banketbakker, banketbakkersvrouw; 2 scharrelaar(ster); 3 meeprater, -praatster; **pastelillo** taartje; **pastelito** taartje; ~ *relleno* soesje

pasterizar, pasteurizar pasteuriseren

pastilla pastille, tablet; stuk; ~ *para dormir,* ~ *contra el insomnio* slaaptablet; ~ *de jabón* stuk zeep; ~ *contra la tos* hoesttablet; || *a toda* ~ in volle vaart

pasto 1 (het) grazen; *tierras de* ~ weiland; 2 groenvoer; 3 grasland; 4 (*fig*) voedsel, voer; *ser* ~ *de las llamas* in vlammen opgaan || *a todo* ~ in overvloed, (overdreven) veel; *leer a todo* ~ alles lezen wat los en vast zit; *juego de los* ~*s* balletje balletje; **pastor, -ora** 1 herder(in); 2 *m* dominee; **pastoral** 1 herderlijk; 2 pastoraal; **pastoreo** (het) hoeden; **pastoril** herders-, van herders

pastosidad *v* kneedbaarheid; klefheid; **pastoso** kneedbaar, smeuïg, pappig; klef; *lengua -a* droge tong; *voz -a* aangename stem

pastura 1 gras, groenvoer; 2 grasland, weiland

1 pata poot; *~s de araña* hanepoten; *~s arriba* overhoop, op stelten; *~ de atrás* achterpoot; *~ delantera* voorpoot; *~ de gallo: a*) kraaiepootje (*oogrimpel*); *b*) stommiteit; *~ palmeada* zwemvoet (*van vogel*); *~ de palo* houten been; *~ de rana* (*sp*) zwemvlies; *~ trasera* achterpoot; *a ~* (*fam*) te voet; *a cuatro ~s* op handen en voeten; *a la ~ coja* hinkelend; *a la ~ la llana* voor de vuist weg, ongekunsteld; *con las ~s de atrás* op zijn jan-boerenfluitjes, onbeholpen, dom; *estirar la ~* de pijp uit gaan; *levantar la ~* (*mbt hond*) opzitten; *meter la ~* een blunder maken; *saltar a la ~ coja* hinkelen; *tener buena ~* (*fam*): *a*) geluk hebben; *b*) charme hebben; *tener mala ~* (*fam*) pech hebben || *el ~s* de duivel

2 pata vrouwtjeseend

patada 1 schop, trap; *dar una ~* een schop geven, schoppen, trappen; *dar la ~, dar una ~* (*fam*) ontslaan, eruit gooien; *echar a ~s* eruit smijten; 2 *~s* (*fig*) stappen, gedoe; *dar ~s para* stappen ondernemen om || *a ~s: a*) in groten getale; *b*) slordig, onverschillig; *c*) ruw, zonder pardon

patagón, **-ona**, **patagónico** Patagonisch

patalear spartelen, trappelen; stampvoeten; **pataleo** (het) trappelen, getrappel; (het) stampvoeten; **pataleta** (*fam*) driftbui (*van kind*); (*voorgewende*) stuipen, zenuwaanval

patán *m* (boeren)pummel, ongelikte beer; **patanería** lompheid

pataplum: *¡~!* plof!, bom!

patata aardappel; *~ caliente* heet hangijzer; *~s fritas: a*) frites; *b*) chips; *~ de siembra* pootaardappel; *no entender una ~* er geen barst van begrijpen; **patatal** *m* aardappelveld; **patatar** *m; zie patatal*; **patatero**, **-a** I *bn* aardappel-; II *zn* 1 aardappelverkoper, -verkoopster; 2 *m* (*fam*) officier die als soldaat begonnen is

patatín: *~ patatán* zus en zo; enzovoort, enzovoort; en maar kwekken

patatús *m* (*fam*) flauwte; zenuwaanval; *le dio un ~* hij kreeg het op zijn heupen

pâté *m* paté

patear 1 vertrappen; stampen, stampvoeten; 2 (*fig*) minachtend, ruw behandelen; 3 (*fam*) afdraven; *pateárselo todo* alles aflopen, alles afstruinen

patena hostieschotel, pateen; *limpio como una ~* brandschoon

patentado gepatenteerd; **patentar** patenteren; patent verlenen voor; patent krijgen voor; **patente** I *bn* (zeer) duidelijk; *hacer ~* doen blijken; *una mentira ~* een aperte leugen; II *v* patent; octrooi; **patentizar** duidelijk laten zien

pateo getrappel; gestamp

paternal vaderlijk; **paternidad** *v* 1 vaderschap; 2 auteurschap; **paterno** 1 vd vader; *por línea -a* van vaderszijde; 2 ouderlijk; *la casa -a* het ouderlijk huis

pateta *m* (*fam*) duivel

patético pathetisch; **patetismo** pathos

patibulario als van een boef; *rostro ~* boeventronie; **patíbulo** schavot

paticojo, **-a** hinkepoot

patidifuso (*fam*) verbluft, ondersteboven

patilla 1 bakkebaard; 2 poot van een bril

patín *m* 1 schaats; *~ de ruedas* rolschaats; 2 autoped; 3 *~* (*acuático*) waterfiets

pátina patina

patinador, **-ora** schaats(t)er; *~ de velocidad* hardrijd(st)er; **patinaje** *m* (het) schaatsen; *~ artístico* (het) kunstschaatsen; *pista de ~* ijsbaan; **patinar** 1 schaatsen; 2 slippen; 3 (*fig*) uitglijden, een vergissing begaan; **patinazo** 1 slip, (het) slippen; 2 (*fam*) blunder, miskleun, misstap

patineta autoped; **patinete** *m* autoped

patio 1 binnenplaats; patio; *~ ferroviario* (spoorweg)emplacement; *~ interior* lichtkoker; 2 *~* (*de butacas*) (*theat*) parket, parterre

patita pootje; *poner de ~s en la calle* op straat zetten, ontslaan

patitieso 1 met stijve benen; deftig lopend; 2 stomverbaasd

patito eendje; *~ feo* lelijk eendje

patizambo met x-benen

pato eend, woerd; *andar como un ~* waggelen; (*tener que*) *pagar el ~* voor iets opdraaien, het gelag (moeten) betalen; **patochada** dwaasheid, stommiteit

patógeno ziekteverwekkend; *germen ~* ziektekiem; **patológico** pathologisch, ziekelijk; *cuadro ~* ziektebeeld; **patólogo**, **-a** patholoog, -loge

patoso 1 die grappig wil zijn (*zonder succes*); 2 onhandig

patraña leugen, verzinsel

patria vaderland; *~ chica* geboorteplaats, -streek

patriarca *m* patriarch, aartsvader; **patriarcado** patriarchaat; **patriarcal** patriarchaal

patricio I *bn* adellijk, patricisch; II *zn* patriciër

patrimonial vh ouderlijk erfdeel, erf-; **patrimonio** erfgoed; vermogen; *~ del Estado* domeinen; *~ privado* privévermogen

patrio 1 vaderlands; 2 vd vader; *la -a potestad* de ouderlijke macht; **patriota** *m,v* vaderlandslievend mens, patriot; **patriotero** chauvinistisch; **patriótico** patriottisch, vaderlandslievend; **patriotismo** patriottisme; chauvinisme

Patro *afk van Patrocinio*; **patrocinador**, **-ora** 1 beschermheer, -vrouwe; 2 sponsor; **patrocinar** 1 beschermen, verdedigen; 2 sponsoren; **patrocinio** 1 bescherming, beschermheerschap; 2 sponsorschap, sponsoring; **Patrocinio** meisjesnaam

patrón *m* 1 schutspatroon, beschermheilige; 2 *~* (*de barco*) (binnen)schipper; 3 baas; pensionhouder; 4 patroon, model; *~ de expectación* verwachtingspatroon; *cortar por el mismo ~* over één kam scheren; *cortados por el*

mismo ~ van hetzelfde laken een pak; 5 standaard; ~ *oro* gouden standaard; **patrona** 1 schutspatrones, beschermheilige; 2 bazin; pensionhoudster; 3 *la* ~ moeder de vrouw; **patronal** I *bn* 1 vd schutspatroon, -patrones; 2 vd werkgevers, (*Belg*) patronaal; II *v* werkgeversorganisatie; **patronato** 1 patronaat; 2 stichting met liefdadig doel
patronímico vadersnaam
patrono, **-a** 1 werkgever, -geefster; baas, bazin; *~s* (*Belg*) patronaat; 2 beschermheilige, patroon, patrones
patrulla patrouille; **patrullar** patrouilleren, surveilleren; **patrullero** 1 patrouilleschip, -vliegtuig; surveillancewagen; 2 surveillant
patulea 1 rumoerige menigte; 2 troep kinderen
paúl *m* begroeid moeras
paulatinamente langzamerhand, allengs; **paulatino** geleidelijk, langzaam
pauperización *v* verpaupering; **paupérrimo** zeer arm
pausa 1 (rust)pauze; ~ *respiratoria* adempauze; *hacer una* ~ pauzeren, een pauze inlassen; 2 kalmte, traagheid; **pausado** kalm, bedaard, langzaam
pauta 1 leidraad, maatstaf, norm, richtsnoer, stelregel; 2 lijntje(s) op muziekpapier
pava 1 vrouwtjeskalkoen; 2 saai mens; 3 (*in Sp Burgeroorlog*) Junker (*vliegtuig*); 4 (*Am*) keteltje || *pelar la* ~ verliefde praatjes houden; **pavada** 1 troep kalkoenen; 2 stommiteit; kleinigheid
pavana pavane
pavés *m* groot schild
pavimentación *v* (het) plaveien; **pavimentar** plaveien; verharden; **pavimento** plaveisel
pavipollo kalkoenskuiken; **pavo** 1 kalkoen; 2 ~ *real* pauw; *como un* ~ apetrots; 3 onnozele hals, saaierd || *comer* ~ muurbloempje zijn; *amor de la edad del* ~ kalverliefde; *no es moco de* ~ dat is geen kattepis; *se le subió el* ~ hij werd knalrood; **pavón** *m* 1 pauw; 2 soort vlinder; 3 anti-roestlaag op ijzer; **pavonar** (*ijzer*) tegen roest behandelen; **pavonearse** pralen, opschepperig doen; **pavoneo** opschepperij
pavor *m* hevige angst; **pavoroso** angstaanjagend
payador *m* (*Am*) rondtrekkende gitarist en zanger
payasada dwaze streek; **payasear** zich dwaas aanstellen, de pias uithangen; **payaso** clown, paljas, pias
payés, **-esa** dorpsbewoner of -bewoonster uit Catalonië of de Balearen
payo, **-a** 1 (*neg*) boer(in), dorpeling(e); 2 pummel, stomkop; 3 (*bij zigeuners*) niet-zigeuner(in), burger
paz *v* vrede; rust; ~ *del alma* zielerust; ~ *mental* gemoedsrust; ~ *universal* wereldvrede; *dejar en* ~ met rust laten; *estar en* ~ quitte zijn; *gente de* ~ goed volk; *hacer las paces* vrede sluiten, zich verzoenen; *no dar* ~ *a la lengua* voortdurend praten; *que en* ~ *descanse* zaliger, hij ruste in vrede; *turbar la* ~ de rust verstoren; *y aquí* ~ *y después gloria, y gloria y en* ~ en daarmee uit
pazguatería simpelheid; **pazguato** onnozel, simpel; snel onder de indruk
pazo (*in Galicië*) adellijk huis op het platteland
pche: *¡~!* poeh!, ach wat!
P.D. *posdata* postscriptum, P.S.
pe *v; zie p*; *de* ~ *a pa* van a tot z
p.e. *por ejemplo* bijvoorbeeld
pea (*pop*) dronkenschap
peaje *m* tol; sluisgeld
peana 1 voetstuk; 2 (*bij processie*) draagbaar
peatón, **-ona** voetgang(st)er; **peatonal** voor voetgangers, voetgangers-; **peatonalizar** tot voetgangersgebied maken
peca sproet
pecado zonde; ~ *capital* hoofdzonde; ~ *contra natura* sodomie; ~ *mortal* doodzonde; ~ *original* erfzonde; ~ *venial* lichte zonde; **pecador**, **-ora** I *bn* zondig; II *zn* zondaar, zondares; **pecaminoso** zondig; *prácticas -as* kwalijke praktijken; **pecar** zondigen; ~ *de bueno* al te goed zijn; ~ *de prolijo* al te wijdlopig zijn; ~ *de prudente* al te voorzichtig zijn; **peccata minuta** kleine zonden
pecé 1 *m* (Sp) communistische partij, PCE; 2 *m,v* lid vd communistische partij
pececillo, **pececito** visje; **pecera** vissekom
pecero lid vd PCE (*Sp communistische partij*)
pechar belasting betalen; ~ *con los gastos* de kosten voor zijn rekening nemen
pechera 1 voorpand; front (*van overhemd*); 2 volle boezem
pechero, **-a** 1 belastingplichtige; 2 gewoon burger (*niet van adel*)
1 pecho 1 borst; *dar el* ~: *a*) de borst geven; *b*) (*gevaar*) onder ogen zien, het hoofd bieden aan; *a* ~ *descubierto* ongewapend; *de ~s* vooroverleunend; *echar entre* ~ *y espalda* (*fig*) achteroverslaan; *niño de* ~ zuigeling; *sacar el* ~ een hoge borst opzetten; 2 (*braza de*) ~ (*sp*) borstslag; 3 (*fig*) hart; *abrir su* ~, *descargar el* ~ zijn hart uitstorten; *a lo hecho* ~ men moet de gevolgen van zijn daden onder ogen zien, gedane zaken nemen geen keer; *tomar(se) a* ~ *u.c.* iets ter harte nemen, zich iets aantrekken, iets serieus opvatten
2 pecho (*hist*) belasting
pechuga 1 (*van gevogelte*) borst; 2 (*fam*) borst (*van mens*)
peciolo bladsteel
pécora stuk wolvee, schaap || *mala* ~ kreng, loeder
pecoso sproetig
pectina pectine; **pectoral** I *bn* 1 borst-, vd borst; 2 goed tegen hoest, hoest-; II *m* 1 hoestdrank; 2 borstkruis (*van geestelijke*)
pecuario vh vee, vee-
peculiar bijzonder, curieus, eigenaardig; **peculiaridad** *v* bijzonderheid, eigenaardigheid

peculio (*iems*) eigen geld; **pecuniario** geld-; *pena -a* geldstraf
pedagogía pedagogie, opvoedkunde; **pedagógico** opvoedkundig, pedagogisch; **pedagogo, -a** pedagoog, -goge, opvoedkundige
pedal *m* pedaal; ~ *del acelerador* gaspedaal; ~ *del embrague* koppelingspedaal; ~ *del freno* rempedaal; **pedalear** (*op de pedalen*) trappen, fietsen; **pedaleo** (het) trappen (*op pedalen*), (het) fietsen; **pedalier** *m* (*fam, iron*) fietsfanaat
pedáneo (*hist; mbt burgemeester, rechter*) met beperkte bevoegdheid
pedante I *bn* pedant, waanwijs, schoolmeesterachtig; eigenwijs; II *m,v* betweter, frik, schoolmeester; **pedantería** pedanterie
pedazo stuk, brok; *un ~ de algodón* een pluk watten; ~ *de animal* lummel, stomme hond; *un ~ de pan: a*) een homp brood; *b*) een goedzak, een sul; *hacer ~s* stukslaan, kapot maken, in puin rijden; *hacerse ~s* stukvallen, kapotgaan
pederasta *m* pederast
pedernal *m* 1 vuursteen; 2 iets heel hards; *como el ~* keihard
pederse (*pop*) winden laten
pedestal *m* sokkel, voetstuk
pedestre 1 te voet; *carrera ~* hardloopwedstrijd; 2 vlak, nietszeggend, gewoontjes; 3 laag-bij-de-gronds, platvloers; **pedestrismo** 1 (*sp*) (het) hardlopen; 2 wandelsport
pediatra *m,v* kinderarts; **pediatría** pediatrie, kindergeneeskunde; **pediátrico** vd kindergeneeskunde; *clínica -a* kinderziekenhuis
pedicuro, -a pedicure
pedido bestelling, order; ~ *adicional* nabestelling; ~ *de ensayo* proeforder; *cancelar el ~* afbestellen; *colocar un ~* een order plaatsen
pedigrí *m* stamboom (*van dier*)
pedigüeño bedelend, steeds (meer) vragend
pediluvio (*med*) voetbad
pedimento (*jur*) verzoekschrift
pedir i vragen (om), verzoeken, verlangen; bestellen, aanvragen; (*mbt hond*) mooi zitten; ~ *cuentas* rekenschap vragen, ter verantwoording roepen; ~ *un día libre* vrij vragen; ~ *a gritos* schreeuwen om; ~ *hora* een afspraak maken (*bij dokter*); ~ *informes* informeren; ~ *su ingreso* vragen om toegelaten te worden; ~ *limosna* 'bedelen; ~ *lumbre* vuur vragen; ~ *la mano* de hand vragen; ~ *en matrimonio* ten huwelijk vragen; ~ *prestado* te leen vragen; ~ *por* bidden voor; *a ~ de boca* van een leien dakje; *empezar a ~* (*mbt kind*) zindelijk worden; *es ~ demasiado* dat is teveel gevergd; *es mucho ~* dat is teveel gevraagd; *no hay que ~ imposibles* je kunt geen ijzer met handen breken; *no se puede ~ peras al olmo* men kan geen veren plukken van een kikker
pedo wind, scheet
pedofilia pedofilie; **pedófilo** pedofiel
pedorrear (*pop*) winden laten; **pedorreo** (*pop*) (het) steeds winden laten; **pedorrera** (*pop*) winderigheid; **pedorrero** (*pop*) vaak winden latend
pedrada 1 steenworp; *venir como ~ en ojo de boticario* heel goed van pas komen; *sentar como una ~: a*) hard aankomen; *b*) heel slecht uitkomen; 2 onaangename opmerking; akelig karwei; **pedrea** 1 stenengevecht; 2 de laagste prijzen in de loterij; **pedregal** *m* stenig terrein; **pedregoso** stenig, vol stenen; ruig; **pedrera** steengroeve; **pedrería** edelstenen; **pedrisco** grove hagel
Pedro jongensnaam; ~ *Botero* de duivel; *como ~ por su casa* alsof hij thuis is, vrijmoedig
pedrusco ruwe steen
pedúnculo 1 bladsteel; 2 zuigsteel (*waarmee een eendemossel zich vastzuigt*)
1 pega ekster
2 pega 1 moeilijkheid, probleem; 2 valstrik; strikvraag; 3 (*Am*) baant(tje), werk || *de ~* nep-, zogenaamd, vals
pegadizo plakkerig; gemakkelijk klevend; *ser ~: a*) aanstekelijk zijn; *b*) (*mbt muziek*) blijven hangen; **pegado** I *bn* 1 ~ *a* vlak naast, dicht tegen...aan; 2 verbluft, verrast; II *zn* pleister; **pegadura** 1 (het) plakken, (het) lijmen; 2 gelijmd oppervlak; **pegajoso** 1 kleverig; 2 (*mbt persoon*) vleierig; plakkerig; klef; **pegamento** (*techn*) plakmiddel, kit; **pegando**: ~ *a* vlak naast; **pegar** I *tr* 1 plakken, lijmen; 2 slaan; ~ *a lo loco* erop los slaan; ~ *patadas al balón* tegen de bal trappen; 3 (*een ziekte*) overbrengen; ~ *una enfermedad a u.p.* iem aansteken; 4 (*een kreet*) slaken; 5 (*een sprong*) maken; *la buena vida que se pega* het goede leventje dat hij leidt || *~se un susto* schrikken; ~ *un tiro a* schieten op; *~se un tiro* zich voor de kop schieten; II *intr* 1 (blijven) plakken, kleven; *no pega ni con cola* dat slaat als een tang op een varken; 2 (*mbt zon*) fel schijnen, branden, steken; 3 (*mbt kleuren*) *no ~* vloeken; **pegarse** vastplakken, blijven plakken; (*fig*) blijven hangen, aanstekelijk werken; (*mbt eten*) aanbranden, aanzetten; ~ *a u.p.* (*como una lapa*) aan iem klitten; ~ *a la pared* zich plat tegen de muur drukken; *se le ha pegado el acento* hij heeft het accent overgenomen; *se le pega la silla* (*fig*) hij blijft plakken; *siempre se pega algo* je steekt er altijd iets van op || *pegársela a u.p.* iem bedonderen, iem beduvelen; **pegatina** sticker
pego: *dar el ~* beetnemen, om de tuin leiden; **pegote** I *m* (*neg*) pleister; lapmiddel; oneigenlijke toevoeging 1 (*neg*) plakkerig gerecht (*bv rijst*); 2 prutswerk; II *bn* plakkerig, opdringerig; **pegotear** 1 slordig vastlijmen; 2 blijven plakken op etenstijd (*om mee te kunnen eten*)
peinada (het) opkammen; **peinado** I *bn: bien ~: a*) goed gekapt; *b*) zeer verzorgd, keurig; II *zn* kapsel; ~ *alto* opgestoken haar; **peinador, -ora** 1 iem die kamt; (*soms*) kapper, kapster; 2 *m* kapmanteltje; **peinar** 1 kammen, kappen;

lana peinada kamgaren; 2 licht aanraken; **peinarse** zijn haar kammen; **peine** *m* kam; ~ *espeso*, ~ *fino* stofkam; *el barrio fue pasado por el* ~ *fino* de buurt werd uitgekamd; *pasarse el* ~ (*por los cabellos*) een kam door zijn haar halen; *ya pareció el* ~ daar komt de aap uit de mouw; **peineta** sierkam
p.ej. *por ejemplo* bijvoorbeeld
pejerrey *m* 1 koornaarvis; 2 (*Am*) naam van diverse zoet- en zoutwatervissen
pejiguera gezeur, gedoe, pesterij
Pekín *m* Peking; **pekinés, -esa** *zie pequinés*
pela (*fam*) peseta
peladilla 1 gesuikerde amandel; 2 kiezelsteentje
pelado, -a I *bn* 1 kaal (*ook fig*); *dejar* ~ het vel over de oren halen; *estar* ~ zonder geld zitten; 2 eindigend op nul; II *zn* 1 armoedzaaier, arme sloeber; 2 *m* kale plek; **peladura** 1 (het) schillen; 2 kale plek; 3 schil; **pelafustán, -ana** nietsnut; **pelagatos** *m,v* armoedzaaier, schlemiel
pelágico pelagisch
pelagra (*med*) pellagra, bep tropische ziekte
pelaje *m* 1 vacht (*van dier*); 2 haardos; 3 (*neg*) uiterlijk; 4 allooi
pelambre *m* 1 vacht (*van dier*); 2 haardos; 3 afgeknipte wol of haar; **pelambrera** 1 lang en dik haar; haardos; 2 haaruitval
pelanas *m,v* arme sloeber, schlemiel
pelandusca hoer
pelapatatas *m* 1 aardappelmesje; 2 aardappelschilmachine
pelar 1 kaal knippen; (kaal) plukken; 2 schillen, pellen, doppen; *duro de* ~, *malo de* ~: *a*) moeilijk klaar te spelen; *b*) moeilijk te overtuigen, lastig, taai; 3 (*fam*) (*iem*) zwart maken; 4 (*fam*) afhandig maken, plukken; *dejar pelado* het vel over de oren halen || *un frío que pela* een ijzige kou; **pelarse** 1 zijn haar verliezen (*door ziekte*); 2 (*fam*) zijn haar laten knippen; 3 vervellen (*door zon*) || *pelárselas* er de sokken in zetten
peldaño sport, trede
pelea strijd, vechtpartij; **peleado**: *estar* ~(*s*) ruzie hebben; **pelear** vechten; strijd voeren; knokken; ruzie maken; ~ (*de palabra*) bekvechten; ~ *por* vechten om; **pelearse** 1 vechten; 2 ruzie krijgen, ruzie hebben
pelechar verharen
pelele *m* 1 ledepop, stropop; 2 slobbroek
peleón, -ona vechtjas; ruziezoek(st)er
pelerina pelerine
peletería bontwerkerij, bontzaak; **peletero, -a** bontwerk(st)er; bonthandelaar(ster)
peliagudo hachelijk, moeilijk, met haken en ogen
peliblanco met wit haar
pelicano, pelícano pelikaan
pelicorto met kort haar
película 1 film; ~ *de argumento* speelfilm; ~ *base* (*del programa*) hoofdfilm; ~ *en colores* kleurenfilm; ~ *delgada* smalfilm; ~ *de dibujos* (*animados*) tekenfilm; ~ *de miedo* griezelfilm; ~ *sonora* geluidsfilm; ~ *de suspenso* thriller; *de* ~ fantastisch, grandioos; *hacer una* ~: *a*) een film regisseren, een film maken; *b*) in een film spelen; 2 filmrolletje; 3 velletje, vlies, laagje; **peliculero** (*fam*) werkzaam bij de film
peligrar (*de*) gevaar lopen (om); **peligro** gevaar, nood, onraad; ~ *de muerte* levensgevaar; *escena de* ~ (*in film*) stunt; *estar en* ~ in gevaar zijn, in nood verkeren; *señal de* ~ sein op onveilig; **peligroso** gevaarlijk, onveilig
pelillo: *echar* ~*s a la mar* zich verzoenen, de strijdbijl begraven, het verleden vergeten; *no reparar en* ~*s* (*vaak iron*) niet op kleinigheden letten; *pararse en* ~*s* haarkloven
pelioscuro met donker haar; **pelirrojo** roodharig
pella 1 kluit, bal; 2 reuzel; **pelleja** 1 huid (*van dier*); 2 mager mens; 3 hoer; **pellejo** 1 huid (*van dier*); 2 (*fig*) huid, leven; *no me gustaría estar en su* ~ ik zou niet graag in zijn schoenen staan; *salvar el* ~ zijn hachje redden; *vender caro el* ~ zijn huid duur verkopen; 3 grote leren wijnzak (*van geitehuid*); 4 hoer; 5 zuiplap;
pelliza bontjack
pellizcar 1 knijpen; 2 een snufje nemen van; **pellizco** 1 kneep; *dar un* ~ knijpen; 2 snufje
pelma *m,v* zeur, lastpost, etter, zeikerd; *¡no seas* ~! zeur niet zo!, doe niet zo vervelend!;
pelmazo *zie pelma*
pelo 1 haar, vacht; ~ *crespo* kroeshaar; *el* ~ *de la dehesa* boerse manieren; ~ *rizado* krulhaar; *a* ~ blootshoofds; *agarrarse a un* ~ de kleinste kans te baat nemen; *ahogarse con un* ~ een bangerd zijn; *buscar* ~*s al huevo* spijkers op laag water zoeken; *con* ~*s y señales* haarfijn, breed uitgemeten, in geuren en kleuren; *cortar un* ~ *en el aire* zeer scherpzinnig zijn; *cortar(se) el* ~ zijn haar (laten) knippen; *de* ~ *en pecho* flink; *de* ~ *liso* gladharig; *en* ~ ongezadeld; *estar hasta los* ~*s de u.c.* iets zat zijn; *falta un* ~ er ontbreekt bijna niets meer aan; *de medio* ~ van geringe afkomst; *gente de medio* ~ Jan-met-de-pet; *mudar de* ~ verharen, in de rui zijn; *ni un* ~ helemaal niet(s); *no tener* ~*s en la lengua* niet op zijn mondje gevallen zijn; *no tener un* ~ *de tonto* lang niet dom zijn; *no tocar un* ~ *de la ropa* met geen vinger aanraken; *no verle el* ~ *a u.p.* iemand nooit (meer) zien; *se le ponen los* ~*s de punta* zijn haren rijzen te berge; *por un* ~ op het kantje af, kiele-kiele, op het nippertje; *quedarse sin* ~ kaal worden; *sin venir a* ~ zonder aanleiding, zonder dat het ergens op slaat; *tomar el* ~ *a u.p.* iem voor de gek houden, iem er tussen nemen; *tirarse de los* ~*s* zich de haren uit het hoofd trekken; *venir al* ~ van pas komen; 2 pool (*van tapijt*); **pelón, -ona** 1 kaalhoofdig; 2 armoedig, berooid; **pelona** 1 haaruitval; 2 *la* ~ (*fam*) de dood, magere Hein

pei

pelota 1 bal; ~ *de viento* met lucht gevulde bal; *devolver la* ~ lik op stuk geven, met gelijke munt betalen; *echarse la* ~ elkaar de zwarte piet toespelen; *está la* ~ *en el tejado* het is een dubbeltje op zijn kant, 't kan vriezen 't kan dooien; *no tocar* ~ kant noch wal raken; *rechazar la* ~ iem met zijn eigen argumenten bestrijden; *sacar* ~*s de una alcuza* heel slim zijn; 2 ~ (*vasca*) (Baskisch) balspel; soort kaatsspel; 3 ~*s* (*pop*) testikels, ballen; 4 ~*s m* (*fam*) uitslover, snoever || *en* ~ poedelnaakt; *dejar en* ~ *a u.p.* (*fig*) iem uitkleden, iem geen cent overlaten; *hacer la* ~ vleien, zich uitsloven; **pelotari** *m* pelota-speler; *zie pelota 2*; **pelotear** 1 een balletje trappen, wat ballen; 2 ruzie maken; 3 (*posten op een rekening*) controleren; **peloteo** 1 (het) ballen; 2 uitwisseling (*van nota's*); **pelotera** felle ruzie; **pelotilla** vleierij; *gastar la* ~, *hacer la* ~ inpalmen, strooplikken; **pelotillero**, **-a** strooplikker, -likster

pelotón *m* 1 prop (*haar, watten*); 2 peloton; ~ *de cabeza* (*sp*) kopgroep

peltre *m* tin

peluca pruik; **peluche** *v* pluche; **peludo** behaard, harig

peluquería kapsalon; **peluquero**, **-a** kapper, kapster; **peluquín** *m* korte pruik; *ni hablar del* ~ geen sprake van

pelusa 1 pluis; 2 (*fam*) afgunst, jaloezie || *en* ~ onwetend, zonder enige notie

pelviano vh bekken; **pelvis** *v* bekken

pena 1 straf; ~ *capital*, ~ *de muerte* doodstraf; ~ *de prisión* gevangenisstraf; 2 verdriet, leed, pijn; *dar* ~ bedroeven; *es una* ~, *¡qué* ~*!* wat jammer; *eso me da* ~ dat doet me verdriet; *me da* ~ *por él* ik vind het jammer voor hem; *mi madre me da* ~ ik heb medelijden met mijn moeder; *sin* ~ *ni gloria* niet goed en niet slecht, heel gewoontjes, middelmatig; 3 moeite; *a duras* ~*s* met veel moeite; *ganado a duras* ~*s* zuur verdiend; *valer la* ~ lonen, de moeite waard zijn; *no vale la* ~ het is de moeite niet waard; **penable** strafbaar

penacho pluim

penal I *bn* straf-; *antecedentes* ~*es* strafblad; *derecho* ~ strafrecht; II *m* 1 strafgevangenis; 2 ~*es mmv* strafblad; **penalidad** *v, vaak mv* moeite, ellende; **penalista** *m,v* specialist(e) in strafrecht, advocaat in strafzaken; **penalización** *v* sanctie; (*sp*) strafpunt; **penalizar** een strafpunt geven aan; **penalty** *m* penalty, strafschop; **penar** I *intr* lijden; ~ *por* lijden om, hunkeren naar; II *tr* straffen

penates *mmv* huisgoden; *volver a los* ~ naar huis terugkeren

penca 1 dikke middennerf; 2 vlezig blad van sommige planten

penco mager paard, knol

pendejo 1 schaam- en okselhaar; 2 lafbek, hazehart; 3 (*Am*) jochie, broekje

pendencia ruzie; **pendenciero**, **-a** I *bn* twistziek; II *zn* 1 ruziezoek(st)er; 2 *m* vechtersbaas

pendiente I *bn* 1 hellend; 2 ~ *de* hangend aan; ~ *de los labios de* hangend aan de lippen van; *estar* ~ *de un hilo* aan een zijden draadje hangen; 3 (*fig*) hangend; aanhangig; ~ *de sus noticias* in afwachting van uw bericht; *asuntos* ~*s* hangende zaken; *dejar* ~ (*een beslissing*) aanhouden, (*een vraag*) openlaten; *estar* ~ in behandeling zijn; *tener una cuenta* ~ *con u.p.* een appeltje met iem te schillen hebben; 4 ~ *de* afhankelijk van; ~ *de determinación* nader te bepalen; II *zn* 1 *m* oorbel, oorhanger; neusversiersel; 2 *v* helling, glooiing; ~ *abajo* bergafwaarts

pendón *m* 1 vaandel, standaard; 2 slet; **pendonear** lanterfanten, op straat hangen

pendular vd slinger; *movimiento* ~ slingerbeweging; **péndulo** slinger

pene *m* penis

penene *m profesor no numerario*

penetrabilidad *v* doordringbaarheid; **penetrable** doordringbaar; **penetración** 1 penetratie, (het) doordringen; 2 inzicht, scherpzinnigheid; **penetrante** penetrant, doordringend; schel; schril; scherp(zinnig); *mirada* ~ doordringende blik; *observador* ~ scherp waarnemer; **penetrar** I *tr* 1 door'dringen, 'doordringen in; 2 doorgronden, doorkrijgen, door'zien; II *intr* ~ (*en*) 'doordringen (in), dieper ingaan (op); inwerken (op); *dejar* ~ laten inwerken; **penetrarse**: ~ *de* volledig doorgronden

penevista *m,v* vd P.N.V.

penibético: *la cordillera -a* het Andalusisch gebergte

penicilina penicilline

península schiereiland; **Península**: *la* ~ het Iberisch schiereiland, Spanje en Portugal; **peninsular** vh (Iberisch) schiereiland

penique *m* penny

penitencia 1 boete; 2 (*vaak iron*) straf; **penitenciario** gevangenis-, penitentiair; *establecimiento* ~ strafinrichting; *sistema* ~ gevangeniswezen; **penitente** I *m,v* penitent(e), boeteling(e); II *bn* boetvaardig; biechtend

penoso pijnlijk, smartelijk

pensado 1 gedacht, bedacht; *el día menos* ~ geheel onverwacht; *tengo* ~ ik ben van plan; 2 *mal* ~ kwaaddenkend; **pensador**, **-ora** denk(st)er; **pensamiento** 1 (het) denkvermogen; 2 gedachte; *como el* ~ ijlings, heel snel; *negros* ~*s* sombere gedachten; 3 geest; *acudir al* ~ te binnen schieten; 4 bedoeling; 5 (*plantk*) viooltje; **pensante** denkend; **pensar ie** I *intr* denken, nadenken; ~ *en* denken aan; *dar que* ~ te denken geven; *darse a mal* ~ zijn hersens afpijnigen; *¡ni* ~*!* geen denken aan!, ho maar!; *¡ni por pienso!* geen sprake van!; II *tr* 1 overdenken, denken, bedenken; *lo pensaré* ik zal erover nadenken; ~*lo mejor* zich bedenken; *pensándolo mejor* bij nader inzien; 2 ~ (+ *onbep w*) van plan zijn, zich voorstellen, denken; ~ *emigrar* van plan zijn te emigreren; 3

menen, denken; **pensativo** nadenkend, peinzend; **penseque** *m* vergissing

pensión *v* 1 toelage, uitkering; (*soms*) pensioen; ~ *de alimentos* alimentatie; ~ *del estado* staatspensioen; ~ *de orfandad* wezenpensioen; ~ *de viudedad* weduwenpensioen; *previsión para -ones* pensioenvoorziening; 2 pension, kosthuis; ~ *completa* vol pension; *media* ~ half pension; 3 kostgeld; 4 erfpachtcanon; **pensionado, -a** 1 *zie pensionista 1*; 2 *m* pensionaat, kostschool; **pensionista** *m,v* 1 uitkeringsgerechtigde; (*soms*) gepensioneerde; ~ *del estado* iem met staatspensioen; 2 pensiongast(e); 3 interne leerling(e)

pentágono vijfhoek; **Pentágono**: *el* ~ het Pentagon

pentagrama *m* notenbalk

pentasílabo vijflettergrepig

Pentecostés *m* Pinksteren

penúltimo voorlaatst

penumbra schemer(donker)

penuria schaarste, armoede

peña 1 rots(punt); 2 club vrienden; stamcafé, stamtafel; fanclub; **peñasco** steile rots; **peñón** *m* grote rots; **Peñon**: *el* ~ (*de Gibraltar*) de Rots van Gibraltar

peón *m* 1 ongeschoold arbeider; dagloner; bootwerker, havenarbeider; ~ *caminero* wegwerker; 2 pion; 3 tol (*speelgoed*); **peonada** werk van een dag (*door arbeider verricht*); **peonaje** *m* gezamenlijke arbeiders

peonía pioen(roos)

peonza tol (*speelgoed*)

peor slechter, slechtst; erger, ergst; ~ *que* ~ dat is helemaal verschrikkelijk, dat is nog veel erger; *de lo* ~ van het ergste soort; *en el* ~ *de los casos* in het uiterste geval; *haberse visto en* ~*es* voor hetere vuren gestaan hebben; *hacerse* ~ verergeren; *tanto* ~ des te erger

Pepa 1 *afk van Josefa*; 2 *la* ~ (*in gevangenisjargon*) de doodstraf; **Pepe** *afk van José*

pepinazo 1 (*fam*) ontploffing; 2 (*voetbal*) schot; **pepinillo** augurk; **pepino** 1 komkommer; 2 (*fam*) granaat || *no me importa un* ~ het kan me geen moer schelen

pepita 1 pit (*van vrucht*); 2 (goud)klompje; **Pepita** *afk van Josefa*

pepitoria stukken kip of konijn in saus, fricassee

peque *m,v* (*fam*) klein kind; *los* ~*s* de kleintjes, het grut; **pequeñez** *v* 1 kleinheid; 2 kleinigheid; 3 kleingeestigheid; **pequeñín, -ina** kleintje; **pequeño** klein; *cuando* ~ toen hij klein was; *el empleo le viene* ~ in die baan komt hij niet tot zijn recht; *el traje le viene* ~ het pak zit hem krap; **pequeñoburgués, -esa** kleinburgerlijk; **pequeñuelo, -a** kleintje

pequinés, -esa I *bn* uit Peking; II *zn* 1 Pekinees; 2 *m* pekinees (*hond*)

pera 1 peer; *partir* ~*s* niet langer bevriend zijn; *pedir* ~*s al olmo* het onmogelijke willen; 2 gloeilamp, peertje; 3 sik (*baardje*) || *poner a u.p. las* ~*s a cuarto* iem op zijn kop geven, iem op het matje roepen; **peral** *m* pereboom; **peraleda** pereboomgaard

peraltar de buitenbocht verhogen van (*rails, een weg*); **peralte** *m* verhoging vd buitenbocht; verkanting (*van weg*)

perca baars

percal *m* eenvoudige katoen (*vaak bedrukt*); **percalina** goedkope glanskatoen

percance *m* tegenslag; ongeluk(je)

per cápita per hoofd (vd bevolking)

percatarse (*de*) in de gaten krijgen, opmerken

percebe *m* eendemossel

percepción *v* 1 waarneming; ~ *sensorial* zintuiglijke waarneming; 2 inning, ontvangst (*van geld*); **perceptible** 1 waarneembaar, merkbaar; hoorbaar; voelbaar; ~ *por los sentidos* zinnelijk waarneembaar; 2 te ontvangen; **perceptivo** in staat tot waarneming; **perceptor, -ora** I *bn* ontvangend; II *zn* ontvang(st)er; inner

1 percha baars

2 percha 1 (kleer)hanger; 2 kapstok; 3 rek met haken; **perchero** kapstok; **percherón** *m*: (*caballo*) ~ zwaar trekpaard

percibir 1 waarnemen, opmerken, gewaarworden, ontwaren, zien; 2 (*geld*) innen, ontvangen

percusión *v* stoot, slag; percussie; *banda de* ~ drumband; *instrumento de* ~ slaginstrument; **percusor** *m*; *zie percutor*; **percutir** 1 slaan, stoten, kloppen; 2 weerslag hebben; 3 (*med*) ausculteren; **percutor** *m* 1 percussieslot; 2 (*taladro*) ~ slagboor

perdedor, -ora I *bn* verliezend; II *zn* verliezer; *ser buen* ~ goed tegen zijn verlies kunnen; **perder ie** 1 verliezen, kwijtraken; lekken, lek zijn; ~ *actualidad* verouderen; ~ *el brillo* dof worden; ~ *el camino* verdwalen; ~ *el conocimiento* het bewustzijn verliezen; ~ *la cuenta* de tel kwijtraken; ~ *el curso* blijven zitten (*op school*); ~ *el hilo* de draad kwijtraken; ~ *la práctica de u.c.* iets verleren; ~ *el sentido* het bewustzijn verliezen; ~ *el tren* de trein missen; *con la mirada perdida* voor zich uit starend; *llevar las de* ~ het onderspit delven; *no tener nada que* ~ niets te verliezen hebben; *¿qué se te ha perdido aquí?* wat heb je hier te zoeken?; *salir perdiendo* aan het kortste eind trekken, er bekaaid afkomen; 2 (*kans*) missen, verzuimen; 3 (*tijd*) verdoen, verbeuzelen, verliezen, verknoeien; 4 te gronde richten; schaden; *echar a* ~ bederven, verknoeien, verpesten; **perderse ie** 1 te gronde gaan; 2 verdwalen; 3 (*iets*) mislopen; 4 ~ (*en*) verloren gaan (in), verdwijnen (in), opgaan (*in de massa*); 5 wegraken, zoek raken, verdwijnen; (*mbt geluid*) wegsterven; **perdición** *v* ondergang, verderf; **pérdida** 1 verlies; lekkage; schade(post); ~ *de conocimiento* bewusteloosheid; ~ *de prestigio* gezichtsverlies; ~ *de sangre* bloedverlies; *no tiene* ~ het kan niet missen, u kunt niet verdwalen; 2 ondergang; **perdidamente** hevig; ~ *enamorado* smoorverliefd; **perdido** 1 verloren; *un caso* ~ een hopeloos geval; *en ratos ~s* in verloren ogenblikken; *está* ~ hij is verloren; 2 verdwaald; *una bala -a* een verdwaalde kogel; 3 (*bn* +) ~ volslagen; *borracho* ~ stomdronken; *holgazán* ~ aartslui; *loco* ~ stapelgek; 4 niet om aan te zien, ontoonbaar; *ponerse* ~ heel vuil worden

perdigón *m* 1 jonge patrijs; 2 (*jachtsp*) hagel; **perdigonada** schot hagel; **perdiguero** vd patrijzen; patrijzenjagend; *perro* ~ patrijshond

perdis *m* losbol

perdiz *v* patrijs

perdón *m* 1 vergiffenis; *inclinado al* ~ vergevingsgezind; 2 genade; **perdonable** vergeeflijk; **perdonar** 1 vergeven; *¡perdone!* pardon!; *¡perdóneme!* neemt u mij niet kwalijk!; 2 begenadigen, genade schenken; ~ *la vida de u.p.* iems leven sparen; *no* ~ *esfuerzos, no* ~ *medios* geen moeite sparen, alles in het werk stellen; *no* ~ *ocasión* geen kans missen; 3 kwijtschelden; **perdonavidas** *m* vuurvreter, vechtjas

perdulario slordig, die vaak iets kwijt is

perdurable duurzaam, bestendig; **perdurar** voortduren, blijven bestaan

perecedero vergankelijk; bederfelijk; **perecer** omkomen; ~ *abrasado* verbranden

peregrinación *v* 1 bedevaart, pelgrimage; 2 zwerftocht; **peregrinaje** *m; zie peregrinación*; **peregrino, -a** I *zn* pelgrim, bedevaartgang(st)er; II *bn* 1 reizend, op doortocht; 2 vreemd, wonderlijk

perejil *m* peterselie

perendengue *m* overdadige, smakeloze versiering, frutsel, prul

perengano dinges

perenne 1 eeuwig, duurzaam; 2 (*plantk*) overblijvend, vast; **perennidad** *v* duurzaamheid

perentoriedad *v* dwingend karakter; **perentorio** dringend, dwingend; (*mbt termijn*) uiterst

pereza luiheid, traagheid, gemakzucht, getreuzel; *me da* ~ *salir* ik ben te lui om weg te gaan; *todo me da* ~ ik kom tot niets; *tener* ~ lui zijn; **perezoso, -a** I *bn* lui, traag, lusteloos; II *zn* 1 luilak; 2 *m* (*dierk*) luiaard

perfección *v* perfectie, volmaaktheid; *a la* ~ volmaakt, perfect; **perfeccionamiento** vervolmaking, verbetering; volmaaktheid; *cursillo de* ~ bijscholingscursus; *curso de* ~ cursus voor gevorderden; **perfeccionar** 1 perfectioneren, vervolmaken; 2 verbeteren, verfijnen, bijschaven, bijslijpen; **perfeccionarse**: ~ *en* zich bekwamen in; **perfeccionismo** perfectionisme; **perfeccionista** *m,v* perfectionist(e); **Perfecta** meisjesnaam; **perfectamente** perfect, volmaakt; *sé* ~ *que* ik weet best dat; **perfectible** te vervolmaken, te perfectioneren; **perfectivo** (*gramm*) perfectief, een handeling in zijn geheel aanduidend; **perfecto** 1 perfect, volmaakt, volkomen; *¡~!* prima!; 2 (*gramm*) voltooid; *zie pretérito*; **Perfecto** *jongensnaam*

perfidia trouweloosheid, valsheid, arglist; **pérfido** trouweloos, vals, arglistig

perfil *m* 1 profiel, omtrek, contouren; silhouet; *de* ~: *a*) van opzij, in profiel; *b*) op zijn kant; *de medio* ~ half van opzij; 2 verticale doorsnede; 3 *~es* (nette) afwerking; **perfilado** goed afgewerkt; **perfilar** 1 omlijnen, profileren; 2 goed afwerken; 3 (*heg, struik*) snoeien (*in vorm*); *tijeras de* ~ heggeschaar; **perfilarse** zich aftekenen; (*fig*) vorm krijgen, zich profileren

perforación *v* 1 boring, doorboring; ~ *de prueba* proefboring; 2 (*med*) perforatie; 3 (het) perforeren; **perforador, -ora** perforerend, die (door)boort; *máquina -ora* ponsmachine, boormachine; **perforadora** perforator; ponsmachine; boormachine; **perforar** 1 (door)boren, perforeren; 2 ponsen

perfumador *m* parfumverstuiver; **perfumar** parfumeren; **perfume** *m* 1 parfum; 2 geur; **perfumería** parfumerie; **perfumista** *m,v* fabrikant van parfums

pergamino 1 perkament; 2 *~s* belangrijke papieren; 3 *~s* adellijke titel; adeldom

pergeñar schetsen

pérgola pergola, prieel

pericardio pericardium, hartzakje

pericarpio vruchtvlies, zaadvlies

pericia deskundigheid, know-how, expertise; vakbekwaamheid, vakmanschap; **pericial** van deskundigen; *informe* ~ deskundigenrapport

periclitar 1 ten einde lopen; 2 gevaar lopen

perico 1 papegaaitje; 2 ~ *ligero* (*dierk*) luiaard

Perico *afk van Pedro;* ~ *el de los palotes* doet er niet toe wie; ~ *entre ellas* man die altijd onder vrouwen verkeert

pericón *m* 1 grote waaier; 2 (*Am*) bep dans

periferia 1 (cirkel)omtrek; 2 periferie, omtrek, omgeving; **periférico** vd periferie, perifeer; *aparatos ~s* randapparatuur

perifollo 1 kervel; 2 *~s* kwikjes en strikjes, opschik

perífrasis *v* perifrase, omschrijving; ~ *verbal* (*gramm*) omschrijving dmv ww + onbep w, gerundio of volt dw

perigallo 1 huidplooi onder de kin; 2 magere spriet, bonestaak

perilla puntbaardje, sik || *de* ~(*s*) uitstekend

perillán *m* stouterd, ondeugd, slimmerd

perímetro omtrek (*van een figuur*)

perineo perineum, bilnaad

perinola tolletje

periodicidad *v* periodiciteit; *tener* ~ *mensual* om de maand verschijnen; **periódico** I *bn* 1 periodiek, regelmatig; 2 (*mbt breuk*) repeterend; II *zn* krant, blad; ~ *mural* muurkrant; **periodismo** 1 journalistiek; 2 pers; **periodista** *m,v* journalist(e); **periodo, período** 1 periode, tijdvak; ~ *embrionario,* ~ *inicial* beginstadium; ~ *de prácticas* stage; ~ *de prueba* proeftijd; ~ *de revolución* omlooptijd; ~ *transitorio*

overgangsperiode; 2 menstruatie; 3 cyclus; 4 volzin
peripecia 1 (onverwachte) gebeurtenis; 2 *~s* lotgevallen, wederwaardigheden
periplo 1 omvaring; 2 lange reis
peripuesto opgedoft
periquete: *en un ~* in een wip
periscopio periscoop
perista *m,v* heler
peristáltico peristaltisch
peristilo zuilengang
peritación *v* expertise; **peritaje** *m* 1 opleiding tot expert, het beroep van expert; 2 expertise; **perito**, **-a** 1 deskundige, expert; *~ tasador* taxateur; *~ testigo* getuige-deskundige; 2 (*vglbaar*) afgestudeerde vh middelbaar beroepsonderwijs; *~ industrial* (*vglbaar*) MTS-er; *~ mercantil* (*vglbaar*) MEAO-er
peritoneo peritoneum, buikvlies; **peritonitis** *v* buikvliesontsteking
perjudicar schaden, benadelen, duperen, aantasten; **perjudicial** nadelig, schadelijk; **perjuicio** benadeling, nadeel, schade; *el ~ consiguiente* het daaruit voortvloeiende nadeel; *sin ~ de* onverminderd
perjurar meineed plegen; *jurar y ~* bij hoog en bij laag zweren; **perjurio** meineed; **perjuro**, **-a** I *bn* meinedig; II *zn* meinedige
perla parel; *de ~s* schitterend, uitstekend; *gris ~* parelgrijs; **perlé** *m* perlégaren
permanecer 1 verblijven, vertoeven; 2 blijven; *~ bajo las armas* onder de wapens blijven; *~ en su cargo* aanblijven; *~ en la nebulosa* duister blijven; **permanencia** 1 duur, duurzaamheid; 2 verblijf; **permanente** I *bn* blijvend, permanent; II *v* permanent; *hacer la ~* permanenten
permeabilidad *v* doorlaatbaarheid; **permeable** 1 doorlaatbaar, vochtdoorlatend; 2 beinvloedbaar
permisible toelaatbaar; **permisividad** *v* soepelheid; **permisivo** tolerant, makkelijk, soepel; **permiso** 1 toestemming, vergunning; *~ de circulacón* kentekenbewijs; *~ de conducir* rijbewijs; *~ de residencia* verblijfsvergunning; *~ de trabajo* werkvergunning; *~ de tránsito* transitvisum; *¡(con) ~!* pardon! (*bv als men iem passeert*); *con su ~* mag ik zo vrij zijn?, neemt u mij niet kwalijk; *dar ~, otorgar ~* toestemming verlenen; *tener ~ para* mogen; *tienes ~ para* het staat je vrij om; 2 verlof; *~ por lactancia* verlof na de bevalling (*ivm borstvoeding*); *~ de salida* uitgaansverlof; **permitido** toegestaan, geoorloofd; **permitir** toestaan, veroorloven, toelaten; mogelijk maken, in de gelegenheid stellen om; *no le permiten salir* hij mag niet naar buiten; *si se me permite* als men mij toestaat; **permitirse** zich veroorloven; *me permito escribirle* ik ben zo vrij u te schrijven; *~ el lujo* (*de*) zich de weelde veroorloven (van, om)
permuta ruil; **permutación** *v* ruil, verwisseling; **permutar** ruilen
pernear zijn benen heftig bewegen; **pernera** (broeks)pijp
perniciosidad *v* schadelijkheid; **pernicioso** schadelijk, verderfelijk
pernicorto met korte benen
pernil *m* (varkens)bil, ham
pernio scharnier
perno bout; *~ de ajuste* klembout; *~ roscado* schroefbout
pernoctar overnachten
1 pero *zn* 1 soort appelboom; 2 langwerpig soort appel
2 pero I *voegw* maar; II *m* maar; *¡no hay ~ que valga!* (hier helpt) geen gemaar!; *poner ~s* bezwaren opperen
Pero: *~ Botero* de duivel
perogrullada waarheid als een koe, open deur; **Perogrullo**: *verdad de ~ zie perogrullada*
perol *m* grote metalen pan
peroné *m* kuitbeen
perorar 1 een rede houden; 2 oreren; **perorata** (*neg*) (langdurig) betoog
peróxido peroxyde; *~ de hidrógeno* waterstofperoxyde
perpendicular I *bn* loodrecht; II *v* loodlijn
perpetración *v* (het) begaan, volvoering; **perpetrador**, **-ora** dader(es); **perpetrar** begaan, plegen
perpetua strobloem; **perpetuidad** *v* eeuwigheid, lange duur, bestendigheid; *a ~* voor altijd; **perpetuo** 1 eeuwig, blijvend; 2 levenslang, voor het leven; *cadena -a* levenslange gevangenisstraf
perplejidad *v* verbazing, verlegenheid, verwarring; **perplejo** perplex, verbaasd, verbijsterd, beduusd, versteld
perra 1 vrouwtjeshond, teef; 2 (*hist*) bep munt; *~ chica* (*Sp*) munt van 5 céntimo; *~ gorda* (*Sp*) munt van 10 céntimo; *sin una ~* zonder een cent; 3 driftbui; bevlieging; **perrada** 1 troep honden; 2 rotstreek; **perrera** 1 hondehok, hondekennel; 2 auto vh asiel om zwerfhonden op te halen; 3 (honden)asiel; **perrería** 1 troep honden, de honden; 2 rotstreek; *decir ~s de* lelijke dingen zeggen over; **perro** I *zn* hond; *~ alano* soort dog; *~ caliente* hot dog; *~ callejero* straathond; *~ caniche* poedel; *~ faldero* schoothondje, juffershondje; *~ guardián* waakhond; *~ guía* blindengeleidehond; *~ ladrador poco mordedor* blaffende honden bijten niet; *~ lobo* wolfshond; *~ olfateador* speurhond; *~ pachón*, *~ raposero* taks, teckel; *~ pastor* herdershond; *~ de presa* bloedhond; *~ de raza* rashond; *~ sabueso* speurhond; *~ sanbernardo* Sint-Bernardhond; *~ tubo* (*fam*) teckel; *~ vagabundo* zwerfhond; *~ viejo* oude rot (*in vak*); *a ~ flaco todo son pulgas* een ongeluk komt nooit alleen; *a otro ~ con ese hueso* maak dat een ander wijs; *allí atan ~s con longaniza* het is daar een luilekkerland; *como ~(s) y gato(s)* als kat en hond; *con un*

humor de ~s pisnijdig; *de ~s* heel slecht; *me hace tanta falta como ~s en misa* ik kan hem missen als kiespijn; *ser como el ~ del hortelano* (*no come ni deja comer*) de zon niet in het water kunnen zien schijnen; II *bn* ellendig, miserabel; *esta -a vida* dit ellendige bestaan; **perrucho** rothond; **perruno** (*neg*) van een hond, van honden

persa I *bn* Perzisch; *gato ~* Perzische kat; II *m,v* Pers, Perzische

persecución *v* 1 achtervolging; 2 vervolging; **persecutorio**: *manía -a* achtervolgingswaanzin; **perseguidor, -ora** achtervolg(st)er; **perseguimiento** *zie persecución*; **perseguir i** 1 achtervolgen, achternazitten; *~ un objeto* een doel nastreven; *~se* krijgertje spelen; 2 vervolgen

perseverancia volharding, doorzettingsvermogen; **perseverante** volhardend; **perseverar** (*en*) doorzetten, volharden (in), volhouden; *el que persevera triunfa* de aanhouder wint

persiana jaloezie, rolgordijn

persignarse een kruis slaan

persistencia (het) voortduren, (het) aanhouden; **persistente** aanhoudend, hardnekkig; **persistir** 1 voortduren, aanhouden; 2 *~ en* vasthouden aan, volharden in

persona persoon; *~ de categoría* vooraanstaand persoon; *~ de color* kleurling; *~ física, ~ natural* natuurlijk persoon; *~ jurídica* rechtspersoon; *~s naturales y jurídicas* natuurlijke en rechtspersonen; *~ de principios* principieel mens; *~ privada* particulier; *en ~* persoonlijk; *la calma en ~* de rust zelve; *una gran ~* een prachtkerel; *tercera ~*: *a*) (*gramm*) derde persoon; *b*) (*jur*) derde (persoon); **personaje** *m* personage; **personal** I *bn* persoonlijk; privé; persoonsgebonden; *~ y confidencial* persoonlijk en vertrouwelijk; *datos ~es* persoonlijke gegevens, personalia; *derecho ~* personenrecht; *gastos ~es* privé-uitgaven; II *m* personeel; *~ directivo* leidinggevend personeel; *~ doméstico* huispersoneel; *~ docente* leerkrachten; *~ fijo* vast personeel; *~ ferroviario* spoorwegpersoneel; *~ de plantilla* vast personeel; *~ superior* hoger personeel; *~ de tierra* grondpersoneel; *falto de ~* onderbezet; **personalidad** *v* 1 persoonlijkheid; *~ jurídica* rechtspersoonlijkheid; *culto a la ~* persoonsverheerlijking; 2 personage; **personalismo** 1 vooringenomenheid (*jegens bep personen*); 2 persoonlijk karakter (*van opmerkingen*); **personalizar** doelen op (iem), persoonlijk worden; **personalmente** in persoon, persoonlijk; **personarse** zich melden, verschijnen, zich vervoegen; **personería** (*Am*) rechtspersoonlijkheid; **personificación** *v* personificatie; **personificar** personifiëren; *la pereza personificada* de luiheid in persoon

perspectiva perspectief, vooruitzicht; *~s* toekomstmogelijkheden; *~s ocupacionales* uitzicht op werk, beroepsperspectieven; *sin ~* uitzichtloos; vergezocht

perspex *m* perspex

perspicacia scherpzinnigheid; **perspicaz** scherp(zinnig)

persuadir 1 *~ a* overhalen tot, overreden om; 2 *~ de* overtuigen van; **persuadirse**: *~ de* zich overtuigen van; **persuasión** *v* 1 overreding; 2 overtuiging; **persuasivo** overtuigend, pakkend; *fuerza -a* overredingskracht

pertenecer 1 *~ a* toebehoren aan; (*mbt taak*) toekomen aan; *la iniciativa pertenece a* het initiatief gaat uit van; 2 *~ a* behoren tot; **perteneciente** (*a*) toebehorend (aan), behorend (bij); **pertenencia** 1 *~* (*a*) (het) toebehoren (aan); (het) behoren (tot); 2 *~s* bezittingen; 3 *~s* toebehoren

pértiga 1 lange stok; polsstok; *salto de ~* polsstokhoogspringen; 2 (*op schip*) boom; **pertiguista** *m,v* polsstokhoogspring(st)er

pertinacia hardnekkigheid; **pertinaz** 1 aanhoudend; 2 hardnekkig, vasthoudend

pertinencia (het) terzake zijn, gepastheid; **pertinente** 1 relevant, terzake dienend; passend, opportuun; *medidas ~s* passende maatregelen; 2 betreffend

pertrechar (*con, de*) voorzien (*van het benodigde*); **pertrechos** *mmv* 1 wapenen en munitie; 2 benodigdheden; *~ navales* scheepsbehoeften

perturbación *v* 1 storing, verstoring; stoornis; *~ duradera* duurzame ontwrichting; *~ mental* geestesstoornis, verstandsverbijstering; *~ del orden* ordeverstoring; 2 onrust, verwarring; **perturbado** gestoord; *~ mental* geestelijk gestoord; **perturbador, -ora** I *bn* 1 storend; 2 verwarrend; II *zn* onruststoker, -stookster; **perturbar** 1 verstoren; 2 in de war brengen

Perú: *el ~* Peru; *valer un ~* een kapitaal waard zijn; **peruanismo** Peruaans woord of uitdrukking; **peruano, -a** I *bn* Peruaans; II *zn* Peruaan(se)

perversidad *v* 1 perversiteit, verdorvenheid; 2 perverse daad; **perverso** pervers, verdorven; **pervertidor, -ora** verderfelijk; **pervertir ie, i** 1 verderven; 2 bederven; **pervertirse ie, i** ontaarden, verdorven worden

pervivir standhouden, blijven bestaan

pesa 1 gewicht (*gebruikt op weegschaal; aan klok*); *casa de las ~s* waag; 2 *~s* (*gymn*) gewichten

pesabebés *m* babyweegschaal; **pesacartas** *m* brieveweger

pesadez *v* 1 zwaarte, gewicht; 2 zwaar gevoel (*in hoofd, maag*); 3 iets vervelends; 4 hinderlijkheid; (het) zeuren; **pesadilla** nachtmerrie; schrikbeeld; **pesado, -a** I *bn* 1 zwaar, log; *con pasos ~s* met zware tred; 2 (*mbt weer*) benauwd, drukkend; 3 lastig, opdringerig; 4 vervelend, saai, taai; II *zn* zeur, lastpost; **pesadumbre** *v* zorg, verdriet

pésame *m* condoleantie, rouwbeklag; *dar el ~* condoleren; **pesar** I *tr* wegen, afwegen; II *intr*

1 wegen, zwaar zijn; invloed hebben; ~ *en el estómago* zwaar op de maag liggen; ~ *mucho, ~ lo suyo* zwaar wegen, zwaar zijn; ~ *sobre* bezwaren, drukken op; 2 verdriet doen, berouwen; *me pesa* het doet mij verdriet; *zie ook pese*; III *m* leed, bedroefdheid, smart; *a ~ de* ondanks, in weerwil van; *a ~ de ello* desondanks; *a ~ mío* tegen mijn wil, mijns ondanks
pesario pessarium
pesaroso somber, verdrietig
pesca 1 visserij; (het) vissen; ~ *de altura* (diep)zeevisserij; ~ *de bajura* kustvisserij; ~ *con caña* hengelsport; 2 (vis)vangst; *toda la* ~ de hele rataplan; **pescada** kabeljauw; **pescadería** viswinkel; **pescadero, -a** visman, -vrouw; **pescadilla** kleine heek; soort wijting; **pescado** vis (*gevangen, als eetwaar*); ~ *frito* gebakken vis; **pescador** *m* visser; ~ *de caña* hengelaar, visser
pescante *m* bok (*op rijtuig*)
pescar I *tr* 1 vangen, (op)vissen; 2 aan de haak slaan; 3 vangen, te pakken krijgen, betrappen; 4 (*verkoudheid*) oplopen; II *intr* vissen
pescozón *m* klap in de nek; **pescuezo** nek (*van dier*); (*iron, fam*) nek (*van mens*); *cortar el* ~ kelen, de strot afsnijden; *retorcer el* ~ de nek omdraaien
pese: ~ *a* ondanks; ~ *a quien* ~ in ieder geval, hoe dan ook
pesebre *m* voederbak, ruif, trog, krib; kerststal
pesero (*in Mexico*) gedeelde taxi op vast traject
peseta peseta (*munteenheid van Spanje*); *mirar cada* ~ ieder dubbeltje omdraaien || *cambiar la* ~ braken, overgeven; **pesetero** op geld gesteld
pesimismo pessimisme; **pesimista** I *bn* pessimistisch; II *m,v* pessimist(e)
pésimo heel slecht
peso 1 gewicht, last, zwaarte; ~ *atómico* atoomgewicht; ~ *bruto* bruto gewicht; ~ *corrido* ruim gewicht; ~ *por eje* asdruk; ~ *escurrido* uitlekgewicht; ~ *específico* soortelijk gewicht; ~ *ligero* lichtgewicht; ~ *muerto* dood gewicht; ~ *neto* netto gewicht; ~ *pesado* zwaargewicht; ~ *pluma* vedergewicht; ~ *semipesado* halfzwaargewicht; *~s y medidas* maten en gewichten; *a ~ de oro* heel duur; *caer(se) de su* ~ als een paal boven water staan, vanzelfsprekend zijn; *caer por su* ~ (*mbt argument*) onhoudbaar zijn, geen steek houden; *de* ~ (*fig*) van gewicht; *un error de* ~ een ernstige vergissing; *ganar* ~ aankomen; *perder* ~ lichter worden, vermageren; *se me quita un ~ de encima* het is een pak van mijn hart; *tener* ~ invloed hebben; *valer su ~ en oro* zijn gewicht in goud waard zijn; 2 peso (*munteenheid van bep landen in Spaans-Amerika*); 3 zwaartekracht; 4 weegschaal; 5 (*sp*) kogel; *lanzamiento de* ~ kogelstoten
pespunte *m* stiksel, stiksteek; **pespuntear** stikken
pesquería (het) vissen, visserij; **pesquero** I *bn* vissers-; *flota -a* vissersvloot; *puerto* ~ vissershaven; II *zn* vissersschip
pesquis *m* (*fam*) scherpzinnigheid; **pesquisa** nasporing, onderzoek; *~s* speurwerk, opsporing
pestaña 1 wimper, ooghaar; *quemarse las ~s* blokken, hard studeren; 2 'uitstekende rand;
pestañear met de ogen knipperen; *sin ~: a*) strak (kijkend); *b*) zonder blikken of blozen, zonder een spier te vertrekken; *c*) zonder een kik te geven
peste *v* 1 pest; ~ *bubónica* builenpest; ~ *porcina* varkenspest; 2 stank; 3 iets slechts, onheil, de pest; *~s* verwensingen; *decir ~s de, hablar ~s de* schelden op, kwaad spreken van, foeteren op; *echar ~s contra* uitschelden, schelden op; *estas medidas son la* ~ die maatregelen zijn de pest; **pesticida** *m* verdelgingsmiddel; **pestífero** verderfelijk; **pestilencia** 1 pestilentie, pest; 2 stank; **pestilente** stinkend
pestillo 1 grendel, knip; 2 tong (*van slot*)
pestiño soort beignet met honing
petaca tabaksdoos, sigarenkoker
pétalo bloemblad
petar aanstaan, bevallen
petardear (*mbt motor*) knallen, knetteren; **petardeo** geknal
petardista *m,v* klaploper, -loopster
petardo 1 voetzoeker; 2 afzetterij, (het) geld aftroggelen; *pegar un* ~ wat geld lenen en het niet teruggeven
petate *m* 1 slaapmat; 2 plunjezak; *liar el* ~ er vandoor gaan, sterven
petenera Andalusisch (flamenco)lied; *salir por ~s* iets brutaals zeggen, raar uit de hoek komen
petición *v* 1 verzoek; ~ *de despido* ontslagaanvraag (*door werkgever*); ~ *fiscal* (*jur*) eis vd officier; ~ *de mano* (huwelijks)aanzoek; *a* ~ op verzoek, desgewenst; *atender una* ~ aan een verzoek voldoen; *elevar una ~ a* een verzoek richten tot; 2 petitie, verzoekschrift, rekest;
peticionario, -a aanvrager, -vraagster
petimetra (*fig*) modepop, ijdeltuit; **petimetre** *m* fat
petirrojo roodborstje
petisú *m* soesje
peto 1 borststuk (*van harnas, schort*); *pantalón con* ~ tuinbroek; 2 (*in stieregevecht*) borstbescherming voor paarden
pétreo van steen, stenen; **petrificación** *v* verstening; **petrificado** versteend, sprakeloos; **petrificar** 1 (doen) verstenen; 2 sprakeloos doen staan; **petrificarse** verstenen
petróleo 1 olie, aardolie; *echar* ~ olie spuiten; 2 petroleum; **petrolero** I *bn* olie-; *compañía -a* oliemaatschappij; II *zn* tanker; ~ *fluvial* riviertanker; ~ *gigante* reuzetanker; **petrolífero** oliehoudend; *explotación -a* oliewinning
petroquímica petrochemie; **petroquímico** petrochemisch

petulancia ijdelheid, verwaandheid; **petulante** ijdel, verwaand
petunia petunia
peyorativo pejoratief, ongunstig, denigrerend
1 pez *m* vis; ~ *de agua dulce* zoetwatervis; ~ *de colores* goudvis; ~ *espada* zwaardvis; ~ *marino* zoutwatervis; ~ *volador,* ~ *volante* vliegende vis; *como el* ~ *en el agua* als een vis in het water || ~ *gordo* hoge Piet; *estar* ~ nergens vanaf weten
2 pez *v* pek
pezón *m* 1 tepel; 2 steeltje (*van blad, bloem*)
pezuña hoef; *de* ~ *hendida* tweehoevig
pfff: *¡~!* bah!, jakkes!
piadoso gelovig, godvruchtig, vroom; *mentira -a* leugentje om bestwil
piafar (*mbt paard*) trappelen
pianista *m,v* 1 pianist(e); 2 pianofabrikant(e); pianoverkoper; **pianístico** voor piano; piano-; **piano** piano; ~ *de cola* vleugel; **pianola** pianola
piante (*fig*) gauw piepend; **piar** *i* 1 piepen, tsjirpen; 2 protesteren
piara kudde varkens
P.I.B. *producto interior bruto*
piba (*Am*) meisje; **pibe** *m* (*Am*) kind, jongen
pica 1 piek, lans; *poner una* ~ *en Flandes* iets moeilijks voor elkaar krijgen; 2 piekenier; 3 (*in stieregevecht*) lans vd picador; 4 (*kaartsp*) schoppen; 5 ekster; **picacho** piek, spitse bergtop
picada (het) bijten, beet (*door vis in aas*); ~ *de insecto* insektenbeet
picadero 1 manege; 2 (*fam, ivm drugs*) plaats waar gespoten en gehandeld wordt
picadillo soort gehakt
picado 1 (fijn)gehakt; 2 met kleine gaatjes; ~ *de viruelas* pokdalig; *diente* ~ rotte tand; 3 gepikeerd, in zijn wiek geschoten; 4 (*mbt fruit*) wormstekig; 5 (*vuelo en*) ~ duikvlucht; *bajar en* ~ neerduiken; *lanzarse en* ~ *sobre* zich (in duikvlucht) storten op (*ook fig*); 6 (*Am*) aangeschoten; **picador** *m* 1 pikeur; 2 (*in stieregevecht*) picador, man te paard met lans; **picadura** 1 beet, prik; 2 gaatje (*bv van mot*); 3 gaatje (*in tand*); 4 ~ (*de liar*) shag; **picaflor** *m* (*Am*) 1 kolibrie; 2 rokkenjager; **picajoso** lichtgeraakt, prikkelbaar; **picana** (*Am*) 1 prikstok; 2 (elektrisch) folterwerktuig; **picante** I *bn* pikant, gepeperd, scherp; prikkelend; II *m* 1 scherpe smaak; 2 scherpe toespeling, gevatheid
picapedrero steenhouwer
picapica: (*polvillos de*) ~ jeukpoeder
picapleitos *m* (*neg*) advocaat
picaporte *m* 1 deurknop, kruk; 2 klink; 3 (deur)klopper
picar I *tr* 1 prikken; 2 (*mbt vogel*) pikken; stuk voor stuk eten (*bv druiven, olijven, borrelhapjes*); *al que le pique que se rasque* wie de schoen past, trekke hem aan; *algo para* ~ hapje bij de borrel; 3 (*mbt insekt*) steken; 4 (*mbt vis*) bijten; 5 fijnhakken, snipperen; *carne picada* gehakt; 6 een gaatje knippen in (*bv een biljet*); 7 (*steen*) houwen, (af)bikken; 8 prikkelen; irriteren, hinderen, steken; II *intr* 1 prikken, jeuken, steken, tintelen; 2 (*mbt vliegtuig, roofvogel*) neerduiken; 3 (*mbt zon*) steken; 4 happen, erin lopen; 5 (*voetbal*) pingelen; 6 (*mbt motor*) pingelen; 7 ~ *en: a*) nippen aan, proeven van; *b*) grenzen aan, bijna...zijn || ~ *alto* veel ambitie hebben, hoog grijpen; **picarse** 1 (*mbt kleding, tanden*) gaatjes krijgen; 2 beginnen te bederven, aangetast worden; 3 (*mbt zee*) woelig worden; 4 kribbig worden, kriegel worden, geïrriteerd raken; 5 bronstig worden; 6 geprikkeld worden (*tot prestaties*); 7 (*fam*) spuiten (*drugs*); 8 ~ *con* dol worden op, hevig verlangen naar; 9 ~ *de* prat gaan op
picardear I *tr* op het slechte pad brengen; II *intr* schelmenstreken uithalen, ondeugende opmerkingen maken; **picardía** 1 schelmenstreek; 2 ondeugendheid; 3 lelijke streek; 4 plagerige opmerking; **picaresca** 1 schelmenleven; 2 schelmentroep; 3 schelmenroman (*lit genre*); **picaresco** schelms; schaamteloos; *novela -a* schelmenroman; **pícaro, -a** I *bn* schelms; schaamteloos; II *zn* 1 (*hist*) schelm; 2 rakker, ondeugd, boef
picatoste *m* snee geroosterd brood met boter
picaza ekster
picazón *m* 1 jeuk, tinteling; 2 ergernis
picea soort spar
picha pik, piemel
pichón *m* duifje, jonge duif; **pichona** (*tegen vrouw gezegd*) schat, duifje
Picio: *más feo que* ~ oerlelijk
pick-up *m* pick-up
picnic *m* picknick
pico 1 snavel; (*fam*) bek; ~ *de oro* goeie prater; *abrir el* ~ praten; *cerrar el* ~ zijn snater houden; *darse el* ~ minnekozen; *de* ~ alleen met woorden; *hincar el* ~ het loodje leggen; *irse de ~s pardos* aan de boemel gaan; *perderse por el* ~ teveel praten met nadelige gevolgen, zijn mond voorbij praten; *tener buen* ~ goed vd tongriem gesneden zijn; 2 spits, punt; piek; *escote en* ~ punthals; *sombrero de tres ~s* driekante steek; 3 (pik)houweel; 4 tuit; 5 kapje (*van brood*); 6 een beetje (*bij een rond getal*); *ciento y* ~ honderd en nog wat; *son las tres y* ~ het is over drieën; 7 ~ *carpintero* specht; 8 *~s* (*kaartsp*) schoppen; 9 (*pop, drugs*) shot; *meterse un* ~ zich een shot toedienen
picón *m* 1 heel fijne steenkool; 2 stekelbaars
picor *m* jeuk, prikkeling
picota 1 schandpaal; 2 soort puntige kers
picotazo 1 pik met de snavel; 2 insektebeet; **picotear** 1 (*mbt vogel*) pikken; 2 kleine lekkere hapjes eten
pictórico schilder-; *arte* ~ schilderkunst
picú *m; zie pick-up*
picudo spits, puntig
pídola haasje-over; *saltar a la* ~ bokspringen (*spel*)

pie *m* 1 voet; ~ *de cabra: a*) koevoet; *b*) eendemossel; ~ *de foto* onderschrift (bij foto); ~ *de la montaña* voet vd berg; *~s para qué os quiero* wegwezen!; *~s planos* platvoeten; ~ *de rey* schuifmaat; *a* ~ te voet; *al* ~ *del dique* aan de voet vd dijk; *a* ~ *firme* standvastig; *a ~s juntillas* rotsvast; *a cuatro ~s* op handen en voeten; *arrastrar los ~s* sloffen; *atar de ~s y manos* aan handen en voeten binden; *buscarle tres ~s al gato* overal iets achter zoeken; *caer de ~s* goed terecht komen (*na een val*); *con ~s de plomo* heel behoedzaam; *con un* ~ *en el aire* (*fig*) op de wip; *con un* ~ *en el estribo: a*) op het punt te vertrekken; *b*) stervende; *con un* ~ *en el hoyo, con un* ~ *en la sepultura* met een been in het graf; *dar* ~ *a, de, para* de kans geven om; *de* ~ staand; *de ~s a cabeza* van top tot teen; *de a* ~ gewoon; *el ciudadano de a* ~ de gewone man; *de qué* ~ *cojea* waar hem de schoen wringt; *echar los ~s por alto* uit zijn slof schieten, nijdig worden; *en* ~ staand; *en* ~ *de guerra* op voet van oorlog; *en* ~ *de igualdad* op voet van gelijkheid; *entrar con el* ~ *derecho* een goede entree maken; *golpear con los ~s: a*) schoppen; *b*) trappelen, stampen; *hacer* ~ (*in water*) kunnen staan, de bodem voelen; *hacer u.c. con los ~s* iets slecht doen; *levantarse con mal* ~ met het verkeerde been uit bed stappen; *mojar los ~s* pootje baden; *haber nacido de* ~ een gelukskind zijn; *no dar* ~ *con bola* geen zinnig woord kunnen zeggen, ergens geen touw aan vast kunnen knopen; *no poder tenerse en* ~ niet meer op zijn benen kunnen staan (*van vermoeidheid*); *no tener ~s ni cabeza* kop noch staart hebben; *parar los ~s a u.p.* iem afremmen, iem op zijn nummer zetten; *poner* ~ *a tierra* voet aan wal zetten; *poner ~s en polvorosa* aan de haal gaan; *ponerse de* ~ gaan staan; *por ~s* ijlings; *quedar en* ~, *seguir en* ~ nog steeds bestaan, stand houden, van kracht zijn; *sacar los ~s del plato* zijn ware aard tonen, brutaal worden; *tenerse en* ~*: a*) zich staande houden; *b*) stand houden; *volver* ~ *atrás* op zijn schreden terugkeren; *votar poniéndose de* ~ stemmen met zitten en opstaan; 2 voet (*ca 30 cm*); 3 eind (*van brief*); *al* ~ *de la página* onderaan de bladzijde; 4 onderschrift (*bv bij foto*); 5 voeteneind (*van bed*); 6 *~s* statief; **piececito** voetje

piedad *v* 1 vroomheid, godsvrucht; 2 barmhartigheid, medelijden

piedra steen; ~ *de afilar,* ~ *afiladora,* ~ *de amolar* slijpsteen; ~ *angular* hoeksteen; ~ *arenisca* zandsteen; ~ *de cal,* ~ *caliza* kalksteen; ~ *de escándalo* steen des aanstoots; ~ *de molina* molensteen; ~ *miliar,* ~ *millar* mijlpaal; ~ *pómez* puimsteen; ~ *preciosa* edelsteen; ~ *semipreciosa* halfedelsteen; ~ *de toque* toetssteen; *a* ~ *y lodo* potdicht; *menos da una* ~ het is tenminste iéts; *no dejar* ~ *por mover* niets onbeproefd laten; *quedarse de* ~ verstijven; *tirar la* ~ *y esconder la mano* schijnheilig doen; *tirar ~s contra su tejado* zijn eigen ruiten ingooien

piel *v* 1 huid, vel; ~ *de elefante* olifantshuid (*ook fig*); ~ *tersa* gladde huid; *de la* ~ *del diablo* vreselijk ondeugend; *de* ~ *gruesa* dikhuidig; *no me gustaría estar en su* ~ ik zou niet graag in uw schoenen staan; *no tener más que la* ~ *y los huesos* vel over been zijn; *quitar la* ~ (*fig*) geen spaan heel laten; *saltársele la* ~ *a u.p.* vervellen; *salvar la* ~ het vege lijf redden; *ser la* ~ *de Barrabás* gerucht zijn, slecht zijn; 2 leer; ~ *de cerdo* varkensleer; ~ *de Rusia* juchtleer; ~ *de vaca* rundleer; 3 bont; ~ *de zorro* vossebont; *abrigo de ~es* bontjas; 4 schil (*van vrucht*); 5 ~ *roja m* roodhuid

1 pienso: *¡ni por ~!* geen sprake van!; *zie pensar*

2 pienso (*vaak mv*) (vee)voeder; *~s compuestos* mengvoeder; *dar* ~ (*het vee*) voeren

pierna 1 been; ~ *del pantalón* broekspijp; *cruzar las ~s* zijn benen over elkaar slaan; *de ~s abiertas* in spreidstand; *doblar y estirar las ~s* kniebuigingen maken; *dormir a* ~ *suelta* vast in slaap zijn; *estirar las ~s* zich vertreden; *le flaquean las ~s* zijn knieën knikken; *no hay que estirar las ~s que hasta donde dan las sábanas* men moet de tering naar de nering zetten; 2 poot; ~ *de cordero* lamsbout; **piernas** *m* (*pop*) schlemiel, arme sloeber

pieza 1 stuk; onderdeel; ~ *de acople* koppelstuk; ~ *de ajedrez* schaakstuk; ~ *angular* hoekstuk; ~ *de autos* (*jur*) dossier, gerechtsstukken; ~ *de convicción* bewijsstuk; ~ *floral* bloemstuk; ~ *de recambio,* ~ *de repuesto* vervangingsonderdeel; *buena* ~ een mooie (ben jij!), een grapjas; *dos ~s: a*) tweedelig badpak; *b*) deux-pièces; *en una sola* ~ geheel uit een stuk; *matar una* ~, *comer una* ~ (*in damsp*) slaan, een slag maken; *ptas 5* (*la*) ~ 5 peseta per stuk; *quedarse de una* ~ verstijven, stomverbaasd zijn; 2 kamer, vertrek; 3 stuk, toneelstuk, muziekstuk; ~ *a cuatro manos* quatre-mains; ~ *en un acto* eenakter; 4 prooi

pífano (*muz*) piccolo

pifia flater, stommiteit; **pifiar** 1 een flater begaan; 2 (*in biljart*) ketsen

pigmentación *v* pigmentatie; **pigmento** pigment

pigmeo, -a pygmee

pignoración *v* verpanding, belening; **pignorar** verpanden, belenen; **pignoraticio** vd verpanding; tegen onderpand

pija (*Am; pop*) piemel; **pijada** (*pop*) stommiteit

pijama 1 pyjama; 2 gevarieerd dessert

pijo (*pop*) I *zn* piemel; II *bn* dom, stom || *hacer ~s* (*plat steentje over water*) keilen; **pijota** kleine schelvis; **pijotería** (*pop*) 1 gezeur; 2 onbenulligheid; **pijotero** (*pop*) vervelend, pest-

1 pila 1 stapel, hoop, berg; 2 (brug)pijler

2 pila 1 gootsteen, spoelbak; 2 bassin; ~ *bautismal* doopvont

3 pila batterij; ~ *de linterna* staafbatterij

pilar *m* pilaar, zuil, pijler; **Pilar** *v* meisjesnaam

pilastra pilaster, vierkante zuil

píldora pil; ~ *del día siguiente* morning-after

pil; *dorar la* ~ de pil vergulden; *tragar la* ~: *a*) er in vliegen; *b*) het vervelende nieuws aanhoren
pileta 1 klein bassin, spoelbak; 2 wijwaterbakje; 3 (*Am*) ~ (*de natación*) zwembad
Pili *afk van Pilar*
pillaje *m* plundering; **pillapilla** *m* krijgertje; **pillar** 1 plunderen; 2 te pakken krijgen, snappen; betrappen; 3 over'rijden; 4 (*een ziekte*) oplopen ‖ ~ *cerca* (*fam*) dichtbij zijn; **pillarse**: ~ *los dedos en la puerta* zijn vingers klemmen tussen de deur; **pillastre** *m* (*fam*) boef; **pillería** (schurken)streek; **pillo, -a** boef, schurk; kwajongen, lelijke meid; **pillón** *m*: *~es de mar* watergeuzen; **pilluelo** boefje, zwervertje
1 pilón *m* 1 grote waterbak; 2 soort vijzel
2 pilón *m* (*kegelvormig*) suikerbrood
piloncillo (*Am, Mexico*) bruine suiker (*als suikerbrood verkocht*)
pilongo: *castaña -a zie castaña*
piloso 1 van haar; 2 behaard
pilotaje *m* 1 (het) loodsen; (het) loods zijn; 2 loodsgeld; 3 (het) heien; 4 (het) vliegen (*als piloot*); **pilotar** 1 loodsen; 2 besturen (*van schip, auto*); (*luchtv*) vliegen; ~ *un avión* een vliegtuig besturen; **pilote** *m* heipaal; *casa sobre ~s* (*ook*) paalwoning; *hincar ~s* heien; **piloto I** *zn* 1 loods; ~ *de mar* zeeloods; ~ *de puerto* havenloods; 2 piloot; ~ *automático* automatische piloot; ~ *de pruebas* testpiloot; *certificado de* ~ vliegbrevet; *mujer* ~ vrouwelijke piloot; 3 stuurman; **II** *bn, onv* 1 model-; *piso* ~ modelflat; *proyecto* ~ proefproject; *prueba* ~ testcase; *vivienda* ~ modelwoning; 2 controle-; *luz* ~ controlelampje; *llama* ~ waakvlam
pilpil: *al* ~ Baskische bereidingswijze van vis
piltra (*fam*) bed, nest
piltrafa 1 slecht stuk vlees (*met vel en zeen*); 2 stuk vuil, slecht mens; 3 menselijk wrak
Piluca *afk van Pilar*
pimentero 1 peperboom; 2 pepervaatje; **pimentón** *m* paprikapoeder; **pimienta** peper; ~ *blanca* witte peper; ~ *negra* zwarte peper; **pimiento** 1 paprika (*plant*); 2 paprika (*vrucht*); ~ *morrón* zoete rode paprika (*vaak gedroogd*); *me importa un* ~ het kan me geen klap schelen
pimpampún *m* schiettent, ballentent (*op kermis*)
pimplante welgedaan; **pimplar** (*fam*) pimpelen, (*wijn*) drinken
pimpollo 1 spruit, loot; 2 (*fam*) leuk kind; *hecho un* ~ om door een ringetje te halen; 3 jong broekje
pinacoteca schilderijenmuseum
pináculo 1 pinakel, torentje; 2 toppunt
pinar *m* dennenbos
pincel *m* 1 penseel; 2 kwast; **pincelada** penseelstreek
pinchadiscos *m,v* discjockey
pinchar I *tr* 1 prikken, priemen, steken; *no* ~ *ni cortar* niets te vertellen hebben; 2 prikkelen, irriteren; **II** *intr* lek worden; **pincharse** (*fam*) zich een injectie (laten) geven; (*drugs*) spuiten
pinchaúvas *m* labbekak, sul
pinchazo 1 steek(wond); (pijn)scheut; (spelde)prik; 2 lekke band; 3 (*fam*) spuitje, prik; shot (*drugs*); *dejar el* ~ afkicken
pinche *m,v* kokshulp, koksmaat
pincho 1 stekel; 2 hapje aan een cocktailprikker; 3 ~ (*moruno*) spies (*met stukjes vlees*); 4 shot (*drugs*)
pindonga uithuizige vrouw; **pindonguear** op straat rondzwerven, rondhangen
pineda dennenbos
pingajo vod; *~s* vodden, lompen; **pingo** 1 vod, lap; vies, gescheurd kledingstuk; *poner a u.p. como un* ~ de vloer met iem aanvegen; 2 slet, slons
ping-pong *m* ping-pong
pingüe vet, overvloedig
pingüino pinguïn
pinitos *mmv* 1 eerste stapjes (*bij het leren lopen*); *hacer* ~ de eerste stappen zetten; 2 beginstadium
pino 1 pijnboom; 2 grenenhout; ~ (*común*) vurehout; ~ *tea* grenenhout; 3 (*gymn*) handstand; *hacer el* ~ op zijn handen staan; **pinocha** dennenaald
pinrel *m* (*pop*) voet
pinta 1 nop, spikkel, stip (*op stof*); 2 uiterlijk; *con esa* ~ met zo'n uiterlijk; *por la* ~ naar het uiterlijk te oordelen; *tener* ~ *de listo* er slim uitzien; *tener buena* ~ er goed uitzien; 3 pint; 4 *m* nietsnut, nul
pintada 1 parelhoen; 2 graffito; **pintado I** *bn* 1 gevlekt, bont; 2 perfect; *su padre* ~ precies zijn vader; *quedar* (*que ni*) ~ als gegoten zitten; *ser lo más* ~ *para* geknipt zijn voor; *venir* ~ precies van pas komen ‖ *eso pasa al más* ~ dat kan de beste overkomen; **II** *zn* (het) schilderen, schilderwerk
pintamonas *m* kladschilder
pintar 1 schilderen, verven; afbeelden, afschilderen; ~ *de negro* zwart schilderen; *madera sin* ~ blank hout; 2 beschilderen; schminken; ~ *con laca* lakken; ~ *con pistola* spuiten; 3 betekenen; *no* ~ *nada* niets in te brengen hebben; **pintarse**: ~ *solo* het makkelijk afkunnen, iets uitstekend kunnen; **pintarrajear** kladden
pintiparado (*fam*) 1 sterk lijkend op, precies; *su padre* ~ precies zijn vader; 2 zeer geschikt; *venir* ~ goed van pas komen
Pinto: *entre* ~ *y Valdemoro* tussen wal en schip
pintor, -ora schilder(es); ~ *artista* kunstschilder; ~ *de brocha gorda*: *a*) schilder voor het ruwe werk (*muren, deuren*); *b*) kladschilder; ~ *decorador* schilder en behanger; **pintoresco** pittoresk, schilderachtig; **pintorrear** kladden; **pintura** 1 schilderkunst; 2 schilderwerk, schildering, schilderij; beschrijving; ~ *mural* muurschildering; ~ *al pastel* pastel; ~ *rupestre* rotstekening; *no poder ver ni en* ~ *a u.p.* iem

niet kunnen luchten of zien; 3 verf; ~ *brillante* glansverf; ~ *de fondo* grondverf; ~ *al óleo* olieverf; ~ *plástica* vinylverf, synthetische verf; ~ *de primera mano* grondverf; *caja de ~s* kleurdoos, verfdoos; **pinturero** goed verzorgd, tevreden met zichzelf

pinza 1 schaar (*van kreeft*); 2 (was)knijper; 3 *~s* tangetje; *~s de combinación* combinatietang

pinzón *m* vink

piña 1 denneappel; 2 ananas; 3 opeenhoping, kluit; dicht front; 4 (*fam*) stomp; opdoffer

piñata stenen pot met snoep die op bep feestdagen wordt stukgeslagen (*door iem die geblinddoekt is*)

1 piñón *m* (*eetbaar*) zaad uit denneappel, pijnboompit || *estar a partir un* ~ op zeer goede voet staan

2 piñón *m* kettingrad, -wiel (*van fiets*); ~ *libre* vrijloop

piñonero 1 soort den; 2 soort vink

1 pío piep, gepiep; *no decir ni* ~ geen boe of ba zeggen

2 pío godvruchtig, vroom

3 pío (*mbt paard*) bont

piocha kleine houweel

piojo luis; *~s* hoofdluis; **piojoso** vol luizen; armzalig, in lompen, vies

piola 1 (*gymn*) bokspringen; 2 (*Am*) touwtje

piolet *m* (*bergsp*) pickel

pionero, **-a** I *bn* pioniers-; grensverleggend; II *zn* pionier(ster), baanbreker, -breekster

piorrea etterstroom

1 pipa pijp; ~ *de la paz* vredespijp; *cebar una* ~ een pijp stoppen; *fumar en* ~ pijp roken

2 pipa pitje; zonnebloempit

pipermín *m* pepermuntlikeur

pipeta pipet

pipí *m* (*fam*) plasje; *hacer* ~ een plas doen; *pedir* ~ zindelijk zijn

pipiolo, **-a** piepjong ventje, jong ding, groentje

pipudo (*fam*) geweldig, schitterend

pique *m* 1 geprikkeldheid, wrok; 2 rivaliteit, ijver; 3 (*kaartsp*) schoppen; 4 ~ *de popa* (*scheepv*) achterpiek; ~ *de proa* voorpiek || *a ~ de* op het punt om; *estuvo a ~ de fracasar* het was bijna mislukt; *echar a* ~ de grond in boren, de nek omdraaien; *irse a ~: a*) mislukken; *b*) zinken, vergaan

piqué *m* piqué

piqueta (pik)houweel

piquete *m* piket; ~ *de huelga* stakingspiket

pira (*lit*) brandstapel, groot vuur

piragua kano; prauw; **piragüismo** kanosport; **piragüista** *m,v* kanovaarder, -vaarster

piramidal piramidaal, piramidevormig; **pirámide** *v* piramide

piraña piranha

pirata I *m* piraat, zeerover; kaper; ~ *aéreo* luchtpiraat; ~ *de la carretera* wegpiraat; II *bn, onv* illegaal; *emisora* ~ piratenzender; **piratear** kapen, stelen; **piratería** piraterij, zeeroverij

pirenaico vd Pyreneeën; **Pirineo**: *el ~, los ~s* de Pyreneeën

piripi aangeschoten

pirita pyriet

piromanía pyromanie; **pirómano**, **-a** pyromaan

piropear (*fam*) galante complimentjes maken; **piropo** galant compliment

pirosis *v* branderigheid in de maag

pirotecnia (het) maken van vuurwerk; **pirotécnico** vuurwerkmaker

pirrarse: ~ *por* dol zijn op

pírrico: *victoria -a* Pyrrusoverwinning

pirueta 1 pirouette; 2 capriool, luchtsprong; 3 opmerking om zich uit een lastig parket te redden, draai; *hacer ~s* (*fig*) zich in allerlei bochten wringen

pirulí *m* lolly

pis *m* pies; *hacer* ~ plassen

pisa (het) trappelen, (het) stampen; **pisada** stap; *seguir las ~s de* het voorbeeld volgen van, in de voetsporen treden van; **pisapapeles** *m* presse-papier; **pisar** 1 trappen op; belopen, betreden; ~ *el pie a u.p.* iem op zijn tenen trappen; ~ *los talones a u.p.* iem op de hielen zitten; ~ *tierra* voet aan wal zetten; *no ~ un sitio* ergens geen voet zetten; 2 vertrappen, plat trappen; *dejarse* ~ over zich laten lopen; 3 met vingers drukken op (*toetsen of snaren*); 4 afkapen, door de neus boren; 5 buiten de lijn gaan (*bv met kleur*); **pisaverde** *m* ijdeltuit, fat

piscicultor, **-ora** viskweker, -kweekster; **piscicultura** visteelt, viskweek; **piscifactoría** viskwekerij; **pisciforme** visvormig

piscina zwembad; ~ *al aire libre* openluchtbad; ~ *cubierta* overdekt zwembad

Piscis *m* (*astrol*) Vissen

pisco (*Am, Peru*) druivenbrandewijn

piscolabis *m* lichte maaltijd, hartversterking

piso 1 vloer, grond; 2 verdieping, etage; ~ *aguardillado* zolderverdieping; ~ *de arriba* bovenverdieping; ~ *bajo* begane grond, benedenverdieping; 3 flat, appartement; ~ *piloto* modelflat; 4 schoenzool

pisón *m* straatstamper

pisotear 1 vertrappen; met voeten treden; 2 vernederen; **pisoteo** 1 (het) vertrappen; 2 (het) vernederen; **pisotón** *m* harde trap (*op iems tenen*)

pista 1 spoor; vingerwijzing; *seguir la ~ de* opsporen; 2 (*sp*) baan; piste; ~ *de carreras* renbaan; ~ *de ceniza* sintelbaan; ~ *de esquí* skipiste; ~ *interior* binnenbaan; ~ *de patinaje* ijsbaan; 3 verkeersweg; ~ *para ciclistas* fietspad; 4 (*luchtv*) baan; ~ *de aterrizaje* landingsbaan; ~ *de despegue* startbaan; 5 ~ (*de grabación*) spoor (*op geluidsband*); ~ *doble* dubbelspoor

pistachero pistacheboom; **pistacho** pistache

pistilo stamper

pisto 1 soort ratatouille, groentemengsel; 2 (*Am; fam*) geld, poen || *darse* ~ (*fam*) opscheppen

pistola 1 pistool; ~ *de juguete*, ~ *de fulminantes* klapperpistool; ~ *simulada* namaakpistool; 2 ~ (*para pintar*) verfspuit; *pintar con* ~ spuiten; **pistolera** holster; **pistolero** gangster
pistón *m* 1 (*techn*) zuiger; 2 slaghoedje; 3 (*muz*) klep (*bv op trompet*)
pistonudo (*fam*) geweldig
1 pita agave
2 pita 1 (het) uitfluiten; 2 ~*s* kippen
pitada 1 gefluit; 2 (het) uitfluiten; 3 (*Am*) trekje (*aan sigaret*)
pitagórico van Pythagoras
pitanza 1 portie eten; 2 (*fam*) dagelijkse kost, maal; *atacar la* ~ aanvallen op het eten
pitar I *intr* 1 fluiten; 2 (*fig, fam*) goed lopen, goed functioneren; *pita* het gaat lekker || *salir pitando* er tussenuit knijpen; II *tr* 1 uitfluiten; 2 (*fam; een wedstrijd*) fluiten
pitecántropo pitecanthropus erectus
pitido gefluit
pitillera sigarettenkoker; **pitillo** sigaret
pítima (*fam*) dronkenschap
pitiminí *m* soort klimroos met kleine bloemen
pito 1 fluit (*van trein*), fluitje (*van scheidsrechter*); *cuando* ~*s, flautas, cuando flautas* ~*s* het gaat altijd anders dan je denkt; *por* ~*s o flautas* om de een of andere reden; 2 knip (*met de vinger*); *dar* ~*s* met de vingers knippen; 3 (*fam*) sigaret; 4 (*pop*) fluit, piemel; 5 (*Am*) soort teek || *no me importa un* ~ het kan me geen fluit schelen; *no vale un* ~ hij is geen knip voor de neus waard
1 pitón *m* python
2 pitón *m* 1 beginnende hoorn (*bv van stier*), knobbel; 2 tuit (*aan waterkruik*)
pitonazo steek met de hoorn (*van stier*)
pitonisa waarzegster
pitorrearse: ~ *de* (*fam*) de draak steken met, voor de gek houden
pitorro tuit (*van waterkruik*)
pitufo smurf
pituitario slijm-, vh slijm
pituso, **-a** I *bn* (*mbt kind*) leuk, lief, grappig; II *zn* (leuk) kind
pivote *m* 1 pin, taats, spil, draaikern; 2 (*bij basketbal*) midvoor
pizarra 1 lei(steen); 2 schoolbord; **pizarral** *m* leigroeve; **pizarrero** leidekker; **pizarrín** *m* griffel; **pizarroso** 1 rijk aan leisteen; 2 lijkend op leisteen
pizca greintje, sprankje, tikkeltje
pizpireta hups, levendig, vrolijk
pizza pizza
pizzicato (*muz*) pizzicato
placa 1 plaat, paneel; naamplaatje; ~ *conmemorativa* gedenkplaat; ~ *de fundación* fundatieplaat; ~ *de matrícula* kentekenplaat, (*Belg*) inschrijvingsplaat; ~ *solar* zonnepaneel; 2 kookplaat; 3 (*tandtechn*) plaatje
placebo placebo
pláceme *m* felicitatie
placenta placenta, moederkoek; **placentario** vd placenta
placentero aangenaam
1 placer I *m* genoegen, genot, (het) behagen; *a* ~ naar hartelust, naar genoegen; *con sumo* ~ met het grootste genoegen; II *ww* (*lit*) behagen
2 placer *m* 1 zandbank; 2 rivierbedding waarin goud te vinden is
plácet *m* placet, toestemming
placidez *v* kalmte, vredigheid, rust; **plácido** kalm, vredig; **Plácido** jongensnaam
plaf: ¡~! plof!
plaga plaag, onheil; ~ *de langostas* sprinkhanenplaag; **plagar**: ~ *de* bedekken met, vullen met; *estar plagado de* wemelen van, krioelen van, vergeven zijn van
plagiar plagiaat plegen; nadoen; **plagiario** die plagiaat pleegt; **plagio** plagiaat
plaguicida I *bn* verdelgend, bestrijdend; II *m* bestrijdingsmiddel, verdelgingsmiddel
plan *m* 1 plan; ~ *comarcal* streekplan; ~ *defensivo* verdedigingsplan; ~ *de estudios* studieprogramma; ~ *piloto* proefproject; ~ *quinquenal* vijfjarenplan; ~ *de trabajo* werkplan; *estar en* ~ *de* druk bezig zijn met; *estar en* ~ *de ahorros* druk aan het sparen zijn; 2 opzet; 3 tijdverdrijf, plannetje; 4 (*fam*) vriendje, vriendinnetje (*om mee uit te gaan*); (*fam*) *estar en* ~ iets met elkaar hebben; 5 makkelijk te versieren meisje; 6 (*med*) dieet en leefwijze; *estar a* ~, *estar sometido a un* ~ zich aan strikte leefregels moeten houden || *a todo* ~ in grootse stijl; *en* ~ *de* bij wijze van, in de kwaliteit van, als, met het doel, om; *hacer* ~ (*fam*) schikken; *ponerse en* ~ *de confidencias* vertrouwelijk worden
plana 1 kantje (*bv van brief*); 2 pagina (*van krant*); *a toda* ~ (*mbt krantekop*) over de volle breedte; *primera* ~ voorpagina; *salir en primera* ~ de voorpagina halen; 3 ~ *mayor* generale staf || *enmendar la* ~ *a u.p.* het iem verbeteren
plancha 1 plaat; ~ *del casco* (*techn*) huidplaat; ~ *de fibra de madera* vezelplaat; ~ *de hierro* plaatijzer; 2 strijkbout; strijkgoed; ~ *de vapor* stoomstrijkijzer; 3 stommiteit, flater; *tirarse una* ~ een bok schieten, een flater begaan; 4 ~ *de surf* surfplank; ~ *de vela* zeilplank; *hacer la* ~ (*gymn*) de plank maken; **planchado** 1 (het) strijken; 2 strijkgoed; **planchador**, **-ora** strijk(st)er, perser; **planchamangas** *m* mouwplankje; **planchar** strijken, (op)persen, opstrijken; **planchazo** 1 (het) vlug opstrijken; *dar un* ~ *a* even vlug opstrijken; 2 stommiteit, flater; *tirarse un* ~ een flater begaan
plancton *m* plankton
planeación *v* planning; **planeador** *m* 1 zweefvliegtuig; 2 planner; **planeamiento** *zie planeación*; **planear** I *tr* plannen; ontwerpen, uitdenken; II *intr* 1 zweven; ~ *en circuito* (*in de lucht*) rondzweven; 2 plannen maken; **planeo** zweefvlucht
planeta *m* planeet; **planetario** I *bn* vd planeten, planetair; II *zn* planetarium
planicie *v* 1 vlakte; 2 hoogvlakte

planificación *v* planning; ~ *familiar* gezinsplanning; **planificador, -ora** planner, iem die belast is met de planning
planimetría planimetrie; **plano** I *bn* plat, vlak; II *zn* 1 plattegrond; *levantar un ~ de* in kaart brengen, karteren; 2 vlak; ~ *inclinado* hellend vlak; ~ *tangente* raakvlak; *primer ~: a*) voorgrond; *b*) close-up; *del primer ~* vh eerste plan; 3 (*techn*) tekening; ~ *de construcción* bouwtekening; ~ *de ejecución* werktekening; 4 (*fig*) terrein, vlak; *en el ~ de* op het vlak van || *de ~: a*) loodrecht; *b*) resoluut, volledig; *cantar de ~* bekennen, doorslaan; *rechazar de ~* resoluut verwerpen; **planología** planologie; **planólogo, -a** planoloog, -loge
planta 1 plant; ~ *acuática* waterplant; ~ *carnosa* vetplant; ~ *floral* bloemplant; ~ *forrajera* voedergewas; ~ *parásita* woekerplant; ~ *de semillero* zaailing; ~ *trepadora* klimplant; ~ *tuberosa* knolgewas; 2 ~ (*del pie*) voetzool; 3 verdieping; ~ *baja* benedenverdieping; 4 (*techn*) installatie; ~ *depuradora* zuiveringsinstallatie; ~ *frigorífica* koelinstallatie; ~ *generadora* krachtcentrale; ~ *nuclear* kerncentrale; 5 bouw (*van mens, dier*); *de buena ~* goed gebouwd, met een goed voorkomen; **plantación** *v* 1 (het) planten; beplanting, aanplant; 2 plantage; ~ *de café* koffieplantage; **plantado**: *bien ~* (*mbt mens, dier*) aardig om te zien, goed gebouwd || *dejar ~ a u.p.* iem (plotseling) in de steek laten, iem laten zitten, iem laten wachten; **plantador, -ora** 1 planter; 2 *m* pootstok, plantijzer; **plantadora** pootmachine; **plantar** I *ww* 1 planten, poten; ~ *de* beplanten met; ~ *en tiesto* potten; 2 (*palen*) in de grond zetten, plaatsen; 3 (*een tent*) neerzetten, plaatsen; 4 (*iem*) neerzetten; ~ *en la calle* op straat zetten; 5 (*een klap, een belediging*) verkopen; 6 tegenhouden, remmen; 7 (*iem*) aan de kant zetten, in de steek laten; II *bn* vd voetzool; **plantarse** 1 post vatten; (*koppig*) blijven staan, niet verder willen; (in de weg) gaan staan; 2 verschijnen, opduiken; *a poco se plantó en mi casa* even later was hij bij me; 3 geen concessies meer doen; **plante** *m* 1 (het) plaatsen; 2 (het) post vatten; 3 stellingname, protest (*bv in gevangenis*)
planteamiento (het) stellen (*van een probleem*); opzet; aanpak, benadering, optiek; standpunt; **plantear** 1 opwerpen, (*probleem*) stellen, naar voren brengen, ter sprake brengen, benaderen; ~ *un interrogante* (*fig*) een vraagteken plaatsen; ~ *una pregunta* een vraag stellen; 2 instellen; ~ *reformas* hervormingen instellen; **plantearse** aan de orde komen, ter sprake komen
plantel *m* 1 (boom)kwekerij; aanplant; 2 kweekplaats; onderwijsinstelling; 3 ploeg, groep
planteo *zie planteamiento*
plantificar 1 (*fam*) plaatsen, neerzetten; 2 (*hervormingen*) invoeren; 3 (*fam; een klap*) toedienen; **plantificarse** zich vertonen, verschijnen
plantígrado, -a zoolganger; **plantilla** 1 binnenzool; inlegzool; *~s ortopédicas* steunzolen; 2 (*vast*) personeel, formatie; staf; *de ~* vast, in vaste dienst; 3 personeelslijst; 4 mal, voorbeeld
plantío I *bn* 1 beplant; 2 te beplanten; II *zn* 1 (het) beplanten; 2 (stuk grond met) jonge aanplant; **plantón** *m* 1 kweekboompje; 2 aflegger, stekje (*van plant*) || *dar un ~* lang laten wachten, (*op een afgesproken tijd en plaats*) niet verschijnen; *estar de ~* eindeloos staan wachten; *tener a u.p. de ~* iem laten wachten
plañidera 1 klaagvrouw; 2 klaagschrift; **plañidero** klaaglijk; **plañido** gejammer, geweeklaag; **plañir** weeklagen
plaqué *m* laagje goud of zilver; **plaqueta** 1 plaatje (*vnl van metaal*); ~ *esmaltada* geëmailleerd plaatje; 2 bloedplaatje
plasma *m* (bloed)plasma; **plasmación** *v* vorming, concretisering; **plasmar** vorm geven, concretiseren; **plasmarse** vorm krijgen, zich uiten
plasta zachte massa; **plástica** 1 (het) modelleren, boetseerkunst; 2 plastiek; **plasticidad** *v* 1 kneedbaarheid; 2 beeldend karakter; **plástico** I *bn* 1 kneedbaar; 2 beeldend, plastisch; *artes -as* beeldende kunsten; II *zn* plastic; **plastificar** plastificeren
plastrón *m* front (*van overhemd*), borststuk
plata 1 zilver; ~ *de ley* zuiver zilver; *gris ~* zilvergrijs; *limpio como la ~* brandschoon; 2 (*fam*) geld, poen
platabanda langwerpig bloemperk, border, rand
plataforma 1 platform, podium, verhoging; ~ *continental* continentaal plat; ~ *electoral* (gezamenlijk) verkiezingsprogram; ~ *de lanzamiento* lanceerplatform; ~ *de perforación* booreiland; 2 balkon (*in trein*)
platanal *m; zie platanar*; **platanar** *m* 1 bananenaanplant; 2 platanenbosje; **plátano** 1 banaan; 2 bananeboom; 3 plataan
platea (*theat*) parket, parterre, (*soms*) stalles; (*palco de*) ~ benedenloge
plateado I *bn* 1 zilverkleurig; 2 verzilverd; II *zn* (het) verzilveren; **platear** verzilveren
platense uit La Plata (*Argentinië*)
plateresco plateresk (*16e-eeuwse Sp druk versierde architectuurstijl*)
platería 1 zilversmederij; 2 zilverwinkel; **platero, -a** I *bn* (*mbt ezel*) zilvergrijs; II *zn* zilversmid
plática praatje; **platicar** praten, een praatje maken
platija schol
platillo 1 schotel; bakje; ~ *escurridor* (*techn*) lekbakje; ~ *volante* vliegende schotel; 2 (*techn*) flens; 3 *~s* (*muz*) bekkens
platina 1 (microscoop)glaasje; 2 (*techn*) plaat, plateau; draaitafel (*van grammofoon*)

platinado I *bn* 1 met een laagje platina; 2 (*rubio*) ~ platinablond; II *zn* (het) platineren; **platino** platina
plato 1 bord; ~ *hondo* diep bord; ~ *llano* plat bord; ~ *sopero* soepbord; *comer en el mismo* ~ dik met elkaar zijn; *gorra de* ~ platte pet; *huevo al* ~ spiegelei; *pagar los ~s rotos* het gelag betalen; 2 schaal, schotel; 3 gerecht, gang; ~ *combinado* plate service; ~ *del día* dagschotel; ~ *dulce* zoet gerecht, nagerecht, toetje; *el ~ fuerte: a*) hoofdgerecht; *b*) (*fig*) klapstuk; ~ *principal* hoofdgerecht; *nada entre dos ~s* niet veel bijzonders; *primer* ~ voorgerecht; 4 ~ *giratorio* draaitafel; draaiplateau (*in magnetron*); 5 (*in spel*) pot
plató *m* toneel in filmstudio
platónico platonisch
plausibilidad *v* aannemelijkheid; **plausible** aannemelijk, plausibel
playa 1 strand; ~ *naturista* naaktstrand; 2 vlak terrein; ~ *ferroviaria* spoorwegemplacement, rangeerterrein; **playera** 1 linnen schoen; 2 teenslipper; **playero** I *bn* voor het strand; *manta -a* plaid; II *zn* sportschoen, linnen schoen
plaza 1 plein, dorpsplein; marktplein, markt; 2 plaats, zitplaats; *aún hay ~s para el viaje* de reis is nog niet volgeboekt; 3 (arbeids)plaats, baan; ~ *a cubrir* vacature, (*Belg*) werkaanbieding; *la ~ está provista* in de vacature is voorzien; 4 ~ (*de toros*) arena (*voor stieregevecht*); 5 plaats, stad; ~ *fuerte* vestingstad || *sentar ~* (*mil*) vrijwillig dienst nemen; *sentar ~ de* doorgaan voor
plazo 1 termijn, tijdsbestek; ~ *de entrega* (op)leveringstermijn; ~ *de preaviso* opzeggingstermijn; ~ *de validez* geldigheidsduur (*bv van paspoort*); ~ *de vigencia* geldigheidsduur (*van verdrag*); ~ *vencido* vervallen termijn; *a corto* ~ op korte termijn; *a largo* ~ op lange termijn; *a largo ~ todos calvos* niemand heeft de eeuwige jeugd; *expira el* ~ de termijn verloopt; 2 termijnbetaling, termijn; *a ~s* op afbetaling; *en ~s mensuales* in maandelijkse termijnen
plazoleta, plazuela pleintje
pleamar *v* vloed, hoogwater
plebe *v* gepeupel; **plebeyo** 1 vh gepeupel; 2 grof, ordinair; **plebiscito** plebisciet, volksstemming, volksraadpleging
plectro plectrum
plegable opklapbaar, opvouwbaar; **plegadera** vouwbeen; **plegadizo** makkelijk te vouwen; **plegado** (het) vouwen, (het) plooien; **plegamiento** (*geol*) plooiing; **plegar ie** vouwen; plooien; **plegarse ie** zich onderwerpen; ~ *a* zich voegen naar
plegaria 1 smeekbede; 2 klokgelui
pleistoceno pleistoceen
pleiteador, -ora graag procederend; **pleiteante** die procedeert; **pleitear** procederen; **pleitesía** uiting van eerbied; *rendir ~ a* zijn eerbied tonen jegens; **pleito** proces, procedure, (rechts)geding, pleit; ~ *civil* civiel proces; ~ *criminal* strafzaak; *ganar el* ~ het pleit winnen; *poner ~ a* een proces aandoen
plenamente volledig; **plenario** plenair, voltallig
plenilunio volle maan
plenipotenciario gevolmachtigd
plenitud *v* volheid, totaliteit, volledige rijping, hoogtepunt; **pleno** I *bn* vol, volledig; volwaardig; *~s poderes* volmacht; *en -a calle* midden op straat; *en ~ día* op klaarlichte dag; *en ~ trabajo* midden onder het werk; *miembro de ~ derecho* volwaardig lid; II *zn* plenaire zitting; *el ~ del Senado* de voltallige Eerste Kamer
pleonasmo pleonasme
plétora overvloed, weelde; **pletórico** (*de*) overvloedig (van), blakend (van)
pleura borstvlies, pleura; **pleuritis** *v* pleuritis, borstvliesontsteking
plexiglás *m* plexiglas
pléyade *v* 1 groep dichters; 2 (grote) groep
plica verzegelde brief
pliego 1 dubbelgevouwen vel papier; vel papier; ~ *de condiciones* inschrijvingsvoorwaarden; 2 document; ~ *de cargos* lijst met beschuldigingen; ~ *de descargo* antwoord op lijst met beschuldigingen; **pliegue** *m* plooi, vouw
plim: *¡a mí ~!* kan mij wat schelen!
plinto 1 (*gymn*) bok; 2 voetstuk van zuil
plisado geplooid, geplisseerd; *falda -a* plooirok; **plisar** plisseren
plomada peillood, schietlood; **plomería** loodgietersbedrijf; **plomero** loodgieter; **plomífero** 1 loodhoudend; 2 vervelend; **plomizo** loodkleurig; **plomo** 1 lood; *sin* ~ loodvrij; *sueño de* ~ loodzware slaap, diepe slaap; 2 loodje, peillood; *a* ~ loodrecht, verticaal; 3 (*elektr*) stop, zekering; 4 vervelend mens; 5 ~ *rojo* menie
plum: *¡~!* plof!, plons!
pluma 1 veer; *mudar de* ~ (*mbt vogel*) in de rui zijn; *peso* ~ vedergewicht; 2 pen; ~ *estilográfica* vulpen; *a* ~ met de pen; *a vuela* ~ snel; *al correr de la* ~ zonder aarzeling, meteen; *llevar la* ~ de pen voeren; *tener la ~ fácil, tener buena* ~ een vlotte pen hebben; 3 giek; 4 laadboom; **plumada** pennestreek, haal; **plumaje** *m* veren, vederdos, pluimage; **plumazo** *zie plumada*; **plumero** 1 plumeau; 2 vederdos || *vérsele a u.p. el* ~ (*fam*) iem doorkrijgen; **plumífero** 1 (*iron*) schrijver, journalist, pennelikker; 2 bodywarmer, donsvest; **plumilla** kroontjespen, losse pen (*in houder*); **plumón** *m* 1 dons; 2 donsmatras
plural I *bn* meervoudig; II *m* meervoud; **pluralidad** *v* veelheid, groot aantal; **pluralismo** pluralisme; **pluralizar** in het meervoud zetten
pluricelular meercellig; **pluriempleo** het hebben van meer dan een baan tegelijk; **pluriforme** pluriform; **plurilateral** meerzijdig;

plurilingüe meertalig; **pluripartidismo** meerpartijenstelsel
plus *m* toeslag; ~ *de carestía de la vida* duurtetoeslag; ~ *familiar* (*vglbaar*) kinderbijslag; ~ *de vacaciones* vakantietoeslag
pluscuamperfecto voltooid verleden tijd
plusmarca record; **plusmarquista** *m,v* recordhoud(st)er
plusvalía waardestijging, meerwaarde, overwaarde
plutocracia plutocratie; **plutócrata** *m,v* plutocraat
plutonio plutonium
pluvial regen-, vd regen; **pluviometría** (het) meten van regenval; **pluviómetro** regenmeter; **pluviosidad** *v* regenval, neerslag
p.m. *post meridiem* na 12 uur 's middags
PNB *producto nacional bruto*
PNN *profesor no numerario*
PNV *Partido Nacionalista Vasco*
población *v* 1 bevolking; ~ *civil* burgerbevolking; ~ *mundial* wereldbevolking; ~ *rural* plattelandsbevolking; 2 plaats, stad; 3 (het) bevolken; **poblado** I *bn* ~ (*de*) 1 bevolkt (met); 2 begroeid (met); (*mbt baard*) dicht; II *zn* nederzetting; **poblador**, **-ora** bewoner, bewoonster; **poblar** 1 bevolken; 2 beplanten; ~ *de pinos* beplanten met dennen
pobre I *bn* 1 arm; ~ *en* arm aan; *más* ~ *que una rata* zo arm als een kerkrat, straatarm; 2 armoedig, pover, schamel, schraal; II *m,v* arm mens; ~ *de pedir* bedelaar; ~ *de solemnidad* zeer arm mens; **pobrecillo**, **-a** arme stakker, zielepoot; **pobrecito**, **-a** stakker, stumperd; **pobrete**, **-eta** *zie pobrecillo*; **pobretón**, **-ona** armoedzaaier; **pobreza** 1 armoede; ~ *de ánimo* kleinzieligheid; *ser reducido a la* ~ tot armoede vervallen; 2 armzaligheid, schraalheid, schaarsheid
pocero 1 puttenmaker; 2 putjesschepper
pocho, **-a** I *bn* slap, verlept, droef; bleek; overrijp, voos; II *zn* (*Mexico*) 1 Noord-Amerikaan(se) van Mexicaanse afkomst; 2 Amerikaans beïnvloede Mexicaan(se)
pocilga 1 varkensstal; 2 (*fig*) vieze troep, zwijnestal
pocillo klein kopje (*bv voor chocola*)
pócima (vies) drankje, brouwsel
poción (*vnl med*) drank; ~ *mágica* toverdrank
poco I *bn* weinig, gering; *un* ~ een beetje; *unos* ~*s* enkelen; ~ *a* ~ beetje bij beetje, gaandeweg, langzamerhand; *-a memoria* een zwak geheugen; *como hay* ~*s* van de bovenste plank; *dentro de* ~ binnenkort; *empezar por* ~ klein beginnen; *gastar* ~ weinig uitgeven; *hace* ~ kortgeleden; *muchos* ~*s hacen un mucho* veel kleintjes maken één grote; *ni* ~ *ni mucho* helemaal niets; *por si fuera* ~ alsof dat niet genoeg was; *por tan -a cosa* om zo'n kleinigheid; *tener en* ~ *a u.p.* een geringe dunk van iem hebben; *toda prudencia es -a* je kunt niet voorzichtig genoeg zijn; *u.p. para* ~ iem die niet veel aan kan; II *bw* weinig, niet erg, enigszins; ~ *después* korte tijd later; ~ *menos que ilegible* haast onleesbaar; *por* ~ haast, bijna; *por* ~ *se cae* hij was bijna gevallen
poda 1 (het) snoeien; 2 snoeitijd; 3 (*fig*) besnoeiing; **podadera** snoeimes, snoeischaar; **podador** *m* man die snoeit; **podar** 1 snoeien; 2 (*fig*) besnoeien
podenco soort jachthond, Spaanse staander, brak
poder I *ww* kunnen; mogen; *a más no* ~ zo hard mogelijk, tegen de klippen op; *como mejor pueda* naar beste kunnen; *el que puede, arrastra* (*fam*) wie het breed heeft, laat het breed hangen; *no* ~ *con* niet opkunnen tegen, niet aankunnen; *no* ~ *consigo* (*mismo*): *a*) heel prikkelbaar zijn; *b*) doodmoe zijn; *no* ~ *más* niet meer kunnen; *no* ~ *nada contra* niets vermogen tegen; *no* ~ (*por*) *menos de* niet kunnen nalaten om; *no pude menos de reír* ik moest wel lachen; *puede* (*ser*) *que* het is mogelijk dat; II *m* 1 macht, gezag; ~ *ejecutivo* uitvoerende macht; ~ *judicial* rechterlijke macht; ~ *legislativo* wetgevende macht; ~ *naval* zeemacht; *conferir* ~ macht verlenen; *en* ~ *de* berustend onder, in handen van; *llegar al* ~, *subir al* ~ aan de macht komen; *su carta llegó a mi* ~ *ayer* uw brief kwam gisteren in mijn bezit; *obra en mi* ~ *su carta del*... uw brief d.d.... is in mijn bezit; 2 vermogen; ~ *adherente*, ~ *adhesivo* kleefkracht; ~ *adquisitivo* koopkracht; ~ *aislante* isolerend vermogen; ~ *germinativo* kiemkracht; ~ *imaginativo* verbeeldingskracht; ~ *mágico* toverkracht; ~*es mentales* geestelijke vermogens; 3 machtiging, volmacht; *con plenos* ~*es* gevolmachtigd; *otorgar* ~(*es*) procuratie verlenen, volmacht geven; *por* ~ per procuratie, bij volmacht
poderdante *m,v* lastgever, -geefster; **poderhabiente** *m,v* lasthebber, -hebster, gevolmachtigde
poderío 1 macht (*vnl van een land*); 2 rijkdom; **poderoso** machtig; krachtig
podio podium
podología podologie, voetkunde; **podólogo**, **-a** podoloog, -loge, voetdeskundige
podredumbre *v* 1 (ver)rotting; 2 rotte troep; **podrido** rot, verrot; vergaan; **podrirse** verrotten
poema *m* (*lang*) gedicht; ~ *épico* epos; ~ *heroico* heldendicht; ~ *sinfónico* symfonisch gedicht; **poemático** van een gedicht; **poesía** 1 poëzie; *hacer* ~ dichten; 2 gedicht; **poeta** *m* dichter; **poetastro** rijmelaar, prutsdichter; **poética** poëtica; **poético** poëtisch, dichterlijk; **poetisa** dichteres
pogrom *m* pogrom; **pogromo** *zie pogrom*
póker *m* poker
polaco, **-a** I *bn* Pools; II *zn* Pool(se)
polaina slobkous
polar vd pool; *oso* ~ ijsbeer
polarización *v* polarisatie; **polarizador**, **-ora** polariserend; **polarizar** polariseren

polca polka
pólder *m* polder
polea katrol, katrolblok; schijf
polémica polemiek; **polémico** polemisch; **polemista** *m,v* polemist(e); **polemizar** polemiseren
polen *m* stuifmeel, pollen
polenta polenta, maïspap
poli (*fam*) **1** *m* smeris, agent; **2** *v* (de) politie
poliamida polyamide
poliandria polyandrie, huwelijk van vrouw met meer dan één man
policía 1 politie; ~ *antidisturbios* oproerpolitie, (*vglbaar*) mobiele eenheid; ~ *a caballo* bereden politie; ~ *de extranjeros* vreemdelingenpolitie; ~ *de Hacienda* (*Am*) plattelandspolitie; ~ *judicial* recherche; ~ *municipal* gemeentepolitie; ~ *nacional* (*vglbaar*) rijkspolitie, (*Belg, vglbaar*) rijkswacht, rijkswachter; ~ *secreta* geheime politie; ~ *de tráfico,* ~ *de tránsito* verkeerspolitie; ~ *urbana* gemeentelijke verkeerspolitie; **2** *m,v* (politie)agent(e); ~ (*de investigación*) *criminal* rechercheur; ~ *de tráfico* verkeersagent; ~*s y ladrones* (*kinderspel*) diefje met verlos; **policiaco, policíaco, policial** politie-, vd politie
policlínica polikliniek
policromo, polícromo polychroom
polideportivo sportcomplex
poliedro polyeder, veelvlak
poliéster *m* polyester; ~ *reforzado* gewapend polyester
poliestireno polyestireen, piepschuim
polifacético veelzijdig
polifonía polyfonie, veelstemmigheid; **polifónico, polífono** polyfoon, veelstemmig
polifuncional multifunctioneel
poligamia polygamie; **polígamo** polygaam
polígloto, -a polyglot
polígono veelhoek; ~ *deportivo* sportcomplex; ~ *industrial* industriegebied
polígrafo, -a veelschrijver, -schrijfster
poli-insaturado meervoudig onverzadigd
polilla mot
polímero polymeer
polimorfo polymorf
polinesio Polynesisch
polinización *v* bevruchting (*van bloem met stuifmeel*)
polio *v; zie poliomielitis*; **poliomielitis** *v* polio, kinderverlamming
polinomio veelterm
polipasto katrollensysteem, takel
pólipo poliep
polisemia polysemie, (het) hebben van meerdere betekenissen
polisílabo meerlettergrepig
polisón *m* (*hist*) heupkussentje (*onder de rok*)
polista *m,v* polo-speler, -speelster
politécnico polytechnisch
política 1 politiek; beleid; ~ *de previsión* vooruitziend beleid; *llevar una* ~, *seguir una* ~ een beleid voeren; **2** ~*s* beleidslijnen; **politicastro** slecht of onbetrouwbaar politicus; **político, -a I** *bn* **1** politiek; **2** aangetrouwd; *hijo* ~ schoonzoon; **3** diplomatiek, tactisch, verstandig; **II** *zn* politicus; **politicología** politicologie; **politiquear** (*neg*) zich in de politiek begeven; **politiqueo** (*neg*) gescharrel in de politiek, politiek gedoe; **politización** *v* politisering; **politizar** politiseren
poliuretano polyurethaan
polivalente polyvalent
póliza 1 (verzekerings)polis; ~ *combinada* pakketpolis, (*Belg*) blokpolis; ~ *de prima única* koopsompolis; **2** plakzegel (*voor betaalde rechten*)
polizón *m* verstekeling
polizonte *m* (*fam*) smeris, agent
polla 1 kippetje; ~ *de agua* waterhoen; **2** (*fam*) jong meisje; **3** (*pop*) pik, lul; **pollastre** *m* jong mannetje; **pollear** (*mbt jongens en meisjes*) aandacht voor elkaar krijgen, beginnen te scharrelen; **pollera 1** kippenfokkerij; **2** loopmand (*voor kinderen die leren lopen*); **3** onderrok; **4** (*Am*) rok; **pollería** poelierswinkel; **pollerío** jong volkje; **pollero, -a** poelier; **pollino** (*jonge*) ezel; **pollito, -a 1** kippetje, kuiken; **2** jong knulletje, jong meisje, bakvis; **pollo 1** kuiken; **2** (*als gerecht*) kip; ~ *para asar* braadkip; **3** jong ventje; ~ *pera* ijdel jongmens
polo 1 pool; ~ *norte* noordpool; ~ *opuesto* tegenpool; ~ *sur* zuidpool; **2** ijslolly; **3** polo(shirt); **4** (*sp*) polo; ~ *acuático* waterpolo; **5** soort flamenco-lied
Polo *afk van Leopoldo*
polonesa polonaise
poltrón, -ona I *bn* lui, gemakzuchtig; **II** *v* luie stoel, diepe fauteuil; **poltronería** gemakzucht
polución *v* **1** zaadlozing; **2** (milieu)vervuiling, verontreiniging; **poluto** (*lit*) bevlekt
polvareda stofwolk; *levantar* ~ veel stof doen opwaaien; **polvera** poederdoos; **polvo 1** stof; poeder; gruis; ~*s de cacao* cacaopoeder; ~ *de huesos* beendermeel; ~ *insecticida* insektenpoeder; ~ *de ladrillo* steengruis, gravel; ~*s de la madre Celestina* wondermiddel; ~*s de pica-pica* jeukpoeder; ~*s de talco* talkpoeder; ~*s vulnerarios* wondpoeder; *deshacerse en* ~ tot stof vergaan; *hacer* ~: *a*) (*iets*) kapot maken, vernietigen; *b*) (*iem*) dodelijk vermoeien; *c*) niets heel laten (*van iem*); *d*) (*iem*) kapot maken (*van verdriet*); *hecho* ~: *a*) doodmoe, bekaf; *b*) kapot, niets waard; *morder el* ~ in het stof bijten, verliezen; *ocultar el* ~ *debajo de la alfombra* een struisvogelpolitiek voeren; *quitar el* ~ stof afnemen; *sacudir el* ~ *a u.p.* iem een pak slaag geven; **2** (*fam*) cocaïne; ~ *blanco* heroïne; **3** ~*s* (*kosmetisch*) poeder; **pólvora 1** kruit; *gastar* ~ *en salvas* zijn kruit voor niets verschieten; *gastarse la* ~ zijn kruit verschieten; *no haber inventado la* ~ het buskruit niet uitgevonden hebben; *ser como la* ~ opvlie-

gend zijn; 2 (*Am*) vuurwerk; *echar* ~ vuurwerk afsteken; **polvorilla** *m,v* kruidje-roer-me-niet, lichtgeraakt persoon; **polvoriento** stoffig; **polvorín** *m* kruitmagazijn; **polvorón** *m* zandtaartje; **polvorosa** *zie pie*

pomada zalf, pommade

pomar *m* (*lit*) bongerd

pomelo grapefruit

pómez: *piedra* ~ puimsteen

pomo 1 (deur)knop; 2 sabelknop; 3 parfumflesje

pompa 1 praal, pracht, staatsie, vertoon; (*empresa de*) ~*s fúnebres* begrafenisonderneming; 2 ~ *de jabón* zeepbel

pompeyano uit Pompeï

pompis *m* (*fam*) achterste, bips

pompón *m* pompoen, kwastje

pomposo 1 statig, met veel pracht en praal; 2 gezwollen, pompeus, hoogdravend

pómulo jukbeen; ~*s pronunciados* 'uitstekende jukbeenderen

ponchada grote hoeveelheid punch; **ponche** *m* punch; **ponchera** punchbowl

poncho (*Am*) poncho

ponderación *v* 1 weloverwogenheid, bedachtzaamheid; 2 afweging, (het) afwegen; 3 overdrijving; *hacer -ones de* hoog opgeven van; **ponderado** weloverwogen; bezadigd, bedaard || *nunca bien* ~ onvolprezen; **ponderar** 1 afwegen, overwegen, overdenken; 2 hogelijk prijzen, hoog opgeven van; **ponderativo** 1 lovend, prijzend; over'drijvend; 2 bedachtzaam, nadenkend

ponedero I *bn* 1 wat kan worden neergelegd; 2 (*mbt kip*) aan de leg; II *zn* leghok; **ponedor, -ora** (veel) eieren leggend, aan de leg; *gallina -ora* legkip

ponencia 1 (korte) inleiding (*op congres*), referaat; rapport; 2 taak van rapporteur, taak van inleider (*op congres*); 3 commissie (*die moet rapporteren*); **ponente** *m,v* inleid(st)er (*op congres*); rapporteur, commissielid belast met rapportage of het formuleren van voorstellen

poner 1 zetten, plaatsen, leggen, stellen, (*ergens*) in doen; installeren, opzetten, voorzetten; ~ *lo de arriba abajo* alles ondersteboven keren; *le he puesto azúcar* ik heb er suiker in gedaan; ~ *banderas* vlaggen; ~ *bien a u.p.* iem prijzen; *¡póngame un café!* geef mij maar een kop koffie; ~ *en camino* op weg helpen; ~ *en claro* verduidelijken, doen blijken, aan het licht brengen; ~ *la comida* (*en el fuego*) het eten opzetten; ~ *delante* (*iem iets*) voorzetten; ~ *al día* bijwerken; ~ *dinero encima* er geld op toeleggen; ~ *un disco* een plaat opzetten; ~ *por escrito* op schrift stellen; ~ *en hora* gelijkzetten; ~ *mal a u.p.* iem afkraken; ~ *de manifiesto* doen blijken, duidelijk maken; ~ *en marcha* starten, in beweging zetten; ~ *más alta la radio* de radio harder zetten; ~ *por obra* in praktijk brengen; ~ *los ojos en* de ogen richten op; ~ *en orden* op orde brengen; ~ *paz* vrede stichten; ~ *en práctica* in praktijk brengen; ~ *precio a* een prijs stellen op, een prijs vaststellen voor; ~ *al revés* omkeren; ~ *al rojo* roodgloeiend maken; ~ *a salvo* veilig stellen; ~ *a secar* (*de was*) te drogen hangen; ~ *sobre* stellen boven; *¿qué pone?* wat staat er? (*in brief, krant*); 2 (*radio*) aandoen, aanzetten; 3 (*kleren*) aandoen, aantrekken; 4 (*theat*) vertonen, geven; *¿qué ponen?* wat wordt er gegeven?; 5 (*in spel*) inleggen, inzetten; verwedden; 6 (*een huis*) inrichten; ~ *casa* een huishouden beginnen; 7 (*een telegram*) opgeven; sturen; (*een paar woordjes*) schrijven, sturen; 8 (*een injectie*) geven; 9 veronderstellen; *pongamos* laten we stellen, bijvoorbeeld; *pongamos por caso que...* laten we veronderstellen dat...; 10 (*tijd*) nodig hebben; *puso tres horas en...* hij deed drie uur over...; 11 (*een naam*) geven; ~ *el nombre de Juan* de naam Juan geven; 12 (*mbt kip*) leggen; 13 ~ *de* betitelen als; 14 ~ *con* (*telef*) doorverbinden met; **ponerse** I *zelfst ww* 1 zich plaatsen, gaan staan; ~ *al aparato* aan de telefoon komen; ~ *a bien con u.p.* iem voor zich winnen; ~ *en camino* zich op weg begeven; ~ *a la cola* in de rij gaan staan; ~ *en contacto con* zich in verbinding stellen met; ~ (*por*) *delante,* ~ *por medio* in de weg gaan staan, er tussen komen; *ponte en mi lugar: a*) ga op mijn plaats staan; *b*) denk je eens in mijn plaats; ~ *a mal con u.p.* het bij iem verbruien; ~ *en marcha* gaan rijden; ~ *de pie* gaan staan; *en un instante me pongo en tu casa* in een ogenblik ben ik bij je; 2 (*kleren*) aantrekken; (*ketting, sjaal*) omdoen; (*bril*) opzetten; ~ *bien* zich netjes aankleden; 3 (*mbt zon*) 'ondergaan; 4 ~ *a* + *onbep w* beginnen te; ~ *a gritar* beginnen te schreeuwen, een keel opzetten; ~ *a trabajar* aan het werk gaan; 5 ~ *de* zich bevuilen met; *se puso todo de pintura* hij zat helemaal onder de verf; II *koppelww* 1 worden; ~ *bien* beter worden; ~ *en claro* duidelijk worden; ~ *malo* ziek worden; ~ *mejor* beter worden; ~ *peor* slechter worden, erger worden, verslechteren; ~ *rojo* rood worden; ~ *tirante* spannend worden; 2 ~ (*así*) zich van streek maken; zich aanstellen, zich opwinden; *¡cómo se pusieron!* wat hebben ze zich opgewonden!; *no te pongas así* wind je niet op, stel je niet zo aan

poney *m* pony; **poni** *m; zie poney*

poniente I *m* 1 westen; 2 avondland; 3 westenwind; II *bn: sol* ~ ondergaande zon

pontazgo bruggeld (*bij tolbrug*)

pontevedrés, -esa uit Pontevedra (*Galicië*)

pontificado pontificaat, pauselijke waardigheid; **pontifical** vd paus, pauselijk, pontificaal; *de* ~ in vol ornaat; **pontificar** oreren, plechtig doen; **pontífice** *m* 1 (*sumo*) ~ paus; 2 bisschop, aartsbisschop; 3 Romeins priester; **pontificio** pauselijk

pontón *m* 1 ponton, platte schuit; 2 ponton-

brug; **pontonero** 1 schipbrugmaker; 2 pontonier (*soldaat*)
ponzoña vergif, venijn; **ponzoñoso** (ver)giftig, schadelijk
pool *m* syndicaat, pool
pop I *bn* pop-; *música* ~ popmuziek; II *m* popmuziek
popa achtersteven; *cuerpo de* ~ achterschip
popcorn *m* popcorn
pope *m* pope (*priester vd Grieks-orthodoxe kerk*)
popelín *m* popeline
populachería succes bij de grote massa, goedkope populariteit; **populachero** 1 vh gepeupel; 2 gericht op succes bij de grote massa; **populacho** gepeupel, grauw; gajes
popular 1 vh volk, volks-; *barrio* ~ volksbuurt; 2 populair, gewild; **popularidad** *v* populariteit; **popularización** *v* (het) populair maken, popularisering; **popularizar** populair maken, populariseren; **popularizarse** populair worden; **popularmente** in de volksmond; **populista**: *partido* ~ volkspartij; **populoso** (*vnl mbt volksbuurten*) dichtbevolkt
popurrí *m* potpourri; mengsel
poquedad *v* 1 geringheid, schaarste; 2 kleinigheidje; 3 verlegenheid
póquer *m* poker
poquito I *bn* (heel) weinig; II *zn* klein beetje; ~ *a poco* bij stukjes en beetjes
por 1 door (*handelende persoon*); door toedoen van; door middel van; ~ *correo* per post; ~ *escrito* op schrift; ~ *parte de* van de kant van, namens; ~ *sí mismo, de* ~ *sí* vanzelf; *hecho* ~ *un español* gemaakt door een Spanjaard; 2 wegens, door, omwille van, om, voor; ~ *amor* uit liefde; ~ *Dios* om Godswil; ¡~ *Dios!* hemeltjelief!; ~ *ese motivo* om die reden; ~ *eso* vandaar; ~ *gusto* uit liefhebberij; ~ *lo que más quieras* in hemelsnaam, om al wat je lief is; ~ *miedo* uit angst; ~ *nada* nergens om; ¿~ *qué?* waarom?, waardoor?; ~ (*lo*) *tanto* daarom, dus; *no entiende nada,* ~ *tonto* hij begrijpt er niets van, de dommerd; *lo hago* ~ *mi padre* ik doe het voor mijn vader; *votar* ~ stemmen voor; 3 doorheen, door, langs, over; ~ *aquí* hierlangs, bij ons langs; ~ *debajo* (er) onderdoor, onderlangs; ~ *encima* (er) overheen; ~ *este camino* langs deze weg; ~ *tierra* over land; *pasar* ~ *Burgos* via, over Burgos komen; 4 (*vage aanduiding van plaats of tijd*) ergens op, ergens in; in de buurt van; verspreid over; ~ *aquí* hier in de buurt; ~ *los años cincuenta* rond de jaren vijftig; ~ *la calle* op straat, over straat; ~ *el camino* onderweg; ~ *mayo* ergens in mei; ~ *el mundo entero* over de hele wereld; ~ *Navidad* met Kerstmis, omstreeks Kerstmis; ~ *la tarde* 's middags; ~ *todo el ancho* over de volle breedte; *vive* ~ *Sevilla* hij woont ergens bij Sevilla; 5 gedurende; ~ (*espacio de*) voor de duur van; ~ *un mes* een maand lang; 6 per; ~ *ciento* procent, percentage; *un alto* ~ *ciento* een hoog percentage; *un cien* ~ *ciento* honderd procent; *una vez* ~ *mes* een keer per maand; 7 ~ + *onbep w: a*) om te; ~ *no tener frío* om het niet koud te hebben; *b*) omdat; *no va,* ~ *estar cansado* hij gaat niet, omdat hij moe is; 8 *estar* ~ + *onbep w* nog ge... moeten worden; *una cama* ~ *hacer* een onopgemaakt bed; *la carta está* ~ *escribir* de brief moet nog geschreven worden; 9 (*rekenk*) maal; *dos* ~ *seis son doce* twee maal zes is twaalf; 10 (in ruil) voor; ~ *dinero* voor geld, tegen betaling; ~ *el precio de* voor de prijs van; 11 wat betreft; ~ *cuanto* voor zover; ~ *lo demás* overigens; ~ *esta vez* voor deze keer; ~ *un lado* aan een kant; ~ *lo menos* op zijn minst, minstens; ~ *mí,* ~ *mi parte* wat mij betreft, voor mijn part; ~ *mí, que venga* van mij mag hij komen; ~ *el momento* op dit moment, voorlopig; ~ *otra parte* anderzijds; 12 ~ *si* voor het geval dat || ~ *más que,* ~ *mucho que* hoe...ook; ~ *más que llamara...* hoe ik ook riep...; ~ (*más*) *triste que sea,* ~ (*muy*) *triste que sea* hoe droevig het ook is
porcada (*fam*) 1 smerige troep; 2 gemene streek
porcelana 1 porselein; 2 porseleinen voorwerp
porcentaje *m* percentage, gehalte; ~ *de grasa* vetgehalte; **porcentual** procentueel, in procenten
porche *m* 1 voorportaal; 2 overdekte gaanderij
porcino vh varken, varkens-; *peste -a* varkenspest
porción *v* portie; *una* ~ *de* een massa, een heleboel; ~ *de la herencia* erfdeel; *la* (~) *legítima* het wettelijke erfdeel
porcuno I *bn* vh varken; *ganado* ~ varkensvee; II *mmv:* ~*s* varkens
pordiosear bedelen; **pordiosero, -a** bedelaar, bedelares
porfía 1 halsstarrigheid; 2 strijd; *a* ~ om het hardst, om strijd; **porfiado** hardnekkig, onverzettelijk, vasthoudend; **porfiar** í 1 hardnekkig ruziemaken; 2 volhouden; 3 aanhouden, zeuren, zaniken
pormenor *m* bijzonderheid, detail; ~*es* nadere bijzonderheden, details; **pormenorizado** gedetailleerd; **pormenorizar** in bijzonderheden vermelden
porno, pornográfico porno-, pornografisch; *película porno* pornofilm; **pornografía** porno(grafie)
poro porie; **porosidad** *v* poreusheid; **poroso** poreus
poroto (*Am*) boon
porque 1 omdat; ~ *sí* zomaar; ¿*por qué?* ~ *sí* waarom? daarom; 2 ~ (+ *subj*) opdat; 3 *no* ~ + *subj* niet omdat; **porqué** *m* (het) waarom; *zie ook por*
porquería 1 viezigheid, vuil, vieze troep, knoeiboel; vuilbekkerij; *hecho una* ~ erg vies; 2 gemene streek; 3 prutsding, kleinigheid; 4 (*mbt eten*) troep, ongezonde kost; **porquerizo, -a, porquero, -a** varkenshoed(st)er

porra 1 knots, knuppel; ~ *de goma* gummiknuppel; 2 korte dikke churro (*gefrituurde deegstengel*); 3 voorhamer || *mandar a la* ~ naar de maan wensen; *vete a la* ~ loop naar de pomp; **porrada** 1 slag met knuppel; 2 zooi, massa; 3 dwaasheid; **porrazo** 1 klap met knuppel; 2 oplawaai, opdoffer, klap; **porrería** 1 gezeur, gezanik; 2 dwaasheid; **porrillo**: *a* ~ in overvloed; **porro** 1 prei; 2 stickie, hasjsigaret; **porrón** *m* glazen drinkkaraf (*met een smalle en een brede tuit*)

portaautos: *tren* ~ autotrein; **portaaviones** *m* vliegtuigmoederschip, vliegdekschip; **portabicicletas** *m* fietsenrek; **portacables** *m* (kabel)haspel; **portacartas** *m* brievenstandaard; **portacartuchos** *m* patroonhouder; **portacontenedores** *m* containerschip; **portacubiertos** *m* bestekbak

portada 1 voorgevel; 2 titelblad, voorpagina

portador, -ora 1 drager, draagster, breng(st)er; overbreng(st)er (*van ziekte*); ~ *de gérmenes* bacillendrager, -draagster; 2 (*hdl*) toonder; 3 *m* houder, standaard; **portadora**: ~ *de imágenes* beelddrager

portaequipajes *m* bagagedrager; bagagerek; achterbak, kofferbak; **portaestandarte** *m* standaarddrager; **portafusil** *m* draagriem (*voor geweer*)

portal *m* 1 portaal, vestibule; ~ *de Belén* kerststalletje; 2 ~*es* overdekte gaanderij; **portalada** monumentale toegangspoort

portalámparas *m* fitting; **portalápiz** *m* potloodhouder; **portaligas** *m* jarretelgordel

portalón *m* 1 *zie portalada*; 2 gangboord; 3 deur in scheepswand

portalibros *m* boekenrekje; **portamaletas** *m* kofferruimte (*in auto*); **portamantas** *m* draagriem (*voor reisdeken*); **portaminas** *m* vulpotlood; **portamonedas** *m* portemonnee, beurs

portante *m* telgang; *tomar el* ~ (haastig) opstappen

portañuela klep over gulp

portaobjetos *m* 1 (microscoop)glaasje; 2 opbergvakje; **portaplumas** *m* penhouder; **portarrollos** *m* closetrolhouder

portarse zich gedragen; ~ *mal* zich misdragen; *si te portas bien* als je zoet bent

portarretrato fotostandaard, fotolijst

portátil *bn* draagbaar

portaviones *m; zie portaaviones*

portavoz *m,v* woordvoerder, -voerster, spreekbuis; *ser el* ~ het woord doen

portazgo tol(geld)

portazo klap met deur; *dar un* ~ met de deur slaan

porte *m* 1 vracht; 2 (vracht)vervoer; 3 vrachtprijs; *libre de* ~ franco, portvrij; 4 laadvermogen (*van schip*), afmeting; 5 (lichaams)houding; uiterlijk; gedrag; **porteador** *m* vervoerder; **portear** transporteren, vervoeren

portento wonder; **portentoso** wonderbaarlijk

porteño, -a 1 (*Am, Argentinië*) inwoner van Buenos Aires; 2 (*Am, Chili*) inwoner van Valparaíso

portería 1 portiersloge; 2 (*sp*) doel, goal; **portero, -a** 1 portier(ster), conciërge; ~ *automático*, ~ *eléctrico* elektrische deuropener; 2 keep(st)er, doelman, -vrouw; *ser* ~ keepen

portezuela portier (*van auto*)

pórtico 1 portiek; 2 gaanderij, zuilengang

portilla patrijspoort; **portillo** 1 deurtje, opening, doorgang (*in muur*); 2 smalle doorgang (*tussen bergen*); 3 'kartel, gescherfde plek

pórtland *m* soort cement

portón *m* grote, primitieve deur

portorriqueño Portoricaans

portuario vd haven, haven-; *facilidades -as* havenfaciliteiten

Portugal *m* Portugal; **portugués, -esa** I *bn* Portugees; II *zn* 1 Portugees, Portugese; 2 *m* (het) Portugees

portulano (*hist*) gebonden verzameling havenkaarten

porvenir *m* toekomst; *ya no verle* ~ het niet meer zien zitten

pos: *en* ~ *de* (*lit*) achter…aan

posacubiertos *m* messelegger

posada 1 herberg; *dar* ~ onderdak geven; 2 Mexicaans feest (*9 dagen voor Kerstmis*); **posaderas** *vmv* zitvlak; **posadero, -a** herbergier(ster); **posar** I *tr* plaatsen, laten rusten; II *intr* poseren; **posarse** 1 bezinken; 2 neerstrijken

posavasos *m* onderzetter, bierviltje

posbalance: *venta* ~ balansopruiming; **posbélico** naoorlogs; **posdata** postscriptum, P.S., naschrift

pose *v* pose

poseedor, -ora bezit(s)ter, houd(st)er; ~ *de una patente* octrooihoud(st)er; ~ *del título* titelhoud(st)er; **poseer** bezitten; ~ *las condiciones exigidas* aan de eisen voldoen; **poseerse** zich in bedwang hebben; **poseído, -a** I *bn* 1 bezeten; 2 ~ *de* overtuigd van; ~ *de sí mismo* van zichzelf overtuigd; II *zn* bezetene; **posesión** *v* 1 bezit; *tomar* ~ *de* in bezit nemen; *zie ook toma*; 2 bezitting, bezit; 3 bezetenheid; **posesionar** (*de*) in het bezit stellen (van); **posesionarse**: ~ *de* bezit nemen van; **posesivo** 1 possessief, waaruit het bezit blijkt; 2 hebberig, hebzuchtig; *es muy* ~ hij legt erg beslag op je; 3 (*gramm*) bezittelijk; **poseso, -a** bezetene; **posesorio** bezitsrechtelijk

posgrado: *de* ~ postdoctoraal, postacademisch; **posgraduado** 1 afgestudeerd; 2 postacademisch

posguerra periode na de oorlog

posibilidad *v* mogelijkheid, kans; ~*es económicas* financiële mogelijkheden; *a sus* ~*es* naar draagkracht; *por encima de sus* ~*es* boven zijn stand; **posibilitar** mogelijk maken; **posible** I *bn* mogelijk; eventueel; *en lo* ~ zoveel mogelijk; *hacer lo* ~ *por, para* al het mogelijke doen om; *¡no es* ~*!* hoe is het mogelijk!, nee toch!; II *mmv*: ~*s* mogelijkheden; financiële middelen; *hombre de* ~*s* bemiddeld man

posición *v* 1 houding, stand; ~ *final* eindstand; *en* ~ in de juiste stand; *en* ~ *de firmes* (*mil*) in de houding; ~ *intermedia* tussenstand; *luces de* ~: *a*) stadslicht; *b*) contourverlichting; 2 standpunt, stellingname, opstelling; (*mil*) stelling; *endurecer sus* ~*es* zijn standpunten verharden; 3 positie; ~ *clave* sleutelpositie; *una* ~ *difícil* een moeilijk parket; ~ *económica* financiële positie; ~ *social* maatschappelijke positie; *alcanzar una* ~ een positie verwerven; *en* ~ *desahogada* (financieel) onbezorgd; *mejorar de* ~ zijn positie verbeteren, vooruitkomen; 4 ligging, plaats (*waar iets zich bevindt*)
positivismo 1 realistische levenshouding; 2 positivisme; 3 materialisme; **positivista** *m,v* 1 realist(e); 2 materialist(e); 3 aanhang(st)er vh positivisme; **positivo** I *bn* 1 positief; 2 zeker, vaststaand, duidelijk; 3 realistisch; praktisch; II *zn* (*gramm*) stellende trap
pósito (gemeentelijke) voorraadschuur (*voor graan*)
positrón *m* positron, positief elektron
posma (*fam*) I *zn* 1 koppige traagheid, flegma; 2 *m,v* traag mens, lastig mens; II *bn* traag, lastig, zeurderig
posmoderno (*mbt kunst, bouwk*) postmodern
poso drab, bezinksel
posología posologie, theorie vd dosering van geneesmiddelen
posponer 1 ~ (*a*) stellen achter; achterstellen (bij); 2 uitstellen; (*hypotheek*) verlengen; **posposición** *v* 1 achterplaatsing; achterstelling; 2 uitstel
posta 1 stel verse paarden; 2 post (*voor paarden*) || *a* ~ met opzet
postal I *bn* vd post, post-; *cuenta de giro* ~ postrekening; *dirección* ~ postadres; *giro* ~ postwissel, postgiro; II *v* (prent)briefkaart, ansichtkaart
postbalance *zie posbalance*; **postdata** *zie posdata*
poste *m* paal, staak, mast; doelpaal; ~ *de alumbrado* lichtmast; ~ *de amarre* meerpaal || *oler el* ~ (*een ramp*) zien aankomen; *ser un* ~: *a*) stokdoof zijn; *b*) heel onhandig zijn
postema *v* 1 etterend abces; 2 zeurpot
póster *m* poster
postergación *v* 1 uitstel; 2 achterstelling; **postergar** 1 uitstellen; 2 ~ (*a*) achteruitzetten, achterstellen (bij); 3 veronachtzamen, vergeten
posteridad *v* 1 nageslacht; 2 posthume faam; **posterior** 1 later, volgend; 2 achter-, achterste; *asiento* ~ achterbank; *parte* ~ achterste deel; *puerta* ~ achterdeur; **posterioridad** *v* (het) later gebeuren, latere datum; *con* ~ *a* na
postescolar: *enseñanza* ~ voortgezet onderwijs, vervolgonderwijs
postgrado *zie posgrado*; **postgraduado** *zie posgraduado*; **postguerra** *zie posguerra*
postigo 1 (buiten)luik; 2 bewegend deel van openslaande ramen of deuren; 3 kleine deur in een grote
postilla korstje (*op wond*)
postillón *m* postiljon
postín *m* luxe; *darse* ~ (*de*) dik doen, opscheppen (over); *de todo* ~ heel deftig; *gente de* ~ deftige mensen; **postinero** opschepperig, dikdoenerig
postizo I *bn* niet echt, vals, nep-; los, uitneembaar; *dentadura -a* kunstgebit; II *zn* toupet
postmoderno *zie posmoderno*; **postnatal** na de geboorte, postnataal; *atención* ~ postnatale zorg; **postoperatorio** postoperatief
postor *m* bieder; *mayor* ~, *mejor* ~ hoogste bieder, meestbiedende
postrado krachteloos, verzwakt, uitgeput; terneergeslagen; ~ *en cama* aan het bed gekluisterd; **postrar** uitputten, terneerslaan; ~ *en cama* aan het bed kluisteren; **postrarse** (*ante*) neerknielen (voor)
postre *m* nagerecht, dessert; *a la* ~ uiteindelijk, achteraf; *de* ~ toe, als dessert; **postremo** *zie postrero*; **postrero** (*lit*) laatste; *el postrer homenaje* de laatste eer; **postrimerías** *vmv* 1 levenseinde; 2 laatste periode; **postrimero** (*lit*) laatste
postscriptum *m*; *zie posdata*
postsincronización *v* nasynchronisatie; **postsincronizar** nasynchroniseren
postulación *v* 1 collecte, inzameling; 2 (het) eisen, (het) vragen om; **postulado** postulaat; **postulante** *m,v* 1 collectant(e), verzoek(st)er; 2 sollicitant(e); **postular** 1 verzoeken; collecteren, inzamelen; 2 postuleren; aanvragen; aanbevelen; 3 (*Am*) benoemen; kandidaat stellen
póstumo posthuum
postura 1 houding, stand; pose; *cambiar de* ~ van houding veranderen, gaan verzitten; 2 standpunt; 3 bod (*op veiling*); *hacer* ~ bieden; 4 inzet (*bij wedden*); 5 (het) eieren leggen
postventa, **posventa**: *servicio* ~ service (*na aankoop*)
potabilidad *v* drinkbaarheid; **potabilizar** (*water*) drinkbaar maken, zuiveren; **potable** 1 drinkbaar; *agua* ~ drinkwater; 2 (*fam*) makkelijk
potaje *m* voedzame soep met peulvruchten; bonensoep, erwtensoep
potasa kali; **potásico** kaliumhoudend; **potasio** kalium
pote *m* 1 pot; kan; 2 (*in Asturias, Galicië*) eenpansgerecht; *zie ook cocido* || *darse* ~ deftig doen
potencia 1 vermogen, potentieel, capaciteit; ~ *calorífica* verbrandingswaarde; ~ *efectiva* effectief vermogen; ~ *luminosa* lichtsterkte; ~ *motriz* aandrijfvermogen; 2 macht; 3 mogendheid, macht; 4 (*wisk*) macht; *elevar a la cuarta* ~ in de vierde macht verheffen; 5 potentie; *en* ~ potentieel; **potenciación** *v* 1 machtsverheffing; 2 stimulering, versterking; sterke stijging; **potencial** potentieel; **potenciar** versterken; stimuleren; **potentado**, **-a**

machtig persoon, potentaat; **potente** 1 krachtig, sterk; 2 potent; **potestad** *v* macht; *patria* ~ ouderlijke macht; **potestativo** facultatief, vrijwillig
potingue *m* brouwsel
potosí *m* grote rijkdom; *valer un* ~ een kapitaal waard zijn
potpurrí *m; zie popurrí*
1 potra jonge merrie
2 potra (*fam*) breuk, verzakking || *tener* ~ geluk hebben
potrada groep veulens
potranca merrie onder de drie jaar; **potrear** 1 pijnigen; 2 afpeigeren; **potrero** (*Am*) paardenwei; **potro** 1 veulen; 2 (*gymn*) bok, paard; 3 pijnbank
potroso 1 lijdend aan een breuk; 2 (*fam*) gelukkig
poyo gemetselde bank
poza plas; **pozal** *m* putemmer; **pozo** 1 put; kuil, groeve; *un* ~ *de ciencia* een wonder van geleerdheid; ~ *sin fondo* bodemloze put; ~ *de leones* leeuwekuil; ~ *negro* beerput; ~ *petrolero* oliebron; ~ *surtidor* spuiter, oliebron; ~ *de tirador* schuttersputje; *abrir un* ~ een put graven; *ser un* ~ zwijgen als het graf; 2 schacht; ~ *del ascensor* liftkoker; ~ *de extracción* mijnschacht
pozole *m* (*Am*) maïsdrank
ppdo. *próximo pasado* laatstleden, jongstleden
práctica 1 praktijk; handelwijze; ~*s bancarias* bankgebruik; ~ *comercial* handelspraktijk; *la* ~ *hace maestro* al doende leert men, oefening baart kunst; ~ *del idioma* spreekvaardigheid; *llevar a la* ~, *poner en* ~ in praktijk brengen, doorvoeren; *malas* ~*s* kwalijke praktijken; *perder la* ~ *de u.c.* iets verleren; 2 beoefening (*van sport*); 3 ~*s* practicum; stage; ~*s de magisterio* (het) hospiteren; *estudiante en* ~*s* hospitant(e), stagiair(e); *hacer* ~*s* stage lopen, hospiteren; **practicable** begaanbaar, berijdbaar, bevaarbaar; **practicante** I *bn* praktizerend; II *m,v* 1 (*vglbaar*) wijkverpleger, -verpleegster; 2 (*Am*) hospitant(e), stagiair(e); **practicar** 1 beoefenen, uitoefenen; doen, uitvoeren; ~ *deporte* sport beoefenen, aan sport doen; ~ *footing* joggen; 2 in praktijk brengen, oefenen in; ~ *el español* zijn Spaans in praktijk brengen; **práctico** I *bn* praktisch; zakelijk; *clase -a* werkcollege; *sentido* ~ zakelijkheid; II *zn* (*scheepv*) loods; ~ *de puerto* havenloods
pradera prairie, grote grasvlakte; grasveld; **prado** weiland; grasland
Praga Praag
pragmática verordening, wet; **pragmático** pragmatisch; **pragmatismo** pragmatisme
praguense uit Praag
pratense (*mbt plant*) weide-
praviana Asturiaans lied
preámbulo inleiding, voorwoord; *sin* ~*s* zonder omhaal
preamplificador *m* voorversterker; **preaviso** waarschuwing vooraf; opzegging; *plazo de* ~ opzegtermijn (*bij ontslag*)
prebenda 1 prebende; 2 (*fam*) luizenbaan
precalentador *m* voorverwarmer
precario hachelijk, zorgelijk, precair; schamel
precaución *v* voorzorg, voorzichtigheid, behoedzaamheid; **precaver** verhoeden, voor'komen; **precavido** behoedzaam; *ser* ~ op zijn hoede zijn
precedencia 1 (het) voorafgaan; 2 belangrijkheid; **precedente** I *bn* voor(af)gaand, vorig; II *m* precedent; *sentar un* ~ een precedent scheppen; *servir de* ~ als precedent dienen; *sin* ~ ongekend; **preceder** (*a*) 1 voorafgaan (aan); 2 voorgaan (boven), belangrijker zijn (dan)
preceptiva (geheel aan) voorschriften; **preceptivo** 1 voorgeschreven; 2 voorschriften gevend; *señal -a* verbodsbord, gebodsbord; **precepto** voorschrift; *fiesta de* ~ (*r-k*) verplichte feestdag, dag waarop men verplicht is naar de mis te gaan; **preceptor**, **-ora** leermeester(es); **preceptuar ú** voorschrijven, bepalen
preces *vmv* gebeden, smeekbeden
preciado gewaardeerd; **preciar** waarderen; **preciarse:** ~ *de* bogen op
precintado (het) verzegelen; **precintar** verzegelen; **precinto** zegelloodje
precio prijs; ~ *abusivo* woekerprijs; ~ *bajo* zacht prijsje, lage prijs; ~ *de compra* koopprijs, aankoopsom; ~ *de coste* kostprijs; ~ *de entrada* entreeprijs; ~ *de fábrica* fabrieksprijs; ~ *fijo* vaste prijs; ~ *de ganga* spotprijs; ~*-guía* richtprijs; ~ *inicial* inzet (*bij veiling*); ~ *de intervención* interventieprijs; ~ *irrisorio* spotprijs; ~ *al por mayor*, ~ *mayorista* grossiersprijs; ~ *al por menor*, ~ *minorista* detailprijs, kleinhandelprijs; ~ *de mercado* marktprijs; ~*s razonables* billijke prijzen; ~ *de tasación* taxatieprijs; ~ *de transporte* vracht(prijs); ~ *umbral* drempelprijs; ~ *por unidad* stukprijs; ~ *uniforme* eenheidsprijs, gelijke prijs; ~ *unitario* prijs per stuk; ~ *de venta* verkoopprijs; ~ *de venta al público* (*afk p.v.p.*) winkelprijs; *al* ~ *de: a*) voor de prijs van; *b*) ten koste van; *a* ~ *alzado* à forfait, aangenomen (*werk*); *a* ~*s ruinosos* ver onder de prijs, tegen afbraakprijzen; *a cualquier* ~ tot elke prijs; *a mitad de* ~ voor de halve prijs, voor half geld; *a ningún* ~ voor geen prijs; *cotizar* ~*s* prijsopgave doen; *no tener* ~ (*fig*) onbetaalbaar zijn; *poner* ~ van een prijs voorzien; *¿qué* ~ *tiene?* wat kost het?; *reventar los* ~*s, vender a* ~*s de batalla* dumpen; *último* ~ uiterste prijs; **preciosidad** *v* 1 schoonheid; 2 iets schitterends, schoonheid; **preciosismo** precieusheid, precieuze stijl; **preciosista** precieus, gezocht; **precioso** 1 kostbaar; edel; *piedra -a* edelsteen; 2 prachtig; snoezig
precipicio afgrond; **precipitación** *v* 1 overhaasting; 2 neerslag (*regen*); 3 (*chem*) (het) neerslaan; **precipitadamente** inderhaast,

overhaast, hals over kop; **precipitado** I *bn* overhaast; vluchtig; voorbarig; II *zn* (*chem*) neerslag, bezinksel; **precipitar** 1 doen neervallen, storten; 2 (*chem*) afscheiden, doen bezinken; 3 verhaasten; **precipitarse** 1 overhaast handelen; 2 ~ *contra* afstormen op (*vijand*); ~ *sobre* afschieten op; 3 in een stroomversnelling raken; 4 (*chem*) neerslaan
precisamente juist, net; *no es ~ fácil* het is niet bepaald gemakkelijk; **precisar** 1 preciseren, (nader) omschrijven; aanduiden; *no lo puedo ~* dat kan ik niet precies zeggen; 2 nodig hebben; **precisión** *v* 1 precisie, accuratesse; ~ *de la imagen* beeldscherpte; *ajuste de ~* fijnstelling; *indicar con más ~* nader aanduiden; 2 ~ (*de*) noodzaak (van); *tener ~ de* nodig hebben; **preciso** 1 nodig, vereist; 2 precies; scherp
precitado voornoemd, genoemd
preclaro vermaard, illuster, vooraanstaand
precocidad *v* voorlijkheid, vroegrijpheid
precocido voorgekookt
precolombino precolumbiaans
preconcebido vooropgezet, van te voren bedacht; **preconcebir** van te voren bedenken; beramen
preconizar verkondigen, voorstaan
preconsulta vooroverleg
precortesiano van voor de komst van Cortés (*in Mexico*)
precoz voorlijk, vroegrijp
precursor, -ora I *bn* ~ (*de*) voorafgaand (aan), vooruitlopend (op); *signo ~* voorteken; II *zn* voorloper, -loopster; pionier(ster); voorgang(st)er
predatorio die rooft, uit op roof, plunderend
predecesor, -ora voorgang(st)er
predecible voorspelbaar; **predecir** voorspellen
predestinación *v* predestinatie, voorbeschikking; **predestinar** predestineren, voorbeschikken, voorbestemmen
predeterminación *v* 1 (het) van te voren bepalen; 2 (het) van te voren bepaald zijn; **predeterminar** van te voren bepalen
prédica preek, vertoog; **predicación** *v* preek, verkondiging; **predicadera** (*fam*) preektalent; **predicado** predikaat; (*gramm*) gezegde; ~ *nominal* naamwoordelijk (deel vh) gezegde; ~ *verbal* werkwoordelijk (deel vh) gezegde; **predicador, -ora** prediker, voorgang(st)er (*in kerk*); **predicamento** gezag, reputatie; **predicar** 1 prediken, preken; 2 berispen; **predicativo** predikatief, als naamwoordelijk deel vh gezegde (gebruikt)
predicción *v* voorspelling; ~ *del tiempo* weersvoorspelling
predilección (*por*) *v* voorkeur (voor), voorliefde (voor); **predilecto** meest geliefd, lievelings-, liefste
predio (*jur*) erf, stuk grond; ~ *rústico* onroerend goed op het platteland; ~ *urbano* stedelijk onroerend goed
predisponer geschikt maken; in de stemming brengen; ~ *en contra de* innemen tegen, stemming maken tegen; ~ *en pro* innemen voor, stemming maken voor; **predisposición** *v* 1 aanleg, geschiktheid; 2 vooringenomenheid; 3 vatbaarheid
predominante overheersend; **predominantemente** overwegend; **predominar** overheersen, de overhand hebben; **predominio** overwicht, (het) overheersen
preeminencia 1 voorrecht, voorrang; 2 vooraanstaande positie
preescolar voorafgaand aan de lagere school, peuter- en kleuter-
preestablecido vooraf vastgesteld
preexistente vooraf bestaand; **preexistir** van te voren bestaan
prefabricación *v* systeembouw; **prefabricado** geprefabriceerd; in systeembouw gemonteerd
prefacio inleiding, voorwoord
prefecto prefect; **prefectura** prefectuur
preferencia 1 voorkeur; *de ~* bij voorkeur; 2 prioriteit; voorrang; 3 *~s* preferentiële rechten (*bij invoer*); **preferencial**: *voto ~* voorkeurstem; **preferente** preferent, voorkeurs-; *trato ~* voorkeursbehandeling; **preferentemente** bij voorkeur; **preferible** (*a*) verkieslijk (boven); *ser ~ a* de voorkeur verdienen boven; **preferiblemente** bij voorkeur, het liefst; **preferido** lievelings-, voorkeurs-, uitverkoren; **preferir ie, i** verkiezen, de voorkeur geven; liever willen, prefereren; ~ *a* stellen boven
prefijado vooropgezet; **prefijar** van te voren bepalen; **prefijo** 1 prefix, voorvoegsel; 2 netnummer, kengetal
pregón *m* 1 roep vd straatventer; 2 afkondiging, openbare bekendmaking; 3 ~ *literario* openingswoord; **pregonar** 1 verkondigen, openbaar bekendmaken; 2 luidkeels venten met; **pregonero** (openbare) straatomroeper
preguerra tijd (kort) voor de oorlog; *años de ~* vooroorlogse jaren
pregunta vraag; ~ *capciosa* strikvraag; *una ~ trae otra* de ene vraag lokt de andere uit; *asediar a ~s* met vragen bestormen; *estar a la cuarta ~* blut zijn; *hacer una ~* een vraag stellen; *surge una ~* er rijst een vraag; *¡vaya ~!* wat een vraag!; **preguntar** 1 vragen (*naar iets*); ~ *la hora* vragen hoe laat het is; ~ *por* vragen naar (*iem*); *al ser preguntado* desgevraagd; 2 vragen stellen, ondervragen (*bv op examen*); **preguntarse** zich afvragen; **preguntón, -ona** iem die (te) veel vraagt, vraagal, nieuwsgierigaard
prehispánico (*in Latijns-Amerika*) van voor de komst vd Spanjaarden
prehistoria prehistorie; **prehistórico** prehistorisch; voorwereldlijk
preincaico van voor de Inca-tijd
preinserto tevoren ingevoegd
prejuicio vooroordeel; *sin ~s* onbevooroordeeld; **prejuzgar** te vroeg oordelen over

prelación *v* voorrang, volgorde van prioriteit
prelado prelaat, kerkvoogd
prelavado voorwas
preliminar I *bn* voorafgaand, inleidend; voor-; *estudios ~es: a*) vooronderzoek, voorstudies; *b*) vooropleiding; *nota* ~ inleiding; *trabajo* ~ voorbereidend werk; II *mmv: ~es* 1 voorbereidingen; 2 voorlopige vredesvoorwaarden, preliminairen; 3 inleiding; 4 (*sp*) voorrondes
preludiar aankondigen; preluderen; **preludio** voorspel; prelude
prematuro 1 prematuur, te vroeg geboren; 2 prematuur, voorbarig, voortijdig; *muerte -a* te vroege dood
premeditación *v* (het) vooraf bedenken, voorbedachte rade; **premeditado** (*mbt misdrijf*) met voorbedachte rade; **premeditar** van te voren bedenken, beramen
premiado, -a prijswinnaar, -winnares; **premiar** belonen, bekronen
premier *m* premier
premio prijs; premie; ~ *de consolación* troostprijs; ~ *a la exportación* exportpremie; ~ *gordo* hoofdprijs in de loterij, (*vglbaar*) de honderdduizend; ~ *Nobel* Nobelprijs; *en ~ de* ter beloning van; *entrega de ~s* prijsuitreiking; *ganar el* ~ de prijs winnen; **premiosidad** *v* stroefheid, onhandigheid, traagheid; **premioso** 1 moeizaam (*in spreken, schrijven*), stroef, onhandig, traag; 2 urgent
premisa premisse
premolar premolaar, valse kies
premonición *v* waarschuwend teken; voorgevoel; **premonitorio** waarschuwend
premoriente *m,v* eerstoverledene
premura drang, haast; ~ *de espacio* ruimtegebrek; ~ *de tiempo* tijdsdruk, tijdgebrek; *con* ~ met klem
prenatal prenataal, voor de geboorte
prenda 1 pand; *en ~ de* als pand voor, als bewijs van; *jugar a ~s* pandverbeuren; *no le duelen ~s: a*) hij doet alles wat nodig is, hij is niet kinderachtig; *b*) hij geeft (het) royaal toe; *no soltar* ~ niets loslaten; 2 ~ (*de vestir*) kledingstuk; 3 eigenschap; *buenas ~s* goede eigenschappen; 4 (*Am*) juweel, sieraad; **prendar** boeien, fascineren; **prendarse**: ~ *de* in de ban raken van
prendedor *m* broche, speld; **prender** I *tr* 1 grijpen, vatten; gevangennemen; ~ *fuego* vlam vatten; ~ *fuego a* in brand steken; 2 (vast)spelden; II *intr* 1 (*mbt plant*) aanslaan, het goed doen; 2 (*mbt vuur*) het doen, gaan branden; 3 ~ *en* vat krijgen op; **prenderse** 1 in brand vliegen, vlam vatten; 2 zich vastgrijpen
prendería uitdragerij; **prendero, -a** opkoper, -koopster
prendido vastgehaakt; *quedar ~ de: a*) blijven haken aan; *b*) in de ban komen van, weg zijn van; **prendimiento** gevangenneming
prensa 1 pers (*apparaat*); ~ (*tipográfica*) drukpers; ~ (*de uvas*) druivenpers, wijnpers; 2 pers (*kranten*); ~ *amarilla* boulevardpers, roddelpers; ~ *clandestina* clandestiene pers, (*Belg*) sluikpers; ~ *del corazón* sentimentele bladen; ~ *diaria* dagbladpers; ~ *profesional* vakpers; ~ *sensacionalista* schandaalpers, roddelpers; *estar en* ~ ter perse zijn; *tener mala* ~ een slechte pers hebben, een slechte naam hebben; **prensado** geperst; *cartón* ~ hardboard; (*tabla de*) *fibra -a* vezelplaat; (*tabla de*) *viruta -a* spaanplaat; **prensaestopas** *m* touwpluksel, werk; **prensar** persen
prensil dienend om te grijpen, grijp-
prenupcial vóór het huwelijk
preñado 1 zwanger; 2 ~ *de* (*fig*) zwanger van, vervuld van, vol van; **preñar** (*fam*) zwanger maken; **preñez** *v* zwangerschap; dracht
preocupación *v:* ~ (*por*) zorg, ongerustheid (over), angst, verontrusting, bezorgdheid (voor); preoccupatie, (punt van) speciale aandacht; *-ones* kopzorg, zorgen; *-ones económicas* geldzorgen; ~ *social* sociale betrokkenheid; *sin -ones* zorgeloos; **preocupado** bezorgd, ongerust; *estar ~ por* zorg hebben over; **preocupante** verontrustend, zorgelijk; **preocupar** ongerust maken, zorgen baren; (*geestelijk*) bezighouden; *no le preocupa* het kan hem niet schelen; **preocuparse** (*de, por*) zich bekommeren (om); ervoor zorgen dat; zich zorgen maken (over), tobben (over); *no ~ de nada* zich nergens druk over maken
preparación *v* 1 bereiding; *estar en* ~ op stapel staan; 2 voorbereiding; opleiding; 3 preparaat; **preparado** I *bn:* ~ *a* verdacht op; ~ *para* voorbereid op; *dejar* ~ klaarleggen; *tener* ~ klaarhouden; II *zn* preparaat, geneesmiddel; ~ *vitamínico* vitaminepreparaat; **preparador, -ora** 1 coach; 2 amanuensis; **preparar** (*a, para*) voorbereiden (om, op); klaarmaken, prepareren; (toe)bereiden; (*saus*) aanmaken; ~ *café* koffie zetten; **prepararse** 1 ~ (*a, para*) zich voorbereiden (om, voor), zich instellen (op); zich klaarmaken (voor); 2 ophanden zijn, dreigen; *algo se prepara* er broeit iets; **preparativo** I *bn* voorbereidend; II *mmv: ~s* voorbereiding(en); toebereidselen; voorbereidend werk; **preparatorio** I *bn* voorbereidend; II *zn* voorbereidende cursus
preponderancia overwicht; overwegend belang; **preponderante** van overwegend belang, overheersend; **preponderar** overheersen
preposición *v* voorzetsel; **preposicional, prepositivo** vh voorzetsel
prepotencia 1 almacht, overmacht; 2 bravoure; ongemanierdheid; **prepotente** 1 oppermachtig; 2 ongemanierd, onbehouwen; stoer
prepucio voorhuid
prerrogativa voorrecht
prerrománico preromaans; **prerromano** preromeins
prerromántico van voor de romantiek, preromantisch

presa 1 greep; houdgreep; 2 prooi; vangst; *ave de* ~ roofvogel; *hacer* ~ *en* zich meester maken van, zich storten op, zich vastklampen aan; 3 ~ (*de contención*) (stuw)dam

presagiar voorspellen; **presagio** voorteken, voorspelling

presbicia verziendheid; **présbita** I *bn* verziend; II *m,v* iem die verziend is

presbiteriano presbyteriaans

presciencia voorkennis

prescindencia terzijdestelling; (het) stellen buiten; **prescindir**: ~ *de* het doen zonder, het stellen buiten, afzien van, ontberen; voorbij gaan aan

prescribir I *tr* voorschrijven; II *intr* verjaren; **prescripción** *v* 1 verjaring; 2 voorschrift; *por* ~ *facultativa, por* ~ *médica* op doktersvoorschrift; **prescrito** 1 voorgeschreven; 2 verjaard

presea juweel, kostbaarheid

preselección *v* voorselectie

presencia 1 aanwezigheid, bijzijn, tegenwoordigheid; ~ *de ánimo* tegenwoordigheid van geest; 2 uiterlijk, 'voorkomen; *buena* ~ keurig voorkomen; **presencial**: *testigo* ~ ooggetuige; **presenciar** bijwonen, aanwezig zijn bij; **presentable** toonbaar; **presentación** *v* 1 presentatie; aankleding, opmaak; 2 aanbieding; indiening, overlegging; *contra* ~ *de* op vertoon van; *previa* ~ *de* na overlegging van; 3 (het) voorstellen (*van iem*); *hacer las -ones* de mensen aan elkaar voorstellen; **presentador, -ora** presentator, presentatrice; **presentar** 1 aanbieden; presenteren, indienen, voorleggen; 'overleggen; (ver)tonen; ter tafel brengen; ten tonele brengen; (*film*) vertonen; *presentando* op vertoon van; ~ *como candidato* kandidaat stellen; ~ *la dimisión* zijn ontslag indienen; ~ *una ocasión* een kans bieden; ~ *pruebas* bewijzen leveren; ~ *querella contra* een klacht indienen tegen; 2 (*iem*) voorstellen; *les presentaré* ik zal u aan elkaar voorstellen; **presentarse** 1 verschijnen, zich vertonen, zich (aan)melden, zich aandienen; ~ *ante u.p.* zich vervoegen bij iem, iem onder ogen komen; ~ *para las elecciones* deelnemen aan de verkiezingen; ~ *para el examen* opgaan voor het examen; *no* ~ *a la reelección* zich niet herkiesbaar stellen; 2 zich voordoen, gebeuren; *cuando se presente la ocasión* als de gelegenheid zich voordoet; 3 er voor staan; *el asunto se presenta mal* de zaak staat er slecht voor; 4 ~ *como* zich voorstellen als; **presente** I *bn* 1 aanwezig, tegenwoordig; *¡~!* aanwezig!; *hacer* ~ doen weten, onder ogen brengen, wijzen op; *hacerse* ~ zich laten voelen; *tener* ~ voor ogen hebben, zich bewust zijn van, in gedachten houden; *hay que tener* ~ *que* men moet niet vergeten dat; 2 huidig, onderhavig; *por la* ~ *certifico que...* hierbij verklaar ik dat...; II *m* 1 heden; *al* ~ nu; *por el* ~ voor het ogenblik; 2 (*gramm*) tegenwoordige tijd; 3 geschenk; 4 *m,v* aanwezige; *los* ~*s* de bezoekers, de omstanders

presentimiento voorgevoel; **presentir ie, i** voorvoelen, voelen aankomen

preservación *v* behoud; **preservar** (*de, contra*) vrijwaren (tegen), behoeden (voor); **preservativo** condoom

presidencia 1 presidentschap; 2 voorzitterschap; 3 presidium; **presidencial** presidentieel; **presidenta** presidente; voorzitster; *zie ook presidente*; **presidente** *m,v* president(e); voorzit(s)ter; ~ *del gobierno* premier, regeringsleider, minister-president

presidiario, -a gevangene, dwangarbeid(st)er; **presidio** 1 (straf)gevangenis; 2 gevangenisstraf

presidir 1 voorzitten; 2 overheersen

presilla 1 lusje, trens; 2 (*techn*) klem

presión *v* 1 druk; spanning; ~ *de aceite* oliedruk; ~ *del aire,* ~ *atmosférica* luchtdruk; ~ *arterial,* ~ *sanguínea* bloeddruk; ~ *fiscal* belastingdruk; ~ *mental* mentale druk; *a* ~ onder druk; *baja* ~ lage druk; *hacer* ~ *sobre* druk uitoefenen op; 2 drang, dwang, pressie; **presionar** 1 (aan)drukken; 2 aandringen, pressen, druk uitoefenen

preso, -a I *bn* bevangen; gevangen; ~ *de pánico* in paniek, bevangen door paniek; *coger* ~ gevangennemen; II *zn* gevangene, gedetineerde

prestación *v* 1 (het) verlenen; ~ *de ayuda* hulpverlening; ~ *de juramento* beëdiging; ~ *de servicios* dienstverlening; 2 uitkering; ~ *de desempleo* werkloosheidsuitkering; *-ones en especie* verstrekkingen in natura; ~ *de incapacidad laboral* arbeidsongeschiktheidsuitkering; *-ones médicas* vergoeding van medische kosten; *-ones periódicas* periodieke (geldelijke) verplichtingen; *suspender una* ~ een uitkering intrekken; 3 (*jur*) overeengekomen dienstverlening, (arbeids)prestatie; 4 (*bv mbt auto*) prestatie; **prestado** geleend; *de* ~ op andermans kosten, met geleende spullen; **prestamista** *m,v* geldschieter; **préstamo** lening; ~ *de dinero* geldlening; ~ *hipotecario* hypotheek, (*Belg*) woningkrediet; ~ *de uso* bruikleen; *conceder un* ~ een lening verstrekken; **prestancia** distinctie; voortreffelijkheid; **prestar** I *tr* 1 lenen, uitlenen; ~ *dinero sobre u.c.* iets belenen; ~ *a usura* woekeren; 2 verlenen, schenken, geven; ~ *atención a* aandacht schenken aan; ~ *crédito a* geloof hechten aan; ~ *oído a* gehoor geven aan; ~ *un servicio* een dienst bewijzen; 3 (*eed*) afleggen; ~ *juramento* een eed afleggen; II *intr* 1 rekken; *la tela no presta* de stof rekt niet; 2 ~ *para* voldoende zijn voor; **prestarse** (*a*) 1 zich lenen (voor), geschikt zijn (voor); 2 aanbieden (om); 3 zich schikken (in); **prestatario, -a** lener, leenster

presteza behendigheid, snelheid, vaardigheid

prestidigitación *v* goochelarij; **prestidigitador, -ora** goochelaar

prestigiar aanzien verlenen; **prestigio** aan-

zien, prestige, overwicht; *gozar de gran ~* hoog in aanzien staan; *pérdida de ~* gezichtsverlies; *tener ~* aanzien genieten, in tel zijn; **prestigioso** bekend, gezaghebbend
presto 1 ~ (*a*) gereed (om); 2 snel
presumible vermoedelijk, waarschijnlijk; **presumido** arrogant, ijdel, ingebeeld; **presumir I** *tr* vermoeden, veronderstellen; **II** *intr* opscheppen, snoeven, zich veel verbeelden; ~ *de* zich beroemen op, zich laten voorstaan op
presunción *v* **1** vermoeden, veronderstelling; **2** ijdelheid, eigendunk, aanmatiging, inbeelding; **presunto** vermoedelijk, vermeend; zogenaamd; *el ~ autor* de vermoedelijke dader; **presuntuosidad** *v* verbeelding; **presuntuoso** ingebeeld; pretentieus, opschepperig; *ser un ~* veel verbeelding hebben
presuponer vooronderstellen
presupuestar in de begroting opnemen; ~ *en* begroten op; **presupuestario** begrotings-; *déficit ~* begrotingstekort; **presupuesto 1** begroting; bestek; ~ *de gastos* kostenraming; *pedir ~* prijsopgave vragen; **2** budget; ~ *familiar* gezinsbudget
presurizar handhaven van luchtdruk in vliegtuig
presuroso haastig, jachtig
pretaladrado voorgeboord
pretencioso pretentieus, opschepperig
pretender 1 beogen, willen, in de zin hebben; bedoelen; **2** beweren, pretenderen; **3** dingen naar (*de hand van*); **pretendido** zogenaamd; **pretendiente** *m,v* **1** sollicitant(e); **2** pretendent(e); ~ *al trono* troonpretendent(e)
pretensado voorgespannen
pretensión *v* **1** aanspraak, claim, vordering; *desistir de su ~* van zijn eis afzien; **2** bedoeling, streven; **3** pretentie; *sin -ones* pretentieloos; **4** ~ *matrimonial* huwelijksaanzoek
pretérito I *bn* verleden; **II** *zn* (*gramm*) verleden tijd; ~ *imperfecto* onvoltooid verleden tijd; ~ *perfecto simple*, ~ *definido*, ~ *indefinido* een vd Sp verleden tijden (*canté, comí enz*)
pretextar voorgeven, voorwenden; **pretexto** voorwendsel, uitvlucht, smoes; *bajo ningún ~* onder geen voorwaarde; *con el ~ de, so ~ de* onder het mom van; *con el más mínimo ~* om het minste of geringste
pretil *m* balustrade, borstwering; brugleuning
pretina leren gordel met gesp
pretratamiento voorbehandeling
preuniversitario voorafgaand aan de universiteit
prevalecer doorslaggevend zijn, de overhand krijgen, overheersen, prevaleren; **prevalecerse**: ~ *de* gebruik maken van; **prevaleciente** overheersend, doorslaggevend
prevaricación *v* ambtsmisbruik
prevención *v* **1** preventie, voor'koming; **2** behoedzaamheid; wantrouwen; *me inspira ~* het maakt me huiverig; **3** vooringenomenheid; **4** waarschuwing; **5** politiepost; **6** voorbereiding; **prevenido 1** gewaarschuwd, op zijn hoede; behoedzaam; **2** gereed; **3** vooringenomen; **prevenir 1** voorbereiden, gereedmaken; **2** ~ (*contra, en contra de*) waarschuwen (tegen); ~ (*de*) waarschuwen (voor); **3** voor'komen, verhoeden; *más vale ~ que curar* beter voorkomen dan genezen; **prevenirse 1** ~ *de* zich voorzien van, zich toerusten met; **2** ~ *contra, en contra de* zich voorbereiden op, zich hoeden voor
preventivo preventief; *prisión -a* (*vglbaar*) voorlopige hechtenis, voorarrest; *señal -a* waarschuwingsteken; **preventorio** (*vglbaar*) consultatiebureau
prever voorzien, verwachten; *gobernar es ~* regeren is vooruitzien
previamente tevoren, vooraf; **previo** voorafgaand; *-a deducción de* na aftrek van; ~ *pago de* na betaling van; *sin meta -a* zonder vooropgezet doel
previsible te voorzien; **previsión 1** (het) voorzien; ~ *del tiempo* weersverwachting; **2** vooruitzicht, verwachting; **3** voorziening, voorzorg; **4** vooruitziende blik; behoedzaamheid; **previsor, -ora** vooruitziend; *mirada -ora* vooruitziende blik; *poco ~* kortzichtig; **previsto** voorzien; voorbereid; *antes de lo ~* voortijdig; *fecha -a* streefdatum; *según el plan ~* volgens plan
P.R.I. (*Mexico*) *Partido Revolucionario Institucional*
prieto 1 stevig; **2** (*Am, mbt uiterlijk*) donker
priista (*Mexico*) van de P.R.I.
1 prima premie; ~ *de exportación* exportpremie; ~ (*de seguro*) verzekeringspremie; *salario a ~* prestatieloon
2 prima nicht (*kind van oom of tante*); ~ *hermana*, ~ *carnal* volle nicht; ~ *segunda* achternicht; *zie ook primo*
3 prima hoogste snaar (*van gitaar, viool*)
primacía voorrang, eerste plaats
primada dwaasheid
primado primaat; **primario** primair, fundamenteel; elementair; *atención v -a* eerstelijnshulp; *color ~* hoofdkleur; *enseñanza -a* lager onderwijs; *sector ~* primaire sector; **primate** *m* **1** hooggeplaatst persoon; **2** *~s* primaten, hoogste orde van zoogdieren
primavera 1 lente, voorjaar; **2** primula, sleutelbloem; **primaveral** voorjaars-, lente-; *día ~* lentedag
primer *zie primero*; **primera 1** eerste versnelling; **2** eerste klas (*in trein*) || *de ~* uitstekend; *zie ook primero*; **primeramente** in de eerste plaats, eerst; **primerizo 1** beginnend, nog onervaren; **2** vroeg, vroegrijp; **primero I** *bn* (*voor zn mnl enkv: primer*) eerste; *lo ~ es lo ~* wat het zwaarst is moet het zwaarst wegen; *-os auxilios* eerste hulp; *-a materia* grondstof; *-er oficial* eerste stuurman; *-er plano* close-up, voorgrond; *-er plato* voorgerecht; *-a velocidad* eerste versnelling; *a -as horas* vroeg; *a las*

-as de cambio bij de eerste de beste gelegenheid, onmiddellijk; *a -os de mayo* begin mei; *como el* ~ als de beste; *dar la -a mano* (*bij verven*) gronden; *de -a mano* uit de eerste hand; *en -er lugar* in de eerste plaats; *ser lo* ~ het belangrijkste zijn; *¡Ud. ~!* ga uw gang!, na u!; II *zn* 1 eerste verdieping; 2 eerste studiejaar; III *bw* 1 (het) eerst; 2 eerder, liever; 3 ten eerste;
primicia primeur
primigenio oorspronkelijk, allereerste
primitivo primitief; oorspronkelijk
primo I *zn* 1 neef (*kind van oom of tante*); ~ *hermano*, ~ *carnal* volle neef; ~ *segundo* achterneef; 2 sufferd, dommerd; *hacer el* ~ erin lopen, erin tuinen; II *bn: materia -a* grondstof; *número* ~ priemgetal
primogénito, -a eerstgeborene, stamhoud(st)er
primor *m* 1 zorg, verfijning; *con* ~ schitterend, keurig; 2 prachtig ding, iets snoezigs; *un…que es un* ~ een fantastische…, een geweldige…
primordial fundamenteel, van de eerste orde
primoroso schitterend, keurig, piekfijn
prímula primula, sleutelbloem
princesa prinses; ~ *heredera* kroonprinses;
principado prinsdom, vorstendom
principal I *bn* voornaamste, belangrijkste; *el* ~ *culpable* de hoofdschuldige; *el objeto* ~ het hoofddoel; *piso* ~ (*hist*) beletage, eerste verdieping; *plato* ~ hoofdgerecht; II *m,v* 1 lastgever, -geefster, opdrachtgever, -geefster; 2 chef(fin), baas, bazin, superieur; **principalmente** hoofdzakelijk, voornamelijk
príncipe *m* prins; vorst; ~ *de Asturias* titel vd Spaanse troonopvolgers; ~ *azul*, ~ *encantado* droomprins, sprookjesprins; ~ *consorte* prins-gemaal; ~ *elector* (*hist*) keurvorst; ~ *heredero* kroonprins; ~ *de la iglesia* kerkvorst; *recompensar a lo* ~ vorstelijk belonen; **principesco** prinselijk; vorstelijk (*ook fig*)
principiante I *bn* beginnend; II *m,v* beginner, beginneling(e); **principiar** beginnen; **principio** 1 principe, beginsel; ~ *básico* grondbeginsel; ~ *rector* leidend principe; ~ *sápido* smaakprincipe; *de elevados ~s* hoogstaand; *por* ~ principieel; *ser persona de ~s* heel principieel zijn; *sin ~s* karakterloos; 2 begin, aanvang; ~ *quieren las cosas* het is een kwestie van beginnen; *al ~, en un* ~ aanvankelijk, in het begin; *dar* ~ *a* een begin maken met; *desde el* ~ van meet af aan; *traer* ~ *de* zijn oorsprong vinden in
pringado (*fam*) ergens bij betrokken; *todos están ~s* niemand gaat vrijuit; **pringar** 1 vies maken, vet maken; 2 (*brood*) dopen in saus; 3 (*iem ergens in*) betrekken; **pringarse** 1 zich vies maken; 2 betrokken raken, zijn handen vuil maken; *quien anda con aceite, se pringa* wie met pek omgaat, wordt ermee besmet; **pringoso** smerig, vettig; **pringue** *m, soms v* 1 vet; 2 iets kleverigs, iets vettigs; 3 troep, werk dat rommel geeft
prior, -ora prior(es), kloosteroverste; **prioridad** *v* prioriteit, voorrang; *tener la* ~ (*sobre*) voorrang hebben (boven), voorgaan (boven); **prioritario** voorrang hebbend; (*mbt aandeel*) preferent
prisa haast; *~s* gejaag, haastig gedoe; *a toda* ~ in allerijl; *corre mucha* ~ er is veel haast bij; *dar* ~ *a u.p., meter* ~ *a u.p.* iem aanzetten tot spoed, iem opjagen; *darse* ~ (*en*) opschieten (met), voortmaken (met); *de* ~ haastig; *de* ~ *y corriendo* in vliegende haast; *llevar* ~, *tener* ~ haast hebben, gehaast zijn; *no me da* ~ ik heb er geen haast mee; *sin* ~ op zijn gemak, kalm aan; *tener* ~ *por* haast hebben om
prisión *v* 1 gevangenis; *reducir a* ~ in de gevangenis zetten; 2 gevangenschap; ~ *preventiva*, ~ *provisional* (*vglbaar*) voorlopige hechtenis; 3 (*pena de*) ~ gevangenisstraf; ~ *mayor* straf van 6 tot 12 jaar; ~ *menor* straf van 6 maanden tot 6 jaar; ~ *perpetua* levenslang; **prisionero, -a** gevangene; ~ *de guerra* krijgsgevangene; *hacer* ~ gevangennemen
prisma *m* prisma; **prismático** I *bn* in de vorm van een prisma, prismatisch; *gemelos ~s* prismakijker; II *mmv: ~s* (prisma)kijker, verrekijker
prístino oorspronkelijk, allereerste; zuiver
privación *v* 1 ontzegging; ~ *de libertad* vrijheidsberoving; *cura de* ~ ontwenningskuur; 2 (*vaak mv*) ontbering; **privado** I *bn* 1 privé, particulier, persoonlijk; *asunto* ~ persoonlijke kwestie; *enseñanza -a* particulier onderwijs; *iniciativa -a* particulier initiatief; *uso* ~ privégebruik; *vida -a* persoonlijke levenssfeer, privéleven; 2 (*mbt club*) besloten; 3 (*mbt akte*) onderhands; II *zn* gunsteling; **privar** I *tr:* ~ *de* ontnemen, ontzeggen; ~ *de la libertad* van zijn vrijheid beroven; *privado de* gespeend van; II *intr* in de gunst staan, gangbaar zijn, in de mode zijn; **privarse:** ~ *de* zich ontzeggen; *se priva de todo* hij ontzegt zich alles; **privativamente** uitsluitend; **privativo** 1 ~ (*de*) uitsluitend toekomend (aan); *la hacienda -a de cada uno* ieders privévermogen; 2 berovend; *penas -as de libertad* vrijheidsstraffen; **privatización** *v* privatisering; **privatizar** privatiseren
privilegiado bevoorrecht; (*mbt aandeel*) preferent; *ser* ~ een streepje voor hebben; **privilegiar** bevoorrechten; **privilegio** voorrecht, privilege
pro I *zn* voordeel, pré; *en* ~ *de* ten behoeve van; *estar entre el* ~ *y el contra* niet weten wat te kiezen; *hay 10 votos en* ~ er zijn 10 stemmen voor; *hombre de* ~ fatsoenlijk mens; *ver el* ~ *y el contra* plussen en minnen; *votar en* ~ voorstemmen; II *vz:* ~ *forma* pro forma
proa (voor)steven, boeg; *la* ~ *cae a estribor* het schip ligt naar stuurboord gebekt; *poner* ~ *a* koers zetten naar
proamericano pro-Amerikaans
probabilidad *v* waarschijnlijkheid, kans; ~ *de fallo* kans op mislukken; *cálculo de ~es* kans-

berekening; *pocas ~es de éxito* weinig kans op succes; **probable** waarschijnlijk; *poco ~* onaannemelijk; *sumamente ~* hoogstwaarschijnlijk; **probablemente** waarschijnlijk, vermoedelijk

probado beproefd, probaat; bewezen; **probador** *m* paskamer, pashokje; **probar ue 1** proberen, beproeven; testen, toetsen; proeven; (*jurk*) (aan)passen; *~ suerte con* zijn geluk beproeven met, een gooi doen naar; *no ~ bocado* geen hap eten; *sin ~* onbeproefd; 2 bewijzen, staven, uitwijzen; 3 *~ a (+ onbep w)* proberen (om) te; 4 bekomen; *~ bien* goed bekomen; **probatorio** bewijzend; *fuerza -a* bewijskracht; **probeta** reageerbuis; *bebé ~, niño ~, niña ~* reageerbuisbaby

problema *m* 1 probleem, moeilijkheid, kwestie, vraagstuk; *~ capital* kernprobleem; *causar ~s* last bezorgen; *plantear un ~* een probleem aan de orde stellen; *sin ~ alguno* zonder problemen, zonder haperen; *surge un ~* er doet zich een probleem voor; 2 som, opgave; *~ de aritmética* rekensom; **problemática** problematiek; **problemático** problematisch

probo onkreukbaar, rechtschapen

procacidad *v* brutaliteit, onbeschaamdheid; **procaz** brutaal, onbeschaamd, uitdagend

procedencia 1 (plaats van) herkomst; 2 gepastheid; 3 (*jur, mbt eis*) (het) toelaatbaar zijn; **procedente** 1 *~ de* afkomstig uit, van; 2 passend, gepast; 3 (*jur, mbt eis*) toelaatbaar; **proceder** I *ww* 1 optreden, te werk gaan, handelen; 2 passend zijn, op zijn plaats zijn; *táchese lo que no proceda* doorhalen wat niet van toepassing is; 3 (*jur, mbt eis*) toelaatbaar zijn; 4 *~ a* overgaan tot; *~ a la votación* tot stemming overgaan; 5 *~ de* afkomstig zijn uit, van; 6 *~ por* procederen om; *~ (judicialmente, en justicia) contra* procederen tegen, in rechte aanspreken; II *m* handelwijze; **procedimiento** 1 procédé; werkwijze; handelwijze; *~ de fabricación* fabricageproces; *según un ~ nuevo* volgens een nieuw procédé; 2 procedure; gang van zaken

proceloso (*lit, mbt zee*) woelig

procentual procentueel

prócer I *bn* voornaam, vorstelijk; II *m* vooraanstaand man, illustere figuur

procesado, -a beklaagde; **procesador** *m: ~ de textos* tekstverwerker; **procesal** vh proces, proces-; **procesamiento** 1 berechting; (straf-) vervolging; *dictar auto de ~ contra u.p.* iem in staat van beschuldiging stellen; 2 (*comp*) verwerking; *~ de datos* gegevensverwerking; *~ de textos* tekstverwerking; **procesar** 1 berechten; 2 (*comp*) verwerken; **procesión** *v* processie, stoet || *anda por dentro la ~* God hoort hem brommen, hij laat niets merken; **proceso** 1 proces; voortgang, verloop; *~ de creación* scheppingsproces; *~ productivo* produktieproces; 2 (*jur*) proces, (rechts)geding; *~ penal* strafproces; 3 (*comp*) verwerking; *~ de textos* tekstverwerking

proclama 1 openbare bekendmaking; 2 politieke toespraak; **proclamación** *v* afkondiging, proclamatie; verkondiging; **proclamar** 1 afkondigen, proclameren, uitvaardigen; verkondigen; 2 uitroepen tot; *ser proclamado rey* uitgeroepen worden tot koning; 3 verkondigen, duidelijk tonen, een blijk zijn van; **proclamarse** zich uitroepen tot

proclive: *~ a* geneigd tot; **proclividad** *v* geneigdheid

procomunista communistisch gezind

procreación *v* voortplanting; **procrear** 1 verwekken; 2 zich voortplanten

procurador, -ora procureur; **procurar** 1 verschaffen, bezorgen; 2 zijn best doen, zorgen (dat), proberen; *~ que* erop toezien dat, ervoor zorgen dat; *¡procura ser amable!* denk erom dat je vriendelijk bent!; **procurarse** zich verschaffen

prodigalidad *v* 1 spilzucht; 2 overvloed; **prodigar** 1 verkwisten; 2 kwistig zijn met, gul uitdelen; **prodigarse** zich uitsloven

prodigio wonder; *niño ~* wonderkind; **prodigioso** geweldig, wonderbaarlijk

pródigo 1 spilziek; 2 kwistig; *~ de* gul met || *el hijo ~* de verloren zoon

producción *v* 1 produktie; opbrengst; *~ energética* energieproduktie; *~ en serie* serieproduktie; *cesar la ~* de produktie staken; 2 voortbrenging; *~ de la prueba* bewijsvoering; **producir** 1 produceren; opbrengen, opleveren, voortbrengen; teweegbrengen, aanrichten, doen ontstaan; *~ asombro* verbazing wekken; *~ efecto* uitwerking hebben, werken; *~ frutos* vruchten afwerpen; *~ un pánico* paniek teweegbrengen; 2 (*jur; bewijzen*) 'overleggen; **producirse** zich voordoen, ontstaan, optreden; **productividad** *v* produktiviteit, opbrengst; *la ley de la ~ decreciente* de wet vd dalende meeropbrengst; **productivo** produktief; *capacidad -a: a*) produktiecapaciteit; *b*) arbeidsprestatie; **producto** produkt; opbrengst; *~s agrícolas* landbouwprodukten; *~s alimenticios* levensmiddelen, voedingsmiddelen; *~s de belleza* cosmetica; *~s congelados* diepvriesprodukten; *~ derivado, ~ secundario* bijprodukt; *~ final* eindprodukt; *~ interior bruto* (*afk PIB*) bruto binnenlands produkt (BBP); *~s lácteos* melkprodukten; *~ nacional bruto* (*afk PNB*) bruto nationaal produkt (BNP); *~ semimanufacturado* halffabrikaat; **productor, -ora** I *bn* producerend; *centro ~* produktiecentrum; *país ~ de crudo* olieproducerend land; II *zn* producent(e); (*theat, film*) producer

proemio voorwoord

proeza heldendaad, toer

profanación *v* heiligschennis; **profanador, -ora** I *bn* heiligschennend, oneerbiedig; II *zn* schend(st)er; **profanar** ontwijden, profaneren; misbruiken; **profano, -a** I *bn* profaan, niet-heilig; II *zn* leek; buitenstaander

profe *m* (*fam*) leraar
profecía profetie
proferir ie, i uitbrengen, uiten; (*taal*) uitslaan
profesar I *tr* 1 beoefenen; 2 belijden; 3 voelen; II *intr* in een klooster gaan; **profesión** *v* 1 beroep, vak; ~ *docente* leraarsambt; *-ones liberales* vrije beroepen; *una ~ sacrificada* een zwaar beroep; *ejercer una ~* een beroep uitoefenen; 2 verklaring; ~ *de fe* geloofsbelijdenis; ~ *de fidelidad* loyaliteitsverklaring; ~ *religiosa* kloostergelofte; **profesional** I *bn* professioneel, vak-; vakkundig; *capacidad ~* vakbekwaamheid; *solidaridad ~* collegialiteit; II *m,v* 1 beroepsuitoefenaar(ster), iem met een beroepsopleiding (*van middelbaar niveau of hoger*); beoefenaar(ster) van vrij beroep, zelfstandige; 2 vakman, -vrouw; 3 (*sp*) beroepsspeler, -speelster, prof; **profesionalismo** (*sp*) professionalisme; **profesionalizar** tot een bepaald beroep maken; **profeso**: *ex ~* q.q., uit hoofde van zijn beroep; **profesor, -ora** docent(e), leerkracht, leraar, lerares; onderwijzer(es); ~ *adjunto* (*hogere rang dan ~ de universidad*) (*vglbaar*) wetenschappelijk medewerker; ~ *contratado* docent op contract; *-ora de enseñanza preescolar* kleuterleidster; ~ *interino* tijdelijk docent, (*Belg*) interimaris; ~ *no numerario* (*afk PNN, penene*) docent zonder vaste aanstelling; ~ *numerario* docent met vaste aanstelling; ~ *ordinario* hoogleraar; ~ *titular* (*vglbaar*) universitair hoofddocent; ~ *de universidad* universitair docent; ~ *visitante* gastdocent; **profesorado** 1 leraarsambt; 2 docentencorps, (de) leerkrachten; wetenschappelijke staf
profeta *m* profeet, ziener; **profético** profetisch; **profetisa** profetes
profi *m* (*fam, sp*) prof(speler)
prófugo voortvluchtig
profundamente diep; ~ *dormido* diep in slaap; ~ *entristecido* diep bedroefd; **profundidad** *v* diepte; *a una ~ de* op een diepte van; *¿qué ~ tiene?* hoe diep is het?; **profundización** *v* verdieping, (het) dieper maken; (het) dieper ingaan op; **profundizar** 1 dieper maken, uitdiepen; 2 (*ook ~ en*) diep(er) ingaan op, uitdiepen; ~ (*en*) *un asunto* diep(er) op een onderwerp ingaan; **profundo** 1 diep; *lo ~* de diepte; 2 diepzinnig; 3 diepgaand, grondig; intens
profusión *v* overdaad, weelde; **profuso** overvloedig
progenie *v* kroost; **progenitor** *m* 1 verwekker; voorvader, voorouder; 2 *~es* (*iron*) ouders; **progenitora** (*fam*) moeder; **progenitura** kroost
progesterona progesteron
prognato met vooruitstekende kaken
programa *m* programma; *el ~ está a cargo de* het programma wordt verzorgd door; ~ *electoral* verkiezingsprogramma, (*Belg*) kiesplatform; ~ *de entrevistas* praatshow; ~ *de estudios* leerplan; ~ *matutino* ochtendprogramma; **programable** programmeerbaar; **programación** *v* programmering; *lenguaje de ~* programmeertaal; **programador, -ora** programmamaker, -maakster, programmeur; ~ *de ordenadores* computerprogrammeur; **programar** programmeren; plannen; **programático** programmatisch, vh programma
progre (*fam*) progressief; **progresar** vooruitgaan, vorderen; **progresión** *v* 1 progressie; 2 (*wisk*) reeks; **progresista** (*pol*) progressief; **progresivo** 1 progressief, vooruitstrevend; 2 toenemend, geleidelijk; **progreso** voortgang, vooruitgang, vordering
progubernamental regeringsgezind
prohibición *v* verbod; ~ *de adelantar* inhaalverbod; **prohibido** verboden; ~ *el paso* verboden toegang; *terminantemente ~* streng verboden; **prohibir** verbieden; *se prohíbe la entrada* verboden toegang; **prohibitivo, prohibitorio** prohibitief
prohijado, -a pleegkind; **prohijamiento** adoptie, (het) aannemen als pleegkind; **prohijar** 1 als kind aannemen, adopteren; 2 (*ideeën*) overnemen
prohombre *m* vooraanstaand man
pro indiviso onverdeeld
prójima (*fam*) (moeder de) vrouw; **prójimo** 1 naaste, medemens; 2 (*fam*) kerel, figuur
prolapso (*med*) verzakking, prolaps
prole *v* kroost
prolegómenos *mmv* (uitgebreide) inleiding
proletariado proletariaat; ~ *de cuello y corbata* witte-boordenproletariaat; **proletario, -a** I *bn* proletarisch; II *zn* proletariër; **proletarizar** tot loonarbeider maken, verproletariseren
proliferación *v* verspreiding, proliferatie; *tratado de no ~ nuclear* non-proliferatieverdrag; **proliferar** welig tieren, woekeren; **prolífico** vruchtbaar
prolijidad *v* uitvoerigheid; breedsprakigheid; omhaal (van woorden); *con gran ~* zeer omstandig; **prolijo** uitvoerig; wijdlopig, breedsprakig; omstandig
prologar van een voorwoord voorzien; **prólogo** voorwoord, proloog; voorspel; **prologuista** *m,v* schrijver of schrijfster van een voorwoord
prolongable I *bn* verlengbaar; II *m* verlengsnoer; **prolongación** *v* verlenging; **prolongado** verlengd; langdurig; **prolongador** *m* verlengsnoer; **prolongamiento** *zie prolongación*; **prolongar** verlengen; voortzetten; **prolongarse** (langer) duren
promediar I *tr* in twee ongeveer gelijke delen verdelen; II *intr* het midden bereiken; **promedio** gemiddelde
promesa belofte, toezegging; ~ *de matrimonio* trouwbelofte; *cumplir su ~* zijn belofte nakomen; **prometedor, -ora** veelbelovend, hoopvol; **prometer** I *tr* beloven, toezeggen; in het vooruitzicht stellen; ~ *firmemente* vast beloven; *promete ser…* het belooft…te worden; II

intr beloven; *el chico promete* het is een veelbelovende jongen; **prometerse** zich verloven || *prometérselas felices de, con* zich veel voorstellen van; **prometido, -a** verloofde, aanstaande
prominencia 1 (het) 'uitsteken; 2 uitsteeksel, bult; 3 heuvel; **prominente** 1 (voor)'uitstekend; 2 prominent, vooraanstaand, toonaangevend
promiscuidad *v* 1 vermenging; 2 promiscuïteit; **promiscuo** gemengd, alles door elkaar; promiscue
promisión *v* belofte; *tierra de ~* land van belofte
promoción *v* 1 (het) teweegbrengen; 2 bevordering, promotie; ~ *inmobiliaria* projectontwikkeling, (*Belg*) bouwpromotie; ~ *de intereses* belangenbehartiging; ~ *de ventas* verkoopbevordering; 3 lichting; jaargroep (*in studie*); *alumno de la misma ~* jaargenoot; **promocionar** 1 stimuleren, promoten; 2 (*iem*) bevorderen, promotie geven
promontorio voorgebergte, kaap
promotor, -ora 1 iem die iets bevordert, promotor; iem die iets begint, iem die ergens toe aanzet, stimulator; ~ *de ventas* sales promotor; 2 *m* ~ (*inmobiliario*) projectontwikkelaar, (*Belg*) bouwpromotor; 3 *v* (*sociedad*) *-ora* ontwikkelingsmaatschappij; **promover ue** 1 bevorderen; 2 (*een proces*) aanspannen; 3 teweegbrengen; ~ *un escándalo* opschudding veroorzaken
promulgación *v* afkondiging; **promulgar** afkondigen, uitvaardigen
prono vooroverliggend
pronombre *m* voornaamwoord; ~ *demostrativo* aanwijzend voornaamwoord; ~ *indefinido* onbepaald voornaamwoord; ~ *interrogativo* vragend voornaamwoord; ~ *personal* persoonlijk voornaamwoord; ~ *posesivo* bezittelijk voornaamwoord; ~ *reflexivo* wederkerend voornaamwoord; ~ *relativo* betrekkelijk voornaamwoord; **pronominal** voornaamwoordelijk, vh voornaamwoord; (*mbt ww*) wederkerend
pronosticable voorspelbaar; **pronosticar** voorspellen; **pronóstico** prognose, voorspelling; ~ *del tiempo* weerbericht; *de ~ reservado* (*med; mbt letsel*) prognose voorbehouden, (*vaak*) ernstig
prontitud *v* snelheid, ijver; **pronto I** *bn* 1 vlug, snel, spoedig; ~ *de genio* heetgebakerd; ~ *a la réplica* slagvaardig; *ser ~ a, en* vlug zijn met; *su -a contestación* uw spoedig antwoord; 2 ~ (*a*) klaar (om); ~(*s*) *a devolverle el servicio* gaarne tot wederdienst bereid; ~ *a saltar* klaar om te springen; **II** *bw* vlug, spoedig; vroeg; *al ~* eerst, aanvankelijk; *de ~* plotseling, ineens; *lo más ~* op zijn vroegst; *lo más ~ posible* zo vlug mogelijk, zo vroeg mogelijk; *por de ~, por lo ~* om te beginnen, voorlopig, alvast; *tan ~ como* zodra; *tan ~...tan ~* nu eens...dan weer; **III** *zn* (*fam*) vlaag, bevlieging, aanval; **prontuario** handboek, naslagwerk, overzicht; tabellenboek
pronunciable uitspreekbaar; **pronunciación** *v* uitspraak; **pronunciado** geprononceerd, duidelijk, scherp; **pronunciamiento** militaire opstand; **pronunciar** 1 uitspreken; 2 (*vonnis*) vellen, wijzen; 3 (*rede*) houden, afsteken; **pronunciarse** 1 (*mil*) in opstand komen; 2 ~ *por* zich uitspreken voor; 3 gaan opvallen, duidelijk worden
propagación *v* verbreiding, verspreiding; voortplanting; **propagador, -ora** verspreidend; **propaganda** propaganda, reclame; *hacer ~ de* reclame maken voor, propaganda maken voor; **propagandista** *m,v* propagandist(e); **propagandístico** propaganda-, reclame-; **propagar** 1 voortplanten, verbreiden; 2 propageren, verbreiden, uitdragen; **propagarse** (*a, en*) (*mbt ziekte, pijn, vuur*) zich uitbreiden, zich voortplanten, overslaan (op); ~ *como un cáncer* voortwoekeren; *el choque se propaga* de schok plant zich voort
propalar bekend maken, ruchtbaarheid geven aan
propano propaan; *gas ~* propaangas
propasar (*grens*) overschrijden; **propasarse** zich vergalopperen, over de schreef gaan
propender (*a*) neigen (tot); **propensión** *v* neiging, aanleg; vatbaarheid; **propenso** (*a*) geneigd (tot), vatbaar (voor)
propiciar 1 gunstig stemmen; 2 gunstig zijn voor, bevorderen; **propicio** 1 gunstig (gezind); *mostrarse poco ~ a* weinig voelen voor; 2 geschikt
propiedad *v* 1 eigendom; ~ *común* gemeengoed; ~ *del estado* staatseigendom; ~ *horizontal* horizontaal eigendom; ~ *industrial* industriële eigendom; ~ *intelectual* intellectuele eigendom, auteursrecht; ~ *privada* particulier eigendom; 2 stuk grond, landgoed; 3 eigenschap; 4 gepastheid, juistheid (*van een woord*); **propietario, -a** eigenaar, eigenares; ~ *naviero* reder; ~ (*de tierras*) landeigenaar, -eigenares; *gran ~* grootgrondbezit(s)ter
propina fooi; toegift; **propinar** (*een klap*) verkopen, toedienen
propincuo nabij
propio I *bn* 1 eigen; *el interés ~, el ~ interés* het eigenbelang; *nombre ~* eigennaam; *el sentido ~* de eigenlijke betekenis; *sus ~s hijos* zijn eigen kinderen; 2 ~ *de* kenmerkend voor, eigen aan; passend bij; ~ *de tu edad* passend bij je leeftijd; *es muy ~ de mi madre* dat is echt iets voor mijn moeder; *no es ~ de ti* dat is niets voor jou; 3 zelf; *el ~ autor* de schrijver zelf; 4 (de)zelfde; *al ~ tiempo* op hetzelfde moment; *hacer lo ~* (precies) hetzelfde doen || *de ~* speciaal, met opzet; **II** *zn* bode, koerier
proponer voorstellen, opperen; voordragen; ~ *a u.p.* (*como candidato*) iem kandidaat stellen; *el hombre propone y Dios dispone* de mens

wikt maar God beschikt; **proponerse** zich voorstellen, van plan zijn; zich ten doel stellen; *¿qué te propones?* wat wil je eigenlijk (bereiken)?
proporción *v* 1 verhouding, proportie, evenredigheid; *a ~* in verhouding, navenant; *en la ~ de dos a uno* in de verhouding twee op een; *estar en ~ a, con, guardar ~ con* in verhouding staan tot; 2 *-ones* afmetingen, omvang; *tomar -ones alarmantes* onrustbarende afmetingen aannemen; **proporcionado** (*a*) in de (juiste) verhouding (tot), (goed) geproportioneerd, harmonisch, geschikt; **proporcional** evenredig; *inversamente ~ a* omgekeerd evenredig met; **proporcionalidad** *v* evenredigheid, verhouding
proporcionar 1 verschaffen, helpen aan; (*een verrassing*) bezorgen, geven; 2 *~ a* in verhouding brengen met; **proporcionarse** aanschaffen
proposición *v* 1 voorstel; aanbod; 2 (*gramm*) zin; 3 (*wisk*) stelling; **propósito** 1 bedoeling, oogmerk, opzet; *a ~ : a*) apropos, o ja!, tussen twee haakjes; *b*) expres; *c*) geschikt, van pas; *a ~ de* naar aanleiding van; *a ~ de viajes* over reizen gesproken; *de ~* met opzet, expres; *fuera de ~* niet ter zake; *la persona más a ~* de meest geschikte persoon; 2 voornemen; **propuesta** voorstel; voordracht; *~ de mediación* bemiddelingsvoorstel; *a ~ de* op voorstel van; *hacer ~s* offerten uitbrengen
propugnación *v* verdediging; **propugnar** voorstaan, verdedigen
propulsar voortstuwen, aandrijven; **propulsión** *v* voortbeweging, voortstuwing, aandrijving; *~ a chorro, ~ a, por reacción* straalaandrijving; **propulsor, -ora** I *bn* aandrijvend; *fuerza -ora* drijfkracht; II *zn* (*fig*) stuwende kracht
prorrata aandeel; *a ~* naar rato; *repartir a ~* hoofdelijk omslaan; **prorratear** (hoofdelijk) omslaan; **prorrateo** (hoofdelijke) omslag, verdeling naar rato
prórroga 1 verlenging; prolongatie; 2 uitstel; *~ (de incorporación a filas)* uitstel (van dienstplicht); **prorrogable** verlengbaar; **prorrogar** verlengen; prolongeren; *~ la autorización* de vergunning verlengen
prorrumpir: *~ en* uitbarsten in; *~ en risas* het uitproesten (*van het lachen*)
prosa proza; **prosaico** prozaïsch; **prosaísmo** prozaïsch karakter
prosapia (edele) afkomst
proscenio proscenium, voortoneel
proscribir 1 (*hist*) vogelvrij verklaren; 2 verbannen; 3 verbieden; **proscripción** *v* 1 (*hist*) vogelvrijverklaring; 2 verbanning; 3 verbod; **proscrito, -a** balling(e), banneling(e)
prosecución *v* 1 voortzetting; 2 vervolging, (het) najagen; **proseguir i** I *tr* voortzetten, vervolgen, doorgaan met; II *intr* doorgaan
proselitismo bekeringsijver, proselitisme; **prosélito** aanhanger, volgeling
prosificar in proza overzetten; **prosista** *m,v* prozaschrijver, -schrijfster
prosodia (*gramm*) prosodie, leer vd accentuering; **prosódico** prosodisch
prosopopeya 1 dikdoenerij; 2 (*lit*) personificatie
prospección *v* verkenning, exploratie; **prospectar** exploreren; **prospecto** prospectus; bijsluiter
prosperar 1 floreren, bloeien, gedijen; 2 erop vooruitgaan; 3 (*mbt idee*) bijval krijgen; **prosperidad** *v* voorspoed, welvaart; bloei; **próspero** voorspoedig, welvarend
próstata prostaat; **prostático** 1 vd prostaat; 2 met prostaatklachten; **prostatitis** *v* prostaatontsteking
prostíbulo bordeel; **prostitución** *v* 1 prostitutie; *~ juvenil* jeugdprostitutie; 2 (het) vergooien, misbruik; **prostituir** 1 prostitueren; 2 vergooien, misbruiken; **prostituta** prostituée; *~ heroinómana* heroïnehoer
protagonismo hoofdrol; optreden (*in een belangrijke rol*); **protagonista** *m,v* hoofdpersoon; hoofdrolspeler, -speelster; **protagonizar** hoofdpersoon zijn in, een belangrijke rol spelen in
protección *v* 1 bescherming; *~ civil* bescherming bevolking; *~ de intereses* belangenbehartiging; *~ de menores* kinderbescherming, (*Belg*) jeugdbescherming; *~ oficial* (*mbt huis; vglbaar*) gemeentegarantie; *gafas de ~* veiligheidsbril, stofbril; *tomar bajo su ~* in bescherming nemen; *vivienda de ~ oficial* (*vglbaar*) premiewoning; 2 beveiliging; **proteccionismo** protectionisme; **proteccionista** protectionistisch; **protector, -ora** I *bn* beschermend; *casco ~* valhelm; *sociedad -ora de animales* (*vglbaar*) dierenbescherming; II *zn* 1 bescherm(st)er, begunstig(st)er; 2 *m* (*sp*) gebitbeschermer; 3 *m ~ de colchón* matrasdek
proteger beschermen, behoeden; (*belangen*) behartigen; *~ contra, de* beschermen tegen, beveiligen tegen, vrijwaren voor; **protegeslip** *m* inlegkruisje; **protegido, -a** I *bn* beschermd; *vivienda -a* (*vglbaar*) premiewoning; II *zn* protégé(e), beschermeling(e)
proteína proteïne, eiwit
protervo (*lit*) pervers, schaamteloos, ínslecht
protésico: *~ (dental)* tandtechnicus; **prótesis** *v* 1 prothese; *~ dental* kunstgebit; 2 (het) aanbrengen van een prothese; 3 (*gramm*) toevoeging van een letter aan begin van woord, prothesis
protesta 1 protest; *hacer ~s de* heftig te kennen geven; *tempestad de ~s* storm van protesten; 2 *~ (de avería)* scheepsverklaring (*inzake schade*); **protestante** protestant; **protestantismo** protestantisme; **protestar** I *intr* 1 *~ (contra, de)* protesteren (tegen); 2 *~ de* heftig te kennen geven; II *tr* (*een wissel*) protesteren; **protesto** 1 protest (*van wissel*); 2 exploit, aanmaning tot betaling; **protestón, -ona** mopperpot

protocolario protocollair; *visita -a* beleefdheidsbezoek; **protocolizar** in het protocol opnemen; registreren; **protocolo** 1 (*notarieel*) protocol; 2 protocol, dossier; 3 ceremonieel, protocol
protohistoria protohistorie
protón *m* proton
protoplasma *m* protoplasma
prototipo prototype; schoolvoorbeeld
protuberancia bobbel, knobbel, uitsteeksel, bult; **protuberante** 'uitstekend
protutor, -ora toeziend voogd(es)
provecho profijt, baat, voordeel; *algo de* ~ iets nuttigs; *buen* ~ eet smakelijk; *de mutuo* ~ tot wederzijds voordeel; *en* ~ *de* ten bate van; *en* ~ *propio* te eigen bate; *sacar* ~ *de* profijt hebben van; **provechoso** voordelig, winstgevend
provecto (*lit; mbt leeftijd*) gevorderd
proveedor, -ora leverancier; ~ *de buques* schipchandler; **proveer** 1 ~ *a* voorzien in; ~ *a sus necesidades* in zijn behoeften voorzien; 2 ~ *de* voorzien van, leveren; ~ *de víveres* van levensmiddelen voorzien; 3 (*een ambt*) vervullen; ~ *una vacante* voorzien in een vacature; **proveerse**: ~ *de* zich voorzien van, aanschaffen
proveniencia herkomst; **proveniente**: ~ *de* afkomstig uit, afkomstig van; **provenir**: ~ *de* afkomstig zijn van, voortkomen uit; *la idea proviene de él* het idee is van hem afkomstig
provenzal Provençaals
proverbial spreekwoordelijk; **proverbio** spreekwoord
providencia 1 voorzienigheid; 2 voorziening (*ook jur*); **providencial** door de voorzienigheid beschikt; (*mbt toeval*) zeer gelukkig
provincia provincie; **provincial** vd provincie, provinciaal; **provincianismo** provinciaal karakter; kleinsteedsheid; **provinciano** 1 uit de provincie; 2 (*neg*) provinciaal, kleinsteeds
provisión *v* 1 levering; 2 voorziening; voorraad; *-ones* proviand; *-ones de boca* mondvoorraad; ~ *de víveres: a*) voedselvoorraad; *b*) voedselvoorziening; *hacer* ~ *de* inslaan; 3 maatregel, voorziening; *por* ~ *del juez* volgens gerechtelijke voorziening; **provisional** voorlopig, provisorisch, tijdelijk; **provisionalidad** *v* voorlopig karakter; **provisorio** *zie provisional*; **provisto** (*de*) voorzien (van); *bien* ~ goed voorzien
provocación *v* uitlokking, provocatie; **provocador, -ora** I *bn* provocerend; II *zn* provocateur; **provocante** provocerend; **provocar** provoceren; uitlokken; veroorzaken; ~ (*ook* ~ *a*) opwekken tot; ~ *un aborto* een abortus opwekken; ~ *un incendio* brandstichten; ~ *a la rebelión* tot opstand aanzetten; ~ *la risa* de lachlust opwekken; **provocativo** provocerend; irritant; sexy
proxeneta 1 *m,v* koppelaar(ster); 2 *m* souteneur
próximamente binnenkort; **proximidad** *v* nabijheid; *~es* omstreken; *en las ~es de* in de buurt van, dichtbij; **próximo** 1 aanstaand, eerstkomend, volgend; ~ *a* om en nabij; *el* ~ *enlace* het voorgenomen huwelijk; *el año* ~ volgend jaar, het komende jaar; *en un futuro* ~ binnen afzienbare tijd; *parientes ~s* naaste verwanten; 2 nabij; ~ *pasado* (*afk ppdo.*) laatstleden, jongstleden; **Próximo**: *el Oriente* ~ het Nabije Oosten
proyección *v* 1 (het) werpen; *pintar por* ~ spuiten (*met verf*); 2 projectie, vertoning (*van film*); 3 (*wisk, psych*) projectie; 4 ('verstrekkende) invloed; **proyectar** 1 werpen; (*met verf*) spuiten; 2 projecteren; (*film*) vertonen, draaien; 3 (*wisk, psych*) projecteren; 4 voornemens zijn; 5 ontwerpen; (*route*) uitstippelen; **proyectil** *m* projectiel; **proyectista** *m,v* ontwerp(st)er; **proyecto** plan, project; ~ *de contrato* ontwerpcontract, conceptovereenkomst; ~ *de ley* wetsontwerp; ~ *de viviendas* woningbouwproject; *someter el* ~ *a* het plan voorleggen aan; **proyector** *m* 1 projector; ~ *para diapositivas* diaprojector; 2 schijnwerper; groot licht (*van auto*); ~ *antiniebla* mistlamp
prudencia voorzichtigheid; *por* ~ wijselijk; **prudencial** (*mbt berekening*) voorzichtig, voorlopig; **prudente** verstandig; bedachtzaam, behoedzaam, voorzichtig; *a una distancia* ~ op een veilige afstand
prueba 1 bewijs; blijk; *en* ~ *de* ten bewijze van; 2 proef, test; ~ *de aliento* ademproef; ~ *de admisión*, ~ *de ingreso* toelatingstest, auditie; ~ *al azar* steekproef; ~ *escrita* proefwerk, repetitie; ~ *del fuego* vuurproef; ~ *de fuerza* krachtproef; ~ *de imprenta* drukproef; ~ *de madurez* (*Sp*) tussentijds toelatingsexamen; ~ *nuclear* kernproef; ~ *psicológica* psychologische test; *a* ~ op proef, op zicht; *a* ~ *de* bestand tegen; *a* ~ *de agua* waterdicht; *a* ~ *de balas* kogelvrij; *a* ~ *de bombas: a*) bomvrij; *b*) oerstevig; *a* ~ *de fuego* vuurbestendig; *a* ~ *de manchas* vlekvrij; *a* ~ *de resbalones* antislip; *una dura* ~ een ware beproeving; *período de* ~ proeftijd; *poner a* ~ op de proef stellen; *someter a* ~ toetsen; 3 (het) passen (*van kleren*); 4 beproeving
prurigo (*allergische*) uitslag, jeuk
prurito 1 jeuk; 2 zucht, drang, streven
Prusia Pruisen; **prusiano** Pruisisch
psicoanálisis *m* psychoanalyse; **psicoanalista** *m,v* psychoanalist(e)
psicodélico psychedelisch, geestverruimend
psicofármacos *mmv* (*med*) psychofarmaca
psicología 1 psychologie; ~ *de masas* massapsychologie; ~ *de lo profundo* dieptepsychologie; 2 karakter, aard, inborst; **psicológico** psychologisch; **psicólogo, -a** psycholoog, -loge
psicópata *m,v* psychopaat, psychopate; **psicopatía** psychopathie
psicosis *v* psychose

psicosomático psychosomatisch
psicotecnia psychotechniek
psicoterapeuta *m,v* psychotherapeut(e); **psicoterapéutico** psychotherapeutisch; **psicoterapia** psychotherapie
psicotrópicos *mmv* (*med*) psychofarmaca
psique *v* psyche; **psiquis** *v; zie psique*
psiquiatra *m,v* psychiater, zenuwarts; **psiquiatría** psychiatrie; **psiquiátrico** psychiatrisch; *clínica -a* psychiatrische inrichting
psíquico psychisch, geestelijk; *disminuido ~* geestelijk gehandicapte; *trauma -o* trauma
psoriasis *v* (*med*) psoriasis
púa 1 stekel; *alambre de ~s* prikkeldraad; 2 tand (*van kam*); *de ~s anchas* grof; *de ~s estrechas* fijn; 3 plectrum
púber I *m,v* puber; II *bn* in de puberteit; **púbero, -a** puber; **pubertad** *v* puberteit
pubis *m* schaamstreek
publicación *v* 1 aankondiging, bekendmaking, openbaarmaking; plaatsing (*in de krant*); 2 uitgave, publikatie; verschijning; **públicamente** in het openbaar, openlijk; **publicar** 1 openbaar maken, bekend maken, verkondigen; plaatsen (*in de krant*); 2 publiceren, uitgeven; **publicarse** (*mbt boek*) verschijnen; **publicidad** *v* 1 openbaarheid, publiciteit, ruchtbaarheid; *buscar la ~* aan de weg timmeren; 2 reclame; *~ clandestina* sluikreclame; *~ postal* reclame via de post; *hacer ~* adverteren; **publicista** *m,v* publicist(e); **publicitario** reclame-; *anuncio ~* reclame(advertentie); *campaña -a* advertentiecampagne, reclamecampagne; *valla -a* met affiches beplakte muur, (*vglbaar*) reclamezuil; **público** I *bn* openbaar, publiek; *empresa -a* staatsbedrijf; *en ~* in het openbaar; *es ~ y notorio que* het is algemeen bekend dat; *funcionario ~* ambtenaar; *gastos ~s* staatsuitgaven; *hacer ~* in de openbaarheid brengen; *ingresos ~s* staatsinkomsten; *el interés ~* het algemeen belang; *vía -a* openbare weg; II *zn* publiek; *~ lector* lezerspubliek; *dar al ~* publiceren
pucherazo: *dar ~* verkiezingsresultaten vervalsen; **puchero** 1 kookpot, pan; *~ de la miel* honingpot; 2 stoofgerecht || *hacer ~s* pruilen, een lip trekken; **puches** *mmv* pap
pudding *m* soort taart, (*vglbaar*) plumpudding
pude *zie poder*
pudendo: *partes -as* schaamdelen; **pudibundez** *v* preutsheid; **pudibundo** preuts; **púdico** kuis
pudiente rijk en machtig
pudor *m* kuisheid, schaamtegevoel; **pudoroso** zedig, schroomvallig
pudrir 1 doen verrotten; 2 (*iem*) tot wanhoop brengen, treiteren; **pudrirse** verrotten, wegrotten, vergaan; *¡(déjalo) que se pudra!* hij kan verrekken!
pueblerino, -a I *bn* dorps; II *zn* dorpeling(e); **pueblo** 1 volk; *el ~ elegido* het uitverkoren volk; 2 dorp; *~ de mala muerte* gat; **pueblucho** (*neg*) gehucht, gat
puente *m* 1 brug; *~ aéreo* luchtbrug; *~ de arcos* boogbrug; *~ de barcos* schipbrug; *~ de carga* laadbrug; *~ colgante* kettingbrug; *~ levadizo* ophaalbrug; *~ de mando* commandobrug; *hacer ~* vrij nemen (*tussen bv een zondag en een feestdag*), er een dagje aan vastknopen; *tender un ~* (*fig*) de kloof overbruggen, een brug slaan; 2 kam (*van viool*); 3 brug (*tussen kiezen*)
puerca 1 varken, zeug; 2 viespeuk, slons; **puerco** I *zn* 1 varken; *~ espín* stekelvarken; *a cada ~ le llega su San Martín* iedereen gaat eens voor de bijl; 2 viespeuk, smeerlap; II *bn* vies, morsig, smerig; **puercoespín** *m* stekelvarken
puericultor: *médico ~* kinderarts; **puericultora** kinderverzorgster; **puericultura** kinderverzorging en -opvoeding
pueril 1 kinderachtig; 2 kinderlijk; **puerilidad** *v* 1 kinderachtigheid; 2 kinderlijkheid
puerperal: *fiebre ~* kraamvrouwenkoorts; **puerperio** kraambed
puerro prei
puerta 1 deur; *~ de batiente* klapdeur; *~ de emergencia* nooddeur; *~ giratoria* draaideur; *~ de dos hojas* openslaande deuren; *~ lateral* zijdeur; *~ oscilante* klapdeur; *~ plegable* vouwdeur; *~ vidriera* glazen deur; *a ~ cerrada* (*jur*) achter gesloten deuren; *a las ~s de la muerte* op de drempel van de dood; *coger la ~* er vandoor gaan; *coger las ~s del campo* zijn eigen weg gaan; *cuando una ~ se cierra, otra se abre* als de nood het hoogst is, is de redding nabij; *dar a u.p. con la ~ en las narices* de deur voor iems neus dichtslaan; *de ~s adentro* binnenskamers; *de ~s afuera* gericht op de buitenwereld; *encontrar la ~ cerrada* bot vangen; *reservarse una ~ trasera* een slag om de arm houden; 2 poort; 3 doel (*in voetbal*)
puerto 1 haven; *~ deportivo* jachthaven; *~ fluvial* rivierhaven; *~ franco* vrijhaven; *~ interior* binnenhaven; *~ de mar* zeehaven; *~ de marea* getijhaven; *~ de matrícula* thuishaven; *~ mundial* wereldhaven; *~ de paso* aanleghaven; *~ pesquero* vissershaven; *~ de tránsito* doorvoerhaven; *tomar ~* aanleggen; 2 (berg)pas; 3 (*comp*) uitgang; *~ serie* seriële uitgang
puertorriqueño Portoricaans
pues 1 want; 2 nou (eh); *¿~?* hoezo?; *~ bien* welnu; *~ mire Ud.* nou kijk, dat zal ik u uitleggen; *¡~ sí!* jazeker!; *así ~* dus
puesta 1 inleg (*bij wedden*), inzet; 2 leg (*van kip*); 3 (het) stellen; *~ en cultivo de tierras* landontginning; *~ al día* (het) bijwerken; *~ a disposición* terbeschikkingstelling; *~ en escena* mise-en-scène; *~ en libertad* invrijheidstelling; *~ en marcha* (het) starten; *~ a punto* (*mbt auto*) rijklaar maken; *~ de quilla* (het) op stapel zetten (*van schip*); *~ en servicio* ingebruikneming; *~ del sol* zonsondergang; **puesto** I *bn: bien ~* goed verzorgd; II *zn* 1 betrekking, werkkring, baan, functie, post; zetel (*in parlement*); *~ clave* sleutelpositie; *~ de con-*

fianza vertrouwenspositie; ~ *de trabajo* arbeidsplaats; 2 (markt)kraam, stalletje; ~ *de feria* kermiskraam; 3 (juiste) plaats; *ocupar su ~* zijn plaats innemen, aantreden; 4 post; ~ *avanzado* voorpost; ~ *de control* controlepost; ~ *de mando* commandopost; ~ *de policía* politiebureau, -post; ~ *de socorro* EHBO-post; 5 (*autosp*) pit; III *voegw:* ~ *que* aangezien, daar

puf *m* poef

puff *tw* hè, poeh, bah

púgil *m* vuistvechter; (*lit*) bokser; **pugilato** 1 vuistgevecht, bokswedstrijd; 2 (*lit*) strijd (*ook fig*)

pugna strijd; *en* ~ strijdend; *en ~ con* (tegen)strijdig met; **pugnar** 1 strijden; 2 ~ *por* zijn uiterste best doen om; ~ *por no llorar* vechten tegen zijn tranen; **pugnaz** (*lit*) strijdbaar, vechtlustig

puja bod, opbod (*op veiling*); **pujador, -ora** bied(st)er; **pujante** goed gedijend, krachtig; **pujanza** (stuw)kracht; **pujar** 1 bieden (*op veiling*); 2 ~ *para* (*fig*) vechten om, zijn best doen om; **pujo** 1 pijnlijke aandrang (*tot urineren of stoelgang*); 2 sterke neiging, aandrang (*tot lachen of huilen*); 3 aspiratie, hevig verlangen

pulcritud *v* netheid; *con gran* ~ tot in de puntjes (verzorgd); **pulcro** keurig, proper, net, verzorgd

pulga 1 vlo; *buscar las ~s a u.p.* iem treiteren, ruzie zoeken; *hacer de una ~ un camello* van een mug een olifant maken; *tener malas ~s* een nijdas zijn, erg kort aangebonden zijn; 2 vlooienspel

pulgada duim (*maat, ruim 23 cm*); **pulgar** *m* duim; **Pulgarcito** Klein Duimpje

pulgón *m* bladluis; **pulguillas** *m,v* lichtgeraakt persoon

pulido I *bn* zeer verzorgd; gepolijst; II *zn* (het) polijsten

puligán *m* sweater

pulimentar polijsten, glanzend maken; **pulir** polijsten, politoeren; (op)poetsen; (*fig*) bijschaven; *laca para* ~ slijplak; *trapo para* ~ poetslap

pulla scherpe geestigheid; hatelijkheid

pulmón *m* long; ~ *de acero* ijzeren long; *cantar a todo* ~ uit volle borst zingen; **pulmonar** vd longen, long-; **pulmonía** longontsteking

pulpa 1 vruchtvlees; 2 pulp

pulpejo bal (*vd hand*)

pulpería (*Am*) winkel (*soort bazaar*)

púlpito preekstoel, kansel

pulpo 1 inktvis; 2 spin (*soort snelbinder*)

pulposo (*mbt vrucht*) vlezig

pulque *m* (*Mexico*) pulque (*alcoholische drank uit agave*); **pulquería** (*Mexico*) pulquezaak, dranklokaal, kroeg

pulsación *v* 1 aanslag (*typen; op piano*); aantal aanslagen, typesnelheid; *ejercicio de* ~ vingeroefening; 2 pols(slag); **pulsador, -ora** I *bn* kloppend; drukkend; II *m* drukknop (*bv van bel*); **pulsar** I *tr* 1 (*gitaar, harp*) bespelen; 2 drukken op (*knop*); 3 (*fig*) aftasten, polsen; II *intr* pulseren, kloppen; **pulsátil** kloppend; **pulsera** armband; polsband; ~ *de fetiches* bedelarmband; **pulso** 1 hartslag, polsslag; *tomar el ~: a*) de pols voelen; *b*) (*fig*) poolshoogte nemen; 2 pols; *a ~: a*) zonder de arm te steunen; *b*) op eigen kracht; *beber a* ~ drinken met opgeheven arm (*uit bv wijnzak*); *echar un* ~ armpje drukken (*krachtmeting*); *ganado a* ~ zelfverdiend; 3 (*fig*) vaste hand; 4 tact

pulular wemelen

pulverización *v* verstuiving; **pulverizador** *m* sproeier, verstuiver, sprinkler; **pulverizar** 1 verpulveren, tot poeder maken, fijn maken; 2 verstuiven; 3 totaal vernietigen, niets heel laten van; **pulverulento** 1 mul; 2 stoffig

pum: *¡~!* boem!

puma *m* poema

pun: *ni* ~ helemaal niks

puna 1 hoogvlakte in de Andes (*tussen de 3000 en 5000 meter*); 2 hoogteziekte

punción *v* (*med*) punctie; ~ *lumbar* lumbaalpunctie

pundonor *m* eergevoel, ponteneur; **pundonoroso** met gevoel van eer

puneño uit Puno (*Peru*)

punible strafbaar; **punición** *v* straf

púnico Carthaags; Fenicisch

punitivo straf-, vd straf

punta 1 (*spitse*) punt, uiteinde; ~ *de cigarro* sigarepeuk; ~ *del dedo* vingertop; ~ *del zapato* neus vd schoen; *a ~ de pistola* onder bedreiging met een pistool; *acción de ~ de lanza* speerpuntactie; *con los nervios de* ~ met gespannen zenuwen; *cortar las ~s* (*haar*) punten; *de ~ a* ~ helemaal; *en* ~ puntig; *estar de ~: a*) gebrouilleerd zijn, vijandig zijn; *b*) prikkelbaar zijn; *estar de ~ con* op gespannen voet staan met; *hora* ~ spitsuur; *sacar ~ a: a*) (*potlood*) slijpen; *b*) iets zoeken achter, scherpslijpen; *c*) ergens alles uithalen wat er in zit; *tecnología* ~ toptechnologie; *lo tengo en la ~ de la lengua* het ligt me op de tong; *terminar en* ~ spits toelopen; 2 pietsje, iets; *tiene ~s de pintor* hij heeft wel wat van een schilder; *tiene una ~ de artista* hij heeft iets artistieks; *tener sus ~s y ribetes de* iets (weg) hebben van; 3 graveernaald || *de ~ en blanco* op zijn paasbest, om door een ringetje te halen; **puntada** 1 steek (*bij naaien*); gaatje dat de naald maakt; 2 insinuatie, steek onder water, toespeling

puntal *m* balk, stut; (*fig*) steun; *poner ~es a* stutten

puntapié *m* schop, trap; *dar un* ~ trappen

puntazo 1 steekwond; 2 hoornstoot (*van stier*)

punteada: *~s* (*fam*) hechtingen; **punteado** 1 getokkel; 2 (het) scoren; 3 reeks stippels, puntenrij; **puntear** 1 van punten voorzien; stippelen; afchecken; 2 (*op gitaar*) tokkelen; **punteo** getokkel

puntera 1 neus (*van schoen*); teen (*van sok*); 2

gestopte plek (*op teen van sok*); 3 puntbeschermer (*van potlood*); 4 (*fam*) schop, trap; **punterazo** schop

puntería 1 (het) kunnen richten; *tener buena* ~ goed kunnen mikken; *tener mala* ~ slecht kunnen mikken; 2 richting (*van geschut*); *afinar la* ~: *a*) heel goed richten; *b*) heel weloverwogen te werk gaan; *dirigir la* ~ *a* richten op; **puntero** I *zn* aanwijsstok; II *bn* uitblinkend

puntiagudo puntig, spits

puntilla 1 fijn kantje (*bv langs zakdoek*); 2 dolk; *dar la* ~ de doodsteek toebrengen; *eso le dio la* ~ dat was voor hem de genadeslag || *de* ~*s* op zijn tenen, sluipend; **puntillero** stierenvechter die met dolk de stier doodt

puntillismo pointillisme

puntillo 1 (overdreven) eergevoel; 2 (*muz*) punt na een noot (*ter verlenging*); **puntilloso** overgevoelig, gauw op zijn tenen getrapt, lichtgeraakt

punto 1 punt; stip; ~ *álgido* hoogtepunt, spannendste moment; ~ *y aparte* punt, nieuwe regel; ~ *a su favor* pluspunt (*voor hem, u*); ~ *de arranque,* ~ *de partida* uitgangspunt; ~ *cardinal* hoofdpunt, kardinaal punt; ~*s cardinales* windstreken; ~ *cero* nulpunt; ~ *y coma* puntkomma; ~ *de combustión* brandpunt; ~ *de congelación* vriespunt; ~ *de contacto* raakpunt; ~ *controvertido* strijdvraag; ~ *culminante* hoogtepunt; ~ *débil,* ~ *flaco* zwak punt; ~ *decimal* (*rekenk*) komma; ~ *de ebullición* kookpunt; ~ *de engrase* smeerpunt; ~ *final* eindpunt; ~ *de fusión* smeltpunt; ~ *de giro* draaipunt; ~ *de intersección* snijpunt; ~ *litigioso* geschilpunt; ~ *menos que* bijna, praktisch; ~ *meollo* kernpunt; ~ *muerto* dood punt; ~ *nodal* kernpunt; ~ *por* ~ woord voor woord, in details; ~ *de rotura* breekpunt; ~ *y seguido* punt, zelfde regel; ~ *sensible* teer punt; ~ *de solidificación* stollingspunt; ~*s suspensivos* drie puntjes (*in tekst*); ~ *de vista* gezichtspunt, standpunt; *a* ~, *en* ~ precies goed, klaar, (*mbt eten*) gaar; *al* ~ meteen; *a las 2 en* ~ om 2 uur precies, klokslag 2 uur; *andar en* ~ (*mbt klok*) gelijk lopen; *calzar muchos* ~*s* een uitblinker zijn, erg belangrijk zijn; *calzar pocos* ~*s* niet erg slim zijn; *con* ~*s y comas* in details, uitvoerig; *de todo* ~ alleszins, totaal; *dos* ~*s* dubbele punt (*in tekst*); *en este* ~ op dit punt; *en su* ~ precies goed; *estar a* ~ *de* op het punt staan om; *hacer* ~ (*redondo*) ergens een punt achter zetten; *hasta cierto* ~ enigermate, tot op zekere hoogte; *hasta tal* ~ *que* dermate dat; *poner* ~ *final a* een punt zetten achter; *poner los* ~*s a: a*) zijn zinnen zetten op; *b*) (*iem*) achternalopen (*om iets gedaan te krijgen*); *poner los* ~*s sobre las íes* de puntjes op de i zetten; *por* ~*s* (*sp*) op punten; *saber a* ~ *fijo* precies weten, zeker weten; *sobre este* ~ hieromtrent; *subir de* ~ (in hevigheid) toenemen; *tener a* ~ bij de hand hebben; 2 (een) ietsje; 3 (taxi)standplaats; 4 steek; hechting; ~ *cadena,* ~ *de cadeneta* kettingsteek; ~ *de cruz* kruissteek; ~ *jersey* tricotsteek; ~ *llano* platsteek; ~ *liso al revés* ribbel (*breisteek*); ~ *de media* breisteek, tricotsteek; ~ *de ojal* knoopsgatensteek; ~ *de tallo* steelsteek; ~ *túnico* Tunische haaksteek; ~ *vareta* stokje (*haaksteek*); *coger* ~*s* steken ophalen, ladders ophalen; *dejar escapar un* ~ een steek laten vallen; *echar los* ~*s* (*breiwerk*) opzetten; 5 breiwerk, (het) breien; tricot; *de* ~ gebreid, tricot; *hacer* ~ breien; *labor de* ~ breiwerk; *traje de* ~ tricot (*kostuum*); 6 oog (*op dobbelsteen*); 7 brutale vent; ~ *filipino* doortrapte vent; 8 ~*s* (*familiares*) (*vglbaar*) kinderbijslag || *¡*~ *a la boca!* mondje dicht!; **puntuación** *v* 1 interpunctie, (het) plaatsen van leestekens; 2 puntenaantal; **puntual** stipt, punctueel, nauwgezet; **puntualidad** *v* stiptheid, nauwgezetheid; **puntualizar** nauwkeurig omschrijven, precies aangeven; **puntualmente** precies, stipt, prompt; *servir* ~ op zijn wenken bedienen; **puntuar ú** 1 van leestekens voorzien; 2 punten behalen; 3 punten geven

punzada steek; (pijn)scheut; **punzante** priemend, stekend; (*fig*) stekelig; *arma* ~ steekwapen; *una mirada* ~ een priemende blik; **punzar** steken, prikken; (*kaartje*) knippen; **punzón** *m* 1 priem; drevel; *perforar a* ~ ponsen; 2 graveernaald; **punzonadora** ponsmachine; *tenazas* ~*s* gaatjestang

puñada (*fam*) vuistslag, stomp; **puñado** hand(vol); *a* ~*s* in overvloed

puñal *m* dolk; *poner a u.p. el* ~ *en el pecho* iem het mes op de keel zetten; **puñalada** 1 dolksteek; 2 groot verdriet, steek in het hart

puñeta gezanik, onzin; *¡*~*s!* verdomme!; *hacer la* ~ pesten, dwarszitten; *hacerse la* ~ (*pop*) zich aftrekken; *me importa una* ~ het kan me niet verrekken; **puñetazo** stomp, vuistslag, dreun, opdoffer; *dar* ~*s* stompen; *dar un* ~ *en la mesa* met de vuist op tafel slaan; *liarse a* ~*s* op de vuist gaan; **puñetería** kleinigheid; **puñetero, -a** I *bn* verrekt, verdomd; ellendig, rottig; lastig, vervelend; II *zn* rotzak, rotmens;

puño 1 vuist; *apretar los* ~*s* de vuisten ballen; *comerse los* ~*s* vergaan van de honger; *como un* ~: *a*) piepklein; *b*) heel groot; *de su* ~ *y letra* eigenhandig; *ganárselo a* ~*s* vechten voor zijn toekomst; *golpear con los* ~*s* stompen; *por su* ~, *con su* ~ op eigen kracht, met grote inspanning; *tener metido en un* ~ *a u.p.* iem klein houden; *una verdad como un* ~ een waarheid als een koe; 2 boord (*manchet*); 3 gevest; 4 handvat

pupa 1 (*fam*) zweer; 2 koortsuitslag; 3 (*kindert*) pijn, au

pupila 1 (*anat*) pupil, oogappel; 2 pupil (*van voogd*); 3 (*fam*) scherpzinnigheid; **pupilo** pupil (*van voogd*)

pupitre *m* 1 lessenaar; 2 (*comp*) toetsenbord en scherm

Pura *afk van Purificación*

purasangre *m* volbloed (*paard*)
puré *m* puree, moes; *hacer un ~ de* fijnstampen; *hecho ~* geen mens meer
pureza zuiverheid
purga 1 laxeermiddel; 2 (*pol*) zuivering, (*Belg*) epuratie; 3 *~ de aire* ontluchting; **purgación** *v, vaak mv* (*med*) druiper; **purgante** I *bn* 1 laxerend; 2 zuiverend; II *m* laxeermiddel; **purgar** 1 zuiveren, louteren; boeten voor; *~ de* reinigen van; *~ sus pecados* boeten voor zijn zonden; 2 een laxeermiddel toedienen aan; 3 aftappen; spuien; **purgativo** purgerend, laxerend; **purgatorio** 1 vagevuur; 2 lijdensweg, (*fig*) hel
puridad *v: en ~* eigenlijk; **purificación** *v* zuivering, loutering, reiniging; **Purificación** *v* 1 meisjesnaam; 2 Maria Lichtmis (*2 februari*); **purificador, -ora** zuiverend, louterend; **purificar** zuiveren, louteren; **purismo** purisme; **purista** I *bn* puristisch; II *m,v* purist(e); **puritano** puriteins; **puro** I *bn* zuiver, rein, puur, louter; onvervalst; onverdund; kuis; *-a coincidencia* louter toeval || *a ~ + onbep w, a ~ de…* met louter…; *a ~ estudiar* met louter studeren, door te studeren; *de ~ débil, se cae* hij is zo zwak, dat hij omvalt; *de ~ conocido* juist omdat het zo bekend is; *…de ~ feo …*zo lelijk is hij; II *zn: (cigarro) ~* sigaar
púrpura 1 purperslak; 2 purper; 3 purperen stof; **purpurado** kardinaal; **purpúreo** purperen
purulencia (het) etteren; **purulento** etterend
pus *m* etter, pus
puse *zie poner*
pusilánime bangelijk, kleinhartig; **pusilanimidad** *v* bangelijkheid, kleinhartigheid
pústula etterpunt, etterpuist; **pustuloso** vol puisten
puta hoer; *hijo de ~* klootzak; *no tiene ni ~ idea* hij weet er geen bal van; **putada** rotstreek; **putañero** hoerenloper; **putativo** vermeend (*mbt vader, kind*); **puteada** (*Am*) vloek, verwensing; **putear** I *intr* 1 hoeren aflopen; 2 als hoer leven; 3 (*Am*) vloeken; II *tr* 1 pesten, treiteren; uitbuiten; 2 (*Am*) vervloeken; **puteo** 1 omgang met hoeren, hoerenloperij; 2 gesakker; **putería** 1 hoerenleven; 2 bordeel; 3 (*fam*) lievigheidje, slimmigheidje; **puterío** (de) hoeren; prostitutie; (het) hoereren; **putero** hoerenloper; **puticlub** *m* seksclub; **puto** I *bn* verdomd, verrekt, rot-; II *zn* 1 rotzak; gladakker; 2 prostitué (*man*); 3 (*soms*) homo; **putón, -ona** rotzak, (rot)hoer
putrefacción *v* bederf, verrotting; **putrefacto** verrot, bedorven; rottend; **putrescente** rottend; **putrescible** snel rottend; **putridez** *v* (ver)rotting, bederf; **pútrido** rot, verrot
puya ijzeren punt (*aan stok, om vee of stier te steken*); *lanzar ~s* kwetsende opmerkingen maken
puzzle *m* puzzel
p.v.p. *precio de venta al público*

Qq*q*

q *qu v* (*letter*) q
quantum *m, mv quanta* (*natk*) quantum
que I *betr vnw* die, dat; *el cuchillo con ~ corta* het mes waarmee hij snijdt; *dar ~ pensar* te denken geven; *el hombre ~ vi* de man die ik zag; *el libro ~ leo* het boek dat ik lees; *no tengo con ~ escribir* ik heb niets om mee te schrijven; II *voegw* 1 dat; *dile ~ venga* zeg hem dat hij moet komen; *es tan difícil ~…* het is zo moeilijk dat…; *un hambre ~ no veo* een razende trek; *no sabía ~…* ik wist niet dat…; 2 want; *iré mañana, ~ hoy no puedo* ik ga morgen wel, want vandaag kan ik niet; 3 (*na vergrotende trap*) dan; *soy más alto ~ tú* ik ben langer dan jij; 4 *~ + subj* (*in wens*): *~ descanses* welterusten; *~ le vaya bien* het ga u goed; 5 *~…~* of…of; *~ quiera, ~ no quiera* of hij wil of niet || *¡~ no!* welnee!; *¡~ sí!* natuurlijk wel!, toch wel!; *canta ~ te canta* en maar zingen; *fuma ~ te fuma* en maar roken; *me dio tres libros, ~ no cinco* hij gaf me drie boeken en geen vijf
qué *vrag vnw* 1 (*zelfst*) wat; (*in uitroep*) wat…!; *¡~ bueno!* wat fijn!; *¡~ de coches!* wat een auto's!; *el ~ dirán* wat de mensen (ervan) zeggen, praatjes; *¿~ hay?, ¿~ tal?* hoe gaat het ermee?; *¿~ quieres?* wat wil je?; *¡~ susto!* wat een schrik!; *¿~ tal te ha parecido?* wat vond je ervan?; *¿~ tal las vacaciones?* hoe was je vakantie?; *¿de ~ habló?* waar had hij het over?; *no sé ~ hacer* ik weet niet wat ik moet doen; *¿por ~?* waarom?; *por el ~ dirán* voor zijn fatsoen; *¿y ~?* en wat dan nog?, hoezo?, wat zou dat?; 2 (*bijvgl*) welk, welke; *¿~ libro?* welk boek?; *¿~ libros?* welke boeken? || *¡~ va!* welnee!
quebracho (*Am*) bep boom (*met hard hout*)
quebrada kloof, ravijn; **quebradero**: *~(s) de cabeza* kopzorg, muizenissen; *dar muchos ~s de cabeza* veel hoofdbrekens kosten; **quebradizo** broos, breekbaar; **quebrado** I *bn* 1 failliet, bankroet; 2 (*mbt terrein*) geaccidenteerd; 3 gebroken; *color ~* gebroken kleur; *número ~* gebroken getal; 4 (*mbt persoon*) lijdend aan een (lies)breuk; II *zn* (*rekenk*) breuk; **quebradura** 1 kloof, ravijn; 2 (*med*) (lies)breuk; **quebrantamiento** 1 (het) breken; 2 *~ (de)* inbreuk (op); **quebrantar** 1 breken; stukslaan; verbreken, forceren; 2 inbreuk maken op, overtreden, schenden; 3 aantasten, verzwakken; schaden, kwaad doen; (*fig*) raken, treffen; **quebrantarse** een knauw krijgen, schade oplopen; **quebranto** 1 schade, aantasting (*bv*

van gezondheid); verzwakking; 2 moedeloosheid; smart; 3 (het) breken; **quebrar ie I** *tr* 1 breken; knakken; onderbreken; ombuigen; 2 (*lichaam*) buigen; **II** *intr* 1 breken; *le quebró la voz* zijn stem brak; 2 failliet gaan; **quebrarse ie** 1 breken; knappen; ~ *la cabeza* zich het hoofd breken; 2 (*med*) een (lies)breuk krijgen

quechua I *bn* vd Quechua's; **II** *zn* 1 *m,v* Quechua (*Indiaan uit de Andes-hoogvlakte*); 2 *m* Quechua-taal

queda: (*toque de*) ~ avondklok

quedar I *zelfst ww* 1 blijven; overblijven, over zijn; *¿le quedan fresas?* hebt u nog aardbeien (over)?; *¿queda mucho?: a*) is er nog veel (over)?; *b*) is het nog ver?; *quedo de Ud. atentamente* (*aan eind van brief*) ik verblijf, hoogachtend; *no queda nada* er is niets meer (over); *todo queda sin hacer* alles blijft (ongedaan) liggen; 2 ~ (*en*) afspreken (om); *quedaron en escribirse* ze spraken af elkaar te schrijven; ~ *para el lunes* afspreken voor maandag; *¿en quéquedamos?* wat spreken we af?, wat wordt het nu?; 3 liggen, gelegen zijn; *'Avila ¿dónde queda?* waar ligt Avila precies?; *no queda lejos* het is niet ver; 4 ~ *por* doorgaan voor, zich laten zien als; 5 ~ *por* (+ *onbep w*) nog moeten; *queda mucho por hacer* er is nog veel te doen, het is nog lang niet klaar; *eso queda por ver* dat staat nog te bezien, dat blijft in het midden; 6 *no* ~ *por* niet achterwege blijven om; *por mí no quedará* aan mij zal het niet liggen; *que no quede por el mal tiempo* laat de zaak niet afspringen op het slechte weer; **II** *koppelww* in een bep toestand raken; zijn, worden; ~ *atrasado* achter raken; ~ *bien: a*) een goed figuur slaan; *b*) goed staan; (*se*) *quedó dormido* hij viel in slaap; ~ *en libertad,* ~ *libre* vrijkomen; ~ *mal: a*) een slechte indruk maken; *b*) slecht staan; ~ *muerto* de dood vinden; ~ *prendido* blijven vastzitten; ~ *en ridículo* zich belachelijk maken; ~ *sin efecto* ongeldig worden, vervallen; ~ *vacante* (*mbt baan*) vrijkomen; *le di un libro y quedó contento* ik gaf hem een boek en daar was hij blij mee; *la sala quedó vacía* de zaal liep leeg; *te quedan grandes esos zapatos* die schoenen zijn je te groot; **quedarse I** *zelfst ww* 1 blijven; achterblijven; blijven zitten; ~ *atrás* achterblijven; ~ *con las ganas* (*fig*) er naast zitten, achter het net vissen; ~ *a dormir* blijven slapen; ~ *sin nada* niets meer overhebben; *¿te quedas o te vas?* blijf je of ga je weg?; 2 (*ook* ~ *con*) houden; *quédese con el cambio* laat u maar zitten; *me quedo con el piso* ik neem de flat; *la pluma quédatela* hou die pen maar; *Ud. puede* ~ *con el libro* u mag het boek houden; 3 ~ *con* het houden op, de voorkeur geven aan; 4 ~ *en* afspreken; **II** *koppelww* in een bep toestand raken; zijn, worden; ~ *atónito* versteld staan; ~ *en la calle* (*fig*) op straat (komen te) staan; ~ *ciego* blind worden; ~ *corto: a*) tekort schieten; *b*) zich misrekenen; ~ *frío,* ~ *helado* perplex zijn; ~ *inmóvil* tot stilstand komen; ~ *de una pieza* verstomd staan

quedo I *bn* zacht; **II** *bw* zachtjes, zacht

quehacer *m* bezigheid, taak; ~*es* beslommeringen

queja klacht; ~*s* gejammer, geklaag; *dar* ~*s de* klagen over; *escrito de* ~ bezwaarschrift; **quejarse** (*de, por*) klagen (over); jammeren (over); zijn beklag doen; ~ *como un becerro* vreselijk jammeren, steen en been klagen; **quejica** *m,v* (*neg*) klager, zeurpiet; kankeraar(ster); **quejicoso** klagerig, klaaglijk; **quejido** gekreun; jammerklacht

quejigo soort eik

quejón, -ona *zie quejica*; **quejoso**: *estar* ~ *de* klachten hebben over; **quejumbre** *v* gejammer; **quejumbroso** klaaglijk, klagerig

quema (het) branden; verbranding; brand; ~ *de basuras* vuilverbranding; *huir de la* ~ weten te ontkomen (*aan gevaar, plicht*); **quemado I** *bn* 1 verbrand; aangebrand; 2 boos, aangebrand; 3 onder verdenking (*bij de politie*); *la casa está -a* het huis wordt in de gaten gehouden; 4 (*fot*) overbelicht; **II** *zn* (het) branden; (het) aanbranden; brandplek; *huele a* ~ het ruikt branderig, het ruikt aangebrand; **quemador** *m* brander, pit (*van fornuis*); **quemadura** brandgat, brandplek; brandwond; **quemar I** *tr* 1 verbranden; verschroeien, verzengen; verstoken; (*verf*) afbranden; (*vuurwerk*) afsteken; ~*se la mano* zijn hand branden; 2 (*sp*) overmatig trainen, overtrainen; **II** *intr* branden; gloeiend zijn; *cuidado, está quemando* pas op, het is gloeiend; **quemarse** 1 zich branden; 2 verbranden; afbranden; 3 aanbranden; 4 (*mbt stop*) doorslaan; 5 overmatig trainen, zich overtrainen; zich uitputten; kortstondig succes hebben; 6 boos worden; **quemarropa**: *a* ~ recht voor zijn raap; **quemazón** *v* 1 (het) branden; 2 brandende hitte; 3 branderig gevoel, irritatie, jeuk

quena (*Am*) Indiaanse fluit

quepa *zie caber*

quepis *m* kepie

querella (*jur*) klacht; klaagschrift; beschuldiging; *presentar una* ~, *interponer* ~ een klacht indienen; **querellado, -a** (*jur*) beklaagde; **querellante** *m,v* (*jur*) indien(st)er van een klacht; **querellarse** (*jur*) een klacht indienen

querencia heimwee; gehechtheid aan de geboorteplaats

querer I *ww* 1 willen; *quisiera* ik zou graag willen; *queriendo* (*fam*) expres; ~ *decir: a*) bedoelen; *b*) betekenen; ~ *es poder* waar een wil is, is een weg; *quiera que no* (*quiera*) of hij wil of niet; *como quieras* zoals je wilt; *como quiera que: a*) aangezien; *b*) hoe…ook; *cuando quiera* wanneer ook maar; *donde quiera* waar dan ook; *no* ~ *nada con* niets willen weten van; *sin* ~ per ongeluk, ongewild; 2 liefhebben, houden van; ~ *bien* gesteld zijn op, het beste voorhebben met (*iem*); *por lo que más quieras*

(*smekend*) alsjeblieft; II *m* (*fam*) liefde, genegenheid; **querido**, **-a** I *zn* 1 geliefde; minnaar, maîtresse; 2 lieveling; II *bn* bemind, dierbaar; (*aanhef van brief*) lieve, beste; *~s amigos:* beste vrienden,...
quermes *m* scharlakenluis, soort schildluis
queroseno kerosine; *cocinilla de ~* petroleumstel
querubín *m* cherubijn
quesadilla (*Am, Mexico*) soort gevuld kaasbroodje; **quesera** 1 kaasmaakster, -verkoopster; 2 kaasstolp; **quesería** kaaswinkel; kaasfabriek; **quesero** kaasmaker, -verkoper; **queso** kaas; *~ de bola* (*vglbaar*) Edammer kaas; *~ fundido* smeerkaas; *~ de granja* boerenkaas; *~ de nata* roomkaas; *~ de oveja* schapekaas || *darla con ~* (*iem*) bedriegen, voor de gek houden
quetzal *m* (*Am*) 1 bep tropische vogel; 2 munteenheid van Guatemala
quevedos *mmv* knijpbril, lorgnet
quia: *¡~!* ach wat!, welnee!
quiasmo chiasme, kruisstelling
quicio (deur)hengsel; kozijn; deuropening || *fuera de ~* uit zijn verband; *sacar de ~: a)* (*iem*) razend maken, tot wanhoop brengen; *b)* (*iets*) hevig overdrijven
quiché I *bn* vd Quiché's (*bep Indianenvolk in Guatemala*); II *zn* 1 *m,v* Quiché; 2 *m* Quichétaal
quichua *zie quechua*
quid *m* clou, kneep, kernpunt; *ahí está el ~* dát is het punt; *dar en el ~* de spijker op de kop slaan
quídam *m* zomaar iemand; *el ~* die (*onbelangrijke*) figuur
quiebra 1 faillissement, bankroet; *declarar en ~* failliet verklaren; *en ~* failliet; 2 (kans op) mislukking; (*fig*) afbrokkeling; **quiebro** buiging (*met het bovenlichaam*)
quien I *betr vnw* (*alleen voor personen*) 1 die; *el señor X, a ~ conoces* meneer X, die jij kent; 2 degene die; *~ dice esto...* wie dat zegt...; *no tiene ~ le ayude* hij heeft niemand die hem helpt; *sea ~ sea* wie het ook zij; II *onbep vnw* iemand; *~...~* de een...de ander; *~ más...~ menos* iedereen; *como ~ dice* bij wijze van spreken, om zo te zeggen; *como ~ no quiere la cosa* achteloos, langs zijn neus weg; *no soy ~ para...* ik ben niet geschikt om, voor...; **quién** *vrag vnw* 1 wie; *¿~ habla?* (*telef*) met wie spreek ik?; *¿a ~ hablas?* tegen wie heb je het?; *¿de parte de ~?* (*telef*) wie kan ik zeggen?; 2 (*in uitroepen, + pretérito de subj*) ik; *¡~ te lo supiera decir!* kon ik het je maar zeggen!; **quienquiera** wie dan ook
quietismo quiëtisme (*bep mystieke leer*)
quieto zonder te bewegen; rustig, kalm; *¡~!* (*tegen hond*) af!, koest!; *¡las manos -as!* handen thuis!; **quietud** *v* rust; onbeweeglijkheid
quijada kaak (*van dier*)
quijote *m* naïeve idealist; **quijotesco** naïef idealistisch

quilate *m* karaat; *~s* gehalte, grote waarde
quilla (*scheepv*) kiel; *~ de balance, ~ lateral* kimkiel; *poner la ~* (*schip*) op stapel zetten
quilo- *zie kilo-*
quimera hersenschim, inbeelding; schrikbeeld; **quimérico** denkbeeldig
química scheikunde, chemie; *~ inorgánica* anorganische scheikunde; *~ orgánica* organische scheikunde; **químico**, **-a** I *bn* chemisch; *abono ~* kunstmest; *materias -as* chemicaliën; II *zn* scheikundige, chemicus, -a; *~ industrial* chemisch analist; **quimioterapia** chemotherapie
quimono kimono
quina kina; kinabast || *tragar ~* zich verbijten, zijn woede inslikken
quinario vijftallig; vijfdelig
quincalla kramerswaren (*kettingen, kammen, spiegeltjes e.d.*)
quince vijftien; *cada ~ días* om de veertien dagen; *de hoy en ~ días* vandaag over twee weken || *dar ~ y raya a* ver overtreffen; **quinceañero**, **-a** tiener; **quinceavo** vijftiende deel; **quincena** (periode van) twee weken; **quincenal** (*mbt uitgave, betaling*) een keer per veertien dagen; *las reuniones son ~es* de vergaderingen zijn om de twee weken
quincuagenario, **-a** vijftiger; **quincuagésimo** I *rangtelw* vijftigste; II *zn* vijftigste deel
quingentésimo vijfhonderdste
quinielas *vmv* (voetbal)toto, voetbalpool; **quinielista** *m,v* deelnemer, -neemster aan de (voetbal)toto
quinientos, **-as** vijfhonderd
quinina kinine; **quino** kinaboom
quínoa (*Am*) soort ganzevoet, melde (*waarvan de zaadkorrels als rijst worden gegeten*)
quinqué *m* petroleumlamp
quinquenal 1 vijf jaar durend; *plan ~* vijfjarenplan; 2 een keer per vijf jaar; **quinquenio** periode van vijf jaar
quinqui *m* 1 straatventer; 2 schooier; outcast, verschoppeling
quinta 1 (*mil*) lichting rekruten (*na loting*); 2 hoeve, boerderij; 3 (*muz*) kwint
quintacolumnista 1 vd vijfde colonne; 2 heulend met de vijand
quintaesencia kwintessens; **quintaesenciado** in de meest pure vorm; **quintaesenciar** zuiveren, louteren
quintal *m* (*in Castilië*) 46 kilo; *~ métrico* honderd kilo
quinteto 1 kwintet; 2 bep vijfregelig vers; **quintilla** bep vijfregelig vers; **quintillizo**, **-a** een van een vijfling; *~s* vijfling; **quinto** I *rangtelw* vijfde; *de -a categoría* derderangs; II *zn* 1 vijfde deel; 2 rekruut (*ingeloot voor mil dienst*), (*Belg*) milicien; **quintuplicado**: *por ~* in vijfvoud; **quíntuplo** in vijfvoud
quinua *zie quínoa*
quinzavo vijftiende deel
quiñón *m* stuk landbouwgrond

quiosco kiosk; muziektent; **quiosquero, -a** kioskhoud(st)er
quipos *mmv* (*ook quipus mmv; hist*) koorden met knopen (*waarmee de Inca's berichten overbrachten*)
quiproquo misverstand
quiquiriqui: *¡~!* kukeleku!
quirófano operatiekamer
quiromancia (het) handlezen, waarzeggerij uit de lijnen vd hand
quiróptero handvleugelig (*bv vleermuis*)
quirquincho (*Am*) soort gordeldier
quirúrgico chirurgisch
quisicosa raadsel; *hablar de ~s* over koetjes en kalfjes praten
quisiera *zie querer*; **quiso** *zie querer*
quisque: *cada ~, todo ~* (*fam*) iedereen
quisquilla 1 garnaal; 2 kleinigheid; **quisquillosidad** *v* 1 lichtgeraaktheid; 2 onbenulligheid; **quisquilloso** lichtgeraakt
quiste *m* (*med*) cyste, blaasgezwel
quitaesmalte *m* (nagellak)remover; **quitaipón** *zie quitapón*; **quitamanchas** *m* vlekkenwater; **quitanieves** *m* sneeuwploeg; **quitapón** *m* kwastjesversiering (*op hoofd van trekdieren*) || *de ~* afneembaar; **quitar I** *tr* afnemen; verwijderen; (*ergens*) afhalen; *quitando* met uitzondering van; *~ de en medio* verwijderen, uit de weg ruimen; *~ el polvo* stof afnemen; *~se la vida* zich het leven benemen; *~ de la vista* aan het oog onttrekken; *una cosa no quita la otra* het een sluit het ander niet uit; *de quita y pon* afneembaar; *esto no quita* (*para*) *que...* (+ *subj*) dat neemt niet weg dat...; *me lo quitas de la boca* je haalt me de woorden uit de mond; *me quitas la luz* je staat in mijn licht; **II** *intr* uitscheiden, ophouden; *¡quita!* schei uit!; **quitarse** 1 (*kleren*) uittrekken; afdoen; *~ u.c. de encima* (*fig*) zich van iets ontdoen; 2 weggaan; *¡quítate* (*de ahí*)*!* opzij!; *~ de en medio*: *a*) uit de weg gaan; *b*) weggaan; *la costumbre no se le quita* hij leert het niet af; *por un quítame allá esas pajas* om eenkleinigheid; *se le ha quitado el bonito* het mooie is eraf; *ya se le quitará* het gaat wel weer over; **quitasol** *m* (*grote*) parasol; **quite** *m* 1 (het) afweren van een stoot (*bij schermen*); 2 manoeuvre door helper om de stier af te leiden; *estar al ~* klaarstaan om iem te hulp te komen
quiteño uit Quito (*Ecuador*)
quizá, quizás misschien; *~ venga* misschien komt hij
quórum *m* quorum, vereist aantal stemmen

r *erre v* (*letter*) r
rabadilla stuit(je), staartbeen
rabanillo 1 radijs; 2 (*plantk*) knopherik; **rábano** radijs; ramenas; *~ blanco, ~ picante* mierikswortel; *me importa un ~* het laat me koud; *tomar el ~ por las hojas*: *a*) iets verkeerd aanpakken, het paard achter de wagen spannen; *b*) iets verkeerd opvatten
rabí *m* rabbi, rabbijn
rabia 1 hondsdolheid; 2 woede, drift; *le da* (*mucha*) *~* het maakt hem razend, het ergert hem vreselijk; *tener ~ a* de pest hebben aan; **rabiar** razend zijn; *~ contra u.p.* tekeergaan tegen iem; *~ de dolor* gek zijn van pijn; *~ de envidia* stinkend jaloers zijn; *~ por poder salir* ernaar snakken weg te kunnen; *a ~* geweldig, ontzettend; *me gusta a ~* ik ben er gek op; *está que rabia* hij is razend; *hacer ~* kwaad maken, pesten, op stang jagen; *para que rabies* net goed
rabicorto met korte staart
rabieta driftbui
rabilargo met lange staart
rabillo 1 steeltje (*aan blad, vrucht*); 2 *~ del ojo* ooghoek
rabino rabbi, rabbijn
rabión *m* kolkend water, stroomversnelling
rabioso 1 dol, lijdend aan hondsdolheid; 2 *~* (*con*) woedend (op); *poner ~* woest maken; 3 verwoed, driftig
rabo 1 staart; *~ de buey* ossestaart; *con el ~ entre las piernas* met hangende pootjes; *falta el ~ por desollar* het moeilijkste moet nog komen; 2 steel (*van blad*); *~ de la cereza* steeltje aan de kers; 3 *~ del ojo* ooghoek; *mirar a u.p. con el ~ del ojo* iem wantrouwen; **rabón, -ona** staartloos || *hacer -ona* spijbelen, wegblijven
racamenta, racamento (*scheepv*) rak
rácano, -a luilak, nietsnut; profiteur; *hacer el ~* rondhangen
racha vlaag; bevlieging, aanval; *una ~ romántica* een romantische bevlieging; *~ de viento* windstoot; *a ~s* bij vlagen; *mala ~* pech; **racheado** bij vlagen; *viento ~* rukwind
racial rasse(n)-; *odio ~* rassehaat
racimo tros; *~ de uvas* druiventros || *por ~s* bij bosjes
raciocinar redeneren; **raciocinio** 1 rede; 2 redenering
racionado op de bon, op rantsoen; **racional** rationeel, redelijk; **racionalismo** rationalisme; **racionalización** *v* rationalisering; (*fig*)

stroomlijning; **racionalizar** rationaliseren; (*fig*) stroomlijnen; **racionamiento** distributie, rantsoenering; **racionar** rantsoeneren
racismo racisme; **racista** racistisch
rada (*scheepv*) rede, baai
radar *m* radar
radiación *v* straling; ~ *calorífica*, ~ *térmica* warmtestraling; ~ *solar* zonnestraling; **radiactividad** *v* radioactiviteit; **radiactivo** radioactief; **radiado** 1 straalvormig; 2 over de radio uitgezonden; *discurso* ~ radiotoespraak; **radiador** *m* radiator; *agua del* ~ koelwater; **radial** 1 radiaal; *neumático* ~ radiaalband; 2 vd radio; *programa* ~ radioprogramma; 3 vh spaakbeen; **radiante** 1 stralend; *calor* ~ stralingswarmte; 2 glunderend, stralend; ~ *de alegría* stralend van blijdschap; **radiar** 1 (uit)stralen; 2 uitzenden; 3 (*med*) bestralen
radicación *v* ligging; vestiging; **radical** I *bn* 1 drastisch, ingrijpend, radicaal, grondig; 2 vd wortel; II *m* 1 (*wisk*) wortelteken; 2 (*gramm*) stam; 3 (*chem*) radicaal; **radicalismo** radicalisme, radicale houding; **radicalizarse** radicaal worden, zich toespitsen; **radicar** (*en*) gelegen zijn (in); **radicarse** zich vestigen
radiestesista *m,v* wichelroedeloper
radio 1 (*wisk*) straal; ~ *de acción* actieradius, vliegbereik; *en un amplio* ~ in de wijde omtrek; 2 spaak; 3 spaakbeen; 4 radium; 5 *v* radio; omroep; ~ *portátil* draagbare radio; ~ *de transistores* transistorradio; *bajar la* ~ de radio zachter zetten; *poner la* ~ de radio aanzetten; *está puesta la* ~ de radio staat aan; **radioaficionado, -a** zendamateur; **radiobrújula, radiocompás** *m* radiokompas; **radiocomunicación** *v* radioverbinding; **radiodifusión** *v* radio-omroep; **radiodifusora**: (*estación*) ~ radiozendstation; **radioemisora** radiozender; **radioescucha** *m,v* luisteraar; **radiofaro** radiobaken; **radiofobia** stralingsfobie; **radiofonía** radio-omroep; **radiofónico** via de radio; *comedia -a* hoorspel; **radiofrecuencia** radiofrequentie; **radiografía** röntgenfoto; (het) doorlichten; **radiografiar** í 1 draadloos seinen; 2 een röntgenfoto maken van, doorlichten; **radiográfico** radiografisch; *examen* ~ röntgenonderzoek; **radiograma** *m* radiotelegram; **radiología** radiologie; **radiólogo, -a** radioloog, -loge; **radionavegante** *m* marconist; **radionovela** hoorspel; **radiorreceptor** *m* radio-ontvanger; **radioscopia** radioscopie; **radiosonda** radiosonde; **radioteatro** hoorspel; **radiotecnia, radiotécnica** radiotechniek; **radiotelefonía** radiotelefonie; **radioteléfono** mobilofoon, walkie-talkie; **radiotelegrafía** radiotelegrafie; **radiotelegrafista** *m,v* radiotelegrafist(e); **radiotelegrama** *m* radiotelegram; **radiotelescopio** radiotelescoop; **radiotelevisar** uitzenden via radio en tv; **radioterapia** (*med*) bestraling; **radioyente** *m,v* luisteraar
raedera schraper, krabber; **raeduras** *vmv* afschraapsel; **raer** schrappen, afkrabben

ráfaga 1 schicht, flits; 2 vlaag; ~ *de balas* kogelregen; ~ *de locura* vlaag van waanzin; ~ *de viento* windstoot
rafia raffia
raglán *m* (*hist*) raglan(mantel); *manga* ~ raglanmouw
ragout *m; zie ragú*; **ragú** *m* ragoût
raid *m* raid
raído versleten, sjofel
raigambre *v* 1 wortelgestel; 2 (*fig*) worteling; wortels, geworteldheid; **raigón** *m* 1 grote wortel; 2 wortel (*van kies*)
rail, raíl *m* rail; ~ *guía* gordijnrail
raíz *v* 1 wortel; ~ *aérea* luchtwortel; *a* ~ *de* onmiddellijk na, tengevolge van; *cortar de* ~ volledig kappen met, uitroeien; *de* ~ met wortel en tak; *echar raíces* (*fig*) wortel schieten; 2 (*gramm*) stam; 3 (*wisk*) wortel; ~ *cuadrada* vierkantswortel; ~ *cúbica* derdemachtswortel; ~ *ecuacional* onbekende uit de vergelijking; *extraer la* ~ worteltrekken
raja 1 schijf, plak; moot; *sacar* ~ *en* delen in de opbrengst van; 2 barst; scheur
rajá *m* radja
rajado (*fam*) 1 laf; 2 die zijn woord niet houdt; **rajadura** (het) scheuren, scheur; **rajar** 1 een barst maken in; 2 in plakken snijden; in stukken hakken; **rajarse** 1 barsten, scheuren; 2 (*fam*) terugdeinzen, bang zijn; **rajatabla**: *a* ~ ongenuanceerd, meedogenloos
ralea slag, allooi
ralentí *m* 1 (het) vertraagd afdraaien (*van film*); 2 (*techn*) *al* ~ stationair draaiend; **ralentizar** vertragen
rallado I *bn* geraspt; *pan* ~ paneermeel; II *zn* (het) raspen; **rallador** *m* rasp, schaaf; **ralladura** 1 kras; 2 *~s* (geraspte) snippers; *~s de queso* geraspte kaas; **rallar** raspen
rallye *m* rally
ralo dun
rama 1 (hoofd)zijtak; ~ *andante* wandelende tak; *andarse por las ~s* niet terzake komen, zich verliezen in bijkomstigheden; *no andarse por las ~s* (*fig*) niet kinderachtig zijn, de koe bij de horens vatten; *en* ~ niet verwerkt; *algodón en* ~ katoenpluis; *plantar de* ~ stekken door een tak in de grond te steken; 2 (familie)-tak; 3 (*fig*) tak; ~ *de la ciencia* tak van wetenschap; ~ *jurídica* rechtsgebied; 4 (*hdl*) branche
ramadán *m* ramadan
ramaje *m* (de) takken; **ramal** *m* 1 aftakking, zijspoor; uitloper (*van gebergte*); 2 dun touw dat gedraaid met andere een dik touw vormt; 3 spuitstuk; **ramalazo** vlaag
rambla 1 bedding waar regenwater door stroomt; 2 (*in Catalonië*) brede boulevard
rameado gebloemd
ramera hoer
ramificación *v* 1 vertakking; 2 voortvloeisel; **ramificarse** zich vertakken; **ramillete** *m* 1 bosje (bloemen), boeketje; 2 keur, leuke ver-

zameling; **ramo** 1 tak; 2 ~ (*de flores*) bos (bloemen); ~ *de novia* bruidsboeket; 3 (*fig*) tak, branche; ~ *de la construcción* bouwsector; ~ *hotelero* hotelbedrijf; ~ *de industria* bedrijfstak
Ramón jongensnaam
rampa helling; schuin oppervlak; ~ *de acceso* oprit; ~ *de lanzamiento* lanceerbasis; ~ *de salida* uitrijstrook
ramplón, -ona banaal; **ramplonería** banaliteit
ramplús *m* vezelplug
rana kikker; *cuando las ~s críen pelos* met sintjuttemis; *hombre* ~ kikvorsman; *salir* ~ mislukken
ranchero 1 veldkok; 2 (*Am*) eigenaar van een veeboerderij; 3 (*Am*) knecht op een veeboerderij; **rancho** 1 eten, kost (*voor soldaten, gevangenen*); 2 (*Am, vaak*) veeboerderij; hutje; buitenhuis; 3 (*scheepv*) matrozenlogies, bak; 4 kamp, kampement || *hacer ~ aparte* zich afzonderen
ranciedad *v* 1 ranzigheid, sterke geur; 2 ouderdom; iets ouderwets; **rancio** I *bn* 1 oud; ranzig; (*mbt boter*) sterk; *vino* ~ (goede) oude wijn; 2 oud, vd oude stempel; van adel; 3 ouderwets; II *zn* sterke ranzige geur
1 randa *m* zakkenroller
2 randa kanten versiering
rango rang; *de* ~ aanzienlijk; **ránking** *m* ranglijst
ranúnculo ranonkel
ranura gleuf, groef, sleuf
rapacería 1 roofzuchtigheid; 2 troep kinderen;
rapacidad *v* roofzuchtigheid, hebzucht
rapado kaalgeknipt; **rapapolvo** (*fam*) uitbrander; **rapar** 1 scheren; 2 millimeteren; 3 gappen
rapaz I *bn* roofzuchtig, hebzuchtig; *ave* ~ roofvogel; II *m,v* 1 (*fam*) jongen, meisje; 2 *-aces* roofvogels; **rapazuelo** kereltje
1 rape: *al* ~ heel kort (geknipt)
2 rape *m* zeeduivel
rapé *m* snuiftabak
rapidez *v* snelheid, spoed; **rápido** I *bn* snel, vlug; *bufete* ~ snelbuffet; *de acción -a* snelwerkend; *tráfico* ~ snelverkeer; II *zn* 1 sneltrein; 2 stroomversnelling
rapiña roof; *ave de* ~ roofvogel
raposero: (*perro*) ~ tekkel; **raposo, -a** vos; ~ *ferrero* poolvos
rapsodia rapsodie
raptar schaken, ontvoeren; **rapto** schaking, ontvoering; **raptor** *m* schaker, ontvoerder
raque *m* (het) strandjutten
raqueta 1 racket; bat; ~ *de tenis* tennisracket; 2 harkje (*van croupier*); 3 sneeuwzool; 4 ruitewisser
raquis *m* ruggegraat; **raquítico** 1 zwak, ziekelijk; 2 lijdend aan Engelse ziekte; 3 schamel
rara avis *m,v* (*fig*) vreemde vogel
rarefacción *v* verdunning (*vd lucht*); **rareza** zeldzaamheid; eigenaardigheid; **rarificarse** (*mbt lucht*) dun worden, ijl worden; **raro** 1 vreemd(soortig), raar, eigenaardig; *¡cosa más -a!* wat raar!; *se me hace* ~ het doet me vreemd aan, het geeft me een raar gevoel; *¡qué ~!* dat is ook raar!; *me suena* ~ dat klinkt me vreemd in de oren; 2 zeldzaam, uitzonderlijk; *-as veces* zelden; 3 (*mbt gas*) dun, ijl
ras: *a ~ de* rakelings over (*de oppervlakte*); *volar a ~ de* scheren over; **rasante** I *bn* ergens rakelings langsgaand; *tiro* ~ schampschot; II *m* maaiveld; **rasar** 1 glad afstrijken; 2 rakelings gaan langs, scheren langs; 3 met de grond gelijk maken; **rascacielos** *m* wolkenkrabber;
rascador *m* schraper; **rascadura** 1 (het) krabben, (het) schrapen; 2 krab; 3 schraapsel; **rascar** 1 krabben, krassen, schrapen; (*lucifer*) afstrijken; *~se los bolsillos* zijn laatste cent uitgeven; 2 (*op viool*) krassen; (*gitaar*) slecht bespelen; **rascarse** (*Am*) aangeschoten raken;
rascatripas *m* slecht violist
rasera soort schuimspaan (*gebruikt bij friteren*); **rasero** strijkstok (*om inhoud glad af te strijken*); *lo que se pega al* ~ wat aan de strijkstok blijft hangen; *medir con el mismo* ~ over één kam scheren
rasgado I *bn* 1 (*mbt raam*) breed; 2 (*mbt mond*) groot; 3 (*mbt ogen*) spleetvormig; *ojos ~s* spleetogen; II *zn* scheur; **rasgadura** (het) scheuren; scheur; **rasgar** 1 scheuren, verscheuren; 2 (*op gitaar*) akkoorden aanslaan;
rasgo 1 lijn(tje), streek (*met pen*); *a grandes ~s* in grote trekken; 2 (karakter)trek, inslag; kenmerk; *un ~ genial* een geniale zet; *un ~ de valor* een staaltje van moed; 3 (gelaats)trek;
rasgón *m* scheur, winkelhaak; **rasguear** (*op gitaar*) akkoorden aanslaan; **rasgueo** (*muz*) arpeggio; **rasguñar** schrammen; **rasguño** schram, krab, kras
raso I *bn* 1 glad; afgestreken; 2 (*mbt hemel*) onbewolkt; *al* ~ onder de blote hemel; 3 ergens vlak overheen scherend; 4 *soldado* ~ gemeen soldaat; II *zn* satijn
raspa 1 baard (*van korenaar*); 2 ruggegraat van vis; 3 *m,v* stug mens; **raspado** 1 (het) krabben; 2 (*med*) curettage; **raspador** *m* schraper; radeermesje; **raspadura** (het) krabben; *~s* schraapsel, schrapafval; **raspar** (af)krabben, (af)schrapen, schrappen
rastra 1 eg; 2 dreg; 3 iets dat wordt voortgesleept; 4 iets waarmee wordt gesleept (*bv slee*); *a la ~, a ~s: a*) voortgesleept, slepend over de grond; *b*) met tegenzin; *ir a ~s* het maar nauwelijks redden; **rastreador, -ora** 1 speurder, spoorzoeker, -zoekster; 2 *-ora* (*de minas*) mijnenzoeker; **rastrear** 1 speuren naar; 2 (*de buurt*) uitkammen; 3 dreggen; 4 eggen; 5 (*fig*) op het spoor komen; **rastreo** 1 (het) speuren; 2 (het) dreggen; **rastrero** 1 (*mbt plant*) kruipend; 2 kruiperig, slijmerig; **rastrillado** (het) aanharken; **rastrillar** 1 (aan)harken; 2 (*vlas*) hekelen; **rastrillo** 1 hark; 2 he-

kel; 3 (*hist*) valhek; **rastro** 1 hark; 2 spoor; *no dejar* ~ geen sporen achterlaten; *sin dejar* ~ spoorloos; **Rastro**: *el* ~ (*in Madrid*) rommelmarkt; **rastrojo** 1 (graan)stoppels; *cubierto de* ~ (*mbt akker*) stoppelig; 2 braakland

rasurar scheren

rata rat; ~ *de agua* waterrat, woelrat; *más pobre que una* ~ straatarm, zo arm als een kerkrat; *no hay ni una* ~ er is geen levende ziel; *no se mueve una* ~ niemand durft zich te verroeren

ratear 1 ontfutselen, (weg)pikken; 2 naar rato verminderen; 3 naar rato verdelen; **rateo** evenredige verdeling; **ratería** kruimeldiefstal, (het) zakkenrollen; **ratero, -a** zakkenroller

raticida *m* rattengif

ratificación *v* ratificatie, bekrachtiging; **ratificar** ratificeren, bekrachtigen; **ratificarse** volharden; ~ *en el contenido* in de inhoud (*van een akte*) volharden

rato tijdje, poos; *un* ~ even; *un* ~ (*largo*): *a*) een hele tijd; *b*) (*fam*) heel erg, veel; *sabe un* ~ *de historia* hij weet heel veel van geschiedenis; *me gustó un* ~ ik vond het geweldig; ~*s perdidos* verloren ogenblikken; *a* ~*s* nu en dan; *al poco* ~ gauw, even later; (*un*) *buen* ~: *a*) een hele tijd; *b*) een prettige tijd; *de* ~ *en* ~ van tijd tot tijd; *hace un* ~ een poosje geleden; *hasta otro* ~ (*fam*) tot kijk; *hay para* ~ dat duurt wel even, daar zijn we wel even zoet mee; *no tengo* ~ *mío* ik heb geen moment voor mezelf; *pasar el* ~ de tijd verdrijven; *pasar mal* ~ in de rats zitten

ratón *m* muis; ~ *de archivo*, ~ *de biblioteca* boekenwurm; ~ *de campo* veldmuis; **ratonar** knabbelen aan; **ratonera** (muize)val; *caer en la* ~ in de val lopen

raudal *m* 1 snelle waterstroom; 2 stroom, stortvloed; **raudo** snel

1 raya 1 streep, kras, lijn; lijntje (*in schrift*); ~ *de división* deelstreep; ~ *de parada* stopstreep; *a* ~*s* gestreept; *dar quince y* ~ *a* ver overtreffen; *línea de* ~*s* streepjeslijn; (*man*)*tener a* ~ binnen de perken houden; *pasar de la* ~ de perken te buiten gaan, de spuigaten uit lopen; 2 scheiding (*in haar*); 3 vouw (*in broekspijp*); *perder la* ~ uit de vouw gaan

2 raya rog (*vis*)

rayadillo gestreepte katoen; **rayado** I *bn* 1 gestreept; 2 gelinieerd; II *m* 1 (de) streepjes; 2 (het) strepen; **rayadura** kras; **rayano** 1 op de grens gelegen; 2 ~ *en* grenzend aan, nabij; **rayar** I *tr* 1 lijnen trekken op (*papier*), liniëren; arceren; 2 doorstrepen; II *intr* 1 ~ *en* grenzen aan; *raya en lo increíble* het grenst aan het ongelooflijke; ~ *en los treinta* bijna 30 jaar zijn; 2 (*mbt dageraad*) aanbreken; *raya el alba* de dag breekt aan; *al* ~ *el día* bij het krieken vd dag; **rayito** straaltje; ~*s de luz* coupe soleil; **rayo** 1 straal; ~ *gama* gammastraal; ~ *laser* laserstraal; ~ *de luz*: *a*) lichtstraal; *b*) plotselinge inval, lumineus idee; ~*s ultravioleta* ultraviolette stralen; ~*s X*, ~*s equis* röntgenstralen; *tratar con* ~*s* bestralen; 2 bliksem; *como un* ~ als de bliksem; *echar* ~*s* (*fig*) vuur spuwen, razend zijn; 3 snel persoon, vluggerd; **rayón** *m* rayon (*weefsel*)

rayuela hinkelspel

raza ras; ~ *canina* honderas; *de pura* ~ rasecht

razón *v* 1 rede; verstand; *dar* (*toda*) *la* ~ *a u.p.* iem (groot) gelijk geven; *entrar en* ~ tot rede komen; *estar cargado de* ~ het grootste gelijk vd wereld hebben; *hacer entrar en* ~, *meter en* ~ (*iem*) tot rede brengen; *no atender a -ones*, *no estar para -ones* niet voor rede vatbaar zijn; *no le falta* ~ hij heeft geen ongelijk; *perder la* ~ krankzinnig worden; *poner en* ~ tot rede brengen, tot rust brengen; *tener* ~ gelijk hebben; *tener la* ~ *de su parte* het gelijk aan zijn kant hebben; 2 reden; ~ *de peso* belangrijk argument; ~ *de ser* reden van bestaan; *a* ~ *de* à, à raison van; *con* ~ met reden, niet voor niets, terecht; *explicar con -ones* beredeneren; *por* ~ *de* wegens, om reden van; 3 informatie; ~: (*opschrift*) te bevragen: ~: *portería* inlichtingen bij de portier; *dar* ~ (*de*) inlichten (over); 4 (*wisk*) verhouding; ~ *de compresión* compressieverhouding; *a, en* ~ *de 2 a 3* in de verhouding 2 tot 3; *en* ~ *directa con, de* recht evenredig met; *en* ~ *inversa con, de* omgekeerd evenredig met; 5 (*fam*) boodschap; *mandar* ~ bericht sturen || ~ *social* (firma)naam; **razonable** redelijk, billijk, schappelijk, verstandig; *dentro de lo* ~ redelijkerwijs; **razonablemente** redelijkerwijs; **razonado** beredeneerd; **razonamiento** 1 redenering, betoog; *el* ~ *no cuadra* de redenering sluit niet; 2 geredeneer; **razonar** I *intr* redeneren; *¡razona un poco!* denk nou eens even na!, zeg nou zelf!; II *tr* beredeneren; rechtvaardigen, verantwoorden

razzia razzia

RDA *República Democrática Alemana* DDR

re *m* (*muz*) re, d

reabastecer van nieuwe voorraad voorzien

reabsorber weer absorberen, weer opnemen

reacción *v* 1 reactie; terugslag; ~ *en cadena* kettingreactie; 2 (*pol*) reactie, conservatieve houding; **reaccionar** reageren; ~ *a, ante* reageren op; ~ *contra* ingaan tegen; ~ *sobre* afreageren op; **reaccionario** reactionair

reacio onwillig, dwars; ~ *a* niet genegen om, wars van; *mostrarse* ~ zich huiverig tonen

reactivación *v* reactivering; opleving; **reactivar** reactiveren, doen opleven; **reactivo** I *bn* 1 reagerend; 2 reactie opwekkend; II *zn* (*chem*) reagens; **reactor** *m* 1 reactor; ~ *nuclear* kernreactor; 2 reactiemotor; 3 vliegtuig met reactiemotor

readaptación *v* wederaanpassing; omschakeling, omscholing; **readaptar** weer aanpassen; **readaptarse** zich laten omscholen, zich omschakelen

readmisión *v* (het) weer toelaten; **readmitir** opnieuw toelaten

reafirmar versterken
reagrupación *v* hergroepering; **reagrupar** hergroeperen
reajustar bijstellen; **reajuste** *m* bijstelling; instelling (*van instrument*); *~ de los sueldos* herziening vd lonen
1 real werkelijk; eigenlijk, feitelijk; *derechos ~es* zakelijke rechten
2 real I *bn* koninklijk; *la casa ~* het koningshuis; *lo que le da la ~ gana* alles waar hij maar zin in heeft; *no me da la ~ gana* ik doe het (lekker) toch niet, ik heb er gewoon geen zin in; II *m* 1 (*hist*) (plaats vd) koninklijke tent; *~es* kampement; *alzar el ~, los ~es* het kamp afbreken; *(a)sentar sus ~es* zich neerlaten, zich vestigen; 2 *~ de la feria* kermisterrein; 3 (*hist*) kwart peseta; *no valer un ~* geen cent waard zijn
realce *m* aanzien, belang; reliëf; *bordado de ~* borduurwerk in reliëf; *dar ~* opluisteren, fleur geven, status verlenen; *poner de ~* releveren, doen uitkomen
realeza 1 koningschap; 2 pracht en praal
realidad *v* werkelijkheid, realiteit; waarheid; *apartado de la ~* wereldvreemd; *en ~* eigenlijk; *llegar a ser ~* bewaarheid worden, werkelijkheid worden; *sentido de la ~* werkelijkheidszin
realimentación *v* feed-back
realismo realisme; nuchterheid, zakelijkheid
1 realista *m,v* voorstand(st)er vd absolute monarchie
2 realista I *bn* 1 realistisch; levensecht; *es poco ~* het getuigt van weinig werkelijkheidszin; 2 zakelijk; II *m,v* realist(e)
realizable uitvoerbaar; **realización** *v* uitvoering, realisatie, verwezenlijking; *~ personal* persoonlijke ontplooiing; *la ~ de un sueño* de vervulling van een droom; **realizador, -ora** (film)maker, -maakster, produktieleid(st)er; **realizar** 1 uitvoeren, verrichten, verwezenlijken, realiseren; *~ beneficios* winst maken; *~ una venta* een verkoop tot stand brengen; 2 te gelde maken; **realizarse** gebeuren, tot stand komen, plaatsvinden; (*mbt voorspelling*) uitkomen; **realmente** werkelijk, inderdaad, bepaald
realojamiento herhuisvesting
realquilado, -a I *bn* in onderhuur, inwonend; II *zn* onderhuurder, -huurster; **realquilar** 1 onderhuren; 2 onderverhuren
realzar doen uitkomen; *~ el efecto* het effect verhogen
reanimación *v* 1 opleving; 2 (*med*) reanimatie; **reanimar** verkwikken, opwekken; (*na flauwte*) bijbrengen; nieuw leven inblazen; bemoedigen
reanudación *v* hervatting; **reanudar** hervatten; voortzetten; *~ la relación* de relatie weer aanknopen; *~ el trabajo* het werk hervatten
reaparecer 1 weer verschijnen; 2 een come-back maken; **reaparición** *v* 1 herverschijning; 2 come-back, rentree; *hacer su ~* opnieuw zijn intrede doen
reapertura heropening
rearmar herbewapenen; **rearme** *m* herbewapening
reasegurar herverzekeren; **reaseguro** herverzekering
reasumir weer op zich nemen
reata rij achter elkaar gebonden paarden; *de ~, en ~* in een rij achter elkaar
reavivar doen herleven, verhevigen
rebaba (*techn*) braam, oneffen rand
rebaja korting, reductie; (prijs)verlaging; *~s* (balans)opruiming; *en ~* in de aanbieding; *estar en ~s* afgeprijsd zijn; **rebajado** 1 (*bouwk*) verlaagde boog; 2 afgezwaaide soldaat; **rebajamiento** 1 verlaging; 2 vernedering; **rebajar** 1 verlagen; 2 vernederen; 3 (*intensiteit*) verminderen; (*radio*) zachter zetten; (*licht*) dempen; (*kleuren*) verzachten; 4 van een verplichting ontslaan; **rebajarse** 1 zich verlagen; 2 zich laten ontslaan (*uit dienst, van een verplichting*); 3 zich ziek melden; **rebaje** *m* 1 uitsparing; 2 (*mil*) vrijstelling van een plicht
rebalsarse (*mbt water*) blijven staan
rebanada snee(tje); *~ de pan* boterham; **rebanar** 1 in een klap afsnijden, 'doorsnijden; 2 (in) sneetjes snijden
rebañar alle resten verzamelen; (*een pan*) uitlikken, uitkrabben; **rebaño** kudde
rebasar overschrijden; over de rand lopen van; achter zich laten, voorbijstreven; *rebasando las esperanzas* boven alle verwachting
rebatible 1 weerlegbaar; 2 *ventana ~* tuimelraam; **rebatir** weerleggen; betwisten; **rebato** klokgelui bij naderend gevaar; *tocar a ~* de noodklok luiden
rebeca ruime trui of vest
rebeco gems
rebelarse (*contra*) in opstand komen (tegen), zich verzetten (tegen); **rebelde** I *bn* rebels, opstandig, weerbarstig; ongezeglijk, dwars; II *m,v* rebel, opstandeling(e); **rebeldía** 1 opstandigheid, rebellie; 2 (*jur*) verstek; *declarado en ~* tegen wie verstek verleend is; *juzgar en ~* bij verstek veroordelen; **rebelión** *v* opstand, oproer
rebenque *m* zweep, bullepees
reblandecer verzachten; **reblandecimiento** verzachting, verweking
reborde *m* (opstaande) rand, ('uitstekende) rand
rebobinar terugspoelen
rebosadero plaats waar vloeistof in overloopt; **rebosante** overlopend (*ook fig*); stampvol; *~ de alegría* opgetogen; *~ de salud* blakend van gezondheid; **rebosar** I *tr* overlopen van, vol zijn van; uitstralen; II *intr* overlopen, 'overstromen, overvloeien; *~ de envidia* overlopen van jaloezie; *~ de felicidad* dolblij zijn; *~ de salud* blaken van gezondheid; *estar a ~ de* propvol zitten met
rebotar terugkaatsen; (*mbt bal*) opspringen, stuiten; (*mbt kogel*) (af)ketsen; **rebote** *m*

(het) stuiten; (het) ketsen; *de* ~ van de weeromstuit
rebotica kamer achter de apotheek
rebozar 1 paneren; 2 (*gezicht*) omhullen met sjaal of cape; **rebozo** 1 sjaal waarmee het onderste deel vh gezicht wordt bedekt; 2 (*fig*) verhulling, bedekte termen; voorwendsel; *de* ~ in bedekte termen, heimelijk; *sin* ~(*s*) openlijk
rebujar 1 kreukelen; 2 inwikkelen; in de war maken; **rebujarse** zich warm instoppen (*in bed*); **rebujo** 1 prop; verwarde kluwen; 2 slordig pakje
rebusca 1 (het) zoeken, (het) speuren; 2 resten, afval; **rebuscado** gezocht, gekunsteld; **rebuscamiento** gekunsteldheid; **rebuscar** 1 grondig zoeken; ~ *las palabras* zoeken naar zijn woorden; 2 (*aren*) lezen; (*gevallen druiven*) oprapen; 3 snuffelen in, door'zoeken
rebuznar (*mbt ezel*) balken; **rebuzno** gebalk
recabar bijeenkrijgen; vragen om; ~ *informes* inlichtingen inwinnen
recadero, -a bode, loopjongen; **recado** 1 boodschap; *hacer un* ~ een boodschap doen; *tomar un* ~ een boodschap aannemen; 2 benodigdheden; ~ *de escribir* schrijfgerei
recaer 1 terugvallen, weer ziek worden; 2 ~ *en* weer vervallen in (*fout*); 3 ~ *en, sobre* (*bv mbt prijs*) terechtkomen bij, vallen op; *la responsabilidad recae sobre* de verantwoordelijkheid berust bij; *la sospecha recae en, sobre* de verdenking valt op; **recaída** inzinking; terugval
recalar I *tr* (*mbt vloeistof*) geleidelijk door'dringen; II *intr* (*scheepv*) in het gezicht vd kust komen; **recalcar** 1 benadrukken; 2 aandrukken, aanstampen
recalcificar van kalk voorzien
recalcitrante recalcitrant, weerspannig, balorig
recalentamiento 1 (het) opwarmen; 2 oververhitting; **recalentar ie** 1 weer (op)warmen; 2 oververhitten; 3 opwinden; **recalentarse ie** 1 (*techn*) warmlopen; 2 opgewonden raken
recalificación *v* herkwalificatie; **recalificar** herkwalificeren
recalmón *m* (*scheepv*) plotselinge windstilte
recamado reliëfborduursel; **recamar** in reliëf borduren
recámara 1 (*in geweer*) kruitkamer; 2 voorvertrek; garderobe; 3 omzichtigheid, reserve; *tener* ~ het achter de ellebogen hebben; 4 (*Am*) slaapkamer
recambiable vervangbaar; **recambiar** (weer) vervangen; **recambio** 1 (het) vervangen; 2 (*pieza de*) ~ (vervangings)onderdeel; 3 (na)vulling (*voor pen, gasfles*)
recapacitar goed nadenken
recapitulación *v* samenvatting; **recapitular** samenvatten, recapituleren
recargable oplaadbaar; **recargar** 1 (*van accu*) opladen; 2 zwaarder beladen; over'laden; ~ *las tintas* overdrijven, de zaak aandikken; 3 (*belasting*) verhogen; 4 (*fig*) ~ *de* over'laden met; **recargo** 1 (over)belading; 2 toeslag, heffing; ~ (*de franqueo*) strafport
recatado zedig, bescheiden; **recatarse** heimelijk (*iets*) doen; *no* ~ *de* niet schromen om; *sin* ~ openlijk; **recato** bescheidenheid, schroom(valligheid); *sin* ~ openlijk
recauchar (*banden*) coveren, vulcaniseren; **recauchutado** (het) coveren, (het) vulcaniseren; **recauchutar** *zie recauchar*
recaudación *v* 1 inning, (het) innen; 2 inkomsten, recette; 3 ontvangkantoor; **recaudador, -ora** ontvang(st)er; ~ *municipal* gemeenteontvanger; **recaudar** innen; **recaudo** voorzorg; *a buen* ~ op een veilige plaats, veilig
recelar 1 vermoeden; 2 ~ *de* achterdocht koesteren jegens; **recelarse**: ~ *de* verdenken, wantrouwen; **recelo** achterdocht, argwaan, wantrouwen; **receloso** argwanend, wantrouwend
recensión *v* recensie
recental zuig-; *cordero* ~ zuiglam
recentísimo kersvers, piepjong, zeer recent
recepción *v* 1 ontvangst; *firmar la* ~ voor ontvangst tekenen; 2 receptie; **recepcionista** *m,v* receptionist(e), hostess
receptáculo 1 kom, bak; zak; doos; ~ *de presión* drukvat; 2 (*plantk*) bloembodem; **receptivo** receptief, ontvankelijk; **receptor, -ora** I *bn* ontvangend; *aparatos ~es* ontvangapparatuur; *lengua -ora* doeltaal; II *zn* 1 ontvang(st)er (*bv bij bloedtransfusie*); 2 *m* (radio)ontvanger, ontvangtoestel
recesión *v* recessie, achteruitgang; **recesivo** (*in erfelijkheidsleer*) recessief
receta recept; **recetar** voorschrijven; **recetario** receptenboek
rechazamiento afwijzing; **rechazar** 1 afwijzen, afslaan; verwerpen; afstemmen; 2 afweren; wegduwen; **rechazo** 1 afwijzing, weigering; 2 terugslag (*van geweer*); *de* ~ van de weeromstuit
rechifla 1 (het) uitfluiten; 2 spot
rechinamiento geknars; **rechinar** knarsen, piepen; ~ *los dientes* knarsetanden
rechistar kikken; *sin* ~ zonder een kik te geven, zonder tegensputteren
rechoncho gedrongen, tonrond
rechupete: *de* ~ (*fam*) prima, fantastisch
recibí *m* kwitantie, (*Belg*) kwijtschrift; *poner el* ~ tekenen voor voldaan; **recibidor, -ora** I *bn* ontvangend; II *zn* 1 ontvang(st)er; 2 *m* wachtkamer, vestibule; **recibimiento** 1 ontvangst; 2 hal, vestibule; 3 wachtkamer; 4 ontvangstkamer; **recibir** ontvangen, krijgen; in ontvangst nemen; ~ *en depósito* in bewaring nemen; ~ *de regalo* cadeau krijgen; ~ *de vuelta* terugkrijgen; **recibirse** 1 ~ (*de*) toegelaten worden (als); 2 (*Am*) afstuderen; **recibo** 1 ontvangst; *acusar* ~ (*de*) de ontvangst bevestigen (van); *al* ~ *de* bij ontvangst van; *estar de* ~: *a*) netjes (gekleed) zijn, er behoorlijk uitzien; *b*) zijn ontvangdag hebben; *c*) klaar zijn voor leve-

ring; 2 ontvangstbewijs, reçu; 3 kwitantie, (*Belg*) kwijtschrift; *dar* ~ kwijting verlenen
reciclado I *bn* gerecycled; *papel* ~ kringlooppapier; II *zn* recycling; **reciclaje** *m* 1 recycling; 2 omscholing; **reciclar** recycleren; **reciclarse** 1 omgeschoold worden; 2 gerecycled worden
recidiva (*med*) terugval
reciedumbre *v* kracht
recién (*vnl voor volt dw*) pas; (*Am*) kort geleden, net; ~ *casado* pas getrouwd; *¡~ pintado!* pas geverfd, nat!; **reciente** recent, nieuw; vers; *el más* ~ de laatste, de jongste; **recientemente** kort geleden; **recientísimo** *zie recentísimo*
recinto omsloten ruimte; (*Belg*) beluik; ~ *universitario* campus
recio I *bn* 1 sterk, robuust, taai; 2 hard, hevig; II *bw* hard; *llover* ~ hard regenen
recipiendario 1 nieuw lid (*dat plechtig wordt ontvangen*); 2 ontvanger; *~s* doelgroep; **recipiente** I *bn* ontvangend; II *m* vat, kom, schaal; ~ *de presión* drukvat
reciprocidad *v* wederkerigheid; **recíproco** wederzijds, wederkerig; *a la -a* wederzijds, omgekeerd; *ofrecerse a la -a* tot wederdienst bereid zijn
recitación *v* voordracht; **recitado** (het) voordragen; **recitador**, **-ora** voordrachtskunstenaar, -kunstenares; **recital** *m* recital; optreden; **recitar** voordragen, declameren, opzeggen; **recitativo** recitatief
reclamación *v* 1 claim, eis; aanmaning (*tot betaling*); ~ *por daños y perjuicios* schadeclaim; 2 klacht, reclame; bezwaarschrift; ~ (*en materia de impuestos*) beroepschrift; *presentar una* ~ (*contra*) reclameren (tegen); **reclamante** *m,v* 1 eiser(es); 2 indien(st)er van een klacht; **reclamar** 1 (op)eisen, claimen, opvorderen; ~ *el pago* aanmanen (tot betaling); 2 reclameren, een klacht indienen; **reclamo** lokmiddel; lokroep
reclinable (*mbt rugleuning*) verstelbaar; **reclinar** (doen) leunen; **reclinarse** (*en, sobre*) leunen (op), achteroverleunen (tegen); **reclinatorio** bidstoel
recluir opsluiten; **reclusión** *v* opsluiting; **recluso**, **-a** gevangene
recluta *m* rekruut; (*Belg*) milicien; **reclutador**, **-ora** I *bn* ronselend; II *m* ronselaar; **reclutamiento** 1 werving, (het) ronselen, rekrutering; 2 lichting (*van een bep jaar*); **reclutar** rekruteren, (aan)werven; ronselen
recobrar herkrijgen, terugkrijgen, herwinnen; ~ *de* verhalen op; ~ *una clase* een les inhalen; ~ *el conocimiento*, ~ *el sentido* bij kennis komen; ~ *fuerzas* aansterken, op verhaal komen; **recobrarse** 1 (zich) herstellen; 2 genoegdoening krijgen, zijn schade inhalen
recocer ue 1 opnieuw koken; 2 goed laten doorkoken; (*mbt brood*) goed gaar bakken; **recocido** goed door'bakken, door en door gaar
recochineo pret uit leedvermaak
recocina bijkeuken
recodo bocht, knik; hoek
recogedor *m* (veeg)blik; **recogegotas** *m* lekbakje; **recogepelotas** *m* ballenjongen; **recoger** 1 rapen; plukken; verzamelen; (*water*) opvangen; ~ *leña* hout sprokkelen; *~se el pelo* het haar samenbinden, het haar opsteken; 2 ophalen; (*geld*) opnemen; (*iem*) afhalen; ~ *basuras* vuilnis ophalen; 3 opruimen, opbergen; (*een lijk*) bergen; ~ *la mesa* de tafel afruimen; ~ *velas* inbinden, bakzeil halen; 4 (*anker, net*) inhalen; (*oogst*) binnenhalen; 5 (*in huis*) opnemen; 6 verslaan (*door tv*); **recogerse** zich terugtrekken; naar bed gaan; ~ (*en sí mismo*) zich afsluiten; **recogida** (het) ophalen; ~ *de las basuras* vuilnisophaaldienst; ~ (*de los buzones*) buslichting; ~ *de firmas* handtekeningenactie; **recogido** ingetogen; teruggetrokken; **recogimiento** 1 (het) ophalen, (het) verzamelen; 2 ingetogenheid; teruggetrokkenheid
recolección *v* 1 (fruit)oogst; pluk; 2 verzameling; samenvatting; 3 (*godsd*) stille overpeinzing; 4 (*r-k*) strenge observantie; **recolectar** 1 oogsten (*vnl van fruit*); 2 innen; **recolector**, **-ora** 1 plukker, plukster; 2 ontvanger (*van belasting*)
recoleto, **-a** 1 kloosterling(e) die strenge observantie toepast; 2 teruggetrokken mens
recomendable aanbevelenswaardig; **recomendación** *v* aanbeveling; *por* ~ *de* op voordracht van; **recomendado** van aanbevelingen voorzien; *viene* ~ *por el sr. X* de heer X beveelt hem aan; **recomendar ie** 1 aanraden, adviseren; 2 aanbevelen; aanprijzen
recomenzar ie opnieuw beginnen
recompensa 1 beloning; *una regia* ~ een vorstelijke beloning; 2 bekroning, prijs; 3 schadeloosstelling, vergoeding; **recompensar** 1 belonen; ~ *a lo príncipe* vorstelijk belonen; 2 vergoeden
reconcentración *v* grote concentratie; geslotenheid; **reconcentrado** intens, zeer geconcentreerd; **reconcentramiento** *zie reconcentración*; **reconcentrar** bundelen, concentreren; ~ *en* uitsluitend richten op, concentreren op; **reconcentrarse** (*en*) zich sterk concentreren (op)
reconciliación *v* verzoening; **reconciliador**, **-ora** I *bn* verzoenend; II *zn* verzoen(st)er; **reconciliar** verzoenen; **reconciliarse** zich verzoenen
reconcomerse zich opvreten; **reconcomio** opgekropte gevoelens; wantrouwen
recondenado verdomd, vervloekt; **recondenarse** zich opvreten (*van ongeduld, ergernis*)
recóndito diep verborgen; *en lo más* ~ *del alma* in het diepst vd ziel
reconfirmar opnieuw bevestigen
reconfortante troostend; **reconfortar** verkwikken, troosten

reconocedor, -ora erkennend; **reconocer** 1 erkennen, bekennen, toegeven; *no* ~ miskennen; 2 herkennen; 3 (*med*) onderzoeken; 4 (*schade*) opnemen; 5 onderzoeken, verkennen; ~ *el terreno* het terrein verkennen; 6 erkentelijk zijn voor; **reconocible** herkenbaar; **reconocido** erkentelijk; **reconocimiento** 1 erkenning; ~ *de deuda* schuldbekentenis; 2 herkenning; 3 (*med*) onderzoek; 4 (het) opnemen (*van schade*); 5 verkenning; *vuelo de* ~ verkenningsvlucht; 6 erkentelijkheid
reconquista herovering; **Reconquista**: *la* ~ de herovering van Spanje op de Moren; **reconquistar** heroveren
reconsiderar opnieuw overwegen
reconstitución *v* 1 (het) herstellen; 2 reconstructie (*van misdrijf*); **reconstituir** 1 opnieuw vormen; in de oude vorm herstellen; 2 (*een misdaad*) reconstrueren; **reconstituyente** *m* tonicum, versterkend middel
reconstrucción *v* 1 wederopbouw; 2 (het) herstellen; 3 reconstructie (*van misdrijf*); **reconstruir** 1 herbouwen; 2 herstellen, opnieuw in elkaar zetten; 3 (*misdrijf*) reconstrueren
recontar ue opnieuw tellen
reconvención *v* 1 berisping; 2 (*jur*) tegeneis, tegenvordering; **reconvenir** berispen, een verwijt maken
reconversión *v* 1 (*industriële*) omschakeling; ~ *del aceite al gas* overschakeling van olie op gas; 2 omscholing, herscholing; **reconvertir ie, i** 1 overschakelen; 2 omscholen, herscholen
recopilación *v* verzameling (*teksten*); **recopilador, -ora** samensteller, -stelster van verzamelbundel; **recopilar** (*teksten*) bijeenbrengen
récord *m* record; topprestatie; ~ *mundial* wereldrecord; ~ *en pista* baanrecord; *batir un* ~ een record verbeteren; *establecer un* ~ een record vestigen; *velocidad* ~ recordsnelheid
recordar ue 1 zich herinneren; onthouden; *recuerdo un día* ik herinner mij een dag; *al ~lo* bij de herinnering daaraan; *no recuerdo nada* ik weet er niets meer van; *si mal no recuerdo* als ik mij goed herinner; 2 helpen onthouden, herinneren aan; ~ *u.c. a u.p.* iem aan iets herinneren; *recuérdame luego que*... help me onthouden dat...; 3 doen denken aan; *esto recuerda una flecha* dat doet denken aan een pijl; **recordatorio** 1 herinnering, bericht; 2 (*r-k*) overlijdensbericht; 3 prentje ter herinnering aan eerste communie
recordman *m* recordhouder; **recordwoman** *v* recordhoudster
recorrer 1 'doortrekken; bereizen, aflopen, afrijden; ~ *con la mirada* de blik laten dwalen over; ~ *el país* het hele land doorreizen; 2 (*afstand*) afleggen; **recorrido** 1 rit, traject, baan, parcours; afstand; (*sendero de*) *gran* ~ lange afstand wandelpad, grande randonnée; 2 ligging (*van leiding*)
recortable *m* plaatje om uit te knippen; **recortado** 1 (diep) ingesneden (*mbt kust, bladeren*); 2 (*mbt nagels*) kortgeknipt; **recortaduras** *vmv* (overblijvende) snippers; **recortar** 1 bijknippen; punten; bijslijpen; 2 uitknippen; 3 snipperen; 4 besnoeien, beperken, beknotten; aftoppen; ~ *los gastos* bezuinigen; ~ *las pensiones* korten op de pensioenen; 5 doen uitkomen; **recortarse** afsteken, zich aftekenen; **recortasetos** *m* heggeschaar; **recorte** *m* 1 knipsel; *álbum de ~s* plakboek; 2 verlaging, bezuiniging, beperking, besnoeiing, aftopping; 3 snipper; 4 uitsparing
recostar ue (achterover) laten leunen; **recostarse ue** achterover gaan leunen
recoveco 1 bocht, kronkel; 2 hoek, verborgen plek; 3 *~s* slinkse streken; *sin ~s* openlijk, ronduit
recreación *v* 1 herschepping; 2 recreatie; **recrear** 1 herscheppen; 2 vermaken, verstrooien; **recrearse** (*en, con*) zich verlustigen (in), plezier hebben (in); **recreativo** I *bn* ontspannend; II *zn* seksclub
recrecerse moed vatten
recreo 1 ontspanning, recreatie; *parque de* ~ speeltuin; 2 speelkwartier, pauze
recriar í vetmesten
recriminación *v* verwijt; **recriminador, -ora** verwijtend; **recriminar** verwijten
recrudecer verhevigen, doen toenemen; **recrudecerse** erger worden, toenemen; zich toespitsen; **recrudecimiento** verheviging; (*fig*) verscherping
recta (*wisk*) rechte (lijn); ~ *final* eindsprint; **rectangular** rechthoekig, haaks; **rectángulo** I *bn* rechthoekig; II *zn* rechthoek
rectificación *v* correctie, verbetering; rectificatie; **rectificador** *m* gelijkrichter; **rectificar** 1 rechten, recht maken; slijpen; 2 rectificeren, rechtzetten; verbeteren, herzien; 3 (*elektr*) gelijkrichten; **rectificarse** zijn gedrag verbeteren; zijn woorden terugnemen
rectilíneo rechtlijnig
rectitud *v* 1 rechtschapenheid, integriteit; 2 rechtheid; **recto** I *bn* 1 recht; 2 integer, rechtschapen; II *zn* endeldarm; III *bw* rechtuit
rector, -ora I *bn* leidend; *principio* ~ leidend principe; II *zn* rector, rectrix; **rectorado** rectoraat
recua groep lastdieren
recuadro kader (*met daarbinnen tekst*); column
recubrimiento afdekking, bedekking; ~ (*de*) *teflón* teflonlaag, anti-aanbaklaag; **recubrir** 1 ~ (*con, de*) geheel bedekken (met); over'trekken; 2 opnieuw bedekken
recuento 1 telling; 2 tweede telling; *hacer el* ~ *de* natellen; 3 (*in gevangenis*) ap'pel
recuerdo 1 ~ (*de*) herinnering (aan), nagedachtenis; aandenken, souvenir; *desenterrar ~s* herinneringen ophalen; *en* ~ *de* ter herinnering aan; *le quedaba mal* ~ hij had er slechte herinneringen aan; 2 groet; *~s a tu madre* de groeten aan je moeder

rec

recular 1 achteruitgaan, achteruitlopen; 2 terugdeinzen, terugkrabbelen; **reculones**: *a* ~ (*fam*) achterwaarts
recuperable herkrijgbaar; **recuperación** *v* 1 beterschap, herstel, opleving; 2 (*scheepv*) berging; **recuperador**, **-ora** I *bn* herkrijgend; II *m* regenerator; **recuperar** 1 herkrijgen, herwinnen; terugkrijgen; ~ *cadena* de kabel inhalen; ~ *el tiempo perdido* de verloren tijd inhalen; 2 (*een vak*) inhalen, herexamen doen voor; 3 ophalen en opnieuw verwerken; recyclen; **recuperarse** herstellen, beter worden; **recuperativo** vh herstel; *síntomas -os* symptomen van herstel
recurrir 1 ~ *a* een beroep doen op, erbij halen, inroepen, zijn toevlucht nemen tot; terugvallen op; ~ *a un abogado* een advocaat in de arm nemen; ~ *al juez* er een rechtszaak van maken; ~ *al pasado* putten uit het verleden; ~ *a un psicólogo* een psycholoog inschakelen; 2 (*ook* ~ *contra, de*) in beroep gaan tegen; ~ (*contra*) *la sentencia* in beroep gaan tegen het vonnis; **recurso** 1 middel; redmiddel; ~*s* geldmiddelen, bestaansbronnen, hulpbronnen; ~*s* (*de los fondos*) *marinos* wat de zee(bodem) biedt; *como último* ~ ten einde raad; *hombre de* ~*s*: *a*) bemiddeld man; *b*) iem met veel pijlen op zijn boog; *sin* ~*s* onbemiddeld, onverzorgd, zonder middelen van bestaan; 2 rechtsmiddel, ap'pel, beroep; ~ (*de apelación*) beroepschrift; *interponer* ~ in beroep gaan
recusar verwerpen; (*jur*) wraken
red *v* net; netwerk; ~ *aérea* luchtnet; ~ *de arrastre*, ~ *barredera* sleepnet; ~ *de cables* kabelnet; ~ *de carreteras* wegennet; ~ *cloacal* rioolnet; ~ *ferroviaria* spoorwegnet; ~ *de pesca* visnet; ~ *de seguridad* vangnet; *caer en la* ~ in de val lopen
redacción *v* 1 formulering; (het) opstellen (*van een brief*); (*ejercicio de*) ~ steloefening, opstel; 2 redactie; **redactar** schrijven, (*brief*) opstellen; redigeren; ~ *el acta* notuleren; ~ *una memoria* een verslag schrijven; *volver a* ~ opnieuw bewerken; **redactor**, **-ora** redacteur, -trice; ~ (*en*) *jefe* hoofdredacteur, -redactrice
redada razzia, klopjacht; *hacer una* ~ een razzia houden, een inval doen
redaño 1 darmvlies; 2 ~*s* (*fam*) moed, pit, lef || *ponte un* ~, *que si no te hace provecho tampoco daño* baat het niet, het schaadt ook niet
redecilla haarnetje; boodschappennetje; bagagenet
redecir weer zeggen
redención *v* 1 verlossing; 2 vrijkoping; **redentor**, **-ora** 1 verlossend; *la palabra -ora* het verlossende woord; 2 vrijkopend; **Redentor**: *el* ~ de Verlosser
redescuento herdisconto
redicho geaffecteerd en geleerd pratend, pedant
rediez: *¡~!* verdomme!
redil *m* (schaaps)kooi
redimible afkoopbaar, terugkoopbaar; **redimir** 1 vrijkopen, afkopen; (*hypotheek*) aflossen; 2 verlossen; ~ *de* bevrijden van; 3 (*een fout*) goedmaken; **redimirse** (*de*) zich bevrijden (van), zich ontworstelen (aan)
redistribución *v* herindeling; ~ *de terrenos* her-of ruilverkaveling
rédito (*ook mv*) interest, rente; **redituar ú** rente opbrengen
redivivo herrezen (*uit de dood*)
redoblamiento 1 (het) verdubbelen, verdubbeling; 2 (het) roffelen; **redoblar** I *tr* verdubbelen; II *intr* roffelen; **redoble** *m* 1 verdubbeling; 2 roffel; *tocar* ~ roffelen
redoma laboratoriumflesje; **redomado** (*neg*) volledig, volleerd; *un egoísta* ~ een verdomde egoïst
redonda 1 ronde drukletter; 2 (*muz*) hele noot || *a la* ~ in de omtrek; **redondamente** ronduit; **redondear** afronden; ~ *por defecto* naar beneden afronden; ~ *por exceso* naar boven afronden; **redondearse** 1 rond worden; 2 in goede doen raken; **redondel** *m* 1 arena; 2 rondje; viltje (*onderzetter*); **redondez** *v* rondheid; **redondilla** 1 ronde drukletter; 2 bep vierregelig versje; **redondo** I *bn* 1 rond; *en* ~: *a*) in het rond, rond (*draaien*); *b*) ronduit, glashard; 2 openhartig, openlijk; 3 volledig; *un éxito* ~ een volledig succes; *un negocio* ~ een schitterende zaak || *caerse* ~ neerploffen, (dood) neervallen; II *zn* iets ronds
redorar weer vergulden
reducción *v* 1 vermindering, verlaging, beperking, aftrek, reductie; verkleining; ~ *fiscal* belastingverlaging; ~ *de gastos* bezuiniging, versobering; ~ *del gasto público* bestedingsbeperking; ~ *de horas de trabajo* arbeidsduurverkorting; ~ *de jornada* arbeidstijdverkorting; ~ *de plantillas* afvloeiing (*van personeel*); *de* ~ verloop-; 2 onderwerping; 3 (*wisk*) herleiding; ~ *al absurdo* bewijs uit het ongerijmde; 4 (*chem*) reductie; 5 (*med*) (het) zetten (*van breuk*); 6 (*hist*) dorp van bekeerde Indianen;
reducible herleidbaar; te verminderen; **reducido** gering, klein; **reducir** 1 terugbrengen, verlagen, verminderen, beperken, reduceren; verkleinen; ~ *a* terugbrengen tot, omrekenen in; ~ *a la mitad* halveren; ~ *a polvo* tot poeder vermalen, verpulveren; ~ *en* verlagen met; ~ *en un 10%* verlagen met 10%; ~ *la marcha* langzamer gaan rijden; ~ *un texto* een tekst inkorten; 2 onderwerpen, dwingen; ~ *al silencio* tot zwijgen brengen; 3 (*wisk*) herleiden; ~ *al mismo denominador* onder één noemer brengen; 4 (*med*) zetten (*van breuk*); 5 (*chem*) reduceren; **reducirse** 1 verminderen; 2 inkoken; 3 ~ *a* neerkomen op, beperkt blijven tot; zich beperken tot; **reductible** *zie reducible*
reducto vluchtschans; (*klein*) bolwerk
reductor *m* 1 (*chem*) reductiemiddel; 2 ~ (*de velocidad*) vertragingsmechanisme
redundancia overbodigheid; omhaal; **redun-**

dante overbodig, pleonastisch; omslachtig; **redundar**: ~ *en* strekken tot; ~ *en beneficio de* gunstig zijn voor
reduplicación *v* verdubbeling; **reduplicar** verdubbelen
reedición *v* herdruk
reedificación *v* herbouw; **reedificar** herbouwen
reeditar opnieuw uitgeven, herdrukken
reeducación *v* 1 revalidatie; 2 herscholing, heropvoeding; **reeducar** 1 revalideren; 2 herscholen, heropvoeden
reelaborado (*mbt uitgave*) herzien, opnieuw bewerkt
reelección *v* herverkiezing; *ser candidato a la* ~ herkiesbaar zijn; **reelecto** herkozen; **reelegibilidad** *v* herkiesbaarheid; **reelegible** herkiesbaar; **reelegir i** herkiezen
reembarcar weer inschepen; **reembarque** *m* herinscheping
reembolsar terugbetalen, restitueren; (*obligatie*) aflossen; *para* ~ *los gastos* ter dekking vd kosten; **reembolsarse** een betaald bedrag terugkrijgen; **reembolso** 1 restitutie; 2 rembours; *contra* ~ onder rembours
reemplazar vervangen; ~ *a u.p.* invallen voor iem, voor iem waarnemen; **reemplazo** 1 vervanging; 2 (*mil*) lichting (*recruten*)
reemprender hervatten; ~ *la marcha* weer 'doorlopen
reencarnación *v* reïncarnatie, wedergeboorte; **reencarnar**, **reencarnarse** reïncarneren, opnieuw geboren worden
reencuentro weerzien; reünie
reentrenamiento bijscholing, herscholing, omscholing; **reentrenar** bijscholen, herscholen
reenviar í terugzenden; doorsturen; **reenvío** terugzending; doorzending
reenvite *m* opbod, hoger bod
reestreno reprise, (het) weer op het programma nemen
reestructuración *v* herstructurering; **reestructurar** herstructureren
reexaminar opnieuw onderzoeken
reexpedición *v* doorzending; terugzending; **reexpedir i** doorzenden; terugsturen
reexportación *v* wederuitvoer; **reexportar** opnieuw uitvoeren
refacción *v* 1 lichte maaltijd, verkwikking; 2 reparatie; **refección** *zie refacción*; **refectorio** refter, eetzaal in klooster
referencia verwijzing, referentie; *~s* referenties; *fecha de* ~ genoemde datum, peildatum; *hacer* ~ *a* verwijzen naar; *el lote de* ~ het betreffende perceel, genoemd perceel; *punto de* ~ aanknopingspunt
referéndum *m* referendum, volksraadpleging
referente betreffend; *en lo* ~ *a* wat betreft
referes *m; zie réferi*; **réferi** *m* (*Am*) scheidsrechter
referir ie, i 1 vertellen, verhalen; 2 verwijzen; 3 ~ *a* betrekken op; toeschrijven aan; **referirse ie, i**: ~ *a* 1 betreffen, betrekking hebben op, refereren aan, slaan op; 2 bedoelen, zinspelen op, doelen op; *¿a qué te refieres?* wat bedoel je?
refilón: *de* ~ zijdelings; van opzij; terloops
refinación *v* zuivering, veredeling, raffinage; **refinado** I *bn* 1 geraffineerd; gedistingeerd, subtiel, verfijnd; 2 uiterste, volledig; II *zn* raffinage; **refinador** *m* raffinadeur; **refinamiento** 1 verfijning, grote zorg, raffinement; 2 extra wreedheid; **refinar** raffineren; veredelen; verfijnen; bijschaven; vervolmaken, afwerken; **refinería** raffinaderij; ~ *de azúcar* suikerraffinaderij; ~ *de petróleo* olieraffinaderij
refitolero, -a bemoeial
reflectante reflecterend, weerspiegelend; *triángulo* ~ gevarendriehoek; **reflectar** reflecteren; **reflector, -ora** I *bn* reflecterend; *espejo* ~ spiegelreflex; II *m* 1 reflector; 2 schijnwerper; **reflejar** (weer)spiegelen, weerkaatsen; afspiegelen; (*fig*) belichten; weergeven, tonen; ~ *una sola cara* maar één kant belichten; **reflejarse** weerspiegeld worden; **reflejo** I *bn* weerspiegeld, weerkaatst; reflex-; *dolor* ~ weerpijn; II *zn* 1 (weer)spiegeling, weerschijn, afspiegeling; 2 reflex; ~ *condicionado* geconditioneerde reflex; ~ *de Pavlov* Pavlov-reflex; ~ *rotuliano* kniereflex; *tener buenos ~s* snel kunnen reageren; 3 kleurspoeling
reflexión *v* 1 (weer)spiegeling, weerschijn; 2 beraad, overdenking, bezinning; **reflexionar** (*sobre*) nadenken (over), zich beraden (over), overdenken; *hacer* ~ tot nadenken stemmen; **reflexivo** 1 bezonken, bezadigd; 2 (*gramm*) wederkerend
reflorecer voor de tweede keer bloeien; weer opbloeien
refluir terugstromen; **reflujo** 1 (het) terugstromen; 2 eb(stroom)
refocilar (*fam, neg*) vermaken, laten lachen; **refocilarse** (*fam, neg*) pret hebben, lachen in zijn vuistje, leedvermaak hebben
reforestación *v* herbebossing
reforma hervorming, herziening, wijziging; ~ *agraria* landhervorming; ~ (*de un edificio*) verbouwing; ~ *de la ley* wetswijziging; *estar de ~s* aan het verbouwen zijn; **Reforma** (*godsd*) Reformatie; **reformación** *v* hervorming; **reformado** hervormd; **reformador, -ora** I *bn* hervormend; II *zn* hervorm(st)er; **reformar** 1 hervormen, wijzigen; 2 verbouwen; 3 het octaangehalte verhogen van; **reformarse** zich beteren; **reformatorio** I *bn* gericht op verbetering; *plan* ~ hervormingsplan; II *zn* tuchtschool, opvoedingsinrichting; **reformismo** reformisme; **reformista** hervormingsgezind, reformistisch
reformular herformuleren
reforzado versterkt; (*mbt beton*) gewapend; **reforzamiento** versterking; **reforzar ue** versterken, verstevigen; *sin* ~ (*mbt beton*) ongewapend

refracción *v* straalbreking; **refractar** (*het licht*) breken; **refractario** 1 onwillig; *ser ~ a u.c.* wars zijn van iets, tegen iets zijn; 2 vuurvast
refrán *m* spreekwoord, gezegde; **refranero** verzameling spreekwoorden
refregar ie 1 wrijven, schuren; 2 (*fig*) inpeperen; verwijten
refreír i opbakken; goed 'doorbakken
refrenar intomen, beteugelen; **refrenarse** zich intomen
refrendar 1 medeondertekenen, legaliseren; goedkeuren; 2 (*fam*) opnieuw doen; nog eens nemen (*vh eten*); **refrendo** 1 medeondertekening (*ter goedkeuring of legalisatie*); 2 goedkeuring (*van wet*)
refrescante verfrissend; *bebida ~* frisdrank; **refrescar** I *tr* verfrissen; koelen; (*kennis*) ophalen, opfrissen; *~ la memoria* zijn geheugen opfrissen; II *intr* koeler worden, afkoelen; **refrescarse** zich verfrissen, zich laven; **refresco** 1 frisdrank; 2 lafenis, verversing; *de ~* vers, nieuw; 3 licht maal; verfrissing
refriega gevecht; schermutseling
refrigeración *v* koeling; **refrigerador, -ora** I *bn* koelend; *almacén ~* koelhuis; II *m* ijskast, koelkast; **refrigerante** I *bn* koelend; *capacidad ~* koelvermogen; II *m* koelmiddel; **refrigerar** koelen; **refrigerarse** 1 gekoeld worden; 2 op krachten komen; **refrigerio** 1 licht maal, lafenis, verversing; 2 troost
refrito I *bn* 1 opgebakken; goed door'bakken; 2 (*fig*) oudbakken; II *zn* mengsel van gebakken tomaat, ui, knoflook
refuerzo versterking; *emisora de ~* steunzender
refugiado, -a I *bn* uitgeweken; II *zn* vluchteling(e), refugié(e); **refugiarse** 1 de wijk nemen, zijn toevlucht nemen, asiel vragen; 2 schuilen; **refugio** 1 toevlucht, toevluchtsoord; beschutte plaats; onderkomen; *~ antiaéreo* schuilkelder; 2 (berg)hut; 3 vluchtheuvel
refulgencia schittering; **refulgente** stralend, schitterend; **refulgir** stralen, schitteren, fonkelen
refundición *v* 1 omsmelting (*van metalen*); 2 bewerking (*van literair werk*); **refundidor, -ora** bewerk(st)er; **refundir** 1 (*metalen*) omsmelten; 2 (*literair werk*) bewerken; 3 samensmelten
refunfuñar mopperen, morren, pruttelen, foeteren; **refunfuño** gemopper
refutable weerlegbaar; **refutación** *v* weerlegging
regadera gieter; *boca de ~* sproeier; **regadío** I *bn* bevloeibaar, bevloeid; II *zn* bevloeid terrein; **regador** *m* (gazon)sproeier; sproeier (*van ruitewisser*)
regalado 1 heel comfortabel; 2 (*fam*) voor bijna niets, heel goedkoop; *ni ~* het kan me gestolen worden, voor geen goud; **regalar** 1 cadeau geven, schenken; 2 (*oog, oor, tong*) strelen; 3 *~ con* vergasten op; **regalarse**: *~ con* zich te goed doen aan, zich trakteren op
regalía (koninklijk) privilege
regaliz *m* 1 zoethout; 2 drop
regalo 1 cadeau, geschenk; *~ de bodas* huwelijksgeschenk; 2 genot (*voor oog, oor*)
regante *m* iem die recht heeft op bevloeiing
regañadientes: *a ~* morrend, met tegenzin, (*Belg*) tegen zijn goesting; **regañar** I *tr* berispen, een standje geven; *~ de mala manera* afbekken; II *intr* mopperen, morren; **regañina** 1 standje, veeg uit de pan; 2 geharrewar, ruzie, woorden; **regañón, -ona** I *bn* sacherijnig; II *zn* mopperpot
regar ie 1 bevloeien, irrigeren; *~ con manga* bespuiten; 2 (be)gieten, (be)sproeien; 3 strooien; *~ de* bezaaien met; 4 *~ la comida* (wijn) drinken bij het eten
regata regatta, roeiwedstrijd, zeilwedstrijd; **regate** *m* schijnbeweging; **regateador, -ora** knibbelaar(ster); **regatear** I *tr* afdingen, pingelen, (be)knibbelen (op); loven en bieden, marchanderen; *darlo todo sin ~* het volle pond geven; *no ~ la ayuda* niet zuinig zijn met hulp; II *intr* 1 (*vnl sp*) schijnbewegingen maken; 2 een roei- of zeilwedstrijd houden; **regateo** 1 (het) afdingen; (*fig*) koehandel; *sin ~* ruiterlijk (*toegeven*); 2 (het) maken van schijnbewegingen
regato klein beekje, stroompje
regatón, -ona 1 knibbelaar(ster); 2 *m* punt (*van wandelstok, paraplu*)
regazo schoot (*ook fig*)
regencia regentschap
regeneración *v* regeneratie, herstel; wederopleving; (het) weer bruikbaar maken; **regenerar** regenereren; weer bruikbaar maken; *lana regenerada* herwonnen wol (*uit lompen*); (*iem*) er (moreel) bovenop helpen
regenta vrouw van regent; regentes; **regente** *m,v* regent(es)
regicida *m,v* koningsmoordenaar, -moordenares; **regicidio** koningsmoord
regidor *m* (*ongebr*) gemeenteraadslid; bestuurder
régimen *m, mv regímenes* 1 regime, bewind, bestuursvorm; regeling; *~ de arresto domiciliario* huisarrest; *~ fiscal, ~ tributario* belastingstelsel; *~ de jubilación* pensioenregeling; *~ de seguros sociales* sociale verzekeringsstelsel; *~ de terror* schrikbewind; *~ de vida* leefregel; *~ de visita* (*,comunicación y compañía*) omgangsregeling; *~ de visitas* bezoekuren; *en ~ de separación de bienes* buiten gemeenschap van goederen; *industria de ~ continuo* continubedrijf; 2 *~* (*alimenticio*) dieet; *a ~* op dieet; *artículos de ~* dieetartikelen, reformartikelen
regimiento regiment
regio 1 koninklijk, vorstelijk; 2 (*Am*): *¡~!* prachtig!, prima!
región *v* gebied, (land)streek, gewest; *~ cardíaca* hartstreek; *~ glútea* stuitje; *~ lumbar* len-

de(streek); ~ *minera* mijnstreek; ~ *polar* poolstreek; ~ *siniestrada* getroffen gebied, rampgebied; **regional** regionaal, gewestelijk; *traje* ~ klederdracht; **regionalismo** 1 regionalisme; 2 streven naar gewestelijke autonomie

regir i I *tr* 1 regeren; leiden; 2 (*mbt wet*) regelen, beheersen; 3 (*gramm*) gaan met (*bv 3e naamval*); gevolgd worden door (*bep voorzetsel*); II *intr* gelden, van kracht zijn; *empezar a* ~ (*mbt maatregel*) ingaan; **regirse i** (*por*) zich laten leiden (door); geregeld worden (door), (*jur*) beheerst worden (door)

registrador, **-ora** I *bn* registrerend, registratie-; *reloj* ~ prikklok; *caja -ora* kasregister, kassa; II *zn* 1 iem die registreert; ~ *de la propiedad* ambtenaar bij het kadaster, hypotheekbewaarder; ~ *de títulos de propiedad de buques* bewaarder van scheepsbewijzen; 2 *m* recorder, opnameapparaat; **registrar** 1 registreren, boeken, inschrijven; ~ *en cinta* opnemen op de band; *marca registrada* gedeponeerd handelsmerk; 2 door'zoeken, fouilleren; ~ *la casa* huiszoeking doen; 3 (in zich) opnemen; 4 meemaken, ondergaan; 5 (*Am*) (*een brief*) laten aantekenen; **registrarse** 1 zich inschrijven; 2 zich voordoen, 'voorkomen; **registro** 1 register; ~ *civil* register vd burgerlijke stand; ~ *mercantil* handelsregister; ~ *de nacimientos* geboortenregister; ~ *de la propiedad* eigendomsregister, (*vglbaar*) kadaster; 2 door'zoeking; ~ *de una casa* huiszoeking; 3 ~ (*en cinta*) bandopname; 4 klapper, register, legger; 5 registratie

regla 1 liniaal, meetlat; ~ *de cálculo* rekenliniaal; *las cuatro ~s* (*rekenk*) de vier hoofdbewerkingen; ~ *plegadiza* duimstok; 2 regel; ~ *de conducta* gedragsregel; ~ *fija* stelregel; ~*s del juego* spelregels; ~ *monástica* kloosterregel; ~ *de prioridad* voorrangsregel; ~ *de tres* regel van drieën, vuistregel; *en* ~ in orde; *no hay ~ sin excepción* geen regel zonder uitzondering; *poner en* ~ in orde maken; *por ~ general* in het algemeen; *sin ~s* ongeregeld, onordelijk; 3 ~(*s*) menstruatie; *tener las ~s* ongesteld zijn; **reglaje** *m* (*techn*) instelling; **reglamentación** *v* reglementering, regeling; **reglamentar** reglementeren, regelen; **reglamentario** reglementair; **reglamentista** formalistisch; **reglamento** reglement; ~ *de la circulación* verkeersreglement

regleta zetlijn

regocijante verheugend; **regocijar** vrolijk maken, plezier doen; **regocijarse** (*con*) pret hebben (over), zich verkneukelen (over); **regocijo** 1 vrolijkheid; 2 leedvermaak, vrolijkheid om andermans lot; 3 ~*s* vreugdebetoon

regodearse zitten te genieten; zich verkneukelen; leedvermaak hebben; **regodeo** leedvermaak

regoldar (*pop*) boeren, oprispingen hebben

regoldo wilde kastanje

regresar I *intr* terugkeren, terugkomen; II *tr* terugleggen; ~ *a su sitio* weer op zijn plaats leggen; **regresión** *v* regressie, teruggang; **regreso** terugkeer, terugtocht

regüeldo (*pop*) oprisping, boer

reguera bevloeiingskanaaltje, geultje, gootje; **reguero** 1 stroom, straal; streep, spoor; *como un ~ de pólvora* als een lopend vuurtje; 2 geultje, gootje

regulable regelbaar, verstelbaar; **regulación** *v* 1 (het) regelen; 2 regeling; voorschrift; 3 (*techn*) afstelling; **regulador**, **-ora** I *bn* regelend, regel-; *tornillo* ~ stelschroef; II *m* 1 regelmechanisme; ~ *de tiro* (*in schoorsteen*) (regel)klep, trekonderbreker; ~ (*de voltaje*) dimmer; 2 (*muz*) crescendoteken, diminuendoteken; **regular** I *ww* 1 regelen; 2 afstellen, instellen; II *bn* 1 regelmatig; geregeld; *a horas ~es* op gezette tijden; *por lo* ~ in het algemeen; 2 (middel)matig, zo zo; *¿cómo estás? regular* hoe gaat het met je? 't gaat; **regularidad** *v* 1 regelmaat; 2 middelmatigheid; **regularización** *v* regulering; **regularizar** regelen, reguleren

regusto bijsmaak, nasmaak (*ook fig*)

rehabilitación *v* 1 eerherstel; 2 revalidatie; ~ *de drogadictos* (het) afkicken; 3 ~ (*social*) reclassering; 4 renovatie (*van woningen*); **rehabilitador**: *médico* ~ revalidatiearts; **rehabilitar** 1 in ere herstellen; 2 revalideren; 3 reclasseren; 4 renoveren

rehacer overmaken, opnieuw maken; **rehacerse** bijkomen; zichzelf in de hand krijgen

rehén *m* gijzelaar, gegijzelde

rehervir ie, i opnieuw koken

rehilete *m* 1 (*dartssp*) pijltje; 2 (*badminton*) shuttle; 3 badminton; 4 banderilla (*stok met vlaggetjes die in de stier gestoken wordt*)

rehogar sauteren, smoren (*in vet*)

rehuir ontlopen, vermijden, uit de weg gaan

rehusar 1 afslaan, van de hand wijzen; 2 weigeren

reimportación *v* wederinvoer; **reimportar** weer invoeren

reimpresión *v* herdruk; **reimprimir** herdrukken

reina koningin; ~ *de* (*la*) *belleza* schoonheidskoningin; (*abeja*) ~ bijenkoningin || ~ *claudia* reine-claude (*pruim*); ~ *de los prados* spirea; **reinado** regering, heerschappij; **reinante** heersend, regerend; **reinar** 1 regeren; *divide y reinarás* verdeel en heers; 2 heersen (*ook fig*); *reina una gran alegría* er heerst grote vrolijkheid

reincidencia recidive; **reincidente** *m,v* recidivist(e); **reincidir** in de oude fout of misdaad vervallen

reincorporar weer opnemen

reineta: (*manzana*) ~ renet (*appel*)

reingresar weer toetreden; **reingreso** (het) opnieuw toetreden

reinicio hervatting

reino 1 koninkrijk; 2 rijk; *el ~ vegetal* het plan-

tenrijk; **Reino**: *el* ~ *Unido* het Verenigd Koninkrijk
reinserción *v*: ~ *social* reclassering; **reinsertar** weer invoegen; reclasseren
reinstalar weer installeren
reintegrable (*financ*) aflosbaar; **reintegración** *v* 1 terugbetaling, teruggave, aflossing; 2 herstel (*in functie*); **reintegrar** 1 terugbetalen, vergoeden, aflossen; 2 ~ (*a*) herstellen (*in functie*); 3 voldoen van zegelrecht (*op officiële stukken*); **reintegrarse** 1 ~ (*a*) weer toetreden (tot); weer aan het werk gaan, terugkeren; 2 ~ (*de*) terugkrijgen, verhalen; **reintegro** 1 terugbetaling, aflossing; uitbetaling (*van spaargeld*); 2 zegelrecht (*op officiële stukken*); 3 zegels en stempels; 4 (*bij loterij*) eigen geld; 5 herstel (*in functie*)
reinversión *v* herbelegging; **reinvertir ie, i** herbeleggen
reír i I *tr* lachen om; ~ *una broma* lachen om een grap; II *intr* lachen; ~ *a carcajadas* schateren; ~ *con ganas* hartelijk lachen; *echarse a* ~ in lachen uitbarsten; *hacer* ~ *a u.p.* iem aan het lachen maken; *quien ríe el último ríe mejor* wie het laatst lacht, lacht het best; **reírse i** (*de*) lachen (om), uitlachen; spotten (met); ~ *para sus adentros,* ~ *para su capote* in zijn vuistje lachen; ~ *por lo bajo,* ~ *entre dientes* gniffelen, grinniken; ~ *tontamente* giechelen
reiteración *v* herhaling; **reiterar** herhalen; **reiterativo** zich herhalend
reivindicable opeisbaar; **reivindicación** *v* (*rechtmatige*) eis; *-ones salariales* salariseisen; **reivindicar** (op)eisen (*waar men recht op heeft*); **reivindicativo**: *paquete* ~ eisenpakket
reja 1 ploegschaar; 2 (tralie)hek; *con* ~*s* getralied; *entre* ~*s* achter de tralies, in het gevang
rejilla 1 (raampje met) traliewerk; rooster (*bv in kachel*); filter; ~ *de aire* luchtrooster; 2 gevlochten stoelzitting; 3 bagagenet; 4 stoof
rejón *m* puntige ijzeren staaf; **rejoneador** *m* (*in stieregevecht*) man die te paard de stier met een lans steekt; **rejonear** (*in stieregevecht*) de stier met een lans steken vanaf paard
rejuvenecedor, -ora verjongend; **rejuvenecer** *tr* verjongen, jong maken; **rejuvenecerse** *intr* verjongen; **rejuvenecimiento** verjonging
relación *v* 1 verhouding, betrekking, relatie, verband; *-ones*: *a*) kennissen, relaties; *b*) (*intieme*) verhouding; *-ones amorosas* liefdesverhouding; ~ *causal* oorzakelijk verband; *-ones comerciales* handelsbetrekkingen; *-ones formales* serieuze verkering; ~ *laboral,* ~ *de trabajo* dienstverband; *-ones públicas* public relations; *-ones sexuales* seksuele gemeenschap; ~ *tirante* gespannen verhouding; *con* ~ *a, en* ~ *con* aangaande, in verband met; *están en -ones* het is aan tussen hen; *funcionario de -ones públicas* voorlichtingsambtenaar; *guardar* ~ *con* samenhangen met; *hacer* ~ *a* betrekking hebben op; *íntima* ~ nauwe samenhang; *mantener -ones, mantener una* ~ een verhouding hebben; *no guardar* ~ *con* losstaan van; *romper las -ones* de betrekking(en) verbreken; *tener* ~ *con* verband houden met; 2 verslag, overzicht; staat, lijst, opgave; ~ *exhaustiva* volledige opsomming; ~ *de gastos* overzicht van uitgaven; ~ *nominal* lijst met namen; **relacionado** 1 met goede relaties; 2 ~ *a* verwant aan; 3 ~ *con* verband houdend met; **relacionar** 1 vertellen, verhalen, verslag doen van; 2 ~ (*con*) in verband brengen (met), verbinden (met); **relacionarse** 1 ~ (*con*) in verband staan (met); ~ *entre sí* met elkaar in verband staan; 2 ~ (*con*) betrekkingen aanknopen (met), contacten leggen (met), zich aansluiten (bij)
relajación *v* verslapping, ontspanning; ~ (*moral*) verslapping vd moraal; *ejercicio de* ~ ontspanningsoefening; **relajado** 1 in ontspannen staat; 2 loszinnig; **relajador, -ora** verslappend; ontspannend; **relajamiento** verslapping; ontspanning; ~ *moral* verslapping vd zeden; **relajante** *m* medicijn ter ontspanning (*vd spieren*); **relajar** (doen) verslappen; ontspannen; **relajarse** verslappen; zich ontspannen
relamer steeds weer likken; **relamerse** 1 (*mbt dier*) zich likken; 2 ~ (*los labios*) likkebaarden; **relamido** geaffecteerd
relámpago bliksem(flits); *como un* ~ pijlsnel; *visita* ~ bliksembezoek; **relampagueante** bliksemend; **relampaguear** bliksemen; fonkelen; **relampagueo** (het) bliksemen; gefonkel
relance: *de* ~ onverwacht, bij toeval
relapso I *bn* opnieuw in zonde vervallen; II *zn* terugval (*van zieke*)
relatar vertellen; **relatividad** *v* relativiteit, betrekkelijkheid; **relativo** 1 (des)betreffend; *en lo* ~ *a* betreffende; 2 betrekkelijk, relatief (*ook gramm*); **relato** relaas, verhaal; **relator, -ora** 1 verteller, vertelster; 2 (*jur*) rapporteur (*voor hogere rechtbank*)
relax *m* ontspanning
relé *m* relais
releer herlezen
relegar naar de achtergrond verschuiven; ~ *al olvido* in de vergetelheid doen raken; *quedar relegado* op de achtergrond raken
relente *m* nachtelijke kilte, ochtendkoelte
relevador *m* relais
relevancia relevantie, belang; **relevante** relevant; **relevar** 1 (*iem*) aflossen; 2 ~ *de* ontheffen van; **relevarse** elkaar aflossen; **relevo** 1 aflossing; *el* ~ *de la guardia* het aflossen vd wacht; *tomar el* ~ de zaak overnemen, iem aflossen; 2 estafette; *carrera de* ~*s* estafetteloop
relicario 1 relikwieënkastje; 2 medaillon
relieve *m* 1 reliëf; 2 betekenis; *de* ~ belangrijk; *poner de* ~ benadrukken, doen uitkomen
religión *v* godsdienst, religie; *entrar en* ~ in een klooster gaan; **religiosamente** keurig, plichtsgetrouw; **religiosidad** *v* 1 godsdien-

stigheid; 2 plichtsgetrouwheid; **religioso**, **-a** I *bn* 1 godsdienstig, religieus; kerkelijk; *convicción -a* geloofsovertuiging; *creencia -a* gezindte; *fervor ~* geloofsijver; *manía -a* godsdienstwaanzin; *orden -a* kloosterorde; *profesión -a* kloostergelofte; 2 nauwgezet; II *zn* kloosterling(e), non; *voto de ~* kloostergelofte

relimpio kraakhelder

relinchar hinniken; **relincho** gehinnik

relindo heel mooi

reliquia 1 relikwie; 2 overblijfsel

rellano overloop (*op trap*), trapportaal; vlak gedeelte (*in helling*)

rellenar 1 weer vullen; bijvullen; opvullen; volstoppen; 2 invullen; 3 (*kip, pastei*) vullen; 4 ophogen; *~ con tierra* aanplempen; **relleno** I *bn* 1 heel vol; 2 gevuld; *pimiento ~* gevulde paprika; II *zn* 1 (het) bijvullen, (het) vullen; 2 vulling; *~ aislante* isolatiemateriaal, isolatiepakket; *~ dental* tandvulling; *palabra de ~* stoplap

reloj *m* klok; horloge; *~ de arena* zandloper; *~ de caja* staande klok; *~ de cuarzo* kwartshorloge; *~ de cuclillo*, *~ de cuco* koekoeksklok; *~ para fichar*, *~ registrador* prikklok; *~ interruptor* schakelklok; *~ de mesa* pendule; *~ de pulsera* polshorloge; *~ de sol* zonnewijzer; *como un ~* met de regelmaat vd klok, perfect; *consultar el ~*, *mirar el ~* op zijn horloge kijken; **relojería** horlogewinkel; *mecanismo de ~* klokmechaniek, ingebouwd uurwerk; **relojero** horlogemaker

reluciente glimmend, stralend; **relucir** blinken, glinsteren, flonkeren; *sacar a ~* te berde brengen; *salir a ~* ter sprake komen

reluctante (*lit*) weerbarstig

relumbrante schitterend, fonkelend; **relumbrar** blinken, glanzen, schitteren, fonkelen; **relumbrón** *m* 1 lichtschittering; 2 klatergoud; oppervlakkige luxe

remachador *m*: (*martillo*) *~* klinkhamer; **remachar** 1 (*techn*) klinken; 2 (*spijker*) extra stevig inslaan; 3 (*fig*) hameren op; **remache** *m* 1 (*techn*) (het) klinken; 2 klinknagel

remanente *m* overschot, rest, restant

remangar omslaan, opstropen; **remangarse** 1 de mouwen opstropen, de pijpen omslaan, de rok optrekken; 2 zich (*energiek*) gereedmaken om

remansarse (*mbt water*) tot stilstand komen, blijven staan; **remanso** stilstaand water; rustige plek

remar roeien

rematadamente donders, duvels; **rematado** 1 onverbeterlijk; *un loco ~* stapelgek; 2 afgehandeld; **rematador** *m* veilingmeester; **rematante** *m,v* hoogstbiedende; **rematar** I *tr* 1 afmaken; de genadestoot geven; voltooien; 2 (*draad*) afhechten; 3 helemaal opmaken; 4 afprijzen; 5 gunnen (*bij veiling*); II *intr* 1 eindigen, aflopen; 2 *~ en* uitlopen op, in; 3 (*sp*) het laatste doelpunt maken; **remate** *m* 1 (het) afmaken, voltooiing; afwerking; (*fig*) slotnoot; *dar ~ a* afmaken; *de ~*: *a*) compleet; *b*) stapelgek; *loco de ~* stapelgek; *para ~* tot overmaat van ramp, om het compleet te maken; *por ~* tot slot; 2 afhechting; 3 gunning, laatste bod; 4 laatste doelpunt

rembolsar *zie reembolsar*

remedador, **-ora** naäper, naäapster; **remedar** nabootsen, naäpen; **remediable** te verhelpen; **remediar** 1 verhelpen; goedmaken; *hay que ~lo* daar moet in voorzien worden; *no puedo ~lo* ik kan het niet helpen, ik kan er niets aan doen; 2 verhoeden, voor'komen; **remedio** (genees)middel; remedie; *~ casero* huismiddeltje; *~ heroico* paardemiddel; *el ~ es peor que la enfermedad* het middel is erger dan de kwaal; *ni para un ~* helemaal niets; *no hay más ~* er zit niets anders op; *no tener ~*: *a*) (*mbt zaak*) onontkoombaar zijn; *b*) (*mbt persoon*) onverbeterlijk zijn; *no tener más ~* wel moeten, ergens niet onderuit kunnen, geen keus hebben; *perdido sin ~* reddeloos verloren; *poner ~ a* verhelpen, iets doen tegen; *sin ~* onverbeterlijk, onontkoombaar; *último ~* laatste redmiddel; **remedo** nabootsing; (*fig*) aftreksel

remembranza (*lit*) herinnering

rememoración *v* (*lit*) herinnering; **rememorar** (*lit*) zich herinneren, memoreren

remendar ie (*kleren*) verstellen, opknappen, oplappen; *~ redes* netten boeten; *~ zapatos* schoenen lappen; **remendón**, **-ona** die verstelt; *zapatero ~* schoenlapper

remero, **-a** roei(st)er

remesa 1 zending; *~ por valor declarado* zending met aangegeven waarde; 2 overschrijving, remise

remeter (weer) instoppen

remiendo 1 opgezet stuk, verstelde plaats; 2 verbetering; 3 (het) verstellen, (het) oplappen

remilgado kieskeurig, preuts; **remilgo** (*vaak mv*) kieskeurigheid, aanstellerij; *hacer ~s a* afkerig zijn van, vies zijn van; *sin ~s* zonder gezeur

reminiscencia herinnering

remirar nog eens kijken; *mirar y ~* niet uitgekeken raken

remisible vergeeflijk; **remisión** *v* 1 zending; 2 verwijzing; 3 uitstel; 4 (het) afnemen (*vd koorts*); 5 vergeving || *sin ~* onherroepelijk, vast en zeker; **remiso** 1 onwillig; 2 besluiteloos; **remite** *m* (*afk rte*) aanduiding van afzender; **remitente** I *m,v* afzender; II *bn*: *fiebre ~* wisselende koorts; **remitido** ingezonden mededeling; **remitir** I *tr* 1 zenden, doen toekomen; (*geld*) overmaken; 2 (*zonden*) vergeven; 3 uitstellen; 4 *~* (*a*) verwijzen (naar); II *intr* (*mbt koorts*) afnemen; **remitirse**: *~ a* refereren aan, zich beroepen op

remo 1 (roei)riem; *a ~*: *a*) roeiend; *b*) met moeite; *¡al ~!* aan het werk!; 2 roeisport

remoción *v* verwijdering; *de fácil ~* makkelijk afneembaar

remodelación *v* renovatie, vernieuwing; ~ *de barrio* wijkvernieuwing; **remodelar** renoveren
remojar weken, soppen; natmaken; ~ *el gaznate* de keel smeren; *hay que ~lo* daar moet op gedronken worden; **remojarse** nat worden; **remojo** (het) weken; *poner a ~, poner en ~* in de week zetten; **remojón** *m* (*fam*) 1 nat pak; 2 stuk brood (*gedoopt in wijn, olie enz*)
remolacha biet; ~ *de azúcar* suikerbiet; ~ *forrajera* voederbiet
remolcado gesleept; *barco* ~ sleepschip; *vuelo* ~ sleepvlucht; **remolcador, -ora** I *bn* die sleept; II *m* sleper, sleepboot; ~ *de altura* zeesleepboot; **remolcar** 1 slepen; 2 (*fig*) op sleeptouw nemen
remolino 1 draaikolk, werveling; ~ *de aire* werveling; 2 gekrioel van mensen; 3 kruin (*op hoofd*)
remolón, -ona treuzelend, lui; *hacerse el* ~ lummelen, treuzelen; **remolonear** treuzelen, lummelen, teuten; **remoloneo** getreuzel
remolque *m* 1 (het) slepen; *llevar a* ~ slepen, op sleeptouw hebben; 2 (*cable de*) ~ sleepkabel; 3 aanhanger; sleep; getrokken trein; gesleepte wagen; caravan; ~ *de dos ruedas* oplegger; *coche de* ~ aanhangwagen
remontar 1 (*rivier*) opvaren; opzwemmen; 2 (*vlieger*) oplaten; 3 (*moeilijkheid*) overwinnen; **remontarse** 1 omhoog vliegen, zich verheffen; 2 ~ *a* bedragen; 3 ~ *a* (*fig*) teruggaan tot (*de oorsprong*); **remonte** *m* (het) stijgen; *pase para los ~s* ski(lift)pas
remoquete *m* bijnaam
rémora 1 zuigvis; 2 belemmering
remorder ue 1 weer bijten; 2 (*mbt geweten*) knagen; **remordimiento** wroeging, zelfverwijt
remoto ver (verwijderd); *una -a posibilidad* een geringe kans; *en la más -a antigüedad* in het grijze verleden; *un lugar* ~ een afgelegen plek; *una salida -a* een lichtpuntje; *no tener la más -a idea* geen flauw idee hebben
remover ue 1 omwoelen; omroeren, roeren in; 2 verwijderen, wegnemen; 3 ~ (*de*) ontzetten (*uit functie*); 4 oprakelen; nieuw leven inblazen; **removerse ue** woelen, zich steeds bewegen; **removible** afneembaar
remozamiento verjonging; **remozar** *tr* verjongen, jong maken; **remozarse** *intr* verjongen
remplazar *zie reemplazar*
remuneración *v* beloning, loon, salariëring, bezoldiging; vergoeding; **remunerador, -ora** lonend, rendabel; winstgevend, lucratief; **remunerar** belonen, betalen; vergoeden; **remunerativo** (*mbt arbeid*) goed betaald, lonend
renacentista vd Renaissance; **renacer** weer geboren worden; weer ontstaan; weer aanbreken; **renacimiento** 1 wedergeboorte; 2 vernieuwing; herstel; **Renacimiento** Renaissance
renacuajo kikkervisje
renal vd nieren, nier-; *cálculo* ~ niersteen
renano vd Rijn
rencilla ruzie, kibbelarij, meningsverschil;
rencilloso gauw boos, prikkelbaar
rencor *m* wrok, rancune; wrevel; *guardar* ~ wrok koesteren; **rencoroso** wrokkig, haatdragend; wrevelig
rendibú *m: hacer el* ~ (*fam*) vleien, fêteren
rendición *v* overgave; **rendido** 1 doodmoe, afgedraaid; 2 (*mbt dienaar*) toegewijd
rendija kier, spleet, gleuf
rendimiento 1 rendement; opbrengst; prestatie; ~ *de combustión* verbrandingswaarde; ~ *máximo* topprestatie; *~s del trabajo* arbeidsinkomen, (*Belg*) bedrijfsinkomen; *dar* ~ renderen, profijt opleveren; 2 toewijding; overgave; **rendir i** I *tr* 1 geven; overdragen, overleggen; ~ *combate* strijd leveren; ~ *cuentas* rekenschap afleggen; ~ *homenaje* huldigen; ~ *honor* eer bewijzen; ~ *informe* verslag uitbrengen; 2 (*mil*) overgeven, prijsgeven; 3 opleveren; 4 onderwerpen, tot overgave dwingen; *rendido por el sueño* door slaap overmand; 5 uitputten, dodelijk vermoeien; II *intr* iets opleveren, renderen, rendabel zijn; *no rinde* het levert niets op; **rendirse i** zich overgeven
renegado, -a afvallige; **renegar ie** I *tr* weer ontkennen; *negar y* ~ hardnekkig ontkennen; II *intr* 1 ~ *de* verloochenen; niets meer willen weten van; afvallen van (*geloof*); 2 vloeken, ketteren; **renegón, -ona** mopperpot, kankeraar, foeteraar(ster)
renegrido zwart (*van rook, vuil*), zwartgeworden; beroet
renglón *m* 1 regel; *a* ~ *seguido* meteen daarna; *entre -ones* tussen de regels door; 2 (*financ*) post
rengo mank, kreupel
reniego (*vaak mv*) gekanker, gesputter, gevloek
reno rendier
renombrado vermaard, gerenommeerd; **renombre** *m* faam, roem, vermaardheid
renovable verlengbaar; **renovación** *v* 1 vernieuwing, hernieuwing; renovatie; verversing; ~ *del aire* luchtverversing; 2 verlenging; ~ *de un pasaporte* verlenging van een paspoort; **renovar ue** 1 vernieuwen, hernieuwen, vervangen; renoveren; verversen; ~ *el aceite* olie verversen; ~ *la discusión* de discussie hervatten; 2 verlengen
renquear 1 hinken, met zijn been trekken; 2 het (maar net) redden
renta 1 inkomen; ~ *media* (*vglbaar*) modaal inkomen; ~ *nacional* nationaal inkomen; ~ *per cápita,* ~ *por habitante* inkomen per hoofd; ~ *del trabajo* inkomen uit arbeid; 2 huur(opbrengst); rente (*van kapitaal*); ~ *estancada* (*Sp*) opbrengst voor de staat van monopolieartikelen (*bv tabak*); ~ *vitalicia* lijfrente; *a* ~ verhuurd, verpacht; *vivir de sus ~s* rentenie-

ren; 3 staatsschuld; **rentabilidad** *v* rentabiliteit; **rentable** rendabel; **rentar** I *tr* (*rente*) opbrengen; II *intr* rente opbrengen, renderen; **rentista** *m,v* rentenier(ster)
renuente onwillig; ~ *a* niet genegen om
renuevo 1 loot (*van boom*), spruit; 2 vernieuwing
renuncia 1 afstand; *hacer ~ de* afstand doen van; 2 (het) aftreden; *presentar ~ de su cargo* ontslag(aanvraag) indienen; **renunciamiento** (het) afstand doen van; **renunciar** (*a*) afstand doen (van), afzien (van); aftreden; **renuncio**: *coger en ~* op een leugen betrappen
reñido 1 ~ *con* in strijd met; *estar ~ con: a*) ruzie hebben met; *b*) in strijd zijn met; *están ~s* ze hebben ruzie, ze kijken elkaar niet aan; 2 (*mbt gevecht*) heftig; **reñir i** I *intr* twisten, ruzie maken; II *tr* 1 een standje geven, op zijn kop geven; 2 (*strijd*) leveren
reo *m,v* beklaagde; ~ *de estado* staatsmisdadiger; *despierto como ~ en capilla* klaarwakker
reojo: *mirar de ~: a*) steelse blikken werpen op, zijdelings aankijken; *b*) wantrouwen koesteren tegen
reorganización *v* reorganisatie; sanering; **reorganizar** reorganiseren
reóstato (regel)weerstand, rheostaat
repanchigarse *zie repantigarse*
repanocha: *es la ~* dat is het summum
repantigarse lekker lui gaan zitten
reparación *v* 1 reparatie; 2 voldoening, eerherstel; **reparador**, **-ora** 1 herstellend, die repareert; verkwikkend; 2 vitterig; 3 leidend tot eerherstel; **reparar** 1 repareren, herstellen; 2 (*iets*) goedmaken; 3 ~ *en* (op)merken, bespeuren; letten op, acht slaan op; ~ *en todo* op alles letten; *no ~ en medios* alle middelen te baat nemen; *sin ~ en gastos* zonder te letten op de kosten, uit een ruime beurs; **reparo** aanmerking, bedenking; *me da ~* het stuit me tegen de borst; *no tener ~ en* zich niet generen om; *poner ~s a* aanmerkingen maken op; **reparón**, **-ona** vitterig; *ser un ~* op alle slakken zout leggen
repartición *v* 1 verdeling; ~ *de gastos* omslag van kosten; 2 (*Am*) overheidsinstantie, tak van bestuur; **repartidor**, **-ora** bezorg(st)er aan huis; **repartimiento** 1 verdeling; 2 belastingheffing; **repartir** 1 verdelen, distribueren; (*kosten*) omslaan; ~ *a gajos* in partjes verdelen; *~se la piel del lobo* de huid verkopen voor de beer geschoten is; 2 bezorgen, rondbrengen, bestellen; 3 (*fam*) uitdelen; ~ *golpes* klappen uitdelen; **reparto** 1 verdeling; omslag (*van kosten*); ~ *equitativo* rechtvaardige verdeling, gelijke verdeling; 2 (rol)bezetting, rolverdeling; 3 bezorging
repasar 1 weer lopen door; 2 doornemen, nakijken; herhalen; 3 nogmaals behandelen met; ~ *con la plancha* 'overstrijken; 4 bijles geven; 5 (*kleren*) nakijken en verstellen; **repaso** 1 (het) doornemen, (het) nakijken; *dar un ~ a* vluchtig doorkijken; 2 standje

repatriación *v* repatriëring; **repatriar** repatriëren; **repatriarse** naar zijn vaderland terugkeren
repecho (*korte steile*) helling
repeinado 1 zorgvuldig gekamd; 2 overdreven opgedoft; **repeinar** opnieuw kammen; opkammen
repelente I *bn* afstotend; II *m* middel tegen insecten; **repeler** 1 afstoten, afweren; 2 tegen de borst stuiten; *me repelen esas ideas* die ideeën vind ik stuitend; *le repelen los insectos* hij griezelt van insekten; **repelerse** onverenigbaar zijn, elkaar uitsluiten; **repelo** 1 haartje, splinter; 2 dwangnagel; **repelón** *m* ruk aan het haar
repelús *m; zie repeluzno*; **repeluzno** (koude) rilling; *me da ~* ik huiver ervan
repensado goed doordacht; **repensar ie** weer denken
repente *m* plotselinge beweging; *de ~* plotseling, opeens; **repentinamente** plotseling, opeens; **repentino** plotseling, onverhoeds; **repentizar** improviseren; van het blad spelen
repercusión *v* 1 terugslag; doorwerking; 2 weerklank, gevolgen; **repercutir** 1 terugkaatsen; 'doorklinken; 2 ~ *en* doorwerken in, zijn terugslag hebben op; 3 (*kosten*) doorberekenen
repertorio 1 register, klapper; repertorium; 2 repertoire
repesca (*fam*) herexamen; **repetición** *v* herhaling; overlapping; *de ~* (*techn*) repeteer-; **repetidamente** herhaaldelijk; **repetido** herhaald; *-as veces* herhaalde malen; *sellos ~s* dubbele postzegels (*in verzameling*); **repetidor**, **-ora** 1 zittenblijver; 2 (*univ*) repetitor; 3 *m* (*tv*) zendmast (*versterker*); **repetir i** I *tr* herhalen; nazeggen; ~ (*de*) nog eens nemen (*van gerecht*); ~ (*el*) *curso* zittenblijven; *no se lo hizo ~* hij liet het zich geen twee keer zeggen; II *intr* (*mbt eten*) opbreken, oprispingen veroorzaken; **repetirse i** 1 zich herhalen; in herhaling vervallen; nog eens 'voorkomen; *no se repetirá* het zal niet weer gebeuren; 2 elkaar overlappen
repicar I *intr* 1 (*mbt klok*) luiden, kleppen; *el ~ de castañuelas* het geklepper van castagnetten; 2 kloppen, trommelen; II *tr* (*de klok*) luiden
repintar weer schilderen, opschilderen; **repintarse** (*mbt vrouw*) zich opschilderen
repipi vroegwijs, wijsneuzig; aanstellerig
repique *m* gelui (*van klokken*); **repiquetear** 1 (*mbt klok*) vrolijk luiden; 2 trommelen; **repiqueteo** 1 klokgelui; 2 getrommel
repisa richel, 'uitstekende rand; plankje, rek (*bv boven wastafel*); ~ *de la chimenea* schoorsteenmantel; ~ *de la ventana* vensterbank
replantación *v* herbeplanting; **replantar** 1 opnieuw beplanten; 2 overplanten
replanteamiento nieuwe opzet; **replantear** 1 (*probleem*) opnieuw stellen; 2 (*bouwk*) (*grondplan*) uitzetten

replegable intrekbaar, opvouwbaar; **replegarse ie** zich (*ordelijk*) terugtrekken
repleto overvol
réplica 1 antwoord, repliek; *pronto a la ~* gevat, slagvaardig; 2 evenbeeld; 3 (*jur*) repliek; **replicar** antwoorden, van repliek dienen
repliegue *m* 1 vouw, plooi; 2 (*mil*) aftocht
repoblación *v* herbevolking; *~ forestal* herbebossing
repollo (witte) kool
reponer 1 weer plaatsen; *~ las existencias* de voorraad aanvullen; 2 (*theat*) weer opvoeren, (*film*) weer draaien; 3 hernemen, antwoorden; 4 doen herstellen; **reponerse** opknappen, herstellen, bijkomen, weer op zijn verhaal komen; *~ del susto* van de schrik bekomen
reportaje *m* reportage, verslag; **reportar** 1 brengen, opleveren; 2 melden; **reportarse** 1 zich inhouden; 2 bijkomen; **repórter** *m,v; zie reportero*; **reportero, -a** verslaggever, -geefster, reporter
reposacabeza *m* hoofdsteun; **reposado** bedaard, kalm; **reposapiés** *m* voetsteun; **reposar** rusten; *dejar ~* laten bezinken; **reposarse** (*mbt vloeistof*) bezinken
reposición *v* 1 herstel; 2 vervanging, aanvulling; *valor de ~* vervangingswaarde; 3 (*theat, film*) reprise; herhaling
reposo rust; *casa de ~* verpleeghuis; *hacer ~* rust houden
repostar 1 (*voorraden*) aanvullen; 2 tanken
repostería delicatessenzaak; chocolaterie annex vleeswarenwinkel; (*soms*) banketbakkerij; **repostero, -a** 1 winkelier(ster) in delicatessenzaak; 2 *m* tapijt (*met bv familiewapen*)
reprender berispen, terechtwijzen, vermanen; **reprensible** afkeurenswaard, laakbaar; **reprensión** *v* berisping, vermaning; **reprensor, -ora** vermanend
represa 1 (*mbt water*) (het) stilstaan; 2 stuwmeer; stuwdam
represalia represaille, vergeldingsmaatregel
representación *v* 1 opvoering, uitvoering; *~ teatral* toneelvoorstelling; 2 uitbeelding, voorstelling; *~ falsa* verkeerde voorstelling; *~ gráfica* grafische voorstelling; 3 vertegenwoordiging; *~ popular* volksvertegenwoordiging; *en ~ de* als vertegenwoordiger van; **representante** *m,v* vertegenwoordig(st)er; (*hdl*) dealer; **representar** 1 uitbeelden, afbeelden, voorstellen; *esto representa un conejo* dit stelt een konijn voor; 2 opvoeren, vertonen; 3 vertegenwoordigen; 4 (*ivm leeftijd*) tonen, lijken; *representa menos años de los que tiene* hij ziet er jonger uit dan hij is; **representarse** 1 zich (*iets*) voorstellen; 2 voor de geest komen; **representativo** representatief
represión *v* 1 onderdrukking; 2 verdringing; **represivo** repressief
reprimenda berisping, reprimande, standje, terechtwijzing; **reprimir** bedwingen, onderdrukken, de kop indrukken, terugdringen; *complejos reprimidos* verdrongen complexen
reprobación *v* afkeuring; **reprobador, -ora** afkeurend; **reprobar ue** afkeuren, kritiseren; **reprobatorio** afkeurend
réprobo verdoemd (*tot de hel*)
reprochable laakbaar; **reprochador, -ora** verwijtend; **reprochar** verwijten; **reproche** *m* verwijt; *~ tácito* stil verwijt; *es una persona sin ~* er is niets op hem aan te merken
reproducción *v* 1 voortplanting; *~ asistida* kunstmatige voortplanting; 2 reproduktie; *prohibida la ~* nadruk verboden; 3 weergave; *aparatos de ~* afspeelapparatuur; **reproducir** 1 voortplanten; 2 reproduceren; 3 weergeven; **reproducirse** zich voortplanten; **reproductor, -ora** I 1 voortplantend, bestemd voor de voortplanting; *órganos -ores* geslachtsorganen; 2 *~* (*de*) weergevend; II *zn* fokdier
reptar kruipen; **reptil** *m* reptiel
república republiek; *~ bananera* bananenrepubliek; *~ popular* volksrepubliek; **República:** *~ Democrática Alemana* DDR; *~ Dominicana* Dominicaanse Republiek; **republicano** republikeins
repudiable afwijsbaar; te veroordelen; laakbaar; **repudiar** 1 afwijzen, veroordelen; 2 (*vrouw*) verstoten; **repudio** verstoting (*van echtgenote*)
repuesto I *bn* 1 weer geplaatst; 2 hersteld; II *zn* 1 voorraad; 2 (reserve)onderdeel; *de ~* als reserve
repugnancia afkeer, afschuw, walging, weerzin; **repugnante** weerzinwekkend, walgelijk, stuitend, onsmakelijk; **repugnar** afstoten, tegenstaan
repujado (*mbt metaal*) gedreven; **repujar** (*goud, zilver*) drijven
repulsa afwijzing, weigering; weerzin, afkeer; strenge veroordeling; **repulsión** *v* afkeer; afwijzing; **repulsivo** weerzinwekkend, afgrijselijk
repullo 1 schok, verrassing; 2 (*dartssp*) pijltje
reputación *v* reputatie, naam; *ganar buena ~* een goede naam krijgen; *manchar la ~ de u.p.* een smet werpen op iems naam; *tener mala ~* slecht bekend staan; **reputado** bekend, gerenommeerd; **reputar** 1 achten, houden voor; 2 waarderen, hoog achten
requebrar ie het hof maken
requemar 1 laten aanbranden; 2 prikken (*op de tong*); 3 (*mbt zon*) verbranden; **requemarse** 1 verbranden (*door zon*); 2 aanbranden; 3 verteerd worden (*door smart*)
requerimiento 1 aanmaning, dwangbevel; *~ de pago* bevel tot betaling; 2 verzoek; *~ notarial* verzoek bij notariële akte; **requerir ie, i** 1 sommeren; *~ el pago* aanmanen tot betaling; 2 vereisen; 3 *~ para que* dringend verzoeken om || *~ de amores* het hof maken; **requerirse ie, i** vereist zijn
requesón *m* wrongel, (*vglbaar*) kwark

requeté *m* 1 militante organisatie vd Carlisten; 2 lid van militante Carlistische organisatie
requetebién prima
requiebro complimentje, vleierij
réquiem *m* requiem; *misa de ~* requiemmis
requirente *m,v* (*jur*) verzoek(st)er; **requisa** 1 onderzoek, inspectie; 2 beslag, vordering (*bv voor mil doel*); **requisito** vereiste; formaliteit; *llenar los ~s, reunir los ~s* aan de eisen voldoen, aan de voorwaarden voldoen; *reunir los ~s para* in de termen vallen om; **requisitoria** verzoek van rechter aan andere rechter
res *v* stuk vee
resabiado met kuren; **resabiarse** zich een slechte gewoonte aanwennen
resabido 1 zeer bekend; 2 wijsneuzig; **resabio** 1 (*vieze*) nasmaak, nare smaak; 2 slechte gewoonte
resaca 1 (het) terugstromen (*van golven vanaf strand*), terugtrekkend water; branding; 2 kater (*na dronkenschap*); 3 (*fig*) uitschot
resalado (*mbt persoon*) heel grappig, pittig
resaltar I *tr* benadrukken, wijzen op; II *intr* 1 (*fig*) uitkomen, naar voren komen, opvallen, eruitspringen; *hacer ~* benadrukken; 2 uitsteken, vooruitspringen; **resalte** *m* 'uitstekend deel; **resalto** (het) uitspringen; 'uitspringend deel; *~ del eje* verdikt deel van as
resarcimiento vergoeding, schadeloosstelling;
resarcir (*de*) schadeloosstellen (voor), vergoeden; **resarcirse** (*de*) zich schadeloos stellen (voor), zijn schade inhalen
resbaladizo glad, glibberig; (*fig*) hachelijk, griezelig; *¡carretera -a!* slipgevaar!; **resbalar** 1 (uit)glijden; slippen; uitschieten; 2 (*fig*) uitglijden, een fout begaan; **resbalón** *m* (het) uitglijden; *dar un ~: a*) uitglijden; *b*) een scheve schaats rijden; *un ~ no es caída* iedereen maakt wel eens een foutje; *a prueba de -ones* slipvrij; **resbaloso** (*fam*) *zie resbaladizo*
rescatable afkoopbaar; **rescatar** 1 loskopen; 2 afkopen; 3 redden, bevrijden; *~ (del olvido)* aan de vergetelheid ontrukken, (*fig*) in ere herstellen; **rescate** *m* 1 afkoop; (het) vrijkopen; 2 losprijs, losgeld; afkoopsom; 3 verlossing, redding
rescindible opzegbaar; **rescindir** ontbinden, opzeggen, verbreken; nietig verklaren; **rescisión** *v* ontbinding, opzegging; **rescisorio** ontbindend
rescoldo gloeiing (*onder as*), gloeiende as; *avivar el ~* het vuur weer aanwakkeren
1 resecar (*med*) wegnemen
2 resecar afdrogen, droog maken; **resecarse** droog worden
resección *v* (*med*) resectie, (het) wegnemen
reseco heel droog
resentido verbitterd; wrevelig; gefrustreerd; **resentimiento** verbittering, wrok; wrevel; *excitar el ~* kwaad bloed zetten; **resentirse ie, i** 1 *~ de* (nog) last hebben van, lijden aan de gevolgen van; 2 *~ con* verzwakt raken door, te lijden hebben van; 3 *~ con, por u.c.* zich iets aantrekken van
reseña 1 recensie, kritiek, (boek)bespreking; *hacer una ~ de (een boek)* bespreken; 2 overzicht, verslag; 3 signalement; **reseñar** 1 verslag doen van, verslaan; 2 kritiseren, recenseren; 3 een korte beschrijving geven van
reserva 1 reservering; *~ de localidades* plaatsbespreking; 2 reserve; *~s de intendencia* dumpgoederen; *de ~* reserve-; *en ~* in reserve, in petto; *rueda de ~* reservewiel; *tener en ~* achter de hand hebben; 3 voorbehoud; *~ mental* innerlijk voorbehoud; *sin ~* onverdeeld, volledig, openlijk; 4 gereserveerdheid, reserve, terughoudendheid; 5 reservaat; *~ natural* natuurreservaat (*voor flora en fauna*); 6 *m,v* (*sp*) reserve; **reservación** *v* reservering;
reservadamente in vertrouwen; **reservado** I *bn* 1 gereserveerd; *~s todos los derechos* alle rechten voorbehouden; 2 (*mbt persoon*) gesloten; 3 vertrouwelijk; II *zn* gereserveerd gedeelte (*bv in trein*); **reservar** 1 reserveren, achterhouden; (*plaats*) openhouden, vrijhouden; 2 (*plaats*) bespreken, boeken; 3 voorbehouden; **reservarse** 1 zich voorbehouden; 2 zijn krachten sparen; **reservista** *m* reservist; **reservón, -ona** binnenvetter
resfriado I *bn* verkouden; *~ como una sopa* snipverkouden; II *zn* verkoudheid; *coger un ~* een verkoudheid oplopen; **resfriarse í** verkouden worden
resguardar (*de*) beschutten (tegen), behoeden (voor); **resguardarse** (*de*) zich beschermen (tegen); schuilen (voor); **resguardo** 1 beschutting, bescherming; 2 reçu; *~ de entrega* stortingsbewijs
residencia 1 verblijf; *permiso de ~* verblijfsvergunning; 2 woning; woonplaats; (*mbt notaris*) standplaats; *~ campestre* buitenverblijf; *~ oficial* ambtswoning, dienstwoning; *con ~ en: a*) woonachtig in; *b*) (*mbt notaris*) met standplaats te; 3 (*vglbaar*) pension; tehuis; *~ de ancianos, ~ geriátrica* bejaardenhuis; *~ de animales* dierenpension; asiel; *~ de estudiantes* studentenhuis; **residencial** woon-; *barrio ~* woonwijk, (*vaak*) villawijk; *casa ~* herenhuis;
residente I *bn* 1 wonende; 2 inwonend, intern; *médico ~* (*vglbaar*) co-assistent, arts in opleiding; II *m,v* ingezetene; **residir** 1 wonen, (*langdurig*) verblijven; 2 zetelen; 3 *~ en: a*) (*mbt probleem*) gelegen zijn in, zitten in; *b*) (*mbt bevoegdheid*) berusten bij, toekomen aan
residual residuaal, residuair, afval-, resterend; *aguas ~es* afvalwater; **residuo** 1 overblijfsel; residu; *~s* afval(stoffen); *~s nucleares* kernafval; *~s radiactivos* radioactief afval; 2 brokstuk; 3 (*rekenk*) rest
resignación *v* 1 berusting, lijdzaamheid; 2 (het) afstand (doen) (*van functie*); **resignado** berustend, gelaten; **resignar** (*en*) afstand doen (*ten gunste van*); **resignarse** (*a, con, en*) berusten (in), zich schikken (in), zich neerleggen (bij)

resina hars; ~ *sintética* kunsthars; **resinar** harsen; **resinero** vd hars, hars-; **resinífero** harshoudend; **resinoso** 1 rijk aan hars, harsig; 2 harsachtig
resistencia 1 verzet, tegenstand; ~ *pasiva* lijdelijk verzet; 2 verzet, illegaliteit; 3 weerstand, taaiheid; ~ *del aire* luchtweerstand; *capacidad de* ~ weerstandsvermogen; *gran* ~ *nerviosa* sterke zenuwen; 4 sterkte (*van materiaal*), degelijkheid; 5 (*elektr*) weerstand; **resistente** I *bn* 1 sterk, taai, met veel weerstand (*bv tegen kou*); (*mbt kleur*) kleurecht; 2 ~ *a* bestand tegen; resistent tegen; ~ *al agua* waterproof, vochtbestendig; ~ *a la corrosión* roestbestendig; ~ *al calor* warmtebestendig; ~ *al encogimiento* krimpvrij; ~ *al frío* (*mbt plant*) winterhard; ~ *al lavado* wasecht; ~ *a la luz* lichtecht; *hacerse* ~ resistent worden; II *m,v* verzetsstrijd(st)er, (*Belg*) weerstander; **resistir** I *tr* 1 weerstaan; 2 doorstaan, verdragen; *no le resisto* ik kan hem niet verdragen; II *intr* 1 het uithouden; weerstand bieden; ~ *tenazmente* een taai verzet bieden; *no* ~ *más* het niet langer uithouden; *no he podido* ~ ik heb me laten verleiden; 2 ~ *a* stelling nemen tegen, het hoofd bieden aan; **resistirse** 1 ~ (*a*) zich verzetten (tegen); tegenspartelen; 2 ~ *a* een tegenzin hebben tegen; weigeren om; *me resisto a creerlo* ik kan het niet geloven; 3 niet goed afgaan; *se me resiste hacerlo* het stuit me tegen de borst dat te doen; *se me resisten las matemáticas* wiskunde gaat me niet goed af
resma riem (*papier*)
resobado afgezaagd; **resobar** 1 steeds kneden; 2 (*neg*) steeds zitten te aaien
resollar ue puffen, hijgen
resolución *v* 1 besluit; resolutie; 2 vastberadenheid; *con* ~ vastberaden; 3 ontbinding (*van contract*); 4 (*rekenk*) uitkomst, oplossing; **resoluto** resoluut, kordaat; **resolutorio** 1 ontbindend; *condición -a* ontbindende voorwaarde; 2 leidend tot een besluit; 3 besluitvaardig; **resolver ue** 1 besluiten, beslissen, beslechten; 2 oplossen; 3 (*een contract*) ontbinden; 4 (*chem*) oplossen; **resolverse ue** 1 opgelost worden, zijn beslag krijgen; 2 ~ *a* het besluit nemen om; 3 ~ *en* (*mbt stof*) vervluchtigen tot, opgelost worden; 4 ~ *en* uitlopen op, beperkt blijven tot; 5 (*mbt gezwel, ontsteking*) verdwijnend
resonador, -ora weergalmend, resonerend; **resonancia** 1 galm, resonantie; *caja de* ~ klankkast; 2 (*fig*) weerklank; verbreiding; **resonante** 1 resonerend; *frase* ~ holle frase; 2 (*fig*) enorm; *éxito* ~ daverend succes; **resonar ue** 1 resoneren, (weer)galmen, weerklinken; hol klinken; denderen; schallen; 2 (*mbt gebeurtenis*) veel weerklank hebben, een grote doorwerking hebben
resoplar snuiven; **resoplido** 1 gesnuif, geblaas, gepuf; *dar ~s* hijgen en puffen; 2 kribbig kort antwoord
resorte *m* 1 (*techn*) veer; ~ *de caracol*, ~ *en espiral* spiraalveer; ~ *de hoja* bladveer; *de* ~ opwind-; 2 middel; *tocar todos los ~s* geen middel onbeproefd laten, alle bronnen aanboren
respaldar I *ww* 1 steunen, staan achter; bijvallen; 2 achterop (*een document*) schrijven; II *m* rugleuning; **respaldarse** 1 ~ (*en, contra*) met de rug leunen (tegen); 2 ~ *en, con* (*fig*) steunen op; **respaldo** 1 rugleuning; ~ *reclinable* verstelbare rugleuning; 2 achterkant (*van document*); tekst op achterkant; 3 (rugge)steun, bescherming
respectar: *en, por lo que respecta a* wat betreft; **respectivamente** respectievelijk; **respectivo** 1 betreffend, betrokken; 2 respectief; **respecto**: ~ *a*, ~ *de* ten aanzien van, aangaande, betreffende; *al* ~ in dit opzicht; *con* ~ *a* aangaande, in verband met, wat betreft
respetabilidad *v* eerbiedwaardigheid; **respetable** I *bn* 1 achtenswaardig, eerbiedwaardig; 2 aanzienlijk, respectabel; II *m* (*iron*) (het) publiek; **respetado** aanzienlijk, gezien; **respetar** eerbiedigen, respecteren; achten; hooghouden; ontzien, sparen; ~ *la ley* zich aan de wet houden; ~ *la mano* rechts houden; *hacer* ~ de hand houden aan; **respeto** eerbied, ontzag, respect; ~ *de sí mismo* zelfrespect; *campar por sus ~s* zijn eigen boontjes doppen, eigen baas zijn; *de* ~: *a*) respectabel; *b*) als reserve; *c*) voor speciale gelegenheden; *faltarle al* ~ *a u.p.* brutaal zijn tegen iem, iem onbehoorlijk behandelen; *presentar sus ~s a* zijn opwachting maken bij; *tener* ~ *a* respecteren; **respetuosidad** *v* eerbied; **respetuoso** eerbiedig; *saludos ~s* (*aan eind van brief*) hoogachtend
respingar (*mbt rok*) opkruipen, trekken, opwippen; **respingarse** *zie respingar*; **respingado**: *nariz -a* wipneus; **respingo** 1 schok, (het) plotseling opspringen; *dar un* ~ opspringen, opstuiven, opveren; 2 plek waar een kledingstuk opwipt; 3 kribbig antwoord; 4 uitbrander, veeg uit de pan; **respingona**: *nariz* ~ wipneus
respiración *v* ademhaling; ~ *artificial* kunstmatige ademhaling; ~ *boca a boca* mond-opmondbeademing; ~ *bucal* mondademhaling; ~ *nasal* neusademhaling; *corto de* ~ kortademig; *se le cortó la* ~ zijn adem stokte; *sin* ~: *a*) ademloos; *b*) bekaf; *tubo de* ~ snorkel; **respiradero** 1 luchtgat, luchtkoker; 2 trekgat; **respirar** I *intr* ademen; even uitblazen, op adem komen; ~ *con alivio* herademen, verlicht ademhalen; ~ *con estertor*, ~ *roncamente* rochelen; *necesito* ~ ik heb behoefte aan frisse lucht; *no dejar* ~ geen moment met rust laten; *no poder* ~: *a*) het heel druk hebben; *b*) doodmoe zijn; II *tr* 1 inademen; 2 (*fig*) ademen, uitstralen; *el ambiente respira paz* de omgeving ademt rust; **respiratorio** vd ademhaling; *ejercicios ~s* ademhalingsoefeningen; *vías -as* luchtwegen; **respiro** adempauze; respijt
resplandecer flonkeren, glanzen, schitteren,

stralen; **resplandeciente** schitterend, stralend; **resplandor** *m* glans, gloed, schijnsel, schittering
responder 1 ~ (*a*) antwoorden (op), beantwoorden; tegenspreken; weerleggen; ~ *por el nombre de* luisteren naar de naam van; 2 ~ *a* beantwoorden aan; ~ *a una necesidad* in een behoefte voorzien; 3 ~ (*a*) reageren (op); effect sorteren; (*mbt stuur*) luisteren, pakken; 4 ~ *de u.c.* aansprakelijk zijn voor iets; verantwoordelijk zijn voor iets; ergens voor instaan; 5 ~ *por u.p.* instaan voor iem, garant staan voor iem; *hacer* ~ ter verantwoording roepen; 6 zich dankbaar tonen; **respondón**, **-ona** altijd klaar met een (brutaal) antwoord; **responsabilidad** *v* verantwoordelijkheid; aansprakelijkheid; ~ *civil* wettelijke aansprakelijkheid, (*Belg*) burgerrechtelijke aansprakelijkheid; ~ *limitada* beperkte aansprakelijkheid; *bajo su propia* ~ op eigen verantwoording; *cargar con la* ~ de verantwoordelijkheid dragen; *de* ~ (*mbt werk*) verantwoordelijk; *incurrir en la* ~ *de* de verantwoordelijkheid op zich nemen voor; **responsabilizar** (*de*) aansprakelijk stellen (voor); **responsabilizarse** (*de*) de verantwoordelijkheid op zich nemen (voor); zich verantwoordelijk voelen (voor); **responsable** I *bn* ~ (*de*) verantwoordelijk (voor); aansprakelijk (voor); *hacerse* ~ *de* zich verantwoordelijk stellen voor; *ser* ~ *ante* verantwoordelijk zijn tegenover; II *m,v* verantwoordelijke persoon; directielid, bestuurslid; **respuesta** antwoord; ~ *definitiva* uitsluitsel; *no tener* ~: *a*) geen antwoord krijgen; *b*) (*telef*) geen gehoor krijgen
resquebrajadura, **resquebrajamiento** spleet, scheur, kloof; **resquebrajar** barsten maken; **resquebrajarse** barsten, scheuren
resquemor *m* 1 jeuk; 2 wroeging
resquicio kier, spleet; *un* ~ *de duda* een spoor van twijfel
resta (*rekenk*) aftrekking
restablecer herstellen; **restablecerse** herstellen, opknappen, genezen, er bovenop komen; **restablecimiento** herstel, beterschap, genezing
restallar (*mbt zweep*) klappen, knallen; uiteenspatten
restante overig; *lo* ~ de rest
restañar stelpen
restar I *tr* (*rekenk*) aftrekken; ontnemen; II *intr* resteren, overblijven
restauración *v* restauratie; **restaurador**, **-ora** restaurateur
restaurante *m* restaurant; ~ *de autoservicio* zelfbedieningsrestaurant
restaurar 1 restaureren; 2 (in ere) herstellen
restitución *v* restitutie, teruggave; **restituir** restitueren, teruggeven; ~ *al estado primitivo* in de oude staat terugbrengen; **restituirse**: ~ *a* terugkeren naar
resto 1 rest, restant, overblijfsel; ~*s de comida* etensresten; ~*s mortales* stoffelijk overschot; *echar el* ~ alles op alles zetten, een laatste poging doen; 2 ~*s* wrakstukken, brokstukken; overschot
restorán *m; zie restaurante*
restregar ie (*hard*) wrijven, schuren; ~ *por las narices* (*fig*) onder de neus wrijven; ~*se los ojos* zijn ogen uitwrijven; **restregón** *m* 1 (het) wrijven; 2 geschuurde (kale) plek
restricción *v* beperking; inkrimping; **restrictivo** beperkend; **restringir** beperken; inkrimpen; aan banden leggen; ~ *a* beperken tot
resucitar I *tr* uit de dood opwekken, doen herleven; II *intr* herrijzen, weer verrijzen
resuello (het) puffen, (het) hijgen; *contener el* ~ de adem inhouden
resuelto beslist, vastberaden, doelbewust, resoluut
resulta: *de* ~*s de* tengevolge van; **resultado** resultaat, uitkomst, afloop, uitslag; uitvloeisel, gevolg; ~*s deportivos* sportuitslagen; ~*s electorales* verkiezingsuitslagen; ~*s de explotación* bedrijfsresultaten; ~ *final* eindresultaat; *dar* ~ iets opleveren; *no me da* ~ ik heb er niets aan; *dar por* ~, *tener por* ~ resulteren in, tot resultaat hebben; *un magro* ~ een mager resultaat; **resultando** (het) aangezien (*in bv vonnis*); punt van overweging; **resultante** I *bn* resulterend, (hieruit) voortvloeiend; II *v* resultante; **resultar** 1 blijken, uitvallen; zijn; worden; ~ *de* blijken uit; voortvloeien uit; ~ *herido* gewond raken; ~ *mal* slecht uitvallen; ~ *muerto* om het leven komen; 2 ~ *en* tot gevolg hebben, resulteren in, tot resultaat hebben; 3 goed uitpakken, een succes worden, lonend zijn; *no me resulta* het wordt niets
resumen *m* samenvatting, resumé, overzicht; uittreksel; syllabus; ~ *de gastos* kostenoverzicht; *en* ~ resumerend; *estado* ~ verzamelstaat; **resumido** samengevat, beknopt, summier; *en -as cuentas* kortom, resumerend; **resumiendo** per saldo, samenvattend; **resumir** samenvatten, resumeren; **resumirse** (*en*) samengevat worden (tot, in); neerkomen (op)
resurgimiento wederopleving; opstanding; wedergeboorte; **resurgir** herrijzen, weer opleven, opstaan (*uit de dood*); **resurrección** *v* (weder)opstanding, verrijzenis; **Resurrección** *v*: *Pascua de* ~ Pasen
retablo 1 altaarstuk, retabel; 2 (*religieus*) poppenspel
retaco 1 kort jachtgeweer; 2 gedrongen figuur
retador, **-ora** I *bn* uitdagend; II *zn* uitdager, -daagster
retaguardia achterhoede
retahíla reeks, sliert
retal *m* coupon (*restant stof*)
retama brem
retar uitdagen, tarten
retardado vertraagd; *acción -a* vertraagde werking; **retardador**, **-ora** vertragend; **retardar** vertragen; **retardatario**, **-a** I *bn* leidend

res

tot vertraging; II *zn* wanbetaler; **retardatriz** *bn, v* (*techn*) vertragend; **retardo** vertraging
retazo 1 coupon (*restant stof*); 2 brokstuk; flard
retén *m* piket
retención *v* 1 (het) onthouden; 2 (het) vasthouden, inhouden; inhouding (*van loon*); (*jur*) retentie; 3 (*mbt verkeer*) opstopping, vertraging; **retener** 1 onthouden; 2 vasthouden, achterhouden; *no ~ nada en el estómago* niets in zijn maag kunnen houden; 3 inhouden; *~ la respiración* zijn adem inhouden; 4 weerhouden, tegenhouden; **retenerse** zich inhouden, zich beheersen; **retentiva** geheugen
reticencia 1 achtergehouden informatie, verzwijging; achterbaksheid; 2 steek onder water; **reticente** terughoudend; achterbaks; *actitud ~* terughoudendheid
reticular netvormig; **retículo** 1 netje, netvormig weefsel; 2 (*in kijker*) dradenkruis, raster; **retina** netvlies
retintín *m* 1 nagalm; 2 spot, treiterend toontje
retirada 1 aftocht; 2 (het) terugtrekken; **retirado** 1 afgelegen; 2 teruggetrokken; 3 (*mbt militair*) gepensioneerd; **retirar** 1 terugtrekken, intrekken; wegnemen; (*diplomaat*) terugroepen; *~ de* onttrekken aan; *~ sus palabras* zijn woorden terugnemen; 2 afhalen; *~ dinero* geld opnemen; *billetes sin ~* niet afgehaalde kaarten; **retirarse** (*de*) zich terugtrekken (uit); aftreden; **retiro** 1 uittreding (*uit functie*); *~ anticipado* vervroegde uittreding, (*vglbaar*) vut; 2 (*vnl mil*) pensionering; pensioen; 3 rustig hoekje; 4 retraite
reto uitdaging
retocar bijwerken; retoucheren
retomar weer pakken; *~ el hilo* de draad weer oppakken
retoñar uitbotten; **retoño** loot, scheut, spruit (*ook fig*)
retoque *m* retouche, finishing touch, laatste hand
retorcer ue 1 omdraaien; strengelen; 2 (uit)wringen; 3 (*fig*) verdraaien; **retorcerse ue** 1 kronkelen, spartelen, zich in bochten wringen; *~ de risa* zich kapot lachen; 2 in elkaar draaien; **retorcido** 1 kronkelig, verdraaid; 2 achterbaks, sluw; **retorcimiento** 1 kronkeligheid; 2 achterbaksheid
retórica 1 retorica; 2 (*neg*) retoriek, mooie woorden, grote woorden; **retórico** retorisch; *figura -a* stijlfiguur
retornable waarop statiegeld zit, met statiegeld; **retornar** I *intr* terugkeren; II *tr* teruggeven; **retorno** terugkeer
retorsión *v* 1 verdraaiing; 2 weerlegging met dezelfde argumenten; 3 represaille
retorta retort; **retortero**: *andar al ~: a*) teveel aan zijn hoofd hebben; *b*) zijn hoofd kwijt zijn; **retortijón** *m*: *~ de tripas* buikkramp(en)
retostar ue 1 flink roosteren; 2 weer roosteren
retozar dartelen; ravotten, stoeien; **retozo** gestoei; **retozón, -ona** dartel, speels
retracción *v* intrekking, samentrekking; **retractable** herroepbaar; **retractación** *v* intrekking, herroeping; **retractar** (*zijn woorden*) intrekken, terugkomen op; **retractarse** (*de*) intrekken; terugkrabbelen; **retráctil** I *bn* intrekbaar; II *m* krimpfolie; **retracto** uitwinning; **retraer** intrekken; **retraerse** 1 zich terugtrekken, bescherming zoeken; 2 zich afzonderen; **retraído** teruggetrokken; **retraimiento** teruggetrokkenheid
retransmisión *v* 1 heruitzending; 2 rechtstreekse uitzending; **retransmitir** 1 opnieuw uitzenden, herhalen; 2 rechtstreeks uitzenden
retrasado 1 vertraagd, verlaat; achterstallig; *estar ~ en* achter zijn met; 2 achter(geraakt); (*mbt klok*) achter; 3 *~* (*mental*) achterlijk; 4 verouderd; achtergebleven; **retrasar** I *tr* 1 vertragen; 2 (*klok*) achteruitzetten; II *intr* 1 achteropraken; (*mbt klok*) achterlopen; **retrasarse** later komen, verlaat zijn; **retraso** 1 vertraging; oponthoud; *llevar ~* vertraging hebben; *sufrir un ~* vertraging ondervinden; 2 *~s* achterstand; achterstallige betalingen || *~ mental* achterlijkheid
retratar portretteren, (af)schilderen; **retratarse** een portret of foto van zichzelf laten maken; **retratista** *m,v* 1 portretschilder(es); 2 portretfotograaf, -fotografe; **retrato** 1 portret; *~ radiofónico* klankbeeld; *~ robot* robotfoto, compositiefoto; 2 evenbeeld; *es el vivo ~ de su padre* hij is sprekend zijn vader
retrechero 1 handig in het ontkomen (*aan plicht*); 2 heel aantrekkelijk
retreta taptoe, sein tot aftocht
retrete *m* (*fam*) wc, plee
retribución *v* beloning, bezoldiging; **retribuir** belonen, bezoldigen
retroactividad *v* terugwerkende kracht; **retroactivo** terugwerkend; *con efectos ~s* met terugwerkende kracht
retroalimentación *v* terugkoppeling, feedback
retroceder 1 achteruitgaan; (terug)wijken, terugdeinzen; *hacer ~* terugdringen; 2 *~ a* teruggaan tot; **retroceso** 1 (het) achteruitgaan; (het) achteruitdraaien; 2 achteruitgang (*van zieke*), terugval; 3 terugslag (*van vuurwapen*)
retrógrado 1 (*neg*) reactionair; 2 achterwaarts
retropropulsión *v* straalaandrijving
retroproyector *m* overheadprojector
retrospección *v* terugblik; **retrospectiva** overzicht, terugblik; **retrospectivo** terugkijkend
retrotraer (*a*) terugvoeren (op), in het verleden traceren; **retrotraerse** (*a*) teruggaan (*naar een tijdstip in het verleden*)
retroventa wederverkoop
retrovisor *m* achteruitkijkspiegel; *~ exterior* buitenspiegel
retruécano woordspeling
retumbante 1 daverend, dreunend, galmend;

2 (*fig*) daverend, denderend; **retumbar** (weer)galmen, dreunen, denderen, daveren
reuma *m* reuma; **reúma** *m; zie reuma*; **reumático, -a** I *bn* reumatisch; II *zn* reumapatiënt(e); **reumatismo** reumatiek
reunido bijeen; in vergadering; *el director está ~* de directeur is in bespreking; **reunificación** *v* hereniging; *~ familiar* gezinshereniging; **reunificar** herenigen; **reunión** *v* 1 bijeenkomst; vergadering; *~ anual* jaarvergadering; *~ de emergencia* spoedvergadering; *~ íntima* bijeenkomst in kleine kring; *~ de padres* ouderavond; *~ plenaria* plenaire vergadering, plenum; *convocar una ~* een vergadering bijeenroepen; 2 (het) bijeenbrengen, vereniging; **reunir ú** (weer) bijeenbrengen, verzamelen; bundelen; *~ dinero* geld bijeenbrengen; *~ documentación* een dossier samenstellen; *~ los requisitos* aan de eisen voldoen; **reunirse ú** bijeenkomen
revacunar weer inenten
reválida 1 erkenning (*van elders genoten opleiding*); 2 (*nu ongebr*) algemeen slotexamen ter verkrijging van diploma (*middelbaar onderwijs of universitaire graad*); **revalidación** *v* erkenning (*van diploma*); **revalidar** 1 (*diploma*) erkennen; 2 goedkeuren, bevestigen
revalorado hergewaardeerd; *~ periódicamente* (*mbt pensioen, vglbaar*) waardevast, geïndexeerd; **revalorización** *v* revaluatie; *~ automática* indexering; **revalorizar** revalueren, opwaarderen
revancha revanche
revelación *v* openbaring; onthulling; *hacer -ones sobre* een boekje opendoen over; **revelado** (*fot*) (het) ontwikkelen; **revelador, -ora** I *bn* onthullend, veelzeggend; II *m* (*fot*) ontwikkelaar; ontwikkelbad; **revelar** 1 openbaren, onthullen, ontsluieren; verraden, tonen; 2 (*fot*) ontwikkelen; **revelarse** zich tonen; aan de dag treden; *~ como* zich ontpoppen als
revendedor, -ora wederverkoper, -verkoopster; **revender** doorverkopen; **reventa** doorverkoop, wederverkoop
reventado kapot, doodop, geen mens meer; **reventador, -ora** iem die door luid misbaar tracht een voorstelling te doen mislukken; **reventar ie** I *intr* 1 (open)barsten; (*mbt band*) springen; *~ de envidia* barsten van jaloezie; *~ de risa* stikken van het lachen; 2 *~ por* (*fam*) hunkeren naar, smachten naar; 3 (*fam*) creperen, het loodje leggen; II *tr* 1 doen barsten; *~ los precios* dumpen; 2 (*mens, dier*) afjakkeren, afpeigeren; 3 hinderen, treiteren; 4 laten mislukken; **reventarse ie** 1 zich afpeigeren; 2 barsten, springen; *¡que te revientes!* je kan barsten!, stik maar!; 3 (*pop*) eraan gaan, creperen; **reventón, -ona** I *bn* (open)barstend; (*mbt ogen*) uitpuilend; II *m* 1 (het) openbarsten; klapband; knal; 2 dodelijke vermoeidheid; moeilijk parket; 3 enorme inspanning

reverberación *v* terugkaatsing, weerspiegeling; **reverberar** I *tr* (*licht*) terugkaatsen; II *intr* 1 weerkaatsen; 2 fonkelen; **reverberante** weerspiegelend; fonkelend
reverdecer 1 weer groen worden; 2 (*fig*) weer opbloeien, herleven
reverencia 1 diepe eerbied; piëteit; 2 révérence, buiging; 3 titel van bep geestelijken; **reverenciar** met eerbied behandelen, vereren; **reverendo** 1 eerbiedwaardig; 2 plechtig; 3 (*hist*) eerwaarde; 4 (*Am*) enorm
reversibilidad *v* omkeerbaarheid; **reversible** omkeerbaar; **reversión** *v* terugkeer naar de oude staat; **reverso** keerzijde; *~ de la medalla* keerzijde vd medaille, schaduwzijde; **revertir ie, i** 1 in de oude staat terugkeren; 2 *~ en* uitlopen op; 3 teruggaan naar de oude eigenaar;
revés *m* 1 achterkant; verkeerde kant; *al ~: a*) omgekeerd, net andersom; *b*) averechts; *al ~ de* net anders dan, in tegenstelling tot, tegen ...in; *del ~: a*) ondersteboven, binnenstebuiten; *b*) averechts; 2 klap met de rug vd hand; (*tennis*) backhand; 3 tegenslag
revestimiento 1 bekleding, laag; bedekking; *~ de freno* remvoering; *~ de madera* beschot, betimmering, lambrizering; *~ del piso* vloerbedekking; 2 wegdek; **revestir i** 1 bekleden; *~ de madera* betimmeren, beschieten; 2 (*kledingstuk*) aantrekken; 3 *~ de* de schijn geven van; 4 (*karakter*) dragen; *~ un carácter especial* een bijzonder karakter dragen; **revestirse i** (*de*) zich tooien (met); zich wapenen (met)
revigorar, revigorizar nieuwe kracht geven aan
revisar 1 nakijken, controleren; *hacer ~ el coche* de auto een beurt laten geven; 2 herzien; bewerken, bijwerken; **revisión** *v* 1 controle; herziening; 2 controlebeurt (*van auto*); 3 herziening; **revisor, -ora** (trein)conducteur, -trice; *~ automático* stempelautomaat; **revista** 1 inspectie; *~ naval* vlootschouw; *pasar ~ a* de revue laten passeren, (*troepen*) inspecteren, (*mil*) parade afnemen; 2 tijdschrift; *~ del corazón* boulevardblad; *~ mensual* maandblad; *~ profesional* vakblad; *~ semanal* weekblad; 3 (*theat*) revue; **revistar** (*troepen*) inspecteren; **revistero, -a** 1 verslaggever, -geefster (*bij krant*); 2 *m* krantenbak
revitalizar nieuw leven inblazen
revivificación *v* herleving; **revivificar** doen herleven, doen opleven; **revivir** I *intr* herleven; *hacer ~* doen herleven; II *tr* opnieuw beleven, in herinnering roepen
revocable herroepbaar, intrekbaar; **revocación** *v* 1 herroeping, intrekking; 2 ontzetting uit functie
1 revocar 1 herroepen, intrekken; *~ la huelga* de staking opheffen; *~ un testamento* een testament herroepen; 2 (*van ambtenaar*) uit zijn functie zetten
2 revocar (be)pleisteren

revoco *zie revoque*
revolcar ue 1 omverwerpen; (*fig*) onder tafel praten; 2 (*iem*) ver achter zich laten; 3 (*iem*) op zijn nummer zetten; 4 (*iem*) laten zakken; **revolcarse ue** zich wentelen (*in stof*)
revolotear fladderen, dwarrelen, wervelen; ~ *alrededor de* zwermen om; **revoloteo** 1 (het) dwarrelen, (het) zwermen; 2 opschudding
revoltijo, **revoltillo** bundeltje; rommeltje
revoltoso, **-a** I *bn* 1 opstandig; 2 baldadig; (*mbt kind ook*) wild; II *zn* oproerkraaier
revolución *v* 1 revolutie, omwenteling; 2 (*techn*) omwenteling, toer; *número de -ones* toerental; 3 (*astron*) omloop; **revolucionario** revolutionair
revolver ue 1 omwoelen, overhoop halen, graaien in, rommelen in; 2 (om)roeren; 3 in opstand brengen (*ook fig*); *eso me revuelve el estómago* dat voel ik in mijn maag, daar keert mijn maag zich van om; 4 (*mbt kinderen*) veel drukte veroorzaken, roerig zijn; **revolverse ue** 1 zich omdraaien, terugkeren; 2 zich roeren; *no poder* ~ zich niet kunnen roeren; 3 ~ *contra* zich keren tegen; 4 troebel worden (*door roeren*); 5 (*mbt weer*) omslaan, stormachtig worden
revólver *m* revolver
revoque *m* bepleistering, pleisterwerk
revuelco (het) omgooien; val
revuelo opschudding; *causar* ~ opzien baren, opschudding veroorzaken; *hay* ~ (*fig*) het rommelt
revuelta 1 (het) weer terugkeren; 2 oproer; straatruzie, rel; 3 bocht, draai (*in weg*); **revuelto** 1 verward, rommelig, door elkaar; *huevos ~s* roereieren; 2 troebel; 3 roerig, druk; wild; opstandig; *mar* ~ onstuimige zee
revulsivo gebeurtenis met (*gunstig*) schokeffect
rey *m* 1 koning; *los ~es* (*ook*) de koning en de koningin; ~ *de la evasión* boeienkoning; *a ~ muerto ~ puesto* de koning is dood, leve de koning!; *hablando del ~ de Roma por la puerta asoma* als je over de duivel spreekt, trap je op zijn staart; *ni ~ ni Roque* niets of niemand; *no quito ni pongo* ~ ik wil niet partijdig zijn, ik wil me nergens mee bemoeien; *tener un ~ en el cuerpo* graag de baas spelen; 2 (*kaartsp*) heer; **Rey** *m: los ~es Magos* de drie koningen; *el ~ Sol* de Zonnekoning; *día de ~es* Driekoningen (*6 januari*)
reyerta handgemeen
reyezuelo goudhaantje
rezagado, **-a** I *bn* achtergeraakt; *quedar* ~ achterraken; II *zn* achterblijver, -blijfster; **rezagarse** een achterstand oplopen
rezar I *tr* 1 bidden; ~ *por* bidden voor; II *intr* 1 luiden; *el texto reza…* de tekst luidt…; 2 ~ (*con, para*) gelden (voor), van toepassing zijn (op); *no reza contigo: a*) het slaat niet op jou; *b*) het past niet bij jou
rezno soort teek
rezo gebed; *dirigir el ~, llevar el* ~ voorgaan in het gebed
rezongar brommen, pruttelen, sputteren
rezumadero vochtige plek (*waar iets doorsijpelt*); **rezumar** I *tr* 1 (*vocht*) laten doorsijpelen; *la pared rezuma humedad* de muur slaat door; 2 (*fig*) ademen, afstralen; *le rezuma la envidia* de jaloezie straalt er vanaf; II *intr* doorsijpelen, (uit)lekken (*ook fig*); **rezumarse** *zie rezumar II*
Rh *factor Rhesus* resusfactor; **rhesus**: (*factor*) ~ *m* resusfactor
ría brede riviermond, getijrivier (*bv in Galicië*); **riachuelo** stroompje; **riada** 1 (het) wassende water; 2 (*fig*) stroom, massa
ribera oever; **ribereño**, **-a** I *bn* vd oever, oever-; II *zn* oeverbewoner, -bewoonster
ribete *m* 1 bies; 2 grapje (*in betoog*); 3 ~*s* trekken, kant; *tiene sus ~s de artista* hij heeft wel iets artistieks; **ribeteado** afgebiesd, omrand; **ribetear** afbiezen; omzomen
ricacho, **-a**, **ricachón**, **-ona** rijkaard, rijk mens
ricamente prettig, heerlijk
ricino ricinusboom, wonderboom; *aceite de* ~ wonderolie
ricito krulletje
rico 1 rijk; ~ *en proteínas* rijk aan eiwitten; *hacerse* ~ rijk worden, zich verrijken; 2 lekker; *está muy* ~ het smaakt heerlijk; 3 (*mbt kind*) schattig || *¡qué ~!* (*neg*) leuk hoor!, hoor die eens!
rictus *m* krampachtige trek (*om de mond*)
ricura 1 (het) lekker zijn; 2 snoezig uiterlijk || *¡qué ~ de…!* wat een verrukkelijk…!
ridiculez *v* 1 belachelijkheid; lachertje; 2 iets onbenulligs; **ridiculizar** belachelijk maken; **ridículo** I *bn* belachelijk, bespottelijk; lachwekkend; *hacer el* ~ een figuur slaan, zich blameren; *poner en* ~ belachelijk maken; *quedar en* ~ in zijn hemd staan; II *zn* belachelijke situatie
riego bevloeiing, irrigatie; ~ *por aspersión* beregening, (het) sproeien; ~ *sanguíneo* bloedsomloop
riel *m* 1 metalen staaf; 2 rail
rielar (*lit*) schitteren (*bij spiegeling in water*)
rienda teugel, leidsel; *a ~ suelta* erop los, tomeloos; *aflojar las ~s* de teugels laten vieren; *dar ~ suelta a: a*) de vrije loop laten, botvieren; *b*) (*iem*) alle vrijheid geven; *tirar de la* ~ (*fig*) afremmen, de teugel aanhalen; *tomar las ~s* de teugels in handen nemen; *volver las ~s* rechtsomkeert maken
riente lachend, fleurig
riesgo risico, gevaar; ~ *de guerra* molest; ~ *de incendio* brandgevaar; *asegurar a todo* ~ allrisk verzekeren; *capital a* ~ risicodragend kapitaal, venture capital; *correr el ~ de* gevaar lopen om; *grupo de ~, grupo alto* ~ risicogroep; *implica algún* ~ er is enig gevaar aan verbonden; *tomar ~s* risico's nemen
rifa verloting, tombola; **rifar** verloten

rifeño uit het Rifgebergte (*Marokko*)
rifle *m* geweer (*met getrokken loop*)
rigidez *v* onbuigzaamheid; **rígido** 1 stijf, stram; *quedarse* ~ verstijven; 2 onbuigzaam, star; streng; *rostro* ~ strak gezicht; **rigor** *m* 1 strengheid, onbuigzaamheid, striktheid; *de* ~: *a*) verplicht; *b*) obligaat, geijkt; *en* ~ eigenlijk, strikt genomen; *es el* ~ *de las desdichas* hij is een ongeluksvogel, alles loopt hem tegen; 2 exactheid; rechtlijnigheid; onverbiddelijke logica; 3 hardheid (*van klimaat*); **rigorismo** (overdreven) strengheid; extreem formalisme; **rigurosidad** *v; zie rigor*; **riguroso** 1 streng, strikt, onvermurwbaar; 2 strikt; stringent; 3 (*mbt klimaat*) hard, guur; **rigurosamente** stipt; ~ *personal* strikt persoonlijk; *seguir* ~ stipt nakomen
rima 1 rijm; ~ *asonante* halfrijm; ~ *consonante* volrijm; 2 gedicht, rijm(pje); **rimado** op rijm; **rimar** I *intr* 1 gedichten schrijven; 2 (*mbt klank*) rijmen; 3 ~ *con* zich laten rijmen met, passen bij; *eso no rima* dat slaat nergens op; II *tr* laten rijmen
rimbombancia 1 ophef, plechtig gedoe; 2 (*mbt taal*) gezwollenheid; **rimbombante** hoogdravend, bombastisch, gezwollen
rímel *m* mascara
rimero stapel, berg (*dingen*)
Rin: *el* ~ de Rijn; *vino del* ~ rijnwijn
rincón *m* 1 hoek; *botar desde el* ~ een corner plaatsen; 2 uithoek; **rinconcito** hoekje; **rinconera** hoekmeubel, hoekkast
ring *m* (boks)ring
ringla, **ringlera** rij
ringorrangos *mmv* tierelantijntjes
rinitis *v* ontsteking vh neusslijmvlies
rinoceronte *m* rinoceros
riña ruzie, twist; vechtpartij
riñón *m* 1 nier; ~ *flotante* wandelende nier; *costar un* ~ een kapitaal kosten, peperduur zijn; *pegarse al* ~ (*mbt eten*) erg voedzaam zijn; *tener el* ~ *bien cubierto* er warmpjes bij zitten; 2 (*fig*) kern, hart; 3 *-ones* onderste deel vd rug, lendenen; *me duelen los -ones* ik heb pijn in mijn rug; 4 *-ones* lef; *tener -ones* lef hebben
río rivier; stroom; ~ *abajo* stroomafwaarts; ~ *arriba* stroomopwaarts; *a* ~ *revuelto ganancia de pescadores* in troebel water is het goed vissen; *navegar* ~ *abajo* de rivier afzakken; *pescar en* ~ *revuelto* in troebel water vissen
rioja *m* wijn uit de Rioja (*streek in Noord-Spanje*); **riojano** uit de Rioja-streek
rioplatense uit het gebied van de Río de la Plata
riostra tui
ripio 1 puin, steenresten; 2 stoplap, woord terwille vh rijm || *no perder* ~ zijn oren spitsen
riqueza 1 rijkdom; ~ *pesquera* visrijkdom; 2 ~*s* rijkdommen, kostbaarheden, schatten; ~*s del suelo* bodemschatten
risa 1 lach; (het) lachen; ~*s* gelach; ~*s burlonas* hoongelach; ~ *de conejo* zuur lachje; ~ *floja* slappe lach; ~ *sardónica*: *a*) (*med*) krampachtige grijns; *b*) boosaardige lach, grijnslach; ~*s tontas* gegiechel; *caerse de* ~ omvallen van het lachen; *cosa de* ~ iets lachwekkends; *entre* ~*s* onder gelach; *me da* ~ ik moet erom lachen; *mondarse de* ~ zich een ongeluk lachen; *morirse de* ~ zich kapot lachen; *partirse de* ~ gieren van het lachen; *soltar la* ~ in lachen uitbarsten; *tener la* ~ *fácil* goedlachs zijn; *tomar a* ~ *u.c.* om iets lachen, iets niet serieus nemen; 2 iets lachwekkends; *es la* ~ *de todos* iedereen lacht erom
riscal *m* plek met steile rotsen; **risco** steile rots
risibilidad *v* lachwekkendheid; **risible** lachwekkend; **risilla**, **risita** lachje; ~ *de conejo* zuur lachje; ~ *forzada* geforceerd lachje; **risotada** luid gelach, geschater, lachsalvo
ristra 1 sliert (*knoflook*); 2 reeks, sleep
ristre *m* lansschoen
risueño (glim)lachend; (*fig*) zonnig, fleurig
rítmico ritmisch; **ritmo** ritme; (*fig*) tempo; ~ *monótono* saaie leestoon, dreun; ~ *de(l) trabajo* werktempo; *seguir el* ~ *de* bijbenen, bijhouden; *tomar un* ~ *acelerado*: *a*) versneld worden; *b*) (*fig*) in een stroomversnelling raken
rito ritueel, rite; **ritual** I *bn* ritueel; II *m* ritueel; *de* ~: *a*) zoals het ritueel voorschrijft; *b*) gebruikelijk, geijkt
rival *m,v* rivaal, rivale; **rivalidad** *v* rivaliteit, wedijver
rizado I *bn* krullerig, gekruld; *col* ~ boerenkool; *mar* ~ zee met witte schuimkoppen; *pelo* ~ krulhaar; II *m* (het) krullen; **rizador** *m* krultang; **rizar** 1 (*haar*) krullen; 2 (*zee*) woelig maken; 3 (*stof*) rimpelen; **rizarse** (*mbt haar*) krullen; **rizo** 1 krul (*in haar*); 2 looping; 3 (*scheepv*) reef(je)
rizoma *m* wortelstok
rizoso krullerig
roa boeg, voorsteven
roano (*mbt paard*) appelgrauw
robador *m* verloopstekker
róbalo zeebaars
robar 1 roven; stelen; (*iem*) beroven, bestelen; ~ *carteras* zakkenrollen; ~ *el sueño* van zijn slaap beroven; 2 teveel geld vragen, (*fig*) uitkleden; 3 (*kaartsp*) van de stok nemen
roblar (*techn*) klinken
roble *m* 1 eik; eikehout; 2 sterke man; *un tío como un* ~ een boom van een kerel; **robleda** eikebosje; **robledal** *m* eikebosje; **robledo** eikebosje
roblón *m* klinkagel
robo 1 diefstal, beroving, roof; ~ *con asalto* roofoverval; ~ *con escalamiento*, ~ *con fractura* inbraak; ~ *con homicidio* roofmoord; *cometer un* ~ diefstal plegen; 2 (het) te duur verkopen; 3 (*kaartsp*) (het) pakken van de stok
robot *m* robot; *retrato* ~ geconstrueerd portret (*voor opsporing*)
robustecer versterken; **robustecimiento** ver-

sterking; **robustez** *v* kracht; **robusto** fors, robuust, potig
roca 1 rots, klip; rotsblok; ~ *viva* kale rots(bodem); *como (una)* ~ muurvast; 2 gesteente; **rocalla** steensplinters
roce *m* 1 (*zachte*) aanraking; *tener ~s* aanlopen, schuren; 2 omgang; 3 *~s* (*fig*) wrijvingen
rociada 1 besprenkeling; 2 dauw; 3 (*fig*) regen, zwerm; reeks; 4 (*fig*) de volle laag, kritiek; **rociador** *m* sprinklerkop; *sistema de -ores automáticos* sprinklersysteem; **rociar** í I *intr* 1 dauwen; 2 motregenen; II *tr* (be)sprenkelen, sproeien, begieten; over'gieten; (*vlees*) bedruipen; ~ *la comida* iets drinken bij het eten
rociero, -a deelnemer aan pelgrimstocht naar El Rocío
rocín *m* knol (*paard*); **rocinante** *m; zie rocín*
rocío 1 dauw; 2 motregen; **Rocío** 1 meisjesnaam; 2 *El* ~ pelgrimsoord in Andalusië
rockero vd rock en roll; *conjunto* ~ rockgroep
rococó *m* rococo
rocoso rotsig, rotsachtig
roda voorsteven
rodaballo tarbot
rodada wielspoor; **rodado** 1 ervaren; 2 rijdend; *circulación -a, tránsito* ~ rijdend verkeer; *tren de* ~ onderstel (*van trein*); **rodadura** (het) rollen, (het) rijden; *capa de* ~ slijtlaag, loopvlak
rodaja 1 schijf, plak; *cortar en ~s* in plakken snijden; 2 (*techn*) rondje, schijf; ~ *de cuero* leertje (*in kraan*); 3 spoor (*aan rijlaars*); **rodaje** *m* 1 opname (*van film*); 2 (het) inrijden (*van auto*); **rodajera** schaaf (*bv voor komkommer*)
rodamiento lager; ~ *a, de bolas* kogellager
Ródano Rhône
rodante rijdend, rollend; *escalera* ~ roltrap
rodapié *m* plint
rodar ue I *intr* 1 rollen; *bajar rodando* naar beneden rollen; *echarlo todo a* ~ (zijn geduld verliezen en) alles verknoeien; 2 rijden; 3 veel reizen, veel meemaken; *ha rodado mucho* hij is overal geweest, hij heeft veel vd wereld gezien; 4 rondwaren, (rond)zwerven; *andar rodando: a)* alles aflopen; *b)* zwerven, geen vaste woonplaats hebben; *me está rodando por la cabeza* het speelt steeds door mijn hoofd; II *tr* 1 (*film*) opnemen, filmen; 2 (*auto*) inrijden
rodear I *tr* 1 ~ (*de*) omringen (met); 2 omsingelen; omsluiten; ~ *con el brazo* zijn arm slaan om; II *intr* een omweg maken
rodela rond schild
rodeo 1 omweg (*ook fig*); *andar con ~s* er omheen draaien; *dar un* ~ een omweg maken; *sin ~s* zonder omwegen; 2 (het) bijeendrijven van vee; 3 plaats waar vee wordt samengedreven
rodera (*diep*) wielspoor, karrespoor
rodete *m* 1 kussentje op het hoofd (*om last op te dragen*); 2 haarwrong
rodilla knie; *caer de ~s ante* een knieval doen voor; *de ~s* op zijn knieën, geknield; *doblar la ~, hincar la ~: a)* knielen; *b)* zich onderwerpen, het hoofd buigen; *se le doblan las ~s* zijn knieën knikken; **rodillazo** 1 kniestoot; 2 knieval; **rodillera** 1 kniebeschermer; 2 vorm vd knie in broekspijp, knie; 3 verstelde plek op de knie; **rodillo** 1 rol; roller (*bv verfroller*); ~ *entintado* inktrol; ~ *pastelero* deegrol; 2 wals
rododendro rododendron
rodrigón *m* (steun)stok (*voor plant*)
Rodríguez: *un* ~ echtgenoot die achterblijft als vrouw en kinderen met vakantie zijn (en het ervan neemt)
roedor, -ora I *bn* knagend; II *m* knaagdier; **roedura** (het) knagen; afgeknaagde plek; afdruk van knaagtanden; **roer** 1 knabbelen, knagen; ~ *las uñas* nagelbijten; 2 knauwen, kluiven; *duro de* ~ een hele kluif
rogar ue 1 verzoeken, vragen; 2 smeken; *hacerse (de)* ~ zich laten smeken; *no hacerse (de)* ~ zich iets geen twee keer laten zeggen; 3 ~ *por* bidden voor
rojizo rossig; **rojo** rood; ~ *cereza* kersrood; ~ *como un cangrejo* zo rood als een kreeft; ~ *encendido* vuurrood; ~ *de labios* lippenstift; ~ *(de) ladrillo* steenrood; ~ *como la sangre,* ~ *sanguíneo* bloedrood; ~ *de señal* signaalrood; *(caliente) al* ~ roodgloeiend; *estar en* ~ (*mbt verkeerslicht*) op rood staan; *ponerse* ~ rood worden; *subir al* ~ *vivo* ten top stijgen; *tener la cuenta en* ~ rood staan
rol *m* 1 lijst (*met namen*); 2 monsterrol
roldana katrolschijf
rollazo (*fam*) iets vervelends; vervelend mens, zeur; **rollista** *m,v* (*fam*) 1 vervelend mens; 2 fantast(e), iem die alles opblaast; **rollizo** mollig; **rollo** 1 rol; ~ *de cocina* keukenrol; ~ *de grasa* vetrol; *un* ~ *de manteca* een blakend gezonde baby; ~ *de pastelero* deegrol; ~ *(de película)* filmpje; *en* ~ (*mbt hout*) ongezaagd; 2 gezeur; *es un* ~ het is stomvervelend, het is een ellende; *meter un* ~ *a u.p.* tegen iem ouwehoeren; *mucho* ~ oeverloos gezwam; *soltar el* ~ van wal steken, bazelen, zaniken; 3 verzinsel; 4 vervelend mens; 5 leven, levenssituatie, toestand; 6 drugsscene; 7 rond broodje || *montarse su* ~ de zaak opzetten
Roma Rome; *revolver* ~ *con Santiago* hemel en aarde bewegen
romadizo neusverkoudheid
romana soort weegschaal, unster
romance *m* 1 bep dichtvorm, (*vglbaar*) ballade; 2 Romaanse taal; (*hist*) Spaans; *hablar en* ~ zich duidelijk uitdrukken, zijn moerstaal spreken; 3 *~s* praatjes, gezwam; 4 (*soms*) romance, idylle; **romancero** verzameling romances
románico Romaans; **romanista** *m,v* romanist(e); **romanización** *v* romanisering; **romanizar** romaniseren; **romano, -a** I *bn* 1 Romeins; 2 *(católico)* ~ rooms-katholiek; II *zn* Romein(se); *obra de ~s* heidens karwei, moeizaam werk
romanticismo romantiek; **romántico** romantisch; **romantizar** romantiseren

rombo 1 (*wisk*) ruit; 2 (*kaartsp*) ruiten; **romboidal** ruitvormig
romeral *m* veld met rozemarijn
romería 1 (*Sp*) bedevaart, pelgrimage; 2 volksfeest (*bij bedevaart*); 3 oploop, toeloop
1 romero, -a pelgrim
2 romero rozemarijn
romo 1 bot, stomp; 2 (*mbt neus, vinger*) stomp
rompecabezas *m* (leg)puzzel; **rompedor, -ora** die veel slijt, die veel breekt; **rompehielos** *m* ijsbreker; **rompehuelgas** *m* stakingsbreker; onderkruiper; **rompeolas** *m* golfbreker; **rompepavimentos** *m* boorhamer; **romper** I *tr* 1 (door)breken, verbreken, afbreken, openbreken; 2 (door)scheuren; doorklieven; 3 ingooien, inslaan; 4 verslijten, kapot maken; 5 beginnen met; ~ *el fuego* het vuur openen; II *intr* 1 breken; ~ *por todo* zich door niets laten weerhouden; *se le rompió la voz* haar stem stokte; 2 (*mbt vrienden*) met elkaar breken; 3 ~ *a + onbep w* plotseling beginnen te (*vnl huilen, lachen*); *rompió a llorar* hij barstte in huilen uit; 4 ~ *con* breken met; 5 ~ *en* (*fig*) uitbarsten; ~ *en sollozos* in snikken uitbarsten || *al ~ el alba* bij het aanbreken vd dag; *de rompe y rasga* voortvarend, doortastend; **romperse** 1 kapot gaan, stuk gaan, (*fig*) sneuvelen; 2 ('door)breken, knappen, knakken; 3 scheuren; **rompiente** *m* 1 uitsteeksel onder water (*waarop golven breken*); 2 breker; branding
ron *m* rum
roncador, -ora snurkend, die snurkt; **roncar** 1 snurken; 2 ronken
roncha 1 rood bultje (*bv van insektebeet*); 2 blauwe plek; 3 plakje (*worst*); **ronchar** knabbelen
ronco schor, hees, rauw
ronda 1 ronde; 2 patrouille; ~ *de noche* Nachtwacht (*van Rembrandt*); *ir de* ~ patrouilleren; 3 straatmuzikanten (*vaak studenten*); 4 een rondje (*geven*); 5 rondweg; **rondalla** straatorkest (*met zang*); **rondar** I *intr* 1 de ronde doen; 2 's nachts door de straten lopen; II *tr* 1 zich bewegen rondom; ~ *la llama* om de vlam fladderen; ~ *los 30* rond de 30 zijn; 2 's nachts lopen door; 3 (*iem*) steeds achternalopen (*om iets gedaan te krijgen*); belagen; *me ronda el sueño* ik val bijna in slaap; *me está rondando una gripe* ik sta op het punt griep te krijgen; 4 (*een meisje*) het hof maken, achternalopen
rondeño uit Ronda (*Andalusië*)
rondón: *de* ~ zonder waarschuwing, zomaar ineens
ronquear schor zijn, schor klinken; **ronquedad** *v* heesheid, schorre keel; **ronquera** chronische heesheid, schorre stem; **ronquido** 1 gesnurk; 2 geronk
ronronear 1 (*mbt kat*) snorren, spinnen; 2 (*mbt idee*) door het hoofd spelen; 3 (*mbt motor*) zacht brommen, snorren; **ronroneo** 1 (*mbt kat*) (het) snorren, (het) spinnen; 2 (*mbt motor*) gebrom; 3 geroezemoes
röntgen *m* röntgen; **röntgenterapia** röntgentherapie
ronza: *a la* ~ (*scheepv*) onder de wind
ronzal *m* halster
ronzar knabbelen
roña 1 (vee)schurft; 2 (*vastzittend*) vuil, smerige korst; 3 verdorvenheid; 4 (*fam*) gierigheid; 5 *m,v* gierig mens; **roñería** gierigheid; **roñica** *m,v* gierig mens; **roñosería** gierigheid, vrekkigheid; **roñoso, -a** I *bn* 1 schurftig; 2 smerig; 3 geroest; 4 gierig, krenterig; II *zn* gierigaard
ropa 1 goed, wasgoed; ~ *blanca* de witte was, linnengoed; ~ *de cama* beddegoed; ~ *de color* bonte was; ~ *de mesa* tafelgoed; *la ~ sucia se lava en casa* je moet de vuile was niet buiten hangen; 2 kleren, kleding; ~*s* kledij; ~ *de abrigo* warme kleding; ~ *confeccionada*, ~ *hecha* confectiekleding; ~ *de deporte* sportkleding; ~ *de dormir* nachtgoed; ~ *exterior* bovenkleding; ~ *impermeable* regenkleding; ~ *interior* ondergoed; ~ *de maternidad* positiekleding; ~ *de sport*, ~ *de asueto* vrijetijdskleding; ~ *usada* gedragen kleding; *cambiar de* ~ zich verkleden; *guardar la* ~ buiten schot blijven; *nadar y guardar la* ~ profiteren zonder risico's te lopen; *sus mejores ~s* zijn beste plunje; *no tocarle la ~ a u.p.* iem geen haar krenken; *tentarse la* ~ zich wel drie keer bedenken || *a quema* ~ recht voor zijn raap; **ropaje** *m* 1 gewaad; 2 (veel) kleren; 3 aankleding, uiterlijke schijn, verpakking; **ropavejería** uitdragerij; **ropavejero, -a** uitdrager; **ropero** I *bn* voor kleren; *armario* ~ klerenkast; II *zn* klerenkast; **ropón** *m* lang overkleed
roque: *estar* ~ diep in slaap zijn
roquero vd rots, in de rots; *jardín* ~ rotstuin
roquete *m* superplie, koorkleed
rorcual *m* soort walvis
ro-ro roll-on-roll-off-schip, autoveer
rorro zuigeling
ros *m* Sp militair hoofddeksel, soort sjako
rosa I *zn* 1 roos; ~ *de brújula*, ~ *de compás* kompasroos; ~ *de té* theeroos; ~ *náutica*, ~ *de los vientos* windroos; *como una* ~ zo fris als een hoentje; *como las propias ~s* zeer naar zijn zin; *no hay ~ sin espinas* geen roos zonder doornen; 2 rozet (*rond kerkraam*); 3 *m* roze kleur; II *bn, onv* roze; *novela* ~ keukenmeidenroman; *verlo todo color de* ~ alles rooskleurig zien; **rosáceo** 1 roze; 2 roosvormig, roosbloemig; **rosado** 1 roze; 2 (*mbt wijn*) rosé; **rosal** *m* rozestruik; **rosaleda** rosarium; **rosario** 1 (*r-k*) rozenkrans; 2 reeks, aaneenschakeling; 3 (jakobs)ladder (*van baggermolen*); **Rosario** meisjesnaam
rosbif *m* rosbief
rosca 1 schroefdraad; *pasarse de ~: a)* (*mbt schroef*) doldraaien, niet pakken; *b)* (*fig*) doordraven, zich vergalopperen; 2 krans (*brood of taart*); 3 vetrol || *hacer la* ~ vleien; *hecho una* ~ (*mbt dier*) opgerold; **roscado** (het) aanbrengen van schroefdraad; **roscar**

(*techn*) draad tappen, draad snijden; **rosco** 1 krans (*brood of taart*); 2 vetrol; 3 (*op school*) onvoldoende; **roscón** *m* 1 krans (*brood of taart*); ~ *de Reyes* driekoningenkrans (*met boon erin*); 2 (*op school*) onvoldoende
roséola soort huidziekte met rode uitslag
roseta 1 blos; 2 rozet; 3 broes (*van gieter*); 4 ~*s* popcorn; **rosetón** *m* rozet; rond kerkraam; ronde versiering (*bv in het midden van plafond*)
rosicler *m* 1 morgenrood; 2 ~ *alpino* alpengloeien
rosquilla 1 (koek)kransje; *venderse como ~s* als warme broodjes over de toonbank gaan, wegvliegen; 2 bep larve
rostro gelaat, gezicht; ~ *pálido* bleekgezicht; ~ *patibulario* boeventronie; *echar en ~* verwijten
1 rota rotan
2 rota koers
rotación *v* 1 draaiing, omloop, (om)wenteling, rotatie; *de ~ derecha* rechtsdraaiend; 2 toerbeurt; *por ~* bij toerbeurt; 3 wisseling, verloop (*van personeel*); ~ *de cultivos* wisselbouw, vruchtrotatie; **rotar** rouleren
rotario vd rotaryclub, rotarian; *Club ~* Rotaryclub
rotativo draaibaar; roulerend; *prensa -a* rotatiepers; **rotatorio** draaiend
roten *m* rotan
roto I *bn* 1 stuk, kapot, gehavend; 2 haveloos, in lompen; II *zn* 1 scheur, kapotte plek; *nunca falta un ~ para un descosido* op ieder potje past een dekseltje; 2 (*Chili*) iem uit het volk; 3 (*Argentinïe, Peru*) scheldwoord voor Chileen
rotonda 1 rotonde; 2 rond gebouw, rond vertrek
rotor *m* 1 rotor; anker; 2 schoepenrad
rótula knieschijf
rotulación *v* etikettering; **rotulado** *zie rotulación*; **rotulador, -ora** 1 *m* viltstift; 2 *v* etikettermachine; **rotular** 1 opschriften aanbrengen; 2 etiketteren
rotuliano: *reflejo ~* kniereflex
rótulo 1 opschrift; 2 etiket; 3 naambord; uithangbord; ~ *callejero* straatnaambord; 4 aanplakbiljet
rotundamente ronduit, pertinent, glashard; *negarse ~* het vertikken; **rotundo** 1 onomwonden; 2 (*mbt taal, zin, tekst*) goed geformuleerd, welgevormd, fraai; 3 volledig, glansrijk; *un éxito ~* een doorslaand succes
rotura (het) breken, breuk; ~ *muscular* gescheurde spier; *punto de ~* breekpunt
roturación *v* ontginning; **roturador, -ora** ontginnend; **roturadora** ploeg om mee te ontginnen; **roturar** ontginnen
roza sleuf (*in muur, voor leidingen*); **rozadura** schaafwond; schampschot; **rozagante** 1 schitterend, fantastisch; 2 opzichtig; 3 verwaand; **rozamiento** 1 aanraking; 2 wrijving (*ook fig*); (het) schuren (langs); 3 omgang; **rozar** 1 (licht) aanraken, aanroeren, beroeren; 2 schuren langs, schaven; scheren over; (*mbt wiel*) aanlopen; *volar rozando el agua* over het water scheren; 3 (*fig*) raken, grenzen aan; *roza los 40* hij loopt tegen de 40; 4 sleuven maken in (*muur, voor leidingen*); 5 wieden, vrij van onkruid maken; **rozarse** 1 zich schrammen, zich schaven; 2 slijten; 3 met elkaar omgaan
rubber *m* (*bridge*) robber
rubefacción *v* (*med*) (het) rood worden
rubéola rodehond
rubí *m* robijn
rubia 1 blondine; 2 bestelauto (*met houten carrosserie*); 3 (*fam*) peseta; **rubiales** *m,v* blond mens
rubicundez *v* 1 rode kleur (*van gezicht*); (*med*) ziekelijke rode kleur; 2 rossigheid; **rubicundo** 1 met rood gezicht; 2 blakend van gezondheid; 3 rossig
rubio, -a I *bn* blond; ~ *ceniciento*, ~ *ceniza* asblond; ~ *claro* lichtblond; ~ *oscuro* donkerblond; ~ *pajizo* stroblond; ~ *platinado* platinablond; *cerveza -a* pils; *cigarrillo ~* lichte sigaret; II *zn* 1 blonde man, blonde vrouw; 2 *m* blonde kleur; 3 *el ~* de koperen ploert, de zon
rublo roebel
rubor *m* 1 (het) blozen, schaamrood; 2 gêne, schaamte; **ruborizar** doen blozen; **ruborizarse** blozen, zich schamen
rúbrica 1 paraaf; ondertekening; 2 (onder)titel || *de ~* voorgeschreven, gebruikelijk; **rubricar** 1 van paraaf voorzien, paraferen; 2 ondertekenen; 3 (*fig*) onderschrijven
1 ruche *m* jonge ezel
2 ruche *m* ruche
rucio lichtgrijs
rudez *v* ruwheid, grofheid
rudimentario rudimentair; **rudimento** rudiment; ~*s* beginselen
rudo 1 ruw, grof; 2 primitief, ongekunsteld; 3 guur; 4 (*mbt landschap*) woest, ruig; 5 hard; *un ~ golpe* een zware slag
rueca spinrokken
rueda 1 wiel, rad; ~ *de cola* staartwiel; ~ *delantera* voorwiel; ~ *dentada*, ~ *de engranaje* tandrad; ~ *de la fortuna* rad van fortuin; ~ *de molino* molensteen; ~ *orientable*, ~ *pivotante* zwenkwiel; ~ *de paletas* scheprad, schoepenrad; ~ *posterior*, ~ *trasera* achterwiel; ~ *de reserva* reservewiel; ~ *de* (*Santa*) *Catalina: a*) schakelrad (*in horloge*); *b*) essentieel onderdeel; *comulgar con ~s de molino* te goedgelovig zijn, alles voor zoete koek slikken; *ir con ~ libre* freewheelen; *marcha sobre ~s* het loopt op rolletjes; *sobre ~s* op wielen, rijdend; 2 ronde plak; ~ *de prensa* persconferentie; 3 kring || *hacer la ~* (*bv mbt pauw*) pronken, het hof maken, de aandacht vh vrouwtje trekken (*in de paartijd*); **ruedo** 1 omtrek; 2 rond strijdperk, arena; *echarse al ~* zich in de strijd mengen; 3 (ronde) mat

ruego verzoek, vraag; *~s y preguntas* rondvraag; *a ~ de* op verzoek van; *acceder a un ~* aan een verzoek voldoen
rufián *m* 1 pooier, souteneur; 2 schoft, schurk; **rufianesca** onderwereld; **rufianesco** schofterig; vd onderwereld
rugby *m* rugby
rugido gebrul, (het) brullen; **rugir** brullen, bulderen; bruisen
rugosidad *v* 1 oneffenheid, ruwheid; 2 rimpel; **rugoso** ruw, hobbelig, oneffen
ruibarbo rabarber
ruido 1 geluid; *~s ambientales* omgevingsgeluid, geluidshinder; *~ de fondo* (*hifi*) ruis; *~s molestos* geluidshinder; *~ parásito* storing (*op radio*); *hacer ~s* (*mbt maag*) knorren; 2 lawaai, kabaal, geraas, rumoer; *~ infernal* hels kabaal; *hacer ~: a*) lawaai maken; *b*) opschudding veroorzaken; *mucho ~ y pocas nueces* veel geschreeuw en weinig wol; **ruidoso** 1 lawaaierig, luidruchtig, rumoerig; 2 opzienbarend
ruin 1 gemeen, laag, vuig; 2 gierig, kleinzielig
ruina 1 ruïne, bouwval; *caer en ~s, quedar en ~s* in puin vallen, instorten; *una casa en ~s* een vervallen huis; *declarar en ~* onbewoonbaar verklaren; 2 ondergang, val; verderf; *dejar en la ~* ruïneren; *llevar a la ~* ten gronde richten; *quedarse en la ~* geruïneerd zijn; 3 (*menselijk*) wrak; *hecho una ~* (*mbt persoon*) verlopen
ruindad *v* 1 gemeenheid, laagheid; 2 gierigheid
ruinoso 1 vervallen, bouwvallig; *declarar ~* onbewoonbaar verklaren; *edificio ~* afbraakpand; 2 (*mbt kosten*) zeer hoog; (*mbt prijs*) zeer laag; *precio ~* afbraakprijs; *a precios ~s* ver onder de prijs
ruiseñor *m* nachtegaal
ruleta roulette
rulo 1 rol, cilinder; 2 krulspeld, rol
Rumania Roemenië; **rumano** Roemeens
rumba rumba
rumbo 1 streek (van kompas); 2 koers; *~ a* in de richting van; *el ~ que toma la conversación* de kant die het gesprek opgaat; *andar sin ~, ir sin ~* doelloos rondlopen, zwalken; *cambiar de ~* het roer omgooien; *con ~ a* (*mbt schip*) met bestemming; *dar otro ~ a* een andere wending geven; *hacer ~ a* koers zetten naar; 3 vertoon, pracht en praal; 4 gulheid; **rumboso** 1 zeer royaal, gul; 2 luisterrijk, in grootse stijl
rumiador, -ora piekeraar(ster); **rumiante** I *bn* herkauwend; II *mmv: ~s* herkauwers; **rumiar** 1 herkauwen; 2 peinzen over, broeden op
rumor *m* 1 gedruis, vage geluiden; 2 gerucht; *hay ~es de que…* het gerucht wil dat…; 3 geruis; gekabbel; **rumorearse**: *se rumorea que…* er wordt gemompeld dat…, het gerucht gaat dat…; **rumoroso** 1 ruisend, kabbelend; 2 vol geluiden
runrún *m* 1 gegons (*van stemmen*); 2 gerucht, praatjes; 3 (het) spinnen (*mbt kat*); **runrunearse**: *se runrunea que…* het gerucht gaat dat…; **runruneo** 1 gezoem, gegons; 2 geruis, (het) suizen
rupestre rots-, vd rotsen; *pintura ~* rotsschildering
ruptura 1 breuk; scheuring; 2 doorbraak
rural vh platteland; landelijk; *carácter ~* landelijkheid; *población ~* plattelandsbevolking
rusificar russificeren; **ruso, -a** I *bn* Russisch; II *zn* 1 Rus, Russin; 2 (het) Russisch
rústica: *en ~* (*mbt boek*) ingenaaid; **rústico** 1 vh platteland, plattelands-; rustiek; *finca -a* landgoed; 2 boers, lomp, primitief, uit de klei getrokken; **rusticidad** *v* 1 landelijkheid; 2 lompheid, simpelheid
ruta route; *~ marina* zeeweg; *hacer la ~ de* varen op; *ir ~ a* (*mbt schip*) op weg zijn naar
rutáceo (*plantk*) ruitachtig
rutilante stralend, fonkelend; **rutilar** (*lit*) stralen, schitteren
rutina routine, sleur; *perder la ~* eruit raken; **rutinario, -a** I *bn* routine-; *pregunta -a* routinevraag; *el trabajo es ~* het werk is een sleur; II *zn* gewoontemens

Sss

s *ese v* (*letter*) s
S 1 *San*(*to*) Sint; 2 *Sur* zuid
S.A. *Sociedad Anónima* N.V.
sábado 1 zaterdag; ~ *inglés* zaterdag waarop alleen 's morgens wordt gewerkt; *hacer* (*de*) ~ wekelijkse beurt geven; 2 sabbat; **Sábado**: ~ *de Gloria*, ~ *Santo* Stille Zaterdag
sábalo fint, soort elft (*vis*)
sabana savanne
sábana (bedde)laken; ~ (*de*) *funda* hoeslaken; ~ *verde* (*fam*) biljet van 1000 peseta; *se le han pegado las ~s* hij heeft zich verslapen; *poner ~s limpias* (*bed*) verschonen
sabandija 1 (*vies, griezelig*) dier(tje); *~s* ongedierte; 2 engerd, griezel; mispunt
sabañón *m* ontsteking aan handen of voeten door kou; *manos con -ones* winterhanden
sabático 1 vd sabbat; 2 (*año*) ~ verlofjaar, sabbatical year; **sabatino** I *bn* vd zaterdag; II *zn* zaterdagblad
sabedor, **-ora** wetend, op de hoogte; **sabelotodo** *m,v* betweter, betweetster, wijsneus; **saber** I *ww* 1 weten; (*zijn les*) kennen; ~ *de* verstand hebben van; *sabe lo que hace* die loopt niet in zeven sloten tegelijk, die weet heus wel wat hij doet; *sabe por dónde anda* hij weet zijn weetje wel; *a* ~ namelijk, te weten; *como es sabido* zoals bekend; *cualquiera lo sabe* Joost mag het weten; *falta* ~ *si*... we moeten er nog achter zien te komen of...; *¡haberlo sabido!* had ik dat geweten!; *hacer* ~ doen weten, in kennis stellen van; *no querer* ~ *nada* ergens niets van willen weten; *un no sé qué* iets (eigenaardigs); *no se sabe nunca* je kunt nooit weten; *¡qué sé yo!*, *¡yo qué sé!* weet ik veel!; *que yo sepa* voorzover ik weet; *¡si lo sabré yo!* of ik dat niet weet!; *sin ~lo yo* buiten mijn weten, zonder mijn medeweten; *sin* ~ *qué decir* met zijn mond vol tanden; *¡vete a ~!* kom daar maar eens achter!; 2 kunnen, de kunst verstaan van; ~ *apreciar* weten te waarderen; ~ *hacer u.c.* ergens iets van terecht brengen; ~ *nadar* kunnen zwemmen; *no sé mentir* ik kan niet liegen; 3 vernemen, horen; *a* ~ *si* eens kijken of; *lo supe el lunes* ik heb het maandag gehoord; *si se puede* ~ als ik vragen mag; 4 smaken; ~ *a más* smaken naar meer; ~ *a quemado* aangebrand smaken; ~ *raro* vreemd smaken; *¿a qué sabe?* waar smaakt het naar?; *le sabe muy mal* het zit hem dwars, het zit hem hoog; *no me sabe a nada* ik vind er niets aan; II *m* kennis, wetenschap; *según mi leal* ~ *y entender* naar eer en geweten; **saberse** 1 bekend worden; 2 zich weten; ~ *seguro* zich veilig weten; 3 goed weten; (*zijn les*) kennen; *se las sabe todas* hij weet er alles van, hij is slim genoeg; **sabidillo**, **-a** wijsneus; **sabido** 1 bekend; 2 (*iron*) geleerd; **sabiduría** 1 wijsheid; ~ *popular* volkswijsheid; 2 kennis; **sabiendas**: *a* ~ willens en wetens, bewust; *a* ~ *de* met medeweten van; **sabihondo**, **-a** wijsneus, betweter, blauwkous; **sabio** 1 wijs, verstandig; 2 geleerd; 3 (*mbt dier*) gedresseerd, afgericht
sablazo 1 slag met sabel, sabelhouw; 2 (het) geld aftroggelen; **sable** *m* sabel; **sablear** klaplopen, geld afhandig maken; **sablista** *m,v* klaploper, -loopster, handige afzet(s)ter
sabor *m* smaak; (*fig*) tintje; *mal* ~ nare smaak; *no notar el* ~ er niets van proeven; *¿qué* ~ *tiene?* waar smaakt het naar?; *sin* ~ smakeloos; **saborcillo** smaakje; **saborear** savoureren, langzaam proeven; genieten van; *saboreando*... onder het genot van...
sabotaje *m* sabotage; **saboteador**, **-ora** saboteur; **sabotear** saboteren; **saboteo** sabotage
sabroso 1 smakelijk, lekker; 2 (*mbt verhaal*) pittig, smeuïg
sabuco vlier
sabueso 1 (*perro*) ~ speurhond; 2 speurder
saburroso (*mbt tong*) beslagen
1 saca (het) voor de dag halen
2 saca (grote) zak; ~ *de la correspondencia* postzak
sacabocados *m* gaatjestang; **sacaclavos** *m* nijptang; **sacacorchos** *m* kurketrekker; **sacacuartos** *m* 1 geldklopperij; 2 oplichter; **sacadineros** *m; zie sacacuartos*; **sacaescarcha** *m* ruitenontdooier; **sacafaltas** *m* criticaster, muggezifter
sacaliña *zie socaliña*
sacamanchas *m* vlekkenwater, ontvlekker; **sacamantecas** *m* moordenaar die de buik vh slachtoffer openrijt; **sacamuelas** *m,v* 1 kiezentrekker; 2 kwakzalver, kletskous; *habla más que un* ~ hij praat je de oren van het hoofd; **sacapuntas** *m* punteslijper
sacar 1 te voorschijn halen, (*ergens*) uithalen; uittrekken; (*ergens*) vandaan halen; naar buiten brengen; opdiepen; (*water*) aftappen; (*nummer, lot, kies*) trekken; (*foto, kopie*) maken; ~ *de* halen uit; ~ *a bailar* ten dans vragen; ~ *buenas notas* goede cijfers halen; ~ *conclusiones* gevolgtrekkingen maken; ~ *a concurso* aanbesteden; ~ *del contexto* uit zijn verband rukken; ~ *datos* gegevens ergens uithalen; ~ *de debajo de la tierra* uit de grond stampen; ~ *dinero de*: *a*) geld halen uit; *b*) geld slaan uit; *~le dinero a u.p.* iem geld uit de zak kloppen; ~ *a flote*: *a*) (*scheepv*) vlot krijgen; *b*) (*fig*) op dreef helpen; ~ *a la luz* aan het licht brengen; ~ *mayoría* de meerderheid krijgen; ~ *una moda* een mode introduceren; *~se una muela* een kies laten trekken; ~ *al niño* met de kleine gaan wandelen; ~ *en los periódicos* in de krant

krijgen; ~ *a relucir* te berde brengen; ~ *de sí a u.p.* iem razend maken; ~ *a subasta* veilen; ~ *a tierra* op het land trekken; *¿de dónde saca el dinero?* hoe komt hij aan het geld?, waar haalt hij het geld vandaan?; 2 (*vlek*) uithalen; 3 (*kaartjes*) kopen, halen; 4 loskrijgen, te weten komen; ~ *a u.p. un secreto* iem een geheim ontfutselen; 5 uitsteken, naar voren steken; (*klauw*) uitslaan; ~ *la lengua* de tong uitsteken; ~ *el pecho* een hoge borst opzetten; 6 ~ *de* concluderen uit, halen uit; ~ *en claro,* ~ *en limpio* begrijpen, concluderen; *no saco nada en limpio* ik kan er niet uit wijs worden; ~ *en conclusión* (*de*) concluderen (uit); 7 (*sp*) serveren; 8 (*sp*) voorliggen; *le sacó 5 metros* hij lag 5 meter op hem voor || ~ *adelante: a*) (*een kind*) grootbrengen; *b*) (*een zaak*) tot stand brengen; *~se de encima* (*van iem*) afkomen, zich ontdoen van

sacarífero suikerhoudend; **sacarina** saccharine, zoetstof; zoetje; **sacarificar** omzetten in suiker; **sacarino** 1 suiker bevattend; 2 als suiker; **sacarosa** saccharose

sacerdocio priesterschap; **sacerdotal** priesterlijk; **sacerdote** *m* priester; *ordenar* ~ tot priester wijden; **sacerdotisa** priesteres

sachar schoffelen

saciar verzadigen; ~ *la curiosidad* de nieuwsgierigheid bevredigen; **saciarse** zich verzadigen; *nunca se saciaba* hij kreeg er nooit genoeg van; **saciedad** *v* verzadiging; *hasta la* ~ uitentreuren, tot vervelens toe

saco 1 zak; baal; ~ *de arena,* ~ *terrero* zandzak; ~ *de dormir* slaapzak; ~ *de embustes* (*fig*) leugenzak; ~ *lagrimal* traanklier; *echar en* ~ *roto* in de wind slaan; *no cayó en* ~ *roto* dat was niet tegen dovemansoren gezegd; *poner a todos en el mismo* ~ iedereen over één kam scheren; 2 hobbezak (*wijde jurk; dikke vrouw*); 3 ~ *de mano,* ~ *de noche* reistas; 4 plundering; *entrar a* ~ plunderen; 5 (*Am*) colbert, jasje; trui

sacramental I *bn* sacramenteel; II *zn* 1 *m* lid van bep r-k broederschap; 2 *v* (*in Madrid*) begraafplaats voor leden van bep r-k broederschap; **sacramentar** 1 de laatste sacramenten toedienen; 2 (*het brood*) in Christus' lichaam veranderen; **sacramento** sacrament; ~ *del altar, santísimo* ~ heilig sacrament des altaars, eucharistie; *administrar los* (*últimos*) *~s a* (*een stervende*) bedienen; *recibir los ~s* (*mbt stervende*) bediend worden

sacrificado opofferingsgezind; *una profesión -a* een zwaar beroep; **sacrificar** offeren; opofferen, prijsgeven; **sacrificarse** (*por*) zich opofferen (voor), zichzelf wegcijferen (voor), veel overhebben (voor); **sacrificio** offer; opoffering; ~ *del altar,* ~ *de la misa* mis; *hacer ~s* zich opofferingen getroosten

sacrilegio heiligschennis; **sacrílego** heiligschennend; goddeloos

sacristán *m* koster; **sacristía** sacristie

sacro heilig; gewijd; **sacrosanto** heilig

sacudida schok; ~ *sísmica* aardschok; *dar ~s* schokken, schudden; *dar una* ~ *a la alfombra* het kleed (uit)kloppen; **sacudidor** *m* mattenklopper; **sacudidura**, **sacudimiento** (het) kloppen, (het) schudden; **sacudir** 1 schokken, schudden; (*kleed*) (uit)kloppen; (*stof, sneeuw*) afslaan, afvegen; afstoffen; ~ *la puerta* aan de deur rammelen; 2 ~ (*el polvo*) afrossen, een pak rammel geven; 3 (*vliegen*) wegjagen; 4 (*fig*) schokken; **sacudirse** 1 schudden; 2 van zich afschudden

sádico, **-a** I *bn* sadistisch; II *zn* sadist(e); **sadismo** sadisme; **sadomasoquismo** sadomasochisme; **sadomasoquista** I *bn* sadomasochistisch; II *m,v* sadomasochist(e)

saeta 1 pijl; 2 wijzer (*van klok, kompas*); 3 religieus flamencolied; **saetear** met pijlen beschieten; **saetera** schietgat; **saetín** *m* 1 spijkertje; 2 molenbeek

safari *m* safari

sáfico 1 (*mbt versvorm*) saffisch; 2 lesbisch; **safismo** saffisme, lesbische liefde

saga sage

sagacidad *v* scherpzinnigheid; **sagaz** scherpzinnig, heel verstandig

Sagitario (*astrol*) Boogschutter

sagrado I *bn* heilig, gewijd; *fuego* ~ heilig vuur; *música -a* gewijde muziek; II *zn* 1 vrijplaats, toevluchtsoord; 2 gewijde aarde; **sagrario** 1 heiligdomskamer; 2 sacramentshuisje

sagú *m* 1 sagopalm; 2 sago

Sahara, **Sáhara** *m* Sahara; **saharaví** uit voormalig Sp Sahara; **sahariana** (*wijd*) tropenhemd; **sahariano**, **sahárico** vd Sahara

sahumar bewieroken; **sahumerio** 1 welriekende rook; aromatische stof; 2 bewieroking

saín *m* 1 dierlijk vet; 2 vette aanslag (*op kleding*)

sainete *m* 1 (*hist*) komisch toneelstukje; 2 bep saus; 3 extra versiering; (*fig*) sausje; 4 heerlijk hapje; heerlijke smaak; **sainetero**, **sainetista** *m* (*hist*) schrijver van sainetes

sajadura (*med*) insnijding; **sajar** (*med*) opensnijden, snijden in (*zweer*)

sajón, **-ona** Saksisch

sajú *m* kapucijnaap

sal *v* 1 zout; ~ *de cocina,* ~ *común* keukenzout; ~ *marina* zeezout; *desaparecerse como la* ~ *en el agua* verdwijnen als sneeuw voor de zon; *sin* ~ zoutloos; 2 geestigheid, esprit; ~ *y pimienta* (*fig*) pittigheid; *tener* ~ (*fig*) pittig zijn; 3 *~es* vlugzout; 4 *~es de baño* badzout

sala 1 zaal; ~ *de audiencias* rechtszaal; ~ *de conciertos* concertzaal; ~ *de deportes* sportzaal; ~ *de dibujo* tekenkamer; ~ *de espera* wachtkamer; ~ *de estudios* studiezaal; ~ *de fiestas* feestzaal, dancing; ~ *de gálibos* (*scheepv*) mallenzolder; ~ *de juntas,* ~ *de reuniones* vergaderzaal; ~ *de máquinas* machinekamer; ~ *de muestras* toonzaal, showroom; ~ *de operaciones* operatiekamer; ~ *de partos* verloskamer; ~ *X* seksbioscoop; 2 (de) mooie

kamer, salon; ~ *de estar* zitkamer; 3 salonmeubilair; 4 (*jur*) kamer; ~ *de lo criminal* strafkamer; ~ *de lo mercantil* handelskamer
salacidad *v* wellustigheid
salacot *m* tropenhelm
saladero zouterij; **saladilla** zout nootje, zoutje; **saladillo** (*mbt noten*) gezouten; **salado** 1 (te) zout, gezouten, hartig; *carne -a* pekelvlees; *galleta -a* zout koekje; 2 (*fig*) pittig, geestig, grappig; **saladura** *zie salazón 1*
salamandra salamander
salar 1 zout doen in (*het eten*), zouten; 2 te veel zout doen in (*het eten*); 3 pekelen, in het zout leggen
salariado loonstelsel; **salarial** vh loon, loon-; *masa* ~ bruto salaris; **salario** 1 loon; ~ *base* basisloon, (*Belg*) basiswedde; ~ *colectivo* (*vglbaar*) cao-loon; ~ *a destajo* stukloon; ~ *estudiantil* studieloon; ~ *inicial* beginloon, (*Belg*) beginwedde; ~ *mínimo* (*interprofesional*) minimumloon; ~ *mínimo legal* wettelijk minimumloon; ~ *de miseria* hongerloon; ~ *semanal* weekloon; *con* ~ *íntegro* met volledig behoud van loon; 2 gage
salaz wellustig
salazón *v* 1 (het) inzouten, (het) pekelen; 2 *-ones* pekelvlees; gepekelde vis
salchicha worstje, saucijs (*om te bakken*); ~ *de francfurt* knakworst; **salchichería** worsthandel; **salchichón** *m* (*vglbaar*) cervelaatworst
saldar 1 vereffenen, aflossen, voldoen; afdoen, afhandelen; ~ *cuentas* afrekenen; *saldado y finiquitado* voldaan en gekweten; 2 uitverkopen, opruimen; **saldo** 1 saldo; ~ *acreedor* batig saldo, tegoed; ~ *bancario* banksaldo; ~ *deudor* debetsaldo; 2 restant; *~s: a*) restanten; *b*) uitverkoop; *~s del ejército* dumpgoederen; ~ *invendible* winkeldochter
saledizo I *bn* 'uitstekend; *en* ~ overhangend; II *zn* (*bouwk*) 'uitstekend deel
salero 1 zoutvaatje; 2 geestigheid, pit; **saleroso** (*fam*) geestig, pittig; grappig
Salesas: *Las* ~ gerechtsgebouw in Madrid
salesiano Salesiaan (*van Don Bosco*)
salgo *zie salir*
sálico Salisch; *ley -a* Salische wet (*waarbij vrouw werd uitgesloten van troonopvolging*)
salida 1 uitgang; ~ (*de coches*) uitrit; ~ *de emergencia* nooduitgang; ~ *lateral* zijuitgang; ~ *de vía* ontsporing; *tener* ~ *a* (*mbt deur*) uitkomen op; 2 vertrek; afvaart; uittreding; (het) uitgaan; (*mbt kapitaal*) afvloeiing; *a la* ~ *del trabajo* bij het uitgaan vh werk; 3 afslag (*van autoweg*); (*rampa de*) ~ afrit; 4 aftrek, afzet; *tener poca* ~ weinig aftrek vinden; 5 (*theat*) opkomst, (het) opkomen (*vd acteurs*); 6 (het) naar buiten komen; ~ *a bolsa* (het) op de beurs komen, beursnotering; ~ *del sol* zonsopgang; 7 uitweg, redmiddel, oplossing; mogelijkheid; *una* ~ *remota* een lichtpuntje; *guardarse una* ~ een slag om de arm houden; *no tener* ~ doodlopen; *tener muchas ~s* veel mogelijkheden hebben; 8 uitlaat; ~ *del aire* luchtuitlaat; 9 (het) uitkomen, publicatie; 10 uitlating, (gekke) opmerking; ~ *de pie de banco*, ~ *de tono* domme opmerking, iets dat uit de toon valt; 11 (*sp*) start; *tomar la* ~ starten; 12 (*mil*) uitval; **salido** 1 'uitstekend; 2 (*mbt wijfje*) loops, tochtig, willig; **saliente** I *bn* 1 'uitstekend; 2 aftredend; vertrekkend; II *m* uitsteeksel, richel
salina zoutmijn; zoutpan; **salinero**, **-a** I *bn* (*mbt stier*) roodbont; II *zn* iem die zout wint, ziedt of verkoopt; **salinidad** *v* zoutgehalte; **salinización** *v* verzilting; **salinizarse** verzilten; **salino** zouthoudend; *solución -a* zoutoplossing
salir 1 ~ (*de*) uitgaan, uitkomen, komen (uit), te voorschijn komen; ~ *a* uitgaan op (*om te halen*); ~ *adelante* het redden, vooruitkomen; ~ *a la calle* de straat opgaan; ~ *de caza* op jacht gaan; ~ *a cenar* uit eten gaan; ~ *a chorro* (*mbt water*) eruit spuiten; ~ *de compras* gaan winkelen; ~ *corriendo* wegsnellen; ~ *a la defensa de* opkomen voor; ~ *disparado*, ~ *escapado* aan de haal gaan; ~ *al encerado* voor het bord komen; ~ (*a escena*) opkomen (*op toneel*); ~ *a flote* (*scheepv*) vlot komen; ~ *fuera de* vallen buiten; ~ *a luz* het licht zien; ~ *de madre* buiten de oevers treden; ~ *del* (*mal*) *paso* zich eruit redden; ~ *al paso a, de: a*) tegemoet gaan; *b*) (*iets*) vóór zijn, tegengaan, ingaan tegen; ~ *a relucir* ter sprake komen; ~ *a subasta* geveild worden; ~ *a trabajar* uit werken gaan; 2 vertrekken; uitvaren; 3 aflopen; lukken; te staan komen; ~ *caro* duur uitkomen; ~ *cierto* bewaarheid worden; ~ *mal* slecht aflopen, tegenlopen, slecht uitvallen; *me sale a 1000 ptas* het komt me op 1000 peseta (te staan); *salga lo que salga* wat er ook van komt; *a lo que salga* op goed geluk; *no salió bien* het pakte niet goed uit; 4 er afkomen; ~ *airoso* met vlag en wimpel slagen; ~ *bien* het er goed afbrengen, er goed afkomen; ~ *con bien de u.c.* iets goed doorstaan; ~ *fallido* mislukken; ~ *ganando* erop vooruitgaan; ~ *perdiendo* erop achteruitgaan; 5 vooruitsteken; 6 kloppen, uitkomen; *no salen las cuentas* de berekeningen komen niet uit; 7 staan (*in krant, op foto*); ~ *mal en una foto* slecht op een foto staan; ~ *en la televisión* op de tv komen; *el contento le sale a la cara* de blijdschap straalt van hem af; 8 ~ *a* lijken op; 9 ~ *con* op de proppen komen met, aankomen met; ~ *con vida* het er levend afbrengen; 10 (*in spel*) beginnen, de eerste zet doen, uitkomen; *te toca* ~ jij begint; 11 (*mbt zon*) opkomen; 12 (*mbt vlam*) uitslaan; 13 (*mbt boek*) verschijnen, uitkomen || ~ *fiador* (*de*) borg staan (voor); **salirse** 1 ergens uitstappen (*ook fig*); ontsnappen; overkoken; overlopen; ~ *de* ontkomen aan; ~ *de lo normal* niet gewoon meer zijn; ~ *de la vía* ontsporen; 2 lek zijn; 'overstromen || ~ *con la suya* zijn zin krijgen

salitre *m* salpeter; **salitroso** salpeterhoudend
saliva speeksel, kwijl, spuug; *gastar* ~ (*en balde*) woorden verspillen, voor niets zitten te praten; *no gastar más* ~ er geen woorden meer aan vuil maken; *tragar* ~ even slikken; **salivación** *v* speekselafscheiding; speekselvloed; **salivajo** (het) spuwen; **salivar**: *glándula* ~ speekselklier; **salivazo** *zie salivajo*
salmantino uit Salamanca
salmo psalm; **salmodia** eentonig gezang (*van psalmen*); **salmodiar** 1 (eentonig) psalmen zingen; 2 opdreunen, afdraaien
salmón I *m* zalm; II *bn, onv* zalmkleurig; **salmonete** *m* zeebarbeel
salmuera pekel
salobre brak; **salobridad** *v* brakheid
salomón *m* wijs man; **salomónico** (als) van Salomon
salón *m* 1 (grote) zaal; salon; lounge; ~ *de actos* aula; ~ *de lectura* leeszaal; 2 woonkamer, zitkamer; ~*-comedor* woon-eetkamer; ~*-dormitorio* zitslaapkamer; 3 ruimte, salon; ~ *de baile* balzaal, dancing; ~ *de belleza* schoonheidssalon; 4 tentoonstelling
salpicadero dashboard; **salpicadura** 1 spat(je); 2 (het) spatten; **salpicar** 1 ~ (*de*) bespatten (met), bestrooien (met), bezaaien (met), spatten op; ~ *la mesa* op de tafel spatten; 2 ~ *con, de* doorspekken met, larderen met; *salpicado de* doorspekt met
salpimentar 1 kruiden met zout en peper; 2 (*gesprek*) kruiden
salpresar pekelen
salpullido *zie sarpullido*
salsa 1 saus; *dejar cocer en su propia* ~ in zijn sop laten gaarkoken; *en su propia* ~ in zijn natuurlijke milieu, in zijn element; *vale más la* ~ *que los caracoles* het sop is de kool niet waard; 2 (*fig*) sausje, kleur, het leuke; 3 salsa(muziek); **salsera** sauskom, juskom
salsifí *m*: ~ *negro* schorseneer
saltador, **-ora** I *bn* springend; *caballo* ~ springpaard; II *zn* 1 iem die springt; 2 *m* springtouw; **saltamontes** *m* sprinkhaan
saltar I *intr* 1 springen; duiken; (*mbt bal*) stuiten; ontploffen; barsten; losschieten; ~ *por sobre* (ergens) overheen schieten; ~ *sobre* bespringen, zich storten op; ~ *por todo* overal overheen stappen; ~ *a la vista* opvallen, in het oog springen; *hacer* ~ in de lucht laten vliegen; *hacer* ~ *la banca* de bank laten springen; 2 opspringen, opvliegen; 3 ~ *con* uit de hoek komen met (*een opmerking*); 4 (*mbt stop*) doorslaan; 5 (*mbt straal*) omhoogspuiten; 6 eruit vliegen (*uit baan*) || *estar a la que salta: a*) loeren op een kans; *b*) van de hand in de tand leven; *c*) steeds klaar staan met kritiek; II *tr* 1 springen over; ~ *la zanja* over de sloot springen; 2 overslaan; 3 (*een oog*) uitslaan, uitschieten; 4 opblazen (*met explosieven*); 5 bespringen, dekken; **saltarse** 1 (*mbt knoop*) eraf springen; *se le saltaron las lágrimas* de tranen sprongen hem in de ogen; 2 overslaan; ~ *un semáforo* (*en rojo*) door rood rijden; **saltarín**, **-ina** springerig
salteador *m* struikrover; **saltear** 1 beroven; overvallen; 2 sauteren; 3 (*iets*) met onderbrekingen doen
salterio psalmboek
saltimbanqui *m* kunstenmaker, acrobaat
saltito sprongetje; *dar* ~*s* sprongetjes maken;
salto 1 sprong; duik; (het) losschieten; ~ *del caballo* paardesprong; *a* ~*s: a*) met sprongen; *b*) van de hak op de tak; *a* ~ *de mata: a*) ijlings; *b*) in het wilde weg; *dar* ~*s* springen; *en un* ~ in een oogwenk; *levantarse de un* ~ opspringen; 2 (het) springen; ~ *de altura* (het) hoogspringen; ~ *artístico* (het) schoonspringen; ~ *de longitud* (het) verspringen; ~ *de pértiga* (het) polsstokhoogspringen; 3 ~ (*de agua*) (*kunstmatige*) waterval; 4 ~ *de cama* peignoir; **saltón**, **-ona** 1 springend, springerig; 2 (*mbt oog*) bol, uitpuilend
salubre gezond; **salubridad** *v* gezondheid
salud *v* 1 gezondheid; *¡~!* proost!, santé!; ~ *débil* zwakke gezondheid; *¡~ para verlo!* hopelijk maken ik, jij, wij dat nog mee!; *a la* ~ *de* op de gezondheid van; *¡a tu* ~*!* op je gezondheid!; *conservar la* ~ gezond blijven; *curarse en* ~ het zekere voor het onzekere nemen, geen risico lopen; *estar bien de* ~ goed gezond zijn; *gozar de buena* ~ een goede gezondheid hebben; *lleno de* ~ kerngezond; *por motivos de* ~ om gezondheidsredenen; 2 zaligheid; *la* ~ *eterna* de eeuwige zaligheid; **saludable** gezond, heilzaam; **saludar** (be)groeten; ~ *con la mano* wuiven, zwaaien; ~ (*militarmente*) salueren; *salúdale de mi parte* doe hem mijn groeten; *le saludo muy atentamente* (*aan eind van brief*) ik verblijf, hoogachtend; **saludo** groet; begroeting; ~ *con la cabeza* knikje; *un afectuoso* ~ hartelijke groeten; *un* ~ *cordial* vriendelijke groet; *devolver el* ~ de groet beantwoorden;
salutación *v* (het) groeten, groet; ~ *angélica* wees-gegroet; **salutífero** heilzaam, gezond
salva salvo; saluut(schot); *una* ~ *de aplausos* een daverend applaus, stormachtige bijval;
salvación *v* 1 behoud, redding; 2 heil, zaligheid, verlossing; ~ *del alma* zieleheil; **salvado** *zn* zemelen
salvador, **-ora** I *bn* reddend; II *zn* redder, redster; **Salvador** 1 *el* ~ Christus, de Verlosser; 2 *El* ~ El Salvador (*land*); 3 jongensnaam; **salvadoreño** Salvadoraans
salvaguarda bescherming; **salvaguardar** beschermen; ~ *de* vrijwaren voor; **salvaguardia** bescherming
salvajada wreedheid; beestachtigheid; *las* ~*s* de gruwelen; **salvaje** I *bn* 1 wild; in het wild levend; *hacerse* ~ wild worden; 2 woest; barbaars; 3 (*mbt terrein*) ruig; II *m,v* 1 wilde; 2 bruut, onverlaat; **salvajismo** 1 (het) in het wild leven; 2 aard van wilden; 3 barbaarsheid, beestachtigheid

salvamanteles *m* onderzetter; **salvamento** redding; berging; **salvar 1** redden; bergen; ~ *las apariencias* de schijn redden; ~ *la piel* het er levend afbrengen; 2 (*afstand*) afleggen; overbruggen; springen over; 3 (*moeilijkheid*) omzeilen; (*hindernis*) nemen; 4 uitzonderen; **salvarse** (*de*) ontkomen (aan), een goed heenkomen zoeken, zich redden (uit); *sálvese quien pueda* sauve qui peut, redde wie zich redden kan, wegwezen!; **salvataje** *m* berging; **salvavidas** I *bn, onv* reddings-; *chaleco* ~ zwemvest; *tela* ~ vangnet; II *m* reddingsboei; **Salve** *v* salve, lofzang voor Maria; **salvedad** *v* voorbehoud
salvia salie
salvo I *bn* veilig, ongedeerd; *a* ~ in veiligheid; *a* ~ *de* veilig voor; *dejar a* ~ *de* vrijwaren voor, tegen; *mantenerse a* ~ buiten schot blijven; II *voegw* behalve, behoudens, uitgezonderd, daargelaten; ~ *que*... behalve dat...; **salvoconducto** vrijgeleide, vrijbrief
samaritano: *el buen* ~ de barmhartige Samaritaan
samba samba (*Braziliaanse dans*)
sambenito smaad, diskrediet; *colgar el* ~ *a u.p.* iem iets in de schoenen schuiven
sampán *m* sampan, Chinees vaartuig
samurai *m* samurai
San *zie Santo*
sanalotodo wondermiddel; **sanar** *tr, intr* genezen; **sanatorio** herstellingsoord, sanatorium
sanbernardo: (*perro*) ~ sint-bernardshond
sanción *v* 1 sanctie, bekrachtiging; goedkeuring; 2 sanctie, straf; bekeuring, boete; **sancionador, -ora** sanctionerend; *medida -ora* sanctie(maatregel); **sancionar 1** bekrachtigen, sanctioneren; goedkeuren; 2 bestraffen
sancochar halfgaar koken zonder kruiden; **sancocho 1** halfgaar eten; 2 (*Am*) stoofgerecht
sandalia sandaal
sándalo 1 sandelboom; 2 sandelhout; 3 (*plantk*) soort munt
sandez *v* domheid
sandía watermeloen
sandio onnozel, dom
sandunga (pittige) charme, geestigheid; gratie
sandwich *m* sandwich
saneado zuiver, onbezwaard, vrij van lasten; **saneamiento** sanering; *el* ~ *presupuestario* het sluitend maken vd begroting; **sanear** saneren; droogmaken
sangrador *m* 1 (*hist*) aderlater; 2 afwatering, opening; 3 rubbertapper; **sangrante** bloedend; *un caso* ~ een schrijnend geval; **sangrar** I *intr* bloeden; ~ *por la nariz* een bloedneus hebben; II *tr* 1 aderlaten; 2 (*vocht*) laten weglopen; (*vocht uit boom*) tappen; 3 inspringen (*bv bij typen*); **sangre** *v* bloed; ~ *azul* blauw bloed; ~ *fría* koelbloedigheid; ~ *de horchata* vissebloed; *a* ~ *fría* in koelen bloede; *a* ~ *y fuego* te vuur en te zwaard; *le bulle la* ~ hij bruist van (jeugdige) energie; *chorrear* ~ druipen van het bloed; *chuparle la* ~ *a u.p.* iem uitzuigen; *de* ~ *caliente*: *a*) warmbloedig; *b*) heetgebakerd; *de* ~ *fría*: *a*) koudbloedig; *b*) koelbloedig; *echar* ~ bloeden; *encenderle a u.p. la* ~, *quemarle a u.p. la* ~ iem tot wanhoop drijven, iem razend maken; *hacerse* ~ een bloedende wond oplopen; *se le heló la* ~ het deed zijn bloed stollen; *hospital de* ~ veldhospitaal; *lavar con* ~ (bloedig) wreken; *nadar en* ~ baden in het bloed; *no llegará la* ~ *al río* het zal zo'n vaart niet lopen; *se le sube la* ~ *a la cabeza* hij wordt kwaad; *sudar* ~ bloed zweten; *tener* ~ *gorda* traag zijn, moeilijk in actie komen; *tener mala* ~ driftig zijn, kwaadaardig zijn; *vomitar* ~ bloed spuwen || *mala* ~ *m* nijdas; *pura* ~ *m* volbloed; **sangría 1** aderlating (*ook fig*); 2 aftapping (*van vocht, rubber, hars*), snede; 3 sangria (*wijn met o.a. vruchten*); 4 binnenkant van elleboog; 5 (het) inspringen (*mbt regel*); **sangriento 1** bebloed, bloederig, bloedig; 2 bloeddorstig, wreed; 3 (*mbt grap*) venijnig
sangüeño kornoeljeboom
sanguijuela bloedzuiger; **sanguina 1** roodkrijt; 2 (*naranja*) ~ bloedsinaasappel; **sanguinario** bloeddorstig; **sanguíneo** bloed-, vh bloed; *grupo* ~ bloedgroep; **sanguinolento** bloedend, bebloed; (*mbt oog*) bloeddoorlopen
sanidad *v* gezondheid; ~ *pública* openbare gezondheidszorg; *ministerio de* ~ (*pública*) ministerie van volksgezondheid; *servicio de* ~ (*pública*): *a*) (*vglbaar*) keuringsdienst; *b*) (*vglbaar*) geneeskundige dienst; **sanitario** I *bn* vd gezondheid(szorg), sanitair; *atención -a, asistencia -a* gezondheidszorg; *equipo* ~, *instalación -a* (het) sanitair; II *m* iem die werkzaam is bij de gezondheidsdienst; **sano** gezond; fit; gaaf; ~ *como una manzana* kerngezond; ~ *y salvo* behouden, heelhuids, ongedeerd; *comida -a* gezond eten; *cortar por lo* ~ de knoop doorhakken, korte metten maken; *dentadura -a* gaaf gebit; *fruta -a* gaaf fruit
sánscrito Sanskriet
sanseacabó en daarmee uit
sansón *m* sterke kerel
santanderino uit Santander
Santiago 1 Santiago (*patroon van Spanje*); *concha de* ~ jakobsschelp; 2 jongensnaam; **santiagueño** uit Santiago del Estero (*Argentinië*); **santiaguero** uit Santiago de Cuba; **santiagués, -esa** uit Santiago de Compostela (*Sp*); **santiaguino** uit Santiago de Chile
santiamén: *en un* ~ in een mum van tijd, in een oogwenk
santidad *v* heiligheid
santificación *v* heiliging; **santificar 1** heiligen, heilig maken; 2 (*feestdagen*) wijden aan God
santiguar bekruisen, een kruis slaan boven; bezweren; **santiguarse** een kruis slaan, zich bekruisen

santísimo zeer heilig, allerheiligst; *el padre ~* de paus; **santo, -a** I *bn* (*voor mnl naam san*) heilig; *~ y bueno* dan is het goed; *-a paciencia* engelengeduld; *todo el ~ día* de godganse dag; II *zn* 1 heilige; sint; *~ patrón, -a patrona* beschermheilige; *se le fue el ~ al cielo* hij raakte de draad kwijt; *no es ~ de mi devoción* ik ben niet erg op hem gesteld; *no saber a qué ~ encomendarse* niet weten wat te doen; *tener el ~ de cara* geluk hebben; *tener el ~ de espaldas* pech hebben; 2 heiligenbeeld; *alzarse con el ~ y la limosna* er met alles vandoorgaan; *desnudar a un ~ para vestir a otro* het ene gat met het andere stoppen; *llegar y besar el ~* iets meteen voor elkaar krijgen; *quedarse para vestir ~s* (*mbt vrouw*) niet trouwen, een oude vrijster worden; 3 heel goed mens; 4 *m* naamdag || *~ y seña* wachtwoord, parool; *¿a ~ de qué?* waarom in hemelsnaam?; **Santo** Heilige; *Todos los ~s* Allerheiligen; **santoral** *m* 1 boek met heiligenlevens; 2 heiligenkalender; **santuario** heiligdom; **santurrón, -ona** kwezelachtig, overdreven vroom
saña razernij; *con ~* verwoed; **sañudo** razend; verwoed
sapidez *v* smakelijkheid; **sápido** smakelijk; vd smaak
sapiencia (*lit of iron*) wijsheid; **sapiente** (*lit of iron*) wijs
sapo (*dierk*) pad; *echar ~s y culebras* vuur spuwen
saponario zeepkruid; **saponificar** verzepen
saque *m* (*sp*) aftrap, inworp, service; *~ de esquina* corner, hoekschop; *hacer el ~* (*del centro*) aftrappen; *hacer un ~ de puerta* uittrappen || *tener buen ~* een grote eter zijn, er weg mee weten
saqueador, -ora I *bn* plunderend; II *zn* plunderaar(ster); **saquear** plunderen (*ook fig*); **saqueo** plundering
saquito zakje
S.A.R. *Su Alteza Real* Z.K.H., H.K.H.
sarampión *m* mazelen
sarapia (*Am*) bep boom met mooi timmerhout
sarasa *m* mietje, flikker
sarcasmo 1 sarcasme; 2 hatelijkheid; **sarcástico** sarcastisch, hatelijk, schamper
sarcófago sarcofaag
sardana bep Catalaanse kringdans
sardina sardine; *~ arenque* haring; *como ~s en banasta, como ~s en lata* als haringen in een ton; **sardinero, -a** I *bn* vd sardine(vangst); II *zn* sardineverkoper, -verkoopster
sardo Sardinisch, Sardisch
sardónico: *risa -a: a*) grijnslach, (het) sarcastisch lachen; *b*) (*med*) lachkramp
sargenta 1 vrouw van sergeant; 2 manwijf; **sargento** 1 sergeant; 2 lijmtang; **sargentona** manwijf
sarmentoso 1 als een (oude) wijnstok; 2 taai, dun en knokig, pezig; **sarmiento** (oude) wijnstok
sarna schurft; **sarnoso** schurftig
sarpullido huiduitslag
sarraceno Saraceens; Moors; mohammedaans
sarracina bloedbad; (*fig*) slachting
sarro 1 aanzetsel, bezinksel; aanslag (*bv op tong*); 2 tandsteen; **sarroso** 1 met aanslag; (*mbt tong*) beslagen; 2 met tandsteen
sarta rij, sliert, reeks, aaneenschakeling; *es una ~ de embustes* het hangt van leugens aan elkaar
sartén *v* koekepan; *dijo la ~ al cazo: quítate allá, que me tiznas* de pot verwijt de ketel dat hij zwart ziet; *tener la ~ por el mango* de scepter zwaaien, de lakens uitdelen; **sartenada** koekepan vol; **sartenazo** klap met koekepan
sastra kleermaakster (*van mannenkleding*); **sastre** *m* kleermaker (*van mannenkleding*); *a lo ~* in kleermakerszit; (*traje*) *~* mantelpak; **sastrería** 1 kleermakersvak; 2 kleermakerij, kleermakersfirma
Satán, Satanás *m* Satan; **satánico** satanisch, duivels
satélite *m* 1 satelliet; *~* (*artificial*) kunstmaan; *ciudad ~* satellietstad; 2 meeloper, trawant
satén *m* satijn; **satín** *m* satijn; **satinado** gesatineerd; (*mbt verf*) zijdeglans
sátira satire; **satírico** satirisch, bijtend; **satirizar** hekelen; **sátiro** 1 sater; 2 wellusteling
satisfacción *v* 1 bevrediging, tevredenheid, voldaanheid; *~ de sí mismo* zelfvoldaanheid; *con nuestra entera ~* tot onze volle tevredenheid; 2 genoegdoening; 3 voldoening; **satisfacer** 1 bevredigen, tevredenstellen; (*honger*) stillen; 2 voldoen, betalen; 3 (*ook ~ a*) voldoen aan; *~ la demanda* aan de vraag voldoen; *~* (*a*) *los deseos de u.p.* aan iems wensen tegemoetkomen; *~ la necesidad* in de behoefte voorzien; 4 boeten voor; genoegdoening geven voor; **satisfacerse** 1 zich teveredenstellen; 2 zich genoegdoening verschaffen; **satisfactorio** bevredigend; **satisfecho** voldaan, tevreden, vergenoegd; *~ de* ingenomen met, tevreden over; *~ de sí* (*mismo*) zelfvoldaan
saturación *v* verzadiging; **saturado** verzadigd; **saturar** verzadigen
saturnismo loodvergiftiging
sauce *m* wilg; *~ llorón* treurwilg
saúco vlier; *flor de ~* vlierbloesem
saudade *v* weemoed, heimwee
saudí, saudita Saoedisch
sauna sauna
savia 1 (plante)sap; 2 (levens)kracht
saxífraga (*plantk*) steenbreek
saxo *zie: saxófono*; **saxofonista** *m,v* saxofonist(e); **saxofón** *m; zie saxófono*; **saxófono** saxofoon; *~ tenor* tenorsaxofoon
saya 1 (boerinne)rok; 2 (*hist*) onderrok; **sayal** *m* grove wollen stof
sazón *v* 1 rijpheid; precies goede toestand; *en la ~* op het juiste moment; *fuera de ~* ongelegen; 2 smaak || *a la ~* toen(tertijd); **sazonado** goed

gekruid; **sazonar** 1 kruiden, op smaak brengen; 2 (*fig*) kruiden, opluisteren
scooter *m* scooter
score *m* score
scout *m* padvinder; **scouting** *m* padvinderij
se I *wdkd vnw* 1 zich; ~ *lavó* hij waste zich; ~ *lavó las manos* hij waste zijn handen; 2 (*ter aanduiding vd lijd vorm*): *los libros* ~ *venden bien* de boeken worden goed verkocht; II *wdkg vnw* elkaar; *allí* ~ *conocieron* daar leerden ze elkaar kennen; III *onbep vnw* men; ~ *detuvo al ladrón* de dief werd aangehouden; *aquí* ~ *come bien* hier eet men goed, hier kun je lekker eten; IV *pers vnw* (*ipv le of les voor lo*(*s*), *la*(*s*), *le*(*s*)): ~ *lo di* ik gaf het hem, haar, hun, u
sé 1 *zie saber*; 2 *zie ser*; **sea** *zie ser*
sebáceo talkachtig; **sebo** 1 vet, smeer; kaarsvet; talkvet; 2 talk; talg; 3 (*vieze*) vettigheid; **seboso** vet(tig)
secadero droogplaats; **secado** (het) drogen; *de* ~ *rápido* sneldrogend; **secador** *m* 1 ~ (*de mano*) föhn; (*casco*) ~ (haar)droogkap; 2 droogrek; 3 ~ *a rodillos* wringer; **secadora** droogmachine; wasdroger; **secamente** kortaf, droog; **secano** niet bevloeid gebied; **secante** I *bn* drogend; *papel* ~ vloeipapier; II *m* 1 (*wisk*) snijlijn, snijvlak; secans; 2 (*sp*) tegenspeler; 3 siccatief (*in verf*); **secar** drogen; afdrogen; (doen) uitdrogen; droog maken; deppen; ~ *a mano* föhnen; **secarse** droog worden; verdrogen; opdrogen; ~ *de sed* (*fig*) uitdrogen (*van dorst*); **secativo** siccatief (*in verf*)
sección *v* 1 (*med*) sectie; 2 afdeling; ~ *de anuncios* advertentierubriek; ~ *femenina* vrouwenafdeling; ~ *de hallazgos* afdeling gevonden voorwerpen; ~ *de línea*, ~ *de vía* baanvak; ~ *de personal* personeelsafdeling; ~ *de ventas* verkoopafdeling; 3 doorsnede; ~ *transversal* dwarsdoorsnede; **seccionar** in stukken verdelen
secesión *v* afscheiding; **secesionista**: *movimiento* ~ afscheidingsbeweging
seco 1 droog; dor; *con el bolsillo en* ~ platzak; *dejar* ~ *a u.p.* iem om zeep helpen; *en* ~: *a*) op het droge; *b*) plotseling; *un golpe* ~ een doffe klap; *limpiar en* ~ chemisch reinigen, stomen; 2 kort aangebonden, droog; (*mbt toon*) snibbig; 3 (*mbt kind*) zindelijk; *no* ~ *todavía* nog niet zindelijk || *a -as* kortweg, zonder meer, alleen maar; *en* ~ plotseling; *cortar en* ~ bruusk in de rede vallen; *parar en* ~ plotseling stoppen
secoya sequoia (*boom*)
secreción *v* (*med*) afscheiding; ~ *mucosa* slijmafscheiding
secreta 1 (*fam*) geheime politie; 2 *m* lid vd geheime politie, stille
secretar afscheiden
secretaría secretariaat; (*jur*) griffie; ~ *del ayuntamiento*, ~ *municipal* secretarie; **secretariado** secretariaat; **secretario**, **-a** secretaris, secretaresse; notulist(e); (*jur*) griffier; ~ *de Estado* (*in VS*) minister van buitenlandse zaken; ~ *particular* privésecretaris
secretear smoezen; **secreteo** (het) smoezen, (geheimzinnig) gefluister
secreter *m* secretaire
secreto I *bn* geheim; heimelijk; *en* ~ in het geheim, heimelijk; *guardar* ~, *mantener* ~ geheim houden, verheimelijken; *servicio* ~ (*geheime*) inlichtingendienst; II *zn* 1 geheim; ~ *bancario* bankgeheim; ~ *de confesión* biechtgeheim; ~ *de estado* staatsgeheim; ~ *oficial* dienstgeheim; ~ *profesional* beroepsgeheim; *un* ~ *a voces* een publiek geheim; *guardar un* ~ een geheim bewaren; 2 geheimhouding; *obligado al* ~ tot geheimhouding verplicht; 3 heimelijkheid
secretor, **-ora** afscheidings-; **secretorio** *zie secretor*
secta sekte; **sectario** 1 van een sekte; 2 een sekte aanhangend; 3 onverdraagzaam, fanatiek; **sectarismo** sektarisme, hokjesgeest; **sector** *m* sector; ~ *informático* informaticabranche; ~ *servicios* dienstensector; ~ *terciario* tertiaire sector; *en todos los ~es de la población* in brede kringen; **sectorial** van een bep sector
secuaz *m,v* aanhang(st)er, volgeling(e); **secuela** (*neg*) gevolg, nasleep, uitvloeisel; **secuencia** 1 (*in film*) sequentie; 2 opeenvolging; 3 (*r-k*) sequens
secuestrado, **-a** ontvoerde; gijzelaar, gegijzelde; **secuestrador**, **-ora** 1 ontvoerder, gijzelhouder; 2 kaper; **secuestrar** 1 ontvoeren, kidnappen; gijzelen; 2 kapen; 3 (*jur*) beslag leggen op; in gerechtelijke bewaring stellen; **secuestro** 1 ontvoering, kidnapping; gijzeling; 2 kaping; 3 (*jur*) beslag, bewaring
secular 1 wereldlijk, niet kerkelijk; 2 een eeuw durend, honderdjarig; 3 eeuwenoud; **secularización** *v* secularisatie; verwereldlijking; **secularizar** seculariseren, kerkelijke goederen aan de staat brengen; verwereldlijken
secundar bijstaan, steunen; bijvallen; ~ *la convocatoria* gehoor geven aan de oproep; **secundario** secundair, ondergeschikt, bijkomstig; *cuestión -a* bijzaak; *efecto* ~ neveneffect; *elemento* ~ bijkomstigheid; *enseñanza -a* (*vglbaar*) middelbaar onderwijs, voortgezet onderwijs; *fin* ~ nevendoel; *materia -a* bijvak
sed *v* dorst; ~ *de saber* dorst naar kennis; *morirse de* ~ versmachten; *tener* ~ *de* dorsten naar
seda zijde; ~ *artificial* kunstzijde; ~ *cruda* ruwe zijde; *como una* ~: *a*) heel zacht (*aanvoelend*); *b*) heel makkelijk; *c*) gedwee, meegaand
sedal *m* vislijn
sedante I *bn* kalmerend, pijnstillend; II *m* 1 kalmerend middel; 2 pijnstiller; **sedativo** *zie sedante*
sede *v* zetel (*ook fig*); standplaats (*van notaris*); ~ *episcopal* bisschopszetel; ~ (*principal*)

(hoofd)kantoor; *tener su ~ en* zetelen in; **Sede** *v: la Santa ~* de Heilige Stoel; **sedentario** 1 zittend; *vida -a* zittend leven; 2 een zittend leven leidend; 3 honkvast; niet trekkend; *ave -a* standvogel
sedición *v* opstand, muiterij; **sedicioso, -a** I *bn* oproerig; opruiend; II *zn* opstandeling(e), oproerling(e)
sediento dorstig; *~ de* hunkerend naar
sedimentación *v* bezinking; *~ de la sangre* bloedbezinking; **sedimentar** (*bezinksel*) afzetten; **sedimentarse** 1 bezinken; 2 tot rust komen; (*fig*) bezinken; **sedimento** bezinksel, afzetting; neerslag
sedoso zijdeachtig
seducción *v* verleiding; aantrekkingskracht; **seducir** verleiden; verlokken; **seductor, -ora** I *bn* verleidelijk, aanlokkelijk; II *zn* verleid(st)er
sefardí, sefardita sefardisch; (*mbt jood*) uit Spanje of Portugal afkomstig
segador, -ora I *m,v* maai(st)er; II *bn: máquina -ora* maaimachine; **segadora** maaimachine; **segar ie** (af)maaien; (*fig*) wegmaaien
seglar wereldlijk, niet kerkelijk; niet in een klooster wonend
segmentación *v* segmentering; **segmento** segment
segregación *v* afscheiding; *~ racial* rassenscheiding; **segregacionista** *m,v* voorstand(st)er van rassenscheiding; **segregar** afscheiden; (*vocht*) uitscheiden
seguida: *en ~* meteen, onmiddellijk; (*soms*) vervolgens; *vuelvo en ~* ik ben zo terug; **seguidamente** 1 vervolgens; *~ a* in aansluiting op; 2 ononderbroken, achter elkaar; **seguidilla** 1 bep volksdans; 2 bep 4- of 7-regelig vers; **seguido** 1 ononderbroken, achtereen; *3 horas -as* 3 uur aan een stuk; 2 opeenvolgend || *acto ~* direct daarna; **seguidor, -ora** 1 navolg(st)er; 2 volgeling(e), aanhang(st)er; fan, supporter; *~es* aanhang; **seguimiento** 1 (het) volgen, achtervolging; 2 begeleiding (*van project*); **seguir i** I *tr* 1 volgen (*ook fig*); navolgen; (*bevel*) opvolgen; *~ la corriente* met de stroom meegaan; *~ el humor a u.p.* met iem meepraten; *~ el palo* (*kaartsp*) kleur bekennen; *~ los pasos de* in de voetstappen treden van; *~ una política* een beleid voeren; *~ (el ritmo)* het tempo volgen, bijbenen; *no te sigo* (*fig*) ik kan je niet volgen; 2 (*project*) begeleiden; II *intr* 1 doorgaan; doorrijden; *~ adelante* verder gaan; *~ en sus trece* voet bij stuk houden; 2 nog steeds (*ergens, iets*) zijn, blijven; *~ acostado* blijven liggen; *~ contento* nog steeds tevreden zijn; *~ al corriente* op de hoogte blijven; *~ en España* nog steeds in Spanje zitten; *~ en pie: a*) blijven staan; *b*) blijven bestaan, stand houden; *~ sentado* blijven zitten; 3 ~ (*+ gerundio*) doorgaan met, blijven; *~ leyendo* doorlezen, blijven lezen; *~ siendo amigo de* bevriend blijven met; 4 *~ a* volgen op; **seguirse i** 1 *~ (de)* voortvloeien (uit); 2 elkaar opvolgen
según I *vz* volgens, naar; *~ dicen* naar verluidt; *~ eso* dus; *~ parece* naar het schijnt; *~ tú* volgens jou; *~ yo* volgens mij; II *voegw* 1 *~ (que)* al naar gelang; zoals; *~ (cómo) se mire* 't is maar hoe je het bekijkt; 2 naarmate; III *bw: ~ (y cómo)* dat hangt er vanaf; misschien
segunda 1 tweede versnelling; 2 *~ (intención)* bijbedoeling; *con ~(s)* met een bijbedoeling; **segundero** secondewijzer; **segundo** I *rangtelw* tweede; *~ empleo* nevenfunctie; *el ~ más grande* op een na de grootste; II *zn* 1 seconde; 2 *~ (de) a bordo* eerste stuurman; *~ oficial* tweede stuurman; **segundogénito, -a** tweede zoon of dochter; **segundón, -ona** tweede zoon of dochter
segur *v* grote bijl
seguramente vast, waarschijnlijk; beslist; **seguridad** *v* 1 zekerheid; *~ social* sociale zekerheid, sociale verzekeringen; *con toda ~: a*) ongetwijfeld, absoluut zeker; *b*) heel veilig; *tener la ~ de que* er zeker van zijn dat; 2 veiligheid; betrouwbaarheid (*van auto, cijfers*); *~ de funcionamiento* bedrijfszekerheid; *~ del tráfico* verkeersveiligheid; *~ vial* veiligheid op de weg; *de ~* veiligheids-; *para mayor ~* veiligheidshalve; *red de ~* vangnet; 3 beveiliging; **Seguridad** *v: ~ Social* (*afk SS*) (*Sp*) sociaal verzekeringswezen, (*in het bijzonder ook*) ziekenfonds; *Consejo de ~* Veiligheidsraad; **seguro** I *bn* 1 zeker; trefzeker; *~ de sí (mismo)* zelfverzekerd, zelfbewust; *andar sobre ~* niet over een nacht ijs gaan; *dar por ~ que* stellig geloven dat; *¡de ~!* (*fam*) zeker (weten)!; *estar ~ de u.c.* iets zeker weten; 2 veilig; deugdelijk, stevig; (*mbt auto*) betrouwbaar; *poco ~* onbetrouwbaar; 3 stevig vast(zittend); II *zn* 1 verzekering; *~ de accidentes* ongevallenverzekering; *~ de daños* schadeverzekering; *~ de enfermedad, ~ médico* ziektekostenverzekering; *~ de equipaje* bagageverzekering; *~ obligatorio* verplichte verzekering; *~ social* volksverzekering; *~ de viaje* reisverzekering; *~ de vida* levensverzekering; *no hace falta ~ para ello* dat kan nooit kwaad, daar kun je je geen buil aan vallen; 2 veiligheidsvoorziening, zekering || *a buen ~* vast en zeker
seis zes; **seisavo** zesde (deel); **seiscientos, -as** zeshonderd
seísmo aardbeving
selección *v* keuze; selectie, keur; (selectie)training; *~ natural* natuurlijke selectie; **seleccionador** *m* trainer (*ivm selectie*); **seleccionar** selecteren; *~ entre* een keus doen uit; **selectividad** *v* 1 selectiviteit; 2 voorbereidende cursus (*als selectie voor bep studies*); **selectivo** selectief; *curso ~ (vglbaar)* propedeuse; *prueba -a* selectietest; **selecto** select, uitgelezen; *un ~ surtido de* een keur van; **selector** *m* keuzeschakelaar
selenita *m,v* maanbewoner, -bewoonster

selfservice *m* zelfbediening
sellado I *bn* gezegeld, verzegeld; II *zn* 1 (het) voorzien van zegel of stempel; 2 verzegeling, (*Belg*) zegellegging; 3 afdichting; **sellar** 1 (af-)stempelen; 2 (ver)zegelen; bezegelen; ~ *con lacre* lakken; 3 afdichten; **sello** 1 zegel; postzegel; ~ *de lacre* lakzegel; *coleccionar ~s* postzegels sparen; *sin* ~ ongefrankeerd; 2 stempel; ~ *de plomo* lakstempel; *esto le marca con el ~ de…* dit stempelt hem tot een…; 3 afsluiting, afsluitplaat
Seltz: (*agua de*) ~ spuitwater
selva (oer)woud; jungle; **selvático** vh oerwoud; woest
semáforo 1 verkeerslicht; ~ *rojo* rood stoplicht; *pasarse el* ~, *saltarse un ~ en rojo* door rood licht rijden; 2 semafoor; 3 seinpaal
semana week; ~ *inglesa* week met vrije zaterdagmiddag en zondag; ~ *laboral* werkweek; *la ~ pasada* verleden week; *la ~ próxima* volgende week; *entre* ~ doordeweeks; *falta una ~ para Navidad* over een week is het Kerstmis; *fin de* ~ weekeinde; *por una* ~ voor een week; **Semana**: ~ *Santa* goede week, stille week; *vacaciones de ~ Santa* paasvakantie; **semanal** 1 wekelijks, per week; 2 een week durend; **semanario** weekblad
semántica semantiek, betekenisleer; **semántico** semantisch, betekenis-
semblante *m* gelaat, gezicht; aanzien; **semblanza** (*geschreven*) portret
sembrado I *bn:* ~ *de* bezaaid met; II *zn* ingezaaid veld; **sembrador**, **-ora** I *bn* zaaiend; II *zn* zaai(st)er; **sembradora** zaaimachine; **sembrar ie** zaaien, uitstrooien; verspreiden, verbreiden; ~ *de* bezaaien met, doorspekken met; ~ *el pánico* paniek zaaien; *el que siembra recoge* wie zaait zal oogsten
semejante I *bn* 1 dergelijk, soortgelijk; *cosa* ~ iets dergelijks, zoiets; *ser ~ a* lijken op; 2 (*wisk*) gelijkvormig; II *m* gelijke, naaste; **semejanza** gelijkenis, overeenkomst; **semejar** (*a*) lijken op; **semejarse** *zie semejar*
semen *m* sperma, mannelijk zaad; **semental** *m:* (*caballo*) ~ dekhengst; **sementera** 1 (het) zaaien; zaaitijd; 2 ingezaaid veld; 3 zaaisel
semestral 1 halfjaarlijks; 2 zes maanden durend; **semestre** *m* halfjaar, semester
semiacabado: *producto* ~ halffabrikaat; **semiautomático** halfautomatisch; **semibreve** *v* hele noot; **semicerrado** halfgesloten; **semicírculo** halve cirkel; ~ *graduado* gradenboog; **semiconductor** *m* halfgeleider; **semiconserva** halfconserve; **semiconsonante** *v* halfmedeklinker (*i of u voor klinker*); **semicorchea** zestiende noot; **semicubierto** half bedekt, half bewolkt; **semidesnatado** (*mbt melk*) halfvol; **semidiós**, **-osa** halfgod(in); **semiesfera** halfrond; **semifinal** *v* demi-finale, halve finale; **semifusa** 64e noot; **semihilo** halflinnen; **semi-internado** dagverblijf
semilla zaad; **semillero** 1 zaaibed; boomkwekerij; *planta de* ~ zaailing; 2 kweekplaats, haard, broeiplaats
semimanufacturado: *producto* ~ halffabrikaat
seminal vh zaad, zaad-
seminario 1 seminario; 2 seminar; werkcollege; werkgroep; **seminarista** *m* seminarist
semínima kwart noot
semioficial niet geheel officieel; informeel
semiótica semiotiek
semipermeable halfdoorlatend; **semipesado**: (*peso*) ~ halfzwaargewicht; **semiproducto** halffabrikaat; **semirredondo** halfrond; **semirremolque** *m* oplegger
semita semitisch; **semítico** semitisch
semitono halve toon; **semitransparente** halfdoorschijnend; **semivocal** *v* halfklinker (*i of u na andere klinker*)
sémola griesmeel
semoviente: *bienes ~s* levende have
sempiterno eeuwig
senado senaat; (*vglbaar*) Eerste Kamer; *el pleno del* ~ de voltallige Eerste Kamer; **senador**, **-ora** senator; (*vglbaar*) lid vd Eerste Kamer; **senatorial** vd senaat; van senatoren
sencillamente eenvoudig, gewoonweg; **sencillez** *v* 1 eenvoud; ~ *de manejo* bedieningsgemak; 2 ongekunsteldheid; **sencillo** I *bn* 1 eenvoudig, gemakkelijk; 2 enkel(voudig); *billete* ~ enkele reis; 3 ongekunsteld, simpel; II *zn* (*Am*) kleingeld
senda pad; **senderismo** trekking, (het) maken van voettochten; **senderista** *m,v* lid van Sendero Luminoso (*Lichtend Pad, maoïstische beweging in Peru*); **sendero** pad, paadje
sendos, **-as** even zovele, ieder een; *los tres hermanos tomaron ~ cafés* de drie broers dronken elk een kop koffie
séneca *m* wijs man; **senectud** *v* ouderdom; **senequismo** leer van Seneca; **senescencia** beginnende ouderdom
senil vd ouderdom; seniel; **senilidad** *v* seniliteit
senior *m* senior
seno 1 holte; ~ *frontal* voorhoofdsholte; 2 boezem; (moeder)schoot; ~ *de la familia* familiekring; ~ *materno* moederschoot; *en el ~ de la iglesia* in de schoot der kerk; 3 binnenste gedeelte, (*fig*) midden; *elegir de su* ~ uit hun midden kiezen; 4 zeeboezem, golf; 5 (*wisk*) sinus
sensación *v* 1 gewaarwording, gevoel; gehoor; ~ *de calor* gevoel van warmte; ~ *de culpabilidad* schuldgevoel; *dar la ~ de que* de indruk wekken dat; 2 sensatie, opschudding; *causar* ~ opzien baren; **sensacional** sensationeel, opzienbarend; fantastisch, geweldig; **sensacionalismo** sensatiezucht; **sensacionalista** op sensatie gericht, op sensatie belust; *prensa* ~ roddelpers
sensatez *v* gezond verstand, verstandigheid, nuchterheid; **sensato** verstandig, nuchter, bezonnen

sensibilidad *v* gevoeligheid; *es de gran* ~ het luistert zeer nauw; **sensibilizado** gevoelig (gemaakt); *muy* ~ overgevoelig; **sensibilizar** gevoelig maken; **sensible** 1 gevoelig, ontvankelijk; fijnbesnaard; ~ *a* gevoelig voor, vatbaar voor; ~ *al dolor* kleinzerig; *cuerda* ~ gevoelige snaar; *dar en lo más* ~ tegen het zere been schoppen; *punto* ~ teer punt; 2 aanmerkelijk, gevoelig; ~ *pérdida* (een) gevoelig verlies; *un golpe* ~ een gevoelige klap; 3 zinnelijk waarneembaar; 4 betreurenswaard; **sensiblería** sentimentaliteit; **sensiblero** sentimenteel; **sensitividad** *v* sensitiviteit; **sensitivo** 1 sensitief, zintuiglijk, vh gevoel; *nervio* ~ gevoelszenuw; 2 (*mbt persoon*) gevoelig; **sensorial** zintuiglijk; *percepción* ~ zintuiglijke waarneming

sensual sensueel, zinnelijk; **sensualidad** *v* zinnelijkheid, sensualiteit

sentada 1 sit-downstaking; 2 tijd dat iem blijft zitten; *de una* ~ in één ruk; **sentado** 1 zittend; ~ *a lo sastre* in kleermakerszit; *esperar* ~ wachten tot je een ons weegt; *podrás esperar* ~ dan kun je lang wachten; *estar* ~ zitten; *plaza -a* zitplaats; 2 vastgesteld; *dar por* ~, *dejar* ~ vooropstellen, ervan uitgaan, als vaststaand aannemen; **sentar ie** I *tr* 1 plaatsen, (neer)zetten; ~ *la mano a* onder handen nemen; 2 vaststellen; ~ *las bases de* de grondslag leggen voor; ~ *un precedente* een precedent scheppen; II *intr* passen, (*goed, slecht*) staan; bekomen, (*goed, slecht*) vallen; ~ *bien* goeddoen; **sentarse ie** 1 gaan zitten; *siéntese* gaat u zitten; 2 (*mbt bouwwerk*) zich zetten; (*mbt weer*) stabiel worden

sentencia 1 vonnis; ~ *de muerte* doodvonnis; ~ *penal* strafvonnis; *pronunciar* ~ *absolutoria a favor de u.p.* iem vrijspreken; 2 spreuk; **sentenciar** vonnissen, veroordelen; **sentencioso** betekenisvol, zinrijk; (*mbt toon*) plechtig

sentido I *bn* 1 (diep) gevoeld, oprecht; gevoelvol; *mi más* ~ *pésame* mijn oprechte deelneming; 2 (over)gevoelig, prikkelbaar; 3 gekwetst; *darse por* ~ zich verongelijkt tonen; II *zn* zin, betekenis; ~ *práctico* zakelijkheid, praktische instelling; *doble* ~ dubbele betekenis, dubbelzinnigheid; *en* ~ *estricto* strikt genomen; *en cierto* ~ in zekere zin; *lleno de* ~ zinvol; *no tiene* ~ dat heeft geen zin; *sin* ~, *falto de* ~ zinloos 1 zintuig; gevoel, inzicht; ~ *artístico* kunstzin; ~ *común, buen* ~ gezond verstand; ~ *del deber* plichtsbesef; ~ *del humor* gevoel voor humor; ~ *de la orientación* oriënteringsvermogen; ~ *de la realidad* werkelijkheidszin; ~ *del ritmo* maatgevoel; ~ *social* gemeenschapszin, sociaal gevoel; ~ *del tacto* tastzin; *aguzar el* ~ de oren spitsen; *con los cinco* ~*s* zeer aandachtig, vol overgave; *costar un* ~ peperduur zijn; *embargar los* ~*s* adembenemend zijn; *estar sin* ~ buiten kennis zijn; *no estar en sus cinco* ~*s* niet goed bij zijn hoofd zijn; *perder el* ~ flauwvallen; *recobrar el* ~ bijkomen; *sin* ~: *a*) bewusteloos; *b*) zinloos; 2 richting; ~ *de marcha* rijrichting; ~ *de rotación* draairichting; ~ *único* eenrichtingsverkeer; *en* ~ *inverso* in tegengestelde richting; 3 mening

sentimental gevoelig, sentimenteel; *persona* ~ gevoelsmens; **sentimentalismo** sentimentaliteit; **sentimiento** 1 gevoel; ~*s contradictorios* gemengde gevoelens; ~ *de culpa*, ~ *de culpabilidad* schuldgevoel; ~ *del deber* plichtsgevoel; ~ *del honor* eergevoel; 2 verdriet; *acompañar a u.p. en el* ~ *por* iem zijn medeleven betuigen met, iem condoleren met; *con gran* ~ *de mi parte* tot mijn grote spijt; *expresar su* ~ zijn leedwezen betuigen

sentina 1 kielruim; 2 (*fig*) beerput; oord des verderfs

sentir ie, i 1 voelen; merken; horen; ~ *pena por* te doen hebben met; *las horas pasan sin* ~ de uren gaan ongemerkt voorbij; 2 betreuren; *siento que no venga Ud.* het spijt me dat u niet komt; *lo siento* (*mucho*) het spijt me (zeer); **sentirse ie, i** zich voelen; ~ *a gusto* zich op zijn gemak voelen; ~ *incómodo*, ~ *molesto* zich niet op zijn gemak voelen, zich opgelaten voelen; ~ *llamado a* zich geroepen voelen om; ~ *mal* zich niet lekker voelen

seña 1 wenk, teken, sein; ~*s* gebaren(taal); *las* ~*s son mortales* de tekenen liegen er niet om; *dar* ~*s de* de tekenen geven van; *hacer una* ~ een teken geven, wenken; *hacer* ~*s de que* beduiden om; *por las* ~*s* naar het lijkt; *por más* ~*s* om precies te zijn; 2 (uiterlijk) kenteken; ~*s personales* beschrijving, signalement; 3 ~*s* adres; *las* ~*s indicadas* het opgegeven adres; 4 (*santo y*) ~ wachtwoord, parool; **señal** *v* 1 teken, signaal, blijk; ~ *de alarma* noodsein; ~ *de la cruz* kruisteken; ~ *luminosa* lichtsignaal; ~ *preventiva* waarschuwingsteken; ~ *de salida* vertreksein, startschot; ~ *de vida* levensteken; *en* ~ *de* ten teken van; *mala* ~ een veeg teken; *no dar* ~ *de vida* taal noch teken geven; 2 wegwijzer, verkeersbord; ~ *de parada* stopbord, stopsein; ~ *de prioridad* voorrangsbord; ~ *de tráfico* verkeersbord; 3 (*telef, radio*) toon; ~ *acústica*, ~ *sonora* geluidssignaal; ~ *de comunicación* in gesprek-toon; ~ *distintiva* pauzeteken (*op radio*); ~ *horaria* tijdsein; ~ *para marcar* kiestoon; 4 handgeld; *dejar una* ~ iets aanbetalen; **señalado** 1 beroemd; berucht; 2 genoemd; *la fecha -a* de genoemde datum || ~ *por la guerra* getekend door de oorlog; **señalamiento** 1 toekenning (*van salaris*); 2 bepaling (*van datum*); **señalar** 1 aanduiden, aanwijzen; signaleren; attenderen op, wijzen op; (*datum*) bepalen; 2 opmerken, zeggen; 3 (*salaris*) toekennen; 4 kenmerken; **señalarse** zich onderscheiden; **señalización** *v* bewegwijzering, (*Belg*) (weg)signalisatie; (het plaatsen van) seinapparatuur; **señalizar** bewegwijzeren

señero uniek, alleenstaand, uitzonderlijk

señor *m* heer, mijnheer; *un ~ abrigo, un abrigo muy ~* een prachtjas; *~ feudal* leenheer; *el ~ Sanz* mijnheer Sanz; *los ~es de Sanz* de heer en mevrouw Sanz; *a tal ~ tal honor* ere wie ere toekomt; *muy ~ mío:* (*briefaanhef*) geachte heer,...; *¡no ~!* welnee!, absoluut niet!; *¡sí ~!* zeker wel!, en of!; **Señor**: *el ~* de Heer, God; *Nuestro ~* Christus; **señora** 1 dame, mevrouw; *~ de compañía* gezelschapsdame; *~ de la limpieza* schoonmaakster; *la ~ de Sanz* mevrouw Sanz; *poca ~* geen echte dame; 2 (*fam*) vrouw, echtgenote; *mi ~* mijn vrouw; **Señora**: *Nuestra ~* de Heilige Maagd, Maria; **señorear** heersen over, beheersen; zich meester maken van; **señoría**: *Su ~, Vuestra ~* (*vglbaar*) Edelachtbare; **señorial** vd heer; *casa ~* (kapitaal) herenhuis; **señorío** 1 heerschappij; 2 (*hist*) heerlijkheid; 3 waardig gedrag; 4 (*fam*) deftige lieden; **señoritingo** (*neg*) heertje; **señorito, -a** 1 jongeheer, (me)juffrouw; 2 (*door personeel gezegd*) mijnheer, mevrouw; *los ~s* mijnheer en mevrouw; 3 *m* (*neg*) rijkeluiszoontje; **señorón, -ona** deftige heer, deftige dame

señuelo lokvogel; lokaas, lokmiddel; *caer en el ~* in de val lopen

sepa *zie saber*

sépalo kelkblad

separación *v* 1 scheiding, afzondering; *~ de bienes* boedelscheiding; *en régimen de ~ de bienes* buiten gemeenschap van goederen; 2 afstand, tussenruimte; *~ de palabras* (het) afbreken van woorden (*aan eind vd regel*); **separadamente** afzonderlijk; **separado** gescheiden; afzonderlijk, apart; *las piernas -as* (met) gespreide benen, (met) de benen uit elkaar; *por ~* afzonderlijk; **separar** scheiden; afsplitsen; afscheuren, lostrekken; afzonderen, apart houden; (*bedrag*) uittrekken; **separarse** 1 zich losmaken; aftakken; *~ de* zich afscheiden van, zich verwijderen van; 2 (*mbt echtgenoten*) uiteengaan, scheiden (van tafel en bed); **separata** overdruk (*van artikel*); **separatismo** separatisme; **separatista** separatistisch; *movimiento ~* afscheidingsbeweging

sepelio (*plechtige*) begrafenis

sepia 1 inktvis; 2 sepia, sap uit inktvis; 3 (*color*) *~ m* sepiakleur, zwartbruin

septenario periode van 7 dagen; **septenio** periode van 7 jaar

septentrión *m* 1 (*lit*) noorden; 2 (*astron*) Grote Beer; **septentrional** noordelijk

septeto septet

septicemia bloedvergiftiging; **séptico** septisch, infectieverwekkend

séptima (*muz*) septiem; *~ de dominante* dominant septiem; **séptimo** I *rangtelw* zevende; *en el ~ cielo* in de zevende hemel; II *zn* (een) zevende; **septingentésimo** zevenhonderdste

septiembre *m* september

septuagenario, -a zeventigjarige; **septuagésimo** zeventigste; **séptuplo** zevenvoud

sepulcral vh graf, graf-; *cámara ~* grafkamer; **sepulcro** graf(tombe); *~ de familia* familiegraf; **Sepulcro**: *el Santo ~* het Heilige Graf; **sepultar** 1 begraven, bijzetten; 2 bedelven; verbergen; **sepultura** 1 (het) begraven; *dar ~ a u.p.* iem begraven; 2 graf; *estar cavando su ~* zijn eigen graf graven; **sepulturero** doodgraver

sequedad *v* droogte; dorheid; **sequía** (*langdurige*) droogte

séquito 1 gevolg; 2 (*fig*) nasleep

sequoya sequoya (*boom*)

ser I *zelfst ww* 1 bestaan; *entonces ya no seré yo* dat zal ik niet meer meemaken, dan ben ik er niet meer; *érase* (*que se era*) er was eens; *no puede ~* het kan niet (waar zijn); *puede ~* misschien; *un si es no es* een beetje; 2 gebeuren, plaatsvinden; *¡sea!* vooruit dan maar!; *¿a qué hora es?* hoe laat begint het?; *ahí fue ella* daar had je de poppen aan het dansen; *¿cómo fue?* hoe is het gebeurd?; *no sea que...* laat het niet gebeuren dat..., om te voorkomen dat...; *¿qué será?* wat zal er gebeuren?; *¿qué será de él?: a*) wat zal er van hem worden?; *b*) hoe zou hij het maken?; *sea lo que sea* wat er ook gebeurt; *si es que...* als (het zou gebeuren dat...); *si es que lo permiten* als ze het tenminste goedvinden; 3 zijn; *sea...sea* hetzij...hetzij; *a no ~* (*que*) tenzij; *así sea* het zij zo; (*sea*) *como sea* hoe dan ook; *¿cómo es eso?* hoe kan dat nou?, hoe zit dat dan?; *¿cómo es que...?* hoe komt het dat...?; *¿dónde es?* waar is het?; *es que...* (het is) namelijk (zo dat)...; *o sea* oftewel, dat wil zeggen; 4 *~ de* zijn van, behoren bij; *eres de lo que no hay* je bent me d'r een; *es muy de mi madre* dat is echt iets voor mijn moeder; *esta lápiz es del profesor* dit potlood is vd leraar; 5 *~ de* afkomstig zijn uit; komen uit; II *koppelww* zijn, worden; *~ joven* jong zijn; *es más* sterker nog; *~ médico* dokter zijn; *aunque sea una gota* al is het maar een druppel; *no ~ menos que* niet onderdoen voor; *por si fuera poco* alsof dat niet genoeg was; *quiere ~ médico* hij wil dokter worden; III *hulpww vd lijd vorm* worden; *~ admitido* toegelaten worden; *no ha sido comprendido* het is niet begrepen; IV *m* wezen; *~ humano* mens; *~ supremo* opperwezen

sera grote wijde mouw

seráfico 1 vd serafijnen; engelachtig; 2 van Sint Franciscus, vd Franciscanen; arm en nederig; **serafín** *m* serafijn; engel; **Serafín** jongensnaam

serbal *m* lijsterbes

serbio Servisch; **serbocroata** Servokroatisch

serenar tot rust brengen, doen bedaren; **serenarse** tot rust komen, kalm worden; **serenata** serenade; **serenidad** *v* kalmte; koelbloedigheid; **serenísimo** (*hist, in titels*) doorluchtig; **sereno** I *bn* (*mbt hemel*) helder; (*mbt weer*) rustig; *al ~* (*'s nachts*) in de open lucht 1 kalm, sereen, vredig; 2 koelbloedig; II *zn* nachtwaker

serial *m* vervolgserie (*op radio of tv*); **serie** *v* reeks, serie; scala; aaneenschakeling; ~ *de sucesos* opeenvolging van gebeurtenissen; *en* ~ in serie, aan de lopende band; *fuera de* ~ buitenmodel
seriedad *v* 1 ernst; 2 betrouwbaarheid
serigrafía zeefdruk
serio 1 ernstig, serieus; ~ *como un ajo* doodernstig; *lo digo en* ~ ik meen het serieus; *ponerse* ~ ernstig worden; *tomar en* ~ serieus nemen, ernstig opvatten; *va en* ~ het is menens; 2 betrouwbaar; oppassend, fatsoenlijk; oprecht
sermón *m* preek; ~ *moralista* zedepreek; *echar un* ~ *a u.p.* een preek houden tegen iem, iem de mantel uitvegen; **Sermón** *m:* ~ *de la Montaña* Bergrede; **sermonear** kapittelen, de les lezen; (*fig, neg*) preken; **sermoneo** gekapittel, gepreek
seropositivo seropositief
seroso vochthoudend
serpear *zie serpentear*; **serpenteante** kronkelend; **serpentear** kronkelen, slingeren; **serpenteo** gekronkel; **serpentín** *m* spiraalbuis (*in distilleerketel*); **serpentina** serpentine; **serpiente** *v* slang; ~ *de anteojos* brilslang; ~ *de cascabel* ratelslang; ~ *marina,* ~ *de mar* 'monster van Lochness' (*ongeloofwaardig bericht*); ~ *pitón* python; *encantar* ~*s* slangen bezweren
serrado gekarteld; **serranía** bergland; **serranilla** (*hist*) bep kort gedicht; **serrano, -a** I *bn* uit de bergen; II *zn* bergbewoner, -bewoonster; **serrar ie** (door)zagen; **serrería** (hout)zagerij; **serrín** *m* zaagsel; ~ *de turba* turfmolm; **serrucho** zaag; ~ *de calar,* ~ *de punta* schrobzaag
sertão droge streek in N.O.-Brazilië
servible bruikbaar; **servicial** gedienstig, hulpvaardig, voorkomend; **servicio** 1 bediening; 2 bedieningsgeld; 3 dienst; ~ *posventa* service (*na aankoop*); *a su* ~ tot uw dienst; *a buen* ~ *mal galardón* stank voor dank; *estar al* ~ *de* in dienst zijn van; *hacer un flaco* ~ een slechte dienst bewijzen; *prestar un* ~ een dienst bewijzen; *tener a su* ~ in dienst hebben; 4 werking, dienst; ~ *de guardia* piketdienst; ~ *de lanzadera,* ~ *de vaivén* pendeldienst; ~ *de línea* lijndienst; ~ *nocturno* nachtdienst; *estar de* ~ dienst hebben; *estar en* ~ in bedrijf zijn; *fuera de* ~ buiten bedrijf, buiten dienst; *poner en* ~ in dienst stellen, in gebruik nemen, (*schip*) in de vaart brengen; *prestar* ~ dienst doen; 5 ~ (*militar*) (militaire) dienst, (*Belg*) militie; *entrar en* ~ *activo* onder de wapens komen; *eximir del* ~ *militar* vrijstellen van militaire dienst; 6 dienst, instelling; ~ *de consultores* adviesbureau; ~ *de extranjería,* ~ *de inmigración* vreemdelingendienst; ~ *de información* inlichtingendienst, voorlichtingsdienst; ~ *municipal de limpieza* gemeentereiniging; ~ *de sanidad* geneeskundige dienst; ~ *secreto* geheime dienst; ~ *de seguridad* veiligheidsdienst; ~ *de transportes* vervoerswezen; 7 ~ (*divino*), ~ (*religioso*) dienst, godsdienstoefening; ~ *fúnebre* rouwdienst; 8 servies; ~ *de café* koffieservies; ~ *de mesa* eetservies; 9 (dienst)personeel; ~ *doméstico* huispersoneel; 10 (*sp*) service; 11 ~*s* voorzieningen; 12 ~*s* badkamer, wc, toilet (*in hotel*); 13 (*Am*) portie; **servidor, -ora** dienaar, dienares; *un* ~, *una -ora* ondergetekende, ik; **servidumbre** *v* 1 (huis)personeel; 2 slavernij; 3 (*jur*) erfdienstbaarheid; **servil** 1 van slaven; 2 slaafs, kruiperig; **servilismo** slaafsheid
servilleta servet; **servilletero** servetring; servettasje
servio Servisch
servir i I *tr* 1 bedienen; dienen; *¿en qué puedo ~le?* wat kan ik voor u doen?; 2 (op)dienen; (in)schenken; (*eten*) opscheppen; ~ *a la mesa* aan tafel bedienen; *la comida está servida* er is opgediend; II *intr* 1 dienen, in dienst zijn; 2 bruikbaar zijn, deugen; ~ *de* dienen als; ~ *para* dienen om; ~ *para un empleo* geschikt zijn voor een baan; *no sirve de nada* het heeft geen enkele zin; *no sirve para nada* hij deugt nergens voor; 3 (*sp*) serveren; **servirse i** 1 toetasten; ~ *de* zich bedienen van; 2 gelieven; *sírvase escribirme* weest u zo goed mij te schrijven; 3 ~ *de* gebruik maken van, zich bedienen van
servocroata Servokroatisch
servodirección *v* stuurbekrachtiging; **servofreno** rembekrachtiging; **servomando** (*techn*) bekrachtiging; **servomotor** *m* servomotor; hulpmotor
sesada hersens (*van dieren*)
sésamo sesam; ~, *ábrete* Sesam open u, wondermiddel
sesear de Spaanse c als s uitspreken
sesenta zestig; **sesentavo** zestigste deel; **sesentón, -ona** zestigjarige, zestiger
seseo uitspraak vd Spaanse c als s
sesera (*fam*) hersens
sesgado schuin, scheef; **sesgadura** (het) schuin knippen; **sesgar** (*stof*) schuin knippen; **sesgo** wending (*in gang van zaken*), andere koers || *al* ~ schuin (geknipt)
sesión *v* 1 zitting; vergadering; ~ *de clausura,* ~ *final* slotzitting; ~ *del consejo* raadszitting; ~ *de emergencia* spoedzitting; ~ *maratoniana* marathonzitting; ~ *plenaria* plenaire zitting; *levantar la* ~ de zitting opheffen;; 2 (*theat*) voorstelling; ~ *continua* doorlopende voorstelling; ~ *de madrugada* nachtvoorstelling; ~ *numerada* voorstelling met besproken plaatsen
seso (*vaak mv*) hersens; verstand; *beberse el* ~, *sorberse el* ~ gek worden; *el fútbol le tiene sorbido el* ~ het voetballen brengt zijn hoofd op hol; *devanarse los* ~*s* zich suf piekeren, zich het hoofd breken; *perder el* ~ zijn verstand verliezen
sestear 1 siësta houden, een middagslaapje doen; 2 (*mbt vee*) in de schaduw rusten

sesudo 1 intelligent; 2 bezadigd, verstandig
set *m* 1 (*tennis*) set; 2 (*film*) set
seta paddestoel
setecientos, -as zevenhonderd; **setenta** zeventig; **setentavo** zeventigste deel; **setentón, -ona** zeventigjarige, zeventiger
setiembre *m* september
seto omheining; ~ (*vivo*), ~ (*verde*) heg, haag
setter *m* setter (*hond*)
seudónimo pseudoniem
severidad *v* strengheid; **severo** 1 streng; (*mbt straf*) zwaar; 2 sober
seviche *m* 1 gemarineerde rauwe vis; 2 visragoût
sevicia (*lit*) intense wreedheid
sevillanas *vmv* bep volksdans uit Sevilla; **sevillano** Sevilliaans
sexagenario, -a zestiger; **sexagésimo** I *rangtelw* zestigste; II *zn* zestigste deel
sexaje *m* (het) seksen; **sexar** (*kuikens*) seksen
sexcentésimo zeshonderdste
sexclub *m* seksclub
sexenio periode van zes jaar
sexismo seksisme; **sexista** I *bn* seksistisch; II *m,v* seksist(e); **sexo** 1 geslacht, sekse; 2 geslachtsorgaan; 3 seks; **sexología** seksuologie; **sexólogo, -a** seksuoloog, -loge
sexta (*muz*) sext; **sextante** *m* sextant; **sexteto** sextet; **sexto** zesde; **sextuplicar** verzesvoudigen; **séxtuplo** zesvoud
sexuado geslachtsgebonden; **sexual** seksueel, geslachtelijk; *acto* ~ geslachtsdaad; *trato* ~ seksueel verkeer; **sexualidad** *v* seksualiteit
SG (*supergrande*) (*kledingmaat*) XL, extra large
shií *m, mv shiíes* sjiiet
shock *m* shock
short *m* short, korte broek
show *m* show
1 si *m* (*muz*) si, b; ~ *bemol* bes
2 si *voegw* 1 als, indien; ~ *llueve no vamos* als het regent gaan we niet; ~ *lo supiera* als ik het wist; ~ *no* zo niet, anders; 2 of; *no saber* ~ niet weten of; *preguntar* ~ vragen of; 3 (*toegevend*): ~ *no hemos ganado, al menos nos hemos divertido* we mogen dan niet gewonnen hebben, we hebben in ieder geval plezier gehad; 4 (*vaak in uitroepen*) immers; *¡~ yo no lo sé!* dat weet ík toch niet!, weet ik veel! || *que ~... que ~...* (*in opsomming*) en dat... en dat...; *que ~ no tenía tiempo, que ~ no tenía dinero* en dat hij geen tijd had, en dat hij geen geld had; *que ~ su madre, que ~ su hermana...* en hij begon over zijn moeder, en over zijn zuster...
sí I *m* ja, jawoord; II *bw* ja; wel; *¡a que ~!* wedden van wel!; *eso ~ que es difícil* dat is inderdaad moeilijk; *eso ~ que no* daar komt niets van in; *porque* ~ daarom, zomaar; *¡que ~!* jawel!, wel waar!; III *wdkd vnw* zich; *de ~, de por* ~ van nature; *en* ~ op zich; *fuera de* ~ buiten zichzelf; *el hecho en* ~ het feit op zich; *para* ~ bij zichzelf (*zeggen*); *ser* ~ *mismo* zichzelf zijn; *volver en* ~ bij kennis komen; *volver sobre* ~ tot zichzelf komen || *entre* ~ onderling
siamés, -esa Siamees
sibarita *m,v* levensgeniet(st)er; **sibaritismo** (het) leven in weelde, zinnelijke geneugten
Siberia Siberië; **siberiano** Siberisch
sibila sibylle, profetes
sibilante *v:* (*consonante*) ~ sisklank
sibilino 1 vd profetes; voorspellend; 2 duister, mysterieus
sicario huurmoordenaar
siciliano Siciliaans
sico- *zie psico-*
sicofanta *m* lasteraar
SIDA *m síndrome de inmunodeficiencia adquirida,* AIDS
sidecar *m* zijspan
sideral, sidéreo vd sterren
siderurgia ijzermetallurgie
sidra cider; **sidrería** ciderlokaal
siega 1 oogst (*van graan*); 2 oogsttijd
siembra 1 (het) zaaien; *patata de* ~ pootaardappel; 2 zaaitijd
siempre 1 altijd, steeds; *amigos de* ~ oude vrienden; *de ~: a*) vanouds; *b*) gebruikelijk; *desde* ~ vanouds; *las palabras de* ~ de gebruikelijke woorden; *lo de* ~ de gewone dingen; *para* ~ voorgoed; *por ~ jamás* voor eeuwig; *ya es el de* ~ hij is weer de oude; 2 ~ *que*, ~ *y cuando* mits, vooropgesteld dat; ~ *que lo explique* mits hij het uitlegt; **siempretieso** duikelaartje (*speelgoed*); **siempreviva** strobloem
sien *v* (*anat*) slaap
sierra 1 zaag; ~ *de armazón*, ~ *de bastidor*, ~ *tendida* spanzaag; ~ *de cadena* kettingzaag; ~ *circular* cirkelzaag; ~ *de cordón* lintzaag; ~ *mecánica* zaagmachine; ~ *para metales* metaalzaag; ~ *de punta* schrobzaag; 2 gebergte, bergketen
siervo, -a slaaf, slavin; ~ *de la gleba* (*hist*) lijfeigene
siesta 1 siësta, middagslaapje; *dormir la* ~ een slaapje doen; 2 heetste uren vd dag
siete I *telw* zeven; *bajo* ~ *llaves* achter slot en grendel; *más que* ~ heel wat; II *m* winkelhaak; **sietemesino, -a** 1 zevenmaandskindje; 2 onderkruipsel, magere lat; 3 wijsneus; ijdeltuit
sífilis *v* syfilis; **sifilítico, -a** I *bn* vd syfilis; lijdend aan syfilis; II *zn* syfilispatiënt(e)
sifón *m* 1 hevel; 2 sifon, spuitwaterfles; 3 (*fam*) spuitwater; 4 zwanehals (*in afvoer*)
sigilar verzwijgen; **sigilo** geheimhouding; ~ *profesional* ambtsgeheim; *con mucho* ~ in het diepste geheim, heel discreet; **sigiloso** geheimzinnig; stilzwijgend
sigla letterwoord, afkorting door beginletters
siglo 1 eeuw; *el* ~ *de las luces* de eeuw vd verlichting (*18e eeuw*); *el* ~ *de oro* de Gouden Eeuw; *del* ~ *XVIII* 18e-eeuws; *por los ~s de los ~s* tot in alle eeuwigheid; 2 lange tijd; *hace ~s que no te veo* ik heb je in geen tijden gezien;

3 (leven in de) wereld; *retirarse del* ~ in een klooster gaan
signar 1 een stempel plaatsen op, merken; 2 ondertekenen, signeren; 3 bekruisen; **signarse** zich bekruisen; **signatario, -a** ondertekenaar(ster); **signatura** 1 teken, (ken)merk; *poner la* ~ signeren; 2 signatuur (*bv in bibliotheekboek*)
significación *v* 1 betekenis; belang, gewicht; 2 (*pol*) signatuur, affiniteit; **significado** I *bn* bekend, vooraanstaand; II *zn* betekenis, zin; **significante** I *bn* betekenisdragend; veelbetekenend; II *m* (*gramm*) betekenisdrager, teken; **significar** 1 betekenen, neerkomen op; *eso no significa nada* dat zegt niets; 2 beduiden, doen weten; **significarse** opvallen, zich onderscheiden; ~ *como* zich manifesteren als; *no* ~ zich niet uitspreken; **significativo** veelbetekenend, veelzeggend; zinvol; belangrijk; *un dato por demás* ~ een gegeven dat aan duidelijkheid niets te wensen overlaat; **signo** 1 teken; ~ *de admiración* uitroepteken; ~ *igual,* ~ *de igualdad* gelijkteken; ~ *de interrogación* vraagteken; ~ *más* plusteken; ~ *menos* minteken; ~ *de multiplicar* maalteken; ~ *de puntuación* leesteken; 2 ~ (*del Zodiaco*) teken vd dierenriem, sterrenbeeld; lotsbestemming, teken; 3 signatuur; *de* ~ *liberal* van liberale signatuur
siguiente volgend; ~ *a* volgend op, na; *lo* ~ het volgende; *al día* ~ de volgende dag; *el lunes* ~ de maandag daarna
sij *m, mv sijs* Sikh
sílaba lettergreep; ~ *aguda,* ~ *tónica* beklemtoonde lettergreep; ~ *átona* onbeklemtoonde lettergreep; *no pudo articular una* ~ hij kon geen woord uitbrengen; **silabear** lettergreep voor lettergreep uitspreken; **silábica** vd lettergrepen
silba gefluit, (het) uitfluiten; **silbador, -ora** fluitend; die fluit; **silbante** 1 fluitend; *respiración* ~ piepende ademhaling; 2 met sisklank, sissend; **silbar** I *intr* 1 fluiten; *me silban los oídos* mijn oren tuiten; 2 sissen, suizen; II *tr* uitfluiten; **silbato** 1 fluit; 2 fluitsignaal; **silbido** gefluit
silenciador, -ora I *bn* geluiddempend; II *m* knalpot; **silenciar** 1 tot zwijgen brengen; 2 verzwijgen; **silencio** stilte; (het) zwijgen; ~ *administrativo* afwijzing van een verzoek dmv niet-reageren; *un* ~ *embarazoso, un* ~ *penoso, un* ~ *tirante* een pijnlijke stilte; ~ *mortal,* ~ *sepulcral* doodse stilte; *en* ~ in stilte; *guardar* ~ het stilzwijgen bewaren, er het zwijgen toe doen; *hubo un* ~ het werd stil, er viel een stilte; *imponer* ~ geheimhouding opleggen; *pasar en* ~ doodzwijgen, in stilte voorbijgaan aan; *reducir al* ~ tot zwijgen brengen; *romper el* ~ de stilte verbreken, het stilzwijgen verbreken; **silencioso** stil, geluidloos, geruisloos; zwijgend; *un motor* ~ een stille motor
sílex *m* hard gesteente, muursteen
sílfide *v* nimf
silgar 1 (*een boot*) wrikkend voortbewegen; 2 (*een boot*) voorttrekken, jagen
silicato silicaat; ~ *de sodio* waterglas; **sílice** *v* kiezelaarde; **silícico** van kiezel; *ácido* ~ kiezelzuur; **silicona** silicone; **silicosis** *v* silicose (*longziekte*)
silla 1 stoel; ~ *cangreja,* ~ *plegable,* ~ *tijera* klapstoel; ~ *disparable* schietstoel; ~ *giratoria* draaistoel; ~ *de manos* draagstoel; ~ *de la reina* zitje gemaakt door de gekruiste handen van twee personen, kakkestoelemeien; ~ *de ruedas* rolstoel; *siempre se le pega la* ~ hij blijft altijd plakken; 2 ~ (*de montar*) (rij)zadel; **sillar** *m* 1 grote bewerkte steen; 2 deel vd paarderug waarop het zadel rust; **sillería** 1 (de) stoelen, zitmeubilair; 2 koorbank; 3 zadelmakerij; 4 bouwwerk van natuursteen; **sillín** *m* zadel (*op fiets, motor*); **sillón** *m* leunstoel, armstoel; ~ *de ruedas* rolstoel; ~ *de Viena* schommelstoel
silo silo; ~ *de trigo* graansilo
silogismo syllogisme, sluitrede
silueta silhouet
silva bep versvorm (*met regels van 7 en 11 lettergrepen*)
silvestre (*mbt plant*) wild, in het wild voorkomend; **silvicultor, -ora** *m,v* bosbouwer; **silvicultura** bosbouw
sima afgrond
simbiosis *v* symbiose; **simbiótico** symbiotisch
simbólico symbolisch; **simbolismo** 1 symboliek; 2 symbolisme (*19e-eeuwse Franse stroming in dichtkunst*); **simbolización** *v* symbolisering; **simbolizar** symboliseren; **símbolo** symbool
simetría symmetrie; **simétrico** symmetrisch
simiente *v* 1 zaad; 2 zaadje
simiesco aapachtig
símil *m* (*lit*) vergelijking; **similar** (*a*) lijkend (op), gelijksoortig (aan), soortgelijk; **similitud** *v* gelijkenis
simio aap
simón *m* (*hist, in Madrid*) huurrijtuig, aapje
simpatía 1 ~ (*a, por, hacia*) sympathie (voor); *ganar la* ~ *de u.p.* iem voor zich innemen; *perder la* ~ *de u.p.* bij iem uit de gratie raken; *le tengo* ~ ik vind hem aardig, ik ben op hem gesteld; 2 innemendheid; **simpático** I *bn* 1 sympathiek, aardig; geschikt; innemend; *me es* ~ ik mag hem graag; *no me es* ~ hij ligt me niet, ik vind hem niet sympathiek; 2 (*mbt inkt*) sympathetisch, onzichtbaar; II *zn: gran* ~ sympathicus, deel vh zenuwstelsel; **simpatiquísimo** alleraardigst; **simpatizante** I *bn* sympathiserend; II *m,v* sympathisant(e); **simpatizar** (*con*) sympathiseren (met); *no simpatizamos* wij liggen elkaar niet
simple I *bn* 1 eenvoudig, simpel; *a* ~ *vista* met het blote oog; *se ve a* ~ *vista* dat zie je zo; 2 onnozel; 3 enkel(voudig); II *zn* 1 *m,v* simpele ziel; 2 *m* (*sp*) enkelspel; **simplemente** eenvoudig,

gewoon, domweg; **simpleza** onnozelheid; **simplicidad** *v* 1 eenvoud; 2 naïviteit; **simplificación** *v* vereenvoudiging; **simplificar** vereenvoudigen, simplificeren; **simplista** simplistisch; **simplón, -ona** I *bn* simpel, sullig, oerdom; II *m,v* onnozele hals; **simplote, -ota** *zie simplón*

simposio symposium

simulación *v* (het) voorwenden; veinzerij; **simulacro** schijnhandeling; ~ *de combate* spiegelgevecht; **simulado** geveinsd, voorgewend; *pistola -a* namaakpistool; **simulador, -ora** 1 simulant(e); 2 *m* simulator; ~ *de vuelo* vluchtnabootser; **simular** voorwenden, veinzen, simuleren

simultanear (*meerdere dingen, studies*) tegelijk doen; **simultaneidad** *v* gelijktijdigheid; **simultáneo** I *bn* gelijktijdig; simultaan; *marcador* ~ (*sp*) gelijkmaker; *producto* ~ nevenprodukt; *traducción -a* (het) simultaan tolken; II *vmv: -as* simultaanwedstrijd

sin *vz* zonder; ~ *aliento* ademloos; ~ *cargo* (*hdl*) kosteloos; ~ *culpa mía* buiten mijn schuld; ~ *cultivar* braak(liggend); ~ *embargo* toch, evenwel; ~ *falta* beslist; ~ *límite* grenzeloos

sinagoga synagoge

Sinaí: *el* ~ de Sinaï

sinalefa (*taalk*) synaloefe

sinapismo 1 mosterdpleister; *hay que ponerle un* ~ hij moet eens flink wakker geschud worden; 2 vervelende zeur

sincerarse zich openlijk uitspreken; zich rechtvaardigen; ~ *con u.p.* zijn hart bij iem uitstorten; **sinceridad** *v* eerlijkheid, openhartigheid; **sincero** eerlijk, oprecht; trouwhartig

síncopa 1 (*muz*) syn'cope; 2 (*gramm*) 'syncope; **sincopado** syncopisch; **sincopar** 1 syncoperen; 2 bekorten, afkorten; **síncope** *m* 1 (*gramm*) 'syncope; 2 (*med*) bewusteloosheid, syn'cope

sincrónico synchroon; **sincronismo** gelijktijdigheid, synchronisme; **sincronización** *v* synchronisatie; afstemming; **sincronizar** synchroniseren; afstemmen; **sincronizarse**: ~ *con* gelijke tred houden met

sindicación *v* aansluiting bij syndicaat; **sindicado** aangesloten bij syndicaat of vakbond, (*Belg*) gesyndikeerd; **sindical** vd vakbeweging, (*Belg*) syndicaal; **sindicalismo** syndicalisme; **sindicalista** *m,v* 1 aanhang(st)er vh syndicalisme; 2 lid van vakbeweging; **sindicalizado** aangesloten bij vakbond, (*Belg*) gesyndikeerd; **sindicalizarse** *zie sindicarse*; **sindicar** 1 in een vakbond onderbrengen; 2 verdenken; beschouwen (als); **sindicarse** lid worden van een vakbond, (*Belg*) zich syndikeren; **sindicato** 1 syndicaat; kar'tel; 2 vakbond; **síndico** 1 vertegenwoordiger; 2 (*vglbaar*) curator (*in faillissement*)

síndrome *m* syndroom, ziektebeeld; ~ *de abstinencia* ontwenningsverschijnselen; ~ *de inmunodeficiencia adquirida* (*afk SIDA*) aids

sinecura sinecure, makkelijk baantje; **sinecurista** *m,v* baantjesjager

sinfín *m* eindeloos aantal

sinfonía symfonie; **sinfónico** symfonisch

singladura door een schip afgelegde afstand in 24 uur; etmaal; **singlar** een bep koers houden

single *m* 1 (*sp*) single, enkelspel; 2 eenpersoons coupé in ligrijtuig

singular I *bn* 1 enkel, alleen, uniek; *combate* ~ gevecht van man tegen man; 2 bijzonder, wonderlijk, vreemdsoortig, zonderling, zeldzaam; II *m* (*gramm*) enkelvoud; **singularidad** *v* bijzonderheid, zeldzaamheid; **singularizar** 1 afzonderen, apart nemen; 2 kenmerken; 3 in het enkelvoud zetten; **singularizarse** zich onderscheiden; opvallen; ~ *con* zich anders gedragen tegenover

sinhueso *v* (*anat, fam*) tong

siniestrado getroffen; *región -a* rampgebied; **siniestra** (*lit*) linkerhand; **siniestro** I *bn* 1 (*lit*) links; 2 sinister, luguber; louche; 3 onheilspellend, rampzalig; II *zn* ramp, onheil

sinnúmero eindeloos aantal; *un* ~ *de* talloze

1 sino (nood)lot

2 sino I *voegw* maar (*bij tegenstelling*); ~ *que* maar (*als ww-vorm volgt*); *no es negro* ~ *blanco* het is niet zwart maar wit; *no es tonto,* ~ *que es un poco lento* hij is niet dom, hij is alleen een beetje traag; *no sólo...* ~ *también* niet alleen...maar ook; II *bw* anders dan; *no...* ~ slechts; *no había* ~ *tres* er waren er maar drie; *no hay nadie* ~ *yo* er is niemand behalve ik; *no veo* ~ *fantasmas* ik zie alleen maar spoken; *¿quién* ~ *tú?* wie anders dan jij?

sínodo synode

sinología sinologie, Chinakunde; **sinólogo, -a** sinoloog, -loge, kenner van China en vh Chinees

sinonimia (het) synoniem zijn; **sinónimo** synoniem

sinopsis *v* samenvatting, overzicht; **sinóptico** beknopt; *cuadro* ~ schematisch overzicht

sinovia synovia, gewrichtsvocht; **sinovial** synoviaal; *derrame* ~ vocht in gewricht

sinrazón *v* onrecht; (machts)misbruik

sinsabor *m* iets onaangenaams, (reden tot) verdriet

sinsonte *m* spotvogel

sinsubstancia *m,v* leeghoofd

sintáctico syntactisch; *análisis* ~ redekundige ontleding; **sintagma** *m* syntagma; **sintaxis** *v* syntaxis

síntesis *v* synthese; samenvatting; *en* ~ samenvattend; **sintético** 1 synthetisch; *fibra -a* kunstvezel; *material* ~ kunststof; 2 samenvattend; **sintetizador** *m* synthesizer; **sintetizar** samenvatten, in het kort herhalen

sintoísmo shintoïsme

síntoma *m* symptoom; **sintomático** symptomatisch

sintonía 1 (*radio*) afstemming; 2 (*radio*) her-

kenningsmelodie; **sintonización** *v* afstemming; **sintonizador** *m* tuner; **sintonizar** afstemmen
sinuosidad *v* 1 kronkel; 2 kronkeligheid; **sinuoso** 1 kronkelig, bochtig; 2 achterbaks
sinusitis *v* voorhoofdsholteontsteking
sinvergonzón, -ona boef, lelijkerd; **sinvergüencería** onbeschaamdheid; **sinvergüenza** *m,v* 1 schurk, schoft; 2 slimmerik, lelijkerd; 3 brutale vlegel, brutale meid
sionismo zionisme; **sionista** *m,v* zionist(e)
siquiatra *m,v; zie psiquiatra*
siquiera *bw* tenminste; *explícamelo ~* leg het me tenminste uit; *ni ~* niet eens, zelfs niet; *sin ~ mirarlo* zonder er zelfs maar naar te kijken
sirena 1 sirene, zeemeermin; 2 sirene, stoomfluit; *~ de niebla* misthoorn
sirga jaaglijn; **sirgar** (*schip*) voorttrekken, jagen
Siria Syrië; **siriaco, sirio** Syrisch
sirlero (*pop*) heler
siroco sirocco (*hete Z.O.-wind uit Sahara*)
sirviente, -enta I *zn* bediende, dienstbode; II *bn* dienend
sisa 1 kruimeldiefstal; 2 (het) inknippen, spie(tje); armsgat
sisal *m* sisal
sisar 1 kleine beetjes stelen, pikken; 2 (*kledingstuk*) inknippen, spietjes maken in
sisear 1 pst roepen (*om aandacht te trekken*); 2 uitfluiten (*met sissend geluid*)
sísmico vd aardbeving, seismisch; **sismo** aardbeving; **sismógrafo** seismograaf
sistema *m* systeem, stelsel; bestel; samenstel; *~ antirrobo* inbraakbeveiliging; *~ bicameral* tweekamerstelsel; *~ de cortinas de agua* sprinklersysteem; *~ decimal* decimaal stelsel; *~ educacional* onderwijsstelsel; *~ electoral* kiesstelsel; *~ feudal* leenstelsel; *~ fiscal* belastingstelsel; *~ galáctico* melkwegstelsel; *~ de gobierno* staatsbestel; *~ métrico* metriek stelsel; *~ nervioso* zenuwstelsel; *~ operativo* (*comp*) besturingsprogramma; *~ penitenciario* gevangeniswezen; *~ periódico* periodiek systeem; *~ punitivo* strafstelsel; *~ retributivo* beloningssysteem; *~ de riego, ~ de rociadores automáticos* sprinklersysteem; *~ solar* zonnestelsel; *~ de sujeción* bevestigingssysteem; *~ vascular sanguíneo* bloedvatenstelsel; *con ~* systematisch; *por ~* steevast, stelselmatig; **sistemática** systematiek; **sistemático** systematisch, stelselmatig; **sistematización** *v* systematisering; **sistematizar** systematiseren
sitiador, -ora I *bn* belegerend; II *zn* belegeraar(ster); **sitial** *m* (ere)zetel; **sitiar** belegeren, omsingelen; **sitio** 1 plaats, plek, ruimte; *cambiar de ~* verleggen, verplaatsen, verhangen; *dejar ~, hacer ~* plaats maken; *ir a cierto ~* naar de WC gaan; *dejar en el ~ a u.p.* iem koud maken; *en el ~* ter plaatse; *en algún ~* ergens; *en otro ~* elders; *éste no es tu ~, tu ~ no es aquí* jij hoort hier niet; *ofrecer ~ a* plaats bieden aan; *poner a u.p. en su ~* iem op zijn nummer zetten; *quedarse en el ~* op slag dood zijn; 2 beleg, belegering; *poner ~ a* belegeren; 3 (*horeca*) gelegenheid; *un ~ elegante* een chique gelegenheid
sito gelegen
situación *v* 1 situatie, toestand, gesteldheid; *una ~ embarazosa* een lastig parket; *~ forzosa* dwangpositie; *~ jurídica* rechtspositie; *~ tensa* gespannen situatie; 2 ligging, locatie; **situado** 1 gelegen, gesitueerd; *bien ~* gegoed, welgesteld; *convenientemente ~* gunstig gelegen; 2 gezeten, gesetteld; **situar ú** 1 plaatsen, situeren; 2 (*van geld*) beleggen, vastzetten; **situarse ú** zich een plaats veroveren; zich settelen
skai *m* skai; **skay** *m* skai
skelter *m* skelter
sketch *m* sketch
s.l. *sus labores* (*in akte*) beroep huisvrouw
S.L. *sociedad de responsabilidad limitada*
slalom *m* slalom
slip *m* (heren)slip
slogan *m* slogan
S.M. *Su Majestad* Z.M., H.M.
smoking *m* smoking
snob I *bn* snobistisch; II *m,v* snob; **snobismo** snobisme
so: *~ capa de* onder het mom van; *~ pena de* op straffe van
soba 1 (het) betasten; (het) kneden; 2 pak ransel
sobaco oksel
sobadura 1 (het) kneden; 2 pak ransel
sobaquera okselstuk, sousbras
sobaquina (oksel)zweet
sobar 1 betasten; kneden; 2 een pak slaag geven; 3 jatten
soberanamente enorm; *aburrirse ~* zich stierlijk vervelen; **soberanía** soevereiniteit; **soberano, -a** I *zn* vorst(in), heerser(es), soeverein; II *bn* 1 soeverein; hoogste; 2 geweldig, enorm
soberbia hoogmoed; **soberbio** hoogmoedig; trots
sobo *zie soba*
sobón, -ona handtastelijk; (*fig*) kleverig
sobornable corrupt, omkoopbaar; **sobornador, -ora** I *bn* omkopend, verleidend; II *zn* omkoper, -koopster; **sobornar** omkopen; **soborno** 1 corruptie, omkoperij; 2 steekpenning
sobra 1 (het) teveel; *de ~* te over, ruimschoots, volop; *hay tiempo de ~* er is meer dan tijd genoeg; *lo sabe de ~* hij weet het maar al te goed; 2 *~s* etensresten; **sobradamente** in hoge mate; *las cifras son ~ expresivas* de cijfers spreken voor zich; **sobradillo** luifel, afdakje; **sobrado** I *zn* vliering, zolder; II *bn* 1 te veel, ruim voldoende; 2 ruim voorzien; III *bw* overmatig; **sobrante** I *bn* overtollig; *mantequilla ~* boterberg; II *m* (*soms mv*) overschot; *~s de cereales* graanoverschot; **sobrar** 1 te veel zijn; 2 over zijn; *le sobra razón* hij heeft groot gelijk; *te sobrará dinero* je zult nog geld overhouden

sobrasada bep paprikaworst van Majorca
sobre I *m* envelop, (*Belg*) omslag; ~ *de* (*la*) *paga* loonzakje; ~ *con ventanilla* vensterenvelop, (*Belg*) vensteromslag; *en* ~ *cerrado* onder couvert; II *vz* 1 boven, op, over; ~ *la cama* op het bed, boven het bed; ~ *cero* boven nul; ~ *todo* bovenal, vooral; *sólo* ~ *papel* alleen op papier; *volver* ~ terugkomen op (*een onderwerp*); 2 over, omtrent; ~ *ello*, ~ *eso* daarover; 3 omstreeks; ~ *las 4* omstreeks 4 uur
sobreabundancia grote overvloed; **sobreabundante** zeer overvloedig; **sobreabundar** 1 in overvloed aanwezig zijn; 2 ~ *en* overvloeien van
sobrealimentación *v* overvoeding; **sobrealimentar** overvoeden
sobreasada *zie sobrasada*
sobrecalentar ie oververhitten
sobrecama sprei
sobrecarga 1 over'lading; (*techn*) overdruk; 2 opdruk (*op postzegel*); **sobrecargador** *m* (*techn*) aanjager; **sobrecargar** over'laden, overbelasten; **sobrecargo** purser
sobrecogedor, -ora verrassend; aangrijpend, angstaanjagend; **sobrecoger** overvallen; doen schrikken; **sobrecogerse** schrikken, bang worden
sobrecubierta (boek)omslag
sobredicho bovengenoemd
sobredorado doublé; **sobredorar** vergulden
sobredosis *v* overdosis
sobreentender ie *zie sobrentender*
sobreentrenar overtrainen
sobreexcitación *v* overspannenheid; **sobreexcitado** over zijn toeren, overspannen
sobreexponer overbelichten; **sobreexposición** *v* overbelichting; **sobreexpuesto** overbelicht
sobrefatigado oververmoeid; **sobrefatigarse** zich overwerken
sobrefundido onderkoeld; **sobrefusión** *v* onderkoeling
sobrehilar overhands naaien (*als afwerking*)
sobrehumano bovenmenselijk
sobrellenar te vol maken
sobrellevar verdragen; berusten; *no poder* ~ *la pérdida* het verlies niet kunnen verwerken
sobremanera buitengewoon, uitermate
sobremesa (het) natafelen; *de* ~: *a*) na het eten; *b*) om op tafel te zetten
sobremodo *zie sobremanera*
sobrenadar (blijven) drijven; bovendrijven
sobrenombre *m* bijnaam
sobrentender ie ergens stilzwijgend onder verstaan; *se sobrentiende que*... hiermee wordt impliciet bedoeld dat..., hieronder moet worden verstaan dat...
sobrepaga toeslag op het loon
sobreparto tijd direct na de bevalling, kraamtijd
sobrepasar te boven gaan, overschrijden, overtreffen
sobrepelliz *v* superplie, koorhemd
sobrepesca overbevissing
sobrepeso overgewicht, over'lading
sobreponer 1 (*ergens*) op zetten, overheen leggen; 2 ~ *a* stellen boven; **sobreponerse** 1 ~ (*a*) zich vermannen, zich ergens overheen zetten; *ayudar a u.p. a* ~ *a u.c.* iem ergens overheen helpen; 2 elkaar overlappen
sobrepreciar overschatten; **sobreprecio** meerprijs
sobrepresión *v* overdruk
sobreproducción *v* overproduktie
sobrepujar 1 ~ (*a*) overtreffen, overtroeven; 2 ~ *a u.p.* (*op veiling*) meer bieden dan iem anders
sobresaliente I *bn* 1 uitmuntend; 2 erboven uit stekend; II *zn* 1 *m* hoogste schoolcijfer, (*vglbaar*) uitmuntend; 2 *m,v* reserve, vervang(st)er; **sobresalir** (*de, entre*) 'uitsteken boven, zich onderscheiden; uitblinken, uitmunten
sobresaltar schokken, doen schrikken; **sobresaltarse** (op)schrikken; **sobresalto** schrik(reactie), schok
sobresaturación *v* oververzadiging; **sobresaturar** oververzadigen
sobresdrújulo (*gramm*) met het accent op de op 3 na laatste lettergreep
sobreseer (*jur*) seponeren; **sobreseimiento** (het) seponeren
sobrestimación *v* overschatting; ~ *de sí mismo* zelfoverschatting; **sobrestimar** overschatten, te hoog schatten
sobresueldo toeslag op het loon
sobretasa toeslag op de prijs
sobretensión *v* te hoge spanning
sobretodo overjas
sobrevenir (*onverwacht*) gebeuren; *sobrevino el frío* de kou viel in; *le sobrevino un gran temor* grote vrees beving hem
sobreviviente I *bn* overlevend; II *m,v* overlevende; langstlevende; **sobrevivir** over'leven
sobrevolar ue vliegen boven; ~ *una región* over een gebied vliegen
sobriedad *v* 1 soberheid; 2 nuchterheid
sobrino, -a neef, nicht, oomzegger, -zegster; ~ *segundo, -a segunda* achterneef, -nicht
sobrio 1 matig, sober; 2 nuchter
socaire *m* lijzijde; *al* ~ *de* onder bescherming van
socaliña slimmigheidje (*om iets van iem los te krijgen*), list; **socaliñar** ontfutselen, aftroggelen
socapa: *a* ~, *de* ~ heimelijk
socarrar schroeien; **socarrarse** schroeien, aanbranden
socarrón, -ona 1 spottend, olijk; 2 listig; **socarronería** 1 spotterij, grappenmakerij; 2 sluwheid
socavar 1 uitgraven; 2 ondergraven; **socavón** *m* 1 uitgraving; 2 verzakking (*in grond*)
sochantre *m* voorzanger
sociabilidad *v* vlotheid, gemoedelijkheid; **so-**

ciable vlot (in de omgang), gezellig, gemoedelijk; **social 1** sociaal, maatschappelijk; *sentido ~* gemeenschapszin; 2 vd vennootschap; *domicilio ~* plaats van vestiging (*van NV, BV*); *razón ~* firmanaam
socialdemocracia sociaal-democratie; **socialdemócrata** *m,v* sociaal-democraat, -democrate
socialismo socialisme; **socialista I** *bn* socialistisch; **II** *m,v* socialist(e); *~ de salón* salonsocialist(e)
socialización *v* socialisering; **socializar** socialiseren
sociedad *v* **1** maatschappij, samenleving; *~ afluente, ~ opulenta* welvaartsstaat; *~ de consumo* consumptiemaatschappij; *alta ~* upper ten, hoogste kringen; 2 vennootschap, maatschappij; maatschap; *~ anónima* naamloze vennootschap, NV; *~ (anónima) de responsabilidad limitada* (*afk S.L., vglbaar*) besloten vennootschap, BV; *~ colectiva* vennootschap onder firma; *~ comanditaria* commanditaire vennootschap; *~ cooperativa* coöperatie; *~ fiduciaria* trustmaatschappij; *~ gestora* beheersmaatschappij; *~ holding* holding; *~ de inversión* beleggingsmaatschappij, (*Belg*) investeringsmaatschappij; *~ matriz* moedermaatschappij; *~ promotora* ontwikkelingsmaatschappij; *~ protectora de animales* (*vglbaar*) dierenbescherming; *constituir una ~* een vennootschap oprichten; *disolver una ~* een vennootschap ontbinden; **socio, -a 1** lid (*van vereniging*); *calidad de ~* lidmaatschap; *en* (*su*) *calidad de ~* als lid; *hacerse ~* (*de*) toetreden (tot), lid worden (van); 2 vennoot, compagnon, firmant(e), partner; *~ comanditario* stille vennoot; 3 *~s* (*neg*) consorten
sociocultural sociaal-cultureel
socioeconómico sociaal-economisch
sociología sociologie; **sociólogo, -a** socioloog, -loge
soconusco 1 mengsel van vanille en andere kruiden, toegevoegd aan chocola; 2 (drink)-chocola
socorrer bijstaan, helpen, ondersteunen; **socorrido 1** behulpzaam; 2 goed voorzien; 3 veel gebruikt, praktisch, welkom; **socorrismo** eerste hulp; *curso de ~* EHBO-cursus; **socorrista** *m,v* EHBO-er; hulpverlener (*na ramp*); **socorro** hulp, bijstand, steun; *¡~!* help!; *pedir ~* om hulp roepen
soda 1 soda; 2 spuitwater
sodio natrium
sodomía sodomie; **sodomita** *m* sodemieter
soez grof, gemeen
sofá *m* sofa, bank; *~ cama* slaapbank
sofión *m* snauw, uitval
sofisma *m* sofisme; **sofisticado** sophisticated; geperfectioneerd, verfijnd; **sofisticar 1** vervormen, vervalsen; 2 sophisticated maken, perfectioneren, verfijnen
soflama 1 zachte vuurgloed; blos; 2 opzwepende toespraak; **soflamarse** aanbranden
sofocación *v* 1 benauwdheid; 2 woede; **sofocado**: *estar ~* (*fig*) stikken (*vd hitte*); **sofocante** benauwend, verstikkend; (*mbt sfeer*) benauwd; *hace un calor ~* het is snikheet; **sofocar 1** verstikken, benauwd maken; smoren; 2 onderdrukken, de kop indrukken; blussen; *~ en germen, ~ en su origen* in de kiem smoren; 3 boos maken; beschamen; **sofocarse 1** in ademnood raken; 2 boos worden; **sofoco 1** ademnood, benauwdheid, verstikking; 2 schaamte; woede; **sofocón** *m* hevige woede; **sofoquina 1** hevige woede; 2 drukkende hitte
sofreír i (*ui*) fruiten
sofrenar 1 aan de teugels trekken van (*het paard*); 2 beteugelen, onderdrukken
sofrito gefruite ui en tomaat
software *m* software
soga 1 touw; 2 strop; *estar con la ~ al cuello* in het nauw gebracht zijn; *no se nombra la ~ en casa del ahorcado* in het huis van de gehangene spreekt men niet over de strop
soja sojaplant
sojuzgar onderwerpen, bedwingen
1 sol *m* 1 zon; *~ naciente* opgaande zon; *~ poniente* ondergaande zon; *~ rojo agua al ojo* morgenrood water in de sloot; *a pleno ~* in de volle zon; *arrimarse al ~ que más calienta* steeds uit zijn op eigen voordeel, met alle winden meewaaien; *de ~ a ~* van 's morgens vroeg tot 's avonds laat; *hace ~* de zon schijnt; *nada nuevo bajo el ~* niets nieuws onder de zon; *ni a ~ ni a sombra* nooit, nergens; *sale el ~* de zon komt op; *salga el ~ por donde quiera, salga el ~ por Antequera* er kome wat komen moet; *se pone el ~* de zon gaat onder; *secar al ~* in de zon drogen; *tomar el ~* zonnen; 2 lieverd; iets moois; *un ~ de traje* een pracht van een jurk; *eres un ~* je bent een schat; 3 (*munteenheid van Peru*) sol
2 sol *m* (*muz*) g, sol
Sol meisjesnaam
solamente slechts, alleen
solana zonbeschenen plek, zonneterras, zonnebalkon; **solanar** *m; zie solana*; **solanera 1** te veel zon; 2 zonnebrand
solapa 1 revers; *agarrar a u.p. por la ~* iem bij de kladden pakken; 2 klep (*van envelop, van zak*); flap (*van boekomslag*); overlap; **solapadamente** heimelijk; **solapado** achterbaks, gluiperig; **solapar I** *intr* over elkaar vallen, overlappen; **II** *tr* over elkaar slaan
1 solar *bn* vd zon; *sistema ~* zonnestelsel
2 solar ue *ww* (*vloer*) beleggen
3 solar *m* 1 (bouw)terrein; stuk grond; perceel; erf (*waarop huis staat*); 2 afkomst, (adellijke) familie; 3 (*lit*) bodem
solariego: *casa -a* (*oud*) adellijk huis
solario solarium
solas: *a ~* alleen, in zijn eentje
solaz *m* verkwikking; ontspanning; **solazar** rust geven, verkwikken
solazo (*fam*) felle zon

soldada soldij; **soldadesca 1** beroep van soldaat; **2** (*neg*) troep soldaten; **soldadesco** vd soldaten; **soldadito**: ~ *de plomo* tinnen soldaatje; **soldado** soldaat; ~ (*de infantería*) *de marina* marinier; ~ *raso* gemeen soldaat
soldador, -ora 1 lasser, soldeerder; **2** *m* soldeerbout; **soldadura 1** (het) lassen; ~ *autógena* autogeen lassen; *grupo de* ~ lasaggregaat; **2** las(naad); **3** soldeer; **soldar** lassen, solderen; ~ *por electricidad* elektrisch lassen
soleá *v, mv soleares* flamenco-lied; *por -ares* in het soleá-ritme
soleado zonnig; **solear** in de zon leggen
solecismo taalfout (*tegen woordgebruik of syntaxis*)
soledad *v* **1** eenzaamheid; **2** verlatenheid; **Soledad** meisjesnaam
solemne 1 plechtig, statig; gedragen; *andar con paso* ~ schrijden; **2** (*fam*) enorm; *una* ~ *falta* een knots van een fout; **solemnidad** *v* plechtigheid, ceremonieel; **solemnizar 1** plechtig vieren; **2** loven, ophemelen
soler ue plegen, gewoon zijn, gewend zijn
solera 1 oude krachtige wijn gebruikt als basis voor jonge; kwaliteit door ouderdom; *marca de* ~ gerenommeerd merk; **2** traditie; familie(eigenschappen); **3** onderste molensteen; platte steen waarop iets rust; **4** bodem vd oven; **5** onderste balk; ~ *del marco* (*techn*) vensterbank
solería vloerafwerking (*bv met tegels*), vloerbedekking
soleta: *dar* ~ wegsturen; *tomar* ~ er vandoor gaan
solfa 1 solfège; **2** notenschrift; **3** (*fam*) pak slaag || *poner u.c. en* ~ iets belachelijk maken; *tomar a* ~ weinig serieus nemen; **solfear 1** solfègiëren; **2** (*fam*) een pak slaag geven; (*iem*) op zijn kop geven; **solfeo 1** solfège; **2** (*fam*) pak slaag
solicitación *v* **1** (het) vragen, uitnodiging; (het) gevraagd worden; **2** *-ones* verleidingen, attracties; **solicitado** veel gevraagd, gezocht, gewild; **solicitante** *m,v* aanvrager, -vraagster, sollicitant(e); ~ *de asilo* asielzoeker; **solicitar** vragen; aanvragen, verzoeken om; solliciteren naar; ~ *duras penas* harde straffen eisen; ~ *empleo,* ~ *trabajo* werk zoeken; ~ *un empleo* zich aanmelden voor een baan, solliciteren naar een baan; ~ *espera* uitstel (van betaling) vragen; ~ *un pasaporte* een paspoort aanvragen; *me permito* ~ *esta plaza* graag solliciteer ik naar deze betrekking; **solícito** zorgzaam; **solicitud** *v* **1** verzoek, verzoekschrift, aanvraag; ~ *acompañada de una exposición* met redenen omkleed verzoek; ~ *de pareja* huwelijksadvertentie; *atender una* ~ aan een verzoek voldoen; *hoja de* ~ aanvraagformulier; **2** sollicitatie, aanmelding; ~ *de* sollicitatie naar; **3** zorgzaamheid
solidariamente hoofdelijk; *responder* ~ hoofdelijk aansprakelijk zijn; **solidaridad** *v* solidariteit, saamhorigheid; collegialiteit; **solidario 1** hoofdelijk; *de forma -a* ieder voor het geheel; **2** ~ (*de*) solidair (met); **solidarizarse** (*con*) zich solidair verklaren (met)
solidez *v* sterkte, vastheid, stevigheid; **solidificación** *v* stolling, verharding; **solidificar** hard maken, doen stollen; **solidificarse** hard worden, stollen; **sólido 1** stevig, sterk, solide; degelijk, deugdelijk, duurzaam; *argumentos ~s* steekhoudende argumenten; (*de color*) ~ kleurecht, lichtecht; **2** (*natk*) vast; *sustancia -a* vaste stof
soliloquio monoloog
solimán *m* kwiksublimaat
solina felle zonneschijn
solio troon (*van vorst, paus*)
solípedo eenhoevig
solista *m,v* solist(e)
solitaria 1 lintworm; **2** *~s* patience; *hacer ~s* een patience leggen; **solitario I** *bn* eenzaam, verlaten; **II** *zn* **1** solitair (*diamant*); **2** patience
soliviantar 1 in beroering brengen; ophitsen; **2** prikkelen, irriteren
sollozar snikken; **sollozo** snik; *~s* gesnik
solo I *bn* **1** alleen; eenzaam; *café* ~ zwarte koffie; *como él* ~, *como ella -a* als de beste; *de un* ~ *paso* in één stap; *hablar* ~ in zichzelf praten; *ni una -a vez* geen enkele keer; *pintarse* ~ *para* uitstekend afkunnen, heel goed zijn in; *para cocinar se pinta -a* ze is een voortreffelijke kokkin; **2** vanzelf; *lo demás sigue* ~ de rest komt vanzelf; *la puerta se abre -a* de deur gaat vanzelf open; **II** *zn* **1** (*muz*) solo; **2** zwarte koffie
sólo *bw* **1** alleen, slechts; ~ *quejas* niets dan klachten; ~ *verla* zodra hij haar zag; *hay* ~ *uno* er is er maar een; *no* ~...*sino también* niet alleen...maar ook; **2** pas, slechts; ~ *hace un año* het is nog maar een jaar geleden
solomillo lendestuk, ossehaas; varkenshaas
solsticio zonnestilstand
soltar ue 1 losmaken; losdraaien; **2** loslaten; vrij laten; laten schieten; ~ *poco a poco* (*touw*) vieren; ~ *la risa* in lachen uitbarsten; ~ *un taco* vloeken; *no* ~ vasthouden; *se le soltaron las lágrimas* de tranen schoten hem in de ogen; **soltarse ue 1** losgaan, loslaten, losraken, losschieten; **2** zich laten gaan; ~ *a, con* verwoed beginnen met; ~ *a su gusto* (*fig*) alles eruit gooien; **3** vaardigheid krijgen; **4** plotseling komen aanzetten (met); **soltería 1** ongehuwde staat, vrijgezellenleven; **2** (de) alleenstaanden; **soltero, -a I** *bn* ongehuwd; alleenstaand; **II** *zn* ongehuwde, vrijgezel; **solterón, -ona** oudere vrijgezel(lin); verstokte vrijgezel, oude vrijster; **soltura** vlotheid, soepelheid; flair; spreekvaardigheid; *hablar con* ~ vloeiend spreken
solubilidad *v* oplosbaarheid; *de alta* ~ makkelijk oplosbaar; **solubilizar** oplosbaar maken; **soluble** oplosbaar (*ook fig*); **solución** *v* oplossing (*ook fig*); ~ *de goma* solutie; ~ *interme-*

dia tussenoplossing; ~ *jabonosa* zeepoplossing; ~ *salina* zoutoplossing || ~ *de continuidad* onderbreking; **solucionar** (*probleem*) oplossen

solvencia solventie; *ofrecer* ~ afdoende zijn, uitsluitsel geven; **solventar** 1 (*probleem*) oplossen; beslechten; 2 (*schuld*) afdoen; **solvente** I *bn* kredietwaardig, solvent; geloofwaardig, betrouwbaar; II *m* oplosmiddel

somanta pak ransel, aframmeling

somatén *m* 1 (*hist, in Catalonië*) burgerwacht, militie; 2 oproep bij gevaar; 3 rumoer

somático lichamelijk, vh lichaam

sombra 1 schaduw; ~ *de párpados* oogschaduw; *a la* ~: *a*) in de schaduw; *b*) in de gevangenis; *burlarse hasta de su* ~ overal de draak mee steken; *dar* ~ schaduw geven; *dar* ~ *a* overschaduwen; *dejar en la* ~, *hacer* ~ *a* (*fig*) in de schaduw stellen; *no fiarse ni de su* ~ niets en niemand vertrouwen; *seguir a u.p. como la* ~ *al cuerpo* iem overal volgen; 2 schim; ~*s chinescas*, ~ *invisibles* schimmenspel; *ni* ~ *de él* geen spoor van hem te bekennen; 3 zweem; *ni por* ~ in de verste verte niet || *buena* ~: *a*) geluk; *b*) charme, aanleg; *mala* ~: *a*) pech; *b*) onhandigheid; **sombrajo** 1 primitief afdak (*om schaduw te geven*); 2 *hacer* ~*s a u.p.* in iems licht staan; **sombreado** I *bn* lommerrijk, schaduwrijk; II *zn* (*bij tekenen*) arcering; **sombrear** 1 schaduw geven; 2 arceren; **sombrerazo** zwaai met hoed; **sombrerera** 1 hoedendoos; 2 hoedenmaakster; 3 hoedenverkoopster; **sombrería** 1 hoedenfabriek; 2 hoedenwinkel; **sombrerero** 1 hoedenfabrikant; 2 hoedenverkoper; **sombrerete** *m* 1 (*mal*) hoedje; 2 hoed van paddestoel; 3 kap op schoorsteen; **sombrerillo** hoed van paddestoel; **sombrero** hoed (*ook van paddestoel*); ~ *calañés* kleine boerenhoed met opgeslagen rand; ~ *canotier* strohoed; ~ *de copa* hoge hoed; ~ *cordobés* hoed met platte brede rand; ~ *flexible* moderne vilthoed; ~ *hongo* bolhoed; ~ *de paja* strohoed; ~ *de tres picos* driekante steek; *con el* ~ *puesto* met zijn hoed op; *quitarse el* ~: *a*) zijn hoed afnemen; *b*) (*fig*) zijn petje afnemen; **sombrilla** parasol; **sombrío** 1 duister, donker; 2 somber, naargeestig; triest, zwartgallig

somero summier, oppervlakkig

someter 1 ~ (*a*) onderwerpen (aan); bedwingen; ~ *a tutela* onder curatele stellen; *sometido a presión* onder druk; 2 ~ *a* voorleggen aan; **someterse** (*a*) zich onderwerpen (aan), zwichten (voor); **sometimiento** onderwerping

somier *m*: ~ (*metálico*) spiraal(matras)

somnífero I *bn* slaapverwekkend; II *zn* slaapmiddel

somnolencia slaperigheid; **somnoliento** slaperig

somorgujo, somormujo fuut

son *m* 1 klank; *¿a* ~ *de qué?* waarom (eigenlijk)?; *bailar al* ~ *que le tocan* naar andermans pijpen dansen; 2 wijze; *en* ~ *de* bij wijze van, met de bedoeling om; **sonada** 1 sonate; 2 *hacer una* ~ een schandaal veroorzaken, een rel trappen; **sonado** 1 befaamd; groots; sterk de aandacht trekkend; 2 getikt, niet goed wijs; **sonaja** 1 (*muz*) soort rammelaar; 2 ~*s* schellen (*van tamboerijn*); **sonajero** rammelaar

sonambulismo (het) slaapwandelen; **sonámbulo, -a** slaapwandelaar(ster)

sonar ue I *intr* 1 klinken; (*mbt klok*) beieren, slaan; (*mbt bel*) overgaan; (*mbt wekker*) aflopen; (*mbt geld*) rammelen; *así como suena* letterlijk, zowaar ik hier sta, en nu weten jullie het!; 2 uitgesproken worden; genoemd worden; 3 bekend voorkomen, bekend in de oren klinken; *ese nombre me suena* die naam heb ik wel eens gehoord; ~ *a* doen denken aan; *suena a engaño* het lijkt op bedrog; II *tr* 1 (*iems*) neus snuiten; 2 laten horen, laten rinkelen; **sonarse ue**: ~ (*la nariz*) zijn neus snuiten; **sonata** sonate; **sonatina** sonatine

sonda 1 sonde, peilstok; ~ *ecoica* echolood; 2 peillood, schietlood; **sondar** peilen; **sondeador, -ora** enquêteur, enquêtrice; **sondeadora** peillood; ~ *al eco* echolood; **sondear** 1 peilen; 2 (*fig*) polsen, peilen; 3 (*naar olie*) boren; **sondeo** 1 peiling, (het) boren; 2 ~ (*de opinión*) enquête, opinieonderzoek

sonetista *m,v* sonnettendichter(es); **soneto** sonnet

sónico vh geluid; *barrera -a* geluidsbarrière; **sonido** klank, geluid; ~ *nasal* neusklank

sonometría geluidsmeting; **sonómetro** geluidsmeter

sonoridad *v* 1 welluidendheid, rijke klank; 2 (*gramm*) (het) stemhebbend zijn; 3 (*techn*) luidheid; **sonorización** *v* 1 (*gramm*) (het) stemhebbend worden; (het) stemhebbend maken; 2 (het) aanbrengen van een geluidsinstallatie; **sonorizar** 1 (*gramm*) stemhebbend maken; 2 geluidsinstallatie aanbrengen; 3 het geluid maken bij (*een film*); **sonoro** 1 klinkend, geluid voortbrengend, geluids-; *beso* ~ klapzoen; *cinta -a* geluidsband; 2 welluidend, helder, klankrijk, sonoor; 3 (*gramm*) stemhebbend

sonreír i 1 (glim)lachen; ~ *pálidamente* flauwtjes glimlachen; 2 ~ *a u.p.* iem toelachen (*ook fig*); gunstig gezind zijn; **sonriente** (glim-)lachend; **sonrisa** glimlach, lachje; ~ *amarga* zuur lachje; *una* ~ *le bailaba en los labios* er speelde een glimlach om zijn lippen; *con la mejor de sus* ~*s* (*iron*) allervriendelijkst; *una vaga* ~ een vage glimlach

sonrojar doen blozen; **sonrojarse** blozen, een kleur krijgen; **sonrojo** (het) blozen; schaamte

sonrosado roze; (*mbt gezicht*) met een gezonde kleur; *mejillas -as* blozende wangen

sonsacar afhandig maken, aftroggelen; ontfutselen, ontlokken

sonso dom, dwaas
sonsonete *m* 1 ritmisch tikkend geluid; 2 (*neg*) dreun (*bv bij iets opzeggen*); 3 (*spottend*) toontje
soñado gedroomd; (*que*) *ni* ~ perfect; **soñador, -ora** I *bn* dromerig; II *zn* dromer, droomster; fantast(e); **soñar ue** 1 dromen; ~ *alto* hardop dromen; ~ *con* dromen van; ~ *cosas malas* naar dromen; *¡ni ~lo!* dat lukt nooit!, geen denken aan!; 2 suffen; ~ *despierto* zitten dromen, fantaserensoñarrera; 3 hevige slaap (*slaperigheid*); 4 diepe slaap; **soñoliento** 1 slaperig; suf; lodderig; 2 slaapverwekkend
sopa 1 soep; ~ *de ajo* knoflooksoep (*met brood*); ~ *de cebolla* uiensoep; ~ *de gallina* kippesoep; ~ *de hierbas,* ~ *juliana* groentesoep; ~ *de pan* broodsoep; ~ *de pescado* vissoep; ~ *de tortuga* schildpadsoep; ~ *de verduras* groentesoep; *ahí se puede comer ~s del suelo* je kunt er van de vloer eten; *comer la ~ boba* op andermans zak leven; *como una ~* doorweekt, drijfnat; *resfriado como una ~* snipverkouden; 2 stuk brood gedoopt in melk of soep; 3 ~*s* broodpap
sopapo opdoffer, dreun
sopar (*brood*) dopen (*in soep, koffie*), soppen; **sopera** soepterrine; **sopero** voor soep; *plato ~* diep bord
sopesar 1 op de hand wegen; 2 (*fig*) afwegen
sopetón *m* opdoffer || *de ~* plotseling
sopicaldo heldere bouillon
soplado I *zn* (het) blazen; II *bn* 1 te verfijnd; opgedoft; uit de hoogte; 2 (*fam*) dronken, teut; **soplador, -ora** I *bn* blazend; II *zn* 1 glasblazer; 2 *m* (*techn*) blazer, waaier; **soplamocos** *m* oplawaai, dreun; **soplar** I *intr* 1 blazen; *ahora soplan otros vientos* de wind waait nu uit een andere hoek; 2 veel drinken; veel eten; II *tr* 1 (weg)blazen; ~ *vidrio* glas blazen; 2 voorzeggen; verklikken; 3 afpikken, afhandig maken; 4 inspireren; ingeven; **soplarse** veel eten, buffelen; veel drinken, zuipen; **soplete** *m* 1 blaaspijp, brander; ~ *cortador,* ~ *cortante* snijbrander; ~ *de soldar* soldeerlamp, lasbrander; 2 ~ (*de pintura*) (verf)spuit; **soplido** (het) een keer blazen; ~*s* geblaas, gesnuif; **soplillo** waaier (*om vuur aan te wakkeren*); **soplo** 1 (het) blazen; zuchtje (*wind*); *en un ~* in een oogwenk; 2 (*med*) ruis; 3 tip; *dar el ~* tippen; *ir con el ~* verklikken, overbrieven; **soplón, -ona** verklikker, verklikster, verrader, verraadster; **soplonear** klikken, verraden
soponcio (*iron*) flauwte
sopor *m* (het) dommelen, bedwelming; slaperigheid, loomheid; *caer en un profundo ~* in een diepe slaap vallen; **soporífero, soporífico** I *bn* slaapverwekkend; II *zn* slaapmiddel
soportable draaglijk
soportal *m* 1 portiek; 2 ~*es* arcade
soportar 1 verdragen, verduren, dulden; *deber ~* blootgesteld zijn aan; *no* (*poder*) ~ *a u.p.* iem niet kunnen uitstaan; *no* (*poder*) ~ *u.c.* ergens niet tegen kunnen; 2 dragen, ondersteunen; **soporte** *m* 1 houder, onderstel, standaard; 2 steun, ondersteuning; steunpilaar; ~ *angular* hoeksteun; 3 (*comp*) drager (*van informatie*); ~ *físico* hardware; ~ *lógico* software
soprano 1 sopraan (*stem*); 2 *m,v* sopraan (*zanger(es)*)
sor *v* zuster (*aanspreekvorm van non*)
sorber 1 slurpen; 2 opzuigen, opnemen (*ook fig*); 3 (op)snuiven; ~*se los mocos* zijn neus ophalen, snotteren; **sorbete** *m* sorbet; **sorbo** slok; *a pequeños ~s* met kleine teugjes
sorche *m* (*iron*) soldaat
sordera doofheid
sordidez *v* 1 viezigheid, ellende, misère; 2 krenterigheid; **sórdido** 1 vuil, smerig; onooglijk; 2 gierig, krenterig
sordina demper, sourdine; *con ~: a*) heimelijk; *b*) gedempt; **sordo** 1 doof; *hacerse el ~* zich doof houden; 2 dof; 3 (*gramm*) stemloos; **sordomudez** *v* doofstomheid; **sordomudo** doofstom
sorgo sorghum
soriano uit Soria
sorna 1 spottende toon, ironie; *con ~* smalend, spottend; 2 traagheid
soroche *m* hoogteziekte (*in Andes*)
sorprendente verrassend, verbluffend, verbazend, frappant, treffend; **sorprender** 1 verrassen, verbazen; treffen; *nos sorprendió la noche* de nacht overviel ons; 2 betrappen; ~ *la conversación* het gesprek afluisteren; 3 (*een geheim*) ontdekken; **sorprendido** verrast, verwonderd; *quedar ~ de* zich verbazen over; **sorpresa** 1 verrassing; *causar ~* verrassen; *coger a u.p. de ~* (*fig*) iem overvallen; *dar una ~, deparar una ~* een verrassing bezorgen, verrassen; *por ~* bij verrassing; 2 verbazing, verwondering
sortear 1 verloten, loten om; 2 mijden, ontwijken; omzeilen; 3 (*sp*) dribbelen; **sorteo** 1 (ver)loting, trekking; *por ~* bij loting; 2 (*sp*) ~ (*de campos*) toss, opgooi
sortija 1 ring; 2 (haar)krul
sortilegio hekserij; voorspelling; (*fig*) betovering
sosa soda; *bicarbonato de ~* zuiveringszout
sosaina *m,v* saaipiet
sosegado bedaard, kalm, rustig, bezadigd; **sosegar ie** I *tr* doen bedaren, sussen; II *intr* rusten, tot rust komen; **sosegarse ie** *intr* bedaren, kalmeren
sosería 1 saaiheid; 2 flauwe smaak
sosia *m* evenbeeld, dubbelganger
sosiego rust, kalmte
soslayar 1 schuin houden; 2 (*fig*) uit de weg gaan, omzeilen; **soslayo**: *al ~, de ~* van opzij, zijdelings
soso 1 saai; 2 zouteloos, flauw, laf
sospecha 1 verdenking; ~*s* (*ook*) achterdocht, argwaan; *la ~ recae en...* de verdenking valt

op...; *abrigar ~s* (*de*), *tener ~s* (*de*) verdenkingen koesteren (tegen); *caer en ~s* verdenking gaan koesteren; *concebir ~s* achterdocht krijgen; *fuera de toda ~* boven iedere verdenking; *fundadas ~s* sterke aanwijzingen, sterk vermoeden; *levantar ~s* achterdocht wekken; *por ~ de* op verdenking van; 2 vermoeden; *tener la ~ de que* vermoeden dat; **sospechar** 1 (*ook ~ de*) verdenken, argwaan koesteren tegen; *~ a u.p. de u.c.* iem van iets verdenken; *se sospecha de él* hij staat onder verdenking; *se sospecha de Pablo* men verdenkt Pablo; 2 vermoeden; *hacer ~* doen vermoeden; **sospechoso** verdacht; louche, onguur

sostén *m* 1 ondersteuning; voedsel; 2 toeverlaat; *~ (de familia)* kostwinner, -winster; 3 bustehouder, beha; **sostener** 1 (onder)steunen, (vast)houden; 2 volhouden, beweren; 3 onderhouden; bekostigen; in stand houden; 4 gaande houden; *~ una conversación* een gesprek voeren; *~ una guerra contra* oorlog voeren tegen; 5 verdragen; **sostenerse** 1 zich staande houden; stand houden, voortduren; 2 in zijn onderhoud voorzien; **sostenible** houdbaar, verdedigbaar; **sostenido** I *bn* 1 aanhoudend, volgehouden; 2 (*muz*) met een kruis, halve toon hoger; *fa ~* fis; II *zn* (*muz*) kruis; **sostenimiento** 1 onderhoud; 2 steun

sota (*Sp kaartsp*) boer

sotabanco dakverdieping, zolder

sotabarba onderkin

sotana soutane

sótano kelder, souterrain

sotaventarse verlijeren; **sotavento** lijzijde; *a ~* aan lij; **Sotavento**: *islas de ~* Benedenwindse eilanden

soterrado begraven, ondergronds

sotillo bosje langs rivier; **soto** 1 bomengroep langs oever; 2 bos(je), kreupelhout

soufflé *m* soufflé

soviet *m* sovjet; **Soviet**: *el ~ Supremo* de Opperste Sovjet; **soviético** sovjet-; **sovietizante** sovjetgezind

spencer *m* spencer

spin *m* spin (*van elektronen*)

spinnaker *m* spinnaker

spiritual *m* (negro)spiritual

sport *m*: *ropa de ~* vrijetijdskleding

spot *m* (reclame)spot

spray *m* spray, spuitbus

sprint *m* sprint; **sprintar** sprinten

squash *m* squash

squatter *m* kraker (*van huis*)

Sr. *señor* heer

srilanqués, **-esa** uit Sri Lanka

SS *Seguridad Social*

stand *m* stand (*op expositie*)

standard *m* standaard; *contrato ~* standaardcontract; **standardización** *v* standaardisering; **standardizar**, **standarizar** standaardiseren

statu quo *m* status quo; **status** *m* status

stick *m* stick

stock *m* voorraad

stop *m* stopbord

stress *m* stress; *cargado de ~* (*fig*) onder druk

strip-tease *m* striptease

su *bez vnw* zijn (*van hem, van het*); haar (*enkv en mv*); uw (*enkv en mv*); hun

suasorio overredend; *fuerza -a* overredingskracht

suave 1 zacht; glad; 2 licht, niet moeilijk; *curva ~* vloeiende bocht; 3 zachtzinnig; *estar ~* mak als een lammetje zijn; **suavidad** *v* 1 zachtheid; gladheid; 2 zachtaardigheid; 3 soepelheid (*van vering*); **suavizador**, **-ora** I *bn* zachtmakend, verzachtend; II *m* 1 ontharder; wasverzachter; 2 aanzetriem; **suavizante** *m* (was)-verzachter; **suavizar** 1 zacht maken, verzachten; 2 ontharden

subacuático onderzees, onderwater-

subafluyente *m* rivier die uitmondt in een zijrivier

subagrupar onderverdelen

subalterno, **-a** I *bn* ondergeschikt; *empleados ~s* lager personeel; II *zn* ondergeschikte

subalimentado ondervoed

subalquilar 1 onderhuren; 2 onderverhuren

subarrendamiento 1 onderhuur; 2 onderverhuur; **subarrendar ie** 1 onderhuren; 2 onderverhuren; **subarrendatario**, **-a** onderhuurder, -huurster; **subarriendo** 1 onderhuur; 2 onderverhuur

subasta 1 veiling; openbare verkoop; *sacar a (pública) ~, vender en ~ (pública)* veilen; 2 (openbare) aanbesteding; **subastador** *m* veilingmeester; **subastar** veilen

subcomisión *v* subcommissie

subclase *v* subklasse

subconjunto (*wisk*) deelverzameling

subconsciencia onderbewustzijn; **subconsciente** I *bn* onderbewust; II *m* onderbewustzijn

subcutáneo onderhuids

subdelegado, **-a** onderafgevaardigde, ondergevolmachtigde

subdesarrollado onderontwikkeld; **subdesarrollo** onderontwikkeling

subdirector, **-ora** onderdirecteur, -directrice

súbdito, **-a** onderdaan

subdividir onderverdelen; **subdivisión** *v* 1 onderverdeling; 2 onderafdeling, onderdeel

subempleado (*mbt persoon*) onderbezet; **subempleo** onderbezetting (*met werk*); **subenfriado** onderkoeld; **subestimar** onderschatten

subexponer onderbelichten; **subexpuesto** onderbelicht

subhipoteca tweede hypotheek

subibaja *m* wip

subida 1 beklimming; bestijging; *~ al trono* troonsbestijging; *una fatigosa ~* een hele klim; 2 verhoging; *~ de (los) precios* (prijs)stijging || *la ~ de la falda* het korter worden vd rokken;

subido 1 (*mbt prijs*) hoog; 2 (*mbt kleur*) fel; (*mbt geur*) sterk; 3 trots, ijdel || ~ *de hombros* met hoge schouders, met een hoge rug
subinspector *m* onderinspecteur
subinquilino, -a onderhuurder, -huurster
subir I *tr* 1 beklimmen, bestijgen; (*trap*) opgaan; 2 verhogen; ~ *los precios* de prijzen verhogen; 3 naar boven brengen; 4 omhoogtrekken, ophijsen; ~ *los hombros* zijn schouders ophalen; ~ *el volumen de* (*de radio*) harder zetten; ~ *la voz* zijn stem verheffen; II *intr* 1 omhooggaan, (op)stijgen; *sube la marea* de vloed komt op; 2 ~ *a* bedragen; *la factura sube a...* de rekening bedraagt...; 3 ~ *a* instappen; ~ *a la bicicleta* op de fiets stappen; ~ *a bordo* aan boord gaan; ~ *al poder* aan de macht komen; ~ *al tren* in de trein stappen; **subirse** 1 ~ *a* klimmen op, in, klauteren op; ~ *a la acera* (*mbt auto*) het trottoir op rijden; 2 stijgen, rijzen; ~ *a las nubes* (*mbt prijzen*) de pan uit rijzen; ~ *de tono* een hoge toon aanslaan; 3 (*fig*) groeien, trots worden
súbito 1 onverhoeds, plotseling; *de* ~ plotseling; 2 (*fam*) impulsief; gauw aangebrand
subjefe *m* souschef
subjetividad *v* subjectiviteit; **subjetivo** subjectief
subjuntivo: (*modo*) ~ aanvoegende wijs
sublevación *v* opstand, oproer; **sublevado, -a** opstandeling(e); **sublevar** 1 tot opstand aanzetten; 2 verontwaardigd maken; **sublevarse** in opstand komen
sublimación *v* sublimatie; verheerlijking; **sublimado** sublimaat; **sublimar** sublimeren; verheerlijken; **sublime** subliem, voortreffelijk
submarinismo 1 onderwatersport; (het) diepzeeduiken; 2 onderwateronderzoek; **submarinista** *m,v* 1 bemanningslid van onderzeeër; 2 duiker; **submarino** I *bn* onderzees; onderwater-; *mina -a* zeemijn; II *zn* onderzeeër, duikboot
submundo onderwereld
subnormal zwak begaafd, geestelijk gehandicapt
suboficial *m* onderofficier
subordinado, -a I *bn* ondergeschikt; *oración -a* bijzin; II *zn* ondergeschikte; **subordinar** (*a*) ondergeschikt maken (aan)
subproducción *v* onderproduktie; **subproducto** bijprodukt, nevenprodukt; afvalprodukt
subrayado 1 (het) onderstrepen; ~ *automático* (*op typemachine*) automatisch onderstrepen; 2 onderstreepte passage; **subrayar** onderstrepen (*ook fig*); benadrukken
subrepticio stiekem, heimelijk
subrogación *v* subrogatie, overdracht van rechten; **subrogar ue** subrogeren, substitueren
subsanable te verhelpen, herstelbaar; **subsanar** verhelpen, goedmaken, (*fig*) wegwerken
subscribir *zie suscribir*
subsecretaría 1 ambt van tweede secretaris; ambt van (onder)staatssecretaris; 2 kantoor van tweede secretaris; kantoor van (onder)staatssecretaris; **subsecretario, -a** 1 tweede secretaris; 2 (onder)staatssecretaris
subsecuente *zie subsiguiente*
subsidiario (*jur*) subsidiair; **subsidio** toelage, financiële steun (*vnl aan individu*); ~ *de desempleo* werkloosheidssteun, (*Belg*) werklozensteun; werkloosheidsuitkering; ~ *de enfermedad* (*vglbaar*) ziekengeld; ~ *familiar* (*vglbaar*) kinderbijslag
subsiguiente daaropvolgend; hieruit voortvloeiend
subsistencia 1 voortbestaan; 2 (levens)onderhoud, kost; *ganarse la* ~ de kost verdienen; *paquete de ~s* voedselpakket; **subsistente** nog bestaand; **subsistir** voortbestaan; *para* ~ om in leven te blijven
subsónico subsonisch, onder de geluidsgrens
substancia *zie sustancia*; **substitución** *v; zie sustitución*; **substracción** *v; zie sustracción*
substrato substraat; onderlaag; **subsuelo** ondergrond; *agua del* ~ bodemwater
subte *m* (*Am*) metro
subteniente *m* tweede luitenant
subterfugio uitvlucht, voorwendsel
subterráneo I *bn* ondergronds; onderaards; (*fig, econ*) grijs; *agua -a* grondwater; II *zn* (*Am*) metro
subtitulado (*mbt film*) ondertiteld; **subtítulo** ondertitel, (*Belg*) voettitel; *~s* ondertiteling
subtropical subtropisch
suburbano vd voorstad; *tráfico* ~ verkeer van en naar de voorsteden; *tren* ~ (*vglbaar*) forensentrein; **suburbio** voorstad; (*neg*) buitenwijk; (grauwe) arbeidersbuurt, sloppenwijk
subvalorar onderwaarderen, onderschatten
subvención *v* subsidie, (*Belg*) betoelaging; ~ *estatal* staatssubsidie; *fondo de* ~ steunfonds; **subvencionar** subsidiëren, (*Belg*) betoelagen
subvenir: ~ *a* voorzien in, bekostigen
subversión *v* omverwerping; **subversivo** subversief; opstandig; **subvertir ie, i** verstoren; omverwerpen
subyacente onderliggend
subyugación *v* onderwerping; **subyugar** onderwerpen
succión *v* zuiging; **succionar** (op)zuigen
sucedáneo surrogaat
suceder 1 gebeuren, voorvallen; *lo que sucede es que...* het punt is dat...; *me sucede a menudo* het overkomt mij vaak; *por lo que pueda* ~ je weet maar nooit; *¿qué te sucede?* wat is er met jou?; 2 ~ *a* opvolgen, volgen op; **sucederse** op elkaar volgen; **sucesión** *v* 1 (erf)opvolging; ~ *al trono* troonsopvolging; *guerra de* ~ successieoorlog; 2 reeks, opeenvolging; 3 nakomelingen; *sin* ~ kinderloos; **sucesivamente** successievelijk, achtereenvolgens; **sucesivo** opeenvolgend; *en lo* ~ in het vervolg, voort-

aan; **suceso** gebeurtenis, voorval; **sucesor, -ora** opvolg(st)er; **sucesorio** vd (erf)opvolging
suciedad *v* vuil, viezigheid; vervuiling; smeerlapperij
sucinto beknopt, bondig; *de forma -a* in kort bestek
sucio 1 vuil, vies; smerig, onfris; goor; groezelig; *en* ~ in het klad; 2 gemeen, smerig; 3 (*mbt kleur*) besmettelijk; 4 (*mbt speler*) oneerlijk; *jugar* ~ vals spelen
sucre *m* munteenheid van Ecuador
suculencia voedzaamheid; **suculento** sappig; smakelijk en voedzaam
sucumbir 1 ~ (*a*) bezwijken (voor), het afleggen (tegen); verliezen; 2 sterven
sucursal *v* filiaal, bijkantoor, (*Belg*) bijhuis; ~ *de correos* postagentschap
sudaca *m,v* (*pop*) Zuidamerikaan
sudación *v* (het) zweten; **sudadera** sweatshirt
Sudáfrica Zuid-Afrika; **sudafricano** Zuidafrikaans
Sudamérica Zuid-Amerika; **sudamericano** Zuidamerikaans
sudanés, -esa uit de Soedan, Soedanees
sudar I *intr* 1 zweten, transpireren; *sudaba frío* hij was doodsbang, het klamme zweet brak hem uit; 2 ploeteren; 3 (*mbt muur*) doorslaan; II *tr* 1 afscheiden; 2 hard werken voor (*iets*); 3 nat maken met zweet; **sudario** lijkwade
sudeste *m* 1 zuidoost(en); 2 zuidoostenwind
sudeuropeo Zuideuropees
sudoeste *m* 1 zuidwest(en); 2 zuidwestenwind
sudor *m* zweet, transpiratie; ~ *de agonía* angstzweet; *bañado en* ~ badend in het zweet; *con el* ~ *de su frente* in het zweet zijns aanschijns; *cubierto de* ~ helemaal bezweet; **sudoríparo**: *glándula -a* zweetklier; **sudoroso** bezweet, zweterig
Suecia Zweden; **sueco, -a** I *bn* Zweeds; II 1 *zn* Zweed(se); *hacerse el* ~ zich doof houden, Oostindisch doof zijn; 2 *m* (het) Zweeds
suegro, -a schoonvader, -moeder; *~s* (*ook*) schoonouders
suela 1 zool; ~ *de goma* rubberzool; *echar unas medias ~s: a*) verzolen; *b*) tijdelijk verhelpen; *no llegar a u.p. a la* ~ *del zapato* niet aan iem kunnen tippen; 2 leertje (*in kraan*); 3 tong (*vis*) || *de siete ~s* doorgewinterd
sueldo salaris, bezoldiging; ~ *anual* jaarsalaris, (*Belg*) jaarwedde; ~ *base* basissalaris, (*Belg*) basiswedde; ~ *a convenir* salaris nader overeen te komen; ~ *fijo* vast salaris; ~ *de hambre,* ~ *mísero* hongerloontje; *a* ~ betaald; *con un* ~ *de* op een salaris van; *estar a* ~ in loondienst zijn
suelo 1 bodem, grond; vloer; ~ *cultivado* bebouwde grond; ~ *embaldosado* stenen vloer; ~ *fértil* vruchtbare grond; ~ *natal* geboortegrond; ~ *de parqué* parketvloer; *al nivel del* ~ gelijkvloers; *arrastrar por el* ~, *poner por los ~s* (*fig*) afbreken, zwart maken, de vloer aanvegen met; *arrastrarse por el* ~ zich vernederen; *besar el* ~ vooroververvallen; *condición del* ~ bodemgesteldheid; *dar en el* ~ *con u.c.* iets laten vallen; *echar al* ~: *a*) neerhalen, afbreken; *b*) doen mislukken, in de war sturen; *estar por los ~s* spotgoedkoop zijn, niets meer waard zijn; *irse al* ~, *venirse al* ~ mislukken; *medir el* ~ languit vooroververvallen; *nivel del* ~ maaiveld; 2 grondsoort
suelta (het) loslaten; *dar* ~: *a*) loslaten, vrijlaten; *b*) vrijaf geven; **suelto** I *bn* 1 los; mul, rul; niet getailleerd, wijd, soepel; *andar* ~ vrij rondlopen; *dinero* ~ los geld; *té* ~ losse thee; 2 vrijmoedig, onbevangen; II *zn* 1 kort bericht (*in krant*); 2 kleingeld; *¿no tiene ~?* kunt u het niet passen?; *pagar en* ~ gepast betalen
sueñecito dutje; **sueño** 1 slaap; ~ *ligero* hazeslaapje; ~ *profundo* diepe slaap; *caerse de* ~, *morirse de* ~ omvallen van de slaap; *coger el* ~, *conciliar el* ~ de slaap vatten; *echar un* ~ een slaapje doen; *entre ~s* half slapend; *espantar el* ~ de slaap verdrijven, zich wakker houden; *muerto de* ~ op vd slaap; *tengo un* ~ *que no veo* ik val om van de slaap; 2 droom; ~ *de futuro* toekomstdroom; *en ~s* in een droom; *un mal* ~ een nare droom; *ni en ~s, ni por* ~ in de verste verte niet, geen sprake van
suero 1 wei (*van melk*); 2 (*med*) serum
suerte *v* 1 lot; (*buena*) ~ geluk, bof; *la* ~ *le es adversa* het geluk is niet met hem; *la* ~ *está echada* de teerling is geworpen; *la* ~ *le favorece* het lot is hem gunstig gezind; *abandonar a u.p. a su* ~ iem aan zijn lot overlaten; *con un poco de* ~ als het een beetje wil, met een beetje geluk; *correr la misma* ~ hetzelfde lot ondergaan; *dar* ~ geluk brengen; *decide la* ~ het lot beslist; *desafiar a la* ~ het lot tarten; *echar ~s* loten; *echar a* (*la*) ~ *u.c.* om iets loten; *mala* ~ pech, ongeluk; *más* ~ *que entendimiento* meer geluk dan wijsheid; *¡mucha ~!, ¡que tengas ~!* veel geluk!, veel succes!; *por* ~ gelukkig; *probar la* ~ zijn geluk beproeven, een poging wagen; *pura* ~ puur geluk, stom geluk; *¡qué ~!* wat een geluk!; *salir con* ~ *de u.c.* er goed afkomen; *tener* ~ boffen; *tentar la* ~ de gok wagen; *traer* ~ geluk brengen; 2 toeval; *un golpe de* ~ een buitenkansje, een toevalstreffer; 3 soort; *de* ~ *que* zodat; *de otra* ~ anders; **suertudo, -a** boffer, bofkont
sueste *m* 1 zuidoost(en); 2 zuidoostenwind; 3 zuidwester (*hoed*)
suéter *m* sweater (*trui*)
suficiencia 1 geschiktheid; 2 eigendunk, zelfingenomenheid; **suficiente** 1 toereikend, genoeg, voldoende; 2 zelfgenoegzaam, zelfingenomen
sufijo (*gramm*) suffix, achtervoegsel; ~ *aumentativo* vergrotend suffix; ~ *diminutivo* verkleinend suffix
sufragar bekostigen; (*de kosten*) bestrijden
sufragio 1 (het) stemmen; stemrecht, kiesrecht; ~ *femenino* vrouwenkiesrecht; 2 (*bij*

verkiezing) stem; 3 vrome bede voor de zielerust; *en ~ del alma de* voor de zielerust van; **sufragismo** beweging voor het vrouwenkiesrecht; **sufragista** 1 *m,v* voorstand(st)er van vrouwenkiesrecht; 2 *v* suffragette

sufrido 1 berustend, lijdzaam; 2 (*mbt kleur*) niet besmettelijk; **sufrimiento** 1 lijdzaamheid; 2 beproeving, smart; **sufrir** I *tr* ondervinden, lijden, verdragen; *~ un ataque* (*med*) een aanval krijgen; *~ un cambio* veranderen, een verandering ondergaan; *~ daño* schade lijden, schade oplopen; II *intr ~* (*de*) lijden (aan); *hacer ~* verdriet doen, het leven zuur maken

sugerencia 1 suggestie; 2 tip, voorstel; **sugerente** suggestief; **sugerir ie, i** suggereren, voorstellen, opperen, ingeven; **sugestión** *v* 1 suggestie; 2 voorstel; **sugestionar** 1 (*hypnotisch*) beïnvloeden; 2 in vervoering brengen; *dejarse ~* zwijmelen; **sugestivo** suggestief, aantrekkelijk; opmerkelijk

suicida I *m,v* zelfmoordenaar, -moordenares; II *bn* zelfmoord-; halsbrekend; **suicidarse** zelfmoord plegen; **suicidio** zelfmoord, zelfdoding; *intento de ~* zelfmoordpoging

suite *v* suite

suizo, -a I *bn* Zwitsers; II *zn* 1 Zwitser(se); 2 *m* soort cakebroodje

sujeción *v* 1 bevestiging; 2 onderwerping; *con ~ a la ley* overeenkomstig de wet; **sujetador, -ora** I *bn* 1 bevestigend, bevestigings-; 2 onderwerpend; II *m* 1 beha; 2 paperclip; 3 haarspeld; **sujetapapeles** *m* 1 pressepapier; 2 papierklem; **sujetar** 1 onderwerpen; 2 vastmaken, bevestigen; (vast)binden; (vast)klemmen; vasthouden; *~ con alfileres* (vast)spelden; *~ con clavos* (vast)spijkeren; **sujeto** I *bn* 1 *~* (*de*) (goed) vast (*aan*); 2 *~ a* onderhevig aan, onderworpen aan; *~ a modificaciones* wijzigingen voorbehouden; *~ a tutela* onder curatele gesteld; II *zn* 1 individu, figuur; *~ de experimentación* proefpersoon; *~ pasivo* belastingplichtige; 2 (*gramm*) onderwerp, subject

sulfato sulfaat; *~ de cobre* kopersulfaat

sulfito sulfiet

sulfurado nijdig, boos; **sulfurar** irriteren, boos maken; **sulfurarse** nijdig worden, boos worden; **sulfúreo** 1 zwavel-; 2 zwavelhoudend; **sulfúrico**: *ácido ~* zwavelzuur; **sulfuroso** zwavelhoudend

sultán *m* sultan; **sultanato** sultanaat

suma 1 optelling, som, uitkomst; *~ anterior* (*boekh*) transport; *en ~* kortom; 2 bedrag, som; *~ asignada* toelage; *~ total* totaalbedrag; *en ello va una ~ de...* er is een bedrag van... mee gemoeid; **sumadora** telmachine; **sumamente** hoogst, uiterst; **sumando** op te tellen getal; **sumar** 1 optellen; *suma y sigue* (*boekh*) transport; 2 bedragen; **sumarse** (*a*) zich aansluiten (bij); komen (bij); **sumario** I *bn* 1 beknopt, summier; 2 (*jur, mbt procedure*) bekort; II *zn* 1 korte inhoud, samenvatting; 2 (*jur*) vooronderzoek; *instruir el ~* het vooronderzoek instellen; **sumarísimo** (*jur, mbt procedure*) sterk bekort

sumergible I *bn* geschikt om onder water te verblijven, waterproof; II *m* onderzeeboot; **sumergido** (*fig, econ*) grijs; **sumergir** 1 onderdompelen; 2 (*fig*) doen verzinken; **sumergirse** 1 kopje onder gaan; (*mbt duikboot*) duiken; 2 *~ en* zich verdiepen in, verzinken in; **sumersión** *v* (onder)dompeling

sumidero 1 (riool)put, zinkput; 2 (*Am*) moeras; **sumido**: *~ en* verdiept in

suministrador, -ora leverancier; **suministrar** verschaffen, verstrekken, leveren; *~ corriente* stroom leveren; *~ informes* inlichtingen verstrekken; **suministro** verstrekking, leverantie, levering; *~ de calor* warmtetoevoer; *incluir en el ~* meeleveren

sumir (onder)dompelen, doen verzinken (*ook fig*); **sumirse** 1 (*mbt water*) wegstromen, afgevoerd worden; 2 *~ en* zich verdiepen in, geheel opgaan in; **sumisión** *v* onderworpenheid, nederigheid, onderdanigheid; **sumiso** onderdanig, nederig, gedwee

súmmum *m* summum; **sumo** hoogst; *a lo ~* op zijn meest, op zijn hoogst; *en ~ detalle* tot in de finesses; *en ~ grado, en grado ~* ten zeerste, uiterst

suntuario vd luxe; *impuestos ~s* weeldebelasting; **suntuosidad** *v* weelde, luxe, pracht; **suntuoso** weelderig, prachtig, luxueus

supe *zie saber*

supeditación *v* (het) ondergeschikt maken, onderwerping; **supeditar** ondergeschikt maken, onderwerpen

súper (*fam*) prima, fantastisch

superable 1 te overtreffen; 2 te overwinnen

superabundancia grote overvloed, overdaad; **superabundante** zeer overvloedig, overdadig

superación *v* 1 (het) overtreffen; *afán de ~* ambitie; 2 (het) overwinnen (*van moeilijkheden*); 3 afronding (*van opleiding*); **superado** (*fig*) overwonnen; achterhaald

superalimentación *v* overvoeding

superar 1 overtreffen; (*record*) breken; 2 (*fig*) overwinnen, te boven komen, achter zich laten; *lo he superado* daar ben ik overheen; 3 afronden (*van cursus*); **superarse** zichzelf overtreffen

superávit *m* surplus, overschot

supercarburante *m* superbenzine

supercheria bedriegerij, fake, bedrog

supercivilizado overbeschaafd; **superconductibilidad** *v* supergeleiding; **superdotado** hoogbegaafd

superestructura bovenbouw, opbouw

superficial oppervlakkig; lichtvaardig; **superficialidad** *v* oppervlakkigheid; lichtvaardigheid; **superficie** *v* oppervlakte; *~ de apoyo* draagvlak; *~ de base* grondvlak; *~ de desgaste* slijtvlak; *~ edificada* bebouwde oppervlakte;

~ *lunar* maanoppervlak; ~ *de rodadura* loopvlak (*van band*)
superfino zeer fijn
superfluidad *v* overtolligheid; **superfluo** overtollig, overbodig, onnodig
superhombre *m* Übermensch
superintendente *m* superintendent
superior, -ora I *bn* 1 hoger; hoogst, bovenst; *brazo* ~ bovenarm; *límite* ~ bovengrens; *personal* ~ hoger personeel; 2 superieur; ~ *a* hoger dan, verheven boven; ~ *a todo elogio* boven alle lof verheven; *ser* ~ *a* overtreffen; II *zn* 1 meerdere; 2 kloosteroverste; **superioridad** *v* 1 superioriteit; overwicht; ~ (*numérica*) overmacht; 2 (de) autoriteiten
superlativo I *bn* hoogst, alles overtreffend; II *zn:* (*grado*) ~ (*gramm*) overtreffende trap
supermercado supermarkt
supernumerario I *bn* overtallig; buitengewoon; II *zn* surnumerair
superpetrolero supertanker
superpoblación *v* overbevolking; **superpoblado** overbevolkt
superponer 1 plaatsen op; 2 stellen boven
superproducción *v* overproduktie
superpuesto 1 bovenop geplaatst; 2 opgelegd, onnatuurlijk
superrealismo surrealisme
supersaturar (*chem*) oververzadigen
supersónico I *bn* supersonisch, ultrasoon; boven de geluidsgrens; II *zn* supersonisch vliegtuig
superstición *v* bijgeloof; **supersticioso** bijgelovig
supervaloración *v* overschatting, te hoge schatting; **supervalorar** te hoog schatten, overschatten
supervisar toezien op; **supervisión** *v* supervisie, toezicht; **supervisor, -ora** opzichter(es)
supervivencia (het) overleven; *probabilidad de* ~ overlevingskansen; **superviviente** I *bn* overlevend; II *m,v* overlevende; **supervivir** overleven
supinación *v* ligging op de rug
supino achterover (*liggend*)
suplantación *v* verdringing; **suplantar** verdringen, handelen in de plaats van; ~ *en el mercado* van de markt verdringen
suplementario aanvullend, bijkomend; *alimentación -a* bijvoeding; *hoja -a* inlegvel; **suplemento** aanvulling, bijvoegsel, supplement; toeslag; ~ *sabatino* zaterdags bijvoegsel; *pagar un* ~ bijbetalen
suplencia vervanging, waarneming; **suplente** I *bn* vervangend, waarnemend; II *m,v* vervang(st)er, waarnemer, -neemster
supletorio extra, aanvullend; reserve-
súplica smeekbede; verzoekschrift; *a* ~(*s*) *de* op dringend verzoek van; *no hay ~s que valgan* daar helpt geen lieve vader of moeder aan; **suplicante** I *bn* smekend; II *m,v* verzoek(st)er; **suplicar** smeken; ~ *la gracia* om genade smeken; **suplicatoria** (*jur*) verzoekschrift, kennisgeving (*door rechtbank*)
suplicio 1 lijfstraf, foltering; 2 kwelling, beproeving; ~ *de Tántalo* Tantaluskwelling;
suplir 1 aanvullen, erbij leggen, suppleren; 2 ~ *a u.p.* waarnemen voor iem, iem vervangen; 3 ~ *con* vervangen door
suponer I *ww* 1 veronderstellen, vermoeden; *supón que...* stel dat...; *supongamos que, vamos a* ~ *que* laten we veronderstellen dat; *supongo que sí* ik veronderstel van wel; *suponiendo que* gesteld dat, aangenomen dat, ervan uitgaande dat; *cabe* ~ *que* men kan wel aannemen dat; *es de* ~ *que* men mag veronderstellen dat; *nada hace* ~ *que* niets wijst erop dat; *...que es de* ~ ...die zich denken laat; *según se supone* naar verondersteld wordt; *voy a* ~ *que sí* ik wil aannemen dat het zo is; *ya me lo suponía* dat dacht ik al; 2 inhouden, betekenen; *supone ciertos gastos* er zijn enige kosten aan verbonden; *no supone ningún riesgo* het houdt geen enkel risico in; II *m: es un* ~ het is maar een veronderstelling; **suponerse** (*fam*) *zie suponer*; **suposición** *v* veronderstelling; vermoeden; ~ *gratuita* veronderstelling die nergens op slaat; *partir de la* ~ *de que* van de veronderstelling uitgaan dat
supositorio zetpil
supranacional supranationaal
suprarrenal: *cápsula* ~, *glándula* ~ bijnier
supremacía suprematie, heerschappij; **supremo** (aller)hoogst, opperst; *-a vigilancia* uiterste waakzaamheid; *esfuerzo* ~ topprestatie; *el instante* ~ het hoofdmoment; **Supremo** I *zn* 1 *el* ~ de Schepper; 2 *el* ~ hooggerechtshof; (*vglbaar*) Hoge Raad; II *bn: Tribunal* ~ hooggerechtshof, (*vglbaar*) Hoge Raad; *el Soviet* ~ de Opperste Sovjet
supresión *v* afschaffing, opheffing, intrekking; **supresivo**: *tratamiento* ~ ontwenningskuur; **suprimir** opheffen, afschaffen; achterwege laten, weglaten; uit de weg ruimen; verdringen; *suprime el picor* verdrijft de jeuk; **suprimirse** weggelaten worden, achterwege blijven
supuesto I *bn* 1 verondersteld, vermeend, vermoedelijk; ~ *que: a*) verondersteld dat, in het geval dat, vooropgesteld dat; *b*) omdat, aangezien; *dar por* ~ *que* aannemen dat, er van uitgaan dat; *¡por ~!* uiteraard!; *por* ~ *que...* natuurlijk...; 2 zogenaamd; *un nombre* ~ een valse naam; II *zn* veronderstelling, (verondersteld) geval; *en el* ~ *de que* verondersteld dat, aangenomen dat
supuración *v* (het) etteren; **supurante** etterend; **supurar** etteren, dragen
sur *m* 1 zuid(en); *al* ~ *de* ten zuiden van; 2 (*viento*) ~ zuidenwind
suramericano Zuidamerikaans
surcar door'snijden, (door)klieven; **surco** vore; sleuf, geul, spoor; gleuf, groef ‖ *echarse al* ~ het bijltje erbij neergooien, ermee stoppen

sureño, **-a** iem uit het zuiden (*vh land*); **surero**, **-a** (*Am*) 1 *zie sureño*; 2 *m* zuidenwind
surf *m* (het) surfen; **surfing** *m; zie surf*; **surfista** *m,v* surfer
surgidero ankerplaats
surgir (op)rijzen, opduiken, zich voordoen, ontstaan; verrijzen; ~ *a lo lejos* opdoemen; ~ *de* voortspruiten uit; *surgió la idea* de gedachte kwam op
Surinam: (*el*) ~ Suriname; **surinamés**, **-esa** Surinaams
surmenaje *m* overwerktheid, overspannenheid
suroeste *m; zie sudoeste*
surplús *m* overschot, (het) meerdere
sursuncorda *m* denkbeeldig belangrijk persoon
surtido I *bn* gesorteerd; *estar bien* ~ *de* goed gesorteerd zijn in, ruim voorzien zijn van; II *zn* sortering, assortiment; *un extenso* ~ een ruime keus; *un selecto* ~ *de* een keur van; **surtidor**, **-ora** I *bn* die voorziet (*van*); *pozo* ~ (olie)spuiter; II *m* 1 (water)straal; spuiter; 2 sproeier (*van motor*); 3 ~ (*de gasolina*) benzinepomp; **surtir** (*de*) voorzien van; ~ *efecto* effect sorteren, uitwerking hebben
surto: *estar* ~ voor anker liggen
sus: *¡~!* ksst! (*bij wegjagen van dier*)
susceptibilidad *v* 1 ontvankelijkheid; 2 lichtgeraaktheid; **susceptible** 1 ~ (*de*) ontvankelijk (voor), vatbaar (voor), onderhevig (aan); 2 lichtgeraakt, prikkelbaar; (*neg*) overgevoelig
suscitar opwekken, uitlokken, oproepen; ~ *recelos* argwaan wekken
suscribir 1 (onder)tekenen; onderschrijven; *el que suscribe, la que suscribe* ondergetekende; 2 inschrijven op (*aandelen*); **suscribirse** (*a*) zich abonneren (op), intekenen (op); **suscripción** *v* 1 abonnement; 2 inschrijving (*op lening*); plaatsing (*van aandelen*); ~ *de acciones* intekening op aandelen; **suscriptor**, **-ora** 1 abonnee; 2 inschrijver, intekenaar; **suscrito** (*mbt kapitaal, aandelen*) geplaatst
susodicho (boven)genoemd
suspender 1 ~ (*de*) (op)hangen (aan); 2 opschorten, afbreken, afgelasten; ~ *una prestación* een uitkering intrekken; ~ *el trabajo* het werk neerleggen; ~ *las ventas* de verkoop staken; 3 (*bij examen*) laten zakken, afwijzen; **suspense** *m* spanning (*in film*); **suspensión** *v* 1 ophanging; vering (*van auto*); ~ *de la rueda* wielophanging; *tener buena* ~ (*mbt auto*) goed veren; 2 opschorting, schorsing; uitstel; ~ *de pagos* surséance (van betaling); 3 (*chem*) suspensie; *en* ~ in suspensie; 4 spanning; verrukking; **suspensivo** opschortend; *puntos ~s* (gedachten)puntjes; **suspenso** I *bn* 1 hangend; *en ~: a*) onbeslist, hangende; *b*) opgeschort; *dejar en* ~ opschorten; 2 (*bij examen*) afgewezen; *ha quedado* ~ hij is gezakt; 3 in spanning; verbluft; verrukt; II *zn* onvoldoende, cijfer waarop men zakt, afwijzing
suspicacia achterdocht; **suspicaz** achterdochtig, argwanend
suspirar I *intr* zuchten, verzuchten 1 ~ *por* hunkeren naar, smachten naar; II *tr* 1 verzuchten; **suspiro** 1 zucht, verzuchting; zuchtje (*wind*); *decir con un* ~ verzuchten; *en un* ~ heel snel; *el último* ~ de laatste adem; *hasta el último* ~ tot de laatste snik; 2 (*muz*) rust(teken)
sustancia 1 (*ook substancia*) substantie, stof; ~ *desintegrable* splijtstof; ~ *gris* grijze cellen (*hersenen*); *~s nutritivas* voedingsstoffen; ~ *sólida* vaste stof; *~s volátiles* vluchtige stoffen; 2 inhoud, kern; *en* ~ in wezen, samengevat; *palabras sin* ~ holle woorden; 3 (*pop*) heroïne; **sustancial** substantieel; kernachtig; wezenlijk; **sustanciar** 1 samenvatten; 2 (*jur*) (*proces*) voorbereiden en voeren, behandelen (*tot aan het vonnis*); **sustancioso** 1 substantieel (*ook fig*); waardevol; 2 voedzaam, machtig
sustantivar (*gramm*) substantiveren, als zelfstandig naamwoord gebruiken; **sustantivo** I *bn* zelfstandig bestaand; (*gramm*) zelfstandig; II *zn* (*nombre*) ~ substantief, zelfstandig naamwoord
sustentación *v* 1 (levens)onderhoud; voedsel; 2 steun; **sustentáculo** steun; **sustentador**, **-ora** I *bn* ondersteunend; II *zn* iem die ondersteunt, iem die (*een ander*) onderhoudt; **sustentar** 1 ondersteunen; 2 (*iem*) onderhouden; 3 (*een mening*) staande houden, aanhangen; 4 in stand houden; **sustentarse** (*de, con*) zich in leven houden met, zich voeden met; **sustento** levensonderhoud, kost, broodwinning, bestaan
sustitución *v* (*ook substitución*) 1 (plaats)vervanging, substitutie; waarneming (*van werk*); *de difícil* ~ moeilijk te vervangen; 2 (*wisk*) substitutie; **sustituible** vervangbaar; *de hojas ~s* losbladig; **sustituir** 1 vervangen; aflossen; ~ *a u.p.* voor iem waarnemen, voor iem invallen; 2 (*wisk*) substitueren; **sustitutivo** I *bn* vervangend; II *zn* surrogaat; **sustituto**, **-a** 1 (plaats)vervang(st)er, invaller, invalster, (*vnl Belg*) interimaris; (*sp*) wisselspeler; 2 vervangingsmiddel, surrogaat
susto schrik; ~ *mortal* doodsschrik; ~ *de órdago* enorme schrik; *dar un* ~ aan het schrikken maken, laten schrikken; *dar un ~ tremendo a u.p.* iem de stuipen op het lijf jagen; *llevarse un* ~ schrikken; *no ganar para ~s* de ene schrik na de andere krijgen; *tener un ~ tremendo* zich een ongeluk schrikken
sustracción *v* (*ook substracción*) 1 ontvreemding, verduistering; 2 (*rekenk*) aftrekking; **sustraendo** (*rekenk*) getal dat wordt afgetrokken, aftrekker; **sustraer** 1 ontvreemden, afhandig maken, verduisteren; (*stroom*) aftappen; 2 (*rekenk*) aftrekken; 3 ~ *a* onttrekken aan; ~ *a la vista* aan het oog onttrekken; **sustraerse**: ~ *a* zich onttrekken aan; ~ *a sus ocupaciones* zich vrijmaken (*uit bezigheden*)

susurrar 1 fluisteren; 2 ruisen, suizen, ritselen; **susurro** fluistering; geruis, geritsel
sutil 1 subtiel, heel fijn, licht, teer, ijl; 2 spits(vondig), geraffineerd, scherpzinnig; uitgekiend; **sutileza** 1 teerheid, ijlheid, fijnheid, subtiliteit; *con* ~ fijntjes; 2 raffinement, spitsvondigheid; *~s* haarkloverij, muggezifterij; pietepeuterig gedoe; **sutilizar** I *tr* verdunnen; verfijnen; II *intr* subtiel redeneren, met spitsvondigheden komen; haarkloven, alles uitspinnen
sutura (*med*) hechting; **suturar** (*med*) hechten
suyo *bez vnw* van hem; van haar (*enkv en mv*); van u (*enkv en mv*); van hen; *lo* ~ het zijne, zijn specialiteit; *los ~s* de zijnen, de uwen; *el libro* ~ zíjn boek, háár boek, úw boek, hún boek; *la casa es -a* het huis is van hem, haar, u, hen; *cada uno lo* ~ elk het zijne; *cae de* ~ (*Am*) het spreekt vanzelf; *cuesta lo ~: a*) het kost veel; *b*) het kost veel moeite; *de ~: a*) vanzelf; *b*) van nature; *dedicarse a lo* ~ zijn gang gaan; *hacer* ~ aannemen, overnemen; *hizo -a esa teoría* hij sloot zich aan bij die theorie; *ir a lo* ~ op zijn doel afgaan; *se llevó lo ~: a*) hij kreeg de volle laag; *b*) hij kreeg zijn verdiende loon; *salir*(*se*) *con la -a* zijn zin krijgen; *ser muy ~: a*) heel zelfstandig zijn; *b*) egoïstisch zijn; *c*) terughoudend zijn || *hacer de las -as* de beest uithangen, kuren krijgen
svástica hakenkruis
swinging *m* partnerruil

Ttt

t *te v* (*letter*) t
taba 1 koot(been); 2 bikkel; bikkelspel
tabacal *m* tabaksplantage; **tabacalera** (*Sp*) tabaksmonopolie; **tabacalero** tabaks-; *industria -a* tabaksindustrie; **tabaco** 1 tabak; ~ *fuerte*, ~ *negro* zware tabak; ~ *picado* shag; ~ *de pipa* pijptabak; ~ *en polvo* snuiftabak; ~ *rubio* lichte tabak; *color* ~ tabakskleur; 2 sigaretten, shag; *¿traes ~?* heb je sigaretten bij je?; 3 tabaksplant || *hecho* ~ kapot (*ook fig*)
tabalear trommelen (*met de vingers*)
tabanco 1 kraampje (*met levensmiddelen*); 2 (*Am*) zolder
tábano horzel, steekvlieg
tabaquera tabaksdoos; **tabaquero**, **-a** tabakshandelaar(ster); **tabaquismo** nicotinevergiftiging
tabardillo 1 tyfus; 2 (*fam*) zonnesteek; 3 lastpost
tabardo 1 wijde mantel; 2 hes
tabarra (*fig*) preek, gezeur; *dar la* ~ zeuren; *dar a u.p. la* ~ iem de oren vh hoofd praten; *¡esa ~!* dat gedonder!
tabarro 1 *zie tábano*; 2 bep grote wesp
taberna kroeg, tapperij, taveerne; **tabernáculo** tabernakel; **tabernario** thuishorend in een kroeg; **tabernero**, **-a** kroegbaas, kastelein
tabicar (*met schot*) afsluiten; **tabique** *m* schot; ~ (*divisorio*) tussenschot
tabla 1 plank; plaat; tafelblad; ~ *de lavar* wasbord; *las ~s de la Ley* de tafelen der Wet; ~ *para planchar* strijkplank; ~ *redonda* tafelronde; ~ *de salvación* laatste redmiddel; ~ *de surf* surfplank; ~ *de vela* zeilplank; *hacer* ~ *rasa* (*de*): *a*) zich niets aantrekken van; *b*) schoon schip maken; *hacer* ~ *rasa con* (*fig*) afrekenen met; 2 tabel; (*rekenk*) tafel; ~ *de mareas* getijtafel; ~ *de multiplicación* tafel van vermenigvuldiging; ~ *reivindicativa* eisenpakket; ~ *de retenciones* inhoudingstabel; 3 *~s* toneel, planken; *llevar a las ~s* op de planken brengen; *tener ~s* (*mbt acteur*) zich gemakkelijk bewegen, een toneelpersoonlijkheid hebben; 4 *~s* pat(stelling); *hacer ~s: a*) remise spelen; *b*) onbeslist blijven || ~ *de río* breed, rustig deel van rivier; *por* ~ van de weeromstuit; **tablado** podium, verhoging; **tablao** 1 podium (*voor flamencodans*); 2 ~ (*flamenco*) flamencogroep; **tablazón** *v* geheel van planken
tableado (het) plooien; **tablear** 1 van platte plooien voorzien, stolpplooien maken in; 2 in planken zagen

tablero I *zn* 1 blad (*van tafel*), bord; schoolbord; prikbord; ~ *de ajedrez* schaakbord; ~ *de conglomerado* board; ~ *de control* schakelbord, bedieningspaneel; ~ *de damas* dambord; ~ *de dibujo* tekenplank; ~ *de distribución* schakelbord; ~ *de instrumentos*, ~ *de mando* instrumentenbord; *el* ~ *político* het politieke toneel; ~ *de viruta prensada* spaanplaat; *poner al* ~ riskeren; 2 toonbank; 3 albatros; II *bn* (*mbt hout*) geschikt voor planken; **tablestacado** beschoeiing, damwand; **tableta** 1 (*med*) tablet; 2 plak, tablet (*chocola*); **tabletear** klapperen, ratelen; **tableteo** geklapper, geratel; **tablilla** plankje, lat; spalk; lamel (*van jaloezieën*); **tablón** *m* 1 dikke plank; ~ (*de anuncios*) mededelingenbord, aanplakbord; ~ *de paso* plank over sloot; 2 springplank; 3 (*fam*) dronkenschap

tabú *m* taboe; *temas* ~ onderwerpen die taboe zijn

tabuco armzalig kamertje, hok

tabulación *v* indeling in kolommen; **tabulador** *m* tabulator; **tabular** I *ww* in kolommen indelen; II *bn* plankvormig, als een plank

taburete *m* kruk, barkruk; ~ *giratorio* draaikruk; ~ *de piano* pianokruk

tac: ~, ~ tik tik; **tacada** (*biljart*) stoot

tacamaca (*Am*) bep boom (*die hars oplevert en waarvan kano's worden gemaakt*)

tacañería gierigheid, krenterigheid, schraapzucht; **tacaño**, **-a** I *bn* gierig, krenterig; II *zn* gierigaard

1 tacha 1 schoonheidsfoutje; *poner ~s a* vitten op; 2 smet, blaam; *sin* ~ onberispelijk

2 tacha kleine spijker

tachadura doorhaling; **tachar** 1 doorhalen, doorstrepen, schrappen; *táchese loque no proceda* doorhalen wat niet van toepassing is; 2 ~ *de* betichten van, bestempelen als, verwijten; kritiseren; *no se nos puede* ~ *de nada* men kan ons niets verwijten

1 tachón *m* opzichtige doorhaling, grote vlek

2 tachón *m* grote kopspijker

tachonar met kopspijkers versieren; *tachonado de estrellas* met sterren bezaaid; **tachuela** kopspijkertje

tacita: ~ *de plata* iets heel propers

tácitamente stilzwijgend; **tácito** stilzwijgend; *reproche* ~ stil verwijt

taciturnidad *v* zwijgzaamheid; **taciturno** zwijgzaam; somber gestemd; **Taciturno**: *Guillermo el* ~ Willem de Zwijger

taco 1 (muur)plug, nop (*onder schoen*); ~ (*de madera*) houten klos, stop, prop, wig; 2 ~ (*de billar*) keu; 3 laadstok; 4 vloek; *soltar un* ~ vloeken; 5 blok (*papier, kaartjes*); (*calendario de*) ~ scheurkalender; 6 verwarring; *dejar hecho un* ~ (*fig*) uit het veld slaan, in verwarring brengen; *hacerse un* ~ de kluts kwijtraken; 7 (*Mexico*) hartig gevulde maískoek

tacógrafo tachograaf; **tacómetro** tachometer, snelheidsmeter

tacón *m* hak; ~ *fino* dunne hak, naaldhak; **taconazo** slag met de hak; *dar un* ~ (*mil*) de hakken tegen elkaar slaan; **taconear** met de hakken tikken (*al lopend, dansend*); **taconeo** geklik met de hakken

táctica tactiek; *la* ~ *a seguir* de te volgen tactiek; *cambiar de* ~ het over een andere boeg gooien; **táctico** I *bn* tactisch; II *zn* tacticus

táctil tactiel, vd tastzin; **tacto** 1 tastzin, gevoel; *al* ~ (*mbt typen*) op het gevoel, blind; 2 aanraking; 3 tact, kiesheid, beleid; *con* ~ tactvol

Taf *m* (*Sp*) bep snelle trein

tafetán *m* tafzijde

tafilete *m* fijn geiteleer

tagalo, **-a** 1 inheemse bewoner vd Filippijnen; 2 *m* inheemse taal vd Filippijnen

tagarnina 1 soort distel; 2 vieze sigaar

tahalí *m* sabelriem

tahona 1 broodoven; 2 bakkerij

tahur *m* 1 verwoed speler; 2 valsspeler

taifa 1 fractie, partij; *reinos de* ~ (*hist*) kleine Moorse rijken in Spanje; 2 bende

tailandés, **-esa** uit Thailand, Thais

taimado doortrapt, geslepen, listig, sluw

tainos *mmv* (*hist*) Caribisch Indianenvolk

tajada 1 plak, schijf; *sacar* ~ ergens voordeel uit slaan; 2 dronkenschap; 3 houw, snee; **tajadura** houw, snee; **tajamar** *m* 1 scheg; 2 puntige aanzet aan brugpijler; **tajante** 1 scherp; 2 (*fig*) scherp; vinnig; fel; *contraste* ~ scherpe tegenstelling; *tono* ~ een toon die geen tegenspraak duldt; **tajar** snijden; **tajo** 1 (diepe) snee; houw; 2 diepe kloof, spleet (*in terrein*); 3 bereikt punt in werk (*op het land*); 4 werk, taak; *poner a u.p. en el* ~ iem aan het werk zetten; 5 (hak)blok

tal I *bn* dergelijk, zo'n; zo(danig); ~ *como* zoals; ~ *cosa* zoiets; ~ *cual*: *a*) zoals; *b*) (middel)matig; *c*) precies zo, nog hetzelfde; *d*) een enkele; ~ *es mi parecer* dat is mijn mening, zo denk ik erover; *una* ~ een prostituée; *un* ~ *Pérez* een zekere Pérez; ~ *vez* misschien; *de* ~ *manera* dermate; *en la calle* ~ in die en die straat; *¿qué ~?* hoe gaat het ermee?; *¿qué* ~ *el paseo?* hoe was de wandeling?; II *voegw con* ~ *de* (+ *onbep w*), *con* ~ *que* (+ *subj*) mits, op voorwaarde dat; III *onbep vnw* zoiets, zo'n, dat; ~ *o cual* de een of ander, iemand; ~ *para cual* lood om oud ijzer, een pot nat; ~ *y cual*, ~ *y* ~ van alles, zus en zo; *no hay* ~ (*cosa*) dat is niet het geval; *¡no habrá ~!* dat gaat niet door!; *que si* ~ *que si cual* zus en zo, dit en dat; *...y* ~ ...of zo; *y* ~ *y cual* enzovoort, enzovoort

tala (het) kappen; ~ (*de árboles*) ontbossing

taladrado (het) doorboren; perforatie; **taladradora** boormachine; **taladrar** 1 (door)boren, perforeren; stansen; ponsen; ~ *billetes* kaartjes knippen; 2 (*mbt pijn*) dwars door iem heen gaan; 3 (*mbt geluid*) pijn doen aan het oor; **taladro** boor(machine); ~ *eléctrico portátil* boortol; ~ *de mano* handboor; ~ *percutor* slagboor

tálamo huwelijksbed
talán: ~, ~ bim, bam (*klokgelui*)
talante *m* 1 stemming, humeur; *de buen* ~ graag; *de mal* ~ met tegenzin; 2 (*mentale*) instelling
1 talar *ww* 1 kappen, vellen; 2 met de grond gelijk maken, vernietigen
2 talar *bn* (*mbt gewaad*) lang, tot op de grond
talayote *m* (*op Balearen*) monument uit het stenen tijdperk
talco 1 talk(poeder); 2 talksteen
talcualillo heel gewoontjes; niet gek; maar zo zo
talega 1 grote (stoffen) zak; 2 (*vaak mv*) geld; **talegada** 1 zakvol; 2 val (*languit*); **talegazo** val; *darse un* ~ languit op de grond vallen; **talego** 1 grote (stoffen) zak; 2 (*mbt persoon*) hobbezak
taleguilla stierenvechtersbroek
talento 1 aanleg, begaafdheid; talent; *tener* ~ *artístico* artistiek aangelegd zijn; *tener mucho* ~ heel wat in zijn mars hebben; 2 talent (*munt*); **talentoso, talentudo** begaafd
Talgo (*Sp*) bep luxe sneltrein
talión: *ley del* ~ wet van de vergelding
talismán *m* talisman, amulet
talla 1 (het) houtsnijden; houtsnijwerk; 2 postuur, grootte, (lichaams)bouw; (*geestelijk*) niveau; ~ *mediana* middelmatige lengte; *dar la* ~ *para* groot genoeg zijn om; *de* ~ (*fig*) van formaat; **tallado** (het) snijden, (het) slijpen, (het) houwen; **tallador** *m* slijper (*van diamant*); houtsnijder; **talladuría** (diamant)slijperij; **tallar** I *tr* 1 (*hout*) snijden; (*steen*) uithouwen, bewerken; (*diamant*) slijpen; 2 graveren; 3 (*lengte*) meten; II *intr* de bank houden (*bij kansspel*)
tallarín *m* soort spaghetti
talle *m* 1 figuur, gestalte; 2 taille; *ajustar al* ~ tailleren; 3 maat vd hals tot de taille
taller *m* 1 werkplaats; (naai)atelier; garage; ~ *de ajuste* bankwerkerij; ~ *de arquitectura* architectenbureau; ~ *de pintura* schildersatelier; ~ *de sastre* kleermakerij; ~ *social* sociale werkplaats; 2 workshop; ~ *de teatro* theaterworkshop
tallista *m,v* (hout)snijder; graveur
tallo (bloem)steel, halm, stengel; ~ *de vainilla* vanillestokje; *punto de* ~ steelsteek; **talludo** 1 met lange steel; 2 groot geworden, geen kind meer
talmente (*fam*) sprekend, precies
talón *m* 1 hiel; *pisarle los -ones a u.p.*: *a*) iem op de hielen zitten; *b*) iem bijna evenaren; 2 afscheurbare bon, cheque; ~ *bancario* bankcheque; ~ *ferroviario* vrachtbrief (*per trein*); 3 (munt)standaard; *el* ~ *oro* de gouden standaard; **talonario** chequeboek; bonboekje
talud *m* glooiing, berm; talud
tamal *m* (*Am*) hartig gevuld maïsblad
tamaño afmetingen, formaat, grootte; ~ *de bolsillo* zakformaat; ~ *medio* middelmaat; *de* ~ *natural* op ware grootte; *¿qué* ~ *tiene?* hoe groot is het?
támara 1 dadelpalm vd Canarische eilanden; 2 palmbos; 3 ~*s* dadels in trossen
tamarindo tamarinde
tambaleante wankel; **tambalearse** wankelen, wiebelen; **tambaleo** (het) wankelen
también ook, eveneens
tambo (*Am*) herberg; (*Argentinië*) melkerij
tambor *m* 1 (*muz, techn*) trom, trommel; ~ *del freno* remtrommel; *a* ~ *batiente* met slaande trom; *tocar el* ~ trommelen, op de trommel slaan; 2 tamboer; ~ *mayor* tamboer-majoor; **tamboril** *m* smalle kleine trom die aan de arm hangt; **tamborilear** trommelen; **tamborileo** getrommel; **tamborilero** trommelaar
Támesis: *el* ~ de Theems
tamiz *m* (*fijne*) zeef; *pasar por el* ~: *a*) zeven; *b*) nauwkeurig bestuderen; **tamizar** 1 zeven; 2 selecteren
tamo stofpluizen, stofvlokken
tampoco evenmin, ook niet
tampón *m* 1 stempelkussen; 2 tampon
tam-tam *m* tamtam
1 tan *bw* (*voor bn gebruikt*) zo; ~ *bonito* zo mooi; ~ *fácil como* even makkelijk als
2 tan: ~ ~... 1 geluid van klokken, geklep; 2 geluid van hamer op aambeeld
tanda laag; groep; ploeg; beurt; *en* ~*s* in ploegen
tándem *m* tandem
tanganillas: *en* ~ in een onzekere positie, wankel, op de wip
tangencia (*mbt lijnen*) aanraking; **tangencial** tangentieel; **tangente** I *bn* rakend; *plano* ~ raakvlak; *ser* ~ *con* (*wisk*) raken; II *v* raaklijn, tangent; *salirse por la* ~ nog net ontsnappen
tangerino uit Tanger (*Marokko*)
tangible tastbaar, voelbaar
tango tango; **tanguillo** bep Andalusische dans en lied
tanino tannine
tanque *m* 1 tank; ~ *de almacenamiento* opslagtank; ~ *de gasolina* benzinetank; ~ *de vacío* vacuümtank; 2 (*buque*) ~ tanker; 3 (*mil*) tank; **tanqueta** (*mil*) kleine tank
tanta: *las* ~*s* laat; *hasta las* ~*s* tot ik weet niet hoe laat, tot diep in de nacht; *zie ook tanto*
tantán *m* tamtam
tanteador, -ora 1 iem die de punten telt; 2 *m* scorebord, puntenlijst; **tantear** I *tr* (af)tasten, schatten, voelen, proberen, peilen, polsen; ~ *el terreno* het terrein verkennen; II *intr* 1 de score bijhouden; 2 op de tast lopen; *tanteando* op de tast; **tanteo** 1 (het) proberen, (het) polsen; (het) tasten; *al* ~: *a*) op de tast; *b*) op de gok; 2 score, stand, puntentelling; 3 schatting; *decir al* ~ schatten, naar schatting zeggen
tantico: *un* ~ een ietsje, een tikkeltje; **tantísimo** zoveelste; *por -a vez* voor de zoveelste keer; **tanto** I *zn* punt, doelpunt; *apuntar los* ~*s*

de punten noteren; *un* ~ een beetje, enigszins; II *bn* zoveel; *-as veces ya* zo vaak al; *un alto ~ por ciento* een hoog percentage; *dos veces* ~ twee maal zoveel; *en ~s por ciento* in procenten; *estar al ~ de* op de hoogte zijn van; *no es para* ~ zo erg is het nu ook weer niet; *no tengo ~ dinero como para poder comprarlo* ik heb niet zoveel geld dat ik het kan kopen; *otro* ~ hetzelfde; *por* (*lo*) ~ daarom; III *bw* zoveel, evenveel; *~...como: a*) zowel...als; *b*) evenveel als, evenzeer als; *~ más a menudo* des te vaker; *~ más cuanto que* des te meer daar; *~ mejor* des te beter; *me sorprende* ~ het verbaast me zo; *no ~ ofendido como triste* niet zozeer beledigd als wel verdrietig; *no llegará a* ~ zover zal het niet komen; *es ~ o más importante que* het is even belangrijk, zo niet belangrijker dan; *¡y ~!* en hoe! || *en* ~ ondertussen; *en ~ que* terwijl; aangezien; als (zijnde), in de hoedanigheid van

tañedor, **-ora** bespeler of bespeelster van muziekinstrument; **tañer** I *tr* (*tokkelinstrument*) bespelen; II *intr* (*mbt klok*) luiden; **tañido** 1 (*muz*) (het) bespelen; geluid van instrument; 2 klokgelui

tapa 1 deksel; klep; overslag (*in kleding*); voor- of achterkant van boek; *~ corrediza* schuif; *~ roscada* schroefdeksel; *~ de los sesos* schedel; *levantarse la ~ de los sesos* zich voor de kop schieten; 2 borrelhapje; 3 laag onder hak; **tapaboca** *m* 1 dooddoener; 2 bouffante; **tapacubos** *m* naafdop; **tapadera** 1 pannedeksel; 2 dekmantel; (*organización*) ~ mantelorganisatie; **tapadillo**: *de* ~ tersluiks, heimelijk; **tapadura** (het) bedekken, bedekking; **tapar** (*con, de*) bedekken (met), (af)dichten; (*kuil*) dichtgooien; (*gat*) dichtmaken; verhullen; *~ la boca a u.p.* iem de mond snoeren; *~ la vista* het uitzicht benemen; **taparse** verstopt raken; **taparrabo**, **taparrabos** *m* 1 lendendoek; 2 (*fam*) zwembroek

tapete *m* (tafel)kleed; *estar sobre el* ~ ter tafel liggen; *poner sobre el* ~ te berde brengen, (*vraag*) opwerpen, ter sprake brengen

tapia gemetselde omheining, muur; *más sordo que una* ~ zo doof als een kwartel; **tapial** *m; zie tapia*; **tapiar** ommuren; (*deur*) dichtmetselen

tapicería 1 (wand)tapijtkunst; stel wandtapijten; 2 stoffering; 3 stoffeerderij; **tapicero** 1 tapijtwever; 2 stoffeerder

tapioca tapioca

tapir *m* tapir

tapiz *m* 1 (vloer)tapijt; 2 wandkleed; **tapizado** bekleding; stoffering; **tapizar** 1 met wandkleden bedekken; 2 bekleden, stofferen

tapón *m* 1 dop, stop; prop, tampon; plug; (wiel)dop; *~ de llenado, ~ para llenar* vuldop; *~ de rosca* schroefdop; *~ de rueda* wieldop; 2 (*fig*) propje, klein dik mens; **taponamiento** afsluiting (*met dop, stop, prop*); verstopping; **taponar** stoppen, sluiten (*met dop, stop, prop*); tamponneren; *~se los oídos* zijn oren dichtstoppen; **taponazo** knal (*van kurk*); **taponería** kurkenfabriek

tapujo geheimzinnigheid; *andar con ~s* geheimzinnig doen, achterbaks zijn; *de* ~ heimelijk; *servir de ~ a* als dekmantel dienen voor

taquicardia versnelde hartslag

taquigrafía steno(grafie); **taquigráfico** stenografisch; **taquígrafo**, **-a** stenograaf, -grafe

taquilla 1 loket; 2 (*theat*) kassa; 3 (*theat*) recette; 4 kastje (*bv voor papieren*); **taquillero**, **-a** I *zn* lokettist(e); II *bn* veel publiek trekkend

taquimeca (*fam*) stenotypiste; **taquimecanógrafo**, **-a** stenotypist(e)

tara 1 gebrek; *~ de fábrica* fabricagefout; *~ física* lichamelijk gebrek; *sufrir una ~ hereditaria* erfelijk belast zijn; 2 (*hdl*) tarra

tarabilla *m,v* babbelkous, iem die maar door-ratelt

taracea inlegwerk (*in hout*)

tarado beschadigd; gebrekkig

tarambana *m,v* warhoofd

tarántula tarantula (*giftige spin*)

tarar de tarra bepalen van

tararear neuriën

tarascada beet; (*fig*) uitval, veeg uit de pan

tardanza 1 vertraging; 2 getalm, getreuzel; **tardar** dralen, lang wegblijven, talmen; *~ en* dralen met; *tarda en venir* het duurt lang voor hij komt; *no tardará en volver* hij zal wel gauw terugkomen; *a más* ~ op zijn laatst; *sin* ~ onverwijld; **tarde** I *v* (na)middag, (voor)avond; *a la* ~ in de middag, vanmiddag; *a las 5 de la* ~ om 5 uur 's middags; *buenas ~s* goedemiddag; *por la* ~ 's middags || *de ~ en* ~ zo nu en dan; II *bw* laat; *~ o temprano* vroeg of laat; *como* ~ op zijn laatst; *dejar para más* ~ uitstellen; *más* ~ later, daarna; *se me ha hecho* ~ ik heb mij verlaat; **tardío** laat, (*Belg*) laattijdig; traag; **tardo** traag; *~ (en comprender)* traag van begrip; *~ de oído* hardhorend; *con paso* ~ met slepende tred; **tardón**, **-ona** laatkomer, treuzel

tarea 1 taak, opdracht, opgave; werk, karwei; *~s domésticas* huishoudelijke bezigheden; *asignar una ~, imponer una* ~ een taak opgeven; 2 huiswerk

tarifa 1 tarief; *~s aduaneras* douanetarieven; *~ base* basistarief, vastrecht; *~ de flete* vrachttarief; 2 prijslijst; **tarifar** 1 tariferen; 2 ruzie krijgen

tarima podium, verhoging

tarjeta (brief)kaart; (visite)kaartje; *~ de crédito* creditcard; *~ de embarque* instapkaart; *~ de garantía* (*vglbaar*) betaalpas, bankpas, (*Belg*) waarborgkaart; *~ de identidad* identiteitsbewijs, (*Belg*) identiteitskaart; *~ de pago* creditcard (*van instelling*); *~ perforada* ponskaart; *~ postal* ansichtkaart; *~ de socio* lidmaatschapskaart; *~ de visita* visitekaartje

tarlatana tarlatan, katoenen mousseline

tarquín *m* modder, bezinksel

tarraconense uit Tarragona

tarro pot, pul
tarta taart; ~ *helada* ijstaart
tartajear hakkelen, stamelen; **tartajeo** gehakkel, gestamel; **tartajoso** hakkelend, stamelend
tartamudear stotteren; **tartamudeo** gestotter; **tartamudo**, **-a** stotteraar(ster)
tartana 1 tweewielig rijtuig (*met kap*); 2 vissersbootje; 3 oude auto, kar
1 tártaro 1 wijnsteen; 2 tandsteen
2 tártaro Ta(r)taars; *bistec* ~ biefstuk tartaar; *salsa -a* sauce tartare
tartera 1 picknicktrommel, etensdoos; 2 aarden schotel
tarugo houten blok, houten pin; homp brood
tarumba hoteldebotel; *volver* ~ dol maken
tasa 1 heffing, leges; 2 vastgestelde prijs; 3 aantal, cijfer; maat; ~ *de ahorro* spaarquote; ~ *de consumo* consumptiecijfer; ~ *inflacionaria* inflatietoeslag; ~ *de interés* rentevoet; ~ *de mortalidad* sterftecijfer; *poner* ~ *a* paal en perk stellen aan; *sin* ~ mateloos; **tasación** *v* schatting, taxatie; **tasador**, **-ora** taxateur
tasajo gezouten en gedroogd vlees
tasar 1 schatten, taxeren; de prijs bepalen van; ~ *en* taxeren op; 2 beperken; ~ *la comida: a*) op rantsoen stellen; *b*) op het eten beknibbelen
tasca kroeg
tascar: ~ *el freno* zich inhouden
tasquear kroeglopen, een kroegentocht houden
tata (*fam*) 1 kindermeisje; 2 zusje; 3 *m* (*Am*) vadertje
tatarabuelo, **-a** betovergrootvader, -moeder; **tataranieto**, **-a** achterachterkleinkind, -zoon, -dochter
1 tate *m* (*fam*) hasj
2 tate: *¡~!: a*) kalm aan!; *b*) aha, nu snap ik het!
tatito (*Am*) papa, vadertje; **tato** (*fam*) broertje; kind
tatuaje *m* tatoeage; **tatuar ú** tatoeëren
taula megalitisch monument
taumaturgo, **-a** wonderdoener
taurino vh stieregevecht; **Tauro** (*astrol*) Stier; **tauromaquia** stierenvechterskunst
tautología tautologie
taxativo in beperkende zin
taxi *m* taxi
taxidermia (het) opzetten van dieren
taxímetro 1 taximeter; 2 taxi; **taxista** *m,v* taxichauffeur
taza 1 kopje; 2 closetpot; **tazón** *m* kom
1 te *v; zie t*
2 te *pers vnw 2e pers meew vw, lijd vw* je, jou; ~ *vi* ik heb je gezien; ~ *lo doy* ik geef het je
té *m* thee
tea 1 fakkel; 2 (*fam*) dronkenschap; *coger una* ~ dronken worden
teatral 1 vh toneel; *obra* ~ toneelstuk; 2 theatraal; **teatro** 1 theater, schouwburg; 2 toneel; ~ *de la batalla* strijdtoneel

tebeo strip; stripboek
teca djatiboom; (*madera de*) ~ teakhout
techado dak; *bajo* ~ onder dak; **techar** van een dak voorzien; **techo** 1 dak; ~ *a dos aguas,* ~ *en albardilla,* ~ *a dos vertientes* zadeldak; ~ *solar* schuifdak; *bajo* ~ binnenshuis, onder (een) dak; *sin* ~ dakloos; *tocar* ~: *a*) ten top stijgen; *b*) zijn grens bereiken; 2 plafond (*ook fig*); ~ *rebajado* verlaagd plafond; 3 maximum vlieghoogte; **techumbre** *v* dak(bedekking)
teckel *m* teckel
tecla toets (*van piano, schrijfmachine*); ~ *de función* functietoets; *tocar una* ~ (*fig*): *a*) iets aanroeren; *b*) connecties aanboren; **teclado** toetsenbord; **teclear** (*toetsen*) indrukken, aanslaan; (*op piano*) pingelen; **tecleo** (het) aanslaan (*van toetsen*); aanslag; gepingel
técnica techniek; *~s comerciales* verkooptechnieken; ~ *del ordenador* computertechniek; **tecnicidad** *v* technisch karakter; **tecnicismo** 1 vakterm; 2 *zie tecnicidad*; **técnico** I *bn* technisch; *arquitectura -a* bouwkunde; *conocimientos ~s* vakkennis; *gabinete* ~ zakenkabinet; II *zn* technicus; vakman; ~ *facial* visagist; ~ *del sonido* geluidstechnicus; **tecnificarse** (*mbt maatschappij*) steeds technischer worden; **tecnocracia** technocratie; **tecnócrata** *m,v* technocraat; **tecnología** technologie, know-how, techniek; ~ *avanzada* geavanceerde techniek, toptechnologie
tedio verveling, tegenzin; **tedioso** vervelend, langdradig
teflón *m* teflon
tegumento huls, vlies
teína theïne
teja dakpan; *a* ~ *vana* onder de pannen (*zonder plafond*); *de ~s abajo* in deze wereld, op aarde; *de ~s arriba* in de hemel || *a toca* ~ contant, direct; **tejadillo** luifel, afdakje; **tejado** dak
tejano I *bn* uit Texas; II *zn* (*vaak mv*) spijkerbroek
tejar I *ww* met pannen bedekken; II *m* pannenbakkerij
tejedor, **-ora** 1 *m,v* wever, weefster; 2 *m* wevervogel; 3 *v* (*Am*) breimachine; **tejeduría** weefkunst; **tejemaneje** *m* 1 drukte; 2 gekonkel, gescharrel; **tejer** 1 weven, verweven; (*mbt spin*) een web maken; 2 breien; 3 werken aan, bewerkstelligen; beramen; **tejido** weefsel; *~s* textiel; ~ *celular* celweefsel; ~ *de estambre* kamgaren; *~s de lana* wollen stoffen; ~ *metálico* metaalgaas; ~ *de punto* tricot; ~ *tupido* dicht weefsel; *alambre* ~ rasterwerk
1 tejo 1 scherf, schijf (*gebruikt in hinkelspel*); 2 hinkelspel; bikkelspel
2 tejo taxus (*boom*)
tejón *m* (*dierk*) das
tela 1 stof; ~ *de carborundo,* ~ *de esmeril* schuurlinnen; ~ *a cuadros* geruite stof; ~ *a cuadritos* ruitjesstof; ~ *esponja* badstof; ~ *de fibra de ortiga* neteldoek; ~ *metálica* (metaal)-

gaas, kippegaas; ~ *mosquitera* muskietengaas; ~ *para pintar* schilderslinnen; ~ *de saco* zakkenstof, jute; 2 lap, doek; 3 boekbinderslinnen; *en* ~ (*mbt boek*) in linnen gebonden; 4 web, net; ~ *de araña* spinneweb; ~ *salvavidas* (*bij brand*) springnet, vangnet; 5 vel (*op melk*) || *hay* ~ *que cortar* er is heel wat te bespreken; *poner en* ~ *de juicio* in twijfel trekken; *quedar en* ~ *de juicio* in het midden blijven, niet zeker zijn; *tener* ~ *para rato* voorlopig wel even voort kunnen (*bv met werk*); **telar** *m* 1 weefgetouw; 2 ~*es* textielfabriek; 3 ruimte boven het toneel (*waar decors hangen*); **telaraña** 1 spinneweb; *mirar las* ~*s* (*fig*) afwezig zijn, zitten te staren; 2 vlekje voor het oog, wolkje; *tener* ~*s en los ojos* de duidelijkste dingen niet zien, (*fig*) verblind zijn; 3 kleinigheid, futiliteit; 4 ~*s* verwarde gedachten

tele *v* 1 (*fam*) tv, buis; 2 (*fot*) telelens

telebaby *m* kinderskilift; **telecomunicación** *v* telecommunicatie; **telediario** televisiejournaal; **teledifusión** *v* uitzending via tv

teledirigido (*mbt projectiel*) geleid; **teledirigir** op afstand besturen

telefax *m* fax; **teleférico** kabelbaan, cabine

telefonazo (het) opbellen, telefoontje; **telefonear** telefoneren, opbellen; **telefonía** telefonie; **telefónica** telefoonmaatschappij; **telefónico** telefonisch; *cabina -a* telefooncel; **telefonista** *m,v* telefonist(e); **teléfono** telefoon; *el* ~ *no para* de telefoon staat niet stil; *coger el* ~, *contestar el* ~ de telefoon aannemen; *le llaman por* ~ er is telefoon voor u; *por* ~ telefonisch; *suena el* ~ de telefoon gaat

telegénico telegeniek

telegrafía telegrafie; **telegrafiar í** telegraferen; **telegráfico** telegrafisch; **telegrafista** *m,v* telegrafist(e); **telégrafo** telegraaf; *por* ~ telegrafisch; **telegrama** *m* telegram; *estilo* ~ telegramstijl; *poner un* ~ een telegram sturen

teleguiar í van een afstand besturen; **teleimpresor** *m* telexapparaat; **telemando** afstandsbediening; **telenovela** romanverfilming op tv, tv-feuilleton; **teleobjetivo** telelens; **telepatía** telepatie; **telescópico** telescopisch; *antena -a* telescoopantenne; **telesilla** stoeltjeslift; **telespectador, -ora** (tv-)kijker; **telesquí** *m* skilift; **teletipo** 1 telex(apparaat); 2 telex(bericht)

televidente *m,v* (tv-)kijker; **televisar** uitzenden (*via tv*); **televisión** *v* televisie; ~ *por cable(s)* kabeltelevisie; ~ *en color* kleurentelevisie; *aparato de* ~ televisietoestel; *ver la* ~ televisie kijken; **televisivo** televisie-; **televisor** *m* televisietoestel; ~ (*en*) *color* kleurentelevisie

télex *m* telex

telilla velletje (*bv op melk*); **telón** *m* (toneel)gordijn; ~ *de acero* ijzeren gordijn; ~ *de boca* toneelgordijn, doek; ~ *de fondo* achterdoek, achtergrond; ~ *metálico* rolluik, brandscherm; *sube el* ~ het doek gaat op

telúrico vd aarde, tellurisch, aards

tema *m* 1 onderwerp, thema; ~ *estrella* hoofdthema; ~ *de meditación* stof tot nadenken; *cambiar de* ~ het gesprek op iets anders brengen; 2 ~*s* examenopgaven; 3 idee-fixe; **temario** lijst met onderwerpen, programma; **temática** thematiek, geheel van onderwerpen; **temático** thematisch, vh onderwerp, vh thema

tembladera beving, rillingen; **temblador, -ora** I *bn* bevend; II *zn* quaker; **temblar ie** beven, trillen, rillen, sidderen; flakkeren; (*mbt ruiten*) rammelen; *le tiembla la voz* zijn stem trilt; **tembleque** *m* beving, rillingen; **templequear** (*neg*) beven; **temblón, -ona** bevend; **temblor** *m* beving, siddering, trilling; **tembloroso** beverig, onvast, huiverig, onzeker

temer vrezen, bang zijn voor; ~ *por* bezorgd zijn over, beducht zijn voor; *se teme por su vida* men vreest voor zijn leven; **temerse** (erg) bang zijn; *me temo que ya no hay más* ik ben bang dat er niets meer is; **temerario** I *bn* overmoedig, vermetel; roekeloos; II *zn* stuntman; **Temerario**: *Carlos el* ~ Karel de Stoute; **temeridad** *v* overmoed, vermetelheid; **temeroso** angstig; **temible** geducht, schrikwekkend; **temido** gevreesd; **temor** *m* angst, vrees; *por* ~ *a* uit angst voor

témpano 1 ijsschots; *quedarse como un* ~ verstijfd raken (*bv van kou*); 2 trommelvel; 3 pauk

temperamental 1 vh temperament; 2 met sterk wisselende stemmingen; **temperamento** 1 temperament; 2 karakter; **temperante** temperend; **temperar** matigen, temperen

temperatura 1 temperatuur; ~ (*del*) *ambiente* omgevingstemperatuur; ~ *del local* kamertemperatuur; ~ *de servicio* (*techn*) werktemperatuur; *de* ~ *de mano* handwarm; 2 koorts; *tomar la* ~ de temperatuur opnemen

tempero gunstige tijd voor het zaaien

tempestad *v* 1 storm; ~ *de arena* zandstorm; ~ *de nieve* sneeuwstorm; ~ *de protestas* storm van protest; *hay* ~ het stormt; 2 agitatie, grote onrust; **tempestivo** opportuun; **tempestuoso** stormachtig

templado 1 matig, gematigd; (*mbt klimaat*) zacht; 2 handwarm, lauw; 3 dapper, vastberaden; 4 (*mbt staal*) gehard; 5 (*mbt instrument*) gestemd; **templanza** gematigdheid; zachtheid (*van klimaat*); **templar** 1 temperen, verzachten; matigen; 2 (*staal*) harden; 3 (*muz*) stemmen; **templarse** 1 op temperatuur komen; 2 zich matigen, zich intomen

templario tempelier

temple *m* 1 temperatuur; weersgesteldheid; 2 (het) harden; hardheid (*van metaal*); 3 tempera (*verftechniek*); *pintura al* ~ temperatechniek; 4 stemming; karakter; *de buen* ~ goedgehumeurd; *de mal* ~ in een slecht humeur; 5 dapperheid; pit, energie; 6 (*muz*) (het) stemmen; harmonie

templete *m* tempeltje (*bv voor een beeld*);

templo 1 tempel; 2 kerk || *una verdad como un* ~ een waarheid als een koe
temporada periode, tijd; seizoen; ~ *alta* hoogseizoen; ~ *baja* laagseizoen; ~ *de lluvias* regentijd; *en plena* ~ midden in het seizoen; *frío para la* ~ koud voor de tijd van het jaar; *pasa una mala* ~ hij maakt een slechte tijd door
1 temporal I *bn* 1 tijdelijk; *empleo* ~ tijdelijke baan 2 wereldlijk; *el poder* ~ de wereldlijke macht; II *m* 1 noodweer, aanhoudende regen; storm; 2 seizoenarbeider
2 temporal (*anat*) vd slaap; *hueso* ~ slaapbeen
temporero, -a I *bn* (*mbt werknemer*) tijdelijk, los; II *zn* seizoenarbeid(st)er
temporizar 1 zich schikken (*naar iem*); 2 de tijd doden
tempranero matineus; **temprano** I *bn* vroeg; te vroeg; *a la mañana -a* in de vroege morgen; II *bw* vroeg; te vroeg; *algo* ~ iets te vroeg; *dos minutos* ~ twee minuten te vroeg; *es* ~ *para*… het is nog te vroeg om…
tenacidad *v* vasthoudendheid, hardnekkigheid
tenacillas *vmv* tangetje; pincet
tenaz 1 vasthoudend, volhardend, hardnekkig; 2 (*mbt materiaal*) sterk
tenaza (*meestal mv*) 1 tang; ~*s de carpintero* nijptang; ~*s punzonadoras* gaatjestang; *no se le puede coger ni con* ~*s* het is met geen tang aan te pakken; 2 schaar (*van kreeft*)
tenca zeelt (*soort karper*)
ten con ten *m* behoedzaamheid
tendedero 1 droogplaats (*voor was*); 2 droogrek, wasrek; **tendencia** 1 neiging, tendens, trend; *de* ~ *izquierdista* links georiënteerd; *hay una* ~ *a* er bestaat een neiging om; 2 stemming (*op beurs*); ~ *alcista* stijgende tendens; ~ *firme* vaste stemming; **tendencioso** tendentieus; **tendente** (*a*) gericht (op), neigend (naar); **tender ie** I *tr* 1 strekken, spannen; (*hand*) reiken; toesteken; (*netten*) uitzetten; ~ *el arco* de boog spannen; ~ *un cable* een kabel leggen; ~ *un lazo* een strik zetten; 2 ophangen; ~ *un puente sobre* overbruggen, een brug slaan over; ~ *la ropa* de was ophangen; II *intr* ~ *a* neigen tot; **tenderete** *m* kraam; **tendero, -a** winkelier(ster); **tendido** I *bn* liggend, gestrekt; ~ *de espaldas* op zijn rug liggend; *estar* ~ liggen; *galope* ~ gestrekte galop; II *zn* 1 (*elektr*) (het) leggen (*van kabel*); leiding; 2 (*bij stieregevecht*) niet overdekte tribune vooraan
tendinoso zenig; **tendón** *m* pees, zeen; ~ *de Aquiles* achillespees
tenducha, tenducho armoedig winkeltje
tenebrosidad *v* duisterheid; **tenebroso** 1 somber, duister; 2 geheimzinnig, duister; obscuur; *pasado* ~ duister verleden; 3 donker
tenedor, -ora 1 houd(st)er, bezit(s)ter; ~ *de libros* boekhoud(st)er; 2 *m* vork; **teneduría**: ~ *de libros* boekhouding; **tenencia** 1 (het) houden; ~ *de armas* wapenbezit; *la* ~ *de perros* het houden van honden; 2 functie van luitenant; 3 ~ *de alcaldía* (*vglbaar*) wethouderschap; **tener** 1 hebben, bezitten; behalen, verkrijgen; (vast)houden; *¡tenga!* alstublieft (*bij aangeven*); ~ *a bien* gelieven, zo goed zijn om; ~ *buenas notas* goede cijfers halen, goede cijfers hebben; ~ *calor* het warm hebben; ~ *un hijo* een kind krijgen, een kind hebben; ~ *listo* klaarhouden; ~ *a mano* bij de hand hebben; ~ *en mucho* hoogachten, respect hebben voor; ~ *en poco* geringschatten; ~ *presente* in gedachten houden; *tiene lo suyo* het heeft wel wat; ~*lo* (*pop, seks*) klaarkomen; *tenérselas con u.p.* het met iem aan de stok hebben; *tenérselas tiesas a u.p.* volhouden tegenover iemand, niet toegeven; *¡ahí tienes!* daar heb je het al!; *¿ésas tenemos?* (*iron*) o, is het weer zo laat?, zit dát erachter?; *no* ~ *nada que ver con* niets te maken hebben met; *no* ~*las todas consigo: a*) niet helemaal bij zijn positieven zijn; *b*) niet erg gerust op iets zijn; *ser tenido por* doorgaan voor; 2 ~ (+ *volt dw*) hebben; ~ *puesto un sombrero* een hoed op hebben; 3 ~ *que* moeten; *no* ~ *que* niet hoeven; *no tienes más que*… je hoeft maar te…; **tenerse** zich staande houden; ~ *firme* volhouden; *no poder* ~ niet meer op zijn benen kunnen staan (*van moeheid*)
tenería leerlooierij
tengo *zie tener*
tenia lintworm
teniente *m* 1 luitenant; ~ *coronel* overste, luitenant-kolonel; 2 ~ *de alcalde* (*vglbaar*) locoburgemeester, wethouder; (*Belg, vglbaar*) schepen
tenis *m* tennis; ~ *de mesa* tafeltennis, pingpong; *jugar al* ~ tennissen; **tenista** *m,v* tennisser, tennisspeler, -speelster
tenor *m* teneur, strekking; gehalte; ~ *graso* (*mbt melk*) vetgehalte; *a* ~ *de* volgens; *de este* ~ op deze wijze
tenorio (vrouwen)veroveraar
tensar spannen; **tensión** *v* 1 spanning; ~ *continua* gelijkspanning; ~ *nerviosa* stress; ~ *de la red* netspanning; *alta* ~ hoogspanning; *baja* ~ laagspanning; *un momento de* ~ een spannend moment; *muelle de* ~ trekveer; *un muelle en* ~ een gespannen veer; *poner a* ~ (*elektr*) onder spanning zetten; 2 druk; ~ *arterial* bloeddruk; *tener* ~ (*fam*) hoge bloeddruk hebben; **tenso** gespannen, strak; *un arco muy* ~ een strak gespannen boog; **tensómetro** spanningsmeter; **tensor** *m* spanner
tentación *v* verleiding, verzoeking, aanvechting; *caer en la* ~, *ceder a la* ~ voor de verleiding bezwijken
tentáculo tentakel
tentador, -ora I *bn* verleidelijk, aanlokkelijk; II *zn* verleid(st)er; **tentar ie** 1 (af)tasten; ~ *la suerte* de gok wagen, een kans wagen; ~ *el vado* het terrein verkennen; 2 ~ (*a*) verleiden (om), (ver)lokken; *me tienta este viaje* deze reis lokt me wel aan; **tentativa** poging; ~ *de fuga* vluchtpoging; ~ *de mediación* bemiddelingspoging

tentemoro 1 stut; 2 duikelaartje (*speelgoed*)
tentempié *m* hartversterking, hapje tussendoor
tentetieso duikelaartje (*speelgoed*)
tenue 1 dun; 2 licht, flauw, zacht; *luz* ~ flauw licht, zacht licht; **tenuidad** *v* dunheid; zachtheid
teñido (het) verven; **teñir i** verven, tinten; ~ *el pelo* zijn haar verven; *estar teñido de*... een... tintje hebben; *esta música está teñida de tristeza* in deze muziek klinkt droefheid door
teocali *m* (*Mexico, hist*) tempel
teocracia theocratie
teodolito theodoliet
teología theologie; **teológico** theologisch; **teólogo, -a** theoloog, -loge
teorema *m* (*wisk*) stelling, theorema
teoría theorie; ~ *árida* droge theorie; ~ *de los cuantos* quantumtheorie; ~ *de la evolución* evolutieleer; *en* ~ in theorie; *exponer una* ~ een theorie uiteenzetten; **teórico, -a** I *bn* theoretisch; II *zn* theoreticus, -a; **teorizar** theoretiseren
teosofía theosofie; **teosófico** theosofisch; **teósofo, -a** theosoof, -sofe
tepe *m* graszode
tepetate *m* (*Mexico*) bep geelwitte steen
tequila (*Mexico*) tequila (*agavebrandewijn*)
Ter *m* (*Sp*) bep sneltrein (*moderner dan de Taf*)
terapeuta *m,v* therapeut(e); ~ *ocupacional* arbeidstherapeut(e); **terapéutico** therapeutisch; *tratamiento* ~ geneeswijze; **terapia** therapie; ~ *ocupacional* arbeidstherapie
tercer *zie tercero*; **tercera** terts; ~ *mayor* grote terts; ~ *menor* kleine terts; **tercero, -a** I *rangtelw* (*voor zn mnl enkv: tercer*) derde; *-a edad* oude dag; *a la -a va la vencida* driemaal is scheepsrecht; *persona de la -a edad* bejaarde; *tercer mundo* derde wereld; *una -a parte* een derde; *-a persona* derde (*persoon, buitenstaander*); *-os países* niet-EG-landen; II *zn* 1 derde (*persoon*); *daños a ~s* schade aan derden; 2 bemiddelaar(ster); 3 koppelaar(ster); **tercerón, -ona** (*Am*) kind van blanke en mulat(tin); **terceto** 1 bep drieregelige strofe; 2 (*muz*) terzet
terciado 1 (*mbt suiker*) lichtbruin; 2 (*mbt stier*) middelgroot; 3 *madera -a* triplex; **terciador, -ora** bemiddelaar(ster); **tercianas** *vmv* derdendaagse koorts; **terciar** I *tr* (*grond*) voor de derde keer bewerken (*met ploeg*); II *intr:* ~ *en* zich mengen in (*gesprek*), deelnemen aan; **terciarse** zich voordoen; *si se tercia* (*la ocasión*) als het zo te pas komt, bij gelegenheid; **terciario** tertiair; **terciazón** *v* derde bewerking (*vh land*); **tercio** 1 derde deel; 2 (*hist*) regiment; 3 onderdeel (*vd guardia civil*); legioen; 4 een vd drie delen van stieregevecht || *hacer buen* ~ nog goed van pas komen; *hacer mal* ~ nergens voor dienen; **terciopelo** fluweel
terco halsstarrig, koppig, obstinaat
Tere *afk van Teresa*
terebinto terpentijnboom
Teresa meisjesnaam; **teresiano** van Santa Teresa
tergal *m* tergal
tergiversable makkelijk te verdraaien; **tergiversación** *v* verdraaiing, valse voorstelling van zaken; **tergiversar** (*fig*) verdraaien
termal thermaal; **termas** *vmv* warme bronbaden
termes *m* termiet
térmica thermiek; **térmico** thermisch; *aislamiento* ~ warmte-isolatie
terminación *v* 1 beëindiging, voltooiing; afwerking; 2 (*gramm*) uitgang; *las -ones* de laatste cijfers (*van lot*); **terminado** af, voltooid, gereed; *dar por* ~ als afgehandeld beschouwen; **terminal** I *bn* eindigend, eind-, slot-; *fase* ~ eindfase; *lengua* ~ doeltaal; II *zn* 1 *v* eindpunt, terminal; 2 *m* (*elektr*) klem; ~ *de cable* kabelschoen; 3 *m* (*comp*) terminal; **terminante** beslist, streng; **terminar** I *tr* beeindigen, voltooien; afmaken; opmaken; opdrinken; uitlezen; ~ *de hablar* uitpraten; ~ *el plato* zijn bord leegeten; *dejarlo todo sin* ~ niets afmaken, alles laten sloffen; *¡déjame ~!* laat me uitpraten!; *para* ~ tot slot; *sin* ~ onvoltooid; II *intr* 1 eindigen, aflopen; *termina bien* het loopt goed af; 2 ~ (*+ gerundio*), ~ *por* (*+ onbep w*) eindigen met; *terminó diciendo* hij eindigde met te zeggen; *terminó por decir* hij zei tenslotte; *terminará por gustarte* je zult het leuk gaan vinden; 3 ~ *en: a*) uitlopen op; *b*) (*gramm*) uitgaan op; ~ *en punta* puntig toelopen; 4 uit raken, het uitmaken; *han terminado como novios* het is uit tussen hen; **terminarse** zijn einde naderen; opraken, eindigen; **término** 1 eind; *dar* ~ *a, poner* ~ *a* beëindigen; 2 eindpunt, eindstation; 3 (ambts)gebied; ~ *municipal* gemeente; *dentro de los ~s de* binnen de grenzen van; 4 (*theat*): *primer* ~ voorgrond; *segundo* ~ tweede plan; 5 termijn; 6 term (*ook wisk*); voorwaarde; ~ *jurídico* rechtsterm; ~ *medio* gemiddelde; ~ *técnico* vakterm, technische term; *a ~s favorables* op gunstige voorwaarden; *en ~s favorables* in gunstige bewoordingen; *en* ~ *medio va la virtud* de deugd in het midden; *en otros ~s* met andere woorden; *en último* ~ als het niet anders kan; *estar en buenos ~s con* op goede voet staan met; (*hablando*) *en ~s generales* in het algemeen gesproken; *invertir los ~s* de zaken omdraaien; *llevar a buen* ~ tot een goed einde brengen; *por* ~ *medio* gemiddeld, door de bank; **terminología** terminologie
termita *m,v* termiet; **termite** *m* termiet
termo 1 thermosfles; 2 ~ (*eléctrico*) boiler; **termodinámica** thermodynamica; **termología** warmteleer; **termométrico** vd thermometer; **termómetro** thermometer; ~ *clínico* koortsthermometer; **termonuclear** thermonucleair; **termopar** *m* thermokoppel; **termos** *m* ther-

mosfles; **termosifón** *m* warmwaterapparaat; **termostato** thermostaat
terna 1 voordracht van drie kandidaten; 2 (*Am*) (examen)commissie; **ternario** uit drie delen bestaand
ternera 1 vrouwelijk kalf; 2 kalfsvlees; **ternero** kalf
terneza 1 tederheid; 2 *~s* lieve woordjes
ternilla kraakbeen; **ternilloso** kraakbeenachtig
terno 1 drietal; 2 driedelig pak, driedelig kostuum; 3 vloek
ternura 1 tederheid, teergevoeligheid; 2 *~s* lieve woordjes; 3 malsheid
terquedad *v* halsstarrigheid, koppigheid
terrado plat dak(terras)
terraja draadsnijder; **terrajado** (het) draad snijden; **terrajar** draad snijden, tappen
terral (*mbt wind*) vanuit land
terranova *m* newfoundlander (*hond*)
terraplén *m* aarden verhoging, wal; schuine berm; korte helling; **terraplenar** egaliseren, ophogen; dempen
terráqueo vd aardbol; *globo ~* wereldbol
terrateniente *m,v* grondbezit(s)ter, landeigenaar, -eigenares
terraza 1 terras; dakterras; *~ ajardinada* daktuin; 2 (café)terras; 3 landbouwterras
terremoto aardbeving
terrenal aards; *paraíso ~* aards paradijs
terreno I *bn* aards; II *zn* 1 terrein; *~ abonado* (*fig*) vruchtbare aarde; *~ de construcción* bouwterrein; *~ edificable* bouwgrond; *despejar el ~* de weg vrijmaken; *ganar ~* terrein winnen (*ook fig*); *sobre el ~* ter plaatse; 2 (*fig*) gebied, terrein; *~ profesional* vakgebied; *minar el ~ a u.p.* iems plannen ondermijnen; **térreo** vd aarde; aardkleurig; **terrestre** aards; *animal ~* landdier; *globo ~* globe
terrible verschrikkelijk, ontzettend, ontstellend
terrier *m* terriër (*hond*)
terrífico schrikbarend
territorial territoriaal; *contribución ~* (*vglbaar*) onroerend-goedbelasting; *ordenación ~* ruimtelijke ordening; **territorio** territorium, (grond)gebied; *~ enemigo* vijandig gebied; *~ nacional* nationaal gebied
terrón *m* 1 kluit (*aarde*); 2 klontje; *~ de azúcar* suikerklontje
terror *m* 1 ontzetting, ontsteltenis; *el ~ de la escuela* de schrik van de school; 2 terreur; **terrorífico** angstaanjagend, schrikbarend; **terrorismo** terreur; terrorisme; **terrorista** *m,v* terrorist(e); **terrorizar** terroriseren
terroso 1 aardachtig, grauw; 2 aarde bevattend
terruño 1 stukje grond; 2 geboortegrond
terso glad, glanzend; (*mbt taal*) zuiver; **tersura** gladheid, glans; zuiverheid (*van taal*)
tertulia gezellig samenzijn (*met vaste groep*); *café de ~* stamcafé

tesina (doctoraal)scriptie; **tesis** *v* 1 *~* (*doctoral*) proefschrift, dissertatie; *director de ~* promotor; 2 stelling
tesitura 1 (*muz*) toonbereik; 2 gemoedsgesteldheid
tesón *m* volharding, doorzettingsvermogen; **tesonero, -a** stijfkop
tesorería 1 penningmeesterschap; 2 kantoor vd penningmeester; kas; **tesorero, -a** penningmeester; kassier; **tesoro** 1 schat; *~s artísticos* kunstschatten; 2 schatkist, schatkamer; *~ público* staatskas
test *m* test; toets
testa (*fam*) hoofd, test
testador, -ora testateur, -trice
testaferro stroman
testamentaría uitvoering van een testament; **testamentario, -a** I *bn* testamentair; II *zn* (*ejecutor*) *~,* (*ejecutora*) *-a* executeur-testamentair; **testamento** testament; *~ abierto* openbaar testament; *~ cerrado* besloten testament; *~ ológrafo* eigenhandig geschreven testament; *dejar por ~* vermaken; **Testamento**: *Antiguo ~, Viejo ~* Oude Testament; *Nuevo ~* Nieuwe Testament; **testar** een testament maken
testarazo kopstoot
testarudez *v* koppigheid, eigenwijsheid; **testarudo** (stijf)koppig, halsstarrig; eigenwijs
testera voorkant; **testero** 1 voorkant, kopeind; 2 wand (*van kamer*)
testículo testikel, zaadbal
testificación *v* getuigenis; **testifical** vd getuigen; *prueba ~* getuigenbewijs; **testificante** I *bn* getuigend; II *m,v* getuige; **testificar** 1 getuigen; 2 getuigen van; **testigo** 1 *m,v* getuige; *la ~* de vrouwelijke getuige; *~ de descargo* getuige à décharge; *~ instrumental* getuige (*bij notariële akte*); *~ de Jehová* Jehova's getuige; *~ matrimonial* getuige bij huwelijk; *~ mudo* stille getuige; *~ ocular, ~ presencial, ~ de vista* ooggetuige; *declaración de ~s* getuigenverklaring; *examen de ~s* getuigenverhoor; *ser ~ de* getuige zijn van; *sin ~s* onder vier ogen; 2 stok (*bij estafette*); **testimoniar** getuigen; **testimonio** getuigenis; bewijs; testimonium; *en ~ de lo cual* ten getuige waarvan; *dar ~* getuigenis afleggen; *dar ~ de que* getuigen dat; *falso ~* valse getuigenis; *por ~ separado* in separate documenten; *primer ~* eerste afschrift, grosse; *ser ~ de: a*) getuige zijn van; *b*) (*fig*) getuigen van
testuz *m* 1 voorhoofd (*o.a. van paard*); 2 nek (*van rund*)
teta 1 (*pop*) vrouwenborst, tiet; *dar la ~* (*fam*) de borst geven; *de ~* (*fam; mbt kind*) aan de borst; *quitar la ~ a* (*fam*) van de borst afnemen, spenen; 2 tepel
tétano, tétanos *m* tetanus
tetera theepot
tetilla 1 tepel (*bij mnl dier*); 2 speen (*van zuigfles*); **tetina** *zie tetilla 2*

tetraedro viervlak; **tetragonal** vierhoekig; **tetralogía** vierdelig (boek)werk; **tetramotor** *m* viermotorig toestel; **tetrasílabo** vierlettergrepig

tétrico somber, droefgeestig

tetuaní uit Tetuán (*Marokko*)

teutón, -ona (*fam*) Duits; **teutónico** Teutoons; (*fam*) Duits

textil textiel-; *fibra ~* textielvezel; *industria ~* textielindustrie

texto tekst; *~ fuente, ~ original* brontekst; *~ meta* doeltekst; *atenerse al ~, ceñirse al ~* zich aan de tekst houden; *libro de ~* schoolboek, leerboek; **textual** woordelijk, letterlijk

textura 1 (het) weven; weefsel; 2 structuur, bouw

tez *v* gelaatshuid; teint; *~ clara* blanke huid

tezontle *m* (*Mexico*) rode vulkanische steen

ti *pers vnw* (*gebruikt na vz*) je, jou; *tengo algo para ~* ik heb iets voor je; *te lo digo sólo a ~* ik zeg het alleen tegen jou

tía 1 tante; *~ abuela* oudtante; *la ~ Berta: a*) tante Berta; *b*) (*op platteland*) vrouw Berta; 2 (*fam*) mens; meid || *cuéntaselo a tu ~* maak dat je grootje wijs; *¡no hay tu ~!* onmogelijk, dat kun je wel op je buik schrijven

tiara tiara

tiarón *m* boom van een kerel; **tiazo** *zie tiarón*

tiberio (*fam*) kabaal, bende; **Tiberio** jongensnaam

tibetano Tibetaans, uit Tibet

tibia (*anat*) scheenbeen

tibieza lauwheid; **tibio** lauw; zoel

tiburón *m* haai

tic *m* zenuwtrekking; tik

ticket *m* kaartje, bonnetje, ticket

tico, -a iem uit Costa Rica

tictac *m* getik, tikkend geluid; *hacer ~* (*mbt klok*) tikken

tiempo 1 tijd; tijdje, poos; *el ~ dirá* de tijd zal het leren; *el ~ no pasa por Ud.* u ziet er nog steeds even jong uit; *el ~ es oro* tijd is geld; *~(s) de paz* vredestijd; *el ~ urge* de tijd dringt; *a ~* op tijd; *a un ~* tegelijkertijd; *a ~ parcial* in deeltijd, part-time; *a su ~ maduran las uvas* alles op zijn tijd, het komt heus wel in orde; *a su* (*debido*) *~* te zijner tijd; *al mismo ~* tegelijk, gelijktijdig; *al poco ~* korte tijd later, spoedig daarop; *andar con el ~* met zijn tijd meegaan; *andando el ~, con el ~* mettertijd; *antes de ~* voortijdig, te vroeg; *con ~* bijtijds; *con el correr del ~* naarmate de tijd verstrijkt; *¿cuánto ~?* hoe lang?; *¡cuánto ~ sin verle!* wat heb ik u lang niet gezien!; *dar ~ al ~* (rustig) afwachten, komt tijd komt raad; *de ~, de ~ atrás* al een tijdlang, sinds tijden; *de ~ en ~* bij tijd en wijle, van tijd tot tijd; *de algún ~ a esta parte* sinds enige tijd; *dejar al ~* op zijn beloop laten; *en ~s de* ten tijde van; *en ~s antiguos, en ~s pasados* vroeger; *en ~s remotos* in lang vervlogen tijden; *en aquel ~, en aquellos ~s* in die tijd, toentertijd; *en los últimos ~s* de laatste tijd; *ganar ~* tijd winnen; *hay ~* er is nog tijd genoeg, dat komt later wel; *hay ~ de sobra* er is volop tijd; *hace ~* indertijd, een tijd geleden; *¿hace mucho ~ que está Ud. aquí?* bent u hier al lang?; *hacer ~, matar el ~* de tijd korten, de tijd doden; *se va haciendo ~* het wordt zoetjesaan tijd; *me falta ~* ik kom tijd tekort; *perder el ~: a*) zijn tijd verbeuzelen, tijd verliezen; *b*) treuzelen; *poner ~ por medio* er vandoor gaan; *primer ~* (*sp*) eerste helft; *tener ~ de sobra* alle tijd hebben; *tomarse ~ para* de tijd nemen om te; *ya no da ~* er is geen tijd meer voor; *ya es ~ de* het wordt tijd om; 2 weer; *~ de perros* hondeweer, rotweer; *el ~ se despeja* het klaart op; *el ~ se levanta* het weer knapt op; *con buen ~* bij mooi weer; *hablar del ~* over koetjes en kalfjes praten; *hace buen ~* het is mooi weer; *poner a mal ~ buena cara: a*) er het beste van maken; *b*) eieren voor zijn geld kiezen; 3 (*gramm*) tijd; *~ compuesto* samengestelde tijd; *~ pasado* verleden tijd; 4 (*techn*) slag; *motor de dos ~s* tweetaktmotor

tienda 1 *~* (*de campaña*) tent; *~-bungalow* bungalowtent; *palo de ~* tentstok; 2 winkel; *~* (*de comestibles*), *~* (*de ultramarinos*) kruidenierswinkel; *~ de confecciones* confectiezaak; *~ libre de impuestos* taxfreeshop; *~ de modas* modezaak; *~ de muebles* meubelzaak; *~ naturista* reformwinkel; *~ de viejo* uitdragerij

tienta 1 sonde; 2 (het) testen vd dapperheid van jonge stieren || *a ~s: a*) op de tast; *b*) op de gok; *andar a ~s: a*) op de tast lopen; *b*) in het duister tasten; *buscar a ~s* tasten naar; **tiento** 1 (het) tasten; *a ~* op de tast; 2 vaste hand; 3 beleid, overleg, tact; *con ~* voorzichtig; 4 (tast)stok (*van blinde*); 5 balanceerstok, evenwichtsstok (*van koorddanser*); 6 *~s* bep Andalusische dans en zang || *dar un ~* een slok nemen, een teug nemen (*bv uit wijnzak*); *dar un ~ a la botella* een flinke slok nemen

tierno 1 zacht, mals; goed gaar; 2 (*mbt brood*) vers; 3 teergevoelig, zacht; teder; 4 jong, pril, teer; 5 gevoelig, gauw in tranen

tierra 1 aarde (*wereld*); land; *~s* grondbezit, landerijen; *¡~ a la vista!* land in zicht!; *~ adentro* landinwaarts; *~s altas* hoogland; *~ de cultivo, ~ laborable* bouwland; *~s extrañas* vreemde landen; *~ firme* vasteland; *~s de pastoreo* weiland; *la ~ de promisión* het land van belofte; *bajar a ~* aan land gaan; *caer por ~* (*fig*): *a*) geen stand houden, vervallen; *b*) niet steekhoudend zijn; *dar consigo en ~* neervallen; *dar en ~ con* neerslaan; *echar por ~* doen mislukken; *en ~* op het droge, op het land; *ir por ~* over land reizen; *posee grandes ~s* hij bezit veel land; *tomar ~* (*mbt vliegtuig*) landen; 2 aarde, grond; *~ arcillosa* kleigrond; *~ arenosa* zandgrond; *~ fuerte* zware grond; *~ de jardín* tuinaarde; *~ vegetal* teelaarde; *echar ~ a u.c.* iets in de doofpot stoppen; *echarse ~ al propio tejado* zijn eigen glazen ingooien; *sacar de debajo de la ~* uit de grond stampen;

Tierra: ~ *del Fuego* Vuurland; *la Santa* ~ het Heilige Land; **tierrafría** *m,v* (*Am*) bewoner of bewoonster vd hoogvlakte
tieso stijf, stram; ~ *que* ~ halsstarrig; *dejar* ~ om zeep helpen; *estar siempre* ~ *y liso* nooit uit de plooi komen; *quedarse* ~: *a*) verstijven (*van kou*); *b*) het hoekje om gaan; *tenérselas -as con* op gespannen voet staan met
tiesto 1 (bloem)pot; *cambiar de* ~ verpotten; *plantar en* ~ potten; 2 ~*s* (pot)scherven; ~*s rotos dan suerte* scherven brengen geluk
tiesura stijfheid
tífico 1 lijdend aan tyfus; 2 vd tyfus; **tifoideo** vd tyfus; *fiebre -a* tyfus
tifón *m* tyfoon, wervelstorm
tifus *m* tyfus
tigra (*Am*) vrouwtjesjaguar; **tigre** *m* 1 tijger; 2 (*Am*) jaguar; 3 wreed mens; **tigresa** tijgerin
tigüilote *m* (*Am*) bep boom (*waarvan hout bij verven wordt gebruikt*)
tijera (*vaak mv*) schaar; ~*s de perfilar* heggeschaar; ~*s de podar* snoeischaar; ~*s de uñas* nagelschaartje; *buena* ~ goede kleermaker, goede naaister; *cortado con, por la misma* ~ uit hetzelfde hout gesneden, met hetzelfde sop overgoten, van hetzelfde laken een pak; *de* ~ opvouwbaar, opklapbaar; *trabajo de* ~ knip(- en plak)werk; **tijereta** oorwurm; **tijeretazo** knip (*met schaar*); **tijeretear** verknippen; **tijereteo** (het) verknippen
tila 1 lindebloesem; 2 lindebloesemthee
tílburi *m* tilbury (*rijtuig*)
tildar I *intr:* ~ *de* bestempelen als; II *tr* van een tilde voorzien; **tilde** *m,v* 1 teken (*slangetje*) boven de Spaanse n; accentteken; 2 aanmerking; 3 kleinigheid
tilín *m* klokgebeier; *hacer* ~ (*fig*) aantrekken, iets doen, bevallen; *no me hace* ~ het spreekt me niet aan
tilo linde(boom)
timador, -ora oplicht(st)er, afzet(s)ter, flessentrekker
tímalo vlagzalm (*vis*)
timar afzetten, oplichten, flessen; om de tuin leiden, erin luizen; **timarse** (*mbt man en vrouw*) blikken uitwisselen
timba speelhol
timbal *m* 1 pauk; 2 kleine trom; 3 pastei(vorm); **timbalero** paukenist
timbrado (*mbt papier*) gezegeld; **timbrar** zegelen, stempelen; **timbrazo** (het) hard bellen; **timbre** *m* 1 (deur)bel; (fiets)bel; *el* ~ *no suena* de bel gaat niet over; *tocar el* ~ (aan)bellen; 2 zegel (*op of in papier*); stempel; betaalzegel; zegelrecht; ~ *móvil* kwitantiezegel; 3 timbre, klankkleur
timidez *v* verlegenheid, schuchterheid, schroom; **tímido** verlegen, schuchter, bedeesd; schuw
1 timo vlagzalm
2 timo oplichterij, nep, truc; *dar el* ~ *a u.p.* iem erin luizen
3 timo thymusklier, zwezerik
timón *m* 1 roer; *llevar el* ~ het roer in handen hebben, sturen; 2 (*Am*) stuur; **timonazo**: *dar un* ~ (*fig*) het roer omgooien; **timonel** *m* stuurman; **timonera** 1 (*dierk*) grote staartveer; 2 (*scheepv*) stuurhuis; **timonero** roerganger
timorato schichtig; gauw gechoqueerd; bangelijk
timpanismo, timpanitis *v* tympanie, trommelzucht (*veeziekte*); **tímpano** 1 trommelvel; trommel; 2 (*anat*) trommelvlies; 3 trommeldeksel en -bodem; 4 (*bouwk*) timpaan; 5 muziekinstrument (*glasstaafjes + hamertje*)
tina 1 tobbe, teil, kuip; 2 badkuip
tinaja grote aarden pot
tinción *v* (het) verven
tinerfeño uit Tenerife
tingitano uit Tanger (*Marokko*)
tinglado 1 keet, loods; 2 steiger, tribune; 3 (*fig*) constructie, opzet, machinatie, intrige, netwerk
tinieblas *vmv* 1 duisternis; 2 onwetendheid; *estar en* ~ in het duister tasten
tino 1 trefzekerheid; vaste hand; vaardigheid; *tener buen* ~ altijd raak schieten; 2 tact, overleg; matigheid; *con* ~: *a*) tactvol; *b*) met mate; *hablar sin* ~ er maar op los praten, zwetsen; *perder el* ~ zijn verstand verliezen; *sacar de* ~ tot wanhoop brengen || *a* ~ op de tast
tinta 1 verf, kleurstof; 2 inkt; ~ *china* Oostindische inkt; ~ *de imprenta* drukinkt; *de* ~ *fresca* heet van de naald; *de buena* ~ uit betrouwbare bron; *medias* ~*s* vaagheden; *recargar las* ~*s* over'drijven; *se ha vertido mucha* ~ *sobre el tema* de zaak heeft veel pennen in beweging gebracht; *sudar* ~ zwoegen; **tintar** (*fam*) verven; **tinte** *m* 1 (het) verven; verfstof, verf (*voor textiel*); 2 stomerij; ververij; *llevar al* ~ laten stomen; 3 tint; tintje; *con un* ~ *social* sociaal getint; **tintero** inktpot; *dejar u.c. en el* ~ iets vergeten
tintín *m* geklingel; **tintinear** klinken; klingelen; **tintineo** geklingel, (het) rinkelen
tinto I *bn* gekleurd; ~ *en lana* door de wol geverfd; *vino* ~ rode wijn; II *zn* 1 rode wijn; 2 (*Colombia*) kop zwarte koffie; **tintóreo** verfstof bevattend, gebruikt bij het verven; **tintorería** stomerij; ververij; **tintura** 1 (het) verven; verf; 2 tinctuur; ~ *de yodo* jodiumtinctuur
tiña 1 hoofdzeer; 2 schaarste, ellende; 3 gierigheid || *ser más malo que la* ~ bar slecht zijn; **tiñoso** 1 lijdend aan hoofdzeer; 2 vies, armzalig; 3 krenterig
tiñuela 1 paalworm; 2 warkruid
tío 1 oom; ~ *abuelo* oudoom; *el* ~ *Pedro: a*) oom Pedro; *b*) (*op platteland*) baas Pedro; ~ *de América,* ~ *rico* suikeroom; 2 vent, kerel; *un* ~ *con toda la barba, un* ~ *grande* een fantastische kerel
tiovivo draaimolen
1 tipa (*Am*) boom (*die meubelhout oplevert*)

2 tipa vreselijk mens, rotwijf
tipejo rare snuiter, snoeshaan
típico typerend, typisch, kenmerkend; **tipificación** *v* typering; **tipificar** 1 typeren; 2 een voorbeeld zijn van; **tipismo** kenmerkend karakter
tiple 1 *m* sopraan(stem); 2 *m,v* sopraanzanger(es); 3 *m* kleine gitaar
tipo 1 type, soort; *del ~ de* in de geest van; *de ~ delgado* tenger van bouw; *tiene un ~ encantador* hij, zij is een charmante verschijning; *tener buen ~* er leuk uitzien; *todo ~ de...* allerlei...; 2 individu, kerel, vent, type, sujet; *~ estupendo* reuzevent; *~ raro* buitenbeetje, vreemde snuiter; *buen ~* leuke jongen (*om te zien*), aardige vent; 3 ~ (*de imprenta*) lettertype; 4 percentage, cijfer; *~ de cambio* wisselkoers; *~ de interés* rentevoet || *jugarse el ~* zijn leven op het spel zetten
tipografía typografie; **tipográfico** typografisch; *prensa -a* drukpers
tipología typologie
tique *m; zie ticket*; **tíquet** *m; zie ticket*
tiquismiquis *mmv* 1 aanstellerij, malle scrupules; 2 geharrewar, gekibbel; 3 poespas, strijkages
tira reep, strook; strip; *~ adhesiva* hechtpleister, leukoplast; *~ cómica* beeldverhaal, strip; *~ de fijación* bevestigingsstrip; *cortar en ~s* in repen snijden
tirabeque *m* peul (*groente*)
tirabuzón *m* 1 kurketrekker; *hay que sacarlo con ~* je moet hem de woorden uit de mond trekken; 2 pijpekrul
tirachinas *m* katapult
tirada 1 oplaag; 2 afstand; lengte, reeks || *de una ~* in één ruk; **tirado** 1 in overvloed aanwezig, spotgoedkoop; *estar ~* voor het oprapen liggen; 2 makkelijk; *zie ook tirar*; **tirador, -ora** 1 iem die schiet, schutter; 2 *m* handgreep, knop; trekker; trekkoord; 3 *m* katapult; 4 *m* (*Am*) *~es* bretels; **tiragomas** *m* katapult; **tiraje** *m* trek (*van schoorsteen*); *tener un buen ~* goed trekken; **tiralevitas** *m* vleier, strooplikker, slippendrager; **tiralíneas** *m* trekpen; **tirando** *zie tirar*
tiranía tirannie; **tiranicidio** moord op de tiran; **tiránico** tiranniek; **tiranizar** tiranniseren, ringeloren; **tirano, -a** tiran
tirante I *bn* gespannen; *estar ~ con* op gespannen voet staan met; *poner ~* spannen; *relaciones ~s* gespannen verhoudingen; *silencio ~* pijnlijke stilte; II *m* 1 schouderbandje; 2 tui; 3 *~s* bretels; 4 (*techn*) dwarsverbinding; **tirantez** *v* spanning
tirar I *tr* 1 gooien; weggooien; omverwerpen; *~ el dinero* smijten met geld; *es ~ el dinero* dat is weggegooid geld; *~ de largo* kwistig zijn; *~ a voleo* rondstrooien; *a mucho ~, a todo ~* hoogstens; *dejar tirado* laten rondslingeren; 2 schieten; *~ con arco* boogschieten; *~ a dar* gericht schieten; 3 trekken; aantrekken; *un tira y afloja* (een tactiek van) geven en nemen, touwtrekken; *no le tira viajar* reizen trekt hem niet; 4 uitgeven, publiceren; vermenigvuldigen; *~ copias* afdrukken maken; 5 (*pop*) pakken, neuken; II *intr* 1 (*mbt schoorsteen, motor*) trekken; 2 *~ a* zwemen naar; lijken op; 3 *~ contra* schieten op; beschieten; 4 *~ de* trekken aan; *~ de cabos* aan de touwtjes trekken; *~se de los pelos* zich de haren uit het hoofd trekken; 5 *~ por* een kant opgaan; *~ por su lado* zijn eigen weg gaan || *ir tirando* net kunnen rondkomen, het hoofd boven water kunnen houden; **tirarse** 1 ~ (*sobre*) zich storten (op); springen; *~ de cabeza* duiken; *~ por la ventana* uit het raam springen; *se tiró en la cama* hij plofte op het bed; 2 (*dag*) doorbrengen || *~ una plancha* een bok schieten, een flater slaan
tirilla strookje; loonstrookje
tirio: *~s y troyanos* twee strijdende groepen
tirita pleistertje
tiritar beven, bibberen; **tiritona** (het) bibberen, (het) rillen (*van kou of koorts*)
tiro 1 (het) schieten; schot (*ook in sp*); *~ al arco* boogschieten; *~ al blanco* schijfschieten, schietsport; *~ errado* misser; *~ de gracia* genadeschot; *a ~ limpio* met de wapens; *andar a ~s con u.p.* met iem op slechte voet staan; *errar el ~* misschieten; *matar a ~s, matar de un ~* doodschieten; *ni a ~s* voor geen goud; *no irá ni a ~s* hij is er met geen stok naar toe te krijgen; *pegarse un ~* zich voor de kop schieten; *ponerse a ~: a)* in de buurt komen; *b)* mogelijk zijn, uitkomen; *si se pone a ~* als het zo uitkomt; *saber por donde van los ~s* (*fig*) weten hoe laat het is; *salir el ~ por la culata* averechts uitpakken; *sentar como un ~* heel slecht bekomen; *sin dispararse un ~* zonder slag of stoot; 2 gooi, worp; *a ~ de piedra* op een steenworp afstand; 3 trek (*in schoorsteen*); 4 span (*trekdieren*); 5 lengte (*van lap stof*); stuk, deel || *estar siempre en ~* steeds in touw zijn; *puesto de ~s largos* piekfijn uitgedost
tiroides *v* schildklier
tirolés, -esa uit Tirol; *paño ~* loden (*stof*)
tirón *m* 1 schok, ruk; *~ de bolso* tassendiefstal; *a -ones* met horten en stoten, met tussenpozen; *dar -ones a* rukken aan; *de un ~* in één ruk; *sin -ones* (*mbt remmen*) zonder schokken; 2 (*fam*) trek, aantrekkingskracht; 3 (*fam*) grote afstand, hele ruk
tirotear (*steeds*) schieten; **tiroteo** schietpartij, vuurgevecht
tirria: *tener ~ a* gebeten zijn op, een hekel hebben aan
tisana aftreksel, kruidendrank
tísico lijdend aan tbc; **tisis** *v* longtuberculose, tbc; *~ galopante* vliegende tering
tisú *m* zijden stof met zilver- of gouddraad
titán *m* titan; (*fig*) reus; **titánico** reusachtig
títere *m* 1 marionet; poppenkastpop; *teatro de ~s* poppentheater; 2 *~s* poppenkast; openluchtcircus; 3 (*fig*) marionet, ledenpop || *no dejar ~ con cabeza* alles kort en klein slaan

titilar 1 licht trillen; 2 twinkelen
titiritar *zie tiritar*
titiritero, **-a** poppenkastpeler, -speelster; circusartiest(e), koorddanser(es)
tito, **-a** (*fam*) oom, tante
titubeante 1 wankelend; 2 wankelmoedig, weifelend; **titubear** 1 wankelen; 2 weifelen, aarzelen; 3 stamelen, haperen (*bij spreken*); **titubeo** 1 (het) wankelen; 2 (het) aarzelen; 3 (het) stamelen
titulación *v* 1 betiteling; 2 behaalde diploma's, opleiding; ~ *media o superior* middelbare of hogere opleiding; *clasificado por* ~ ingedeeld naar opleiding; 3 (*jur*) eigendomstitel(s); **titulado**, **-a** gediplomeerd; ~ (*grado*) *medio o superior* middelbaar of hoger geschoold; ~ *superior*, ~ *universitario* universitair gevormd, academicus, -a; **titular** I *ww* een titel geven aan; II *m,v* 1 rechthebbende; drager van titel; houd(st)er (*van paspoort, aandeel*); *el* ~ *de la cartera de*... de minister van...; ~ *de una cuenta* rekeninghoud(st)er; ~ *de una patente* octrooihoud(st)er; 2 vette letter (*in titels*); *~es* koppen (*in krant*); *con grandes ~es* met grote letters, (*Belg*) geblokletterd; *salir en grandes ~es* de voorpagina halen; III *bn* 1 in het bezit van titel, titulair; 2 gediplomeerd; officieel; op persoonlijke titel; **titularse** 1 de titel hebben (van); 2 een titel krijgen, behalen; **titularización** *v* officiële aanstelling; **titularizar** officieel aanstellen; **título** 1 titel; predikaat; ~ *de nobleza* adellijke titel; *defensor del* ~ titelverdediger; 2 *~s* waardepapieren; ~ *de acción* aandeelbewijs; ~ *de propiedad de un buque* scheepsbewijs; ~ *de traspaso* bewijs van overdracht; *~s-valores* effecten; 3 *a* ~ *de* bij wijze van; *a* ~ *de comparación* ter vergelijking; *a* ~ *ilustrativo* ter verduidelijking, ter illustratie; *a* ~ *informativo* ter informatie; *a* ~ *oneroso* onder bezwarende titel; *a* ~ *personal* persoonlijk, op persoonlijke titel
tiza krijt; ~ *de colores* kleurkrijt
tiznajo zwarte veeg; **tiznar** beroeten; (roet)zwart maken; vuil maken, vlekken; **tizne** *m* roet; zwart (*aan pannebodem*); **tiznón** *m* zwarte veeg; **tizón** *m* 1 half verkoold stuk hout; *negro como un* ~ pikzwart; 2 (*fig*) vlek, smet
tizona (*lit*) degen, zwaard
Tm *tonelada métrica* (metrieke) ton (*1000 kg*)
toalla 1 (bad)handdoek; *arrojar la* ~, *tirar la* ~ de handdoek in de ring werpen, het opgeven, het bijltje erbij neergooien; 2 badstof; **toallero** handdoekenrek
toar (*scheepv*) slepen
toba mergelsteen
tobera sproeier, verstuiver(mond)
tobillera enkelband; **tobillo** enkel; *no llegarle a u.p. al* ~ niet aan iem kunnen tippen
tobogán *m* 1 glijbaan (*in speeltuin*); 2 bobslee
toca kap (*van non*)
tocadiscos *m* platenspeler, pickup
tocado I *bn* 1 getikt; 2 ~ *con* getooid met, met ...op; II *zn* 1 kapsel; 2 hoofdtooi; 3 (het) toilet maken; **tocador**, **-ora** I *bn* die (*een instrument*) bespeelt; II *m* toilettafel; kleedkamer; *artículos de* ~ cosmetica; *jabón de* ~ toiletzeep; **tocamiento** (*vnl neg*) aanraking, betasting; **tocando**: ~ (*a*) vlak bij; **tocante**: ~ *a* betreffende; **tocar** I *tr* 1 (aan)raken, aanroeren, (*ergens*) aankomen; betasten; (*haven*) aandoen; (*bij krijgertje*) tikken; ~ *fondo* een dieptepunt bereiken; ~ *suavemente* zacht beroeren; ~ *el timbre* aanbellen; *le toca de cerca* het raakt hem persoonlijk; *¡no ~!* niet aanraken!; 2 (*muz*) bespelen; (*een plaat*) draaien; ~ *la bocina* toeteren; ~ *de oído* op het gehoor spelen; ~ *el piano* piano spelen; ~ *todos los registros*, ~ *todos los resortes* (*fig*) alle registers opentrekken; 3 (*klok*) luiden; ~ *a muerte* de doodsklok luiden; II *intr:* ~ (*a*) toekomen (aan); ten deel vallen (aan); betreffen; ~ *a su fin* het einde naderen; *¿a quién le toca?* wie is er aan de beurt?; *ahora toca pagar* nu moet er betaald worden; *en lo que toca a*... wat betreft...; *por lo que a mí me toca* wat mij aangaat; *te toca dar* jij moet geven (*bij kaartsp*); **tocarse** 1 iets op zijn hoofd doen, een hoed opzetten; 2 elkaar raken
tocata 1 (*muz*) toccata; 2 (*fam*) pak slaag
tocateja: *a* ~ à contant
tocayo, **-a** naamgenoot, -genote
tocino 1 spek; ~ *ahumado* rookspek; ~ *de cielo* lekkernij van eidooier en suikerstroop; ~ *entreverado* doorregen spek; 2 vlugge sprongetjes (*bij touwtjespringen*)
tocología verloskunde; **tocólogo**, **-a** verloskundige
tocomocho bedrog met lot waarop zogenaamd een prijs is gevallen
tocón *m* (boom)stronk
todavía nog; ~ *no* nog niet
todo I *bn* geheel, helemaal, al(le); ieder(e); *-a la casa* het hele huis; ~ *derecho* rechtuit, steeds rechtdoor; *~s los días* alle dagen, iedere dag; ~ *ello*, ~ *eso* dat alles; ~ *esto* dit alles; ~ *un hombre* een echte man, een man uit één stuk; *-a la leche* alle melk; ~ *el mundo: a*) de hele wereld; *b*) iedereen; ~ *tembloroso* bevend over al zijn leden; *a* ~ *gas*, *a* ~ *vapor* in volle vaart; *a* ~ *momento* te allen tijde; *de -as -as* hoe dan ook; *por* ~ *equipaje* als enige bagage; *rico y* ~ rijk en wel; *ser* ~ *oídos* een en al oor zijn; II *onbep vnw* alles; *~s* allen; ~ *cuanto*, ~ *lo que* alles wat; ~ *junto* al met al; *~s los que* allen die; ~ *lo más* op zijn hoogst; *ante* ~ voor alles; *con* ~ al met al; *de* ~ van alles; *después de* ~, *en medio de* ~ per slot van rekening; *en* ~ *o en parte* geheel of gedeeltelijk; *estar en* ~ zich overal mee bezighouden, niets aan het toeval overlaten, geen detail over het hoofd zien; *no*...*del* ~ niet helemaal; *no lo comprendo del* ~ ik begrijp het niet helemaal; *no está del* ~ *mal* het is lang niet slecht; *jugar por* ~ *lo alto* hoog spel spelen; *por*

~ *lo alto* in grootse stijl; *es ~ lo mismo* het is één pot nat; *es ~ uno* het komt allemaal op hetzelfde neer; *sobre ~* vooral, bovenal; *...y ~: a*) ...enzovoort, en zo, en wat niet al; *es alegre y ~* hij is vrolijk en zo; *b*) hoewel, en wel; *viejo y ~ hace deporte* zo oud als hij is doet hij nog aan sport; III *zn* geheel; *en un ~* over het geheel (genomen); *formar un ~* een geheel vormen; *jugarse el ~ por el ~* alles op alles zetten; **todopoderoso** almachtig; **todoterreno**: (*vehículo*) ~ terreinwagen

toga toga; **togado** een toga dragend

toldilla zonnedek; **toldo** 1 zonnescherm; gespannen zeil; 2 huif; *carro con ~* huifkar

tole *m* 1 geschreeuw, rumoer; 2 afkeurend gemompel || *tomar el ~* zijn biezen pakken

toledano uit Toledo

tolerable toelaatbaar, verdraaglijk; **tolerancia** 1 verdraagzaamheid, tolerantie; 2 ruimte, speling; respijt; **tolerante** verdraagzaam, mild, tolerant; **tolerar** dulden, tolereren, verdragen

tolete *m* dol (*in roeiboot*), roeipen

tolondro, -a 1 *m* buil, bult; 2 *m,v* warhoofd, onbesuisde figuur

Tolosa 1 Tolosa (*in Sp*); 2 Toulouse; **tolosano** 1 uit Tolosa; 2 uit Toulouse

tolteca (*hist, Mexico*) Tolteeks, vd Tolteken

tolueno tolueen

tolva 1 molentrechter; 2 betontrechter

toma 1 (het) nemen; inneming (*van stad*); *la ~ de la Bastilla* de bestorming vd Bastille; *~ de conciencia* bewustwording; *~ de contacto* (het) opnemen van contact; *~ y daca* geven en nemen, gesjacher, koehandel; *~ de decisiones* besluitvorming; *~ de declaración* (getuigen)verhoor; *~ de juramento* beëdiging; *~ de muestras* (het) nemen van monsters; *~ del poder* machtsovername; *~ de posesión* (*de un cargo*) ambtsaanvaarding; *~ de posición* stellingname; *~ de sangre* bloedafname; *~ de sonido* (geluids)opname; *~ de vistas* (film-, foto-)opname; 2 per keer genomen hoeveelheid (*bv voedsel*); 3 (*in wasmachine*) vakje voor wasmiddel; 4 aansluitpunt (*op leiding*); *~ de agua* wateraansluiting; *~ de corriente* (*elektr*) aansluiting; *enchufe de ~* stopcontact; *~ de tierra: a*) (*elektr*) aardleiding; *b*) (*luchtv*) landing; **tomado** 1 licht schor; 2 *~ de* afkomstig uit, ontleend aan; *~ de la vida real* uit het leven gegrepen || *haberla ~ con* het begrepen hebben op; *tenerla -a con u.p.* het gemunt hebben op iem; **tomadura** (het) nemen || *~ de pelo* voor-de-gek-houderij, grapje; **tomar** I *tr* nemen, aanpakken; beslaan; nuttigen, gebruiken; opnemen, opvatten; *¡toma!: a*) alsjeblieft! (*bij aangeven*); *b*) (*iron*) nee maar!, alsjeblieft!; *~la con u.p.* ruzie krijgen met iem; *~ el aire* een luchtje scheppen; *~ a broma* niet ernstig nemen, lachen om; *~lo con calma, tomárselo con calma* het kalm opvatten; *~ un curso* een cursus volgen; *lo tomas o lo dejas* je moet kiezen of delen, graag of niet; *toma una hora* dat neemt een uur (in beslag); *~ a la ligera* licht opvatten; *~ a mal* kwalijk nemen; *toma una página* het beslaat een bladzij; *~ el partido de* partij kiezen voor; *~ una píldora* een pil innemen; *~ a u.p. por la palabra* iem aan zijn woord houden; *~ u.c. por donde quema* iets op zichzelf betrekken, zich aangesproken voelen; *~ prestado* (*de*) lenen (van); *~ la salida* (*sp*) starten; *~ en serio* ernstig nemen, serieus nemen; *~ sobre sí* op zich nemen; *~ el sol* zonnen; *~ de sorpresa* (*fig*) overvallen, verrassen; *~ tierra* (*mbt vliegtuig*) landen; *~lo por la tremenda* op de spits drijven; *más vale un toma que dos te daré* beter één vogel in de hand dan tien in de lucht; *¿qué tomáis?* wat willen jullie drinken?; II *intr* 1 *~ a* afslaan naar; *~ por el atajo* afsnijden, een kortere weg nemen; 2 *~ de* ontlenen aan; 3 *~ por* houden voor; *¿por quién me tomas?* waar zie je mij voor aan?; **tomarse** 1 (*mbt metaal*) aangetast worden; 2 opeten, opdrinken || *¡tómate ésa!* daar kun je het mee doen!

tomatada gebakken tomaten; **tomatal** *m* tomatenveld; **tomate** *m* 1 tomaat; *~ frito* tomatensaus; *ponerse como un ~* vuurrood worden; 2 tomatenplant; 3 gat in sok (*bij hiel*), knol; 4 verwarring, toestand, tumult; **tomatera** tomatenplant; **tomatero, -a** 1 tomatenplukker, -plukster; 2 tomatenkweker; 3 tomatenverkoper, -verkoopster

tomavistas *m* (*draagbare*) filmcamera

tómbola tombola

tomillar *m* met tijm begroeide plek; **tomillo** tijm

tomismo thomisme, leer van Thomas van Aquino

tomo (boek)deel || *de ~ y lomo* enorm, van hier tot gunder

ton: *sin ~ ni son* zomaar, zonder reden; zonder kop of staart; **tonada** lied, vers; **tonadilla** liedje; **tonal** tonaal, vd toon; **tonalidad** *v* 1 toonaard; 2 kleurschakering

tonel *m* ton; **tonelada** 1 *~* (*métrica*) ton (*1000 kg*); 2 (*scheepv*): *~ de arqueo* registerton; *~ de registro bruto* (*afk TRB*) bruto registerton; **tonelaje** *m* tonnage; **tonelero** I *bn* van tonnen; II *zn* kuiper

Tonete *afk van Antonio*

tongo (*sp*) omkoping om te verliezen; doorgestoken kaart

Toni *afk van Antonio*

tónica 1 (*muz*) grondtoon, tonica; (*fig*) toon, stemming; *marcar la ~* de toon aangeven; 2 tonic

tonicidad *v* veerkracht

tónico I *bn* 1 beklemtoond; *acento ~* klemtoon; *nota -a* (*muz*) grondtoon, tonica; 2 versterkend, opwekkend; *agua -a* tonic; II *zn* tonicum, versterkend middel; **tonificación** *v* versterking; **tonificador, -ora** versterkend; **tonificante** I *bn* versterkend; II *m* versterkend middel

tonillo 1 toontje, dreun; 2 spottende klank; 3 raar accent; 4 nadrukkelijke manier van spreken; **tono** 1 toon; klank; toonaard; ~ *agudo* hoge toon; ~ *fundamental* (*fig*) grondtoon; ~ *grave* lage toon; ~ *mayor* majeur; ~ *menor* mineur; *a este* ~ op die manier; *acertar con el* ~ de juiste toon treffen; *bajar el* ~: *a*) zachter gaan praten; *b*) een toontje lager zingen; *dar el* ~ de toon aangeven; *darse* ~ zich een air geven, gewichtig doen; *darse mucho* ~ veel praatjes hebben; *de buen* ~ bon ton, goed gemanierd; *en* ~ *burlón* spottend; *en* ~ *de fa* (*muz*) in f; *en* ~ *de mal humor* korzelig; *en el* ~ *de su voz* in de klank van zijn stem; *en todos los* ~*s* in alle toonaarden; *fuera de* ~: *a*) uit de toon vallend; *b*) (*muz*) vals; *medio* ~ een halve toon; *no estar a* ~ uit de toon vallen; *no venir a* ~ nergens op slaan; *poner a* ~ in de (juiste) stemming brengen; *ser a* ~ *con* harmoniëren met; *sin venir a* ~ zonder enige reden; *subir el* ~, *subirse de* ~ een (hoge) toon aanslaan; 2 tint, kleur; *de* ~*s vivos* in levendige tinten; 3 veerkracht (*van spier*); 4 kracht, energie; 5 interval van een hele toon

tonsura tonsuur; **tonsurar** 1 (*haar*) knippen; 2 tonsureren

tontada dwaasheid; **tontaina** *m,v* sukkel, domme gans; **tontarrón**, **-ona** sufferd; **tontear** klungelen; flauwe grapjes maken, malle dingen doen; flirten; **tontera** domheid; **tontería** dwaasheid; onbenulligheid; ~*s* onzin, flauwe kul, geleuter, gebazel, nonsens; *¡déjate de* ~*s!* hou nou op met die onzin!; **tontín**, **-ina** dommerdje

tontina soort onderlinge lijfrenteverzekering

tonto, **-a** I *bn* dom, dwaas, onnozel, onwijs, stom; *dejar* ~ verbijsteren; *fui tan* ~ *como todo esto* zó dwaas was ik; *¡no seas* ~*!* wees toch wijzer!; *ser medio* ~ niet goed bij zijn hoofd zijn; II *zn* domoor, zot; ~ *del pueblo* dorpsgek; *hacer el* ~ zich aanstellen, gek doen; *hacerse el* ~ zich van de domme houden; *medio* ~ halve gare || *a -as y a locas* in het wilde weg

topacio topaas

topar botsen; ~ *con* (*fig*) botsen op, stuiten op; ~ *a u.p.*, ~ *con u.p.* tegen iem opbotsen, iem toevallig tegenkomen; **tope** *m* 1 buffer; *zona* ~ bufferzone; 2 obstakel, rem; 3 (*fig*) uiterste grens, maximum; ~ *salarial* loongrens; *a* ~ op zijn hardst; *trabajar a* ~ keihard werken; *cifra* ~ recordcijfer, topcijfer; *fecha* ~ uiterste datum, sluitingsdatum, streefdatum; *hasta los* ~*s* afgeladen, stampvol

topera molshoop

topetada, **topetazo** hoornstoot; kopstoot; **topetón** *m* 1 botsing; 2 *zie topetada*

tópico I *bn* plaatselijk, uitwendig; II *zn* 1 cliché, gemeenplaats; stereotiep; 2 kwestie, onderwerp (*van gesprek*)

topo 1 mol; 2 onderduiker; 3 iem die slecht ziet; 4 klungel, hannes

topografía topografie; **topográfico** topografisch; *mapa* ~ *a escala reducida* wandelkaart; **topógrafo**, **-a** topograaf, -grafe

toponimia plaatsnaamkunde; **topónimo** plaatsnaam

toque *m* aanraking; penseelstreek, toets, verfje; (*muz*) aanslag; stoot (*bv van sirene*); ~ *de campanas* klokgelui; ~ *de clarín* klaroenstoot, signaal; ~ *de clarines* (*mil*) fanfare; ~ *de diana* reveille; ~ *de limpieza* vluchtige (schoonmaak)beurt; ~ *de retreta* (*mil*) taptoe; ~ *de tambor* trommelslag; *ahí está el* ~ daar zit 'm de kneep; *dar un* ~ *a u.p.*: *a*) iem peilen; *b*) iem waarschuwen, iem tot de orde roepen; *dar los últimos* ~*s a* de laatste hand leggen aan; *piedra de* ~ toetssteen; *último* ~ finishing touch; **toquetear** steeds aanraken; **toqueteo** handtastelijkheden

toquilla omslagdoek

tora (*joodse*) thora, wetsrol

torácico vd borstkas; *cavidad -a* borstholte

torada kudde stieren

tórax *m* borstkas

torbellino 1 draaikolk, maalstroom; 2 wervelwind; 3 wildebras, onbesuisde figuur

torcaz: *paloma* ~ ringduif, wilde houtduif

torcedor *m* voortdurende kwelling; **torcedura** 1 verdraaiing; verstuiking; 2 kronkel; 3 (het) draaien; (het) twijnen; **torcer ue** I *tr* 1 ineendraaien; verdraaien, verstuiken; wringen; twijnen; ~ *el gesto* een vies gezicht trekken; ~ *el cuello* zijn nek verrekken; ~ *el pie* zijn voet verzwikken; ~ *el tobillo* zijn enkel verstuiken; 2 buigen, draaien; (*blik*) afwenden; II *intr* 1 (*mbt weg*) (af)buigen; **torcerse ue** 1 (*mbt hout*) trekken, kromtrekken; 2 het slechte pad opgaan; 3 (*mbt plan*) anders lopen, mislopen; **torcida** lampepit (*in olielamp*); **torcido** 1 scheef, schuin; krom; verdraaid, verwrongen; *crecer* ~ scheef groeien; *el cuadro está* ~ het schilderij hangt scheef; *piernas -as* kromme benen; 2 slinks; 3 gebrouilleerd; **torcimiento** *zie torcedura*

tordo I *bn*: *caballo* ~ appelschimmel; II *zn* lijster

torear I *intr* stierenvechter zijn; de stier bevechten; II *tr* 1 handig ontlopen, vermijden; 2 aan het lijntje houden; 3 van het kastje naar de muur sturen, vermoeien; **toreo** 1 (het) stierenvechten; 2 misleiding; **torera** kort (stierenvechters)jasje; **torero**, **-a** I *zn* stierenvechter; II *bn* vd stierenvechter; *saltarse u.c. a la -a* ergens geen acht op slaan, zich niets aantrekken van iets; **toril** *m* stierestal (*bij de arena*)

tormenta 1 onweersbui, onweer; storm; *hay* ~ het spookt flink; 2 (*fig*) storm; tegenslag; **tormento** 1 foltering; 2 kwelling; verdriet; **tormentoso** stormachtig; woelig; *cielo* ~ onweerslucht

tormo klont; *hacer de un* ~ *una montaña* van een mug een olifant maken

torna: *se han vuelto las* ~*s* de kansen zijn gekeerd, de rollen zijn omgedraaid; **tornadizo**

wispelturig, veranderlijk; **tornado** tornado, wervelstorm, windhoos; **tornar 1** terugkeren; *~ en sí* bijkomen; 2 *~ a + onbep w* opnieuw doen; *torna a llover* het gaat weer regenen; 3 *~ en* veranderen in; **tornarse** worden

tornasol *m* 1 zonnebloem; 2 lakmoes; 3 changeant; **tornasolado** changeant, met weerschijn; **tornasolar** changeant zijn, wisselende kleuren vertonen

tornavoz *m* klankbord (*bv boven preekstoel*)

torneado I *bn* 1 (*mbt houten poot*) gedraaid; 2 mooi gevormd; II *zn* (het) draaien (*aan de draaibank*); **tornear** (*techn*) draaien; **torneo** toernooi, steekspel; *~ de ajedrez* schaaktoernooi

tornería houtdraaierij; **tornero** bankwerker, draaier

tornillo schroef; bout; bankschroef; *~ de ajuste, ~ regulador* stelschroef; *~ de cabeza en cruz* kruiskopschroef; *~ de ojo* schroefoog; *apretar los ~s a u.p.* iem de duimschroeven aanleggen, iem onder druk zetten; *le falta un ~* er is een steekje aan hem los

torniquete *m* 1 tourniquet; 2 schroefverband; *aplicar un ~* afbinden

torno 1 draaibank; *~ de alfarero* pottenbakkersschijf; *~ (de banco)* bankschroef; *~ de hilar* spinnewiel; *a ~ (mbt keramiek)* gedraaid; 2 draaideur; 3 (*techn*) windas; lier; *~ de cable* lier; *~ de mano* handlier || *en ~* rondom; *en ~ a, en ~ de* rondom, rond; *en ~ a él* om hem heen

toro 1 stier; *~ bravo, ~ de lidia* vechtstier; *a ~ pasado* achteraf; *coger al ~ por los cuernos* de koe bij de horens vatten, van wanten weten; *fuerte como un ~* sterk als een beer; 2 sterke kerel; 3 *~s* stieregevecht; *ver los ~s desde la barrera* de zaak van een afstand bekijken, de kat uit de boom kijken

toronja 1 grapefruit; 2 soort citroen; **toronjil** *m* melisse; **toronjina** melisse; **toronjo** soort citroenboom

torpe 1 onbeholpen, traag, onhandig, houterig, stuntelig; log, plomp; 2 dom, hardleers, traag van begrip; *es ~ para las lenguas* hij heeft moeite met talen

torpedear torpederen; **torpedeo** (het) torpederen; **torpedero**: (*buque*) *~* torpedoboot; **torpedo 1** torpedo; 2 sidderrog

torpeza 1 onhandigheid, onbeholpenheid; gestuntel; 2 domheid; **torpón, -ona** dom, onhandig; **torpor** *m* verstijving

torrado geroosterde kikkererwt (*in zout*); **torrar** roosteren

torre *v* 1 toren; (*in schaaksp*) kasteel, toren; *~ de alta tensión* hoogspanningsmast; *~ de antena* antennemast; *~ de control, ~ de mandos* verkeerstoren; *~ de marfil* ivoren toren; *~ de perforación, ~ de sondeo* boortoren; *~ (tanque) de agua* watertoren; (*edificio*) *~* torenflat; 2 (*in Oost-Sp*) zomerhuis, weekendhuis

torrefacción *v* (het) roosteren, (het) branden (*van koffie*); **torrefactar** (*koffie*) branden; **torrefacto** gebrand, geroosterd

torrencial wild stromend; onstuimig; *lluvia ~* stortregen; **torrente** *m* (berg)stroom; stortvloed; *~ de lava* lavastroom; *~ de palabras* woordenvloed; *~ sanguíneo* bloedstroom; *~ de voz* machtige stem; **torrentera** (bedding van) bergstroom; **torrentoso** wild stromend, bruisend

torreón *m* grote toren; **torrero** torenwachter; *~ de faro* vuurtorenwachter

torrezno gebakken spekje

tórrido heet; *zonas -as* hete luchtstreken

torrija wentelteefje

torsión *v* (het) ineendraaien; (het) wringen; torsie

torso bovenlichaam; torso

torta 1 taart; *no todo son ~s y pan pintado* het is niet alles rozegeur en maneschijn; 2 (*fam*) klap; *pegar una ~* een klap geven; **tortada** grote platte gevulde koek; **tortazo** lel, opstopper; *pegarse un ~* (*fam*) vallen, (*in auto*) botsen

tortícolis *v* stijve nek

tortilla 1 (*Sp*) omelet (*vaak gevuld*); *~ (a la) francesa* dunne omelet; 2 (*Am*) maïskoek || *hacer una ~* verpletteren, stuk laten vallen; *se ha vuelto la ~* de bakens zijn verzet; **tortillera** (*pop*) pot (*lesbienne*)

tórtolo, -a tortelduif; *~s* tortelduifjes, verliefd paar

tortuga 1 schildpad; *~ de mar* zeeschildpad; *a paso de ~* op zijn elfendertigst, met een slakkegang; 2 teut, treuzel

tortuosidad *v* kronkeligheid; **tortuoso** kronkelig; (*fig*) draaierig, slinks; **tortura** marteling, foltering; **torturador, -a** folteraar(ster); **torturar** martelen, folteren

torvisco peperboompje

torvo onguur, grimmig, dreigend

tos *v* hoest; *~ ferina* kinkhoest; *~ de garganta* kriebelhoest; *acceso de ~, golpe de ~* hoestbui

toscano Toscaans, uit Toscane

tosco 1 ruig; ruw; 2 grof, primitief

toser hoesten, kuchen

tósigo vergif

tosquedad *v* ruigheid; ruwheid; grofheid; primitief karakter

tostada toast, geroosterde boterham; tosti; **tostadera** (koffie)branderij; **tostado** I *bn* geroosterd; gebruind; *~ por el sol* gebruind door de zon; *pan ~* geroosterd brood, toast; II *zn* (het) roosteren; **tostador** *m* (brood)rooster; **tostar ue 1** roosteren; branden; 2 bruinen; **tostarse ue** bruin worden (*door zon*); **tostón** *m* 1 geroosterd stukje brood, soldaatje; 2 gebraden speenvarken; 3 iets vervelends; een hele kluif; *¡vaya ~!* dat is een zware dobber!

total I *bn* geheel, totaal; *~ que…* dus…, het eind van het liedje is dat…; *en ~* (in het) totaal, alles bij elkaar, kortom; *un fracaso ~* een volslagen mislukking; *importe ~, suma ~* totaalbedrag; II *m* totaal(bedrag); **totalidad** *v* totaliteit; *la ~ de los libros* alle boeken, het gehele boekenbestand; **totalitario** totalitair; **totalitarismo** totalitair systeem; **totalizador** *m* totalisator; **totalizar** (*alles*) optellen; **totalmente** geheel, totaal

tótem *m* totem

totora (*Am*) bep soort riet; **totoral** *m* (*Am*) rietveld

totuma (*Am*) kalebas

toxicidad *v* giftigheid; **tóxico** I *bn* (ver)giftig; *gas* ~ gifgas; II *zn* vergif; **toxicodependiente** *m,v* (drugs)verslaafde; **toxicología** toxicologie; **toxicomanía** (drugs)verslaving; **toxicómano, -a** (drugs)verslaafde; **toxicómetro** snuffelpaal; **toxina** toxine

tozudez *v* koppigheid; **tozudo** koppig, halsstarrig

traba 1 band; verbindingslat; 2 belemmering, hindernis; *no poner ~s a u.p.* iem niet hinderen, iem geen strobreed in de weg leggen; *poner ~s a* belemmeren; *quitar ~s* hindernissen wegnemen; *sin ~s* ongehinderd; 3 (*scheepv*) (ketting)stopper; **trabado** 1 (*mbt saus*) niet geschift, homogeen, gebonden; 2 (*zichtbaar*) gespierd

trabajado 1 (*mbt persoon*) moe van het werken, versleten, verouderd; 2 fijn bewerkt; doorwrocht; goed bewerkt; **trabajador, -ora** I *bn* ijverig; II *zn* arbeid(st)er; ~ *autónomo*, ~ *independiente* zelfstandige, middenstander, free-lance kracht; ~ *domiciliario* thuiswerker; ~ *intelectual* hoofdarbeider; ~ *del puerto* havenarbeider; *~es de tierra* grondpersoneel; **trabajar** I *intr* 1 werken; ~ *como un negro, matarse trabajando* zich afbeulen; 2 (*theat, in film*) optreden; ~ *bien* goed spel te zien geven, goed spelen; 3 (*mbt hout*) werken, kromtrekken; II *tr* bewerken, werken aan; ~ *la tierra* de grond bewerken; **trabajito** karweitje, klusje; **trabajo** 1 werk, arbeid; moeite; ~ *asalariado* loonarbeid; ~ *no calificado*, ~ *no especializado* ongeschoolde arbeid; ~ *corporal*, ~ *físico* lichamelijke arbeid; ~ *escrito: a*) schriftelijk (proef)werk; *b*) werkstuk, (*kleine*) scriptie; *~s forzados, ~s forzosos* dwangarbeid; ~ *intelectual* hoofdarbeid; *~s de interés general* maatschappelijke dienstverlening (*alternatieve straf*); *este ~ me va* dit werk ligt me wel; ~ *limitado* korter werken; ~ *manual* handarbeid, handwerk; ~ *de menores* kinderarbeid; ~ *de monjas* monnikenwerk, precies werkje; ~ *preliminar* voorwerk; ~ *sedentario* zittend werk; ~ *a tiempo parcial* deeltijdarbeid; ~ *por turnos* ploegendienst; *conseguir* ~ werk vinden, werk krijgen; *costar* ~ moeite kosten; *darse el* ~ *de* de moeite nemen om; *ponerse al* ~ aan het werk gaan; 2 (*theat*) spel; 3 bewerking; ~ *del metal* metaalbewerking; 4 werk, boek; **trabajoso** moeizaam, moeilijk, zwaar

trabalenguas *m* zinnetje waar men zich de tong over breekt, struikelrijmpje; **trabar** 1 verbinden; vastbinden; 2 (*vriendschap*) sluiten; (*gesprek*) beginnen, aanknopen; 3 (*saus*) binden; 4 belemmeren; **trabarse** 1 verward raken; verwikkeld raken; 2 (*mbt saus*) binden; 3 struikelen over zijn woorden; **trabazón** *v* 1 verbinding; 2 dikte, consistentie; **trabilla** bandje

trabucar in de war maken; door elkaar halen; verbasteren; **trabuco** (*hist*) donderbus; katapult

traca 1 sliert rotjes; 2 (*scheepv*) gang (*van huidplaten*)

tracción *v* tractie, trekkracht; aandrijving; ~ *animal*, ~ *a sangre* (*mbt voertuig*) getrokken door dier; ~ *delantera* voorwielaandrijving; ~ *directa* direct-drive; ~ *posterior* achterwielaandrijving

tracoma *m* trachoom (*oogziekte*)

tractor, -ora I *m* tractor, trekker; II *bn: ruedas -oras* aangedreven wielen; **tractorista** *m,v* tractorbestuurder, -bestuurster

tradición *v* 1 overlevering, traditie; 2 (*jur*) overdracht; **tradicionalismo** traditionalisme; **tradicionalista** I *bn* traditionalistisch; II *m,v* traditionalist(e)

traducción *v* vertaling; interpretatie; ~ *directa* vertaling naar de moedertaal; ~ *inversa* vertaling naar de vreemde taal; ~ *libre* vrije vertaling; ~ *literal* letterlijke vertaling; ~ *simultánea* (simultaan) tolken; **traducibilidad** *v* vertaalbaarheid; **traducible** vertaalbaar; **traducir** 1 ~ (*a*) vertalen (in); 2 verwoorden; interpreteren, uitleggen; **traducirse**: ~ (*en*) resulteren (in), zich uiten (in); vertaald worden (in); **traductología** vertaalwetenschap; **traductor, -ora** I *zn* vertaler, vertaalster; ~ *jurado* beëdigd vertaler; II *bn* vertalend; *máquina -ora* vertaalmachine

traer 1 brengen; bij zich hebben; halen, meebrengen; aanreiken; (*kleren*) dragen; ~ *consigo* (met zich) meebrengen; *trae consigo una desventaja* er is een nadeel aan verbonden; ~ *y llevar: a*) van het kastje naar de muur sturen; *b*) roddelen; ~ *loco* gek maken; *traigo el mapa* ik haal de kaart erbij; ~ *a mal* ~ lastig vallen, het leven zuur maken; ~ *retraso* vertraging hebben; ~ *de vuelta* terugbrengen; *voy a* ~ *una silla* ik haal even een stoel; *¿qué le trae por aquí?* wat voert u hierheen?; 2 (*leden*) werven, aanbrengen; **traerse** 1 in de zin hebben; 2 onder handen hebben || *traérselas* niet mis zijn

trafagar in de weer zijn; **tráfago** drukte, beslommeringen

traficante *m,v* (*vaak neg*) handelaar(ster); ~ *de blancas* handelaar in blanke slavinnen; ~ *de drogas* drugshandelaar; **traficar** 1 ~ (*en*) handelen (in); 2 ~ *con* een handeltje maken van; **tráfico** 1 verkeer; ~ *aéreo* luchtverkeer; ~ *contrario*, ~ *opuesto* tegemoetkomend verkeer, tegenliggers; ~ *ferroviario*, ~ *de trenes* treinverkeer; ~ *marítimo* scheepvaartverkeer; ~ *de mercancías* goederenverkeer; ~ *rodado* rijdend verkeer; ~ *de tránsito* doorgaand verkeer; 2 (*neg*) handel; ~ *de armas* wapenhandel; ~ *de drogas* drugshandel

tragaderas *vmv* 1 (*fam*) slokdarm; 2 goedgelovigheid; tolerantie; *tener buenas* ~ (*fig*) veel slikken; **tragafuegos** *m* vuurvreter; **tragakilómetros** *m,v* kilometervreter; **tragaldabas** *m,v* 1 slokop; 2 goedgelovig iem, iem die alles slikt; **tragaleguas** *m,v* groot wandelaar(ster); **tragalibros** *m,v* (*Am*) boekenwurm; **tragaluz** *m* bovenlicht, hoog raam in souterrain; dakraam, lichtkoepel; **traganenes** *m* bullebak; **tragaperras** *m* gokautomaat; **tragar** 1 (door)slikken; ~ *agua* water binnenkrijgen; 2 opslokken; verzwelgen; 3 absorberen; 4 (*fig*) slikken, geloven; verdragen; *eso no (me) lo trago: a*) dat slik ik niet; *b*) daar trap ik niet in; *no ~lo más* het niet langer pikken; *no poder ~ a u.p.* iem niet kunnen uitstaan; 5 (*Am*) ijverig leren, veel boeken lezen; **tragarse** 1 doorslikken; *tragárselo todo: a*) alles maar slikken, alles verdragen; *b*) alles voor zoete koek aannemen; 2 verzwelgen, opslokken || ~ *las escaleras* de trap opstormen; **tragasantos** *m,v* (vrome) kwezel

tragedia tragedie, treurspel; **trágico** tragisch; **tragicomedia** tragikomedie; **tragicómico** tragikomisch

trago 1 slok, teug; *a ~s* bij stukjes en beetjes; 2 dronk; *un ~ amargo* (*fig*) een bittere pil; ~ *duro* hard gelag; ~ *largo* longdrink; *echarse un ~* een glas (*wijn*) drinken; 3 (de) drank; (het) drinken (*van alcohol*); **tragón**, **-ona** veelvraat, slokop

traición *v* verraad; *a ~* verraderlijk; *alta ~* hoogverraad; **traicionar** 1 verraden (*ook fig*); *le traiciona el acento* zijn accent verraadt hem; 2 (*fig*) in de steek laten; 3 verdraaien, vervormen; **traicionero** verraderlijk

traída (het) halen, (het) brengen; **traído**: ~ *y llevado: a*) veelbesproken; *b*) veelgebruikt; ~ *por los pelos* er met de haren bijgesleept

traidor, **-ora** I *zn* verrader, verraadster, afvallige; II *bn* verraderlijk, vals

traigo *zie traer*

traína trawlnet; **trainera** trawler; **traíña** heel groot net

traje *m* 1 kostuum; jurk; ~ *de baile* baljurk, balkostuum; ~ *de baño* badpak; ~ *de calle* wandelkostuum; ~ *camisero* hemdjurk; ~ *de campaña* (*mil*) gevechtstenue; ~ *de ceremonia* ambtsgewaad; ~ *de chaqueta*, ~ *sastre* mantelpak; ~ *de deporte* trainingspak; ~ *dominguero* zondagse pak; ~ *de etiqueta* avondkleding, gelegenheidskleding; ~ *de faena* (*mil*), ~ *de fajina* (*Am, mil*) werktenue; ~ *formal* gekleed pak; ~ *de luces* stierenvechterspak; ~ *de noche* avondjurk; ~ *de novia* trouwjurk; ~ *pantalón* broekpak; ~ *de punto* tricot (*van acrobaat*); *en ~ de ceremonia* in vol ornaat; 2 dracht, kledij; ~ *de paisano* burgerkleding; ~ *regional* klederdracht || *cortar ~s* roddelen

trajín *m* 1 geploeter, soesa, drukte, beslommeringen; 2 *-ines* duistere activiteiten; **trajinante** 1 *m* voerman; 2 *m,v* iem die steeds in de weer is

tralla uiteinde vd zweep; **trallazo** 1 zweepgeknal; 2 zweepslag; 3 (*voetbalsp*) harde trap; 4 uitbrander; tegenslag

trama 1 inslag (*bij weven*); *la ~ y la urdimbre* inslag en schering; 2 komplot; 3 plot (*in toneelstuk*); 4 verwevenheid, verband; 5 (*comp*) vlakvulling; **tramar** beramen, smeden; broeden op

tramitación *v* behandeling, afwikkeling; **tramitar** (*ambtelijk*) behandelen, afwikkelen; **trámite** *m* formaliteit; stap; officiële behandeling; *~s* ambtelijke weg, procedure; ~ *aduaneros* douaneformaliteiten; *de ~* gewoon, erbij horend, simpel; *estar en ~s de divorcio* in scheiding liggen

tramo stuk; traject; weggedeelte; ~ *de tubo* pijpstuk

tramontana (*koude*) noordenwind

tramoya 1 kunst- en vliegwerk; 2 (*verborgen*) opzet; intrige; constructie, machinatie; netwerk; 3 vertoon; praal

trampa 1 (kelder)luik; 2 valkuil; bedrog (*in spel*); goocheltruc; (boeven)streek; zwendel; *caer en la ~* in de val lopen, erin vliegen; *hacer ~* zwendelen, bedrog plegen; *hacer ~s* vals spelen, smokkelen; 3 slepende schuld || *todo se lo llevó la ~* alles ging naar de bliksem; **trampear** met het ene gat het andere stoppen; *ir trampeando* het net redden, het hoofd boven water houden; **trampolín** *m*: ~ (*de saltos*) springplank; springschans; **tramposo**, **-a** knoei(st)er, oplicht(st)er, bedrieg(st)er; valsspeler

tranca 1 dikke stok; 2 dwarsbalk (*om deur dicht te houden*) || *a ~s y barrancas: a*) met horten en stoten; *b*) met veel moeite; *coger la ~* zich bezatten; **trancazo** 1 klap met stok; 2 (*fam*) griep

trance *m* 1 kritiek moment; (moeilijke) situatie; *a todo ~* met alle geweld, wat er ook gebeure; *en ~ de muerte* zieltogend; 2 trance, vervoering; *entrar en ~* in trance raken

tranco grote stap, sprong; *a ~s y barrancos: a*) met horten en stoten; *b*) met veel moeite; **tranquear** met grote passen lopen, benen

tranquilidad *v* rust, kalmte; *hay ~ en la ciudad* het is rustig in de stad; **tranquilizador**, **-ora** geruststellend, rustgevend; **tranquilizante** I *bn* kalmerend; II *m* kalmerend middel; **tranquilizar** geruststellen, kalmeren; **tranquilizarse** tot rust komen

tranquillo handigheid; *coger el ~ a* de slag te pakken krijgen van

tranquilo rustig, kalm; *conciencia -a* gerust geweten; *dejar ~* met rust laten, ongemoeid laten

trans- *zie ook tras-*

transacción *v* transactie, schikking, zaak

transalpino aan de andere kant vd Alpen; **transandino** aan de andere kant vd Andes; **transatlántico** I *bn* aan de andere kant vd Atlantische Oceaan; II *zn* oceaanboot

transbordador *m* (auto)veer, pont; ~ *espacial* ruimteveer; **transbordar** I *tr* overbrengen; 'overladen, overslaan; II *intr* overstappen; **transbordo** 1 (het) overstappen; 2 (het) 'overladen, overslag
transcendente *zie trascendente*
transcribir 1 overschrijven; 2 overzetten; (*muz*) bewerken; 3 (*indrukken*) noteren; **transcripción** *v* 1 (het) overschrijven; transcriptie; 2 (*muz*) bewerking; ~ *pianística* pianobewerking; **transcriptor, -ora** (*muz*) bewerk(st)er
transcurrir (*mbt tijd*) verlopen, voorbijgaan; *transcurridos tres días* na verloop van drie dagen; *antes de transcurridos dos meses* binnen twee maanden; **transcurso** verloop; *en el ~ del mes* in de loop vd maand
transepto dwarsbeuk, transept
transeúnte *m,v* voorbijgang(st)er, passant
transexual *m,v* transseksueel
transferencia 1 overschrijving; giro; ~ *bancaria* bankgiro; 2 overdracht; 3 overplaatsing; 4 (*sp*) transfer; **transferible** overdraagbaar; **transferir ie, i** 1 overbrengen; overschrijven (*gireren*); 2 overdragen; 3 overplaatsen
transfigurar (*van aanblik*) veranderen; een ander mens maken van
transformable te veranderen; **transformación** *v* (gedaante)verandering; wijziging; omzetting (*bv van BV naar NV*); (*chem*) omzetting; **transformador, -ora** I *bn* wijzigend; II *m* transformator; **transformar** veranderen, transformeren; omzetten; ~ *un vestido* een jurk veranderen; **transformarse** (*en*) veranderen (in)
tránsfuga *m,v* overloper
transfundir 'overgieten; verbreiden; **transfusión** *v*: ~ (*de sangre*) bloedtransfusie
transgredir overtreden, inbreuk maken op; **transgresión** *v* overtreding; **transgresor, -ora** overtreder, -treedster
Transiberiano: *el* ~ de Transsiberië-expres
transición *v* overgang; *tener la voz en* ~ de baard in de keel hebben
transido verkleumd; verstijfd; ~ *de dolor* door smart overmand
transigir schipperen, concessies doen; tot een vergelijk komen
transistor *m* transistor, transistorradio
transitable begaanbaar, berijdbaar; **transitado**: *muy* ~ met veel verkeer, druk; *poco* ~ stil; **transitar** (*door een straat*) lopen, rijden, gaan; **transitivo** (*gramm*) overgankelijk, transitief; **tránsito** 1 (het) voorbijgaan; verkeer; ~ *rodado* rijverkeer; *cerrado al* ~ gesloten voor alle verkeer; *hora de más* ~ spitsuur, drukste uur; 2 doorreis; doorvoer, transito; *puerto de* ~ doorvoerhaven; *tráfico de* ~ doorgaand verkeer; *viajero en* ~ doorgaande reiziger; 3 dood (*vnl van Maria of heiligen*); 4 overgang (*bv naar andere baan*); **Tránsito** meisjesnaam; **transitoriedad** *v* tijdelijk karakter; **transitorio** tijdelijk, voorbijgaand; *medida -a* tijdelijke maatregel; *régimen* ~ overgangsregeling
transliteración *v* transliteratie
transmigración *v* 1 landverhuizing; 2 zielsverhuizing; **transmigrar** (*mbt volk; mbt ziel*) verhuizen
transmisible overdraagbaar; **transmisión** *v* 1 overdracht; ~ *de conocimientos* kennisoverdracht; ~ *de dominio* eigendomsoverdracht; 2 overbrenging; ~ *de calor* overbrenging van warmte; ~ *de una enfermedad* (het) overbrengen van een ziekte; ~ *por fax* verzending per fax; *cuerpo de -ones* verbindingstroepen, (*Belg*) transmissietroepen; 3 transmissie; 4 uitzending (*op radio, tv*); **transmisor, -ora** I *bn* overbrengend; *estación -ora* zendstation; II *m* zender; **transmitir** 1 overdragen; 2 overbrengen; ~ *por fax* faxen; 3 uitzenden (*op radio, tv*); **transmitirse** zich verbreiden, overgebracht worden
transmutación *v* transmutatie
transoceánico over de oceaan; **transpacífico** aan de andere kant vd Stille Oceaan
transparencia 1 doorzichtigheid; openheid; ~ *fiscal* fiscale transparantie; 2 dia; 3 ~*s* coupe soleil; **transparentar** iets laten zien van, laten doorschemeren; **transparentarse** 1 zichtbaar zijn (*door iets anders heen*); doorschemeren; 2 doorschijnend zijn; 3 heel mager zijn; **transparente** doorschijnend, transparant; doorzichtig (*ook fig*)
transpiración *v* transpiratie; **transpirar** 1 transpireren; 2 (*plantk*) vocht afscheiden; 3 (*mbt muur*) doorzweten
transpirenaico aan de andere kant vd Pyreneeën
transplantación *v* 1 verplanting; 2 transplantatie; ~ *cutánea* huidtransplantatie; **transplantar** 1 verplanten; 2 transplanteren; **transplante** *m* transplantatie; ~ *de corazón* harttransplantatie; ~ *de córnea* hoornvliestransplantatie
transpolar over de pool; *vuelo* ~ poolvlucht
transponer 1 overbrengen; verplanten; 2 (*mbt zon*) verdwijnen achter; **transponerse** 1 uit het gezicht verdwijnen, (*mbt zon*) wegzinken; 2 indommelen
transportable vervoerbaar; **transportado** in vervoering; **transportador, -ora** I *bn* die vervoert; *cinta -ora* transportband; II *zn* 1 vervoerder; 2 *m* gradenboog; **transportar** 1 vervoeren, transporteren; 2 (*muz*) transponeren, omzetten; **transportarse** in vervoering raken; **transporte** *m* vervoer, transport; ~ *de carga* vrachtvervoer; ~ *por carretera* wegvervoer; ~ *público*, ~*s públicos* openbaar vervoer; **transportista** *m,v* vervoerder
transposición *v* 1 overbrenging, verplaatsing; verplanting; 2 (het) verdwijnen; (het) wegzinken (*aan de horizon*)
transubstanciación *v* transsubstantiatie

transversal I *bn* dwars; *calle* ~ dwarsstraat; II *v* dwarsstraat; **transverso** dwars
tranvía *m* tram; *en* ~ met de tram; **tranviario** I *bn* vd tram; II *zn* tramconducteur; trambestuurder
trapacear scharrelen, zwendelen; **trapacería** bedrog, list, zwendel; chicane; **trapacero, -a** zwendelaar(ster), knoei(st)er
trapajoso 1 voddig, vuil, haveloos; 2 hakkelend
trapalón, -ona bedrieg(st)er, oplicht(st)er
trapatiesta kabaal, tumult; ruzie, vechtpartij
trapecio 1 (*wisk*) trapezium; 2 trapeze; 3 (*anat*) monnikskapspier; **trapecista** *m,v* trapezewerk(st)er
trapense vd trappistenorde
trapero, -a voddenhandelaar(ster), voddenman
trapezoidal trapeziumvormig
trapiche *m* 1 (riet)suikermolen; (riet)suikerfabriek; 2 olijfoliemolen; **trapichear** scharrelen; sjacheren; **trapicheo** gescharrel; gesjacher
trapillo: *de* ~ in zijn daagse plunje
trapío sierlijkheid (*van beweging*), elegantie
trapisonda 1 kabaal, ruzie; 2 bedrog, zwendel; verwikkeling
trapito 1 lapje; 2 ~*s* kleren (*van vrouw*); *con los ~s de cristianar* op zijn paasbest; **trapo** 1 lap, doek; ~ *de cocina* vaatdoek; ~ *de pulir* poetslap; *los ~s sucios se lavan en casa* je moet de vuile was niet buiten hangen; ~ *viejo* oud vod; *a todo* ~ met volle zeilen, vliegensvlug; *como un* ~ zo slap als een vaatdoek; *dejar a u.p. como un* ~ niets heel laten van iem; *poner como un* ~ de huid vol schelden; *sacar los ~s a relucir* de vuile was buiten hangen; *soltar el ~: a*) gaan huilen; *b*) gaan lachen; *tener manos de* ~ twee linkerhanden hebben; 2 ~*s* (*fam*) (vrouwen)kleren; *hablar de ~s* over kleren praten
tráquea (*anat*) luchtpijp; **traqueal** vd luchtpijp; **traqueítis** *v* ontsteking vd luchtpijp
traquetear rammelen, ratelen; klepperen; hobbelen, schudden; **traqueteo** gerammel, geratel; gehobbel, geschud
tras 1 achter; *uno* ~ *otro* achter elkaar; 2 na; *día* ~ *día* dag in dag uit
tras- *zie ook trans-*
trasbordar *zie transbordar*
trascendencia 1 doorwerking; transcendent karakter; 2 belang, gewicht; **trascendental, trascendente** 1 zich uitstrekkend tot andere zaken, verreikend; transcendent; verheven; buiten het waarneembare gelegen; 2 belangrijk; 'verstrekkend; **trascender ie** 1 ~ (*a*) geuren (naar); 2 'doordringen, bekend worden; uitlekken; 3 ~ (*a*) zich uitbreiden (tot); 4 ~ (*de*) verder gaan (dan)
trasconejarse wegraken, kwijtraken
trascoro (*bouwk*) ruimte achter het koor
trasegar ie I *tr* 1 in de war maken; wegmaken; overhoop halen; 2 overbrengen, verplaatsen; 'overgieten; II *intr* veel (*alcohol*) drinken
trasera achterkant; **trasero** I *bn* 1 achter-, aan de achterzijde gelegen; 2 achterste; *luz -a* achterlicht; *viento* ~ meewind; II *zn* achterste, zitvlak
trasfondo achterliggende bedoeling; achtergrond
trasgo kabouter
trashumancia (het) trekken met de kudden (*naar boven in de zomer, naar beneden in de winter*); **trashumante** (*mbt kudde*) trekkend; **trashumar** van de zomer- naar de winterweide gaan (*of andersom*)
trasiego 1 (het) 'overgieten; 2 overheveling, overplaatsing
traslación *v* 1 (*mbt aarde*) verplaatsing (*rondom zon*); 2 metafoor, figuurlijk gebruik; 3 vertaling; **trasladar** 1 overbrengen, verplaatsen, versjouwen; vervoeren; ~ *al papel* op papier zetten; ~ *a un preso* een gevangene overbrengen; 2 overplaatsen; 3 ~ (*a*) vertalen (in); **trasladarse** zich verplaatsen; **traslado** 1 verplaatsing, overbrenging; ~ *laboral diario* woon-werkverkeer; 2 overplaatsing; *gastos de* ~ verhuiskosten; 3 afschrift; **traslaticio** overdrachtelijk
traslucidez *v* doorschijnend karakter; **traslúcido** doorschijnend, licht doorlatend; **traslucir** (*fig*) verraden, onthullen; *dejar* ~ laten doorschemeren; **traslucirse** 1 licht doorlaten, doorschijnend zijn; 2 merkbaar zijn, doorschemeren; 3 zijn bedoelingen laten doorschemeren, zich blootgeven; **trasluz**: *al* ~ tegen het licht in
trasmano: *a* ~ buiten (hand)bereik; uit de route, afgelegen
trasnochado achterhaald, (*fig*) oudbakken; **trasnochador, -ora** I *bn* die 's nachts opblijft of laat naar bed gaat; II *zn* nachtmens, nachtbraker; **trasnochar** 1 nachtbraken, het laat maken; 2 de nacht doorbrengen
traspapelar (*een papier*) wegmaken; **traspapelarse** wegraken (*tussen de papieren*)
traspasar 1 door (*iets*) heen gaan, doorboren; 2 oversteken, overschrijden; te boven gaan; 3 overdoen, overdragen; (*winkel*) verkopen; 4 overtreden; **traspaso** 1 overdracht; verkoop (*van winkel*); overname; 2 prijs vd overdracht; sleutelgeld; koopsom (*van winkel*); 3 (*sp*) transfer; transfersom; 4 ~ (*del año*) jaarwisseling
traspié *m*: *dar un* ~ struikelen; *dar ~s* strompelen
trasplantar *zie transplantar*
traspunte *m,v* souffleur, souffleuse
traspuntín *m* klapbankje (*in auto*)
trasquilado *zie lana*; **trasquilar** 1 (*schapen*) scheren; 2 (*haar*) slordig knippen; 3 bederven, aantasten; **trasquilón** *m* ongelijk geknipt haar; *a -ones: a*) slordig geknipt; *b*) slordig (gedaan), in het wilde weg

trastada 1 streek, gemene zet; *hacer una ~ a u.p.* iem een hak zetten; 2 stommiteit; 3 kwajongensstreek; **trastazo** klap, botsing; *darse un ~ de los buenos* een flinke botsing maken; **traste** *m* 1 (*bij gitaar*) band op de hals, dwarsstaafje; 2 (*Am*) achterste, zitvlak || *dar al ~ con* in de war sturen, bederven, verknoeien; *irse al ~* verpest worden; **trastear** 1 rommelen (in), overhoop halen; 2 (*de stier*) met de rode lap misleiden; 3 (handig) manipuleren, aan het lijntje houden; 4 (*gitaar*) bespelen; **trastero I** *bn* rommel-; *cuarto ~* berghok; **II** *zn* berghok, rommelkamer

trastienda 1 ruimte achter de winkel; 2 achterbaksheid

trasto 1 voorwerp, ding; *~s de cocina* potten en pannen; *~s de pescar* visgerei; *tirarse los ~s a la cabeza* elkaar in de haren zitten; 2 onding; *~s* rommel; 3 nietsnut; 4 smeerlap

trastocar overhoop halen, in de war maken; **trastocarse** (*geestelijk*) in de war raken

trastornado, -a I *bn* van streek, van slag; in de war; geestelijk gestoord; **II** *zn* krankzinnige; **trastornar** 1 in de war brengen; ontregelen, verstoren; overstuur maken; het hoofd op hol brengen; 2 doen mislukken, in de war sturen; **trastornarse** 1 in de war gestuurd worden, in duigen vallen; 2 gek worden; (*geestelijk*) in de war raken; **trastorno** verstoring; stoornis; *~s digestivos* spijsverteringsstoornissen; *~ del habla* spraakstoornis; *~s intestinales* darmstoornissen; *~ mental* geestesstoornis; *~ nutritivo* voedingsstoornis

trastrocamiento verwarring, verwisseling; **trastrocar** verwisselen, door elkaar halen; *~ el sentido de u.c.* iets verkeerd begrijpen; **trastrueque** *m; zie trastrocamiento*

trasudar licht zweten; doorzweten

trasunto 1 kopie, afschrift; 2 afspiegeling, beeld, nabootsing; *un fiel ~ de la realidad* een getrouwe afspiegeling vd werkelijkheid

trasvasar overhevelen, 'overgieten; **trasvase** *m* overheveling

trata: *~ de blancas* handel in blanke slavinnen; *~ de negros* slavenhandel; **tratable** 1 aanspreekbaar, toeschietelijk; 2 handelbaar; **tratadista** *m,v* schrijver of schrijfster van verhandelingen; **tratado** 1 verdrag; *~ comercial* handelsverdrag; *~ de no proliferación nuclear* non-proliferatieverdrag; *concluir un ~* een verdrag sluiten; 2 verhandeling, traktaat; **tratamiento** 1 behandeling; *~ de choque, ~ por electrochoques* shocktherapie; *~ curativo* geneeswijze; *~s especiales* (*med*) bijzondere verrichtingen; *~ fiscal* fiscale behandeling; *~ médico* geneeskundige behandeling; *~ médico alternativo* alternatieve geneeswijze; *~ con rayos* bestraling; *~ suplementario* nabehandeling; *~ supresivo* ontwenningskuur; *~ de urgencia* spoedbehandeling; *poner ~ para* behandelen voor (*een kwaal*); 2 verwerking; *~ de datos* gegevensverwerking; *~ de textos* tekstverwerking; 3 aanspreekwijze; *~ de Usted* beleefdheidsvorm; *apear el ~* informeel (gaan) aanspreken (*zonder titels, met jij*); **tratante** *m,v* handelaar(ster); *~ de blancas* handelaar in blanke slavinnen; *~ de ganado* veehandelaar; **tratar I** *tr* 1 behandelen; verwerken (*ook comp*); bejegenen; *~ con rayos* bestralen; *saber ~* kunnen omspringen met; 2 verkeren met, omgaan met; *nadie la trata* niemand bemoeit zich met haar; 3 proberen; trachten; **II** *intr* 1 *~ de* proberen (om), trachten (te); 2 *~ de* gaan over; *¿de qué trata?* waar gaat het over?; 3 *~ de* noemen; *~ de Usted* met U aanspreken; 4 *~ en* handelen in; **tratarse** 1 met elkaar omgaan; 2 *~ de* gaan om, betreffen; *¿de qué se trata?* waar gaat het om?; **trato** 1 behandeling; bejegening; omgang; gedrag; *~ carnal, ~ sexual* seksueel verkeer; *~ familiar* vertrouwelijke omgang; *~ de gentes* gave om met mensen om te gaan; *~ preferente* voorkeursbehandeling; *dar mal ~* onheus bejegenen, slecht behandelen; *difícil en el ~* moeilijk om mee om te gaan; *hacer buenos ~s a u.p.* iem goede voorwaarden bieden; *malos ~s* mishandeling; *no querer ~s con u.p.* niets met iem te maken willen hebben; *romper el ~ con u.p.* breken met iem; *tener ~ con* omgaan met, zich inlaten met; 2 verdrag, akkoord; *cerrar un ~, hacer un ~* een overeenkomst sluiten; *¡(es) ~ hecho!* de zaak is rond, akkoord!

trauma *m* 1 verwonding; 2 *~ (psíquico)* trauma; **traumático** 1 vd wond; *fiebre -a* wondkoorts; 2 traumatisch; **traumatismo** *zie trauma*; **traumatizar** een traumatische uitwerking hebben

través *m* dwarste; afwijking, schuine stand; *a ~, al ~* er dwars doorheen; *a ~ de: a*) door... heen, via; *b*) dwars over; *a campo ~* dwars door het veld; *dar al ~ con* verknoeien, bederven; *de ~* dwars, in dwarse richting, schuin; *de ~ a las olas* dwars op de golven; *mirar de ~* van opzij aankijken; *pasar a ~* er dwars doorheen gaan; **travesaño** 1 dwarsbalk; 2 peluw, langwerpig kussen; **travesía** 1 overtocht; 2 *~ peatonal* voetgangerstraverse

travestido, -a travestiet; **travestismo** travestie

travesura kwajongensstreek; ondeugendheid, baldadigheid; *~s* kattekwaad; **traviesa** dwarsligger (*op rails*); **travieso** 1 ondeugend, baldadig, stout; 2 slim, listig, bijdehand

trayecto traject; *~ de frenado* rembaan, remweg; **trayectoria** 1 baan (*van planeet, kogel*); 2 staat van dienst; 3 lijn, richting; *una ~ ascendente* een stijgende lijn

traza 1 ontwerp; 2 uiterlijk; *llevar ~s de* lijken, er naar uitzien dat; *por las ~s* zo te zien; 3 handigheid; *mala ~* onhandigheid; *tener ~ para* aanleg hebben voor, handig zijn in; **trazado** 1 (het) schetsen, (het) ontwerpen, (het) traceren; 2 ontwerp; plan; *en ~* in ontwerp; 3 tracé; **trazar** 1 (*lijnen*) trekken; 2 schetsen; ontwerpen; uitzetten; traceren; 3 beschrijven,

(*fig*) tekenen; **trazo** streep; haal (*met pen*); (*in grafiek*) curve; *~s* (gelaats)trekken
TRB *tonelada de registro bruto*
trébedes *vmv* drievoet, treeft (*voor pannen boven vuur*)
trebejos *mmv* spullen, gerei
trébol *m* 1 klaver; *~ de cuatro hojas* klavertjevier; 2 (*kaartsp*) klaveren; 3 (*cruce en*) *~* klaverblad (*kruispunt*)
trece dertien; *Alfonso ~* Alfonso de Dertiende || *seguir en sus ~* voet bij stuk houden; **treceavo** dertiende deel
trecho 1 gedeelte, stuk (*bv van straat*); afstand; *a ~s* bij stukjes en beetjes; 2 tijdje, poos; *de ~ en ~* van tijd tot tijd
tredécimo dertiende
trefilar (*metaal*) tot draad trekken
tregua wapelstilstand, bestand; adempauze; *sin ~* aan één stuk door
treinta dertig; **treintavo** dertigste deel; **treintena** dertigtal
tremebundo gruwelijk, angstaanjagend, vreselijk
tremedal *m* moerassig terrein
tremendismo lit genre met nadruk op het gruwelijke; **tremendo** ontzettend, verschrikkelijk; geweldig; vervaarlijk; schromelijk; *su -a fuerza* zijn geweldige kracht; *un éxito ~* een enorm succes; *tener unas ganas -as de* enorme zin hebben om; *tomarlo por la -a* het hoog opnemen, op de spits drijven
trementina terpentijn; *~ mineral* terpentine; *esencia de ~* terpentijnolie
tremolar wapperen; **tremolina** kabaal, tumult; ruzie, vechtpartij; **trémolo** (*muz*) tremolo; **trémulo** trillend, beverig
tren *m* 1 trein; *~ botijo* (*fam*) boemeltrein; *~ de carga, ~ de mercancías* goederentrein; *~ correo* posttrein, stoptrein; *~ directo* doorgaande trein; *~ expreso, ~ rápido* sneltrein; *~ suburbano* (*vglbaar*) forensentrein; 2 sleep; *~ de barcas* sleep (*van boten*) || *~ de aterrizaje* landingsgestel; *~ de vida* grootscheepse levensstijl; *a todo ~: a*) in volle vaart; *b*) op grote voet
trenca houtje-touwtje-jas, montycoat
trencilla koordje; **trenza** vlecht; **trenzado** I *bn* gevlochten; II *zn* vlechtwerk; **trenzar** vlechten
trepado perforatie(lijn); **trepador, -ora** I *bn* klimmend; *planta -ora* klimplant; II *zn* 1 klauteraar(ster), klimmer, klimster; 2 *m* klimijzer; 3 streber
trepanación *v* trepanatie; **trepanar** de schedel doorboren, trepaneren
trepar klimmen, klauteren
trepidación *v* trilling; **trepidante** trillend; **trepidar** trillen
tres drie; *~ cuartos: a*) driekwart; *b*) *m* driekwartjas; *~ cuartos de lo mismo* lood om oud ijzer, van hetzelfde laken een pak; *como ~ y dos son cinco* zo zeker als tweemaal twee vier is; *de ~ al cuarto* van dertien in een dozijn, doodgewoon; *ni a la de ~* met geen mogelijkheid; *no ver ~ en un burro* heel slecht zien; *regla de ~* vuistregel; **trescientos, -as** driehonderd
tresillo 1 bankstel; 2 omber(spel) (*kaartsp voor drie personen*); 3 (*muz*) triool
treta 1 list; *~s* gekonkel, slinkse streken; 2 schijnbeweging (*bij schermen*)
Tréveris *m* Trier
trezavo dertiende deel
tríada drietal
triangular driehoekig; **triángulo** 1 driehoek; *~ acutángulo* scherphoekige driehoek; *~ equilátero* gelijkzijdige driehoek; *~ isósceles* gelijkbenige driehoek; *~ obtusángulo* stomphoekige driehoek; *~ rectángulo* rechthoekige driehoek; *~ reflectante* gevarendriehoek; *~s semejantes* gelijkvormige driehoeken; 2 triangel
triar í uitkiezen
tribal vd stam, stam-; *guerra ~* stammenoorlog; **tribu** *v* (volks)stam; **tribual** *zie tribal*
tribulación *v* zorg, verdriet
tribuna tribune; *~ abierta* open forum; **tribunal** *m* tribunaal, rechtbank; *~ de casación* hof van cassatie; *~ colegiado* rechterlijk college; *~ de cuentas* rekenkamer, (*Belg*) Rekenhof; *~ de examen* examencommissie; *~ de faltas* (*vglbaar*) politierechter; *~* (*de justicia*) rechtbank; *~ supremo* hooggerechtshof, (*vglbaar*) Hoge Raad; *~ tutelar de menores* (*vglbaar*) raad voor de kinderbescherming; **tribuno** (*hist*) tribuun; volksleider, redenaar
tributación *v* (het) betalen van belasting; belastingopbrengst; **tributar** 1 (*belasting*) betalen; 2 (*fig*) schenken; tonen; *~ honor* eer bewijzen; **tributario, -a** I *bn* 1 vd belasting; *deuda -a* bedrag vd aanslag, belastingschuld; *sistema ~* belastingstelsel; 2 *~ de* (*mbt rivier*) uitstromend in; *ríos ~s del Tajo* zijrivieren vd Taag; II *zn* belastingplichtige, belastingbetaler; **tributo** belasting; schatting; (*fig*) tol; *~ de respeto* bewijs van eerbied
tricéfalo driekoppig; **tricentenario** driehonderdjarig bestaan; **tricentésimo** driehonderdste; **triciclo** driewieler; bakfiets; **tricolor** driekleurig; **tricornio** driekante steek
tricot *m* tricot; **tricotar** breien; **tricotosa** breimachine
tridente *m* drietand
tridentino 1 uit Trente; 2 vh concilie van Trente
tridimensional tridimensionaal
triduo bep godsdienstoefening gedurende drie dagen
triedro: *ángulo ~* drievlakshoek
trienal 1 drie jaar durend; 2 driejaarlijks, eens per drie jaar plaatsvindend; **trienio** periode van drie jaar
trifulca herrie, ruzie
trifurcación *v* splitsing in drieën; **trifurcarse** zich in drieën splitsen

trigal *m* korenveld, tarweakker
trigésimo I *rangtelw* dertigste; II *zn* dertigste deel
trigo tarwe; graan, koren; ~ *candeal*, ~ *común* kwaliteitstarwe, tarwebloem; ~ *de invierno* wintertarwe; *de* ~ *entero* volkoren || *no ser* ~ *limpio* niet zuiver op de graat zijn
trigonometría trigonometrie
trigueño 1 (*mbt gelaatskleur*) lichtbruin; 2 (*Am, mbt mulattype*) donker, bruin
triguero I *bn* vh graan, graan-; *producción -a* graanproduktie; II *m* 1 graanhandelaar; 2 graanzeef
trilateral, trilátero driezijdig
trilero (*pop*) heler
trilingüe drie talen beheersend, drietalig
1 trilla koning van de poon, mul (*vis*)
2 trilla (het) dorsen
trillado afgezaagd, overbekend; *el camino* ~ de bekende sleur; *caminos ~s* gebaande paden; **trilladora** dorsmachine; **trillar** dorsen
trillizo, -a een van een drieling; *~s* drieling
trillo dorsvlegel
trillón *m* triljoen
trilogía trilogie
trimestral driemaandelijks; **trimestre** *m* 1 kwartaal, trimester; 2 driemaandelijkse betaling
trimotor I *bn* driemotorig; II *m* driemotorig vliegtuig
trinar (*mbt kanarie*) zingen, tjilpen || *está que trina* hij is razend
trinca 1 (*scheepv*) sjorring; 2 drietal, stel van drie (*dingen*); 3 discussie van drie personen (*als examenonderdeel*); **trincar** vastsjorren
trinchacarnes *m* vleesmolen; **trinchar** trancheren, voorsnijden
trinchera 1 loopgraaf; 2 trenchcoat
trinear tjilpen
trineo slee; *ir en* ~ sleeën
1 Trinidad *v*: *la* (*Santísima*) ~ de Heilige drieeenheid
2 Trinidad jongensnaam; meisjesnaam
trinitaria (*driekleurig*) viooltje; **trinitario** 1 trinitariër (*lid van orde*); 2 uit Trinidad
1 trino *bn* drieledig
2 trino *zn* 1 getjilp, vogelzang; 2 (*muz*) triller
trinonio (*wisk*) drieterm
1 trinquete *m* (*techn*) pal
2 trinquete *m* 1 fokkemast; fok; 2 overdekte baan voor (*Baskisch*) pelota-spel
trinquis *m* (*fam*) slok wijn
trío *m* 1 trio; 2 drietal, trits; **tríodo** triode
tripa 1 (*vaak mv*) darmen, ingewanden; darm (*als worstvel*); *~s llevan piernas* (*que no piernas ~s*) wie goed gevoed is presteert meer; *echar las ~s* vreselijk overgeven; *hacer de ~s corazón* al zijn moed bijeenrapen; *¿qué ~ se le habrá roto?* wat zou er in hemelsnaam met hem aan de hand zijn?; *se le revuelven las ~s* zijn maag keert er van om, hij walgt ervan; *tener malas ~s* wreed zijn; 2 (*fam*) buik; buikje; *echar* ~ een buik(je) krijgen; *le duele la* ~ hij heeft buikpijn; 3 *~s* (*fig*) binnenwerk, het binnenste
tripartición *v* verdeling in drieën, driedeligheid, driedeling; **tripartito** driedelig; waarin drie groepen vertegenwoordigd zijn
tripería slagerswinkel (*voor orgaanvlees*); **tripicallero** verkoper van pens; **tripicallos** *mmv* (*toebereide stukjes*) pens; **tripita** buikje
triplano driedekker
triple drievoudig; driedelig; ~ *salto* driedubbele salto; *en* ~ in drievoud; **triplicado**: *por* ~ in drievoud; **triplicar** verdrievoudigen; **triplo** drievoud
trípode I *bn* met drie poten, driepotig; II *m* kruk met drie poten, driepoot; statief
tripón, -ona buikig
tríptico triptiek, drieluik
triptongo drieklank
tripudo buikig
tripulación *v* bemanning; *¡toda la ~ a cubierta!* alle hens aan dek!; **tripulante** *m,v* lid vd bemanning, schepeling(e); **tripular** bemannen
triquina trichine, haarwormpje
triquiñuela 1 list, truc; 2 uitvlucht, handig excuus
triquitraque *m* 1 geratel; *el ~ del tren* het ratelen vd (trein)wielen; 2 zevenklapper
trirreme *m* trireem, galei met drie rijen roeiers
tris: *estar en un ~ de…* bijna…; *estuvo en un ~ de caerse* hij was bijna gevallen; *por un ~…* het had een haar gescheeld of…
triscar trappelen; stoeien, buitelen
trisemanal driemaal per week
trisílabo drielettergrepig
triste droevig, bedroefd, verdrietig, treurig; akelig, zielig; somber; *un ~ consuelo* een schrale troost; *un ~ sueldo* een karig loon, een mager salaris; *ni un(a) ~…* zelfs niet een (armzalig)…, nog geen…; **tristeza** 1 verdriet, bedroefdheid; 2 droevige aanblik, somberheid; 3 bep ziekte van citrusbomen; **tristón, -ona** triest, ietwat treurig
trítono drieklank
trituración *v* (het) verbrijzelen, (het) verpulveren, (het) vermalen; **triturador, -ora** I *bn* verpulverend, vergruizend, snipperend; II *m* 1 hakselmachine, vermaler; (gruis)stamper; 2 keukenmachine; **trituradora** *zie triturador II*; **triturar** 1 vergruizen, fijnwrijven, verbrijzelen, vermorzelen; 2 vermalen, pureren; kauwen; 3 niets heel laten van
triunfador, -ora overwinnaar, -winnares; **triunfal** 1 triomf-; *arco* ~ triomfboog; *marcha* ~ triomftocht, zegetocht; 2 enorm; *un éxito* ~ een enorm succes; *este vino no es* ~ deze wijn is niet geweldig; **triunfalismo** (al te) triomfantelijke houding; **triunfante** zegevierend; triomfantelijk; *quedar* ~ zegevieren; **triunfar** 1 triomferen, (over)winnen, zegevieren (over); 2 succes hebben; **triunfo** 1 triomf, overwinning, zege(praal); *anotarse un ~ sobre*

een overwinning boeken op; 2 troef; *tener todos los ~s en la mano* alle troeven in handen hebben
triunvirato driemanschap, triumviraat
trivial alledaags, banaal, triviaal; onbeduidend; **trivialidad** *v* banaliteit; *~es* beuzelarijen
triza snippertje; *hacer ~s: a)* snipperen; *b)* geen spaan heel laten van, kapot maken; *hecho ~s: a)* aan gruzelementen, aan flarden; *b)* (*fig*) kapot (*van moeheid*)
trocamiento *zie trueque*; **trocar ue** (*por*) (om)ruilen (voor)
trocear in stukjes verdelen, fijn snijden; **troceo** (het) in stukjes snijden
trocha 1 smal paadje; kortere route langs smal pad; 2 (*Am*) spoorbreedte; *~ angosta* smalspoor
troche: *a ~ y moche* lukraak, in het wilde weg;
trochemoche: *a ~ zie troche*
trocito stukje; schilfer
trofeo trofee; *~ rotativo* wisseltrofee, wisselbeker
troglodita *m,v* holbewoner, -bewoonster; barbaar
troica trojka
troj *m* graanbewaarplaats
trola (*fam*) leugen
trole *m* trolley; **trolebús** *m* trolleybus
trolero (*fam*) leugenachtig
tromba hoos, waterzuil; *~ de agua* stortbui; *~ de polvo* stofhoos
trombo bloedstolling; **trombocito** bloedplaatje
trombón *m* trombone
trombosis *v* trombose
trompa 1 (*muz*) hoorn; *~ de caza* jachthoorn; 2 slurf, (*lange*) snuit; 3 bromtol; 4 priktol; 5 (*fam*) dronkenschap; *coger una ~* zich bezatten; *estar ~* dronken zijn; 6 *m* dronkelap, dronkeman || *~ de Eustaquio* (*anat*) buis van Eustachius; *~ de Falopio* (*anat*) eileider
trompada, **trompazo** botsing, klap; vuistslag
trompeta 1 trompet; klaroen; 2 *m* (*fam*) dronkeman; 3 stickie, hasjsigaret; **trompetazo** trompetstoot; *~s* geschetter; **trompeteo** (het) trompet spelen; **trompetilla** spreekhoorn (*voor dove*); *de ~* (*mbt mug*) zoemend
trompicar steeds struikelen; **trompicón** *m* (het) struikelen; *a -ones: a)* met horten en stoten; *b)* moeizaam, met vallen en opstaan; *dar -ones* hotsen
trompo 1 tol; *jugar al ~* tollen; 2 sufferd, pummel, hannes; 3 bep weekdier || *ponerse como un ~* zich volproppen
tronada onweer; **tronado** 1 oud, versleten; 2 zonder geld; *estar ~* aan de grond zitten; **tronar ue** 1 donderen; *por lo que pueda ~* voor het geval dat, in geval van nood; 2 tekeergaan; bulderen; opspelen; *está que truena* hij is razend
troncha (*Am*) plak; **tronchante** (*fam*) grappig; **tronchar** (*tak*) (af)breken, knakken; **troncharse** breken || *~ de risa* zich bescheuren
troncho (kool)stronk; **tronco** 1 (boom)stam; *dormir como un ~, estar como un ~* slapen als een blok; 2 boomstam (*gebak*); 3 romp; afgeknot deel; *~ de cono* afgeknotte kegel; 4 stam, geslacht; 5 sukkel, lor
tronera 1 schietgat; heel klein raampje; 2 biljartzak
tronío (*fam*) 1 vertoon, pracht en praal; 2 allure; **trono** troon; *abdicar el ~* afstand doen van de troon; *llegar al ~, subir al ~* de troon bestijgen
tronzador *m*, **tronzadora** trekzaag; **tronzar** in stukken verdelen; *sierra de ~* trekzaag
tropa troep; *~s* troepenmacht; *~s acorazadas* cavalerietroepen; *~s aerotransportadas* luchtlandingstroepen; *~s alertas* parate troepen; *~s auxiliares* hulptroepen; *~s de desembarco* landingstroepen; *~s escogidas* keurtroepen; *~s potentes* sterke troepen; *~s de refresco* verversingstroepen; *~s de tierra* grondtroepen;
tropel *m* horde; troep; hoop, berg (*dingen*); *en ~* in horden
tropelía (ambts)misbruik; onrechtmatige handeling
tropezar ie 1 *~* (*con, contra, en*) (aan)botsen (tegen), botsen (op), stuiten (op), toevallig ontmoeten; struikelen (over); *~ con la justicia* met de justitie in aanraking komen; *~ con una piedra* vallen over een steen; *~ con problemas* op bezwaren stuiten; 2 een misstap begaan; **tropezarse ie** elkaar ontmoeten; **tropezón** *m* 1 misstap (*ook fig*); 2 stukje vlees (*in soep, rijst*)
tropical vd tropen, tropisch; *fiebre ~* tropenkoorts; *los países ~es* de tropen; **trópico** keerkring; *~s* tropen; *~ de Cáncer* kreeftskeerkring, noorderkeerkring; *~ de Capricornio* steenbokskeerkring, zuiderkeerkring
tropiezo 1 misstap; tegenslag; *dar un ~* een misstap begaan; 2 botsing, strubbeling
tropismo tropisme
troposfera troposfeer
troquel *m* (munt)stempel; **troquelar** aanmunten
trotacalles 1 *m* straatslijper, zwerver; 2 *v* tippelaarster; **trotaconventos** *v* koppelaarster;
trotador, **-ora** (*mbt paard*) goed dravend;
trotamundos *m,v* globetrotter, wereldreizig(st)er; **trotar** draven; **trote** *m* 1 draf; *~ corto* sukkeldraf; *al ~: a)* in draf; *b)* ijlings; *ir al ~* draven; 2 *~s* gedraaf, drukte; gedoe || *de mucho ~* (*mbt kleren*) die tegen een stootje kunnen; *para todo ~* (*mbt kleren*) voor gewoon dagelijks gebruik, stevig; **trotón**, **-ona** I *bn* altijd dravend; II *m* paard
trovador *m* troubadour, minstreel; **trovar** (*lit*) verzen maken
Troya Troje; *allí fue ~* daar had je de poppen aan het dansen; *arda ~* kome wat er kome;
troyano Trojaans; (*programa*) *~* (*comp*) Trojaans paard

tro

trozo stuk, fragment; brok, stuk; ~ *de granizo* hagelsteen; ~ *de tela* lap; *a ~s* bij stukjes en beetjes
trucaje *m* trucage
trucha 1 forel; ~ *salmonada* zalmforel; 2 *m,v* slimmerik; **truchero** vd forel; *río* ~ rivier met veel forellen
truchimán, **-ana** sluwe vos
truco truc, slimmigheidje, foefje; ~ *de cambio* wisseltruc; *un ~ fácil* een koud kunstje; *ahí está el* ~ dat is de kunst; *le he cogido el ~: a*) ik heb hem door; *b*) ik heb het door; *como si dijera* ~ zonder zich er iets van aan te trekken; *conocer el* ~ de keepjes kennen; *dar con el* ~ de slag te pakken krijgen, (*iets*) doorhebben;
truculento gruwelijk, wreed
trueno 1 donder; gedonder; ~ *gordo* (*bij vuurwerk*) klapstuk (*tot slot*); 2 losbol || *un ~ de hombre* een boom van een kerel
trueque *m* ruil; *comercio de* ~ ruilhandel
trufa 1 truffel (*paddestoel*); 2 ~ *de chocolate* chocoladetruffel; 3 leugen; **trufado** met truffels, getruffeerd; ~ *con* doorspekt met; **trufar** 1 met truffels vullen; 2 bedriegen
truhán, **-ana** 1 schurk, oplicht(st)er; 2 (*hist*) potsenmaker; **truhanear** 1 schurkenstreken uithalen, zwendelen; 2 (*hist*) potsenmakerij;
truhanesco schurkachtig
trullo taling (*soort eend*)
truncado afgeknot; *cono* ~ afgeknotte kegel; **truncar** 1 verminken, beknotten; onvoltooid laten; 2 smoren (in de kiem), afbreken; **truncarse** mislukken, afgebroken worden
trupial *m* (*Am*) bep vogel (*die kan leren praten*)
truque *m* bep hinkelspel
trust *m* trust; **truste** *m* trust
tsetsé *v* tseetseevlieg
tu *bez vnw* jouw, je; *~s padres* je ouders; **tú** *pers vnw* jij; *¡(oye,) ~!* hé!, jij daar!, hoor 'ns!, zeg!; *estar de ~ a ~ con u.p.* met iem op vertrouwelijke voet staan; *tratar de ~ a u.p.* iem tutoyeren; *¡más eres ~!* (*in ruzie*) jij helemaal!, moet jij nodig zeggen!
tuba tuba
tuberculina tuberculine
tubérculo 1 (wortel)knol; 2 harde zwelling; **tuberculosis** *v* tuberculose; ~ *abierta* open tuberculose; ~ *pulmonar* longtuberculose
tubería (buis)leiding, pijpleiding; ~ *de agua* waterleiding; ~ *de gas* gasleiding; ~ *de presión* persleiding; **tuberización** *v* (wortel)knolvorming; **tubero** pijpfitter; **tuberosa** tuberoos; **tuberosidad** *v* zwelling; **tuberoso** met wortelknollen; *planta -a* knolgewas; **tubo** buis, pijp, leiding; slang; ~ *de desagüe* afvoerbuis; ~ *digestivo* spijsverteringskanaal; ~ *de ensayo*, ~ *de prueba* reageerbuis; ~ *de escape* uitlaatpijp; ~ *fluorescente* TL-buis; ~ *de imagen* beeldbuis; ~ *intestinal* darmkanaal; ~ *de órgano* orgelpijp; ~ *de respiración* snorkel; ~ *de vacío* vacuümbuis; ~ *de ventilación* luchtkoker; *perro* ~ (*fam*) tekkel; **tubular** buisvormig; *falda* ~ kokerrok

tucán *m* toekan
tudesco (typisch) Duits
tuerca moer; ~ *anillo* ringmoer; ~ *capuchón*, ~ *ciega* dopmoer; ~ *con mariposa* vleugelmoer; ~ *de seguridad* borgmoer
tueste *m* (het) roosteren
tuétano merg; *hasta los ~s* in hart en nieren
tufarada wolk van geur, plotselinge walm; **tufillo** luchtje
1 tufo 1 walm; vieze lucht, stank; ~ *del carbón* kolendamp; 2 *~s* praats, kale kak
2 tufo pluk haar (*voor de oren vallend*)
tugurio krot
tul *m* tule
Tula *afk van Gertrudis*
tulipa 1 kleine tulp; 2 tulpvormige glazen lampekap; **tulipán** *m* tulp
tullido verlamd; **tullir** verlammen; **tullirse** verlamd raken
tumba graf, (graf)tombe; *ser una* ~ zwijgen als het graf; **tumbado** (achterover)liggend; ~ *boca abajo* voorover liggend; ~ *de espaldas* (plat) achterover; *estar* ~ (*achterover*) liggen; **tumbar** 1 (om)gooien, vloeren; *...que tumba* ...waar je (steil) van achterover slaat; 2 (*op examen*) laten zakken; 3 neerschieten; **tumbarse** gaan liggen; zich nestelen (*in stoel*); ~ *a la bartola* er zijn gemak van nemen; ~ *al sol* in de zon gaan liggen; **tumbo** buiteling; *caer dando ~s* naar beneden tuimelen; *dar ~s* buitelen, tuimelen; *dando ~s: a*) tuimelend; *b*) met vallen en opstaan; **tumbona** ligstoel
tumefacción *v* zwelling; **tumefacto** gezwollen, opgezet; **túmido** gezwollen; **tumor** *m* gezwel, tumor; ~ *benigno* goedaardig gezwel; ~ *maligno* kwaadaardig gezwel; **tumoroso** met gezwellen
túmulo 1 grafheuvel; 2 katafalk
tumulto tumult, leven, kabaal; **tumultuoso** rumoerig, tumultueus
1 tuna cactusvijg
2 tuna (*vrolijk*) studentenorkestje
tunante, **-anta** 1 schurk; 2 schavuit, schelm, rakker, deugniet; **tunantería** 1 schelmenstreek; 2 schurkachtigheid; ondeugendheid; **tunantesco** schurkachtig; ondeugend; **tunarra** *m,v* ondeugd, schavuit
tunda 1 pak slaag; *arrear una ~ a u.p.* iem te grazen nemen; *pegar una* ~ op zijn donder geven; 2 uitputtend werk; *darse una* ~ zich uitputten; **tundir** 1 scheren; bijknippen; 2 afranselen
tundra toendra
tunecí, **tunecino** Tunesisch
túnel *m* tunnel; ~ *de aire*, ~ *del viento* windtunnel; ~ *del Canal* Kanaaltunnel; ~ *del miedo* (*op kermis*) spookhuis
Túnez *m* 1 Tunesië; 2 Tunis (*stad*)
tungsteno wolfraam
túnica tuniek; *rasgarse la* ~ veel misbaar maken
tuno, **-a** 1 deugniet, schavuit; 2 *m* lid van tuna (*orkest*)

tuntún: *al* (*buen*) ~ lukraak, in het wilde weg
tupé *m* 1 toupet; 2 brutaliteit, durf
tupido (*mbt weefsel*) dicht
1 turba veen; turf; *extraer la ~, sacar la ~* turf steken
2 turba rumoerige menigte
turbación *v* verwarring; **turbador, -ora** verwarrend, in verwarring brengend; **turbamulta** woelige menigte
turbante *m* tulband
turbar vertroebelen; verstoren; in de war brengen; van zijn stuk brengen; ~ *el silencio* de rust verstoren; **turbarse** in de war raken, van streek raken
turbera veenlaag
turbidez *v* troebelheid; onrust; **turbiedad** *v; zie turbidez*
turbina turbine
turbio 1 troebel; onfris; 2 onrustig; 3 (*mbt blik*) omfloerst, troebel; **turbión** *m* 1 stortregen (*met veel wind*); 2 (*fig*) lawine, stortvloed
turboalternador *m* wisselstroomturbine; **turbobomba** turbinepomp; **turbogenerador** *m* turbogenerator; **turbomotor** *m* turbomotor
turbonada storm met regen en onweer
turbopropulsor *m* turboprop; **turboventilador** *m* turboventilator
turbulencia woeligheid; onrust; **turbulento** roerig, turbulent, woelig; onstuimig
turca dronkenschap; *zie ook turco*; **turco, -a** I *bn* Turks; *cama -a* divan; *inodoro a la -a* hurk-w.c.; II *zn* Turk(se)
turdetano (*hist*) uit Turdetanië (*omgeving van Sevilla*)
turgencia gezwollenheid; **turgente** gezwollen
turiferario 1 drager vh wierookvat; 2 vleier
turinés, -esa uit Turijn (*Italië*)
turismo 1 toerisme; *oficina de ~* (*vglbaar*) VVV; 2 personenauto; **turista** *m,v* toerist(e); **turístico** toeristisch
turmalina toermalijn
turnar *zie turnarse*; **turnarse** elkaar afwisselen, elkaar aflossen, rouleren
turné *m* tournee
turno beurt; ~ *de noche* avonddienst; ~ *rotativo* (*de trabajo*) ploegendienst; *de ~* dienstdoend; *esquema de ~s* (dienst)rooster; *por ~s: a*) in ploegen; *b*) bij toerbeurt; *es tu ~* het is jouw beurt, je moet eraan geloven
turón *m* bunzing
turpial *m; zie trupial*
turquesa turkoois; **turquí** *m* indigo; **Turquía** Turkije
turrón *m* soort noga; ~ *de Alicante* harde noga met hele noten; ~ *de Jijona* zachte, lichtbruine noga
turulato tureluurs, hoteldebotel; verbluft; *quedarse ~* met zijn oren staan te klapperen
tus: *¡~!* klank om honden te roepen
tute *m* bep kaartspel || *darse un ~* (*fam*) zich uitsloven tot en met; *es mucho ~* het is een heel karwei
tutear tutoyeren, met jij (en jou) aanspreken
tutela 1 voogdij; 2 curatele; **tutelar** I *bn* vd voogdij; beschermend; II *ww* de voogdij uitoefenen over
tuteo (het) tutoyeren
tutiplé, tutiplén: *al ~* in overvloed
tutor, -ora 1 voogd(es); 2 curator, -trice; 3 klasseleraar, -lerares; **tutoría** voogdij
tuve, tuvo *zie tener*
tuya thuja, levensboom
tuyo *bez vnw* van jou; jouw (*met nadruk*); *la bici es -a* de fiets is van jou, het is jóuw fiets; *lo ~* werk waar je geschikt voor bent, jouw taak; *los ~s* de jouwen; *otra vez haciendo de las -as* weer bezig met die streken van je
tweed *m* tweed

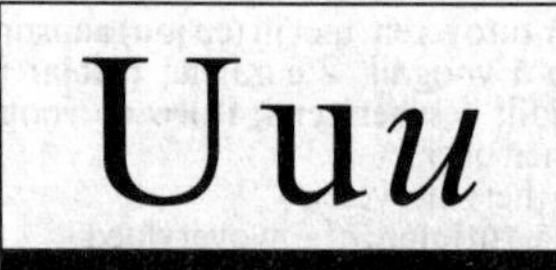

1 u *v* (*letter*) u
2 u of (*ipv o voor o of ho*); *uno u otro* de een of de ander
ubérrimo zeer vruchtbaar
ubicación *v* ligging, locatie; **ubicar** I *intr* gelegen zijn; II *tr* (*Am*) 1 lokaliseren; 2 plaatsen, vestigen; **ubicarse** gelegen zijn; **ubicuidad** *v* alomtegenwoordigheid; **ubicuo** alomtegenwoordig
ubre *v* uier
ucase *m* oekase
UCI (*Unidad de*) *Cuidados Intensivos* intensive care
ucraniano, ucranio Oekraïens
Ud. *afk van Usted* u; **Uds.** *afk van Ustedes* u (*mv*)
uf: *¡~!* pfff!; bah!; hè!
ufanarse (*con, de*) trots zijn (op); **ufanía** trots, inbeelding; **ufano** 1 trots, ijdel; 2 heel voldaan
ugandés, -esa Oegandees
ugetista vd U.G.T.
ugrofinés, -esa Fins-Oegrisch
U.G.T. *Unión General de Trabajadores*
ujier *m* bode (*bij rechtbank, gemeente*)
ukelele *m* ukelele
úlcera zweer; *~ del estómago, ~ gástrica* maagzweer; **ulceración** *v* (het) gaan zweren; **ulcerante** zwerend; **ulcerar** 1 doen zweren; 2 kwetsen; **ulcerarse** (gaan) zweren; **ulceroso** vol zweren
ulterior 1 aan de andere kant, aan gene zijde, verderop; 2 later, nader; *cuidados ~es* nazorg; *noticias ~es* nader bericht
ultimación *v* voltooiing; **últimamente** laatst, onlangs; **ultimar** 1 de laatste hand leggen aan, voltooien, afhandelen; (*verdrag*) tot stand brengen; *~ los detalles* de laatste details uitwerken; 2 (*Am*) afmaken, doden; **ultimato, ultimátum** *m* ultimatum; **último** 1 laatst, verleden, vorig; *lo ~* het allernieuwste; *el ~* (*citado*) laatstgenoemde; *el ~ piso* de bovenste verdieping; *los ~s sucesos* de jongste gebeurtenissen; *~ toque* finishing touch; *a la -a* volgens de laatste mode; *a lo ~* (*fam*) aan het eind; *a ~s de mayo* eind mei; *al ~ momento* op het nippertje, op het laatste ogenblik; *estar en las -as: a*) op sterven liggen; *b*) bijna blut zijn; *por ~* tenslotte; 2 uiterste; achterste; bovenste; onderste; *~ precio* uiterste prijs
ultra *m,v* ultra (*persoon*), extremist(e)
ultracentrifugadora ultracentrifuge; **ultraconservador, -ora** oerconservatief; **ultracorto** ultrakort; **ultraderecha** ultrarechts
ultraísmo (*Sp*) vernieuwende dichtersbeweging rond 1920
ultraizquierda ultralinks
ultrajante smadelijk, diep kwetsend; **ultrajar** ernstig beledigen, schofferen; **ultraje** *m* belediging, smaad
ultramar *m* (de) landen over zee; *de ~* overzees; **ultramarino** I overzees; II *mmv: ~s* kruidenierswaren, (*vglbaar*) koloniale waren
ultramicroscopio ultramicroscoop
ultramoderno hypermodern
ultramundano van de andere wereld; **ultramundo** (de) andere wereld, hiernamaals
ultranza: *a ~* op leven en dood, tot het uiterste, fanatiek, verstokt
ultrarrápido supersnel; **ultrarrojo** infrarood; **ultrasensible** uiterst gevoelig
ultrasónico ultrasoon; **ultrasonido** ultrasonische toon; **ultrasonoro** ultrasonoor
ultratumba na de dood; *vida de ~* hiernamaals
ultravioleta *m* (*als bn onv*) ultraviolet; *rayos ~* ultraviolette stralen
ulular huilen, janken, een loeiend geluid maken
umbelífero schermbloemig
umbilical vd navel; *cordón ~* navelstreng
umbral *m* drempel; (*fig*) grens, begin; *~ de la conciencia* bewustzijnsdrempel; *~ del dolor* pijndrempel
umbría plaats die altijd in de schaduw ligt; **umbrío** schaduwrijk, in de schaduw; **umbroso** schaduwrijk, schaduwgevend
un *onbep lidw, telw; zie uno*
unánime eenstemmig, unaniem, eensgezind; **unanimidad** *v* eenstemmigheid, unanimiteit; *por ~* unaniem
unción *v* 1 zalving; 2 (*r-k*) sacrament der stervenden; 3 devotie, religieuze overgave; *con ~* (*fig*) zalvend
uncir (*ossen*) (in)spannen; *~ los bueyes al carro* een kar met ossen bespannen
undécimo elfde
ungir 1 zalven; 2 insmeren, inwrijven; **ungüento** 1 zalf, smeersel; 2 lapmiddel
ungulado hoefdier; **ungular** vd nagel
únicamente (enkel en) alleen, uitsluitend
unicameral (*pol*) eenkamer-; *sistema ~* eenkamerstelsel; **unicelular** eencellig
unicidad *v* uniek karakter; **único** enig, uniek; eenmalig; *cosa -a* unicum
unicornio eenhoorn
unidad *v* eenheid; *~ central* (*de proceso*) (*comp*) centrale verwerkingseenheid; *~ de combate* gevechtseenheid; *una ~ completa* een complete set; *~ de cuidados intensivos* (*afk UCI*) intensive care; *~ de discos* (*comp*) disk-drive; *~ monetaria* munteenheid; *~ de vigilancia intensiva* (*afk UVI*) intensive care; *precio por ~* stukprijs
unidimensional eendimensionaal; **unidireccional** eenrichtings-

unido verenigd; ~ *a* gehecht aan (*ook fig*); eendrachtig
unificación eenwording, vereniging, unificatie; **unificar** tot een geheel maken; verenigen, unificeren
unifamiliar eengezins-; *vivienda* ~ eengezinswoning
uniformación *v* standaardisatie, uniformering; **uniformar** uniformeren, standaardiseren; **uniforme** I *bn* eenvormig, uniform; gelijkmatig; eenparig; (*mbt voedsel*) eenzijdig; II *m* uniform; **uniformidad** *v* eenvormigheid, uniformiteit; (*mbt voedsel*) eenzijdigheid; **uniformizar** *zie uniformar*
unigénito (*mbt kind*) enig; **Unigénito**: *el* ~ Christus, Gods eniggeboren zoon
unilateral eenzijdig; **unilateralidad** *v* eenzijdigheid
unión *v* 1 verbinding, vereniging, koppeling, samensmelting; *en* ~ *con* tesamen met; *en* ~ *de* in gezelschap van; 2 verbond, unie; ~ *arancelaria* douane-unie; 3 band, eendracht, saamhorigheid; *la* ~ *hace la fuerza* eendracht maakt macht; 4 aanhechting (*van document*); **Unión** *v*: ~ *General de Trabajadores* (*afk U.G.T.*) Sp socialistische vakbeweging; ~ *Soviética* Sovjetunie; ~ *de Repúblicas Socialistas Soviéticas* (*afk URSS*) USSR
unipersonal 1 bestaand uit één persoon; 2 van één persoon, individueel; 3 (*gramm*) *verbo* ~ onpersoonlijk werkwoord
unir 1 ~ (*a*) verenigen (met), verbinden (aan, met), samenvoegen, bundelen, koppelen; bijeenhouden, binden; ~ *las fuerzas* de krachten bundelen; ~ *en matrimonio* in de echt verbinden; ~ *la salsa* de saus binden; 2 aanhechten, vasthechten; **unirse** zich verenigen; ~ *a* zich voegen bij
unisexual eenslachtig
unísono eenstemmig; *al* ~ eenstemmig
unitario 1 eenheids-; *idea -a* eenheidsgedachte; *precio* ~ eenheidsprijs; 2 eenheid voorstaand, strevend naar eenheid
universal 1 universeel; *de fama* ~ wereldberoemd; *paz* ~ wereldvrede; 2 veelzijdig; **universalidad** *v* 1 algemeenheid, algemeen karakter; 2 veelzijdigheid; **universalización** *v* (het) algemeen maken, (het) algemeen worden; **universalizar** algemeen maken; **universalmente** in het algemeen
universidad *v* universiteit; ~ *a distancia* (*vglbaar*) open universiteit; ~ *estatal* rijksuniversteit; ~ *popular* (*vglbaar*) volksuniversiteit; *doctor por la* ~ *de Madrid* gepromoveerd aan de universiteit van Madrid; **universitario, -a** I *bn* universitair, academisch; *comedor* ~, *restaurante* ~ mensa; II *zn* 1 (*univ*) student(e); 2 academicus, -a
universo heelal, universum
unívoco met één enkele betekenis, eenduidig
uno I *bn* ondeelbaar, een; *a una: a*) eensgezind; *b*) tegelijk; II *onbep vnw* 1 iemand; ~(*s*) *a otro*(*s*) elkaar; ~ *que otro* een enkele; ~ *y otro* allebei; *lo* ~ *por lo otro* het is lood om oud ijzer, het komt op hetzelfde neer; ~ *dictaba y el otro escribía* de een dicteerde en de ander schreef; 2 men (*de spreker inbegrepen*), je; ~ *puede decir*... men kan wel zeggen...; III *telw* een; *una de dos* een van tweeën; ~ *de tantos* een van de velen, zomaar iemand; ~ *a* ~, ~ *por* ~, *de* ~ *en* ~ een voor een; *es* ~ *y no más* dat is eens en nooit weer; *más de* ~ menigeen, velen; *todo fue* ~ het gebeurde allemaal in een seconde; *es la una* het is één uur; IV *onbep lidw* (*voor mnl zn: un*) 1 een; 2 *mv* sommige, enkele, een paar; ~*s cuantos* een stuk of wat; (*voor telw*) ongeveer; *unas cien pesetas* ongeveer honderd peseta
untable smeerbaar, smeuïg; **untar** 1 (be)smeren; ~ *con resina* harsen; 2 nat maken, vuil maken; 3 ~ (*la mano*) omkopen; **untarse** zijn eigen beurs spekken, iets achterhouden; **unto** 1 smeer, vet; 2 zalf; 3 steekpenning; **untuosidad** *v* 1 vettigheid, kleverigheid; 2 (*fig*) zalving; **untuoso** 1 vettig, zalfachtig; 2 (*fig*) zalvend; **untura** 1 (het) (in)smeren; 2 zalf
uña 1 nagel; *a* ~ *de caballo* spoorslags; ~*s largas* (*fig*) lange vingers; *arreglar las* ~*s* manicuren; *clavar las* ~*s a* zich meester maken van, stelen; *comerse las* ~*s* woedend zijn, zich opvreten; *de* ~*s* vijandig gezind; *defender con* ~*s y dientes* met hand en tand verdedigen; *enseñar las* ~*s* zijn tanden laten zien; *largo de* ~*s* diefachtig; *son* ~ *y carne* ze zijn heel bevriend, tussen hen is alles koek en ei; *tener las* ~*s de luto* rouwnagels hebben; 2 vloei (*van anker*); **uñada** krab (*met nagel*); afdruk (*van nagel*); **uñero** 1 fijt; 2 ingegroeide nagel
uralita 1 eterniet, asbestcement; 2 oeraliet
uranífero uraniumhoudend; **uranio** uranium
urbanidad *v* beleefdheid, hoffelijkheid; **urbanismo** stedebouw(kunde); **urbanista** *m,v* stedebouwkundige; **urbanístico** stedebouwkundig; *expansión -a* stadsuitbreiding; **urbanización** *v* 1 urbanisatie, wooncomplex; *proyecto de* ~ uitbreidingsplan; 2 (het) bouwrijp maken; 3 verstedelijking, bebouwing; **urbanizado** volgebouwd; **urbanizar** 1 (*iem*) bijschaven, beschaving bijbrengen; 2 als woonwijk inrichten; (*een terrein*) bouwrijp maken; **urbanizarse** verstedelijken; **urbano** 1 stedelijk, stads; *casco* ~ bebouwde kom; 2 beleefd, hoffelijk; **urbe** *v* grote stad
urdimbre *v* 1 kettingdraad, schering; 2 intrige, web van intriges, (boos) opzet; **urdir** beramen, smeden
uréter *m* urineleider, ureter; **urétera**, **uretra** urinebuis, urethra
urgencia dringend karakter, onmiddellijke noodzaak; nood; *caso de* ~ noodgeval; *necesitar con* ~ dringend nodig hebben; *tratamiento de* ~ spoedbehandeling; **urgente** dringend, urgent, spoedeisend; hoognodig; *¡*~*!* spoed!; *por correo* ~ per expres; **urgir** I *intr* dringend

zijn; *la cosa me urge* ik heb er veel haast mee; *el tiempo urge* de tijd dringt; II *tr* aandringen bij (*iem*)
urinario I *bn* vd urine, urine-; II *zn* urinoir
urna 1 urn; 2 ~ (*electoral*) stembus; *acudir a las ~s* gaan stemmen
uro oeros
urogallo auerhaan
urología urologie; **urólogo**, **-a** uroloog, -loge;
uroscopia urineonderzoek
urraca ekster; *ser una ~* hebberig zijn
URSS *Unión de Repúblicas Socialistas Soviéticas* USSR
ursulina ursuline (*non*); (*fig*) overgevoelig persoontje
urticáceo van brandnetels; **urticaria** netelroos
urubú *m* (*Am*) soort gier
Uruguay: (*el*) ~ Uruguay; **uruguayo** Uruguayaans
urunday *m* (*Am*) bep boom (*met mooi hout*)
urutaú *m* (*Am*) soort nachtuil
usado 1 gebruikt; *poco ~* ongewoon; 2 versleten; **usanza** usance, gebruik, gewoonte; **usar** 1 gebruiken; ~ *de* betrachten, gebruik maken van; ~ *indebidamente* verkeerd toepassen; *la economía de ~ y tirar* de wegwerpeconomie; 2 gewoon zijn
Usía (*hist*) *vuestra Señoría* (*vglbaar*) Uedele
uso 1 gebruik, aanwending; ~ *de un derecho* uitoefening van een recht; ~ *doméstico* huishoudelijk gebruik; ~ *externo* uitwendig gebruik; ~ *del idioma* spraakgebruik; ~ *idiomático* idioom; ~ *imp ropio, ~ indebido* verkeerd gebruik; ~ *personal* persoonlijk gebruik; ~ *privado* privégebruik; ~ *propio* eigen gebruik; ~ *de razón* de jaren des onderscheids; ~ *verbal* woordgebruik; *de un solo ~* voor eenmalig gebruik, wegwerp-; *en ~ de* gebruik makend van; *en buen ~* in goede staat; *en mal ~* in slechte staat; *fuera de ~* buiten gebruik; *hacer ~ de* gebruik maken van; *hacer ~ de la palabra* het woord voeren; *lengua de ~* gewone taal; *tener muchos ~s* voor veel dingen gebruikt kunnen worden; 2 gewoonte, gebruik; *~s y costumbres* zeden en gewoonten; *al ~* gebruikelijk; *al ~ vasco* volgens Baskisch gebruik, in Baskische trant; *estar en ~* gebruikelijk zijn; *ser de ~ común* algemeen gebruikelijk zijn
usted *pers vnw* (*vaak met hoofdletter*) u; *¿~ tiene sed?* hebt u dorst?; *hablar de ~ a u.p.* iemand met u aanspreken; *por ~* om uwentwil; *tratar de ~* met u aanspreken
usual gebruikelijk, gewoon; **usuario**, **-a** gebruik(st)er, consument(e); ~ *de la carretera* weggebruiker; **usufructo** vruchtgebruik; **usufructuar ú** het vruchtgebruik hebben van
usura 1 woeker(winst); *con ~* dubbel en dwars; 2 (het) woekeren, woekerpraktijken; **usurar** woekeren; **usurario** woeker-; *intereses ~s* woekerrente; **usurero**, **-a** woekeraar(ster)
usurpación *v* wederrechtelijke toeëigening, usurpatie; ~ *de bienes* bezitsaanmatiging; **usurpador**, **-ora** usurpator; **usurpar** zich wederrechtelijk toeëigenen, usurperen
utensilio werktuig, stuk gereedschap; *~s* gerei; *~s de cocina* keukengerei; *~s de mesa* eetgerei
uterino vd baarmoeder; *cuello ~* baarmoederhals; **útero** baarmoeder
útil I *bn* nuttig; *día ~* werkdag; *ser ~* nuttig zijn, baten, van pas komen; *vida ~* levensduur (*van apparaat*); II *mmv: ~es* gerei, gereedschap, benodigdheden; *~es de escritorio* kantoorbehoeften; **utilidad** *v* 1 nut, bruikbaarheid; 2 (*vaak mv*) opbrengst, winst; *dejar ~* iets opbrengen; *margen de ~* winstmarge; **utilitario** I utilitair, gericht op nuttigheid; *construcción -a* utiliteitsbouw; II *zn* kleine (bestel-) auto (*zonder luxe*); **utilitarismo** utilitarisme, utiliteitsbeginsel; **utilizable** bruikbaar; operationeel; **utilización** *v* gebruik(making); **utilizar** gebruiken, toepassen, zich bedienen van
utillaje *m* outillage, uitrusting, benodigdheden
utopía utopie; **utópico** utopisch
utrero, **-a** jonge stier, jonge koe
uva druif; ~ *blanca* witte druif; ~ *moscatel* muskaatdruif; ~ *negra* blauwe druif; ~ *pasa* rozijn; *como una ~* dronken; *estar de mala ~, tener mala ~* de pest in hebben, nijdig zijn || *de ~s a peras* heel zelden
uve *v* 1 *zie v; la ~ de la victoria* het V-teken; 2 ~ *doble zie w*
uvero vd druiven, druiven-
UVI *unidad de vigilancia intensiva* intensive care
úvula huig; **uvular** vd huig; *la ere ~* de keel-r
uy: *¡~!* hè!, au!, ach!

v *uve v, ve v (letter)* v
va *zie ir*
vaca 1 koe; ~ *lechera* melkkoe; ~ *marina* zeekoe; (*los años de*) *las ~s flacas* de magere jaren; (*los años de*) *las ~s gordas* de vette jaren; *carne de* ~ rundvlees; 2 rundvlees; 3 gezamenlijke inzet (*bij spel*)
vacaciones *vmv* vakantie; ~ *escolares* schoolvakantie; ~ *de Semana Santa* paasvakantie; *pasadas las* ~ als de vakantie voorbij is
vacada kudde koeien
vacancia vacature; **vacante** I *bn* vacant; *quedar* ~ (*mbt baan*) vrijkomen; II *v* vacature, (*Belg*) werkaanbieding; *cubrir una ~, proveer una* ~ in een vacature voorzien; **vacar** vrijkomen; leeg komen
vaciado (het) legen; ~ (*en molde*) afgietsel; ~ *en yeso* gipsafgietsel; **vaciador, -ora** iem die (af-)giet; **vaciar** í 1 legen, leegschenken; leegmaken; uithollen; (*pijp*) uitkloppen; ~ *a bomba* leegpompen; 2 gieten (*in vorm*); **vaciarse** í 1 zijn mond voorbijpraten; 2 leeg raken; **vaciedad** *v* iets onnozels
vacilación *v* aarzeling; hapering; **vacilante** aarzelend, weifelend, onzeker, onvast; *luz* ~ flakkerend licht, zwak licht; **vacilar** 1 ~ (*en*) aarzelen (om), weifelen; *no ~ en* zich niet ontzien om; *sin* ~ zonder aarzeling; 2 wankelen; 3 (*mbt licht*) flakkeren
vacío I *bn* leeg; ~ (*de aire*) luchtledig; *de* ~ leeg, met lege handen; *en* ~ (*techn*) onbelast; *marcha en* ~ vrijloop; *marchar en* ~ stationair draaien; *quedar* ~ (*mbt zaal*) leeglopen; II *zn* 1 leegte; leemte; ruimte; *caer al* ~ in de diepte storten; *caer en el* ~ op niets uitlopen; *un gran* ~ een groot gemis; 2 luchtledig, vacuüm; ~ *de poder* machtsvacuüm; *al* ~ vacuüm (verpakt) || *hacer el ~ a u.c.* iets laten mislukken; *hacer el ~ a u.p.* iem links laten liggen, iem isoleren
vacuidad *v* 1 holheid, oppervlakkigheid; 2 (het) leeg zijn
vacuna vaccin; **vacunación** *v* (koepok)inenting, vaccinatie; **vacunar** inenten, vaccineren; **vacunarse** zich laten inenten
vacuno I *bn* rund-; *carne -a* rundvlees; *ganado* ~ rundvee; II *zn* rund
vacuo leeghoofdig, hol, oppervlakkig
vadeable doorwaadbaar; **vadear** 1 doorwaden; 2 (*moeilijkheid*) ontwijken, overwinnen; **vadearse** zich redden; **vado** 1 doorwaadbare plek; *tentar el* ~ (*fig*) het terrein verkennen; 2 uitrit
vagabundear zwerven; **vagabundeo** (het) zwerven, omzwerving; **vagabundo, -a** I *bn* zwervend; *gato* ~ zwerfkat; II *zn* vagebond, zwerver, landloper, schooier
vagamente vagelijk, flauwtjes
vagancia (het) zwerven; (het) nietsdoen, (het) rondhangen; **vagar** (rond)zwerven, ronddwalen, slenteren
vagido (het) huilen (*van pasgeboren baby*)
vagina vagina, schede
1 vago, -a I *bn* nietsdoend; lui; II *zn* leegloper, slampamper
2 vago vaag, onbestemd, onduidelijk
vagón *m* wagon; ~ *cisterna* tankwagon; ~ *correo* postrijtuig; ~ *de mercancías* goederenwagon; ~ *restaurante* restauratiewagen; **vagoneta** lorrie
vaguada diepst vh dal
vaguear rondhangen, lanterfanten
vahído flauwte; *sentir ~s* duizelig worden
vaho wasem, walm
vaina 1 peul, dop; 2 schede (*voor zwaard*); 3 stomkop, sufferd || *esa* ~ (*Am, fam*) dat gedoe, de hele rotzooi
vainica open zoom
vainilla vanille
vaivén *m* schommeling; (het) heen en weer bewegen; wisseling; *los -enes de la suerte* de grillen vh lot; *puerta de* ~ klapdeur; *servicio de* ~ pendeldienst
vajilla servies(goed), vaatwerk
valdepeñas *m* (*Sp*) rode wijn uit Valdepeñas
vale *m* (tegoed)bon, waardebon; ~ *de caja* kassabon; ~ *por un regalo* cadeaubon; **valedero** geldig; **valedor, -ora** bescherm(st)er
valencia valentie
valenciano uit Valencia
valentía dapperheid; moedige daad; **valentón** *m* vechtjas, snoever; **valentonada** bluf, opschepperij
valer I *ww* 1 waard zijn; kosten; *vale por dos* hij telt voor twee; *vale lo suyo* hij mag er wezen; *¿cuánto vale?* wat kost het?; *de nada vale* het heeft geen zin, het haalt niets uit; *más vale así* het is beter zo; *más vale tarde que nunca* beter laat dan nooit; *...no vale* (*in opsomming*) ...vervalt; *no vale nada* het is waardeloos; *no valgo para mentir* ik kan niet liegen; *no ~ para nada* nergens voor deugen; 2 baten; opleveren; *le valió el aprecio general* het leverde hem algemene waardering op; *no le valdrán sus títulos* zijn titels zullen hem niet helpen; *no me ha valido mucho* ik heb er niet veel aan gehad; 3 gelden; van kracht zijn; *¡vale!* goed!, afgesproken!, o.k.!; *¡válgame Dios!* God sta me bij!, allemachtig!; *eso no vale* dat geldt niet; *hacer ~ un derecho* een recht uitoefenen; *hacer ~ su prestigio* zijn invloed doen gelden; *hacerse* ~ zich doen gelden; II *m* verdienste; *el propio* ~ de eigenwaarde
valeriana valeriaan
valeroso dapper

valerse 1 ~ (*de*) zich bedienen van, gebruik maken van; 2 zich redden, zijn mannetje staan; ~ *por sí mismo* op eigen benen staan, zich bedruipen
valetudinario met zwakke gezondheid
valga *zie valer*
valía waarde; *un hombre de gran* ~ een waardevol mens; *sueldo según* ~ salaris naar capaciteiten en ervaring; **válidamente** op geldige wijze; **validez** *v* (rechts)geldigheid; geldigheidsduur; *tener* ~ geldig zijn; **valido** gunsteling; **válido** 1 (rechts)geldig; (*mbt argument*) deugdelijk; *motivo* ~ geldige reden; 2 valide, gezond
valiente dapper, moedig, flink || *¡~ amigo!* (*iron*) mooie vriend!; *¡~ frío!* wat een kou!
valija koffer; postzak; ~ *diplomática* diplomatieke post
valimiento gunst, speciale bescherming
valioso waardevol; kostbaar
valla 1 omheining, hek, schutting; ~ *de contención,* ~ *de emergencia* dranghek; ~ *publicitaria* reclamemuur; 2 obstakel; (*sp*) horde; (*carrera de*) ~*s* hordenloop; *romper la* ~*, saltar la* ~ de gevestigde normen doorbreken; **valladar** *m* obstakel; **vallado** omheining; aarden wal; **vallar** omheinen
valle *m* dal, vallei; ~ *cerrado* keteldal; ~ *de lágrimas* tranendal
vallisoletano uit Valladolid
valón, -ona Waals
valor *m* 1 waarde; ~ *afectivo* gevoelswaarde; ~ *alimenticio,* ~ *nutritivo* voedingswaarde; ~ *en bolsa* beurswaarde; ~ *calorífico* verbrandingswaarde; ~ *de cambio* inruilwaarde; ~ *comercial* handelswaarde; ~ *contable,* ~ *numérico* getalwaarde; ~ *equivalente* tegenwaarde; ~ *de mercado* marktwaarde; ~ *de reposición* vervangingswaarde; ~ *de uso* gebruikswaarde; ~ *de venta* verkoopwaarde; *aplicar nuevos* ~*es* nieuwe maatstaven hanteren; *por* ~ *de* ter waarde van, voor een bedrag van; 2 moed; ~ *heroico* heldenmoed; *armarse de* ~ al zijn moed verzamelen, de stoute schoenen aantrekken; 3 ~*es* effecten, waardepapieren; ~*es 2 de mayo* valuta 2 mei; ~ *mobiliario* handelseffect, handelspapier; *bolsa de* ~*es* effectenbeurs; **valoración** *v* 1 schatting, taxatie; 2 waardering; **valorar** 1 schatten, taxeren; 2 waarderen; **valorización** *v* schatting, taxatie; **valorizar** 1 waardevol(ler) maken, (meer) waarde geven; 2 schatten, taxeren
vals *m* wals; *bailar el* ~ walsen; **valsar** walsen
valuación *v; zie valoración*; **valuar ú** *zie valorar*
valva (halve) oester- of mosselschelp
válvula 1 klep; ventiel; ~ *de admisión* inlaatklep; ~ *cardíaca* hartklep; ~ *de cierre* afsluitklep; ~ *del émbolo* zuigerklep; ~ *de escape* uitlaatklep; ~ *expansiva* (*fig*) uitlaatklep; ~ *de presión* persklep; 2 (*elektr*) buis; (radio)lamp
vamos *zie ir*

vampi *v; zie vampiresa*; **vampiresa** vamp, verleidelijke vrouw (*vnl in films*); **vampiro** 1 vampier; 2 soort vleermuis; 3 uitzuiger
van *zie ir*
vanagloria verwaandheid; **vanagloriarse** (*de, por*) zich beroemen (op), snoeven
vandálico vandalistisch; **vandalismo** vandalisme, vernielzucht; **vándalo, -a** 1 (*hist*) Vandaal; 2 vandaal, woesteling
vanguardia voorhoede; avant-garde; *jugador de* ~ (*sp*) spits; **vanguardismo** avantgardisme; **vanguardista** I *bn* avantgardistisch; II *m,v* avantgardist(e)
vanidad *v* 1 zinloosheid, ijdelheid; 2 ijdelheid, eigenwaan, inbeelding; **vanidoso** ijdel; **vano** I *bn* zinloos, loos, ijdel, nutteloos; *en* ~ tevergeefs; II *zn* open (tussen)ruimte; ~ (*de la puerta*) deuropening
vapor *m* 1 stoom, (water)damp; *al* ~*, a todo* ~ heel snel; *cocer al* ~ (*eten*) stomen; 2 stoomschip; **vaporización** *v* verdamping; **vaporizador** *m* 1 verdamper; 2 spray, verstuiver, spuitbus; **vaporizar** 1 doen verdampen; vergassen; 2 verstuiven; **vaporoso** 1 luchtig, doorzichtig, subtiel; 2 wazig, dampig
vapulear geselen; hevige kritiek hebben op; **vapuleo** geseling
vaquería 1 kudde koeien; 2 koeiestal; 3 melkzaak; **vaqueriza** koeiestal; **vaquerizo** I *bn* vd koeien; II *zn* koeherder; **vaquero** I *bn* vd herders; *pantalones* ~*s, pantalón* ~ spijkerbroek; II *zn* koeherder, cowboy; **vaqueta** kalfsleer; **vaquita** 1 koetje; 2 gezamenlijke inzet (*bij spel*)
vara 1 twijg, stok; ~ *de sondar* peilstok; 2 staf (*teken van waardigheid*); *tener* ~ *alta* veel in de melk te brokkelen hebben; 3 el (*0,83 m*); 4 piek (*van picador*)
varadero scheepshelling (*op het strand, voor reparatie*)
varapalo uitbrander
varar I *intr* stranden, vastlopen (*ook fig*); *quedar varado* (*mbt plan*) stranden; II *tr* (*schip*) op het strand trekken
varazo klap met stok; **varear** 1 (*met een stok*) uit de boom slaan (*vnl olijven*); 2 (*matras met een stok*) opkloppen; 3 (*een stier*) slaan, steken; **vareo** (het) uit de bomen slaan (*van vruchten*); **vareta**: *punto* ~ stokje (*in haakwerk*); **varetazo** zijdelingse hoornstoot (*van stier*)
Vargas: *averígüelo* ~ kom daar maar eens achter
vargueño *zie bargueño*
variabilidad *v* veranderlijkheid; **variable** I *bn* veranderlijk, variabel, wisselend, wisselvallig; II *v* (*wisk*) variabele; **variación** *v* afwisseling; variatie; *en la* ~ *está el gusto* verandering van spijs doet eten; **variado** afwisselend, gemengd; **variante** I *bn* wisselend, veranderlijk; II *zn* 1 *v* variant; alternatief; III *mmv* borrelhapjes, zoetzuur; **variar í** veranderen, afwisselen, variëren; *para* ~ voor de verandering

varice, várice *v* spatader
varicela waterpokken
variedad 1 variëteit, verscheidenheid; keur; 2 *~es* variété; **varietés** *vmv* variété
varilla staaf, roetje (*bv van gordijn*), balein (*van waaier, paraplu*); *~ de medición, ~ de sondear* peilstok (*in auto*); *~ de soldadura* lasstaaf; *~ de visillo* gordijnroede; *~ de zahorí* wichelroede; **varillaje** *m* (de) baleinen
vario verschillend, verscheiden
varita stokje; *~ mágica, ~ de las virtudes* toverstokje; *~ de mimbre* (wilge)teen, twijg
variz *v; zie varice*
varón *m* man; (*hijo*) ~ kind vh mannelijk geslacht, zoon; *santo ~* een heel goed mens; **varonil** mannelijk
Varsovia Warschau; **varsoviano** uit Warschau
vasallaje *m* 1 (*hist*) vazalschap; 2 leenrecht; **vasallo** vazal, leenman
vasar *m* (*ingebouwd*) bordenrek, keukenkast
vasco, -a I *bn* Baskisch; *el país ~* Baskenland; II *zn* 1 Bask(ische); 2 *m* (het) Baskisch; **vascófilo** Baskofiel; **vascón, -ona** (*hist*) Baskisch; **vascongado** I *bn* Baskisch; II *zn* (het) Baskisch; **Vascongado**: *las -as* Baskenland; **vascuence** *m* (het) Baskisch
vascular vd bloedvaten; *enfermedad ~* vaatziekte
vaselina vaseline
vasija pot, stopfles
vaso 1 glas (*zonder voet*); vaas; *~s comunicantes* communicerende vaten; *~ graduado* maatbeker, maatglas; *un ~ de mermelada* een pot jam; *chocar los ~s* klinken; 2 (*anat*) vat; *~s capilares* haarvaten; *~ sanguíneo* bloedvat; **vasodilatador, -ora** I *bn* vaatverwijdend; II *m* vaatverwijdend middel
vástago 1 loot, scheut; steel; 2 spruit, telg; 3 staafje; *~ del émbolo* zuigerstang
vastedad *v* weidsheid; **vasto** groot, omvangrijk, uitgestrekt, veelomvattend
vaticano vh Vaticaan; **Vaticano**: *el ~* het Vaticaan
vaticinador, -ora voorspellend; **vaticinar** voorspellen; **vaticinio** voorspelling
vatio watt
vaya *zie ir*
Vd. *Usted* u
ve 1 *zie v*; 2 *zie ir*; 3 *zie ver*; **véase** *zie ver*
vecinal vd buurt; vd gemeente; *camino ~* landweg; **vecindad** *v* 1 (het) woonachtig zijn; 2 nabuurschap; 3 buurt; 4 (*Am*) (*casa de*) ~ huurkazerne; **vecindario** (de) buurtbewoners; **vecino, -a** I *bn* 1 naburig, nabij, omliggend; belendend; *país ~* buurland; 2 (*fig*) verwant, dicht bij elkaar liggend; II *zn* 1 buur(man, -vrouw); iem uit de buurt; *los ~s* de omwonenden; *~ de enfrente* overbuur; 2 bewoner, bewoonster; inwoner, inwoonster
vector *m* 1 vector; 2 drager (*van ziekte*); *~ de virus* virusdrager, smetstofdrager
veda (*tijdelijk*) visverbod; (*tijdelijk*) jachtverbod; **vedado** I *bn* verboden; II *zn* verboden gebied (*voor jacht of visserij*); **vedar** verbieden
vedette *v* vedette
veedor *m* (*hist*) inspecteur
vega (*vruchtbare*) vlakte, vega; *~ del Nilo* Nijldal
vegetación *v* vegetatie, plantengroei; *~ arbórea* boomgroei; **vegetal** plantaardig; *grasa ~* plantaardig vet; **vegetar** 1 vegeteren; 2 (*mbt plant*) groeien; **vegetarianismo** vegetarisme; **vegetariano, -a** I *bn* vegetarisch; II *zn* vegetariër; **vegetativo** 1 de groei bevorderend; 2 vegetatief
veguero I *bn* vd vega; II *zn* bep soort sigaar
vehemencia heftigheid; **vehemente** fel, heftig, hevig; (*Belg*) hoogoplopend
vehículo 1 voertuig; *~ anfibio* amfibievoertuig; *~ automotor* motorrijtuig; *~ desvencijado* rammelkast; *~ espacial* ruimtevoertuig; 2 (*fig*) overbrenger; 3 bindmiddel (*voor verf*)
veiforme V-vormig
veintavo *zie vigésimo*; **veinte** twintig; *el ~* de twintigste (*vd maand*); **veinteavo** twintigste deel; **veintena** twintigtal; **veinticinco** vijfentwintig; **veinticuatro** vierentwintig; **veintidós** tweeëntwintig; **veintinueve** negenentwintig; **veintiocho** achtentwintig; **veintiséis** zesentwintig; **veintisiete** zevenentwintig; **veintitantos, -as** de twintigste en nog wat; *tiene ~ años* hij is in de twintig; **veintitrés** drieëntwintig; **veintiún** *zie veintiuno*; **veintiuno** (*voor mnl zn: veintiún*) eenentwintig; *-a pesetas* 21 peseta
vejación *v* kwelling, getreiter; *-ones sexuales* ongewenste intimiteiten; **vejamen** *m; zie vejación*
vejancón, -ona (*neg*) ouwe
vejar kwetsen, kwellen
vejarrón, -ona (*neg*) ouwe
vejatorio kwetsend
vejestorio (*fam*) ouwe knar; **vejete** *m* (*v soms -eta*) oud mannetje, oudje; **vejez** *v* ouderdom, oude dag
vejiga 1 blaas; *~ de cerdo* varkensblaas; 2 blaasje, bobbel, blaar; **vejiguilla** blaar
1 vela 1 (het) waken, wake; slapeloosheid; *estar en ~* niet kunnen slapen; *noche en ~* slapeloze nacht; *tener en ~* uit de slaap houden; 2 kaars; *~ de cera* waskaars; *~ de sebo* vetkaars; *como una ~* kaarsrecht; *encenderle una ~ a San Miguel y otra al diablo* van twee walletjes eten; *estar a dos ~s* op zwart zaad zitten; *¿quién te ha dado ~ en este entierro?* wat heb jij hiermee te maken?
2 vela zeil; *~ mayor* grootzeil; *a ~s desplegadas, a toda ~* met volle zeilen; *actuar a toda ~* alle zeilen bijzetten; *dar ~, hacerse a la ~* onder zeil gaan, afvaren; *izar las ~s* de zeilen hijsen; *recoger ~s* bakzeil halen, inbinden
velación *v* (het) waken, wake
velada (*gezellig*) avondje, soirée, bijeenkomst
velado gesluierd, bedekt; omfloerst; *en términos ~s* in bedekte termen

velador *m* rond salontafeltje; bijzettafeltje
velamen *m* (de) zeilen
velar I *tr* 1 (ver)sluieren, verhullen; 2 waken bij; *~ al enfermo* waken bij de zieke; II *intr* waken; wakker blijven; *~ por* waken over, waken voor; III *bn* (*mbt klank*) vh zachte verhemelte, velaar; **velatorio** dodenwake
veleidad *v* wisselvalligheid, grilligheid, wispelturigheid; **veleidoso** wispelturig
velero I *bn* met zeilen; *barco ~* zeilboot; II *zn* zeilboot
veleta 1 windwijzer; 2 (*fig*) draaitol, wispelturig iem; *ser una ~* met alle winden meedraaien; 3 dobber
velillo dunne sluier, voile
vello 1 (lichaams)beharing; *~ del pecho* borsthaar; 2 haartjes (*op planten*); **vellocino**: *~ de oro* gulden vlies
1 vellón *m* vacht (*vnl van schaap*)
2 vellón *m* (*hist*) koperen munt
vellosidad *v* harigheid; **velloso** harig, behaard; **velludillo** soort fluweel; **velludo** dicht behaard
velo 1 sluier, voile; waas; *~ nupcial* bruidssluier; *correr el ~, descorrer el ~* iets onthullen; *correr un tupido ~ sobre u.c.* ergens verder over zwijgen; *tomar el ~* in een klooster gaan; 2 verhulling, voorwendsel || *~ del paladar* verhemelte
velocidad *v* 1 snelheid, vaart; *~ de la circulación* omloopsnelheid (*van geld*); *~ de crucero* kruissnelheid; *~ de marcha* rijsnelheid; *~ máxima* maximum snelheid; *~ media* gemiddelde snelheid; *~ de paso* doorstroomsnelheid; *~ récord* recordsnelheid; *~ de rotación* omwentelingssnelheid; *a una ~ de* met een snelheid van; *a gran ~* met grote snelheid; *a toda ~* ijlings; *aminorar la ~, reducir la ~* vaart minderen, inhouden; *excederse en ~* veel te hard rijden; *ganar ~* op gang komen; (*mercancías en*) *pequeña ~* vrachtgoed; 2 versnelling; *~es al volante* stuurversnelling; *caja de ~es* versnellingsbak; *cambiar a una ~ inferior* terugschakelen; *primera ~* eerste versnelling; **velocímetro** snelheidsmeter
velocípedo (*hist*) velocipède; **velocista** *m,v* (*sp*) hardloper
velódromo wielerbaan
velomotor *m* fiets met hulpmotor, bromfiets
velón *m* grote staande olielamp
velorio (doden)wake
veloz snel, gezwind
vena 1 ader (*ook geol*); *~ coronaria* hartader; *~ del cuello, ~ yugular* halsader; *~ de oro* goudader; 2 nerf (*van blad, in hout*); 3 vlaag, bevlieging; stemming, humeur; *~s de loco* rare bevliegingen; *~ poética* dichterlijke inspiratie; *coger de ~ a u.p.* iem in een goede bui treffen, iem op het goede moment aanschieten; *le dio la ~* hij kreeg het in zijn bol; *si le da la ~ por…* als hij in de stemming is voor…; *estar en ~* in de stemming zijn; *si está de ~* als hij in een goede bui is
venablo werpspies; *echar ~s* tekeergaan, vuur spuwen
venado 1 hert; 2 groot wild || *pintar el ~* (*Am*) spijbelen
1 venal 1 omkoopbaar; 2 te koop, verkoopbaar
2 venal vd aderen
venalidad *v* omkoopbaarheid
venático (*fam*) gek, getikt, maniakaal
venatorio vd jacht
vencedor, -ora overwinnaar, -winnares
vencejo gierzwaluw
vencer I *tr* overwinnen; het winnen van; overmeesteren, doen bezwijken; (*verzet*) breken; te boven komen; *dejarse ~* zich laten ontmoedigen; *no dejarse ~ por el sueño* (*met opzet*) wakker blijven; II *intr* 1 (*mbt termijn*) vervallen, aflopen, verstrijken; 2 betaalbaar zijn; **vencible** te overwinnen; **vencido** 1 overwonnen; *~ por el sueño* door slaap overmand; *darse por ~* zich gewonnen geven; *ir de -a* afnemen; *va de -a* het ergste is achter de rug; 2 betaalbaar; vervallen; *intereses ~s* vervallen rente; *pagar por meses ~s* aan het eind van iedere maand betalen
vencilla heveltje om wijn te proeven
vencimiento 1 (het) begeven; 2 afloop, (het) vervallen (*van termijn*); *antes, en su ~, o después* voor, na of op de vervaldatum; (*fecha de*) *~* vervaldag
venda verband; zwachtel; *~ de gasa* verbandgaas; **vendaje** *m* verband; *~ enyesado* gipsverband; **vendar** verbinden; omzwachtelen; *~ los ojos* blinddoeken; (*con*) *la cabeza vendada* met zijn hoofd in het verband
vendaval *m* harde wind; (*fig*) orkaan
vendedor, -ora I *zn* verkoper, verkoopster; *~ ambulante* straatvent(st)er, marskramer; *~ de pollos* poelier; II *bn* verkopend; *campaña -ora* verkoopcampagne; **vender** 1 verkopen, (*goederen*) afzetten; omzetten; *~ al mejor postor* bij opbod verkopen; *~ en subasta* veilen; 2 verraden; **venderse** 1 zich verkopen; de zaak verraden, overlopen; *~ caro* zuinig zijn met zijn gunsten, weinig toeschietelijk zijn; 2 verkocht worden, van de hand gaan
vendetta bloedwraak, vendetta
vendí *m* verkoopbewijs; **vendible** verkoopbaar; **vendido** 1 verkocht; 2 bekocht; verraden
vendimia druivenoogst; **vendimiador, -ora** druivenplukker, -plukster; **vendimiar** 1 druiven plukken; 2 zijn slag slaan; 3 (*neg*) de vruchten plukken van
Venecia Venetië; **veneciano** uit Venetië
veneno gif, vergif; venijn; *~ de serpiente* slangegif; **venenosidad** *v* giftigheid; **venenoso** (ver)giftig; venijnig
venera Sint-Jakobsschelp
venerable eerbiedwaardig; **veneración** *v* verering; **venerar** vereren
venéreo: *enfermedad -a* geslachtsziekte

venero 1 (erts)ader, laag; 2 bron (*ook fig*); 3 herkomst
venezolano Venezolaans
vengable te wreken; **vengador, -ora** wreker, wreekster; **venganza** wraak(neming), vergelding; *clamar ~, pedir ~ a gritos* schreeuwen om wraak; **vengar** wreken; **vengarse** 1 ~ (*de, por*) zich wreken (voor); 2 ~ (*en, de*) wraak nemen (op); **vengativo** wraakzuchtig, wraakgierig; *ánimo ~* wraakzucht
vengo *zie venir*
venia 1 instemming, toestemming; 2 vergeving
venial (*mbt zonde, schuld*) licht, niet ernstig, vergeeflijk; **venialidad** *v* vergeeflijkheid
venida komst; **venidero** komend, toekomstig
venilla adertje
venir 1 komen; (*mbt idee*) opkomen; *~ en busca de* komen halen; *~ con* meekomen met; *vino contento* hij was vrolijk (*bij aankomst*); *~ dado de* voortkomen uit; *~ encima* te wachten staan, boven het hoofd hangen; *~ hacia* afkomen op; *~le* (*pop, seks*) klaarkomen; *~ al mundo* ter wereld komen; *~ por* komen halen; *~ del siglo XVIII* uit de 18e eeuw stammen; *~ sobre* afkomen op, overvallen; *venía triste* hij was bedroefd (*terwijl hij liep, reed*); *~ a ver* komen opzoeken; *el que venga detrás que arree* de volgende moet zelf maar zien, na ons de zondvloed; *el mes que viene* komende maand; *primero viene el trabajo* het werk gaat voor; *en lo por ~* in de toekomst; *todo viene en el periódico* het staat allemaal in de krant; 2 (*mbt kleding*) passen, zitten, zijn; uitkomen; *~ ancho, ~ grande: a*) slobberen, ruim zitten; *b*) (*mbt taak*) te zwaar zijn; *le viene ancho el empleo* hij is niet op zijn taak berekend; *~ bien* goed staan, goed passen, goed uitkomen; *~ mal* slecht passen, slecht uitkomen; *me viene mejor eso* dat komt mij beter uit; *~ de primera* uitstekend uitkomen; *el traje le viene pequeño* het pak zit hem krap; 3 *~ de* voortkomen uit; 4 *~ a + onbep w drukt uit: a*) wel ongeveer; *viene a ganar fls 100* hij zal zo'n f 100 verdienen; *~ a ser* neerkomen op, uiteindelijk zijn, ongeveer zijn; *viene a ser lo mismo* het komt op hetzelfde neer; *b*) achteloos, leukweg, uiteindelijk, zelfs; *vino a decir* hij zei heel rustig; *~ a parar* belanden, terechtkomen; *he venido a saber que* ik ben (zelfs) te weten gekomen dat; *c*) dienen om, komen; *esta medida viene a llenar un vacío* deze maatregel zal in een leemte voorzien || *¡venga!* geef op!; *¡vengan esos cinco!* geef me de vijf!; *~ a buenas* zich schikken; *~ a menos* achteruitgaan, aan lager wal raken, verkrotten, in de versukkeling raken; *viene rodado* het gaat vanzelf, het komt mooi van pas; *¿a qué viene...?* waarom nu plotseling...?, wat heeft het voor zin...?; *sin ~ a nada* zonder enige reden; **venirse** (*vanaf bep plaats*) komen; *~ abajo* omvallen, instorten (*ook fig*), de mist in gaan; *~ con* (*neg*) komen aanzetten met; *~ encima: a*) overvallen; *b*) (*fig*) terneerslaan
venoso 1 vd ader(en); 2 met aderen, met nerven
venta 1 verkoop; aftrek; *~ ambulante* straatverkoop; *~ anticipada* voorverkoop; *~ de billetes* kaartverkoop; *~ condicionada* koppelverkoop; *~ de fin de temporada* opruiming; *~ forzosa* dwangverkoop; *~ judicial* gerechtelijke verkoop; *~-locación* huurkoop; *~ de localidades* (*theat*) kaartverkoop; *~ al por menor* detailverkoop; *~ posbalance* balansopruiming; *~ pública* openbare verkoping; *de ~ aquí* hier verkrijgbaar; *de fácil ~* goed verkoopbaar; *en ~* te koop; *le hicieron la ~ de la burra ciega* hij heeft een kat in de zak gekocht; *ofrecer en ~* te koop aanbieden; *poner a la ~, poner en ~* in de handel brengen, te koop zetten; *los productos de mayor ~* de meest verkochte produkten; *realizar una ~* een verkoop tot stand brengen; 2 herberg
ventada windvlaag
ventaja voordeel; voorsprong; pluspunt; *dar ~* een voorsprong geven; *hay ~ en* het is voordelig om; *llevar ~ a u.p.* een voorsprong hebben op iem, in het voordeel zijn ten opzichte van iem; *para mutua ~* tot wederzijds voordeel; *sacar ~ de* zijn voordeel doen met; *tener ~ (sobre)* (*iets*) voor hebben (op); **ventajista** *m,v* (*neg*) iem die op voordeel uit is; **ventajoso** voordelig, gunstig; *ser ~* tot voordeel strekken
ventana 1 raam, venster; *~ arqueada* boogvenster; *~ corredera, ~ corrediza* schuifraam (*heen en weer*); *~ enrejada, ~ con reja* tralievenster; *~ de vidrios emplomados* glas-in-lood raam, (*Belg*) brandraam; *~ levadiza* schuifraam (*op en neer*); *~ rebatible* tuimelraam; *echar por la ~* over de balk gooien; 2 opening; *~ de la nariz* neusgat; **ventanal** *m* groot raam, kerkraam; **ventanilla** 1 raampje (*bv in trein*); *sobre con ~* vensterenvelop; 2 loket; 3 neusgat
ventarrón *m* harde wind; **ventear** 1 (*geur*) opsnuiven; (*fig*) lucht krijgen van; 2 luchten; 3 (*fig*) ventileren
ventero, -a herbergier(ster)
ventilación *v* 1 ventilatie; 2 luchtgat; **ventilado** geventileerd; *mal ~* bedompt, benauwd; **ventilador** *m* ventilator; **ventilar** 1 ventileren; 2 luchten; 3 (*fig*) laten uitlekken, spuien; 4 bespreken; **ventilarse** 1 gelucht worden; 2 besproken worden; 3 een frisse neus halen; 4 (*pop*) doden; 5 (*pop*) neuken
ventisca sneeuwjacht; **ventiscar, ventisquear** sneeuwen en hard waaien; **ventisquero** 1 hoge plek in de bergen, blootgesteld aan sneeuwjachten; 2 sneeuwjacht; 3 (plek met) eeuwige sneeuw
ventolera 1 windvlaag; 2 bevlieging; *le dio la ~ de* hij kreeg de bevlieging om
ventosa 1 ventilatieopening, ontluchter; 2 (*med*) zuignap; **ventosear** winden laten; **ventosidad** *v* 1 (*med*) winderigheid; 2 winden;
ventoso (*mbt weer; med*) winderig

ventral vd buik
ventrículo (*anat*) holte; ~ *del corazón* hartkamer; ~ *de la laringe* keelholte
ventrílocuo, -a buikspreker; **ventriloquia** (het) buikspreken
ventrudo buikig
ventura geluk, voorspoed; ~ *te dé Dios* (*que el saber poco te basta*) geluk is het belangrijkste in de wereld; *a la* (*buena*) ~ op goed geluk; *buena* ~ geluk; *decir la buena* ~ waarzeggen; *mala* ~ pech, ongeluk; *por* ~: *a*) gelukkig; *b*) misschien; **venturoso** gelukkig, voorspoedig
ver I *ww* 1 zien; bezien; kijken; *verá Ud...*. u moet weten..., tja..., kijk...; *véase* zie (aldaar); *véase más abajo* zie hieronder; *¿lo ves?* zie je (nou) wel?; *lo veía muy claro* het stond hem duidelijk voor de geest; *lo veo difícil* ik heb er een hard hoofd in; ~ *la televisión* (naar de) tv kijken; ~ *venir u.c.* iets zien aankomen; *a* ~ eens even kijken, vertel maar, kom op; *dejar* ~ laten zien, laten doorschemeren; *déjame* ~ laat me eens zien, doe me eens voor; *estar viendo u.c.* het voor zich zien, een sterk vermoeden hebben; *¿estás viendo?* zie je nou wel?; *lo estaba viendo* ik zag het al aankomen; *está mal visto* dat hoort niet, dat staat niet netjes; *habrá que* ~*lo, hay que* ~*lo, eso está por* ~ dat moeten we afwachten, dat valt nog te bezien; *¡habráse visto!* heb je ooit!; *hacer* ~: *a*) laten zien; *b*) doen 'voorkomen; *ir a* ~ *al médico* naar de dokter gaan; *vamos a* ~ laten we eens zien; *ni visto ni oído* in een oogwenk, voor je 't weet; *no hay más que* ~*lo* het is overduidelijk; *no poder* ~ *a u.p.* iem niet kunnen luchten of zien; *no lo puedo* ~ ik kan het niet aanzien; *nunca visto* ongehoord; *para que veas*... nou zie je eens...; *por lo que se ve* naar het schijnt; *se ve que* het is duidelijk dat; *es de* ~ het is de moeite waard; *si te he visto no me acuerdo* ondank is 's werelds loon; *y que lo veamos todos* en mogen we het allen meemaken; *¡ya verás!* je zult het nog zien!, ik krijg je nog wel!; *ya veremos, allá veremos* we zullen wel zien, we zien nog wel; *ya se verá* het zal nog blijken; 2 (*jur*) behandelen; 3 snappen; *ya veo* nu snap ik het; 4 ~ *de* proberen || ~*las venir* de zaak eens aanzien, de kat uit de boom kijken; ~*le venir* iem doorhebben; *tener que* ~ *con* te maken hebben met; II *m* uiterlijk; *de buen* ~ knap (*om te zien*); *de mal* ~ onooglijk; *estar de buen* ~ er goed uitzien (*bv voor zijn leeftijd*); **verse** 1 elkaar zien; *nos veremos* ik zie je nog wel; 2 eruit zien; *se* (*le*) *veía pálido* hij zag bleek; 3 ~ (+ *bn*), ~ (+ *volt dw*) zijn; *se vio obligado a* hij was genoodzaakt om; 4 (*jur*) dienen, 'voorkomen; *la causa se ve el lunes* de zaak komt maandag voor; 5 ~ *en* verzeild raken in; *me he visto en peores* ik heb wel voor heter vuren gestaan || ~ *y desearse* ergens de grootste moeite mee hebben
vera kant, rand, zijde
veracidad *v* geloofwaardigheid
veracruzano uit Veracruz (*Mexico*)
veranda veranda; gaanderij
veraneante *m,v* vakantieganger, zomergasten; **veranear** de zomervakantie doorbrengen; **veraneo** zomervakantie; *ir de* ~ met (zomer)vakantie gaan; **veraniego** zomers; *ir muy* ~ er heel zomers uitzien; *vestido* ~ zomerjurk; **veranillo**: ~ *de San Martín* warme herfstdagen; **verano** zomer; *en* ~ 's zomers
veras: *de* ~ werkelijk, echt; *ahora va de* ~ nu wordt het menens
veraz geloofwaardig, betrouwbaar
verbal 1 mondeling; *confusión* ~ spraakverwarring; 2 (*gramm*) werkwoordelijk, vh werkwoord; *predicado* ~ werkwoordelijk gezegde; **verbalmente** mondeling
verbena 1 (*plantk*) verbena; 2 avondkermis; **verbenero** kermis-
verbigracia bijvoorbeeld
verbo 1 werkwoord; ~ *auxiliar* hulpwerkwoord; ~ *copulativo* koppelwerkwoord; ~ *irregular* onregelmatig werkwoord; 2 (*godsd*) woord; **verborrea** woordenvloed; **verbosidad** *v* breedsprakigheid, omhaal (van woorden); **verboso** breeksprakig
verdad *v* waarheid; *¿~?* nietwaar?, hè?; *la* ~ echt waar; ~ *que,* (*bien*) *es* ~ *que, la* ~ *es que* het is waar dat, weliswaar; *¿~ que sí?* dat is toch zo?; *una* ~ *a medias* een halve waarheid; *una* ~ *como un templo, una* ~ *como un puño, una* ~ *de Perogrullo* een waarheid als een koe; *a decir* ~ eerlijk gezegd, om de waarheid te zeggen, eigenlijk; *de* ~ echt (waar); *de acuerdo a la* ~ naar waarheid; *decir la* ~ de waarheid spreken; *decirle a u.p. las* ~*es del barquero* iem zeggen waar het op staat; *decir a u.p. cuatro* ~*es* iem flink de waarheid zeggen; *en* ~: *a*) eigenlijk; *b*) echt waar; *faltar a la* ~ de waarheid tekort doen; *la pura* ~ de zuivere waarheid; *es* ~ het is waar; *¿es ~?* is dat zo?; **verdaderamente** bepaald, echt, waarachtig; **verdadero** waar, werkelijk, echt; eigenlijk
verde I *bn* 1 groen; vers; 2 (*mbt mop*) schuin; *chiste* ~ schuine mop; *un viejo* ~ (*fig*) een oude bok, ouwe snoeper; 3 onrijp || *poner* ~ *a u.p.* iem de mantel uitvegen, iem uitkafferen; *ponerse* ~ zich blauw ergeren; II *m* 1 (het) groen; ~ *aceituna* olijfgroen; ~ *azulado* blauwgroen; ~ *mar* zeegroen; ~ *oliva* olijfgroen; 2 groen gras || *darse un* ~ *de* zich te goed doen aan; **verdear** groen worden, groen zijn
verderol *m* 1 sijsje; 2 bep kleine mossel; **verderón** *m; zie verderol*
verdín *m* 1 groene aanslag, algen; 2 kopergroen; 3 lichtgroen
verdolaga soort postelein
verdor *m* (het) groen; (*fig*) kracht, jeugd; **verdoso** groenachtig
verdugo 1 scherprechter, beul; 2 zweep(slag); 3 striem
verdulera 1 groenteverkoopster; 2 (*fig*) viswijf; **verdulería** groentewinkel; **verdulero**

groenteman; **verdura** 1 (*ook mv*) (*groene*) groente, bladgroente; *~s crudas* rauwkost; 2 groene kleur
verecundo beschroomd, verlegen
vereda paadje; ~ *enlosada* tegelpad; *entrar en ~* in het gareel komen; *hacer entrar en ~* in het gareel brengen
veredicto uitspraak (*van jury*); oordeel
verga 1 penis, roede; 2 ra; **vergajo** bullepees
vergel *m* (*lit*) tuin, boomgaard
vergonzante beschamend; **vergonzoso** 1 schandelijk, schandalig; 2 gauw beschaamd, schroomvallig; **vergüenza** 1 schaamte; ~ *ajena* plaatsvervangende schaamte; *me dan ~ esas palabras* ik schaam mij voor die woorden; *¿no te da ~ marcharte así?* schaam je je niet zo weg te lopen?; *pasar ~* zich schamen; *sentir ~* (*de*) zich beschaamd voelen (over), zich generen (om); 2 schande, blamage, aanfluiting; *es una ~: a*) het is een schande; *b*) het is gemeen; *para ~ suya* tot zijn schande
vericueto 1 steil kronkelpad; 2 complicatie, verwikkeling
verídico geloofwaardig; waarheidsgetrouw
verificación *v* (het) nagaan, verificatie; **verificar** 1 nagaan, verifiëren; natrekken, narekenen; 2 uitvoeren; **verificarse** 1 plaatsvinden; 2 (*mbt voorspelling*) uitkomen
verja hek; ~ *de batiente* klaphek
vermicida *m* wormverdrijvend middel; **vermicular** wormvormig; **vermífugo** *zie vermicida*
vermú *m; zie vermut*; **vermut** *m, mv vermús* vermouth
vernáculo inheems, vh land; *lengua -a* landstaal
vernier *m* schuifmaat
verónica bep beweging met cape in stieregevecht
verosímil waarschijnlijk, geloofwaardig, aannemelijk; **verosimilitud** *v* waarschijnlijkheid, aannemelijkheid
verraco mannetjesvarken, beer; **verraquear** (*mbt baby*) krijsen
verruga wrat; **verrugoso** vol wratten
versado (*en*) bedreven (in), ervaren (in), geroutineerd, vertrouwd (met), doorkneed (in), goed thuis (in)
versal: (*letra*) ~ *v* hoofdletter; **versalita**: (*letra*) ~ klein formaat hoofdletter (*in druk*)
versallesco 1 uit Versailles; 2 hoffelijk, hoofs
versar 1 draaien; 2 ~ *sobre* gaan over (*een onderwerp*); **versatibilidad** *v* veranderlijkheid; flexibiliteit; **versátil** 1 veranderlijk, onstandvastig; 2 makkelijk draaibaar; flexibel
versículo vers (*van bijbeltekst*), alinea
versificación *v* versificatie; versbouw; verskunst; **versificar** I *intr* verzen maken; II *tr* versvorm geven aan, in versvorm zetten
versión *v* 1 versie, interpretatie, lezing; opvatting; uitvoering; ~ *original* (*afk v.o.*) (*mbt film*) niet nagesynchroniseerd; 2 vertaling
verso 1 vers(regel); gedicht; ~ *de arte mayor* (*Sp*) vers met tien of meer lettergrepen; ~ *de arte menor* (*Sp*) vers met hoogstens acht lettergrepen; ~ *libre* vrij vers; *~s pareados* twee regels met volrijm; ~ *quebrado* korte versregel (*afgewisseld met lange*); ~ *suelto* regel die met geen andere rijmt, blank vers; *hacer ~s* dichten; 2 verskunst, poëzie; 3 achterkant (*van vel folio*), verso
vértebra (rug)wervel; ~ *cervical* halswervel; **vertebrado** I *bn* gewerveld; II *mmv: ~s* gewervelde dieren; **vertebral** wervel-; *columna ~* wervelkolom
vertedero 1 vuilnisbelt, (vuilnis)stortplaats; 2 stortbak (*van baggermolen*); **vertedor** *m* afvoergoot, afvoerbuis; **verter ie** I *tr* 1 gieten, schenken; storten; (*tranen*) vergieten; *hormigón de ~* stortbeton; 2 morsen, omgooien; 3 ~ *a* vertalen in, overzetten in; II *intr* ~ *a* uitstromen in, afwateren in
vertical I *bn* verticaal, loodrecht; *las partes ~es* (*techn*) de staande delen; II *v* loodlijn; **verticalidad** *v* loodrechte stand
vértice *m* top
vertido lozing (*van gif*)
vertiente *v* 1 helling, schuinte (*van gebergte, van dak*); *techo a dos ~s* zadeldak; 2 aspect
vertiginoso duizelingwekkend; **vértigo** duizeling; ~ *de las alturas* hoogtevrees; *dar ~* duizelig maken; *sin sentir ~* zonder duizelig te worden
vesania razende woede; **vesánico** furieus, razend; waanzinnig
vesical vd blaas; **vesicante** blaartrekkend; **vesícula** blaas; blaar; ~ *biliar* galblaas; ~ *de sangre* bloedblaar; ~ *seminal* (*plantk*) zaadblaasje
vespertino avondlijk, avond-; (*periódico*) ~ avondblad
vestal *v* Vestaalse maagd
vestíbulo hal, vestibule; (*in hotel*) lounge
vestido I *bn* 1 ~ (*de*) gekleed (in); ~ *y todo* met kleren en al; 2 gestoffeerd; II *zn* 1 jurk, japon; ~ *de noche* avondjurk; ~ *de novia* bruidsjapon; ~ *de playa* zonnejurk; ~ *veraniego* zomerjurk; *transformar un ~* een jurk veranderen; 2 (*ook mv*) (boven)kleding; **vestidura** gewaad; *~s sacerdotales* priestergewaad; *rasgarse las ~s* (overdreven) aanstoot nemen, groot misbaar maken
vestigio spoor, afdruk; *~s* tekenen, sporen
vestimenta kledij, garderobe; ~ *adecuada* gepaste kleding; **vestir i** I *tr* 1 (aan)kleden; *vísteme despacio que tengo prisa* haastige spoed is zelden goed; 2 bekleden, overtrekken; 3 bedekken; II *intr* zich kleden; ~ *bien* zich goed kleden; ~ *de* zich kleden in; ~ *de luto* in de rouw zijn, rouwkleding dragen; ~ *mal* zich slecht kleden; *cuarto de ~* kleedkamer; *siempre viste de negro* hij is altijd in het zwart; **vestirse i** 1 zich aankleden; ~ *de limpio* zich verschonen; 2 ~ *de* bedekt raken met; **vestuario** 1 (de) kleren, garderobe; 2 kleedkamer

veta 1 streep; 2 (metaal)ader; ~ *de oro* goudader
vetar het veto uitspreken
vete *zie irse*
veteado (*de*) dooraderd (met); (*mbt hout*) gevlamd
veteranía (het) veteraan zijn; **veterano, -a** I *bn* doorgewinterd, ervaren; II *zn* veteraan, oudgediende
veterinaria 1 diergeneeskunde; 2 (*vrl*) dierenarts, veearts; **veterinario** dierenarts, veearts
veto veto; *poner el ~ a* het veto uitspreken over
vetustez *v* ouderdom; **vetusto** zeer oud
vez *v* 1 keer, maal; *una ~* eens; *unas* (*cuantas*) *veces* een paar keer; *una ~ en casa…* eenmaal thuis…; *una ~ fijado el precio* als de prijs eenmaal is vastgesteld; *una ~ más* nog eens, weer; *una ~…otra ~* nu eens…dan weer; *una ~ u otra* vroeg of laat; *una ~ y otra, una y otra ~* herhaaldelijk, telkens, uit-en-te-na; *a veces* soms; *a la ~* tegelijk; *alguna* (*que otra*) *~* een enkele keer; *algunas veces* soms; *cada ~* telkens; *cada ~ más* steeds meer; *cada ~ que* telkens als; *de una ~* in één klap, in één adem; *de ~ en cuando, de ~ en ~* af en toe; *de una ~ por todas* dat is eens en nooit weer; *había una ~* er was eens; *unas veces…, otras veces* nu eens…, dan weer; *más de una ~* meer dan eens; *muchas veces* vaak; *muy de ~ en cuando* een heel enkele keer; *ninguna ~* geen enkele keer; *otra ~* nog eens, weer; *pocas veces* zelden; *por esta ~* voor deze keer; *por primera ~* voor het eerst; *por una* (*sola*) *~* voor één keer; *por última ~* voor het laatst; *quien da primero da dos veces* de eerste klap is een daalder waard; *rara ~, raras veces* zelden; *repetidas veces* keer op keer; *una sola ~* één (enkele) keer; *una suma de una ~* een bedrag ineens; *tal ~* misschien; *tres veces mayor* drie maal zo groot; 2 beurt; *a su ~* op zijn beurt, op uw beurt; *dejar la ~ a u.p.* iem laten voorgaan; *en ~ de* in plaats van; *esperar ~* op zijn beurt wachten; *pedir ~* vragen na wie men aan de beurt is; *le toca su ~* u bent aan de beurt || *hacer* (*las*) *veces de* dienst doen als
vía I *zn* 1 weg; (rij)baan; rijstrook; ~ *de acceso* toegangsweg; ~ *de apremio* (*jur*) dwangprocedure; ~ *de comunicación* verbindingsweg; ~ *ejecutiva* (*jur*) (reële) executie, inbeslagneming; ~ *fluvial* waterweg; ~ *lateral,* ~ *de servicio* ventweg; ~ *peatonal* voetpad; ~ *pública* openbare weg; *~s respiratorias* luchtwegen; *a ~ de, por ~ de* bij wijze van; *en ~s de realización* in uitvoering; *por ~ oficial* langs officiële weg; 2 (spoor)baan; ~ *ancha* breedspoor; ~ *doble* dubbelspoor; ~ *estrecha* smalspoor; ~ *férrea* treinrails, spoor; ~ *muerta* (*fig*) dood spoor; ~ *del tranvía* tramrails; ~ *única* enkelspoor; *ancho de ~* spoorbreedte; *poner en ~ muerta* (*fig*) op een zijspoor zetten, uitrangeren; *salida de ~* ontsporing; 3 ~ *de agua* lek (*in boot*); II *vz* via; **Vía**: ~ *Láctea* Melkweg

viabilidad *v* 1 uitvoerbaarheid; bruikbaarheid; 2 levensvatbaarheid; **viable** 1 doenlijk, uitvoerbaar, mogelijk; 2 levensvatbaar
viacrucis *m* (*ook vía crucis m*) 1 kruisweg; 2 (*fig*) lijdensweg
viaducto viaduct
viajado (*fam*) bereisd; **viajante** *m* handelsreiziger; **viajar** 1 reizen, trekken; ~ *gratis* vrij reizen; 2 (*drugs*) trippen; **viaje** *m* 1 reis, tocht; ~ *de estudios* studiereis; ~ *de ida* enkele reis, heenreis; ~ *de negocios* zakenreis; ~ *de novios* huwelijksreis; ~ *de prueba* proefvaart, proefrit; ~ *de recreo* plezierreisje; ~ *de regreso,* ~ *de vuelta* terugreis, thuisreis; *¡buen ~!, ¡feliz ~!* goede reis!; *para ese viaje* (*no se necesitan alforjas*) daar heb je ook niet veel aan, dat is amper de moeite waard; 2 (*drugs*) trip; 3 (*pop*) messnee; *tirar ~s* erop inhakken; **viajero, -a** I *zn* reizig(st)er, passagier; II *bn* reizend, trekkend; *una cigüeña -a* een trekkende ooievaar
vial *zie viario*
vianda eetwaar, eten, voedsel; **viandante** *m,v* 1 reizig(st)er (*te voet*); 2 zwerver
viario vd weg; *red -a* wegennet
viático 1 reisgeld (*voor ambtenaar*); 2 viaticum, laatste sacramenten; 3 proviand
víbora 1 adder; 2 (*fig*) serpent
vibración *v* trilling; ~ *acústica,* ~ *sonora* geluidstrilling; **vibrado**: *hormigón ~* trilbeton; **vibráfono** vibrafoon; **vibrante** trillend, vibrerend; geestdriftig; **vibrar** I *intr* 1 trillen, vibreren; 2 ontroerd raken; II *tr* doen trillen; **vibrátil** trillend; **vibrato** (*muz*) vibrato; **vibratorio** trillend, vibrerend
viburno (*plantk*) sneeuwbal
vicaria 1 (*plantk*) soort maagdenpalm; 2 *zie vicario*; **vicaría** vicariaat; **vicario, -a** 1 plaatsvervang(st)er; 2 *m* vicaris; ~ *general* vicarisgeneraal; 3 *m* pastoor
vicealmirantazgo vice-admiraalschap; **vicealmirante** *m* vice-admiraal
vicecónsul *m,v* vice-consul
Vicente jongensnaam; *¿dónde va ~?… donde va la gente* de mens is een kuddedier
vicepresidente *m,v* vicepresident(e); ondervoorzitter; **vicerrector, -ora** conrector, -rectrix; **vicesecretario, -a** tweede secretaris
viceversa over en weer; *y ~* en omgekeerd
viciado 1 verdorven; 2 (*mbt atmosfeer*) benauwd, muf; **viciar** 1 verknoeien; (*zeden*) bederven; vervormen; 2 ongeldig maken, vervalsen; **viciarse** 1 het slechte pad opgaan, verloederen; 2 vervormd raken; kromtrekken; 3 (*mbt lucht*) muf worden; **vicio** ondeugd, slechte gewoonte; verslaafdheid (*aan drinken, roken*); ~ *de dicción* fout in het taalgebruik; ~ *de origen* basisfout; *de ~* zonder reden; *quejarse de ~* klagen uit gewoonte; **vicioso** 1 verdorven, liederlijk; 2 vicieus; *círculo ~* vicieuze cirkel; 3 fout, slecht, met fouten behept; 4 verwend; 5 weelderig; krachtig

vicisitud *v* 1 voorval; 2 *~es* wisselvalligheden, ups en downs, voor- en tegenspoed, wederwaardigheden
víctima slachtoffer; dupe; *~ de la guerra* oorlogsslachtoffer
victoria overwinning, zege(praal); *~ electoral* verkiezingsoverwinning; *~ pírrica* Pyrrusoverwinning; *~ resonante* glansrijke overwinning; *cantar ~* victorie kraaien; **victoriano** Victoriaans; **victorioso** winnend; *salir ~* winnen
vicuña vicuña (*soort grote lama*)
vid *v* wijnstok; *~ salvaje, ~ silvestre* wilde wingerd
vida 1 leven, bestaan; *~ afectiva* gevoelsleven; *~ airada* (leven vd) onderwereld; *~ arrastrada* hondeleven; *~ campesina* boerenleven; *~ de canónigo* een leven als een prins; *~ en común* (het) samenwonen; *~ conventual* kloosterleven; *~ conyugal* huwelijksleven; *~ cuartelera* kazerneleven; *una ~ digna* een behoorlijk bestaan; *la ~ eterna* het eeuwig leven; *~ en familia, ~ del hogar* huiselijk leven, gezinsleven; *~ de gran señor* herenleventje; *su ~ habitual* zijn gewone doen en laten; *~ interior* innerlijk leven; *~ marinera* zeemansleven; *¡~ mía!* schat!; *~ monástica* kloosterleven; *~ perra, ~ de perros* hondeleven; *~ privada* privéleven; *~ rural* landleven; *la ~ sube* het leven wordt duurder; *~ terrestre* aards bestaan; *~ urbana* stadsleven; *a ~ o a muerte* op leven en dood; *amargarle la ~ a u.p.* iem het leven zuur maken; *arrastrar su ~* (*mbt zieke*) voortsukkelen; *buscarse la ~* aan de kost zien te komen; *como si le fuera en ello la ~* alsof zijn leven ervan afhing; *complicarse la ~* moeilijkheden zoeken; *con ~* in leven; *cruzar la ~ de u.p.* iems pad kruisen; *dar ~ a u.p.* iem weer moed geven; *dar la ~ a u.p.* iem heel blij maken, iem genezen; *dar ~ al negocio* leven in de brouwerij brengen; *dar mala ~ a u.p.* iem slecht behandelen; *dar nueva ~ a* nieuw leven inblazen; *darse la gran ~* erop los leven, mooi weer spelen; *de ~* bij leven; *de ~ alegre* (*mbt vrouw*) uit het leven; *de por ~* voor het leven (*benoemd*); *los de toda la ~* de oude getrouwen; *echarse a la ~* in het leven gaan; *en ~* levend, bij leven; *¡en mi vida!* nooit van mijn leven!; *enterrarse en ~* zich levend begraven; *estar con ~* in leven zijn; *ganarse la ~* in zijn bestaan voorzien; *hacer ~ marital* leven als man en vrouw; *jugarse la ~* zijn leven op het spel zetten; *¡mi ~!* lieverd!; *la otra ~* het eeuwig leven; *pasar a mejor ~* sterven; *perdonar la ~* laten leven, (*iems*) leven sparen; *perra ~* rotleven; *¡qué ~ ésta!* wat een leven!; *¿qué es de tu ~?* hoe staat het leven?; *le queda poco de ~* hij zal niet lang meer leven; *quitarse la ~* zich van kant maken; *salir con ~* het er levend afbrengen; *su ~ estaba en un hilo* zijn leven hing aan een zijden draadje; *tener siete ~s como los gatos* heel taai zijn; 2 levensduur; *la ~ de un abrigo* de levensduur van een jas; *~ útil* levensduur (*van een apparaat*); 3 iets belangrijks; iets heerlijks; *para él la música es la ~* muziek is alles voor hem; 4 levendigheid
vidala, vidalita (*Am*) bep weemoedig lied
vidente I *bn* ziende, niet blind; *no ~* visueel gehandicapt, blind; II *m,v* ziener(es)
vídeo I *zn* video; video-opname; *grabar en ~* op video opnemen; II *bn* video-; **videocasete** *m* videocassette; **videocinta** videoband; **videoclub** *m* videotheek; **videófono** videofoon, beeldtelefoon; **videograbación** video-opname; **videograbador** *m* videorecorder; **videojuego** videospel; **video-tape** *m* videoband; **videoteca** videotheek
vidorra luizeleven
vidriado 1 glazuur; 2 geglazuurd aardewerk; **vidriar** verglazen, glazuren; **vidriera** 1 grote ruit, glazen deur; kerkraam; *~ de colores* glas-in-lood-raam 2 (*Am*) etalage; **vidriería** 1 glasblazerij; 2 glashandel; 3 glaswerk; **vidriero, -a** 1 glasblazer; 2 glashandelaar; **vidrio** glas; ruit; *~ ahumado* getint glas; *~ armado* draadglas; *~ de aumento* vergrootglas; *~s emplomados* glas-in-lood (raam), (*Belg*) brandraam; *~ esmerilado* geslepen glas; *~ hilado* glaswol; *~ líquido, ~ soluble* waterglas; *~ de nivel* peilglas; *~ de seguridad* veiligheidsglas; *~ para ventanas* vensterglas; *pagar los ~s rotos* het gelag betalen; **vidriosidad** *v* 1 breekbaarheid; 2 glazigheid; 3 gladheid; 4 hachelijkheid; 5 lichtgeraaktheid; **vidrioso** 1 (breekbaar) als glas; 2 (*mbt oog*) glazig; 3 glad; 4 hachelijk, netelig; 5 overgevoelig, lichtgeraakt
vieira (*Galicië*) Sint-Jakobsschelp (*eetbaar*)
vieja 1 oude vrouw; 2 (*Am, fam, ook:*) meisje; **viejales** *m,v* ouwe kerel, oud mens; **viejecito, -a** oudje; **viejísimo** oeroud; **viejo, -a** I *bn* oud; II *zn* oude man, oude vrouw; *el ~, mi ~* (*fam*) m'n pa; *los ~s* (*fam*) pa en ma, de ouwelui; *~ verde* ouwe bok, ouwe snoeper; *más vale lo ~ conocido que lo nuevo por conocer* je weet wat je hebt, maar niet wat je krijgt
Viena Wenen; **vienés, -esa** Weens
viento 1 wind; *~ alisio* passaatwind; *el ~ amaina, el ~ decae, el ~ disminuye* de wind neemt af; *~ contrario* tegenwind; *~ de costado* zijwind; *~ descendente* valwind; *~ del este* oostenwind; *~ favorable* meewind; *~ flojo* zwakke wind; *~ fuerte* harde wind; *el ~ se levanta* de wind steekt op; *~ del mar* zeewind; *~ en popa* voor de wind, voorspoedig; *~ racheado* rukwind; *~ terral, ~ de tierra* landwind; *ahora soplan otros ~s* de wind waait nu uit een andere hoek; *beber los ~s por* vurig verlangen naar, zich uitsloven voor; *como el ~* vliegensvlug; *contra ~ y marea* door dik en dun; *corre ~, hay ~, hace ~, sopla ~* het waait; *corren malos ~s* de situatie is ongunstig; *le da el ~ de que…* hij vermoedt dat…, het doet hem vermoeden dat…; *echar a u.p. con ~ fresco* iem eruit gooien; *instrumento de ~* blaasinstrument; *no*

hay ~ het is windstil; *publicar a los cuatro ~s* aan de grote klok hangen, rondbazuinen; *quien siembra ~s recoge tempestades* wie wind zaait zal storm oogsten; *tener el ~ de frente* wind tegen hebben; 2 scheerlijn, tui; 3 (*fig*) holheid; *lleno de ~* hol, ijdel
vientre *m* buik; *bajo ~* onderbuik; *hacer de ~* poepen
viernes *m* vrijdag; **Viernes** *m: ~ Santo* Goede Vrijdag
vietnamita Vietnamees
viga balk, bint; *~ transversal* dwarsbalk
vigencia geldigheid, kracht; looptijd; geldigheidsduur; *tener ~* gelden; **vigente** geldig, van kracht; *el orden ~* de heersende orde; *ser ~* gelden
vigésimo I *rangtelw* twintigste; II *zn* twintigste deel
vigía 1 uitkijktoren, uitkijkpost; 2 *m, soms v* iem die uitkijkt, wachtpost; 3 bewakingsdienst
vigilancia 1 bewaking; toezicht; surveillance; *~ de fronteras* grensbewaking; *bajo la ~ de* onder toezicht van; 2 waakzaamheid; *burlar la ~* aan de waakzaamheid ontsnappen; *suprema ~* uiterste waakzaamheid; 3 bewakingsdienst; **vigilante** I *bn* waakzaam; alert; II *m,v* bewaker, bewaakster, surveillant(e); *~ nocturno* nachtwaker; **vigilar** I *tr* bewaken; toezicht houden op; surveilleren; *~ de cerca a u.p.* iems gangen nagaan, iem schaduwen; *~ la leche* op de melk letten; *~ a los niños* een oogje op de kinderen houden; II *intr* waken; posten; **vigilia** 1 (het) waken, wake; nachtwake; 2 (*r-k*) (het) geen vlees eten
vigor *m* 1 kracht; *~ corporal* lichaamskracht; 2 (*fig*) kracht, werking; *entrar en ~* ingaan, in werking treden, van kracht worden; *estar en ~, tener ~* van kracht zijn; *seguir en ~* van kracht blijven; **vigorizante** versterkend; **vigorizar** versterken; **vigoroso** sterk, (levens)krachtig; *lenguaje ~* gespierde taal
vigués, -esa uit Vigo
vigueta staaf
vihuela (*hist*) bep 16e-eeuwse gitaar
vikingo, -a Viking
vil laag(hartig), snood; *el ~ metal* het slijk der aarde
vilano zaadpluis (*bv van paardebloem*)
vileza laaghartigheid
vilipendiar zwartmaken, door het slijk halen; **vilipendio** 1 verachting; 2 vernedering; **vilipendioso** verachtelijk
villa 1 villa; 2 plaats, stad (*van hist belang*)
Villadiego: *tomar las de ~* de benen nemen, met de noorderzon vertrekken
villancico kerstliedje
villanía 1 eenvoudige afkomst; 2 laagheid; **villano** 1 dorps; (*hist*) vd derde stand; 2 boers, onbehouwen; 3 schurkachtig, gemeen
villorrio (*neg*) dorp, oord, gat
vilo: *en ~: a*) (zwevend) in de lucht, zonder steun; *b*) in spanning
vinagre *m* 1 azijn; *~ de vino* wijnazijn; *cara de ~* zuur gezicht; 2 zuurpruim, kniesoor; **vinagrera** azijnflesje; *~s* olie-en-azijnstel; **vinagreta** vinaigrette, slasaus
vinajeras *vmv* (*r-k*) ampullen, kannetjes voor water en wijn; **vinatero, -a** I *bn* vd wijn; II *zn* wijnverkoper, -verkoopster; **vinazo** zware sterke wijn
vincapervinca (*plantk*) maagdenpalm
vinculación *v* koppeling; **vinculado** verbonden, gekoppeld; **vinculante** bindend; **vincular** (*a, con*) koppelen (aan), verbinden (met); *~ en* (*hoop*) vestigen op; **vínculo** band; binding; *~ conyugal* huwelijksband; *~ estrecho* nauwe band; *~s familiares* familiebanden
vindicación *v* 1 wraak; 2 opvordering; **vindicar** 1 wreken; 2 verdedigen; rehabiliteren; 3 (*jur*) terugvorderen; **vindicativo** 1 ter verdediging; 2 wraakzuchtig; **vindicatorio** 1 als wraak dienend; 2 als verdediging dienend; **vindicta** wraak; *~ pública* straf ter voldoening vh rechtsgevoel
vinícola wijn-; wijnbouw-; *producción ~* wijnproduktie; *región ~* wijnbouwstreek; **vinicultor, -ora** wijnbouwer; **vinicultura** wijnbouw; **vinificación** *v* 1 wijnbereiding; 2 gisting van druivesap
vinílico vinyl-; **vinilo** vinyl
vino wijn; *~ blanco* witte wijn; *~ clarete* lichte rode wijn; *~ de mesa* tafelwijn; *~ moscatel* muskaatwijn; *~ nuevo* jonge wijn; *~ de oporto* port; *~ del país* landwijn; *~ peleón* goedkope wijn; *~ del Rin* rijnwijn; *~ rosado* rosé; *~ seco* droge wijn; *~ de solera* heel oude wijn; *~ tinto* rode wijn; *tener el ~ atravesado, tener mal ~* een kwade dronk hebben; *tener buen ~* goed tegen wijn kunnen; **vinoso** 1 als wijn, wijnkleurig; *mancha -a* wijnvlek; 2 drankzuchtig
viña wijngaard; **viñador** *m* wijnbouwer; **viñedo** (grote) wijngaard
viñeta vignet
viola altviool
violáceas *vmv* (*plantk*) vioolachtigen; **violáceo** violet
violación *v* 1 schending; *~ aérea* schending vh luchtruim; 2 verkrachting
violado violet
violador, -ora 1 schend(st)er; overtreder, -treedster; 2 *m* verkrachter; **violar** 1 schenden; *~ la ley* de wet overtreden; 2 verkrachten, zich vergrijpen aan; **violencia** 1 geweld; geweldpleging; gewelddaad; *hacerse ~ para* zich geweld aandoen om; *no ~* geweldloosheid; 2 hevigheid; 3 geforceerdheid; opgelaten gevoel; **violentar** 1 forceren; openbreken; *~ la puerta* de deur forceren; 2 (*fig*) geweld aandoen; **violentarse** zich geweld aandoen; **violento** 1 gewelddadig; hardhandig; wild, driftig, heftig; 2 hevig; 3 bezwaard, genant, penibel, opgelaten; *se me hace ~* het stuit me tegen de borst, ik kan het niet over mijn hart verkrijgen

violeta I *zn* 1 maarts viooltje; 2 *m* violet (*kleur*); II *bn, onv* violet
violín *m* 1 viool; *tocar el* ~ viool spelen; 2 violist(e); *primer* ~ eerste violist || ~ *de Ingres* hobby, stokpaardje; **violinista** *m,v* violist(e); **violón** *m* contrabas; **violoncelista** *m,v* cellist(e); **violoncelo**, **violonchelo** cello
viperino vd adder; als van een slang; *lengua -a* venijnige tong
viracocha *m* (*Am, hist*) Spanjaard
virada wending, draai
virago *v* manwijf, kenau
viraje *m* 1 zwenking; *dar un* ~ *brusco* plotseling uitwijken; *dar un* ~ *a la derecha* naar rechts zwenken; 2 (*fot*) kleurbad; **virar** I *intr* 1 draaien, overstag gaan, zwenken; ~ *de bordo* laveren; 2 (*fig*) omzwaaien; ~ *en redondo* volledig omzwaaien; II *tr* (*fot*) kleuren
virgen I *v* maagd; II *bn* maagdelijk; puur, ongerept; (*mbt geluidsband*) onbespeeld; *selva* ~ oerwoud; **Virgen**: *la* ~ de Maagd Maria; *fiate de la* ~ *y no corras* sloof je (maar) niet uit || *ser de la* ~ *del puño* vreselijk zuinig zijn; *un viva la* ~ een onbekommerd mens; **virginal** I *bn* 1 maagdelijk; puur, ongerept; 2 vd Heilige Maagd; II *m* (*muz*) virginaal; **virginidad** *v* maagdelijkheid; zuiverheid; **virgo** 1 maagdelijkheid; 2 maagdenvlies; **Virgo** (*astrol*) Maagd
virguería tierelantijn
virgulilla klein streepje, komma'tje, cedille
vírico virus-; *infección vírica* virusinfectie
viril mannelijk; **virilidad** *v* mannelijkheid
virología virusleer, virologie
virreina onderkoningin; **virreinal** vd onderkoning; **virreinato** 1 onderkoningschap; 2 onderkoninkrijk; **virrey** *m* onderkoning; *los* ~*es* de onderkoning en -koningin
virtual 1 eigenlijk, feitelijk; stilzwijgend; 2 denkbeeldig, schijnbaar; niet echt bestaand; **virtualmente** feitelijk, zo goed als
virtud *v* deugd; (werkings)kracht; ~ *curativa* geneeskracht; *en* ~ *de* krachtens; *tener la* ~ *de* de goede eigenschap hebben om; **virtuosidad** *v; zie virtuosismo*; **virtuosismo** virtuositeit; **virtuoso**, **-a** I *bn* deugdzaam, eerbaar; II *zn* virtuoos
viruela pokken; ~*s locas* waterpokken; *picado de* ~*s* pokdalig
virulencia virulentie, hevigheid; **virulento** 1 virulent, heftig; 2 van een virus; kwaadaardig; **virus** *m* virus, smetstof
viruta (hout)krul; spaander; ~*s de acero* staalwol; ~*s* (*de madera*) houtwol; (*tablero de*) ~ *prensada* spaanplaat
vis *v*: ~ *cómica* komische kracht
visado visum; ~ *de tránsito* doorreisvisum
visaje *m* grimas, raar gezicht; *hacer* ~*s* gezichten trekken
visar 1 viseren; aftekenen; 2 mikken op
víscera ingewanden; inwendige organen; **visceral** vh inwendige; (*fig*) diep
viscosa viscose; **viscosidad** *v* viscositeit, stroperigheid, taaiheid (*van vloeistof*); **viscoso** stroperig, kleverig, taai
visera 1 vizier; 2 klep (*van pet*); ~ (*contra el sol*) zonneklep
visibilidad *v* 1 zicht; *curva con buena* ~ overzichtelijke bocht; *curva sin* ~ onoverzichtelijke bocht; *volar sin* ~ blindvliegen; 2 zichtbaarheid; **visible** 1 zichtbaar; duidelijk; 2 toonbaar; **visiblemente** zichtbaar, zienderogen
visigodo, **visigótico** Westgotisch, Visigotisch
visillo 1 (*vaak mv*) vitrage; 2 antimakassar
visión *v* 1 (het) zien; gezichtsvermogen; 2 visie; ~ *de* kijk op, visie op; 3 beeld; ~ *de conjunto* overzicht; *una* ~ *general* een algemeen beeld; 4 spook, visioen; *ve -ones* hij ziet ze vliegen; 5 (*fig*) vogelverschrikker, monster; **visionario**, **-a** iem die visioenen heeft
visita 1 bezoek; visite; bezichtiging; ~ *acompañada*, ~ *con guía* rondleiding; ~ *de cortesía*, ~ *de cumplido* beleefdheidsbezoek; ~ *a domicilio*, ~ *domiciliaria* huisbezoek; ~ *de médico* (*iron*) kort bezoekje; ~ *naval* vlootbezoek; ~ *oficial* staatsbezoek, staatsiebezoek; ~ *relámpago* bliksembezoek; *como* ~ *de obispo* heel zelden; *de* ~ op bezoek; *devolver la* ~ een tegenbezoek brengen; *hacer una* ~ *de cortesía a* zijn opwachting maken bij; *pasar* ~ (*mbt arts*): *a*) visites maken; *b*) spreekuur houden; *recibir* ~*s* bezoek ontvangen; 2 inspectie(bezoek); **visitador**, **-ora** 1 bezoek(st)er; ~ *médico* artsenbezoeker; 2 *m* inspecteur; **visitante** I *bn* bezoekend; *profesor* ~ gastdocent; II *m,v* bezoek(st)er; **visitar** 1 bezoeken; 2 (*jur*) (ter plaatse) onderzoeken; inspecteren
vislumbrar vaag zien; enig idee krijgen van; *dejar* ~ laten doorschemeren; **vislumbrarse** vaag zichtbaar worden, schemeren; **vislumbre** *m* glimp; flauw schijnsel; lichte aanwijzing
viso weerschijn; schijn; *hacer* ~*s* (*mbt stof*) changeant zijn, glanzen; *tener* ~*s de* de schijn hebben van || *personalidad de* ~ vooraanstaande persoonlijkheid, VIP
visón *m* nerts
visor *m* (*fot*) zoeker
víspera vooravond; *en* ~*s de* aan de vooravond van
vista 1 gezichtsvermogen; gezicht; (het) zien; blik; ~ *de águila* adelaarsblik; ~ *general* overzicht (*op foto*); ~ *lateral* zijaanzicht; *a la* ~: *a*) zo te zien, ogenschijnlijk; *b*) duidelijk, zichtbaar; *c*) in het vooruitzicht; *d*) op zicht; *a la* ~ *de* in het gezicht van; *a* ~ *de pájaro* in vogelvlucht; *a 10 días* ~ 10 dagen zicht; *a primera* ~ op het eerste gezicht; *a simple* ~ direct al, met het blote oog; *alzar la* ~ de ogen opslaan; *apartar la* ~ zijn blik afwenden; *bajar la* ~ de ogen neerslaan; *clavar la* ~ *en* de blik vestigen op; *corto de* ~: *a*) kortzichtig; *b*) slechtziend, bijziend; *echar la* ~ *a* het oog laten vallen op;

en ~ de gezien, met het oog op; *en ~ de ello* daarom; *estar a la ~* duidelijk zijn; *hacer la ~ gorda a u.c.* iets door de vingers zien, iets oogluikend toelaten; *¡hasta la ~!* tot ziens!; *no perder de ~* niet uit het oog verliezen, in de gaten houden; *pasar la ~ por* zijn ogen laten gaan over, vluchtig lezen; *perderse de ~: a)* uit het oog verdwijnen; *b)* (*fig*) handig zijn; *poner a la ~* tonen; *saltar a la ~* in het oog springen; *sustraer a la ~* aan het oog onttrekken; *tener ~* inzicht hebben, een scherpe blik hebben; *tener buena ~* goede ogen hebben; *¡tierra a la ~!* land in zicht!; *torcer la ~* scheel kijken; *se ve a simple ~* dat zie je zo; *volver la ~ atrás* terugkijken; *volver la ~ sobre* terugkijken op; 2 aanzicht, aanblik; uitzicht, gezicht; *~ aérea* luchtfoto; *~ de atrás, ~ posterior* achteraanzicht; *~ de la ciudad* stadsgezicht; *~ delantera, ~ frontal* vooraanzicht; *~ por encima, ~ superior* bovenaanzicht; *con ~s a* met uitzicht op; *con ~ al mar* met uitzicht op zee; *conocer de ~* van gezicht kennen; *cortar la ~* het uitzicht belemmeren; *es una ~ hermosa* het is een prachtig gezicht; *tener ~s a* uitzicht hebben op; 3 behandeling (*van rechtszaak*); **vistazo** (vluchtige) blik, oogopslag; *al primer ~* op het eerste gezicht; *dar un ~ a* vluchtig bekijken, (even) inzien; **visto** I *bn* gezien; gelet op; *~ bien de cerca* op de keper beschouwd; *¡habráse ~!* wel heb je ooit!; *ni ~ ni oído* in een oogwenk; *nunca ~* ongehoord; *por lo ~* blijkbaar, kennelijk; *sin ser ~* ongezien bekend; *estar bien ~* gewaardeerd worden, goed staan; *estar mal ~* niet horen, een slechte indruk maken; *estar muy ~* erg bekend zijn, afgezaagd zijn; *es algo nunca ~* dat is nog nooit vertoond; *zie ook ver*; II *voegw: ~ que* aangezien; III *zn: ~ bueno* goedkeuring; voor-gezien-verklaring; *conceder el ~ bueno a* zijn goedkeuring hechten aan; *poner el ~ bueno en* voor gezien tekenen; **vistoso** opzichtig; kleurrijk

visual vh gezicht, visueel; *campo ~* blikveld; **visualización** *v* visualisering; **visualizar** visualiseren; zichtbaar maken

vital vh leven, levens-; vitaal; levenskrachtig; *importancia ~* levensbelang; *punto ~* kardinaal punt; **vitalicio** I *bn* voor het leven, levenslang; II *zn* levensverzekering; **vitalidad** *v* 1 vitaliteit, levenskracht; 2 groot belang

vitamina vitamine; **vitaminado** met vitaminen; **vitamínico** vitamine-; *pastilla -a* vitaminetablet

vitela velijn, fijn perkament (*van kalfsleer*)

vitícola vd wijnbouw; **viticultor, -ora** wijnbouwer; **viticultura** wijnbouw, druiventeelt; **vitivinícola** vd wijnbouw; **vitivinicultor, -ora** wijnbouwer; **vitivinicultura** wijnbouw

vitola 1 sigarebandje; 2 uiterlijk; aanblik

vitorear juichen; **vítores** *mmv* hoerageroep, toejuichingen

vítreo van glas; als glas; **vitrificar** 1 tot glas maken, verglazen; 2 er als glas laten uitzien; **vitrificarse** verglazen

vitrina vitrine

vitriolo vitriool

vituallas *vmv* proviand, leeftocht; levensmiddelen

vituperable laakbaar; **vituperación** *v* berisping, afkeuring; **vituperar** vitten op, berispen; **vituperio** verwijt, kritiek

viudedad *v* 1 (het) weduw(naar)schap; 2 (*pensión de*) ~ weduwenpensioen; **viudez** *v; zie viudedad*; **viudo, -a** weduwnaar, weduwe

viva: *¡~!* hoera!; *dar ~s* juichen

vivac *m; zie vivaque*

vivacidad *v* levendigheid

vivalavirgen *m,v* onbekommerd mens, vrolijke Frans

vivales *m* slimmerd, handige jongen

vivaque *m* bivak; **vivaquear** bivakkeren

vivaracho kittig, bijdehand

vivaz kwiek, rap

vivencia belevenis, ervaring

víveres *mmv* levensmiddelen, eetwaren, mondvoorraad

vivero kwekerij; kweekplaats; *un ~ de disgustos* een bron van ellende; *~ de peces* viskwekerij

viveza 1 levendigheid; beweeglijkheid; *dar ~ a* verlevendigen; 2 slimheid; scherpzinnigheid

vivibilidad *v* leefbaarheid; **vivible, vividero** leefbaar; **vivido** (echt) beleefd, meegemaakt; **vividor, -ora** opportunist(e); levensgeniet(st)er

vivienda woning; behuizing; *~ aislada* vrijstaand huis; *~ lacustre* paalwoning; *~ modelo, ~ piloto* modelwoning; *~ particular* woonhuis; *~ protegida, ~ de protección oficial* (*vglbaar*) premiewoning; *~ unifamiliar* eengezinswoning; **Vivienda**: *ministerio de la ~* ministerie van volkshuisvesting

viviente levend; *todo ser ~* ieder levend wezen

vivificación *v* verlevendiging; **vivificar** tot leven wekken; verlevendigen, sterker maken

vivíparo levendbarend

vivir I *intr* leven; *~ (en)* wonen (in); *~ del aire* van de wind leven; *~ en casa de u.p.* inwonen bij iem; *~ en compañía, ~ juntos* samenwonen; *~ y dejar ~* leven en laten leven; *~ al día* bij de dag leven; *~ estrecho* klein behuisd zijn; *~ en la estrechez* armoedig leven; *~ en grande* op grote voet leven; *~ plenamente* in het volle leven staan; *~ de prestado* met (*financiële*) hulp van anderen leven; *~ retirado* teruggetrokken leven; *~ para ver* dat moet ik nog zien; *de mal ~* van laag allooi; *está que no vive* hij zit in doodsangst, hij heeft het niet meer; *ir a ~ con* intrekken bij; *mientras viva* zolang ik leef; *no dejar ~* geen moment met rust laten; II *tr* beleven, meemaken, door'leven

vivisección *v* vivisectie

vivito: *~ y coleando* springlevend

vivo 1 levend; *el ~ retrato de su padre* sprekend zijn vader; *al ~* realistisch (*beschrijven*), plastisch; *como de lo ~ a lo pintado* hemelsbreed (*verschil*); *en* ~ live (*uitzending*), *estar* ~ leven; *lenguas -as* levende talen; *mantener* ~ levend houden; *no aparece ni* ~ *ni muerto* hij is nergens te vinden; 2 levendig; beweeglijk, kwiek; guitig, gevat; pittig; fel, hel, heftig; *un* ~ *partidario de* een warm voorstander van; *a lo* ~ zeer energiek, heftig; *de tonos* ~*s* in levendige kleuren; *ser un* ~ een slimmerik zijn; *ser muy* ~ heel pienter zijn; *tener el genio* ~ heetgebakerd zijn || *lo* ~ de gevoelige snaar, een gevoelig punt

vizcaíno uit Vizcaya (*Biskaje*); **Vizcaya** Biskaje

vizconde *m* burggraaf

v.o. *versión original*

vocablo woord; **vocabulario** woordenschat, vocabulaire; woordenlijst

vocación *v* roeping; *errar la* ~ zijn roeping mislopen

vocal I *bn* vd stem, vocaal; *cuerdas* ~*es* stembanden; II *zn* 1 *v* klinker; 2 *m,v* (stemhebbend) lid (*van een college, raad*); **vocalía** raad, raadgevend lichaam; **vocalista** *m,v* vocalist(e); **vocalizar** zangoefeningen doen

vocativo vocatief, naamval vd aangesproken persoon

voceador, -ora schreeuwer; **vocear** I *intr* schreeuwen; II *tr* 1 luid roepen; (*waren*) luid aanprijzen; 2 van de daken schreeuwen; **voceras** *m,v* schreeuwlelijk; **vocerío** geschreeuw, stemgedruis; **vocero** woordvoerder, spreekbuis; **voces** *zie voz*

vociferación *v* gebrul; **vociferador, -ora** schreeuwer, schreeuwlelijk; **vociferante** schreeuwend, brullend; **vociferar** schreeuwen, bulderen, brullen, tekeer gaan

vocinglero luidruchtig

vodevil *m* vaudeville

vodka *m* wodka

volada (het) één keer vliegen, vlucht; **voladero** 1 kunnende vliegen; 2 vluchtig, snel voorbij; **voladizo** (*bouwk*) 'uitstekend, vooruitspringend; **volado**: *estar* ~ onrustig zijn, zich niet op zijn gemak voelen, zich schamen; **volador, -ora** I *bn* vliegend; II *m* 1 vliegende vis; 2 soort inktvis; 3 (*Am*) soort laurierboom; 4 vuurpijl; **voladura** (het) opblazen; explosie; **volandas**: *en* ~: *a*) zonder de grond te raken, door de lucht; *b*) vliegensvlug; **volandera** molensteen; **volandero** 1 niet vast, beweeglijk; (*fig*) rondvliegend; (*mbt pijn*) af en toe optredend; *hoja -a* vlugschrift; 2 toevallig, onvoorzien; **volante** I *bn* vliegend; *pez* ~ vliegende vis; *plato* ~ vliegende schotel; II *m* 1 briefje; *un* ~ (*del médico para el especialista*) een verwijsbriefje; 2 strooiblad; 3 stuur (*van auto*); *el dominio del* ~ de macht over het stuur; *sentarse al* ~ achter het stuur gaan zitten; 4 vliegwiel; 5 shuttle; *juego del* ~ badminton; 6 strook (*aan rok; van formulier*); 7 onrust, wieltje in uurwerk

volapié *m* bep wijze van doden (*in stieregevecht*)

volar ue I *intr* 1 vliegen; *volando* vliegensvlug; ~ *sin motor* zweefvliegen; *echar a* ~ (*bericht*) rondstrooien; *echarse a* ~ opvliegen, uitvliegen (*ook fig*); *ir volando* (*fig*) vliegen; *¡voy volando!* ik ren al!; *el tiempo pasa volando* de tijd vliegt; 2 exploderen, in de lucht vliegen; 3 wegvliegen, verdwijnen; opraken; II *tr* opblazen, in de lucht laten vliegen; **volarse ue** opvliegen, wegvliegen; opwaaien; **volátil** vluchtig; *una sustancia* ~ een substantie die vervliegt; **volatería** gevogelte; **volatilidad** *v* vluchtigheid; **volatilizar** doen vervliegen; **volatilizarse** vervliegen; verdwijnen

volatín *m* acrobatiek; **volatinero, -a** acrobaat, acrobate

volavérunt: *¡~!* (*iron*) mispoes!, 't is weg!

volcán *m* 1 vulkaan; *estar sobre un* ~ op een vulkaan leven; 2 vurige hartstocht; **volcánico** 1 vulkanisch; *ceniza -a* vulkaanas; 2 vurig

volcar ue I *tr* omgooien, omstoten, doen kantelen, (om)kiepen; omverpraten; II *intr* kantelen, omkiepen, kapseizen; **volcarse ue** 1 kantelen, omvallen, tuimelen; 2 zijn uiterste best doen, hemel en aarde bewegen, zich uitsloven

volea volley, (het) terugslaan vd bal; **volear** 1 (*de bal*) met de hand terugslaan; 2 zaaien (*met strooibeweging*); **voleibol** *m* volleybal; **voleo**: *a* ~, *al* ~: *a*) in de vlucht (*opvangen*); *b*) uit de hand (*zaaien*); *c*) uit de losse pols, lukraak

volframio wolfraam

volición *v* wilshandeling, wilsuiting; **volitivo** vd wil; *fuerza -a* wilskracht

volován *m* vol-au-vent, pastei(tje)

volquete *m* kiepkar; *caja* ~ kiepbak; *interruptor de* ~ tuimelschakelaar

volt *m* volt; **voltaje** *m* voltage; **voltámetro** voltameter, stroomsterktemeter

voltear (steeds) omkeren; doen draaien; kiepen, omgooien, in de lucht gooien, omverwerpen; **voltearse** (*Am*) van partij veranderen; **volteo** 1 (het) doen draaien, (het) omgooien; 2 klokgelui; 3 (*paardesp*) volte; **voltereta** buiteling, bokkesprong; radslag; *dar* ~*s* duikelen

voltímetro voltmeter, potentiaalverschilmeter; **voltio** volt

volubilidad *v* veranderlijkheid; **voluble** veranderlijk

volumen *m* 1 omvang; volume; ~ *cúbico* kubieke inhoud; ~ *de negocios,* ~ *de ventas* omzet; 2 (boek)deel, band; *reunir en un* ~ (*artikelen*) bundelen; **voluminoso** omvangrijk, volumineus; lijvig

voluntad *v* wil; wilskracht; zin, verlangen; gezindheid; ~ *férrea,* ~ *de hierro* een ijzeren wil; ~ *firme* sterke wil; ~ *de poder* verlangen naar macht; *a* ~ naar smaak, naar verkiezing; *con la mejor* ~ *del mundo* met de beste wil vd wereld; *contra su* ~ tegen zijn wil, tegen zijn zin; *de buena* ~ van goede wil, gewillig; *enajenarse la* ~ *de u.p.* iem tegen zich in het harnas jagen;

fuera de mi ~ buiten mijn wil; *ganarse la* ~ *de u.p.* iem voor zich winnen; *hacer su* ~ zijn zin doen, zijn gang gaan; *hágase tu* ~ Uw wil geschiede; *imponer su* ~ zijn wil opleggen, zijn zin doordrijven; *mala* ~ kwade wil, onwil; *por (su) propia* ~ vrijwillig, uit vrije wil; *tener buena* ~ van goede wil zijn; *tener buena* ~ *a u.p.* iem goed gezind zijn; *tener mala* ~ *a u.p.* iem slecht gezind zijn, gebeten zijn op iem; *tener poca* ~ weinig wilskracht hebben; *su última* ~ (*soms mv*) laatste wil, testament; **voluntariado** (*mil*) vrijwillige dienstneming; **voluntariedad** *v* vrijwilligheid; **voluntario, -a** I *bn* vrijwillig; opzettelijk, gewild; II *zn* vrijwillig(st)er; **voluntariosidad** *v* eigenzinnigheid; **voluntarioso** 1 eigenzinnig, nukkig; 2 vol goede wil; **voluntarista** *m,v* doorzetter

voluptuosidad *v* wellust; intens genot; **voluptuoso** 1 gelukzalig, zinnenstrelend; weelderig; 2 wellustig, wulps

voluta iets spiraalvormigs; voluut; (*fig*) spiraal

volver ue I *tr* 1 omkeren, omdraaien; keren; ~ *lo de arriba abajo* alles op zijn kop zetten, de onderste steen boven halen; ~ *la vista* omkijken, de blik afwenden; 2 doen worden, maken; ~ *en* veranderen in; ~ *loco* gek maken; II *intr* 1 terugkeren, teruggaan; ~ *al tema* op het onderwerp terugkomen; *volviendo a lo de...* om nog even terug te komen op...; ~ *andando* terug lopen; ~ *de* terugkomen op (*een besluit*); ~ *en sí* bij kennis komen; ~ *por* opkomen voor; ~ *sobre* terugkomen op (*een onderwerp*); ~ *sobre sí* tot zichzelf komen, tot bezinning komen; *ahora vuelvo* ik ben zo terug; *le ha vuelto* het is weer mis met hem; *para no* ~ voorgoed (voorbij); 2 ~ *a* + *onbep w*, ~ *a* + *zn* weer, opnieuw (*doen*); ~ *a abrir* heropenen; ~ *a la carga* opnieuw aanvallen; ~ *a casarse* hertrouwen; ~ *a llamar* terugbellen; *ha vuelto a llover* het is weer gaan regenen; *no volverá a pasar* het zal niet meer gebeuren; **volverse ue** I *zelfst ww* zich omdraaien; ~ *atrás (de)* terugkomen (*op een besluit*), zich bedenken, (de zaak) terugdraaien; ~ *contra* zich keren tegen; II *koppelww:* ~ (+ *bn*), ~ (+ *zn*) worden; ~ *loco* gek worden; *es para* ~ *loco* het is om tureluurs van te worden

vomitar braken, overgeven; (*fig*) uitbraken; ~ *fuego* vuur spuwen; ~ *sangre* bloed spuwen; *me da ganas de* ~ ik word er misselijk van; **vomitera** *zie vomitona*; **vomitivo** braakmiddel; **vómito** 1 (het) braken; 2 braaksel; **vomitona** (het) hevig braken; **vomitorio** 1 braakmiddel; 2 brede uitgang (*van theater, arena*)

voracidad *v* gulzigheid, vraatzucht; gretigheid

vorágine *v* draaikolk, maalstroom

voraz gulzig, vraatzuchtig; gretig

vos (*Am*) jij; **voseo** (*Am*) (het) met *vos* aanspreken; (*vglbaar*) (het) tutoyeren

vosotros, -as *pers vnw* 1 jullie; 2 (*na vz*) jullie; *os dio a* ~... aan jullie gaf hij...

votación *v* stemming; ~ *nominal* hoofdelijke stemming, (*Belg*) naamstemming; ~ *secreta* geheime stemming; **votante** *m,v* kiezer; **votar** I *intr* stemmen; ~ *en contra* tegen stemmen; ~ *por: a)* stemmen op; *b)* stemmen voor; ~ *a favor*, ~ *en pro* voor stemmen; ~ *en pro de* stemmen voor; II *tr* stemmen over; ~ *una propuesta* over een voorstel stemmen; **voto** 1 (*pol*) stem; ~ *de calidad*, ~ *dirimente* beslissende stem; ~ *de censura*, ~ *de desconfianza* motie van wantrouwen; *los* ~*s empatan* de stemmen staken; ~ *pasivo* passief kiesrecht; ~ *preferencial* voorkeurstem; (*derecho de*) ~ kiesrecht; *hacer* ~*s* duimen; *hacer* ~*s por* wensen, hopen; *obtenir* ~*s, reunir* ~*s* stemmen krijgen; *veinte* ~*s a favor* twintig stemmen vóór; 2 gelofte; ~ *de religioso* kloostergelofte; 3 wens; ~ *de felicidad* gelukwens; 4 vloek; *echar* ~*s* vloeken

voy *zie ir*

voz *v* 1 stem; ~ *ahogada*, ~ *empañada* gesmoorde stem; *la* ~ *cantante* (*muz*) de melodie; ~ *cavernosa* grafstem; ~ *de mando* commando; *a una* ~ eenstemmig; *a* ~ *en cuello*, *a* ~ *en grito* luidkeels; *a dos voces* tweestemmig; *a media* ~ halfluid, gedempt; *a toda* ~ op zijn hardst; *alzar la* ~, *levantar la* ~ zijn stem verheffen; *cambiar de* ~, *mudar de* ~, *tener la* ~ *en transición* van stem veranderen, de baard in de keel hebben; *con* ~ *cascada* met gebroken stem; *dar* ~ *a* uiten, uiting geven aan; *dar voces al viento* tegen een muur praten; *de viva* ~ mondeling; *disfrazar la* ~ zijn stem veranderen; *en* ~ *alta* hardop, luid; *en* ~ *baja* zachtjes; *estar en* ~ bij stem zijn; *llevar la* ~ *cantante* het hoogste woord hebben; *leer en* ~ *alta* voorlezen; *se le rompió la* ~ haar stem stokte; *ser de pública* ~ algemeen bekend zijn; *tener la* ~ *tomada* schor zijn; 2 kreet, schreeuw; *voces* geschreeuw, geroep; *a voces* luid; *dar voces, pegar voces* schreeuwen; *pedir a* ~ schreeuwen om (*ook fig*); 3 gerucht; *corre la* ~ het gerucht gaat; 4 spreekrecht; *con* ~ *y voto* met spreeken stemrecht, volwaardig; *no tener* ~ *ni voto* niets in te brengen hebben; *tener* ~ *en el capítulo* een stem in het kapittel hebben; 5 woord; ~ *guía* (*mv voces guía*) trefwoord; **vozarrón** *m* (zware) bromstem, stentorstem

vuelco (het) omslaan; *dar un* ~ omslaan, te gronde gaan; *le dio un* ~ *el corazón* zijn hart stond stil, zijn hart sprong op

vuelo 1 (het) vliegen, vlucht; ~ *en ala delta* deltavliegen; ~ *chárter* chartervlucht; ~ *espacial* ruimtevlucht; ~ *de línea* lijnvlucht; ~ *sin motor* zweefvliegen, zweefvlucht; ~ *en picado* duikvlucht; ~ *de prueba* proefvlucht; ~ *de reconocimiento* verkenningsvlucht; ~ *regular* geregelde vlucht; ~ *remolcado* sleepvlucht; ~ *a vela* zweefvlucht, (het) zweefvliegen; *al* ~ in de vlucht; *a todo* ~ op volle kracht; *alzar el* ~, *levantar el* ~ opvliegen, uitvliegen; *cazar al* ~ opvangen (*ook fig*), doorhebben; *cortar los* ~*s a u.p.* iem afremmen, kortwieken; *de altos* ~*s*

vol

belangrijk, ambitieus; *de mucho* ~ belangrijk; *en un* ~ vliegensvlug; *no tener bastante* ~ *para* (*mbt persoon*) niet berekend zijn op, niet het formaat hebben voor; *personal de* ~ vliegend personeel; *se puede oír el* ~ *de una mosca* je kunt een speld horen vallen; *tomar* ~(*s*) op gang komen, belangrijk worden; 2 wijdte (*van rok*)

vuelta 1 terugkeer; retour; (het) omkeren, draai; omwenteling; ~ *de campana: a*) salto; *b*) (het) over de kop slaan; ~ *de carnero* koprol, kopjeduiken; ~ *a casa* thuiskomst; ~ *a la escena* come-back; *a la* ~ bij terugkeer; *a la* ~ *de* na verloop van; *a la* ~ *de los años* met het verstrijken der jaren; *a* ~ *de correo* per omgaande; *dar la* ~: *a*) geld teruggeven; *b*) (*mbt auto*) keren; *dar la* ~ *a* (*jas*) omkeren; *dar una* ~ *a* (*sleutel*) omdraaien; *dar* ~*s*: *a*) *intr* (rond)draaien, cirkelen; *b*) *tr* draaien, wentelen; *dar* ~*s a*: *a*) om en om draaien; *b*) nadenken over, piekeren over; *dar* ~*s en la cabeza* door het hoofd spoken; *darse* ~*s* zich steeds omdraaien, woelen; *dar* ~ *al corro* de kring rondgaan; *dar una* ~ *de campana* over de kop slaan; *dar cien* ~*s a* ver overtreffen; *dar media* ~ een halve draai maken, zich omkeren; *de* ~ terug; *de* ~ *de todo* blasé; *en una* ~ *de manos* in een handomdraai; *estar de* ~ *de* alles afweten van, het wel gezien hebben; *me da* ~*s la cabeza* het duizelt me; *no hay que darle* ~*s* het is beter de zaak te laten rusten, langer nadenken heeft geen zin; *por más* ~*s que se le dé* hoe je het ook wendt of keert; *recibir de* ~ terugkrijgen (*na betalen*); *¿tiene* ~ *de fls 25?* hebt u terug van f 25?; *traer de* ~ terugbrengen; 2 ronde; rondje; (*breien*) pen, toer; (*techn*) toer, omwenteling; winding; ~ *en coche* autorit; *una* ~ *del derecho y una del revés* een pen recht, een pen averecht; *la* ~ *a Francia* de tour de France; *la* ~ *al mundo en 80 días* de reis om de wereld in 80 dagen; *dar una* ~ een eindje omlopen; *dar la* ~ *a*: *a*) om (*iets*) heen lopen; *b*) (*bladzijde*) omslaan; *primera* ~ voorronde; *sacar a u.p. una* ~ *de ventaja* (*sp*) iem een lap bezorgen; 3 ommezijde, achterkant; zoom, omslag; *a la* ~ *de la esquina* om de hoek, vlakbij; *dar la* ~ *a la esquina* de hoek omgaan; (*véase*) *a la* ~ zie ommezijde; 4 (*paardesp*) volte || *andar a* ~*s con* in de weer zijn met; *buscar las* ~*s a u.p.* iem proberen te vangen; *coger las* ~*s a u.p.* iem doorkrijgen; *no tener* ~ *de hoja* zo klaar als een klontje zijn; *poner de* ~ *y media a u.p.* iem de mantel uitvegen; *y* ~ *a...* en (*daar begon hij*) weer...; **vuelto** omgekeerd; ~ *de espaldas* met de rug naar iem toe; *zie ook volver*

vuestro *bez vnw* jullie; van jullie

vulcanizar vulkaniseren

vulgar 1 ordinair, plat(vloers), laag-bij-degronds, vulgair; 2 gewoon, alledaags; *latín* ~ vulgair Latijn; **vulgaridad** *v* 1 platvloersheid, grofheid; 2 alledaagsheid; **vulgarismo** platte uitdrukking; **vulgarización** *v* verbreiding onder het volk; *de* ~ *científica* populair-wetenschappelijk; **vulgarizar** verspreiden, verbreiden; gemeengoed maken; **vulgo** volk, grote massa; (de) leken

vulnerabilidad *v* kwetsbaarheid; **vulnerable** kwetsbaar; **vulnerar** aantasten; inbreuk maken op; schaden; **vulnerario** voor wonden; *polvos* ~*s* wondpoeder

vulpeja vos

vulva vulva, schaamspleet

w *uve doble v* (*letter*) w
walkman *m* walkman
wat *m* watt
water *m* wc; **water-closet** *m* wc
waterpolista *m,v* waterpolospeler, -speelster; **waterpolo** waterpolo
watt *m* watt
weekend *m* weekend
welter *m* (*bokssp*) weltergewicht
western *m* cowboyfilm, western
whisky *m* whisky
wigwam *m* wigwam
windsurf *m* (het) windsurfen
wolfram *m* wolfram; **wolframio** wolfram

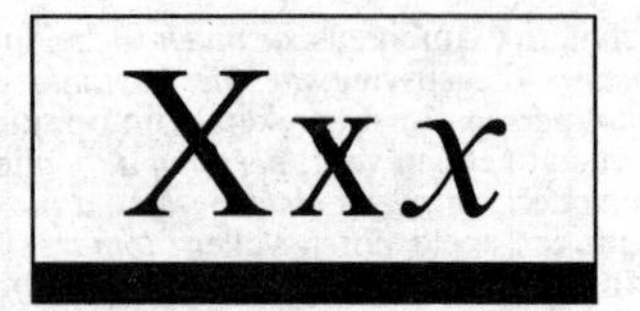

x *equis v* (*letter*) x; *rayos* ~ röntgenstralen; *sala* ~ pornobioscoop
xenofilia goede gezindheid jegens vreemdelingen; **xenofobia** afkeer van vreemdelingen, vreemdelingenhaat; **xenófobo, -a** vreemdelingenhater, -haatster
xerófilo (*plantk*) bestand tegen droogte
xerografía xerografie
xeroftalmía bep oogontsteking
xilófago houteter, houtwurm
xilofonista *m,v* xylofonist(e); **xilofón** *m* xylofoon; **xilófono** xylofoon
xilografía houtsnede; **xilógrafo** houtsnijder

1 y *i griega v* (*letter*) y
2 y *voegw* (*wordt e voor i of hi*) en; (*soms*) maar
ya 1 al, reeds; ~ *está* het is (al) klaar; ~ *lo sé* dat weet ik al, dat weet ik best; ~ *no* niet meer; 2 nu, inmiddels, eenmaal; eindelijk; ~ *llegó el momento* eindelijk is het zover, nu is het zover; ~ (*lo*) *veo* nu begrijp ik het; *¿~ ves?* zie je nou wel?; 3 (nog) wel; ~ *veremos* we zullen wel zien; 4 dadelijk, zo; ~ *voy* ik kom zo, ik kom eraan; 5 ~...~ hetzij...hetzij; 6 *¡~!* aha! juist!; *¡~, ~...!* (*iron*) ja, ja...; 7 ~ *que* aangezien, daar || *¡~!* (klaar,) af!; ~ *lo creo* nou en of, en hoe, natuurlijk; *¿cómo se dice ~?* hoe zeg je dat ook weer?
yac *m* (*dierk*) jak
yacer 1 liggen; 2 rusten (*in graf*); 3 ~ (*con*) de coïtus bedrijven (met); **yacija** legerstede; **yacimiento** laag, vindplaats; ~ *de minerales* ertslaag
yagua (*Am*) yaguapalm
yaguar *m*; *zie jaguar*
yak *m*; *zie yac*
yámbico jambisch; **yambo** jambe
yanqui *m,v* yankee
yarará *v* (*Am*) bep gifslang
yaraví *m* (*Am*) droevig lied
yarda yard (*0,914 m*)
yate *m* (zeil)jacht; ~ *motorizado* motorjacht
yayo, -a (*fam*) opa, oma, grootvader, -moeder
yazgo *zie yacer*
yegua merrie; **yeguada** troep paarden
yeísmo (het) uitspreken van ll als y
yelmo helm
yema 1 (eier)dooier, eigeel; 2 ~ (*del dedo*) vingertop
yemení, yemenita uit Jemen, Jemenitisch
yen *m* yen, munteenheid van Japan
yendo *zie ir*
yerra (*Am*) (het) brandmerken (*van vee*)
yerba 1 (*Am*): ~ (*mate*) mate-thee; 2 marihuana, weed; *zie ook hierba*
yergue *zie erguir*
yermo 1 onbebouwd, kaal, woest; 2 onbewoond
yerno, -a schoonzoon, -dochter
1 yerro fout, vergissing
2 yerro *zie errar*
yerto stijf (*bv van kou*)
yesca tonder; *arder como la* ~ branden als een lier
yeso 1 gips, pleister; 2 gipsafgietsel
yet *m* jet
yidish *m* jiddisch
yiu-yitsu *m* jiu-jitsu
yo I *pers vnw* ik; ~ *que tú* als ik jou was; II *zn* ik
yodo jodium
yoga *m* yoga
yogur *m* yoghurt
yola jol
yonky, yonqui *m,v* junk
yoqui *m* jockey
York: *jamón m de* ~ gekookte ham
yoyo jojo
yuca 1 yucca; 2 cassave, maniok
yucateco uit Yucatán (*Mexico*)
yudoca *m* judoka; **yudogui** *m*; *zie yudoca*
yugo juk
yugoeslavo, yugoslavo Joegoslavisch; **Yugoslavia** Joegoslavië
yugular I *bn*: *vena* ~ halsader; II *v* halsader; III *ww* (*fig*) de nek omdraaien
yungla *zie jungla*
yunque *m* aanbeeld
yunta span (ossen); **yuntero** boer die werkt met een span ossen
yute *m* jute
yuxtaponer naast elkaar plaatsen; **yuxtaposición** *v* (het) naast elkaar plaatsen
yuyuba (*plantk*) jujube

Zzz

z *zeta* (*letter*) z
zafarrancho 1 (*scheepv*) (het) ruimte maken aan boord; ~ *de limpieza* voorbereidingen voor schoonmaak; 2 rotzooi (*waarbij dingen vallen en breken*); 3 ruzie
zafarse (*de*) afkomen (van), zich losmaken (van), zich onttrekken (aan), ontduiken
zafiedad *v* lompheid; **zafio** lomp, onbehouwen
zafiro saffier
zafra suikeroogst
zaga achterste deel; *a* (*la*) ~, *en* ~ achteraan; *ir en* ~ *de u.p.* bij iem achterblijven, voor iem onderdoen
zagal, **-ala** 1 jongeman, meisje; 2 herder(in); **zagalón**, **-ona** boom van een jonge kerel, stoere jonge vrouw
zaguán *m* (voor)portaal, vestibule
zaguero I *bn* achteraankomend; II *zn* (*sp*) achterspeler, back
zahareño stug, schuw
zaherimiento (het) kwetsen; **zaherir ie**, **i** kwetsen
zahína sorghum, kafferkoren, gierst
zahones *mmv* leren bovenbeenbeschermers (*jagers-, herderskleding*)
zahorí *m* 1 wichelroedeloper; waarzegger; 2 scherpzinnig man
zahúrda zwijnestal; krot
zaino 1 (*mbt paard*) bruin; (*mbt rundvee*) zwart; 2 verraderlijk
zalagarda 1 tumult; 2 hinderlaag, list
zalea gelooide schapehuid met wol, schapevacht
zalema vleierij, strijkage; **zalamería** vleierij, geflikflooi; *hacer* ~*s* vleien; **zalamero** vleierig, zoetsappig, aanhalig
zamarra (korte jas of vest van) schapevacht; **zamarrear** 1 (door elkaar) schudden; 2 slaan, afrossen; **zamarreo** 1 (het) door elkaar schudden; 2 mishandeling; pak slaag
zamba (*Am*) samba (*dans*)
zambo, **-a** I *bn* met x-benen; II *zn* 1 iem met x-benen; 2 (*Am*) kind van neger(in) en Indiaan(se); 3 *m* (*Am*) soort baviaan
zambomba (*muz*) rommelpot; **zambombazo** ontploffing, hevige klap
zambra rumoerig feest, kabaal; ~ *gitana* zigeunerfeest met dans
zambullida duik, onderdompeling; **zambullir** onderdompelen; ~*se* plonzen, duiken, een duik nemen; wegduiken; ~*se en el trabajo* in zijn werk duiken
zamorano uit Zamora
zampabollos *m,v* 1 vreetzak; 2 lomperik; 3 onnozele hals
zampar 1 plonzen, dompelen; 2 smijten; **zamparse** 1 neerploffen; 2 (*fam*) verzwelgen, wegwerken, opschrokken; 3 ongevraagd binnenkomen
zampeado fundering (*in moerassig terrein*), heiwerk; **zampear** fundering leggen, heien
zampoña panfluit
zanahoria wortel, peen
zanca 1 lange poot (*van vogel*); 2 (*fam*) stelt, lang been, lange poot (*van mens, dier*); **zancada** grote stap; *de dos* ~*s* in twee grote stappen; **zancadilla** (het) beentje lichten; *dar la* ~ (*iem*) uit zijn baan wippen; *echar la, una* ~ *a u.p.* iem beentje lichten, iem tekkelen; **zanco** stelt; **zancudo**, **-a** I *bn* 1 (*mbt vogels*) met lange poten; *aves -as* steltlopers; 2 (*mbt mens*) met lange benen; II *zn* 1 langbeen; 2 *m* (*Am*) langpootmug
zanganería luiheid; **zángano**, **-a** I *zn* 1 nietsnut; 2 *m* (*dierk*) dar; II *bn* lui; **zangolotino** lange slungel
zanja geul, greppel, sleuf; sloot; **zanjar** (*problemen*) oplossen, een eind maken aan; ~ *la cuestión* de knoop doorhakken
zanquilargo, **-a** langbeen, spillebeen
zapa 1 korte schep; 2 greppel, sleuf; mijngang; **zapador** *m* sappeur
zapallo (*Am*) eetbare kalebas
zapapico houweel; **zapar** loopgraven maken in, ondergraven
zapata 1 ~ (*de freno*) remschoen; 2 (*hist*) schoen tot halverwege de kuit; 3 steunblok, steunplaatje; **zapatazo** 1 klap met een schoen; *tratar a* ~*s* hardvochtig behandelen; 2 (*scheepv*) heftige klap van zeil; **zapateado** (Sp dans met) hakkengetrappel; **zapatear** 1 met schoenen op de grond trappelen (*bv in dans*); 2 (*iem*) mishandelen, vertrappen; 3 (*mbt konijn*) stampen; **zapateo** (het) trappelen (*in dans*); **zapatería** 1 schoenmakerij; 2 schoenwinkel; **zapatero**, **-a** I *zn* schoenmaker, schoenmakersvrouw; *¡~ a tus zapatos!* schoenmaker, hou je bij je leest!; ~ *remendón* schoenlapper; II *bn* (*mbt peulvruchten, aardappelen*) taai, hard; **zapateta** sprong waarbij met de hand tegen de schoen geslagen wordt; **zapatiesta** ruzie, tumult; **zapatilla** 1 sportschoen; schoentje; ~*s* (*de*) *ballet* balletschoentjes; 2 pantoffel; 3 stukje leer (*aan eind van biljartkeu, aan degenpunt*); leertje (*in kraan*); **zapato** schoen; ~ *de footing* trimschoen; ~*s llanos* schoenen met platte hakken; ~ *de tenis* tennisschoen; *limpiarse los* ~*s* zijn voeten vegen; *saber donde le aprieta el* ~ weten waar hem de schoen wringt
zape: *¡~!* 1 ksst, scheer je weg! (*tegen kat*); 2 lieve hemel!; **zapear** (een kat) wegjagen
zapote *m* 1 sawoe(boom); 2 sawoe(vrucht)
zapoteca (*hist, Mexico*) vd Zapoteken, Zapoteeks

zaque *m* kleine wijnzak
zaquizamí *m* klein optrekje (*kamer, stulp*)
zar *m* tsaar
zarabanda 1 sarabande; 2 geraas
zaragata drukte, geraas; ruzie; **zaragatero, -a** druktemaker, -maakster; ruziezoek(st)er
zaragozano, -a I *bn* uit Zaragoza; II *zn* 1 iem uit Zaragoza; 2 *m* bep almanak; (*vglbaar*) Enkhuizer almanak
zaragüelles *mmv* wijde lange broek (*van folkloristisch kostuum*)
zaranda zeef; **zarandajas** *mmv* futiliteiten, onzin, apekool; **zarandear** 1 zeven; 2 door elkaar schudden; 3 van het kastje naar de muur sturen; **zarandillo** spring- in-'t-veld
zarcillo 1 oorring; 2 (*plantk*) hechtrank
zarco helderblauw
zarevich *m* tsarevitsj; **zariano** vd tsaar; **zarina** tsarina; **zarismo** tsarisme; **zarista** tsaristisch
1 zarpa klauw; *echar la* ~ zijn klauwen uitslaan
2 zarpa (het) lichten vh anker
zarpada haal (met klauw); **zarpar** (het) anker lichten, uitvaren; **zarpazo** haal (met klauw)
zarrapastroso onverzorgd, smerig, haveloos
zarza braamstruik; **zarzal** *m* braambos, met bramen begroeid terrein; **zarzamora** 1 braam (*vrucht*); 2 braam(struik); **zarzaparrilla** soort struik (*medicinaal gebruikt*)
zarzo plat rieten vlechtwerk
zarzuela 1 zarzuela, (*Sp*) operette; 2 ~ (*de pescado*) Sp gerecht van gemengde vis; **zarzuelero** vd zarzuela; **zarzuelista** *m,v* componist(e) van zarzuelas
zas: *¡~!* pats!
zascandil *m* (*fam*) bemoeial, kwast; **zascandilear** (nutteloos) rondscharrelen; zich met alles bemoeien; **zascandileo** (het) overal zijn neus insteken; (het) rondhangen
zeda *minder gebruikelijke naam voor de letter z*
zedilla *zie cedilla*
zéjel *m* bep Spaans-Arabisch middeleeuws gedicht
zenit *m; zie cenit*
zepelín *m* zeppelin
zeta *zie z*
zigzag *m* zigzag; **zigzaguear** slingeren, zigzaggen
zinc *m; zie cinc*
zipizapa *m* geharrewar, ruzie
zócalo 1 onderstuk, sokkel; plint; 2 onderste deel van muur; 3 (*in Mexico*) centraal plein
zoco soek (*markt in Arabische landen*)
Zodiaco, Zodíaco dierenriem; *los signos del* ~ de tekens van de dierenriem
zona 1 zone, gebied, streek; *la* ~ *afectada* het getroffen gebied; ~ *azul* blauwe zone, parkeerzone; ~ *de baja presión* lagedrukgebied; ~ (*climatológica*) klimaatzone; ~ *costera* kuststreek; ~ *esteparia* steppegebied; ~ *franca* vrijhandelszone; ~ *fronteriza* grensgebied; ~ *industrial* industriegebied; ~ *marítima-terrestre* openkust-zone (*die bij springvloed nog onderloopt*); ~ *tope* bufferzone; ~ *verde* groenstrook; 2 (*med*) gordelroos; **zonal** zonaal; **zonificación** *v* indeling in zones
zonzo (*fam*) saai, suf, sullig
zoo *m* dierentuin; **zoología** zoölogie, dierkunde; **zoológico** dierkundig, zoölogisch; *parque* ~ dierentuin; **zoólogo, -a** zoöloog, -loge
zoom *m: objetivo* ~ zoomlens
zootecnia kennis vh fokken van huisdieren
zopas *m,v* iem die slist
zopenco onhandig, pummelig, traag
zopilote *m* (*Am*) soort gier
zoquete I *m* 1 stukje hout; 2 homp oud brood; 3 pummel, botterik; II *bn* traag van begrip, bot
zorcico bep Baskische dans
zorongo 1 bep Andalusische dans en lied; 2 boerenhoofddoek; 3 platte wrong
zorra 1 vrouwtjesvos; 2 (*fam*) hoer, slet; 3 (*fam*) dronkenschap; *dormir la* ~ zijn roes uitslapen; 4 lage platte kar; **zorrera** 1 vossehol; 2 rokerig vertrek; **zorrería** sluwheid; sluwe streek; **zorro** I *zn* 1 vos; ~ *azul* blauwe vos, poolvos; ~ *plateado* zilvervos; 2 (*mbt persoon*) sluwe vos, gladjanus; *un viejo* ~ een oude rot; 3 ~*s* soort plumeau || *hecho un* ~ vreselijk slaperig; *hecho unos* ~*s* doodmoe, op; II *bn* sluw, geslepen, gehaaid, listig; **zorrón** *m* sluw mens; **zorrona** hoer; **zorruno** vd vos, vosse-
zortziko *zie zorcico*
zorzal *m* merel
zote dom, onnozel
zozobra 1 onrust, ongerustheid; 2 (het) omslaan van een schip, schipbreuk; **zozobrar** 1 kapseizen, schipbreuk lijden; 2 mislopen
zueco klomp
zulú *m,v* Zoeloe
zumaque *m* bep tanninehoudende struik
zumaya 1 soort uil; 2 bep steltloper
zumba grap, scherts
zumbador, -ora I *bn* zoemend; II *m* zoemer; **zumbar** I *intr* zoemen, gonzen; (*mbt motor*) ronken; (*mbt pijl*) snorren; *me zumban los oídos* mijn oren suizen; *pasar zumbando* (*mbt verkeer*) voorbijrazen; II *tr* 1 (*een klap*) verkopen; 2 bespotten; **zumbido** gegons; geronk; zoemtoon; ~ *de oídos* oorsuizing
zumbón, -ona spottend
zumo sap; ~ *de fruta* vruchtesap; ~ *de naranja* sinaasappelsap, jus d'orange
zunchar met ijzeren banden verstevigen; **zuncho** ijzeren band, ring, hoepel, beugel
zurcido (het) stoppen (*van kousen*); stopwerk; **zurcidor, -ora** iem die (*sokken*) stopt; ~ *de voluntades* koppelaar(ster); **zurcir** 1 (*sok*) stoppen; doorstoppen; 2 handig (*leugens*) combineren || *¡que te zurzan!* vlieg op!
zurda linkerhand; **zurdo, -a** I *bn* links; *mano -a* linkerhand; *a -as: a*) met de linkerhand; *b*) net verkeerd; *no ser* ~ handig zijn; II iem die links is
zurito (*mbt duif*) in het wild levend

zurra 1 (het) leerlooien; 2 (*fam*) pak rammel; **zurrado** (het) looien
zurrapa bezinksel, droesem; iets vies; **zurrapiento, zurraposo** troebel, met veel droesem
zurrar 1 looien; 2 (*fam*) slaan; ~ (*la badana*) ervan langs geven, van katoen geven
zurriago zweep
zurriburri *m* 1 gespuis, schorriemorrie; 2 luidruchtig gezelschap
zurrón *m* leren knapzak (*van herders*)
zurubí *m* (*Am*) bep zoetwatervis
zurullo, zurullón *m* 1 klontje (*in pap*); 2 drol
zutano, -a dinges, die-en-die